OLJE SELECTIONS
33

카라마조프네 형제들 2

사단법인 olje

올재의 꿈

올재는 지혜나눔을 위해 2011년 9월 설립된 비영리 사단법인입니다. 올재는 설립 이래로 인문 고전과 문화 예술에 담긴 지혜와 아름다움을 나눔으로 세상을 변화시키기 위해 지혜나눔의 행렬을 이어 왔습니다.

첫 번째 지혜나눔은 인문 고전 도서 출간 프로젝트였습니다. 올재는 인문 고전을 종이책 〈올재 클래식스〉에 담아 2,900원가로 한정 보급해 왔으며, 전체 발행 부수의 20%는 전국 도서관과 고전을 접하기 어려운 취약 계층에 기부하며 고전 대중화에 앞장서 왔습니다. 지난 11년간 올재는 100만 권의 고전 출간과 20만 권의 도서 기부로 지혜나눔의 사명과 비전을 실천해 왔으며, 현재는 〈올재 셀렉션즈〉 및 〈올재 전자책〉으로 도서 출간 사업을 이어가고 있습니다.

두 번째 지혜나눔은 인문 고전 오디오북 및 영상을 제공하는 지혜플랫폼 프로젝트입니다. 올재는 출간을 넘어 영상·오디오북·강연·모임 등 더욱 확장된 매체를 통해 지혜와 세상을 연결합니다. 올재 유튜브 채널 〈지혜공작소〉에서는 양질의 인문학 도서를 오디오북 콘텐츠로 제작해 무료 배포하며, 문학·역사·예술·철학 등 인문학 소재를 토대로 제작된 영상 콘텐츠를 공개하고 있습니다.

올재는 모든 세대와 모든 일상에 부합하는 인문 지혜 콘텐츠를 제공함으로 모두가 함께 더 지혜로워지는 세상을 꿈꿉니다.

유튜브에서 '올재 지혜공작소'를 검색해 보세요.
인문 고전 오디오북 및 영상을 만나실 수 있습니다.

Share the wisdom. Change the world.

사단법인 olje

올재의 벗

〈올재 셀렉션즈〉《카라마조프네 형제들 2》 발행에 소요되는 제반 비용 상당액은 지혜나눔 취지에 적극 공감한 후원자 여러분의 도움으로 마련됐습니다. 국내 최대의 서점 교보문고는 유통에 도움을 주셨습니다. 표지 제호를 재능 기부해 주신 캘리그라피연구소 술통 대표 강병인 님께 감사드립니다. 귀한 번역본을 남겨 주신 고 이동현 선생님께 감사를 전하며, 아울러 선친의 글을 올재에서 펴낼 수 있도록 허락해 주신 자제분들께도 깊이 감사드립니다.

〈올재 셀렉션즈〉는 판매 수익금이 전액 지혜나눔에 쓰이는 시리즈로, 〈올재 클래식스〉로 한정 발행된 도서 가운데 독자들의 재발간 요청이 뜨거운 책들을 선별해 다시 편집하고 손질하여 펴내는 책들입니다. 지혜나눔을 위해 각종 후원을 받아 2,900원이란 낮은 가격으로 판매되었던 〈올재 클래식스〉 시리즈보다는 다소 높은 가격에 판매하는 대신 판매로 얻어지는 수익이 모두 공익을 위해 다시 쓰입니다. 〈올재 셀렉션즈〉를 통해 주옥 같은 고전도 읽으면서 지혜나눔에도 동참하시기 바랍니다.

정기 후원과 일반 후원으로 올재의 지혜나눔에 참여하세요.
올재의 벗들이 심은 작은 홀씨가 전국 곳곳에 인문 고전의 꽃으로 피어납니다.

올재 후원함 | 예금주 사단법인 올재
하나은행 162-910013-46904

후원 문의처 | 올재 사무국
ⓣ 02)720-8278 ⓗ www.olje.or.kr ⓔ oljeclassics@olje.or.kr @olje.official

지혜나눔을 함께한 벗들

KYOBO 교보문고

강병인글씨연구소 Kang Byung In Calligraphy Institute

차 례

카라마조프네 형제들 1

차 례

카라마조프네 형제들 2

제11편 이반 표도로비치

제12편 오판誤判

에필로그

일러두기

1. 번역은 한글을 원칙으로 하나, 역자의 의도를 존중하여 필요한 경우 외래어 표기를 남겨 둔다. 대신 일부 외래어 이해를 돕기 위해 원어와 한자 등을 병기했다.

2. 본문 중에 다음과 같은 부호를 사용한다.
   - 번역 저본에서 본문에 쓰인 괄호는 그대로 표기하였고, 역자 주는 본문 안의 작은 고딕체 글씨 또는 각주로, 편집자 주는 *로 표시
   - 대화나 직접 인용은 " "으로, 부분 인용이나 강조하고자 하는 말은 ' '으로 표시
   - 장편의 시·소설 등의 도서명과 일간지·문예지명 따위는 《 》으로, 단편의 시·소설·희곡 등의 도서명과 오페라·발레·그림 등 예술 작품명 따위는 〈 〉으로 표시
   - 동격의 개념을 가진 단어는 ( )으로 작게 표시하고, 음이 다른 단어는 〔 〕으로 표시

등장인물

표도르 파블로비치 : 카라마조프네 가장
드미트리(미챠, 미첸카, 미치카) : 맏아들
이반(바냐, 바네치카, 반카) : 둘째 아들
알료샤(알렉세이, 알료쉬카) : 셋째 아들

아젤라이다 이바노브나 미우소바 : 표도르의 첫 아내
소피야 이바노브나 : 둘째 아내

그리고리 바실리예비치 쿠투조프 : 하인
마르파 이그나치예브나 : 그리고리의 아내
스메르쟈코프(파벨 표도르비치) : 요리사
라자베타 스메르쟈시차야 : 스메르쟈코프의 어머니

카체리나 이바노브나 베르호프체바(카챠, 카첸카, 카치카) : 드미트리의 약혼자
호흘라코바 부인 : 과부
리자(리즈) : 딸
그루셴카(아그라페나 알렉산드로브나 스베틀로바, 그루샤, 그루쉬카) : 드리트리의 애인
라키친(미하일 오시포비치, 미샤, 라키트카) : 신학생. 그루셴카의 사촌
삼소노프(쿠지마 쿠지미치) : 그루셴카의 보호자

조시마 : 수도원 장로
입폴리트 키릴로비치 : 검사
니콜라이 파르페노비치 넬류도프 : 예심 판사
페츄코비치 : 변호사

표트르 일리치 페르호친 : 관리
스네기료프(니콜라이 일리치) : 퇴역 대위

아리나 페트로브나 : 스네기료프의 아내
바랴(바르바라), **니나**(니노치카), **일류샤** : 스네기료프의 아이들
다르다넬로프 : 일류샤의 학교 선생님
콜랴 크라소트킨, 스무로프, 카르타셰프 : 일류샤의 학교 친구들

러시아의 인명

《카라마조프네 형제들》을 비롯한 러시아 장편 소설을 처음으로 대하는 한국 독자들은, 하나의 등장인물에 대한 호칭이 책 한쪽 안에서조차 두세 가지 다른 이름으로 표기되어 나오는 데 당혹감을 느낄 것이다. 러시아인의 정식 인명은 이름(세례명), 아버지의 이름을 나타내는 부칭父稱, 성씨의 순으로 표기한다. 이와는 별도로 세례명의 변형인 애칭愛稱이라는 것도 널리 사용되고 있다. 이 소설의 주요 등장인물들을 예로 들어 인명 사용의 실제를 간단히 적기로 한다.

애칭	이름	부칭	성	가족관계
페챠, 페치카	표도르	파블로비치	카라마조프	카라마조프네 가장
미챠, 미첸카	드미트리	표도로비치	카라마조프	맏아들
바냐, 바첸카	이반	표도로비치	카라마조프	둘째 아들
알료샤, 알료쉬카	알렉세이	표도로비치	카라마조프	셋째 아들
카챠, 카첸카	카체리나	이바노브나	성씨는 작품에 미기재	드미트리의 약혼녀
그루셴카, 그루쉬카	아그라페나	알렉산드로브나		드미트리의 애인

1) 정식·공식 호칭으로는 이름·부칭·성을 다 붙여서 부른다.
2) 사적으로 예의를 갖춰 존대해야 할 대상은 이름과 부칭을 함께 부른다. 우리말의 '씨'나 '님' 같은 것은 없다.
3) 특별히 배려할 필요가 없는 대상은 이름만 부른다.
4) 사랑스럽거나 친밀감을 느끼게 하는 어린이와 젊은이는 부칭 없이 애칭만 부른다. 세례명마다 조금씩 다른 뉘앙스를 지닌 애칭이 두세 가지씩 있다.

카라마조프네 형제들

Brat'ya Karamazovy

Dostoevsky, Fedor Mikhaylovich

제8편 미챠

1. 쿠지마 삼소노프

한편, 그루셴카가 새 생활을 향해 달려가면서, 자기의 마지막 인사를 전하도록 '명령'했고, 또 자기가 사랑을 바쳤던 짧은 한때를 평생 잊지 말아 달라고 간청한, 바로 그 상대방인 드미트리 표도로비치는 그때 그녀에게 일어난 변화에 대해서는 아무것도 모르고 역시 무서운 혼란과 초조 속에서 허둥거리고 있었다. 후에 그 자신도 말한 바와 같이, 지난 이틀 동안 그는 상상도 할 수 없는 심적 상태에 있었기 때문에, 이러다가는 뇌막염을 앓게 되지나 않을까 염려될 지경이었다. 전날 아침엔 알료샤도 그를 찾아낼 수 없었고, 이반도 같은 날 계획했던 요리점에서의 형과의 회견을 성취시키지 못하고 말았다. 하숙집 사람들이 그의 명령에 따라 그 행방을 아무에게도 말하지 않았던 것이다.

드미트리 자신의 말을 빈다면, 이 이틀 동안 '운명과 싸워 자기 자신을 구하기 위해' 문자 그대로 사방팔방을 뛰어 돌아다녀야만 했다. 뿐만 아니라 단 1분간이라도 그루셴카에게서 감시의 눈을 떼고 어딜 간다는 것은, 그에겐 지극히 두려운 일이었음에도 불구하고, 어떤 긴급한 용무 때문에 몇 시간 동안 읍내를 떠나기까지 했었다. 이 모든 일은 그 후에 아주 상세하게 기록의 형식으로 밝혀진 바 있지만, 지금은 그의 운명 위에 벼락처럼 떨어져 내려 온 그 무시무시한 파국이 있기 직전의 이틀 동안—그의 생애에 있어 가장 무서운 이틀 동안에 일어난 일들 중에서 특히 필요한 부분만을 사실 그대로 간단하게 기술하기로 하겠다.

그루셴카는 얼마 안 되는 짧은 기간이나마 진정으로 그를 사랑했던 것만은 사실이다. 그러나 한편으로는 그를 괴롭히기도 했다. 사실 어떤 때는 잔인하고 무자비할 정도로 그를 괴롭히는 일도 있었다. 그에게 무엇보다도 고통스러웠던 것은 여자의 의향을 전혀 추측할 수 없다는 점이었다. 여자의 비위를 맞추거나 또는 강압적인 방법으로 유혹한다는 것도 역시 불가능한 일이었다. 그런 방법으로는 그녀가 좀처럼 굴복하지 않을뿐더러 오히려 화가 나서 아주 등을 돌려 버리리라는 것쯤은 그도 이미 잘 알고 있었다. 그 당시 그는 지극히 당연한 의혹을 품고 있었는데, 그것은 다름 아니라, 그녀 역시 어떤 내부적인 투쟁을 경험하고 있는 것이 아니라, 무엇을 몹시 망설이고 있는 것이나 아닐까, 무엇을 단행하려 하고 있으면서도 결심을 못 하고 있는 것이나 아닐까, 하는 점이었다. 그렇기 때문에 드미트리가, 그녀는 이따금 자기처럼 정욕에 불타는 사내를 증오할 것임이 틀림없다 하는 생각이 들어, 심장이 서늘해짐을 느끼곤 한 것도 근거 없는 일은 아니었다.

사실이 그러했을지도 모른다. 과연 무엇 때문에 고민하고 있는지 그는 전혀 알 길이 없었다. 그를 괴롭히는 모든 문제는, 결국 그 여자가 '자기를, 즉 미챠를 택할 것이냐, 아니면 아버지 표도르 파블로비치를 택할 것이냐'라는 두 가지 의문으로 압축할 수 있는 것이었다. 말이 나온 김에 여기서 한 가지 확고한 사실을 제시할 필요가 있을 것 같다. 그는 아버지 표도르가 그루셴카에게 정식 결혼을 신청할 것임이 틀림없다고 (아직도 신청하지 않았다면) 확신하고 있었다. 그 늙은 호색꾼이 3천 루블이라는, 돈만으로 여자를 낚을 수 있으리라 생각하고 있다고는 한 번도 믿어 본 적이 없었다. 미챠가 이런 결론을 내린 것은 그루셴카의 사람됨과 그 성격을 잘 알고 있었기 때문이다. 따라서 그루셴카의 고민이나 주저 역시, 부자父子 중 어느 쪽을 택할 것인가, 어느 쪽이 자기에게 유리할 것인가를 결정짓지 못하는 데 기인하는 것이라고, 이따금 미챠가 생각한 것도 결코 무리가 아니었다.

기묘한 일이기는 하지만, 미챠는, 그 '장교', 즉 그루셴카의 생애에 일대 전환을 일으킨 사나이, 그루셴카가 흥분과 공포 속에서 그 도착을 기다리고 있던 사나이에 대해서는 요 며칠 동안 전혀 생각해 본 일조차 없었다. 하기는 그루셴카가 요즘에 미챠에게 그 사나이에 대해서 한마디도 입 밖에 내지 않은 것은 사실이지만, 그녀가 한 달 전에 옛 유혹자로부터 편지를 받았다는 것은 그도 잘 알고 있었고, 또한 편지의 내용도 어느 정도 알고 있었다. 그 당시 그루셴카는 짓궂은 생각에서 그에게 그 편지를 보여 주었지만, 이상하게도 그는 그것을 대수롭게 여기지 않았었다. 그 까닭을 설명하기란 용이한 일이 아니다. 어쩌면 이 여자를 대상으로 하는 그들 부자지간의 추악하고 무서운 싸움에 너무나 시달리고 지쳐서, 적어도 당장에는 이보다 더 무섭고 더 위험한 사태가 발생하리라고는 상상도 할 수 없었기 때문인지도 모른다. 5년 동안이나 자취를 감추고 있다가 별안간 어디선가 튀어나왔다는 그 사나이의 존재 같은 것은 도무지 믿으려고도 하지 않았다. 더욱이 그 사나이가 곧 찾아오리라고는 도저히 생각할 수도 없는 일이었다. 뿐만 아니라, 미챠한테 보여 준 그 '장교'의 첫 번째 편지에는, 이 새로운 경쟁자의 내방來訪에 대해서 극히 막연하게밖엔 쓰여 있지 않았다. 게다가 전체적으로 보아, 그 편지는 너무나 모호하고 과장적이고, 또한 감상적인 어귀로 가득 차 있었다. 여기서 한 가지 지적해 둘 것은, 그때 그루셴카가 그 사나이의 도착 예정일을 약간 구체적으로 적어 놓은 끝부분의 몇 줄을 미챠에겐 보여 주지 않았다는 사실이다. 뿐만 아니라, 시베리아에서 보내온 그 편지에 대하여 오만한 경멸의 빛이 그 순간 그루셴카의 얼굴에 떠오른 것을 미챠는 재빨리 알아챌 수 있었던 것같이 생각되었던 것이다. 그 후 그루셴카는 이 새로운 경쟁자와 자기와의 관계가 어떻게 진행되고 있는지를 미챠에게 전혀 알려 주지 않았다. 그래서 시간이 경과함에 따라 미챠는 이 장교의 존재를 까맣게 잊어버리게 되었던 것이다.

그는 다만 이런 생각만을 하고 있었다—앞으로 무슨 일이 일어나더라도, 정세가 어떻게 변하더라도, 표도르 파블로비치와의 최후적인 충돌은 이미 눈앞에 다가와 있으므로 우선 이 문제부터 먼저 해결을 보게 될 것이다. 그는 가슴이 꺼져 드는 것 같은 심정으로 그루셴카의 결심을 초조하게 기다리고 있었다. 그리고 그 결심은 어떤 정신적 충동으로 뜻하지 않은 때에 순식간에 이루어질 것이라고 굳게 믿고 있었다. 만약에 그녀가 느닷없이 '나를 어디로든지 데리고 가 주세요. 나는 영원히 당신 거예요'라고 말한다면, 만사는 그것으로 끝을 맺는 것이다. 그는 얼른 그녀의 손을 움켜쥐고 이 세계의 끝으로 끌고 갈 것이다. 그렇다, 될 수 있는 대로 빨리, 될 수 있는 대로 멀리 데리고 가야 한다. 비록 이 세상 끝까지는 못 가더라도 러시아의 끝까지라도 데리고 가서 그 여자와 결혼하여 여기 사람들이나 거기 사람들이나 아무것도 모르게 둘이 숨어서 살기로 하자. 오오, 그때야말로 아주 새로운 생활이 시작되는 것이다!

이렇게 전혀 다른 갱생更生된 생활, '떳떳한' 새 생활('무슨 일이 있어도 반드시 떳떳한 생활이라야만 한다')을 그는 감격과 함께 끊임없이 공상해 왔다. 그는 이러한 부활과 갱생을 갈망하는 것이었다. 처음엔 자기가 좋아서 빠져들어 간 더러운 시궁창에 이제는 견딜 수 없을 만큼 고통을 느끼게 되었으므로, 그도 역시 이러한 처지에 놓인 대다수의 인간이 으레 생각하는 것처럼, 무엇보다도 거주지의 변경에 희망을 걸고 있었던 것이다. 이따위 인간들만 없다면, 이따위 환경만 아니라면, 이따위 저주스런 고장을 떠나 버리기만 한다면…… 모든 것은 순식간에 갱생하여 새로운 인생의 길로 들어설 수 있는 것이다! 이것이 그의 희망이었고 동경이었다.

그러나 이것은 이 문제가 '행복한' 해결을 보게 되는 제일의 경우에 지나지 않았다. 이와는 다른 또 하나의 해결, 또 하나의 무서운 결과를 예상할 수도 있는 것이다. 만약에 그녀가 느닷없이 '돌아가 주세요, 나는 방금 표도르 파블로비치와 원만히 타협이 되어 그이하고 결혼하기로 했으니, 당신은 필요 없어요'라고 말한다면…… 그때는…… 그때는…… 그러나 그때는 어떻게 할 것인지, 그것은 미챠 자신도 몰랐다. 최후의 순간까지도 몰랐던 것이다. 이 점은 그를 위해 밝혀 둘 필요가 있다. 그에겐 뚜렷한 계획이라곤 없었다. 범죄 행위 같은 건 생각해 보지도 않았다. 그는 밀정처럼 뒤를 쫓아다니면서 감시를 하느라고 괴로워하고 있었으나, 그래도 제일의 행복한 해결을 예상하고, 거기 대한 준비만을 서두르고 있었다. 뿐만 아니라 그 밖의 모든 상념을 억지로 물리치려고까지 했다. 그런데 이때 그와는 전혀 다른 종류의 고통거리가 이미 싹트고 있었다. 전혀 새로운, 근본적인 문제는 아니지만 역시 치명적인, 도저히 해결할 길이 없는 곤란한 사정이 발생했던 것이다.

그것은 다름 아니라, 만약에 그 여자가 '나는 당신 거예요. 어디로든지 나를 데리고 달아나 주세요'라고 그에게 말하는 경우, 어떻게 해서 그 여자를 끌고 달아날 것인가? 그것을 결행하는 데 필요한 수단, 즉 돈을 어디에서 구한단 말인가? 하는 문제였다. 여태까지 몇 해 동안에 걸쳐 표도르 파블로비치한테서 받아 오던 돈이 바로 이때 한 푼도 없이 다 떨어져 버렸기 때문이다. 물론 그루센카는 돈을 가지고 있다. 그러나 그 점에 관해서는 미챠의 마음에 갑자기 놀랄 만한 프라이드가 고개를 쳐들고 일어났다. 그는 자기 힘으로 여자를 끌고 도망가서, 여자의 돈이 아니라 자기 돈으로 새 생활을 꾸미고 싶었던 것이다. 따라서 여자의 돈을 쓴다는 것은 상상도 할 수 없는 일이었다. 그런 일은 생각만 해도 몸서리쳐지는 혐오를 느끼는 것이었다. 그러나 여기서는 이 사실을 부연하거나 분석하는 따위 일은 그만두기도 하고, 다만 그 당시의 그의 심경이 어떠했는가 하는 것만을 기술하기로 하겠다. 그렇잖아도 카체리나 이바노브나의 돈을 날치기와 다름없는 수법으로 착복한 데에 대한 남모르는 양심의 가책을 받고 있었으므로, 그에게 이러한 생각이 간접적으로, 또한 무의식적으로 일어났다는 것은 얼마든지 있을 수 있는 일이다. '한쪽 여자에 대해서 이미 비열한 놈이 되어 버렸는데, 또 그런 짓을 했다가는 다른 한쪽 여자에 대해서까지 비열한 놈이라는 비난을 받을 게 아닌가.' 그 자신이 후에 고백한 것처럼, 그는 그때 이렇게 생각했던 것이다. '그루센카도 그걸 들으면, 그따위 비열한 사내는 상대도 않겠다고 할 것이다.'

'그렇다면 이 돈을 어디서 구한단 말인가? 이 운명적인 돈을 대체 어디서 마련한단 말인가? 만일 돈을 마련하지 못하면, 그때는 모든 일이 와해되어 버릴 것이며, 모든 일이 수포로 돌아가 버릴 것이다. 그것도 돈이 없다는 한 가지 이유 때문에 그렇게 된다면 이 얼마나 수치스런 일이냐!'

한 가지 앞질러 말해 두지만, 그는 이 돈을 어디서 마련할 것인지 미리부터 알고 있었을지도 모른다. 아니, 그 돈이 들어 있는 곳까지도 알고 있었을는지 모른다. 그러나 여기 대해서는 더 이상 자세히 설명하지 않기로 하겠다. 나중에 죄다 명백히 나타나게 될 테니까. 하지만 그의 가장 큰 불행은 바로 이 점에 있었으므로, 어렴풋이나마 몇 마디 부언해 둘 필요가 있을 것 같다. 즉, 지금 어딘가에서 잠자고 있는 돈을 손에 넣기 위해선, 그 돈을 손에 넣을 수 있는 '권리를 얻기' 위해서는 우선 카체리나에게 3천 루블을 반환해야만 한다. 그렇게 하지 않으면 '나는 그야말로 날치기가 되어 버린다, 악당이 되어 버린다, 나는 악당으로서 새 생활을 시작하고 싶지는 않다'고 미챠는 결심했던 것이다. 그렇기 때문에, 만약에 필요하면 전 세계를 뒤엎는 한이 있더라도, 그 3천 루블만은 '무엇보다도 먼저' 카체리나에게 꼭 갚아야겠다고 생각했다. 그가 최종적으로 이렇게 결심하게 된 것은 말하자면 그의 생애에서의 최후의 몇 시간, 즉, 이틀 전, 저녁에 길에서 알료샤와 마지막으로 만났을 때였다. 그것은 그루셴카가 카체리나에게 모욕을 준 직후의 일이었는데, 미챠는 그 얘길 알료샤한테서 듣고는 자기가 악당임을 자인하고, '만일 그것으로 카체리나의 마음이 어느 정도 풀어질 수만 있다면' 자기는 악당이란 명칭을 기꺼이 받아들이겠다는 뜻을 카체리나에게 전해 달라고 부탁했었다. 그날 밤 동생과 헤어진 후 그는 미칠 듯이 흥분하여, '누구를 죽여서 강탈하는 한이 있더라도 카챠의 돈만은 꼭 갚아야겠다'고 생각했다. '비록 내 손에 죽어 돈을 빼앗긴 사람에 대해서, 그리고 세상 사람들에 대해서 살인강도로 낙인이 찍혀 시베리아로 유형流刑되는 한이 있더라도, 카챠의 입에서 '저 사나이는 나를 배반했을 뿐만 아니라, 내 돈을 훔쳐 가지고 그 돈으로 떳떳한 생활을 시작하겠다고 그루셴카와 도망을 쳤다'라는 말만은 죽어도 듣고 싶지 않다. 그것만은 정말 참을 수 없다!' 미챠는 이를 갈면서 이렇게 중얼거렸다. 그리고 자기 자신도 어떤 때는 이러다가는 정말 뇌막염을 일으킬지 모른다는 생각이 들 지경이었다. 그러면서도 그는 아직도 투쟁을 계속하고 있었다.

그런데 한 가지 이상한 점이 있다. 이렇게 결심한 이상 그에게 남은 것은 절망밖엔 없을 것이라고 누구나가 생각할 것이다. 그도 그럴 것이, 알몸 하나밖엔 없는 그가 대체 어떻게 3천 루블이라는 큰돈을 갑자기 마련할 수 있겠는가. 그런데도 그는 그 3천 루블이 자기 손에 들어올 것이라고, 하늘에서 뚝 떨어지듯 저절로 굴러들어 올 것이라고, 최후의 순간까지 희망을 잃지 않고 있었다. 사실 드미트리처럼 상속받은 돈을 물 쓰듯 써 왔을 뿐, 돈을 어떻게 버는가에 대한 아무런 관념도 없는 인간에게는 흔히 이런 생각이 일어나는 법이다. 이틀 전의 일이지만, 알료샤와 헤어지자마자 터무니없는 공상의 회오리바람이 그의 머릿속에 일어나서 모든 생각을 뒤죽박죽으로 만들어 버렸다. 그리하여 그는 더없이 무모한 일에 착수하게 된 것이다. 그러나 이런 인간이 이런 경우를 당하게 되면, 도저히 불가능한 꿈같은 일도 쉽사리 성공할 것같이 생각되는 것인지도 모른다.

그는 갑자기 그루셴카의 보호자 격인 삼소노프라는 상인을 찾아가서, 어떤 '계획'을 제시하고, 그 '계획'을 담보로 하여 필요한 금액을 한꺼번에 끌어내리라 결심했다. 이 계획의 상업적인 가치에 대해서는 의심할 여지도 없는 것 같았다. 다만 삼소노프가 상업적인 견지를 떠나서 자기의 이 엉뚱한 행동을 어떻게 볼 것인가 하는 것만이 문제였다. 미챠는 이 상인의 얼굴을 알고 있었으나 아직 가까이 사귄 일도 없거니와 서로 말을 주고받은 일도 없었다. 그런데도 무엇 때문인지 꽤 오래전부터 그는 다음과 같은 신념을 품고 있었다. 즉, 그루셴카가 만약 '믿음직한' 남자와 결혼하여 결백한 생활을 하고 싶다고 한다면, 이미 죽음을 눈앞에 둔 이 늙은 호색꾼도 결코 반대하지는 않을 것이다. 아니, 반대하기는커녕 오히려 그것을 희망하고 있는지도 모른다, 그리고 기회만 있으면 자진해서 조력을 아끼지 않을지도 모른다, 이렇게 믿고 있었다. 무슨 소문이라도 누구한테서 들었는지, 아니면 그루셴카가 하는 말을 듣고 그렇게 추측하게 되었는지, 어쨌든 미챠는 이 노인이 그루셴카를 위해 표도르 파블로비치보다는 자기 쪽을 권할 것이라는 결론까지 내렸던 것이다.

이 이야기를 읽는 대부분의 독자는 이런 조력을 미리 계산에 넣고서 자기가 반한 여자를 그 보호자의 손에서 탈취하려는 드미트리의 행위를 지나치게 난폭하고 무모한 짓이라고 생각할지 모른다. 그러나 여기서 내가 말할 수 있는 것은, 미챠의 눈으로 볼 때 그루셴카의 과거는 이미 완결된 지 오랜 것으로 보였다는 점이다. 그는 여자의 과거 생활에 무한한 동정을 느끼고 있었다. 그래서 일단 그루셴카의 입에서 '나는 당신을 사랑해요, 나와 결혼해 주세요'라는 말이 떨어지기만 하면, 그 순간부터 그녀는 곧 전혀 새로운 그루셴카로 변하고, 드미트리 자신도 아주 새로운 인간으로 변하여, 모든 악행과 손을 끊고 선행만을 일삼으며, 서로의 죄를 용서하고 전혀 새로운 생활을 시작할 수 있을 것이라고, 불같이 타오르는 정열을 기울여 혼자서 결정하고 있었다. 쿠지마 삼소노프에 대해서 말한다면, 드미트리는 이 노인을 이전의 타락했던 그루셴카의 생활에 있어서의 숙명적인 인간으로 보고 있었다. 그러나 그녀는 이 노인을 사랑한 적이 한 번도 없을뿐더러, 노인 또한 이제는 '과거'의 사람이 되어 사내구실을 다한 형편이므로, 지금은 이미 존재하지 않는 거나 다름없다고 미챠는 생각했다. 뿐만 아니라 미챠는 이 노인을 인간으로 간주할 수조차 없었다. 왜냐하면, 이 고장 사람이면 누구나가 다 알고 있듯이 이 노인은 병든 폐인에 지나지 않으며, 그루셴카에 대해서도 다만 아버지 비슷한 관계를 유지하고 있을 뿐, 결코 이전과 같은 기초 위에는 서 있지 않았기 때문이다. 더욱이 이런 상태는 다 꽤 오래전부터, 약 1년 전부터 계속되어 왔던 것이다.

그렇다고는 하지만 이러한 미챠의 행동에는 지나치게 순진한 면이 다분히 있었다. 사실 그는 여러 가지 결점을 지니고 있기는 했지만 원래는 지극히 순진하고 단순한 인간이었다. 그 순진성 때문에 그는 진지한 마음으로 다음과 같이 확인하고 있었다—쿠지마 노인은 지금 저승으로 떠날 날을 앞두고 그루셴카와의 과거를 진심으로 후회하고 있을 것이므로, 이제는 무해한 존재가 되어 버린 이 노인 이상으로 친절한 보호자나 친구가 그루셴카에겐 없는 셈이다. 이렇게 그는 생각했던 것이다.

알료샤와 들판에서 만나 이야기하고 나서 미챠는 그날 밤 거의 한잠도 자지 못했으나, 이튿날 아침 열 시경에는 삼소노프네 집을 찾아가서, 하인에게 자기가 왔다는 것을 보고하라고 했다. 이 집은 굉장히 넓고 음산한 낡은 이층집이었는데, 뜰 안에는 여러 채의 부속 건물과 바깥채 등이 널려 있었다. 아래층에는 이미 처자를 거느린 삼소노프의 두 아들과 늙을 대로 늙은 그의 누이동생, 그리고 아직 출가 전인 그의 딸이 살고 있었다. 바깥채에는 점원 두 사람이 들어 있었는데, 그중 하나는 역시 많은 식구를 거느린 사람이었다. 이렇게 아래층과 바깥채에서는 자녀들과 점원들이 비비적거리며 살고 있었는데도 노인 자신은 혼자서 이층을 차지하고, 자기 병구완을 해 주는 딸까지도 거기서 기거하지 못하게 했다. 그래서 딸은 일정한 시각 이외에도 아버지가 때를 가리지 않고 누르는 초인종이 울릴 때마다, 오래된 천식으로 고통을 받고 있었음에도 불구하고 아래층에서 위층으로 뛰어 올라가야 했다.

위층에는 상인 계급의 오랜 풍습에 따라 꾸며진 커다란 방들이 여러 개 있었다. 벽 밑에는 마호가니로 된 볼품없는 안락의자와 보통 의자가 길고 단조롭게 줄을 이루고, 유리 샹들리에는 갓이 씌워져 있고, 창문과 창문 사이에는 몇 개의 거울이 음산하게 빛을 발하고 있었다. 그러나 이 모든 방들은 하나같이 텅 비어 있어 인기척조차 없었다. 그것은 병중에 있는 늙은 주인이 구석진 자기의 조그만 침실에만 들어박혀 있었기 때문이다. 병실에는 머리에 수건을 두른 노파가 시중을 들고 있었는데, 그 밖에 '젊은 아이'라고 불리는 소년 하나가 옆방 긴 의자에 앉아서 언제나 대기하고 있었다. 노인은 다리가 부어올라 보행이 거의 불가능했다. 기껏해야 이따금 가죽을 씌운 안락의자에서 몸을 일으켜 노파의 부축을 받으며 한두 바퀴 방 안을 도는 정도였다. 그는 이 노파에게도 엄격하게 대했고 말도 별로 하지 않았다.

'대위님'이 찾아왔다는 보고를 듣자, 그는 당장에 쫓아 버리라고 명령했다. 그러나 미챠는 끈덕지게 면회를 청하며 한 번 더 주인한테 말씀드려 보라고 했다. 삼소노프는 '젊은 아이'에게 '꼴이 어떻더냐? 술을 마신 것 같진 않던? 행패를 부릴 것 같진 않아?' 하고 자세히 물었다. 그리고 '술은 마신 것 같지 않은데, 아무리 말해도 돌아가려 하지 않습니다'라는 대답을 들었으나, 노인은 또다시 거절하라고 명령했다. 미챠는 이런 경우를 예상하고 종이와 연필을 미리 준비해 가지고 왔기 때문에, 곧 종이쪽지에다 큼직한 글씨로 '아그라페나 알렉산드로브나와 밀접한 관계가 있는 중대 문제에 관해서 말씀드릴 일이 있습니다'라고 한 줄 적어서 노인한테 들여보냈다.

노인은 잠깐 생각하고 나서, 손님을 홀로 안내하라고 '젊은 아이'한테 명한 후, 아래층에 있는 작은아들한테 노파를 내려보내서 곧 위층으로 올라오도록 전했다. 이 작은아들 키가 2미터 이상이나 되는 거인으로, 힘이 장사였는데, 수염을 곱게 깎아 버리고 독일식 옷차림을 하고 있었다. (삼소노프 자신은 러시아식 카프탄Caftan[1]을 입고 턱수염을 기르고 있었다) 아들은 아무 소리 않고 곧 올라왔다. 이 집 식구들은 아버지 앞에선 모두들 후들후들 떨었다. 노인은 '대위'에 대한 두려움 때문에 이 힘센 아들을 부른 것은 아니었다. 그는 결코 그런 소심한 인간은 아니었으므로, 다만 만일의 경우를 위해 증인으로 입회시키려 했을 뿐이었다. 아들과 '젊은 아이'의 부축을 받아 가며 마침내 그는 헤엄치듯 홀로 걸어 나왔다. 물론 그도 역시 강한 호기심을 느끼고 있었다고 보아야 할 것이다. 미챠가 주인을 기다리고 있던 응접실은, 혼자 있으면 가슴이 서늘해질 만큼 음산하게 넓기만 한 방이었다. 커다란 창문이 두 개 있고, 대리석 무늬로 칠한 벽을 따라 중간 이층 모양의 회랑回廊이 사방에 붙어 있었다. 그리고 갓을 씌운 커다란 유리 샹들리에가 세 개나 걸려 있다.

미챠는 출입문 옆에 놓인 조그만 의자에 앉아서 신경질적인 초조감을 억제하며 자기 운명의 판결을 기다리고 있었다. 미챠의 의자에서 20미터가량이나 떨어진 맞은편 문에 노인이 나타나자 그는 벌떡 자리에서 일어나 절도 있는 군대식 걸음걸이로 성큼성큼 걸어 나가서 노인을 맞았다. 그는 단정한 옷차림을 하고 있었다. 단추를 꼭 채운 프록코트를 입고, 손에는 둥그런 모자를 들고 검은 장갑을 끼고 있었다. 이 모든 것은 사흘 전에 장로의 암자에서 표도르 파블로비치를 비롯하여 두 동생과 한자리에 모였던 가족회의 때의 복장 그대로였다. 노인은 거드름스럽고 위엄 있는 태도로 그 자리에 멈춰 서서 그가 다가오기를 기다리고 있었다. 미챠는 자기가 상대방에게 다가가는 사이에 이 노인이 자기의

1 두루마기같이 긴 겉옷.

정체를 속속들이 꿰뚫어 보았을 것이라고 직감적으로 느꼈다. 또한 그는 쿠지마 쿠지미치의 얼굴이 최근에 와서 몰라보게 부어오른 데 놀라지 않을 수 없었다. 그렇지 않아도 두꺼운 아랫입술이 우유 과자처럼 축 늘어진 것같이 보였다. 노인은 위엄 있는 태도로 말없이 손님에게 고개를 숙여 보이고 나서, 소파 옆에 놓인 안락의자에 앉도록 손짓을 하고는, 자기는 아들의 팔에 의지한 채 괴로운 듯 헛기침을 하며 미챠의 맞은편 소파에 간신히 자리를 잡고 앉았다. 미챠는 노인의 고통스러운 노력을 보고는 곧 후회감을 느끼기 시작하였다. 그리고 노인의 거드름스런 얼굴을 대하자마자 자기가 말할 수 없이 초라한 존재인 것처럼 느껴져서 은근히 부끄러운 생각이 드는 것이었다.

"그래 무슨 일로 오셨지요?" 겨우 자리를 잡은 노인은 한마디 한마디 끊어 가며 천천히 입을 열었다. 그 어조는 엄격했지만 그렇다고 예의를 잃을 정도는 아니었다.

미챠는 흠칫 놀라 벌떡 일어났다가 다시 자리에 앉았다. 그러고는 곧 신경질적인 빠른 어조로 몸짓 손짓을 섞어 가며 무섭게 흥분해 가지고 고함을 지르듯 말하기 시작했다. 낭떠러지 끝까지 이르러 멸망의 심연을 내려다보며, 최후의 활로를 찾고 있으나, 만일 그것마저 실패하면 당장에라도 물속으로 몸을 던져 버릴 인간이라는 것은, 이것만으로 넉넉히 알 수 있었다. 삼소노프 노인도 즉각적으로 그것을 알아채었을 것이다. 그러나 그 얼굴은 마치 조각처럼 여전히 냉랭하기만 했다.

"쿠지마 쿠지미치, 당신은 아마 나와 내 아버지 표도르 파블로비치 카라마조프와의 분쟁에 대해 여러 번 들으셨겠지요. 내 앞으로 남겨 준 어머니의 유산을 아버지가 가로채 버렸기 때문입니다……. 지금 읍내에서는 이 얘기로 온통 야단들입니다……. 여기 사람들은 필요도 없는 일을 가지고 공연히 떠들어대는 버릇이 있거든요……. 그리고 또 이것은 그루셴카를 통해서…… 아니, 실례했습니다. 아그라페나 알렉산드로브나…… 내가 존경해 마지않는 아그라페나 알렉산드로브나를 통해서 들으셨을 줄 믿습니다만……"

미챠는 이런 식으로 입을 열었으나, 곧 말을 더듬기 시작했다. 그러나 그의 말을 여기에 일일이 기록하는 것은 그만두고, 그 요점만을 간추려 기술하기로 하겠다. 다름 아니라, 석 달 전에 미챠는 특별히 (그는 '일부러'라는 말을 피하고 그 대신에 '특별히'라는 말을 썼다) 현청 소재지에 있는 변호사를 찾아가서 의논했다는 것이다. "그 사람은 파벨 파블로비치 코르네플로도프라는 유명한 변호사인데, 당신도 아마 그 사람의 소문은 들으셨을 줄 압니다. 참으로 해박한 지식을 가진 사람으로 전국적으로도 손꼽을 만한 인물이지요……. 그 사람은 당신도 잘 알고 있었더군요……. 당신을 무척 칭찬하고 있었어요." 여기서 미챠는 또 말이 막혔다. 그러나 말을 아주 중단하지는 않고, 곤란한 점은 껑충껑충 뛰어넘으며 이야기를 자꾸만 앞으로 끌고 나갔다.

이 코르네플로도프라는 변호사는, 미챠가 언제라도 제시할 수 있다는 증서에 관해 자세히 물어보고 여러모로 검토한 결과, (증서에 관한 미챠의 설명은 명확치 못한 것이어서, 그는 이 대목도 어물어물 넘겨 버렸다) 체르마쉬냐 마을은 어머니의 유산으로 미챠의 소유가 되어야 할 것이므로, 이에 대해서는 실제로 소송을 제기하여 그 늙은 악당을 꼼짝 못하게 만들 수 있다고 단정했다는 것이다. "왜냐하면, 모든 문이 닫혀 있는 건 아니니까요. 법률가란 빠져나갈 길을 잘 알고 있단 말입니다." 요컨대 표도르한테서 6천 루블, 아니 7천 루블의 추가 지불을 기대할 수 있다는 것이다. "체르마쉬냐 마을은 적어도 2만 5천 루블…… 아니, 2만 8천 루블의 가치는…… 아니, 3만입니다. 3만 루블의 가치는 충분히 있어요. 그런데 말입니다. 나는 그 못된 영감쟁이한테서 여태까지 1만 7천 루블도 제대로 받지 못했으니까요!" 그러나 미챠는 법적으로 문제를 처리하기가 힘에 겨워 그때 이 문제를 포기하고 말았었는데, 이제 와서 오히려 저쪽이 소송을 제기하는 편이니 어이가 없어 말을 못 할 지경이라는 것이다. (여기서도 미챠는 또 말이 막혀 그냥 앞으로 뛰어넘어 가 버렸다) "그래서, 당신한테 한 가지 청이 있습니다. 쿠지마 쿠지미치, 다름 아니라, 그 늙은 악당에 대한 나의 권리 일체를 당신이 인수하실 의향은 없으신지요? 나한테는 단돈 3천 루블만 주시면 됩니다……. 무슨 일이 있어도 소송에 질 염려는 절대 없습니다. 그 점은 내가 명예를 걸고 맹세하겠습니다. 패소하기는커녕 3천 루블을 내놓고 6천 내지 7천 루블의 이득을 얻을 수 있단 말입니다." 그런데 여기서 무엇보다 중요한 점은 오늘 당장에라도 이 문제를 결말지었으면 좋겠다는 것이었다.

"나는 곧 공증인公證人한테 가든가 뭣하든가 해서…… 즉…… 한마디로 말해서 무슨 일이든지 다 하겠습니다. 당신이 요구하시는 대로 무슨 증서든지 다 넘겨 드릴 것이고, 어떤 서명이든지 해 드리겠습니다……. 그러니 지금 당장에 서류를 작성하면 어떨까요? 가능하시다면, 오늘 오전 중으로라도…… 그 3천 루블을 나한테 주셨으면 좋겠습니다만…… 당신과 어깨를 겨눌 만한 자본가는 이 읍내엔 하나도 없습니다……. 그러니 나를 살려 주시는 셈치고…… 한마디로 말해서, 당신은 어떤 고결하고 고상한 일을 위해 이 가련한 인간을 구해 주시게 되는 셈입니다……. 내가 왜 이런 부탁을 드리느냐 하면, 당신이 잘 아실 뿐만 아니라 어버이처럼 돌봐 주시는 그 여인에 대하여, 내가 누구한테도 부끄럽지 않은 결백한 감정을 품고 있기 때문입니다. 만일 당신이 그 여인을 어버이처럼 돌봐 주시지 않았다면, 내가 이렇게 찾아오지는 않았을 겁니다. 그러니까 뭐랄까 이를테면 세 사람이 이마를 맞부딪히게 된 셈이지요. 운명이란 참으로 무서운 것입니다, 쿠지마 쿠지미치! 이것이야말로 리얼리즘입니다. 쿠지마 쿠지미치, 리얼리즘이에요! 그렇지만 당신은 이미 오래전에 여기서 제외되었어야 할 분이니까, 결국은 두 사람이 맞부딪히게 된 셈이지요. 표현이 좀 어색하게 되었는지도 모르겠습니다만, 나는 문학가가 아니니까요. 다시 말해서 한쪽은 내 이마고, 다른 한쪽은 그 늙은 악당의 이마지요. 그러니 어느 한쪽을 택해 주십시오—나든지 그 악당이든지. 이제 모든 것이 당신의 수중에 있습니다—세 운명에 제비는 두 개밖에 없는 셈입니다……. 아니, 용서하십시오, 그만 얘기가 탈선한 것 같군요. 그러나 당신은 이해해 주시겠죠……. 당신의 그 고상한 눈빛만 보아도 이해해 주신다는 걸 알 수 있습니다……. 만일 이해해 주시지 않는다면 나는 오늘 당장에라도 투신자살을 하게 될 겁니다……. 네!"

미챠는 이 졸렬한 연설을 '네!'라는 말로 끊어 버렸다. 그러고는 자리에서 벌떡 일어나서 자기의 이 어리석은 제안에 대한 답변을 기다렸다. 그러나 맨 마지막 한마디를 입 밖에 냈을 때, 갑자기 그는 모든 것이 실패로 돌아갔다는 것을 직감하고 격심한 절망감에 사로잡혔다. 무엇보다 좋지 않은 것은 자기가 잠꼬대 같은 소리를 지껄여 댔다는 자각이었다.

'참 이상한 일도 다 있군. 이 집에 올 때까지는 모든 것이 그럴듯하게 생각되던 것이, 이제는 이렇게 잠꼬대가 되어 버리다니!' 이런 생각이 절망에 찬 그의 머릿속을 퍼뜩 스치고 지나갔다. 그가 말하는 동안에 노인은 꼼짝도 않고 앉은 채 얼음장 같은 표정을 두 눈에 담고, 그를 지켜보고 있었다. 1분가량 미챠를 초조한 기대 속에 내버려 두었다가, 마침내 쿠지마 쿠지미치는 무자비할 만큼 단호한 어조로 입을 열었다.

"미안하지만, 우린 그런 사업은 하지 않습니다."

미챠는 갑자기 다리의 힘이 빠져나가는 것을 느꼈다.

"그럼, 나는 어떻게 하면 좋습니까, 쿠지마 쿠지미치?" 하고 그는 창백한 미소를 띠우며 중얼거렸다. "나한텐 파멸의 길밖엔 없지 않습니까, 어떻게 생각하시죠?"

"미안합니다……."

미챠는 여전히 버티고 선 채 상대방의 얼굴을 뚫어지게 바라보고 있었다. 그는 갑자기 노인의 안면이 움직인 것을 발견하고 찔끔 놀라는 모양이었다.

"우린 그런 일엔 손을 대 본 적이 없습니다." 노인은 느릿느릿 말했다. "소송을 제기한다, 변호사를 댄다, 참으로 곤란한 일입니다! 그러나 정 그러시다면 적당한 사람이 하나 있으니 그 사람하고 의논해 보십시오."

"그래요? 그게 누굽니까?…… 쿠지마 쿠지미치, 당신은 나를 살려 주셨습니다." 미챠는 말을 더듬으며 이렇게 말했다.

"이 고장 사람이 아닙니다. 그리고 지금 여기 있지도 않고요. 원래는 농민 계급층이지만, 요즘은 재목 장사를 하고 있는데, 랴가브이Lyagavy[2]라는 별명으로 통하고 있지요. 표도르 파블로비치하고는 벌써 1년 전부터 바로 그 체르마쉬냐에 있는 숲을 흥정하고 있는데, 값이 안 맞아서 결말이 나지 않고 있는 모양이더군요. 당신도 아마 들으신 일이 있겠지요? 그 사람이 다시 나타나서 지금 일린스키 신부네 집에 묵고 있다고 합디다. 볼로비야 역에서 12킬로쯤 떨어진 일린스코예 마을이지요. 나도 그 사람한테서 편지를 받았는데, 이 흥정, 즉 그 숲에 대해서 의견을 전해 달라고 했더군요. 표도르 파블로비치도 직접 그리로 가실 의향인가 봅니다. 그러니까 당신이 표도르 파블로비치보다 먼저 랴가브이를 만나서, 지금 나한테 말씀하신 일을 그 사람한테 제의한다면 혹시 받아들일지도……"

"거참 명안이십니다!" 미챠는 기뻐서 어쩔 줄을 모르며 상대방의 말을 가로챘다. "반드시 그 사람이라야만 합니다. 그 사람이라면 그야말로 안성맞춤입니다! 사고는 싶은데 값을 너무 부른다, 그래서 망설이고 있는 데다가 불쑥 소유권 증서를 내보여 준다, 그 말씀이죠? 하, 하, 하!"

미챠는 갑자기 짤막짤막 끊어진 너털웃음을 한바탕 웃어 댔다. 그것은 너무나 뜻밖의 일이었으므로 삼소노프도 그만 어리둥절하고 말았다.

"쿠지마 쿠지미치, 당신한테 뭐라고 감사의 말씀을 드려야 할지 모르겠습니다" 하고 미챠는 열띤 어조로 외쳤다.

"천만의 말씀을" 하고 삼소노프가 고개를 숙여 보였다.

"당신 자신은 잘 모르시겠지만, 당신은 나를 살려 주셨습니다. 실은 어떤 예감이 나를 당신한테로 끌고 왔던 겁니다……. 그럼, 곧 그 신부님을 찾아가야겠군요!"

"뭐 나한테 감사할 것까지는 없습니다."

"나는 급히 그리로 달려가겠습니다. 몸도 편치 않으신데 실례가 많았습니다. 이 은혜는 영원히 잊지 않겠습니다. 이건 러시아 사람으로서 하는 말입니다. 쿠

2 사냥개의 일종. 빈틈없는 놈이란 뜻.

지마 쿠지디치, 러시아 사람으로서 하는 말이라는 걸 알아주십시오!"

"그러시겠지요."

미챠는 악수를 하려고 노인의 손을 잡으려 했으나, 그 순간 무언가 짓궂은 표정 같은 것이 노인의 눈에 퍼뜩 떠올랐다. 미챠는 내밀던 손을 뒤로 빼버리긴 했지만, 이내 의심 많은 자기 마음을 힐책했다.

'몸이 피곤해서 그렇겠지……' 하고 그는 고쳐 생각했다.

"이것은 그 여인을 위해서입니다! 그 여인을 위해서예요, 쿠지마 쿠지미치! 그 여인을 위해서라는 건 당신도 이해하실 겁니다!" 그는 갑자기 홀 전체가 떠나갈 듯한 소리로 이렇게 외치고 굽실 절을 하고는, 몸을 홱 돌려 뒤도 돌아보지 않고 여전히 빠른 걸음으로 성큼성큼 문으로 걸어 나갔다. 그는 기쁨을 이기지 못하여 온몸을 후들후들 떨고 있었다.

'하마터면 만사가 파멸해 버릴 뻔한 것을 수호천사께서 구해 주신 게 분명해' 하는 생각이 그의 머릿속을 스치고 지나갔다. '더욱이 그 노인과 같은 사업가가 (참으로 점잖은 노인이다. 그리고 그 위엄 있는 태도!) 이 방법을 가르쳐 주었으니, 물론 실패할 리야 없겠지. 지금 당장 떠나기로 하자. 오늘 밤 안으론 돌아올 수 있겠지. 아니, 밤중에라도 돌아와야 해. 그 대신, 일은 이미 성공한 일이니까. 그 노인이 나를 조롱할 까닭은 없지 않은가?' 미챠는 하숙집을 향해 걸어가면서 마음속으로 이렇게 외쳤다. 딴생각이 있을 수 없었다. 이런 일에는 정통할뿐더러 상대방인 랴가브이(괴상한 성도 다 있다!)가 어떤 위인인지도 잘 알고 있는 그 노인의 (그처럼 훌륭한 사업가의) 실제적인 조언이니 절대 틀림없을 것이다.

그러나—그러나 혹시 그 노인이 그를 조롱한 것이나 아닐까? 슬프게도 나중 것이 유일하고도 정확한 해석이었던 것이다! 그 후 꽤 오래 지나서, 그 비극적인 대사건이 일어난 후의 일이지만, 삼소노프 노인은 웃으면서 자백하기를, 자기는 그때 '대위'를 조롱했노라고 했다. 삼소노프는 성질이 표독스럽고 냉혹하며, 남을 놀리기 좋아하는 데다가, 병적으로 시기심이 많은 인간이었다. 그때 노인이 그런 식으로 미챠를 조롱한 것은, '대위'의 흥분한 얼굴 때문이었는지, 소위 그 계획이라는 어리석은 제의에 삼소노프가 응할지 모른다는 이 '허풍선이'의 바보 같은 확신 때문이었는지, 아니면 이 '망나니'의 어이없는 구걸의 구실로 이용된 그루셴카에 대한 질투심 때문이었는지, 확실한 원인은 나도 알 수 없지만, 어쨌든 노인 앞에 서 있던 미챠가 다리의 힘이 쑥 빠져나가는 것을 느끼며, 이제는 파멸이다, 라고 부르짖은 순간, 바로 그 순간에 노인은 무한한 증오심을 품고 그의 얼굴을 응시하며, 이 녀석을 한번 골려 줘 볼까 하는 생각을 일으켰던 것이다. 미챠가 나가 버리자, 노인은 분노를 이기지 못하여, 창백하게 된 얼굴로 아들을 돌아보고 이렇게 명령을 내렸다—"앞으로 저 망나니 녀석은 우리 집에 얼씬도 못 하게 하거라. 뜰 안에도 들여놓지 말아야 한다. 그냥 내버려 두었다가는……"

그는 이 위협적인 명령을 끝까지 다 말하지는 않았으나, 아버지의 분노를 종종 보아 온 그 아들조차도 겁에 질려 몸을 떨었다. 그러고 나서 한 시간이 지난 후에도 노인은 노여움을 가라앉히지 못하고 온몸을 덜덜 떨고 있더니, 저녁에는 병상이 더욱 악화되어 의사를 부르러 보냈다.

2. 랴가브이

이리하여 미챠는 당장에라도 '달려가야' 할 형편이었지만, 마차 삯이 한 푼도 없었다. 아니, 정말은 10코페이카 은전 두 닢 있었으나, 이것이 몇 해 동안의 호탕한 낭비 생활 끝에 그의 수중에 남은 전부, 그야말로 전부였다! 그러나 그의 하숙방에는 벌써 오래전에 못쓰게 된 낡은 은시계가 하나 있었다. 그는 그것을 가지고 시장에서 가게를 벌이고 있는 유대인 시계방을 찾아갔다. 유대인은 시계 값으로 6루블을 주었다.

"이것 역시 뜻밖인걸!" 미챠는 좋아서 어쩔 줄을 몰라 하면서 이렇게 외쳤다.

(그는 여전히 기분이 들떠 있었다) 그러고는 6루블을 받아 쥐고 집으로 달려왔다. 하숙집에 돌아오자 그는 집주인한테서 다시 3루블을 꾸어서 필요한 금액을 마련했다. 이 집 사람들은 언제나 주머니를 털어서라도 미챠에겐 기꺼이 돈을 꿔어주곤 하였다. 그들은 그렇게까지 미챠를 좋아했던 것이다. 그는 환희에 넘쳐 있었기 때문에, 곧 그들에게 자기의 운명이 지금 곧 결정되려 하고 있다고 털어놓았다. 그리고 조금 전에 삼소노프한테 제의하였던 자기의 '계획'이며, 거기에 대한 삼소노프의 조언이며, 자기의 장래희망이며, 그 밖의 여러 가지 얘기를 숨 가쁘게 서두르며 그들에게 들려주었다. 주인집 사람들은 그를 거만한 데가 조금도 없는 신사라고 생각했고, 그래서 '한 집안사람'이나 다름없이 대하고 있었기 때문에, 전에도 그의 비밀 얘기를 여러 번 들은 적이 있었다. 이렇게 해서 9루블이라는 돈을 마련한 미챠는 곧 볼로비야 역까지 가는 역마차를 불러오게 했다. 그러나 이와 동시에 다음과 같은 사실이 밝혀지고 기억되게 된 것이다—'모종 사건이 일어나기 전날 정오경에 미챠는 한 푼도 가진 돈이 없었다. 그래서 돈을 마련하려고 시계를 팔았고, 하숙집 주인한테서 3루블을 꾸었는데, 이 모든 일은 증인들의 면전에서 이루어졌다.' 이 사실을 나는 여기서 특히 강조해 둔다. 왜 그러는지는 앞으로 차차 밝혀지게 될 것이다.

볼로비야 역으로 달려가면서 미챠는, 이것으로 모든 일은 끝장이 나고 '시끄러운 문제들'도 깨끗이 해결되리라는 즐거운 예감으로 희색이 만면했지만, 그래도 한편으로는, 자기가 없는 사이에 그루센카는 어떻게 될 것인가를 생각하면, 두려움에 온몸이 떨려 오는 것이었다. 하필이면 오늘 같은 날에 그녀가 표도르 파블로비치를 찾아가기로 결심한다면 어쩔 것인가? 그녀에겐 아무 말도 하지 않았을뿐더러 주인집 사람들에게도 자기의 행방을 아무에게도 알리지 말라고 굳게 다짐하고 떠난 것도 실은 이 때문이었다.

'무슨 일이 있어도 오늘 저녁때까지는 꼭 돌아가야겠다.' 그는 마차에 흔들리면서 몇 번이나 이렇게 되풀이했다. '그 랴가브이라는 작자를 읍으로 데리고 와서 서류를 작성하도록 하는 게 좋을 거야.' 미챠는 가슴이 두근거리는 것을 느끼며 이렇게 공상했다. 그러나 슬프게도 그의 공상은 계획대로 실현되지 못하도록 운명 지어져 있었던 것이다.

첫째로, 그는 볼로비야 역에서부터 시골길을 더듬어 가는 동안에 많은 시간을 잡아먹고 말았다. 시골길은 12킬로가 아니라, 18킬로는 실히 되었던 것이다. 둘째로, 일린스키 신부는 공교롭게도 이웃 마을에 가고 자기 집엔 없었다. 할 수 없이 미챠는 지쳐 버린 말을 몰아 이웃 마을까지 가서 이 집 저 집 신부를 찾아다니다 보니, 어느새 거의 밤중이 되고 말았다.

일린스키 신부는 소심하면서도 무척 상냥해 보이는 작달막한 몸집의 사람이었다. 그의 설명에 의하면, 그 랴가브이라는 사람은 처음엔 그의 집에 머무르고 있었으나, 지금은 수호이 포숄로크라는 마을에 가 있는데, 역시 재목 흥정 때문에 오늘은 그곳 산지기네 오두막집에서 묵게 되어 있다는 것이었다. 지금 곧 나를 살리는 셈치고 랴가브이한테 데려다 달라는 미챠의 간청에 대하여 신부는 처음엔 좀 난색을 보였지만, 결국은 호기심이 움직인 탓인지 그를 수호이 포숄로크까지 안내하는 데 동의했다. 그런데, 마치 일부러 그러는 것처럼 신부는, 불과 1킬로 정도밖엔 안 되는 곳이니 걸어서 가자고 했다. 미챠는 물론 이 말에 동의하고, 그의 버릇대로 성큼성큼 빠른 걸음으로 걷기 시작했다. 그래서 가엾게도 신부는 거의 뛰다시피 하여 그를 따라가야 했다. 신부는 과히 늙지는 않았으나, 무척 조심성 있는 사람이었다.

미챠는 곧 신부를 상대로 자기의 '계획'에 관해서 말하기 시작했다. 그리고 초조한 어조로 랴가브이에 대해서 주의해야 할 점은 무엇이냐고 열심히 물어보면서, 쉴 새 없이 입을 놀렸다. 신부는 조심스럽게 귀를 기울이고 있었으나, 충고 비슷한 말은 별로 하지 않았다. 미챠의 질문에는 모호한 대답만 하며, '모르겠는데요, 전혀 모르겠어요. 나 같은 게 어떻게 그런 걸 알 수 있겠습니까?'라는 식으로 자꾸만 회피하려 드는 것이었다. 미챠가 유산 상속 문제로 자기 아버지와 충돌한 얘기를 하자, 신부는 몹시 놀라는 눈치였다. 그도 그럴 것이, 그는 표도르 파블로비치와는 일종의 종속 관계에 있었기 때문이다. 그러나 그는 시치미를 떼고 미챠에게, 어째서 그 농민 출신의 고르스트킨을 랴가브이라 부르느냐고 묻고 나서, 그 사나이가 진짜 랴가브이인 것만은 틀림이 없지만, 그런 이름으로 부르면 굉장히 화를 내는 걸 보니, 랴가브이라고 단정할 수는 없을 것 같기도 하므로, 반드시 고르스트킨이라 불러야 한다고 친절히 설명해 주었다. "그렇지 않으면 그 사람과는 아무 일도 성사시킬 수 없습니다. 당신 말을 들으려고도 하지 않을 테니까요" 하고 신부는 결론적으로 말했다.

미챠는 약간 놀라서, 삼소노프 자신도 그렇게 부르더라고 해명했다. 그 말을 듣자 신부는 곧 화제를 딴 데로 돌려 버리고 말았다. 그러지 않고, 그가 그 순간에 느꼈던 의혹을 즉석에서 드미트리에게 밝혔더라면, 오히려 일이 잘되었을지 모른다. 그것은 다름 아니라, 만약에 삼소노프 자신이 랴가브이 같은 비천한 인간에게 미챠를 보냈다면, 무슨 까닭이 있어 그를 희롱하기 위해 그런 것은 아닐까? 아니면 무슨 좋지 못한 속셈이 있는 것은 아닐까, 하는 의혹이었다. 그러나 미챠는 그런 대수롭지 않은 일에 신경을 쓸 겨를이 없었다. 그는 걸음을 재촉하여 길을 서두를 뿐이었다. 그리하여 수호이 포숄로크에 도착했을 때에야 비로소 자기들이 걸어 온 길이 1킬로나 1킬로 반이 아니라, 3킬로는 실히 된다는 것을 알았다. 그는 울화통이 터질 지경이었으나, 꾹 참고 아무 말도 하지 않았다.

두 사람은 오두막집에 들어갔다. 신부와 잘 아는 사이인 산지기는 오두막집의 반을 쓰고, 복도 건너 맞은편에 있는 좀 깨끗한 방을 고르스트킨이 차지하고 있었다. 그들은 이 깨끗한 쪽 방으로 들어가서 촛불을 켰다. 방 안은 불을 때서 후끈후끈했다. 송판으로 만든 상 위에는 불이 꺼진 사모바르가 놓여 있고, 그 옆에는 찻잔이 든 쟁반이며, 마시다 남은 보드카 병이며, 먹다 남은 빵 부스러기 따위가 널려 있었다. 이 방의 숙박객 자신은 베개 대신 웃옷을 둘둘 말아서 베고 벤치 위에 누워서 코를 드르렁거리고 있었다. 미챠는 잠시 망설였다.

'물론 깨워야지, 이만저만 긴급한 용건이 아니니까. 그래서 나는 이렇게까지 급히 달려왔고, 또 오늘 안으로 급히 돌아가야 할 처지가 아닌가.' 미챠는 마음이 조급했다. 그러나 신부와 산지기는 자기 의견을 말하려 하지 않고 묵묵히 서 있을 뿐이었다. 미챠는 잠든 사람의 옆으로 다가가서 직접 그를 깨우기 시작했다. 손으로 마구 흔들어 보았다. 그러나 랴가브이는 눈을 뜨지 않았다.

'술이 취했군' 하고 미챠는 판단했다. '그럼 나는 어쩌면 좋단 말인가! 아아, 어쩌면 좋단 말인가!' 갑자기 그는 무서운 초조감에 휩싸여 잠자는 사람의 팔다리를 잡아당겨 보기도 하고, 머리를 흔들어 보기도 하고, 안아 일으켜 의자에 앉혀 보기도 했다. 그러나 장시간의 노력 끝에 얻은 결과는, 랴가브이의 뜻 모를 잠꼬대와, 분명치는 않으나 어조만은 맹렬한 욕설뿐이었다.

"안 되겠습니다. 좀 더 기다리시는 편이 좋을 것 같군요." 마침내 신부가 입을 열었다. "아주 곯아떨어졌어요."

"온종일 술을 마셨답니다" 하고 산지기도 한마디 했다.

"말도 마시오!" 하고 미챠는 외쳤다. "이것이 얼마나 긴급한 일인지, 내가 지금 어떤 절망 상태에 빠져 있는지를 알기나 하시오!"

"안 되겠어요, 아침까지 기다리셔야 하겠습니다" 하고 신부는 같은 말을 되풀이했다.

"아침까지라고요? 그건 도저히 불가능합니다!" 미챠는 절망 속에서 또다시 술 취한 사람에게 덤벼들어 그를 깨워 보려 했으나, 다음 순간 자기의 노력이 아무 소용없다는 것을 깨닫고는 손을 떼고 말았다. 신부는 침묵을 지키고 있었다. 아직도 잠이 덜 깬 것 같은 산지기는 시무룩한 얼굴을 하고 있었다.

"현실이란 참으로 무서운 비극을 인간에게 안겨 주는군!" 미챠는 완전한 절망에 휩싸여 이렇게 중얼거렸다. 얼굴에는 땀이 흘러내렸다. 신부는 그에게, 비록 기회를 잘 포착하여 이 사나이를 깨우는 데 성공한다 하더라도, 이렇게 곤드레가 되어 있는 사람과 무슨 얘기를 할 수 있겠느냐, 라고 하면서, "당신의 용건은 중대한 것이니까, 내일 아침까지 기다리시는 편이 좋을 것입니다"라고 지극히 타당한 의견을 말했다. 미챠는 할 수 없다는 듯이 두 팔을 벌려 보이고 신부의 말에 동의했다.

"신부님, 나는 이 방에 촛불을 켜 놓고 지켜 앉아서 기회를 노리다가 저 사람이 눈을 뜨면 곧 일을 시작하겠습니다……. 물론 초 값은 갚을 테니까……" 하고 미챠는 산지기한테 얼굴을 돌렸다.

"그리고 숙박료도 지불하겠소. 드미트리 카라마조프가 시시한 인간이 아니라는 걸 알게 될 거요. 그런데 신부님, 어떻게 자리를 잡으면 좋을지 모르겠군요……. 당신은 어디서 쉬시겠습니까?"

"아니, 나는 집으로 돌아가겠습니다. 저 사람의 말을 빌려 타고 가면 되니까요" 하며 신부는 산지기를 가리켰다. "그럼, 이만 실례하겠습니다. 아무쪼록 일이 뜻대로 이루어지기를 바랍니다."

결국 그렇게 낙착이 되었다. 신부는 귀찮은 일에서 겨우 벗어나게 된 것을 기뻐하면서 산지기의 말을 타고 그곳을 떠났다. 그러나 한편으로는 난처하다는 듯이 고개를 저으며, 자기의 은인 격인 표도르 파블로비치한테 이 괴이한 사건을 날이 새는 대로 곧 보고해야 하지 않을까 하고 곰곰이 생각해 보는 것이었다. '그렇게 하지 않았다가 혹시 이 일이 그 양반 귀에 들어가는 날이면 화가 나서 앞으로 나를 돌봐 주지 않을지 몰라' 하고 그는 생각했다.

산지기는 몸을 긁적거리면서 아무 말 없이 자기 방으로 돌아가 버렸다. 미챠는 자기 말대로 '기회를 노리기' 위해 긴 나무 의자에 걸터앉았다. 짙은 우수憂愁가 무거운 안개처럼 그의 마음에 내리덮였다. 무서우리만큼 짙은 우수였다! 그는 꼼짝 않고 앉아서 생각에 잠겼으나 아무런 묘안도 떠오르지 않았다. 촛불은 타오르고, 귀뚜라미는 귀 아프게 울어 대고, 지나치게 불을 땐 방 안은 숨이 콱콱 막혀 올 지경이었다. 문득 그의 눈앞에 정원이 나타났다. 정원 뒤로 좁다란 길이 보인다. 그러자 아버지 집의 문이 살짝 열리더니 그루셴카가 그리로 뛰어 들어갔다……. 그는 의자에서 벌떡 일어났다.

"비극이다!" 그는 이를 갈며 외쳤다. 그러고는 잠자코 있는 사나이의 곁으로 뚜벅뚜벅 걸어가서 그 얼굴을 들여다보기 시작했다. 그 사나이는 얼굴이 몹시 길고 몸이 여윈 중년의 농민이었다. 아마 빛 머리털은 곱슬곱슬하고 불그죽죽한 턱수염은 무척 길었다. 무명 루바쉬카에 검은 조끼를 껴입었는데, 그 호주머니에서는 사슬 모양의 은시곗줄이 엿보였다. 미챠는 무서운 증오감을 느끼며 이 사나이의 얼굴을 바라보고 있었다. 특히 이 사나이의 고수머리가 어쩐지 그의 비위에 거슬렸다.

그러나 무엇보다도 화가 치미는 것은, 그가 즉, 미챠가 모든 것을 희생하고 모든 것을 내던지고서, 긴급을 요하는 중대한 용건 때문에 피로를 무릅쓰고 달려왔는데도 불구하고, 이 망나니 같은 놈은 '그의 운명이 자기 손아귀에 쥐여 있다는 사실도 모르고, 마치 다른 유성遊星에서 온 인간처럼 태평스럽게 코를 골며 그냥 자고 있다'는 사실이었다.

"아아, 이 얼마나 얄궂은 운명의 장난이냐!" 하고 미챠는 소리치고는 갑자기 이성을 잃고 또다시 술 취한 사나이를 깨우려고 달려들었다. 그는 더한층 난폭하게 상대방을 잡아당기기도 하고, 쿡쿡 찔러 보기도 하고, 심지어는 때려 주기도 하면서, 어떻게 해서든지 깨워 보려 했다. 이렇게 오 분가량 애써 보았으나 또다시 아무 효과도 없었으므로, 그는 절망에 빠져 맥없이 의자로 되돌아가 앉았다.

"어리석지, 어리석어!" 하고 미챠는 외쳤다. "그리고…… 이 얼마나 비열한 짓이냐!" 갑자기 그는 무엇 때문인지 이렇게 덧붙였다. 머리가 쑤시는 것처럼 아파 왔다. '차라리 집어치우고 아주 돌아가 버릴까?' 하는 생각이 떠올랐다. '아니, 이렇게 된 이상 아침까지 기다려야지. 억지로라도 남아 있어야지, 억지로라도! 하지만 그런 일을 당하고 나서 도대체 뭣 하러 내가 이런 데까지 왔을까? 게다가 돌아가고 싶어도 탈것이 있어야지. 그러니 이젠 여기서 떠날 수조차 없게 되지 않았는가! 쳇, 이런 바보짓이 어디 있담!'

그러나 머리의 아픔은 더욱 심해 왔다. 그는 꼼짝 않고 앉은 채 꾸벅꾸벅 졸다가 깜박 잠이 들고 말았다. 아마 두 시간이나 혹은 그 이상 잠을 잔 모양이었다. 그는 참을 수 없이 머리가 쑤셔 오는 바람에 잠을 깼다. 고함이라도 치고 싶으리만큼 참을 수 없는 아픔이었다. 양쪽 관자놀이께를 무엇으로 푹푹 쑤시는 것 같아서 금세 머리가 빠개질 듯싶었다. 눈을 뜨고서도 꽤 오랫동안 정신을 차릴 수가 없었고, 자기 몸이 어떻게 되었는지조차도 알 수가 없었다.

마침내 그는 난로에 지나치게 불을 땐 탓으로 방 안에 가스가 가득 차서 하마터면 죽을 뻔했다는 것을 깨달았다. 그러나 술 취한 사나이는 여전히 코를 골며 자고 있었다. 불은 다 타서 금세 꺼질 듯싶었다. 미챠는 고함을 지르며, 복도 건너편 산지기의 방으로 비칠비칠 달려갔다. 산지기는 이내 눈을 떴다. 건넛방에 가스가 찼다는 말을 듣고는 곧 뒤처리를 하러 나오기는 했으나, 그 태도가 너무나 태연한 데 미챠는 적이 놀라지 않을 수 없었고, 한편으로는 화가 나기까지 했다.

"그러다가는 저 녀석이 죽으면, 저 녀석이 죽어 버리면…… 그땐 어떡하지?" 미챠는 산지기한테 미친 듯이 외쳤다.

그들은 방문과 창문을 열고 굴뚝 마개까지 뽑았다. 미챠는 복도에서 물통을 들여다가 우선 자기 머리를 적시고 나서, 그다음에 헝겊을 찾아내어 물에 적셔서 랴가브이의 이마에 얹어 주었다. 그러나 산지기는 여전히 이 사건을 대수롭잖게 여기는지, 창문을 열어 놓고 무뚝뚝하게 "이젠 괜찮을 거요"라고 한마디 하고는 등불을 미챠에게 남겨 둔 채 한잠 더 자려고 자기 방으로 가 버렸다.

미챠는 가스를 먹은 주정뱅이의 머리에 냉수 찜질을 하느라고 삼십 분가량 분주하게 움직였다. 그는 날이 새도록 한잠도 자지 않기로 굳게 결심했다. 그러나 몸이 너무나 피곤해서 한숨 쉬려고 자리에 앉기가 무섭게 그만 저절로 눈이 감겨서, 의자 위에 길게 드러누운 채 죽은 사람처럼 잠이 들어 버렸다.

그는 시간이 꽤 늦어서야 잠이 깼다. 벌써 아침 아홉 시는 된 모양이었다. 햇빛이 오두막집의 조그만 창문으로 밝게 비쳐 들어왔다. 어제의 그 고수머리 사나이는 벌써 외투까지 걸쳐 입고 의자에 앉아 있었다. 그 앞에는 새로 끓인 사모바르와 새 술병이 놓여 있었다. 어제 먹다 남은 술병을 다 마시고 나서 새 병의 술도 벌써 반 이상이나 해치운 모양이었다. 미챠는 벌떡 일어났다. 이 저주 받을 사나이가 또 곤드레만드레 취해 있음을 즉각적으로 알아챘다. 그는 눈을 부릅뜨고 잠시 동안 사나이를 노려보았다. 사나이는 교활한 표정을 하고 말없이 이쪽을 보고 있었는데, 그것은 얄미울 만큼 태연한, 상대방을 멸시하는 것 같은 오만한 태도였다. (적어도 미챠에게는 그렇게 느껴졌다) 그는 사나이의 곁으로 달려갔다.

"실례지만, 실은…… 나는…… 저쪽 방에 있는 산지기한테서 들으셨겠지만…… 나는 드미트리 카라마조프 중위입니다. 지금 당신이 산판을 흥정하고 있는 카라마조프 노인의 아들입니다."

"거짓말 마라!" 하고 사나이는 갑자기 확고하고 침착한 어조로 대꾸했다.

"거짓말이라뇨? 표도르 파블로비치를 모르신단 말입니까?"

"난 표도르 파블로비치가 누군지 몰라." 그는 무겁게 혀를 굴리며 말했다.

"산판을, 당신은 산판을 우리 아버지한테서 사려 하고 있지 않습니까. 아직 잠이 덜 깨신 모양인데 정신 좀 차리십시오. 파벨 일린스키 신부가 나를 이리 데려다 주었습니다……. 당신은 삼소노프한테 편지를 보내셨죠? 그 사람이 당신한테 가 보라고 해서 왔습니다." 미챠는 숨을 헐떡이며 말했다.

"허튼 수작이야!" 랴가브이는 또다시 확고한 어조로 호통을 쳤다. 미챠는 다리가 서늘해 옴을 느꼈다.

"그렇지 않습니다. 이건 절대 농담이 아니에요! 술이 좀 과하셨던 모양이지만, 그래도 제대로 말도 하고 남의 말을 알아들을 수도 있을 게 아닙니까……. 그렇지 않으면 나는 뭐가 뭔지 하나도 모르겠습니다!"

"너는 염색染色쟁이야!"

"천만에! 나는 카라마조프입니다. 드미트리 카라마조프예요. 당신과 상의할 일이 있어서 당신한테 유리한 용건이…… 매우 유리한 용건이 있어서 왔습니다. 다름 아니라, 바로 그 산판과 관련이 있는 일입니다."

랴가브이는 거드름스럽게 턱수염을 쓰다듬었다.

"아니야, 너는 남의 일을 청부 맡았다가 도중에 포기한 나쁜 녀석이야. 너는 악당 놈이란 말이다!"

"절대로 그런 일은 없다니까요! 당신은 뭔가 오해를 하고 계십니다!" 미챠는 절망에 싸여 두 손을 쥐어짰다. 사나이는 여전히 수염을 쓰다듬고 있다가 갑자기 교활하게 눈을 가늘게 뜨며 말했다.

"그보다도 너한테 한 가지 물어볼 게 있다. 그래, 사기를 해도 좋다는 법률도 있나? 대답해 봐! 그러니까 너는 악당이란 말이다, 알겠니?"

미챠는 기가 죽어 뒤로 물러섰다. 갑자기 '무언가로 이마를 호되게 얻어맞기라도 한 것 같았다.' (이것은 후에 미챠 자신이 한 말이다) 순식간에 머릿속이 환하게 밝아진 것 같은 기분이었다. '갑자기 횃불 같은 것이 환하게 비쳐서 나는 모든 것을 깨달았다'고 후에 그는 말했다. '그래도 나는 분별력이 있는 인간이 아닌가. 그런데 어떻게 그런 어리석은 수작에 넘어가서 이런 일에 손을 댔을뿐더러, 거의 일주야를 이 일에 열중하여 이런 랴가브이 같은 녀석의 머리까지 식혀 줄 수 있었을까?' 하고 그는 무엇에 홀리기라도 한 것처럼 그 자리에 멍청히 서 있었다.

'상대방은 술에 취해 있어, 곤드레만드레 취해 있어. 그리고 아직도 일주일가량은 계속해서 술을 마실 거야. 그렇다면 여기서 기다려 봤자 소용없지 않은가? 그보다도, 만약에 삼소노프가 일부러 나를 이리로 보냈다면? 그리고 만약에 그루셴카가…… 아아, 내가 정말 머리가 돌았었구나!'

랴가브이는 그를 바라보고 앉아서 히죽히죽 웃고 있었다. 만약에 다른 때에 이러한 일이 있었다면 미챠는 홧김에 이런 바보 같은 놈을 때려누이고 말았을지 모른다. 그러나 지금은 미챠도 어린애처럼 허약해져 있었다. 그는 조용히 의자 있는 데로 가서 자기 외투를 집어 말없이 입고는 밖으로 나와 버렸다. 건넛방에 가 보았으나 산지기는 보이지 않았다. 사람이라곤 그림자도 없었다. 그는 호주머니에서 잔돈으로 50코페이카를 꺼내어, 숙박료와 초 값과 폐를 끼친 대가로 식탁 위에 놓아두었다. 오두막집을 나와 보니 주위는 숲뿐이고, 그 밖엔 아무것도 없었다. 그는 오두막집에서 어느 쪽으로 가야 할지—오른쪽인지 왼쪽인지, 그것조차 정하지 않고 무턱대고 걷기 시작했다. 간밤에 신부와 함께 이리로 올 때는 너무 급히 서둘렀기 때문에 길 같은 것엔 전혀 유의하지 않았었다. 그는 누구에 대해서도, 심지어는 삼소노프에 대해서도 원한을 느끼지 않았다. 다만 '물거품으로 돌아간 아이디어'를 가슴에 품은 채 정처 없이 발 가는 대로 좁다란 숲길을 터벅터벅 걷고 있을 뿐이었다. 지금 같아서는 조그만 어린애의 주먹에도 맥없이 고꾸라질 것만 같았다. 그만큼 그는 정신적으로나 육체적으로 힘이 쑥 빠져 버렸던 것이다. 그러나 그는 이럭저럭 숲을 빠져나올 수 있었다. 추수를 끝내서 벌거숭이가 된 허허벌판이 갑자기 눈앞에 나타났다.

'아아, 절망이로구나! 어디를 봐도 있는 것은 오직 죽음뿐이구나!' 그는 무작정 걷고 또 걸으며 이렇게 되풀이하는 것이었다.

어떤 늙은 상인을 태우고 시골길을 지나가던 마차를 우연히 만나게 되어 미챠는 구원을 받게 되었다. 미챠는 그들에게 길을 물었다. 알고 보니 그들 역시 볼로비야 역으로 가는 길이었다. 서로 타협이 이루어져, 미챠도 그 마차에 함께 타고 가기로 했다. 세 시간 후에 그들은 목적지에 도착했다. 볼로비야 역에서 미챠는 곧 읍내로 가는 역마차를 준비시켰다. 그는 갑자기 견딜 수 없을 만큼 공복감을 느꼈다. 마차를 준비하는 동안에 그는 오믈렛을 주문했다. 그는 순식간에 그것을 먹어 치우고, 커다란 빵 덩어리와 소시지도 남김없이 처치한 후, 보드카도 석 잔이나 들이켰다. 뱃속이 든든해지자, 기운이 나고 마음도 한결 가벼워졌다. 마부를 재촉하여 쏜살같이 마차를 몰고 오는 동안에, 그는 '그 저주할 놈의 돈'을 그날 안으로 꼭 마련할 수 있는 새롭고도 '확실한' 계획을 꾸며 냈다.

"생각만 해도 울화통이 터진다니까! 그까짓 단돈 3천 루블 때문에 인간 하나의 운명이 파탄된대서야 어디 말이 되나!" 그는 경멸 어린 어조로 혼자 뇌까렸다. '오늘 안으로 꼭 해결을 짓고 말아야지!' 그래서, 만약에 그루셴카에 대한 생각, 그루셴카에게 무슨 일이 일어나지나 않을까 하는 생각이 끊임없이 그의 머릿속에 떠오르지만 않았더라도, 그는 다시금 유쾌한 기분이 되었을지 모른다. 그러나 그녀의 상념이 날카로운 칼날처럼 쉴 새 없이 그의 마음을 찌르는 것이었다.

이윽고 마차가 읍내에 도착했다. 미챠는 그길로 곧 그루셴카한테 달려갔다.

3. 금광金鑛

미챠의 이 방문에 대해서는 그루셴카가 그날 저녁에 호들갑을 떨며 라키친에게 얘기한 바와 같다. 그 무렵 그루셴카는 그 '기별'이 오기를 기다리고 있었기 때문에, 그날도 그 전날도 미챠가 나타나지 않는 것을 기뻐해서, 제발 자기가 떠나 버릴 때까지 찾아오지 말아 줬으면, 하고 그것만을 바라고 있었다. 거기에 미챠가 갑자기 나타났던 것이다. 그다음부터는 이미 우리가 다 아는 얘기다. 그녀는 사내를 따돌리려는 속셈으로, 자기를 쿠지마 삼소노프네 집까지 데려다 달라고 간청했다. '돈 계산' 때문에 꼭 가 봐야 한다고 우겼던 것이다. 미챠는 곧 그녀를 데려다 주었다. 쿠지마네 집 대문 앞에서 헤어질 때, 그루셴카는 열한 시가 좀 지나서 또 이리로 와서 자기를 집까지 데려다 달라고 그에게 다짐을 했다. 미챠는 이렇게 된 것을 오히려 다행으로 생각했다. '쿠지마네 집에 앉아 있게 되면 표도르 파블로비치한테는 가지 못할 것이 분명하다……. 하긴 속여 넘기려는 수작인지도 모르지' 하는 생각이 이내 떠올랐다. 그러나 그가 보기엔 여자가 거짓말을 하고 있는 것 같지는 않았다.

미챠의 질투란 언제나 이런 것이었다. 즉, 사랑하는 여자와 헤어져 있을 때는 그동안에 여자에게 무슨 일이 일어나지나 않을까, 여자가 혹시 자기를 '배반하지나 않을까' 하고 최악의 경우만을 예상하며 애를 태우다가, 틀림없이 배반했을 거라고 단정하고는 허겁지겁 여자에게 달려오지만, 여자의 얼굴을, 상글거리고 있는 밝고 상냥한 여자의 얼굴을 보자마자 즉석에서 원기를 회복하여 모든 의혹을 날려 보내고, 기쁘기도 하고 부끄럽기도 한 심정으로 스스로의 질투를 꾸짖는 것이었다.

그루셴카를 데려다 주고 나서 그는 곧 자기의 하숙집으로 달려갔다. 이날 안으로 해야 할 일이 아직도 태산 같았다. 그래도 마음만은 한결 가벼워진 것처럼 느껴졌다.

'될 수 있는 대로 빨리 스메르쟈코프란 놈을 붙잡고 간밤에 아무 일도 없었는지 물어봐야겠다. 혹시 그루셴카가 표도르 파블로비치에게 갔었다면 그야말로 큰일이다!' 문득 이런 생각이 그의 머릿속을 스치고 지나갔다. 이리하여 하숙집에 채 도착하기도 전에 다시금 질투의 불길이 그의 불안한 가슴속에서 타오르기 시작하는 것이었다.

질투! '오셀로Othello[3*]는 결코 질투심이 강한 인간이 아니다. 오히려 그는 지나치게 남을 잘 믿었던 것이다.' 이것은 푸시킨[4*]이 지적한 말이다. 금세 이 말 한마디만으로도, 우리의 위대한 시인이 얼마나 통찰력을 가졌는가 증명하고 남음이 있다. 오셀로는 다만 정신적으로 극도의 혼란 상태에 빠져서 그의 전 인생관이 흐려졌을 뿐이다. 왜냐하면 '자기의 이상이 파괴되었기' 때문이다. 그렇다고 오셀로는 몸을 숨겨 정탐을 하거나 문틈으로 엿보거나 하지는 않는다. 그는 지나치게 사람을 잘 믿는다. 그러므로 그에게 아내의 부정不貞을 깨닫게 하기 위해서는 온갖 수단과 노력을 다해서 그를 충동하고, 기름을 붓고, 부채질을 해야만 한다. 정말로 질투심이 강한 인간은 그런 것이 아니다. 진짜 '질투쟁이'는 털끝만 한 양심의 가책도 받음이 없이, 다른 사람은 상상도 할 수 없을 만한 정신적 타락과 오욕 속에 태연히 몸을 담글 수 있는 것이다. 더욱이 그러한 질투쟁이라고 해서, 반드시 비열하고 추악한 정신의 소유자뿐인가 하면 절대 그렇지도 않다. 오히려 고결한 심정과 순수한 사랑, 그리고 자기희생의 정신을 지닌 사람일지라도, 한편으로는 책상 밑에 숨어서 엿듣기도 하고, 비굴한 인간을 매수하여 탐정 노릇을 시키기도 하고, 또한 미행이나 정탐 같은 온갖 추악한 행위를 서슴지 않고 해내는 것이다.

오셀로는 배신과는 절대로 타협할 수가 없었을 것이다. 비록 그의 마음이 갓난아이처럼 순진무구하다 하더라도, 용서하고 안 하고는 별문제로 하고, 어쨌든 배신과 타협할 수는 절대로 없었을 것이다. 그러나 진짜 질투쟁이는 그렇지가 않다. 어떤 종류의 질투쟁이들이 얼마나 쉽사리 배신과 타협을 하며 얼마나 쉽

3* 영국의 극작가이자 시인인 윌리엄 셰익스피어William Shakespeare(1564~1616)가 쓴 희곡.

4* 알렉산드르 푸시킨Aleksandr Pushkin(1799~1837). 러시아의 위대한 시인이자 소설가.

사리 상대방을 용서하는지는 상상하기조차 어려운 일이다! 질투쟁이란 누구보다도 빨리 상대방을 용서해 주는 법이다. 여자들은 누구나가 다 이것을 알고 있다. 질투쟁이는 놀랄 만큼 간단히, (물론 처음엔 무시무시한 장면을 한바탕 연출하지만) 예를 들어, 증거가 확실한 부정不貞이라든가, 자기 눈으로 확인한 포옹이나 키스 같은 것까지도 깨끗이 용서할 수가 있는 것이다. 그렇지만 그것은, '이번이 마지막'일뿐더러, 그 라이벌이 지금 곧 세상 끝으로 사라져서 다시는 나타나지 않는다든가, 아니면 그 두려운 라이벌이 나타날 우려가 전혀 없는 먼 곳으로 자기 쪽에서 여자를 끌고 도망칠 수 있다든가 하는 확신을 얻는 경우에 한해서 하는 말이다. 물론 이러한 타협은 짧은 시간밖에 지속되지 않는다. 그도 그럴 것이, 설사 그 라이벌이 정말로 사라져 버렸다 하더라도, 그는 이틀이 못 가서 새로운 라이벌을 발견하여 그 새 라이벌을 질투할 것이기 때문이다. 그렇게까지 감시를 해야 하는 사랑이 뭐가 즐거울 것이며, 이렇게까지 열심히 뒷조사를 해야 하는 사랑이 무슨 가치가 있겠느냐고 제삼자는 이상하게 여기겠지만, 진짜 질투쟁이는 절대로 그것을 깨닫지 못한다. 그런데 이런 질투쟁이들 중에는 고상한 정신을 가진 사람들도 적지 않게 섞여 있다. 그러나 여기서 특히 주목할 것은, 이들 고상한 정신을 가진 사람들이 골방 같은 데 숨어서 엿듣거나 엿보거나 할 때, 그 '고상한 정신'으로 하여 자기가 자진해서 빠져든 깊은 오욕을 분명히 이해하고 있으면서도, 적어도 그 골방에 있는 동안만은 절대로 양심의 가책을 느끼지 않는다는 사실이다.

미챠도 그루셴카의 얼굴을 보자마자, 질투심 같은 건 즉석에서 사라져 버리고, 순식간에 남을 잘 믿는 너그러운 인간으로 돌변하였을 뿐만 아니라, 자기 자신의 추한 감정을 부끄럽게 여기기까지 했다. 그러나 이것은 그루셴카에 대한 그의 애정 속에는 단순한 정욕이라든가, 또는 그가 알료샤에게 설명했던 것과 같은 '육체의 곡선미'라든가 하는 것뿐만 아니라, 그 자신이 상상하고 있는 것보다 훨씬 고상한 무엇이 포함되어 있음을 증명하는 것밖엔 안 된다. 그 대신에 그루셴카가 눈앞에 없으면, 그는 곧 그녀가 비열하고 교활한 방법으로 부정한 행위를 하고 있는 것이 아닌지 의심하기 시작하는 것이었다. 이런 때 그는 양심의 가책 같은 건 전혀 느끼지 않았다.

이리하여 질투가 다시금, 그의 마음속에서 타오르기 시작했다. 아무튼 급히 서둘러야만 했다. 우선 당장 필요한 최소한도의 돈이라도 마련해야만 했다. 어제 구한 9루블은 시골에 다녀오는 여비로 거의 다 날아가 버렸다. 그렇지만 수중에 한 푼도 없다면 그야말로 꼼짝도 할 수 없지 않은가. 그러나 그는 아까 마차 속에서 새로운 '계획'과 함께, 당장에 필요한 돈을 마련하는 방법까지 이미 생각해 두었다. 그는 결투용 고급 권총 두 자루를 갖고 있었다. 여태까지는 그것을 저당 잡히지 않고 있었다. 자기의 소지품 중에서 그것을 제일 좋아했기 때문이다.

그는 요리점 '서울집'에서 꽤 오래전부터 젊은 관리 한 사람과 사귀게 되었었는데, 어떤 기회에 역시 이 요리점에서 들은 소문에 의하면, 이 부유한 총각 관리는 무기라면 무엇이든지 좋아해서, 권총, 연발총, 각종 단도 등을 수집해 가지고 자기 방의 사면 벽에 걸어놓고는 친구들에게 보여 주고 자랑하면서, 권총의 구조며 장전법이며 발사법 등을 제법 전문가답게 설명한다는 것이었다. 미챠는 오래 생각할 것도 없이 곧 이 청년에게 가서 권총을 담보로 10루블만 달라고 했다. 젊은 관리는 무척 기뻐하며, 그럴 것 없이 자기에게 아주 팔아 버리라고 권했으나, 미챠는 응하지 않았다. 그러자 청년은 이자 같은 건 절대 받지 않겠다고 말하고 10루블을 내주었다. 그리하여 두 사람은 친구로서 기분 좋게 헤어졌다.

미챠는 급히 서둘렀다. 한시바삐 스메르쟈코프를 불러내려고 아버지 집 뒤쪽에 있는 그 정자로 달려갔다. 이리하여 또다시 다음과 같은 사실이 판명되었던 것이다—즉, 앞으로 내가 얘기하려는 사건이 일어나기 서너 시간 전만 해도 미챠는 가진 돈이 한 푼도 없어서, 자기가 애지중지하던 물건을 담보로 10루블을 빌렸는데, 불과 세 시간 후에는 수천 루블의 돈이 그의 수중에 들어 있었다……. 그러나 이것은 아직 얘기할 단계가 되지 않은 것 같다. 마리야 콘드라치예브나(표도르 파블로비치네 이웃에 사는 여인)의 집에서는 스메르쟈코프가 앓아누웠다는 소식이 미챠를 기다리고 있다가 그에게 강한 충격을 줘서 어리둥절하게 만들어 버렸다. 그는 스메르쟈코프가 지하실로 떨어져 발작을 일으켜 의사가 다녀가고, 표도르 파블로비치가 몹시 근심하고 있다는 말을 들었다. 그리고 그의 동생 이반이 그날 아침에 모스크바로 떠났다는 얘기도 흥미 있게 들었다.

'그렇다면 나보다 먼저 볼로비야 역을 통과했겠군' 하고 미챠는 생각했다. 그러나 스메르쟈코프의 일이 몇 배나 마음에 걸렸다. '이제부터 어떡하면 좋을까? 누가 나에게 정보를 제공해 줄 것이며, 누가 나를 위해 망을 봐 줄 것인가?' 그는 그 집 모녀에게 엊저녁에 무슨 별다른 일은 없었느냐고 열심히 캐물었다. 그녀들은 미챠가 무엇을 알고 싶어 하는지 잘 알고 있었으므로, 엊저녁에는 아무도 찾아온 것 같지 않으며, 이반 표도로비치도 아버지 집에 들어와서 잤으니까 '아무런 이상도 없었다'고 대답하여 완전히 그의 의심을 풀어주었다. 하지만 오늘은 반드시 망을 보아야 할 텐데, 어디서 보는 게 좋을까? 여기서 지키기로 할까, 아니면 삼소노프네 집 앞에서 지키기로 할까? 그는 사정을 봐 가며 양쪽을 다 경계해야겠다고 결심했다. 그러나 지금은, 지금은…… 아까 마차 속에서 생각해 낸 '계획'부터, 확실하고도 새로운 계획부터 실천에 옮겨야만 했다. 이것은 조금도 지체할 수 없는 일이다. 그래서 미챠는 이 일을 위해 한 다섯 시간만 희생하기로 했다. 한 시간 이내에 알아볼 것을 다 알아보고 모든 것을 해결 짓기로 하자. 그러고 나면 우선 삼소노프네 집으로 달려가서 그루셴카가 거기 있는지 없는지를 확인한 다음, 다시 이리로 돌아와서 밤 열한 시까지 망을 보기로 하자. 그다음에 또 한 번 삼소노프네 집으로 가서 그루셴카를 집까지 데려다 주자, 이렇게 그는 작정했다.

그는 하숙집으로 급히 돌아와서 세수를 하고 머리를 빗고, 옷을 깨끗이 솔질해서 입은 다음에, 호흘라코바 부인을 찾아갔다. 슬프게도 그의 계획이란 것은 이것이었다. 그는 이 부인한테서 3천 루블을 빌리기로 결심했던 것이다. 무엇보다도 중요한 것은, 그녀가 자기의 청을 거절하지 않으리라는 비상한 확신이 별안간 그에게 생겨났다는 점이다. 그만한 확신이 있었다면, 어째서 처음부터 자기와 동일한 사회에 속한 그녀를 찾아가지 않고, 말도 제대로 통하지 않는 전혀 다른 세계에 사는 삼소노프 따위를 찾아갔느냐고 독자는 이상하게 여길는지 모르지만, 거기에는 그럴 만한 까닭이 있었다.

다름 아니라 그는 호흘라코바 부인과 전부터 그리 다정한 사이가 아니었고, 특히 최근 한 달 동안은 거의 만난 일도 없었다. 게다가 그녀가 미챠를 몹시 싫어한다는 것을 그 자신이 잘 알고 있었기 때문이다. 그녀는 시초부터 미챠를 미워했다. 그것도 미챠가 카체리나의 약혼자라는 한 가지 이유 때문이었다. 그녀는 카체리나가 미챠를 차버리고, '옛날 기사騎士처럼 교양이 있고 몸가짐이 세련된 이반 표도로비치'와 결혼하기를 열망하고 있었다. 미챠의 '몸가짐' 같은 건 구역질이 날 만큼 보기 싫었던 것이다. 미챠는 또 미챠대로 그녀를 멸시하고 있었기 때문에, 언젠가 한번은 이런 말을 한 일조차 있었다. "그 부인은 활발하고 소탈하긴 하지만, 그와 똑같을 정도로 교양이 없어서 탈이거든." 그런데 그날 아침 마차 속에서 눈부시게 환한 상념이 그의 마음속을 비춰 주었던 것이다. '만일 그 부인이 나와 카체리나의 결혼을 그렇게까지 싫어한다면 (사실 그녀가 히스테리라도 일으킬 정도로 싫어하고 있다는 걸 그는 잘 알고 있었다) 지금 내가 3천 루블이란 돈을 빌려 달라고 하면 거절할 리가 없다. 왜냐하면 나는 그 돈만 마련되면 카챠를 버리고 영영 여기서 떠나 버리고 말 테니까. 제멋대로 살아온 상류계급의 부인들이란 어쩌다 한 번 마음먹은 일이 있을 때 그것을 성취시키기 위해서라면 아까운 것이 없는 법이지. 게다가 그 부인은 굉장한 부자라고 하지 않는가' 하고 미챠는 생각했다.

그건 그렇고, 그의 새 '계획'이란 것은 전과 마찬가지로 체르마쉬냐에 대한 자기의 권리를 양도한다는 것이었다. 그러나 어제 삼소노프를 상대했을 때와 같은 상업적 목적은 없었다. 즉, 3천 루블 대신에 그 배액인 6, 7천 루블의 이익을 얻을 수 있다는 말로 부인을 유혹할 생각은 추호도 없었다. 그는 다만 자기의 부채에 대한 정당한 담보로 삼으려 했을 뿐이었다. 이 새로운 착상着想을 전

개시켜 감에 따라 미챠는 환희에 가까운 것을 느끼고 있었다. 그것은 무슨 일에 착수할 때라든가, 어떤 갑작스런 결심을 했을 때, 언제나 그의 마음에 일어나는 현상이었다. 그는 항상 자기의 새로운 착상에 정열을 기울여 몰두하는 버릇이 있었다. 그러나 호흘라코바 부인네 집 현관 층계를 올라갈 때에는 갑자기 등골이 오싹해지는 것 같은 공포감을 느끼지 않을 수 없었다. 이것이 자기에게 남겨진 최후의 희망이며, 이 밖에는 이 넓은 세상에 아무것도 남은 것이 없다. 만약에 이것마저 실패한다면 '불과 3천 루블이라는 돈 때문에 살인강도라도 될 수밖에 없다'는 것을 이 순간에 비로소 수학적으로, 완전히 자각했던 것이다. 그가 초인종을 눌렀을 때는 벌써 일곱 시 반이었다.

처음에는 행운이 그에게 미소를 지어 보이는 것 같았다. 하녀를 시켜 부인을 찾아왔다는 뜻을 전하자마자 그는 곧 집 안으로 안내되었다. '이건 마치 나를 기다리기라도 한 것 같군' 하는 생각이 그의 머릿속을 스치고 지나갔다. 아니나 다를까, 그가 응접실에 발을 들여놓기가 무섭게, 이번엔 부인이 친히 달려들어 와서, 마침 기다리고 있던 참이라고 말하는 것이었다.

"그렇잖아도 기다리고 있었는데 마침 잘됐어요! 그야 물론, 당신이 나를 찾아주시리라고는 생각조차 할 수 없는 일이었죠, 그렇잖아요? 그렇지만 나는 당신을 기다리고 있었어요. 내 정확한 육감에 놀라셨죠, 드미트리 표도로비치? 나는 당신이 오늘 틀림없이 오실 거라고 아침부터 굳게 믿고 있었거든요."

"정말 놀라운 일이군요, 부인" 미챠는 어색한 동작으로 의자에 앉으며 말했다. "그러나…… 나는 매우 중대한 용건이 있어 찾아온 겁니다. 이만저만 중대한 일이 아닙니다……. 그렇지만 이것은 나한테만, 나 한 사람한테만 중대한 용건입니다. 게다가 매우 긴급한……"

"당신이 중대한 용건 때문에 오셨다는 건 나도 알고 있어요, 드미트리 표도로비치, 이건 예감이니 육감이니 하는 것도 아니고, 시대에 역행하는 기적에 대한 요구도 아닙니다. (그런데 조시마 장로님 소식은 들으셨나요?) 이건 수학적인 문제죠. 왜냐하면 카체리나 이바노브나에게 그런 일이 있었는데 당신이 오시지 않을 리는 없지 않겠어요? 그렇고말고요. 오시지 않을 리가 만무하죠. 그건 수학적으로 명확한 일입니다."

"현실 생활의 리얼리즘입니다. 부인, 바로 그거예요! 그건 그렇고, 우선 내 얘기부터……"

"리얼리즘이란 말이 맞아요, 드미트리 표도로비치. 나는 이젠 리얼리즘을 지지한답니다. 기적이니 뭐니 하는 것엔 진저리가 날 지경이라니까요. 조시마 장로님이 돌아가셨다는 소식은 들으셨겠죠?"

"금시초문인데요" 미챠는 약간 놀랐다. 알료샤의 모습이 피뜩 떠올랐다.

"간밤에 돌아가셨죠. 그런데 어떻게 되었는지 아세요."

"부인" 하고 미챠는 말을 가로챘다. "나는 지금 절망적인 상태에 빠져 있기 때문에, 만약에 당신이 도와주시지 않는다면 모든 것이 엉망이 되고, 우선 나부터 파멸해 버린다는 것밖엔 아무것도 생각할 수가 없는 형편입니다. 표현이 좀 저속하게 됐습니다, 용서하십시오. 그렇지만 나는 지금 속이 달아 견딜 수가 없습니다. 나는 열병에 걸려 있습니다."

"알고 있어요, 당신이 열병에 걸리셨다는 건 나도 잘 알고 있어요. 당신은 그런 기분이 될 수밖엔 없는 거예요. 당신이 무슨 말씀을 하시든 나는 미리부터 다 알고 있다니까요. 나는 오래전부터 당신의 운명에 대해 여러 가지로 생각해 봤어요. 드미트리 표도로비치, 당신의 운명에서 눈을 떼지 않고 여러 모로 관찰해 왔단 말이에요……. 이래봬도 나는 경험 많은 영혼의 의사랍니다, 드미트리 표도로비치."

"부인, 당신이 경험 많은 의사시라면, 나는 경험 많은 환자입니다" 하고 미챠는 간신히 상대방의 비위를 맞춰 주었다. "만일 당신이 내 운명을 그처럼 관찰해 주신다면, 그 운명을 파멸의 위기로부터 구해 주실 수도 있으리라 믿습니다. 그러나 그러기 위해서는 우선 내 계획부터 들어주셔야겠습니다. 실은 그 계획을 말씀드리려고 이렇게 실례를 무릅쓰고 찾아온 것이니까요……. 그리고 내가 부인한테 무엇을 바라고 있는가 하는 것도 들어주시면 감사하겠습니다……. 내가 찾아온 것은 다름 아니라……"

"그런 설명은 필요 없어요. 그것이 첫째 문제는 아니니까요. 그렇지만 나는 당신 말고도 전에 사람을 구해 준 일이 있답니다. 당신도 내 사촌 동생 벨리메소바에 대해서 들은 일이 있겠죠? 그 애 남편이 파멸의 위기에 처했을 때—방금 당신이 적절히 표현하신 것처럼 모든 것이 '엉망'이 될 뻔했을 때 말입니다. 그때 나는 그 사람한테 종마 사육種馬飼育을 권했죠. 그래서 지금은 크게 성공했답니다. 당신은 종마 사육에 관한 지식을 갖고 계신가요, 드미트리 표도로비치?"

"조금도 없습니다, 부인. 그 방면엔 전혀 백지예요!" 미챠는 참을 수 없다는 듯이 신경질적으로 외치며 자리에서 벌떡 몸을 일으켰다. "제발 내 얘기를 들어주십시오. 2분 동안만 시간을 주시면 내 계획을 죄다 말씀드릴 수 있습니다. 나는 지금 한가한 시간이 없습니다. 굉장히 바쁜 몸이에요." 부인이 또다시 말을 시작하려는 것 같아서 그것을 막으려고 미챠는 기를 쓰며 외쳤다. "나는 절망에 빠져 당신을 찾아온 겁니다……. 절망의 구렁텅이에 빠졌기 때문에 당신한테 3천 루블을 차용할까 해서 왔단 말입니다. 그러나 부인, 이 돈을 차용하는 데는 확실한 담보가 있습니다. 그야말로 확실한 보증이 있습니다! 그러니 우선 내 얘기부터……"

"그런 일이라면 나중에, 나중에 말씀하세요!" 하고 호흘라코바 부인도 지지 않고 손을 내저었다. "방금 말씀드린 것처럼, 나는 당신이 무슨 말을 하려는지 미리부터 다 알고 있으니까요. 당신은 얼마만큼의 돈이, 즉 3천 루블이라는 돈이 필요하신 모양인데, 그보다 몇 갑절이나 더 많은 돈이라도 드리겠어요. 내가 당신을 구해 드리죠, 드미트리 표도로비치. 그 대신 내가 하는 말을 잘 들어주셔야 해요!"

미챠는 또다시 의자에서 벌떡 일어섰다.

"부인, 당신이 그렇게까지 친절하실 줄은 정말 몰랐습니다!" 그는 감격에 넘친 어조로 외쳤다. "아아, 당신은 나를 구해 주셨습니다. 당신은 하나의 인간을 본의 아닌 죽음으로부터—권총으로부터 구출해 주셨습니다……. 이 은혜는 영원히 잊지 않겠습니다."

"나는 당신한테 3천 루블보다 더 많은 돈을, 헤아릴 수 없을 만큼 많은 돈을 드리겠습니다!" 호흘라코바 부인은 환하게 미소를 띠우고 미챠가 기뻐하는 꼴을 바라보며 이렇게 말했다.

"헤아릴 수 없을 만큼이라고요? 그러나 그렇게 많은 돈은 필요 없습니다. 내게 꼭 필요한 돈은 그 운명적인 3천 루블뿐입니다. 그럼 당신에게 무한한 감사를 드리는 동시에, 그 금액에 대한 보증을 하겠습니다. 다름 아니라, 나는 어떤 계획을 하나 당신한테 제공할 생각입니다만, 그것은……"

"그만두세요, 드미트리 표도로비치. 일단 말한 이상 반드시 실행할 테니까요." 자기야말로 진짜 자선가라는 순진한 자부심을 숨기려고도 않고 호흘라코바 부인은 딱 잘라 말했다. "당신을 구해 드리겠다고 약속한 이상 반드시 구해 드리겠습니다. 전에 벨리메소바를 구해 준 것처럼 말이에요. 그런데 금광金鑛에 대해 어떻게 생각하시죠, 드미트리 표도로비치?"

"금광이라고요! 그런 건 한 번도 생각해 본 일이 없는데요."

"그러시겠죠. 그래서 내가 당신 대신에 생각해 봤답니다! 생각하고 또 생각했지요! 나는 그런 목적을 가지고 벌써 한 달 동안이나 당신을 관찰해 왔으니까요. 나는 당신이 옆을 지나가는 것을 볼 때마다, 이분이야말로 금광업을 하셔야 할 정력적인 인물이로구나, 하고 몇 번이나 되풀이해서 생각했답니다. 나는 당신의 걸음걸이를 관찰한 결과 '이분은 틀림없이 많은 금광을 발견하실 것이다'라는 결론을 얻었단 말입니다."

"걸음걸이로 아셨다고요?" 미챠는 빙그레 웃었다.

"그럼요, 걸음걸이로 얼마든지 알 수 있죠. 그럼 당신은 걸음걸이로 그 사람의 성격을 알 수 있다는 걸 부정하십니까, 드미트리 표도로비치? 이건 자연과학에서도 확인되고 있는 거예요. 나는 이젠 리얼리스트Realist란 말이에요, 드미트리 표도로비치! 나는 오늘부터—내 마음을 온통 뒤집어놓은 수도원에서의 그 사건이 일어난 후부터 완전히 리얼리스트가 되어 버렸답니다. 이제부터 나는 실제적인 사업에 헌신할 생각이에요. 내 병은 완전히 나았어요. 투르게네프의 말마따나 '이것으로 족하다!'지요."

"그렇지만 부인, 당신이 친절하게도 나한테 돌려주시겠다고 약속하신 3천 루블은 어떻게 되는 겁니까?"

"그건 틀림없어요, 드미트리 표도로비치" 하고 호흘라코바 부인은 재빨리 말을 가로챘다. "그 3천 루블은 이미 당신의 주머니 속에 들어 있는 거나 다름없습니다. 아니, 3천 루블 정도가 아니라 3백만 루블이에요, 드미트리 표도로비치. 그것도 눈 깜짝할 새에 그렇게 된단 말입니다! 그럼 당신이 해야 할 일을 가르쳐 드리겠어요. 당신은 금광을 발견해서 몇백만이라는 큰돈을 벌어 가지고 다시 이리로 오시는 거예요. 그리고 훌륭한 사업가가 되어, 우리를 선행으로 이끌어 주실 겁니다. 도대체 모든 사업을 유대인들에게만 맡겨 둘 수 있을까요? 그러니까 당신은 많은 건물을 세우고, 여러 가지 사업을 일으키실 겁니다. 그리고 빈민들을 도와주어 그들로부터 축복을 받게 되겠지요. 현대는 철도의 시대가 아닙니까, 드미트리 표도로비치! 당신은 유명해지고, 재무부財務部에 없어서는 안 될 인물이 되실 겁니다. 지금 재무부는 그런 인물을 필요로 하고 있으니까요. 나는 러시아의 화폐가치가 자꾸 떨어지는 게 걱정이 되어 밤잠도 제대로 못 잘 지경이랍니다. 나한테 이런 면도 있다는 걸 알아주는 사람은 별로 없지만요."

"이거 보십시오, 부인!" 어떤 불안한 예감에 휩싸여 드미트리는 또다시 말을 막았다. "나는 기꺼이 당신의 충고에 따르겠습니다. 당신의 현명한 충고에 기꺼이 따르겠습니다. 부인…… 나는 아마 당신의 충고대로…… 금광을 찾으러 떠나게 될 겁니다……. 거기에 대해서는 다시 한번, 아니 몇 번이라도 다시 찾아뵙고 의논드리겠습니다……. 그렇지만 지금은 당신이 그처럼 관대하게 약속해 주신 그 3천 루블을…… 아, 그 돈만 있으면 나는 자유로운 몸이 될 수 있습니다. 오늘로라도 그 돈을 주실 수가 있다면…… 아무튼 나는 지금 시간의 여유가 없습니다. 한 시간도 지체할 수가 없는 형편입니다."

“가만 계셔요, 드미트리 표도로비치. 다 알고 있다니까요!” 하고 호흘라코바 부인은 기를 쓰며 제지했다. “문제는 당신이 금광으로 가시겠는지, 안 가시겠는지에 달려 있어요. 분명히 결심을 하셨나요? 수학적으로 대답해 주세요.”

“가겠습니다, 부인, 후에 부인께서 원하시는 곳이라면 어디든지 가겠습니다……. 그렇지만 지금은……”

“잠깐만 기다려 주세요!” 하고 호흘라코바 부인은 외치더니, 벌떡 일어나서 조그만 서랍이 많이 달린 훌륭한 책상 쪽으로 달려갔다. 그러고는 몹시 서두르면서 서랍을 하나하나 열고 무언가 찾기 시작했다.

‘3천 루블이라!’ 미챠는 숨이 막힐 듯싶은 흥분을 느끼며 생각했다. ‘그것도 지금 당장에, 아무런 증서도 없이…… 아, 이 얼마나 신사적인 태도냐! 참으로 훌륭한 여자야! 좀 수다스러운 게 흠이긴 하지만.’

“아, 여기 있군요!” 호흘라코바 부인은 호들갑스럽게 소리치더니 미챠에게로 돌아왔다. “내가 찾고 있던 건 바로 이거예요!”

그것은 끈이 달린 조그만 은제銀製 성상으로, 십자가와 함께 흔히들 목에 걸고 다니는 그런 종류의 물건이었다.

“이건 키예프에서 가져온 것이랍니다, 드미트리 표도로비치” 하고 그녀는 자못 경건한 어조로 말을 이었다. “위대한 순교자 성聖 바르바라의 유품이에요. 이걸 내 손으로 당신 목에 걸게 해 주세요. 그렇게 함으로써 새 생활과 새 사업을 시작하려는 당신을 축복해 드리려는 거예요” 하고 말하더니 그녀는 정말로 그의 목에 성상을 걸어 주려고 손을 내밀었다. 미챠는 몹시 당황하여 몸을 앞으로 굽히고 그녀의 일을 도왔다. 그리하여 마침내 넥타이와 셔츠 칼라 사이로 성상을 넣어 가슴에 늘어뜨렸다.

“자, 이것으로 출발 준비는 끝났어요!” 의기양양한 태도로 제자리에 돌아가 앉으며 호흘라코바 부인은 이렇게 말했다.

“부인, 참으로 감격하지 않을 수가 없군요……. 이 친절에 대해서 뭐라고 감사를 드려야 할지 모를 지경입니다. 그러나…… 지금은 내게 얼마나 시간이 귀중한지, 아, 그걸 당신이 알아주신다면…… 내가 염치 불구하고 당신한테 기대하고 있는 그 돈은…… 아아, 부인, 당신이 그처럼 친절하게, 뭐라고 감사해야 할지 모를 만큼 관대하게 대해 주시니" 하고 미챠는 갑자기 감격에 넘쳐서 외쳤다. "모든 것을 당신한테 고백하겠습니다……. 하기는 당신도 오래전부터 알고 계시는 일입니다만…… 나는 이 고장에 사는 어떤 여인을 사랑하고 있습니다. 그래서 카챠를 배반했습니다……. 아니, 카체리나 이바노브나라고 불러야 하겠군요. 아아, 나는 그 아가씨한테 비인간적으로 불성실하게 대했습니다. 그러나 이곳에 와서 나는 다른 어떤 여자를 사랑하게 되었습니다. 당신은 아마 그 여자를 멸시하고 계시겠지요. 이미 모든 것을 다 알고 계실 테니까요. 그러나 나는 죽어도 그 여자를 단념할 수가 없습니다. 그래서 지금 그 3천 루블이라는 돈이……"

"모든 것을 다 단념하도록 하세요, 드미트리 표도로비치!" 무서우리만큼 확고한 어조로 호흘라코바 부인은 그의 말을 막았다. "모든 것을 버려야 합니다. 특히 여자 같은 건 깨끗이 버려야죠. 당신의 목적은 금광입니다. 그런 곳에 여자를 데리고 갈 필요는 없지 않겠어요? 장차 당신이 돈과 명예에 싸여 돌아오시면 그때 당신은 자기 마음에 꼭 드는 배필을 상류 사회에서 발견하게 될 거예요. 그것은 지식 있고 편견 없는 현대적인 아가씨일 겁니다. 요즈음에 대두하고 있는 여성 운동이 그 무렵에는 충분히 성숙할 테니까, 신여성들도 반드시 나타나게 되겠지요."

"부인, 그것과 이것과는 문제가 다릅니다." 드미트리 표도로비치는 애원하듯 두 손을 모았다.

"다를 게 없어요, 드미트리 표도로비치. 당신에게 필요한 건 바로 그것입니다. 당신이 저도 모르게 갈망하고 계신 건 바로 그것이란 말이에요. 나도 오늘날의 여성 운동에 전혀 무관심한 건 아니랍니다, 드미트리 표도로비치. 여성이 사회적으로 진출하여 가까운 장래에 정치를 좌우할 수 있게 된다는 것…… 이것이 내 이상입니다. 나 자신도 딸을 가진 몸이니까요, 드미트리 표도로비치. 그렇지만 내게 이런 면도 있다는 걸 아는 사람은 별로 없답니다. 나는 이 문제에 관해서 작가 셰드린[5]에게 편지를 써 보낸 일까지 있습니다. 그분은 여성의 사명에 대해서 참으로 많은 것을 가르쳐 주었어요. 그래서 나는 작년에 '경애하는 작가님, 현대 여성을 대신하여 당신에게 포옹과 키스를 보냅니다. 계속 분투하시기 바랍니다'라는 두 줄 가량의 편지를 익명으로 보냈지요. 끝의 서명은 '어머니로부터'라고 했어요. 실은 '현대의 어머니로부터'라고 하면 어떨까 하고 잠깐 망설였지만, 그저 어머니라고만 해 버렸지요. 그렇게 하는 편이 오히려 정신적인 아름다움이 있을 것 같아서요. 더욱이 '현대'라는 말이 〈현대인〉이라는 잡지[6]를 상기시키거든요. 이것은 요즘의 검열 문제와 관련해서 그분들에게 쓰라린 기억을 되씹게 할 테니까요……. 아니, 갑자기 왜 이러세요?"

"부인." 마침내 미챠는 벌떡 일어나서 힘없는 애원을 표시하려고 두 손을 모아 쥐었다. "당신은 나를 울리실 작정이십니까, 부인? 만일 당신이 그 친절하신 약속을 언제까지나 질질 끌기만 하신다면……"

"우십시오, 드미트리 표도로비치. 어서 실컷 우십시오! 그것은 아름다운 감정이지요……. 당신은 이제 먼 길을 떠나실 분이니까요! 눈물은 당신의 마음을 가볍게 해 줄 거예요. 후일에 다시 돌아오실 때에는 기뻐하시게 될 겁니다. 나와 함께 기쁨을 나누기 위해 먼 시베리아에서 일부러 찾아와 주시면 얼마나 좋을까요."

"그보다 내게도 한마디 말할 기회를 주십시오!" 하고 미챠는 갑자기 큰 소리로 외쳤다. "이건 마지막 애원입니다. 제발 대답해 주십시오. 아까 약속하신 그 금액을 오늘 안으로 받을 수 있을까요? 만일 오늘 안으로 안 된다면 내가 언제 그것을 받으러 오면 좋겠습니까?"

"그 금액이라뇨?"

5 미하일 살티코프 셰드린Mikhail Saltykov Shchedrin(1826~1889). 러시아의 유명한 풍자문학가. 셰드린은 필명이며, 본명은 살티코프.

6 셰드린과 니콜라이 네크라소프Nikolay Nekrasov(1821~1878)가 함께 편집했던 잡지. 그 당시 당국의 검열 대상이었음.

"약속하신 3천 말입니다……. 조금 전에 당신이 그처럼 친절하게……"

"3천요? 3천 루블이란 말씀이죠? 아니, 안 되겠어요. 내게는 3천 루블이나 되는 돈은 없습니다." 호흘라코바 부인은 시치미를 떼고 자못 놀란 듯이 말했다. 미챠는 어리둥절해졌다.

"그게 무슨 말씀입니까. 조금 전에 그렇게 약속하시지…… 돈은 이미 내 주머니 속에 들어 있는 거나 마찬가지라고 말씀하시지 않았습니까."

"오, 그런 게 아닙니다. 드미트리 표도로비치, 당신은 내 말을 오해하신 거예요. 그렇게 말씀하시는 것을 보니 당신은 내 말을 이해하지 못하신 모양이군요. 나는 금광 얘기를 했던 것뿐이에요……. 물론 나는 3천 루블보다 훨씬 많은 돈을, 헤아릴 수 없을 만큼 많은 돈을 약속했어요. 이제 죄다 생각납니다. 그렇지만 그건 어디까지나 금광을 염두에 두고 한 말이었어요."

"그럼 그 돈은? 그 3천 루블은 어떻게 되는 겁니까?" 드미트리 표도로비치는 바보처럼 부르짖었다.

"오오, 아마 당신은 현금이란 뜻으로 들으신 모양인데, 나한텐 지금 돈이 없습니다. 나한텐 지금 한 푼도 없어요, 드미트리 표도로비치. 나도 지금 돈 때문에 우리 관리인과 다투고 있는 중이랍니다. 그래서 이삼일 전에는 미우소프 씨한테서 5백 르블을 빌려 왔다니까요. 그러니 나한테 그만한 돈이 있을 리 있겠어요? 그리고 말이에요, 드미트리 표도로비치. 설사 나한테 돈이 있다 하더라도 당신한테 빌려 드리지는 않을 겁니다. 나는 남에게 돈을 꿔어주지 않는 주의거든요. 돈을 꿔어준다는 건 싸움의 근원이니까요. 그러나 당신에겐 꿔어주고 싶지 않은 특별한 이유가 있어요. 당신을 사랑하기 때문이죠. 당신을 구해 드리고 싶기 때문에 돈을 빌려 드리지 않는 거예요. 당신에게 필요한 건 오직 한 가지, 금광, 금광, 금광뿐이에요!"

"이런 제기랄!" 미챠는 버럭 고함을 지르며 주먹을 들어 힘껏 탁자를 내리쳤다.

"어머나!" 호흘라코바 부인은 질겁해 비명을 지르며 응접실 한쪽 구석으로 달아났다.

미챠는 침을 퉤 뱉고 빠른 걸음으로 방을 나와 어두운 한길로 나섰다. 그는 미친 사람처럼 가슴을 쾅쾅 치며 걸었다. 이틀 전에 어두운 한길에서 알료샤와 마지막으로 만났을 때도 그는 지금과 똑같은 곳을 동생 앞에서 두들겨 보였던 것이다. 가슴팍의 바로 '그 자리'를 두드린다는 것이 무엇을 의미하는 것인지, 또한 이 동작으로 무엇을 나타내려는 것인지, 아직은 이 세상에 아무도 아는 사람이 없는 비밀이었다. 이 비밀은 그때 알료샤에게조차도 알려 주지 않았던 것이다. 그러나 이 비밀 속에는 그에게 있어 오욕 이상의 것이 포함되어 있었다. 만약에 3천 루블을 마련하여 카체리나에게 갚아 줌으로써, 자기가 양심의 가책을 받으면서 몸에 지니고 다니는 이 오욕을 '가슴팍 그 자리'에서 제거해 버리지 못한다면, 그때는 파멸과 자살 이외에 다른 길이 없다고 결심한 바로 그것이 포함되어 있었던 것이다. 이 모든 것은 후에 독자에게 충분히 밝혀질 것이지만, 아무튼 최후의 희망마저 사라져 버린 지금은, 그처럼 육체적으로 강하던 이 사내가, 호흘라코바 부인의 집을 나서서 불과 몇 걸음 걷기도 전에 갑자기 어린애처럼 엉엉 울기 시작했다. 그는 주먹으로 눈물을 닦으며 그냥 정신없이 걸었다. 그렇게 그는 광장까지 왔으나, 갑자기 무엇에 정면으로 맞부딪친 것 같다는 느낌이 들었다. 그와 동시에 누군지 작달막한 노파가 악을 쓰며 덤벼드는 소리를 들었다. 그는 하마터면 이 노파를 넘어뜨릴 뻔했던 것이다.

"아니, 이놈이 사람 잡겠네! 좀 잘 보고 걸어 다니라고, 날도둑놈 같으니!"

"오, 할멈 아니오?" 어둠 속에서 노파의 얼굴을 알아보고 미챠는 소리쳤다. 그것은 삼소노프의 시중을 드는 늙은 하녀였는데, 미챠는 그 전날 이 노파를 잘 보아 두었던 것이다.

"그런데 댁은 뉘신지요?" 하고 노파는 금세 딴사람이 된 것 같은 목소리로 말했다. "너무 어두워서 뉘신지 알아볼 수가 없군요."

"당신은 쿠지마 쿠지미치네 집에서 그분의 시중을 들고 있는 할멈 아니오?"

"그렇습니다. 지금 프로호르이치 댁에 심부름을 갔다 오는 길이죠……. 그렇지만 역시 뉘신지 생각이 잘 나지 않는데요?"

"그보다도 할멈, 한 가지 물어보겠는데, 아그라페나 알렉산드로브나는 지금도 거기 와 있소?" 미챠는 초조한 기대 때문에 몹시 흥분하여 이렇게 물었다. "아까 내가 직접 그 집까지 데려다 주었는데."

"예, 오셨습니다. 하지만 잠깐 앉았다가 곧 돌아가 버리셨어요."

"뭐라고? 돌아가 버렸다고?" 하고 미챠는 외쳤다. "그래, 언제 돌아갔소?"

"그때 곧 돌아가셨어요. 그저 잠깐밖엔 안 계셨으니까요. 무슨 얘기를 했는지 주인 영감을 한바탕 웃기고 나더니 그길로 곧 달아나 버리시더군요."

"거짓말 마라, 거지 할멈 같으니!" 하고 미챠는 호통을 쳤다.

"아이고머니나!" 하고 노파는 비명을 질렀으나, 미챠는 이미 그림자도 보이지 않았다.

그는 모로조바네 집을 향해 쏜살같이 달려갔다. 그것은 그루셴카가 모크로예로 출발한 바로 그 시각이었다. 그녀가 떠나고 15분도 채 지나기 전에 그는 그 집에 다다랐던 것이다. 페냐는 식모 일을 하는 자기 할머니 마트료냐와 함께 부엌에 앉아 있었는데, 거기에 느닷없이 '대위님'이 뛰어들었다. 그를 보자 페냐는 질겁하며 소리를 질렀다.

"소리는 왜 질러?" 하고 미챠는 고함을 쳤다. "그루셴카는 어디 있지?"

그러나 기가 질려 쩔쩔매고 있는 페냐가 미처 대답도 하기 전에, 그는 느닷없이 그녀의 발 앞에 무릎을 꿇었다.

"페냐, 제발 좀 알려 줘! 그루셴카는 어디 갔니?"

"저는 몰라요, 드미트리 표도로비치. 저는 아무것도 몰라요. 당장 죽이신대도 저는 아무것도 모른다니까요" 하고 페냐는 열심히 맹세했다. "아까 두 분이 함께 나가시지 않았습니까."

"나갔다가 다시 돌아왔단 말이다."

"아니, 돌아오시지 않았어요, 정말 맹세하겠어요. 절대로 돌아오시지 않았습니다!"

"거짓말 마라!" 미챠는 또 한 번 호통을 쳤다. "네가 겁에 질린 꼴을 보니 그년의 행방을 알 만하다!"

그러고는 곧 밖으로 달려 나가 버렸다. 가슴이 덜컥 내려앉을 만큼 혼이 난 페냐는, 이렇게 쉽사리 속여 넘길 수 있었음을 기뻐했으나, 실은 미챠가 급히 서두르고 있었기 때문에 무사했지, 그렇지만 않았더라면 결코 무사할 수 없으리라는 것도 잘 알고 있었다. 그러나 미챠는 밖으로 달려 나갈 때 뜻밖의 행동을 하여 페냐와 마트료나 할멈을 또 한 번 놀라게 했다. 다름 아니라, 식탁 위에 놋으로 된 조그만 절구가 놓여 있고, 그 속에 역시 놋으로 된 20센티가량의 조그만 절굿공이가 들어 있었는데, 미챠는 달려 나가는 길에 한 손으로 문을 열고 다른 한 손으로 그 공이를 집어서 옆 주머니에 쑤셔 넣고는 그대로 사라져 버렸던 것이다.

"큰일 났어요, 누구를 죽이려는가 봐요!" 페냐는 손뼉을 탁 치며 외쳤다.

4. 어둠 속에서

그는 어디로 달려갔을까? 그것은 뻔하다—'표도르 파블로비치네 집 말고 그년이 갈 만한 곳이 어디 또 있단 말인가? 삼소노프네 집에서 곧장 그리로 달려갔을 거야. 이제는 의심할 여지도 없다. 모든 음모와 모든 속임수가 이제야 죄다 드러났구나' 하는 생각이 회오리바람처럼 그의 머릿속을 스치고 지나갔던 것이다. 마리야 콘드라치예브나네 정원은 들러 보지도 않았다. '거긴 들를 필요도 없어, 암 없고말고……. 공연히 떠들썩하게 해서는 안 되지……. 곧 배반하고 고자질을 할 인간들이니까……. 마리야 콘드라치예브나도 저쪽 편이고, 스메르쟈코프 역시 한패야. 모두들 매수당한 게 분명해!'

그의 머릿속에는 또 다른 생각이 떠올랐다. 그는 골목길을 빠져나가 표도르 파블로비치네 집을 크게 한 바퀴 우회했다. 드미트로프스카야 거리로 나와 조그만 다리를 건너서, 집 뒤에 있는 호젓한 골목길로 곧장 빠져나왔다. 그곳은 인기척도 없는 텅 빈 뒷골목이었는데, 한쪽 옆으로는 이웃집 채소밭 울타리가 계속되고 다른 한쪽으로는 표도르네 집 정원을 둘러싼 높고 견고한 판자 울타리가 길게 솟아 있었다. 여기서 그는 한 지점을 선택했다. 그것은 예전에 리자베타 스메르쟈시차야(고린내 나는 여자)가 기어 넘어간 곳과 같은 장소인 것 같았다. 그 얘기는 미챠도 사람들에게 들어서 알고 있었다. '그런 여자도 넘어갈 수 있었다면' 하는 생각이 퍼뜩 떠올랐다. '내가 못 넘어갈 리야 없겠지!' 과연 그는 껑충 몸을 날려 단번에 울타리 꼭대기를 붙잡을 수 있었다. 그러고는 힘껏 몸을 솟구쳐 울타리 위에 훌쩍 올라탔다. 뜰 안에는 가까운 곳에 목욕탕이 있었으나, 불이 켜진 안채의 창문이 울타리 위에서 잘 보였다.

'역시 그렇구나. 아버지 침실에 불이 켜져 있는 걸 보니 그년이 여기 와 있는 게 분명해!' 그는 울타리 위에서 뜰 안으로 뛰어내렸다. 그리고리 영감은 앓아누웠고, 스메르쟈코프도 어쩌면 정말로 앓고 있을 것이므로 아무도 그 소리를 듣지 못할 것이라 생각했지만, 그래도 그는 본능적으로 몸을 숨기고는, 그 자리에 서서 숨을 죽이고 귀를 바싹 기울였다. 그러나 주위는 쥐 죽은 듯 조용하여 마치 일부러 그러는 것처럼 산들바람조차 없는 완전한 정적이 깔려 있었다.

'정적의 속삭임만이 들려올 뿐' 왜 그런지 이런 시구가 문득 떠올랐다. '내가 울타리를 뛰어넘는 걸 아무도 보지 못했으면 좋으련만…… 하긴 보았을 리가 없겠지만.' 잠시 그 자리에 서 있다가 그는 잔디밭 위를 살금살금 걸어갔다. 그는 한 걸음 한 걸음 귀를 기울이며, 수목들과 관목 숲을 피해 가면서 한참을 걸었다. 5분가량 걸려서 그는 불 켜진 창문 옆까지 다다랐다. 창문 바로 밑에는 키가 큰 말오줌나무와 청백당나무 덤불이 꽤 크게 몇 포기 자라고 있었던 것을 그는 기억하고 있었다. 안채 정면 왼쪽에 있는, 정면으로 통하는 출입문은 꼭 닫혀 있었는데, 그는 옆을 지나가며 이것을 특히 주의해서 봐 두었다. 마침내 덤불 있는 데까지 다다르자, 그는 그 뒤에 몸을 숨기고 숨소리를 죽였다. '여기서 좀 기다려야겠다'고 그는 생각했다. '혹시 안에서 내 발자국 소리를 듣고 지금 귀를 기울이고 있다면…… 잘못 들었나 보다, 라고 고쳐 생각하도록 만들어야 하니까…… 제발 기침이나 재채기가 나오지 않으면 좋으련만.'

그는 2분가량 기다려 보았으나, 가슴이 어찌나 두근거리는지 이따금 숨이 콱콱 막히는 것 같았다. '아무래도 가슴의 두근거림이 가라앉지 않겠는걸' 하고 그는 생각했다. '더 이상 기다릴 수야 없지.' 그는 덤불 그늘에 서 있었다. 덤불 전면의 반쪽은 창문에서 흘러나오는 불빛을 받아 환하게 보였다.

'청백당나무로구나. 열매가 달렸군. 어쩌면 이렇게 빨갈까!' 하고 그는 까닭 없이 중얼거렸다. 이윽고 그는 소리가 나지 않도록 한 걸음 한 걸음 조용히 발을 옮겨 창가로 다가가서 발돋움을 했다. 표도르 파블로비치의 침실이 손바닥을 펴 보듯이 한눈에 들여다보였다. 그것은 한가운데를 빨간 칸막이로 갈라놓은 그리 크지 않은 방이었다. 표도르는 이 칸막이를 '중국식 병풍'이라고 불렀었는데, 그 '중국식'이란 말이 미챠의 머리에 퍼뜩 떠올랐다. '저 칸막이 뒤에 그루셴카가 있는 모양이군.' 그는 표도르 파블로비치의 모습을 살펴보기 시작하였다. 노인은 여태까지 미챠가 한 번도 본 일이 없는, 비단으로 된 얼룩무늬의 새 가운을 걸치고, 허리에는 술이 달린 비단 띠를 두르고 있었다. 가운 깃 사이로는 금단추가 달린 깨끗하고 멋진 홀란드제製 셔츠가 보였다. 그리고 머리에는 전에 알료샤가 본 것과 같은 붉은 붕대가 여전히 감겨 있었다.

'어지간히 모양을 내고 있구나' 하고 미챠는 생각했다.

표도르 파블로비치는 생각에 잠긴 듯 창문 가까이에 서 있었는데, 갑자기 고개를 쳐들고 잠시 귀를 기울이는 것 같았다. 그러나 아무 소리도 들리지 않았는지 탁자로 다가가서 유리병을 집어 들고 코냑을 반 컵쯤 따라서 꿀꺽 마셨다. 그러고는 숨을 크게 들이쉬고 또 얼마 동안 그대로 서 있다가, 창문과 창문 사이에 걸린 거울 앞으로 어슬렁어슬렁 다가가더니, 오른손으로 이마의 붉은 붕대를 조금 올리고 아직 덜 아문 상처를 이리저리 살펴보기 시작했다.

'아버지 혼자로구나' 하고 미챠는 생각했다. '아무리 봐도 혼자 있는 게 분명해.'

표도르 파블로비치는 거울 앞에서 물러나더니 창문 쪽으로 홱 얼굴을 돌리고 밖을 내다보기 시작했다. 미챠는 재빨리 그늘 속으로 몸을 숨겼다.

'어쩌면 그녀은 칸막이 뒤에서 벌써 자고 있는지도 모르지.' 그는 가슴이 뜨끔했다. 표도르 파블로비치는 창가에서 물러섰다. '그녀이 밖에 오지 않았나 해서 창밖을 내다본 게 분명해. 그렇다면 그녀은 아직 오지 않은 모양이군. 그렇지 않다면야 어둠 속을 내다볼 리가 없지 않은가……. 기다리기에 마음이 초조해 죽겠는가 보군.' 미챠는 얼른 창문 옆으로 달려가서 다시 방 안을 들여다보기 시작했다. 노인은 기분이 언짢은 듯이 탁자 앞에 앉아 있었다. 조금 후에는 팔꿈치를 세우고 오른쪽 손바닥을 턱 밑에 괴었다. 미챠는 두 눈을 모아 열심히 그를 지켜보고 있었다.

'혼자 있어, 혼자야!' 하고 미챠는 다시금 마음속으로 단정했다. '만일 그녀이 여기 와 있다면 아버지의 얼굴이 저렇지는 않을 거야.'

참으로 기묘한 일이기는 하지만, 그루셴카가 여기 와 있지 않다고 생각하니, 까닭 모를 괴이한 분노가 불현듯 그의 가슴속에서 솟구쳐 올라왔다. '아니, 그녀이 여기 오지 않았기 때문에 그런 건 아니야' 하고 미챠는 곧 자기 자신에게 해명했다. '원인은 그녀이 여기 와 있는지 없는지 그걸 분명히 알 수 없다는 데 있는 거야.' 이것은 미챠 자신이 후에 상기한 일이지만, 그 순간 그의 이성은 놀랄 만큼 명석해져서, 모든 것을 지극히 세밀한 점에 이르기까지 빠짐없이 따져 보고 또 비교해 보았다. 그러나 자기의 입장이 불안정하여 사태를 정확히 파악할 수 없는 데서 오는 초조감이 헤아릴 수 없는 속도로 증대되어 갔다. '도대체 그녀은 여기 있는 걸까, 없는 걸까?'라는 의문이 그의 가슴을 뒤끓게 하는 것이었다. 그는 갑자기 마음을 정하고 손을 뻗쳐 창문을 톡톡 두드렸다. 스메르쟈코프와 노인 사이에 정해진 암호대로 두드린 것이다. 처음 두 번은 조용히, 다음 세 번은 좀 빠르게 두드렸는데, 이것은 그루셴카가 왔다는 것을 알리는 암호였다.

노인은 흠칫 놀라 고개를 홱 쳐들더니 급히 뛰어 일어나 창가로 달려갔다. 미챠는 얼른 그늘 속에 숨었다. 표도르 파블로비치는 창문을 열고 머리를 밖으로 내밀었다.

"그루셴카, 네가 왔니? 네가 왔어?" 하고 노인은 이상하게 떨리는 목소리로 속삭이듯이 말하였다. "어디 있느냐, 요 귀염둥이야? 어디 있어, 응." 그는 무섭게 흥분하여 숨을 헐떡이고 있었다.

'혼자였구나!' 하고 미챠는 최종적으로 단정했다.

"대체 어디 있는 거냐?" 하고 노인은 또다시 외쳤다. 그는 머리를 더욱더 내밀어 나중에는 어깨까지 창문밖으로 내놓으며 좌우를 두리번거리고 살피는 것이었다. "어서 이리 온. 너를 주려고 좋은 선물을 준비해 놨다. 보여 줄 테니, 어서 이리 오너라."

'3천 루블이 들어 있는 그 봉투 얘기로구나.' 이런 생각이 순간적으로 미챠의 머릿속에 떠올랐다.

"아니, 어디 있는 거냐?…… 문 옆에 와 있나? 내 곧 열어 줄 테니."

노인은 금세 창밖으로 기어 나오기라도 할 듯이 잔뜩 몸을 내밀고 뜰로 통하는 출입문이 있는 오른쪽을 바라보며 어둠 속을 더듬느라고 애썼다. 1초만 더 있으면 그는 필시 그루셴카의 대답을 기다리지도 않고 부리나케 달려가서 문을 열어 주었을지도 모른다.

미챠는 꼼짝도 않고 옆쪽에서 노인을 바라보고 있었다. 그가 그처럼 미워한 노인의 옆얼굴, 축 늘어진 목의 울대, 끝이 꼬부라진 코, 달콤한 기대 속에서 웃음 짓고 있는 입술, 이 모든 것이 왼쪽에서 비스듬히 비치는 방 안의 램프 불빛을 받아 환하게 드러나 보였다. 사나운 증오의 불길이 갑자기 미챠의 가슴속에서 확 타올랐다. '이놈이다, 이놈이 바로 나의 경쟁자다! 이놈이 나를 괴롭히는, 내 생활을 괴롭히는 박해자다!' 이것은 전번에 그가 알료샤에게 무슨 예감이라도 느낀 듯이 단언했던, 그 돌발적인 복수심에 가득 찬 광적인 증오의 발작이었다. 그는 나흘 전에 이웃집 정자에서 알료샤와 서로 이야기를 주고받았을 때 "아버지를 죽이다니, 어떻게 그런 말을 할 수 있어요?"라는 동생의 물음에 대해서 다음과 같이 말했었다.

"그건 나도 몰라, 나도 모르겠어. 어쩌면 죽이지 않을지도 모르고, 또 어쩌면 죽일지도 몰라. 다만 결정적인 순간에 아버지의 얼굴이 갑자기 구역질이 나도록 싫어지지나 않을까 하는 것이 걱정이야. 나는 그 울대가, 그 코가, 그 눈이, 그 뻔뻔스러운 웃음이 싫어서 죽을 지경이야. 나는 아버지라는 인간 자체에 대해 혐오를 느껴. 내가 걱정하는 건 바로 이 점이야. 이것만은 도저히 참아 낼 수 없을 것 같아."

이러한 혐오감이 지금 억제할 수 없는 힘을 가지고 치밀어 오른 것이다. 미챠는 이미 제정신이 아니었다. 갑자기 그는 주머니에서 놋공이를 끄집어냈다…….

"하느님께서 그때 나를 지켜 주셨어"라며 미챠 자신도 후에 이렇게 말했지만, 바로 그때, 병석에 누워 있던 그리고리 영감이 눈을 떴다. 그날 저녁 일찍이 그는 스메르쟈코프가 이반에게 얘기한 바 있는 그 치료법을 사용했었다. 즉, 그 어떤 강력한 비약秘藥을 보드카에 타서, 마누라의 도움을 받아 가며 온몸에 문질러 바른 다음, 그 나머지를 마누라가 웅얼거리는 특별한 기도문과 함께 마시고 나서 잠자리에 들었었다. 그의 마누라 마르파 이그나치예브나도 함께 그 약을 좀 마셨는데, 원체가 술을 못 마시는 여자였기 때문에 남편 곁에서 곧 죽은 듯이 잠들어 버렸다.

그런데 밤중에 그리고리는 갑자기 눈을 떴다. 그는 잠시 그대로 생각하고 있다가 허리께가 쑤시는 것 같은 아픔을 느꼈음에도 불구하고 침대에 일어나 앉았다. 그러고는 또 무언가를 생각해 보고 나서 급히 옷을 입었다. 어쩌면, '이렇게 위험한 때'에 아무도 집을 지킬 사람이 없는데 자기는 편안히 잠을 자고 있다는 데 대해 양심의 가책을 느꼈던 것인지도 모른다. 간질의 발작으로 녹초가 된 스메르쟈코프는 옆방에서 꼼짝도 못 하고 누워 있었다. 마르파 이그나치예브나도 쭉 뻗어 버린 듯이 잠자고 있었다. '마누라도 이젠 꽤 약해졌군.' 아내의 잠든 모습을 보고 그리고리 바실리예비치는 이렇게 생각했다. 그러고는 헛기침을 하면서 현관 층계로 나갔다. 물론 그는 층계에서 잠깐 뜰 안을 살펴보려 했던 것뿐이다. 허리와 오른쪽 다리가 참을 수 없이 아파서 도저히 걸음을 걸을 수가 없었기 때문이다. 그러나 바로 그때, 정원으로 통하는 사립문에 자물쇠를 잠그지 않고 내버려 둔 것이 생각났다. 그는 지극히 꼼꼼하고 정확한 인간이어서, 일정한 규칙과 다년간에 걸친 습관에 젖어 있었기 때문에, 아파서 몸을 잔뜩 구부리고 다리를 절뚝거리면서도 억지로 층계를 내려가 정원 쪽으로 다가갔다. 과연 사립문은 활짝 열린 채로 있었다. 그는 기계적으로 정원에 발을 들여놓았다. 어쩌면 그 순간 무슨 그림자가 눈에 들어왔든가, 아니면 무슨 소리가 귀에 들려왔는지도 모르지만, 아무튼 왼쪽으로 시선을 돌렸더니 주인 방의 창문이 열려 있었다. 창문은 휑하니 비어 있어 아무도 밖을 내다보는 사람은 없었다.

'왜 창문이 열려 있을까, 이제는 여름도 다 지나갔는데?' 하고 그리고리는 생각했다. 그러자 바로 그 순간 무언가 이상한 것이 맞은편 뜰 안을 얼씬 거렸다. 40보가량 떨어진 어둠 속을 사람의 그림자 같은 것이 달려가고 있었다. 이상한 그림자가 굉장한 속도로 움직이고 있는 것이다.

"큰일 났구나!" 하고 그리고리는 외치고, 등이 아픈 것도 잊어버리고 달아나는 괴한을 막으려고 정신없이 달려 나갔다. 그는 지름길을 택했다. 달아나는 괴한보다는 그리고리 쪽이 정원의 지리에 더 밝았다. 괴한은 목욕탕 뒤로 빠져 관자 울타리에 기어오르기 시작했다. 그리고리는 그 뒤를 따랐다. 괴한을 놓치지 않으려고 애쓰며 기를 쓰고 달려가서, 괴한이 막 울타리를 넘으려는 순간에 울타리 밑에까지 다다를 수 있었다. 그리고리는 정신없이 달려들어 두 손으로 괴한의 발을 꽉 붙들었다.

과연 그의 예감은 틀림이 없었다. 그는 괴한이 누구인가를 확인했다. 그것은 바로 '제 애비를 죽인 천하의 악당 놈'이었던 것이다.

"살인이야!" 하고 노인은 이웃에까지 울려 퍼질 만큼 커다란 소리로 고함쳤다. 그러다 그는 더 이상 소리를 지를 수 없었다. 갑자기 그는 벼락을 맞기라도 한 듯이 푹 고꾸라졌다.

미챠는 다시 뜰 안으로 뛰어내려 쓰러진 노인을 굽어보았다. 미챠의 손에는 놋공이가 쥐여 있었으나, 그는 기계적으로 그것을 풀 속에 던져 버렸다. 공이는 그리고리의 발끝에서 두어 걸음 되는 곳에 떨어졌지만, 그것은 풀 속이 아니라 가장 눈에 잘 띄는 길 위였다. 미챠는 몇 초 동안 자기 앞에 쓰러져 있는 노인을 자세히 살펴보았다. 노인의 머리는 온통 피투성이가 되어 있었다. 미챠는 손을 뻗어 그 머리를 만져 보았다. 이것은 후에 미챠 자신이 똑똑히 상기한 일이지만, 그는 그때 자기가 노인의 두개골을 깨버렸는지, 아니면 그저 공이로 쳐서 노인을 '실신시켰을' 뿐인지 '충분히 확인하고' 싶었던 것이다. 그러나 피는 쉴 새 없이 무섭게 흘러나와, 그 뜨거운 흐름은 미챠의 떨리는 손가락을 순식간에 붉게 물들여 버렸다. 그는 호흘라코바 부인을 방문할 때 준비했던 새하얀 새 손수건을 주머니에서 꺼내 가지고 노인의 이마와 얼굴의 피를 훔쳐 내려고 무의미한 노력을 계속했다. (이것도 후에 그가 상기한 일이었다) 그러나 손수건도 곧 피에 흠뻑 젖어 버렸다.

'제기랄, 내가 무엇 때문에 이런 짓을 하고 있담!' 미챠는 문득 제정신으로 돌아왔다. '설사 두개골이 깨졌더라도 지금 그걸 확인할 수는 없는 일이다……. 이렇게 된 이상 어차피 매한가지가 아닌가!' 그는 절망적인 심정으로 이렇게 덧붙였다. "죽었다면 내가 죽인 거지……. 재수 없게 영감이 걸려들었던 것뿐이야. 그냥 여기 누워 있으랄 수밖에!" 하고 그는 커다란 소리로 말하고 얼른 울타리를 기어올라 뒷길로 뛰어내려 그냥 달아나기 시작했다. 그는 피에 흠뻑 젖은 손수건을 오른손에 뭉쳐 쥐고 있었으나, 뛰어나가면서 그것을 웃옷 뒷주머니에 쑤셔 넣었다. 그는 쏜살같이 달렸다. 그날 밤 어두운 한길에서 그와 마주친 몇몇 통행인은 어떤 사내가 미친 듯이 달려가고 있었던 것을 후에 상기했다. 그는 또다시 모로조바네 집으로 달려갔던 것이다.

아까 미챠가 이 집에 왔다 간 후 페냐는 곧 문지기 나자르 이바노비치에게 가서 "오늘도 내일도 제발 그 대위님을 들여보내지 말아 주세요" 하고 '예수 그리스도의 이름으로' 애원했었다. 나자르 이바노비치는 사정 얘기를 듣고 즉석에서 승낙해 주었지만, 공교롭게도 2층에 있는 주인마님이 급히 불러서 그리로 가 버렸다. 가는 길에 얼마 전 시골에서 온 스무 살가량 된 자기 조카를 만났으므로 이 청년에게 자기 대신 대문을 지키라고 부탁했으나, 대위에 관해 주의 주는 것을 깜빡 잊고 말았다. 그때 미챠가 이 집으로 달려와 대문을 쾅쾅 두드렸던 것이다. 청년은 곧 미챠를 알아보았다. 미챠가 몇 번인가 이 청년에게 팁을 준 일이 있었기 때문이다. 청년은 곧 문을 열고 그를 맞아들이며 상냥한 미소를 띠우고 "아그라페나 알렉산드로브나는 지금 안 계십니다"라고 얼른 보고했다.

"어디 갔지, 프로호르?" 미챠는 우뚝 멈춰 섰다.

"아까 두어 시간 전에 치모페이의 마차로 모크로예로 가셨습니다."

"거긴 왜?" 하고 미챠는 물었다.

"그걸 어떻게 알겠어요. 어떤 장교를 만나러 가신다던가요. 거기서 누가 마차를 보내서 아씨를 모셔 간 모양이더군요."

미챠는 청년을 버려두고 정신 나간 사람처럼 페냐에게로 달려들어 갔다.

5. 갑작스런 결심

페냐는 할머니와 함께 부엌에 있었다. 두 사람 다 곧 잠자리에 들려던 참이었다. 그들은 나자르 이바노비치만 믿고 이번에도 방문을 잠그지 않고 있었다. 미챠는 달려가기가 무섭게 페냐에게 덤벼들어 멱살을 꽉 움켜쥐었다.

"자, 바른대로 말해 봐, 그년은 어디 있어? 어느 놈하고 지금 모크로예에 가 있느냐 말이다!" 하고 그는 미친 듯이 호통을 쳤다.

두 여인은 비명을 질렀다.

"네, 말씀드리겠어요, 드미트리 표도로비치, 하나도 숨기지 않고 지금 곧 죄다 말씀드리겠어요" 하고 페냐는 질겁해서 빠른 소리로 말했다. "아씨는 모크로예로 장교님을 만나러 가셨습니다."

"장교님이라는 건 누구야?" 미챠는 성급히 물었다.

"그전의 그 장교님 말입니다. 아씨의 옛날 애인 말이에요. 5년 전에 아씨를 버리고 갔던 바로 그 사람이죠." 여전히 빠른 소리로 페냐는 주워섬겼다.

드미트리 표도로비치는 멱살을 잡았던 손을 놓았다. 그는 죽은 사람처럼 창백한 얼굴을 하고 말없이 페냐 앞에 서 있었으나, 그 눈초리로 보아 그가 대번에 모든 것을 알아챘음이 분명했다. 사실 그는 페냐가 입을 열자마자 대번에 모든 사정을 하나도 남김없이 깨달았던 것이다. 그러나 가엾게도 페냐는 이 순간 그가 깨달았는지의 여부를 관찰할 여유는 조금도 없었다. 미챠가 달려들어 왔을 때 그녀는 궤짝 위에 앉아 있었는데, 지금도 거기 처음과 같은 자세로 앉아서 온몸을 호들호들 떨며 자기 몸을 방어하려는 듯이 두 손을 앞으로 내밀고 있었다. 그녀는 마치 그 자세대로 화석이 되기라도 한 것 같았다. 공포 때문에 휘둥그레진 겁귁은 눈으로 그녀는 뚫어지게 상대방을 쏘아보고 있었다. 게다가 그의 두 손은 피투성이가 되어 있지 않은가. 달려오는 도중에 그 손으로 땀을 닦았는지 그의 이마와 오른쪽 뺨에도 피가 더덕더덕 묻어 있었다. 페냐는 금세 발작을 일으킬 것 같았고, 식모 노파는 벌떡 일어나 거의 의식을 잃은 채 얼빠진 사람처럼 멍청히 바라보고만 있었다.

드미트리는 1분가량 그대로 서 있다가 페냐의 옆에 놓인 의자에 털썩 주저앉았다. 그는 의자에 앉아서 무슨 궁리를 하고 있다기보다는, 무엇에 몹시 놀라서 어리둥절해 있다고 하는 편이 옳을 것 같았다. 그러나 모든 사정은 불을 보는 것보다도 명백했다. 바로 그 장교인 것이다—미챠는 그 장교에 대해서 알고 있었다. 너무나도 잘 알고 있었다. 그루셴카 자신한테 들어서 알았던 것이다. 한 달 전에 편지가 왔다는 것도 알고 있었다. 그러고 보니 지난 한 달 동안, 드디어 그새 놈팡이가 도착할 때까지 모든 일이 극비로 진행되었음이 분명하다. 그런데도 그는 그 사내를 전혀 염두에도 두지 않았던 것이다! 대체 어쩌자고 미챠는 그 사내의 일을 생각조차 하지 않았던 것일까? 어째서 그는 그때 그 장교의 일을 간단히 잊고 말았던 것일까? 어째서 그런 얘기를 듣자마자 곧 잊고 말았단 말인가? 이것이 그의 앞에 무슨 괴물처럼 버티고 선 의문이었다. 그는 놀라움과 공포로 등골이 써늘해짐을 느끼며 이 괴물을 지켜보는 것이었다.

그러나 그는 갑자기 온순하고 상냥한 어린애처럼 부드럽고 다정한 어조로 페냐에게 말을 건넸다. 방금 자기가 그녀를 얼마나 놀라게 하고 얼마나 혼을 내주었는지, 그런 것은 벌써 잊고 있는 것 같았다. 그는 이런 처지에 놓인 사람치고는 이상하리만큼 정확한 어조로 페냐에게 이것저것 묻기 시작했다. 페냐도 그의 피투성이가 된 손을 꺼림칙한 눈으로 보고는 있었지만, 역시 이상하리만큼 자발적인 태도로 그의 질문에 일일이 대답하기 시작했다. 아니, 조금이라도 빨리 '거짓 없는 사실'을 그에게 죄다 털어놓으려고 서두르고 있다고 생각될 지경이었다. 그녀는 모든 일을 상세하게 이야기하는 데에 일종의 쾌감 같은 것을 느끼기 시작했다. 그것은 결코 그를 괴롭히려는 마음에서가 아니라, 오히려 있는 힘을 다해 진심으로 그를 도우려는 뜻에서 그러는 것 같았다. 그녀는 그날 하루 동안에 일어난 일을 자세히 얘기해 주었다. 라키친과 알료샤가 찾아왔던 일, 자기, 즉 페냐가 망을 보고 서 있었던 일, 그루셴카가 출발했을 때의 상황, 그리고 그루셴카가 창문에서 알료샤를 불러 세우고, 미챠에게 인사를 전해 달라면서, '짧은 한때였지만, 내가 그이를 진심으로 사랑했다는 걸 한평생 기억해 달라고 전해 주세요'라고 외치더라는 것까지 죄다 얘기했다.

그루셴카가 인사를 전하더라는 말을 듣고 미챠는 갑자기 미소를 띠었다. 그러자 창백한 그의 뺨에 홍조가 떠올랐다. 바로 이때 페냐는 자기의 호기심에 대한 보복 같은 건 전혀 생각지도 못하는 듯이 이렇게 말했다.

"그런데 손이 왜 그렇죠, 드미트리 표도로비치? 온통 피투성이가 아녜요?"

"음, 그래." 멀거니 자기 손을 바라보며 미챠는 기계적으로 대답했으나, 그 손도 페냐의 질문도 이내 잊어버리고 말았다.

그는 또다시 침묵 속에 빠져들어 갔다. 이 집에 달려들어 온 지도 벌써 20분가량이나 지났다. 처음의 놀라움은 사라지고, 그 대신 어떤 새롭고 확고한 결심이 그를 사로잡은 것 같았다. 그는 자리에서 벌떡 일어나더니 무언가 생각에 잠긴 표정으로 디소를 지었다.

"대체 어찌 된 일이세요?" 하고 페냐가 다시금 그의 손을 가리키며 물었다. 마치 지금 그의 불행을 위로해 줄 수 있는 가장 가까운 인간이나 되는 것 같은 동정 어린 어조였다. 미챠는 또다시 자기 손에 눈길을 주었다.

"이건 피야, 페냐." 그는 이상한 표정으로 그녀를 바라보며 말했다. "이건 사람의 피야. 아아, 무엇 때문에 흘린 피일까? 하지만 페냐…… 여기 울타리가 하나 있어. (그는 수수께끼라도 푸는 것 같은 얼굴로 그녀를 바라보았다) 높은 울타리지. 겉보기엔 무시무시한 울타리야. 그러나…… 내일 새벽 태양이 떠오르면 미첸카는 그 울타리를 훌쩍 뛰어넘는 거야……. 페냐, 넌 그것이 어떤 울타린지 모르겠지……. 뭐, 아무래도 좋아. 어차피 내일이면 소문을 듣고 죄다 알게 될 테니까……. 나는 이만 가보겠어. 나는 그루셴카를 방해하진 않겠어. 깨끗이 양보할 생각이야. 나는 양보할 줄 아는 놈이니까. 잘 살아 다오, 나의 기쁨이여……. 한때나마 나를 사랑해 주었다고 했다지만, 그러나 이 미첸카 카라마조프를 영원히 잊지 말아 다오……. 그루셴카는 나를 언제나 미첸카라고 불렀었지. 너도 기억하고 있겠지?"

이렇게 말하고, 그는 갑자기 부엌에서 나가 버렸다. 페냐는 아까 그가 달려들어 와서 자기에게 덤벼들었을 때보다도, 이렇게 훌쩍 나가 버린 데 더한층 놀랐다.

그로부터 꼭 10분 후에 드미트리 표도로비치는 아까 권총을 잡힌 젊은 관리—표트르 일리치 페르호친의 집으로 들어갔다. 시간은 이미 여덟 시 반이었다. 표트르 일리치는 차를 마시고 나서 요리점 '스톨리츠니 고로드'로 당구를 치러 가려고 프록코트를 입고 있던 참이었다. 미챠는 외출 직전에 그를 붙잡았던 것이다.

그는 피투성이가 된 미챠의 얼굴을 보자 질겁하며 소리쳤다.

"아니, 이게 어찌 된 일입니까?"

“그게 아니라” 하고 미챠는 황급히 말했다. “아까 맡긴 권총을 가지러 왔어요. 참으로 미안하게 됐소, 표트르 일리치. 좀 급한 일이 있어서 그러니 빨리 주시오.”

표트르 일리치는 더욱더 놀랐다. 미챠의 손에 지폐가 한 뭉치 쥐어져 있는 것을 보았기 때문이다. 그러나 무엇보다 놀란 것은, 들어올 때부터 미챠가 그 돈뭉치를 쥐고 있었다는 점이었다. 세상에 그런 식으로 돈을 쥐고 다니는 사람도 없거니와, 그렇게 돈을 쥐고 남의 집에 들어오는 사람도 없을 것이다. 더욱이 그 지폐 뭉치를 오른손에 움켜쥐고, 마치 자랑이라도 하려는 듯이 앞으로 내밀고 있지 않은가. 현관에서 미챠를 맞아들인 표트르 일리치의 사환 아이는, 그가 돈을 손에 쥔 채 현관으로 들어왔다고 후에 증언했지만, 그렇다면 그는 돈을 쥔 오른손을 앞으로 내민 채 길을 걸어왔는지도 모른다. 돈은 모두 무지갯빛이 도는 1백 루블짜리 지폐뿐이었다. 그는 그것을 피투성이가 된 손가락으로 움켜쥐고 있었던 것이다.

꽤 시간이 지난 후에 이 사실에 관심을 가진 사람들로부터, 돈은 얼마나 되는 것 같았냐는 질문을 받았을 때, 표트르 일리치는, 언뜻 본 것만으로는 잘 알 수 없지만, 2천 내지 3천 루블은 되었을 것이다. 아무튼 꽤 크고 ‘두툼한’ 돈뭉치였다, 라고 대답했다. 이것 역시 후에 그가 증언한 것이지만, 장본인인 드미트리 표도로비치는 그때 전혀 제정신이 아닌 것 같았으나, 그렇다고 술에 취한 것 같지도 않았다. 무엇 때문인지 몹시 흥분하여 침착성을 잃고 있었으나, 한편으로는 어떤 일에 주의력을 집중하고 있는 것 같기도 했고, 그런가 하면 무엇인가를 열심히 생각하면서도 좀처럼 해답을 얻지 못하고 있는 것 같기도 했다. 몹시 서두르고 있기 때문인지, 대답도 퉁명스럽고 조리가 맞지 않았다. 그리고 때로는 전혀 슬픈 기색을 찾아볼 수 없었을뿐더러, 오히려 유쾌해 보이기까지 했다.

“정말 어찌 된 일입니까? 무슨 일이라도 있었습니까?” 꺼림칙한 눈으로 손님을 훑어보며 표트르 일리치는 또다시 이렇게 외쳤다. “왜 이렇게 피투성이가 되셨죠, 어디서 넘어지셨나요? 꼴이 어떤가 한번 보십시오!”

그는 미챠의 팔꿈치를 잡고 거울 앞으로 끌고 갔다.

미챠는 피 묻은 자기 얼굴을 보자 부르르 몸을 떨더니 화가 난다는 듯이 미간을 찌푸렸다.

“제기랄! 여기까지 이렇게…….” 그는 씹어 뱉듯 중얼거렸다. 그러고는 얼른 지폐 뭉치를 오른손에서 왼손으로 바꿔 쥐고 나서, 떨리는 손으로 호주머니에서 손수건을 꺼냈다. 그러나 손수건 역시 피에 젖어 (이것은 그리고리의 이마와 얼굴을 닦은 손수건이었다) 흰 점이라고는 거의 찾아볼 수 없었을뿐더러, 마르기는커녕 아주 덩어리로 굳어 버려서 아무리 해도 펴지지가 않았다. 미챠는 짜증을 내며 그것을 방바닥에 내동댕이쳤다.

“이런, 빌어먹을! 뭐 헝겊 조각 같은 건 없소?…… 얼굴을 좀 닦았으면 하는데.”

“그럼 피가 묻은 것뿐이고 다치신 건 아닙니까? 그렇다면 아주 물로 씻는 게 좋을 겁니다” 하고 표트르 일리치는 대답했다. “자, 여기 세숫대야가 있으니 이걸 쓰십시오.”

“세숫대야요? 좋죠……. 헌데 이걸 어디다 두면 좋을까?” 미챠는 이상하리만큼 당황한 빛을 띠며, 조언을 구하듯 상대방을 바라보면서 1백 루블짜리 지폐 뭉치를 가리켰다. 마치 표트르 일리치가 자기의 돈을 간수할 곳을 정해 줄 의무라도 있다고 생각하는 모양이었다.

“호주머니에 넣으십시오. 이 탁자 위에 놓아도 좋고요, 없어지진 않을 테니까.”

“호주머니요? 그렇군, 호주머니에 넣읍시다. 이젠 됐소……. 아니, 이게 문제가 아니오!” 갑자기 제정신으로 돌아오기라도 한 듯이 그는 외쳤다. “그보다도 우선 그 문제부터, 권총 문제부터 끝냅시다. 그걸 나한테 돌려주시오. 자, 이 돈을 받으시고 실은 권총이 꼭 있어야 할 일이 생겼소……. 나는 시간이, 시간이 조금도 없어요.”

그는 돈뭉치에서 맨 위의 1백 루블짜리 지폐 한 장을 뽑아서 젊은 관리에게 내밀었다.

"그렇지만 나한텐 거스름돈이 없는데요" 하고 관리는 말했다. "잔돈은 없으십니까?"

"없어요." 미챠는 또 한 번 돈뭉치에 눈길을 주고 나서 이렇게 대답했다. 그러나 자기가 한 말에 자신이 없는지 손가락으로 위에서부터 몇 장을 들춰 보았다. "없어요! 다 같은 것뿐이군요" 이렇게 덧붙이고는 다시금 조언을 구하듯이 표트르 일리치를 바라보았다.

"그런데 어디서 갑자기 그렇게 많은 돈을 벌어 오셨죠?" 하고 관리는 물었다. "가만 계십시오. 우리 사환 아이를 플로트니코프네 가게에 보내 봅시다. 그 집은 늦게까지 문을 열고 있으니까 어쩌면 잔돈으로 바꿀 수 있을지도 모르겠습니다. 얘, 미샤!" 하고 그는 문간방 쪽을 향해 소리쳤다.

"플로트니코프네 가게 말이오? 거 아주 좋은 생각이오!" 미챠는 정말로 무슨 좋은 생각이라도 떠오른 듯 이렇게 외쳤다. "미샤" 하고 그는 들어오는 소년에게 말했다. "너 플로트니코프네 가게에 달려가서 드미트리 카라마조프가 안부를 전하더라고 말하고, 내가 곧 그리로 간다고 일러 주렴……. 그리고 말이다, 내가 갈 때까지 샴페인을 서너 상자 준비해서, 전번에 모크로예에 갔을 때처럼 마차에 실어 놓으라고 해라……. 나는 그때 그 가게에서 네 상자나 팔아 주었죠" 하고 그는 갑자기 표트르 일리치를 향해 말했다. "그 집에서 다 알아서 해줄 테니 걱정할 건 없다, 미샤." 그는 다시 사환에게로 얼굴을 돌렸다. "그리고 말이다. 치즈와 스트라스부르크의 파이와 어포와 햄과 알젓과…… 아니, 그 집에 있는 건 죄다 주문해라. 1백 루블어치로 하든가, 요전처럼 1백 20루블어치로 하면 될 거다……. 그리고 또 있어. 디저트도 잊지 말도록—캔디와 배와 수박을 두서너 개, 아니면 네 개, 아니 수박은 한 개면 충분해. 그리고 초콜릿과 얼음사탕과 과일 사탕과 엿과—그러니까 전번에 모크로예에 가져갔던 건 죄다 필요하다고 해라. 샴페인 값까지 합해서 3백 루블 정도로 말이야……. 결국 이번에도 전번과 똑같이 하면 되는 거야. 잊어버리면 안 된다, 미샤. 네 이름이 미샤였지……. 이 얘 이름이 미샤지요?" 하고 그는 표트르 일리치를 돌아보았다.

"잠깐만." 불안한 얼굴로 미챠의 말을 들으며 그를 바라보고 있던 표트르 일리치가 이렇게 제지했다. "당신이 가서 직접 주문하시는 게 좋을 것 같군요. 저 녀석이 엉뚱한 걸 주문하면 곤란하니까요."

"엉뚱한 걸…… 하긴 엉뚱한 걸 주문할지도 모르지! 얘, 미샤. 나는 너한테 심부름을 시키는 대신에 키스를 해 주려 했는데…… 만일 제대로 심부름할 수 있거든 10루블을 줄 테니 어서 달려갔다 오너라. 그리고 코냑이며, 붉은 포도주며, 흰 포도주며, 모든 걸 전번처럼 하라고 해……. 그 집에서는 다 알고 있을 게다."

"그렇지만 내 말을 좀 들어 보십시오!" 더 이상 참을 수 없다는 듯이 표트르 일리치는 말을 가로챘다. "저 녀석한테는 뛰어가서 돈이나 바꾸고, 가게 문을 닫지 말라는 말이나 하고 오라는 게 좋겠습니다. 그다음에 당신이 가서 직접 주문하도록 하십시오……. 그 돈을 저 애한테 주십시오. 그럼 미샤, 얼른 갖다 오너라!"

표트르 일리치는 일부러 급히 미샤를 내쫓은 모양이었다. 왜냐하면, 이 사환 아이는 손님 앞에 나와서, 피 묻은 얼굴이며, 돈을 움켜쥐고 후들후들 떨고 있는 시뻘건 손을 보자, 그만 눈이 휘둥그레져서 놀라움 때문에 입을 뻐끔히 벌리고 기둥처럼 선 채 미챠의 말 같은 건 제대로 귀에 들어가지도 않는 것같이 보였기 때문이다.

"자, 그럼 세수를 하러 가시지요" 하고 표트르 일리치는 무뚝뚝하게 말했다. "돈은 탁자 위에 놓아두던가 하십시오……. 네, 됐어요. 그럼 갑시다. 하지만 프록코트는 벗으십시오."

그러고는 옷 벗는 것을 거들어주려다가 다시금 소리를 질렀다.

"아니, 이거, 코트까지 피투성이가 아닙니까!"

"그건…… 그건 코트가 아니오. 여기 소맷부리가 좀…… 아, 여긴 손수건이 들어 있던 곳이군요. 호주머니에서 피가 배어나온 모양이에요. 페냐네 집에서 뒷주머니에 든 손수건을 그냥 깔고 앉았기 때문에 피가 배어나온 거예요." 무엇 때문인지 놀랄 만큼 허물없는 태도로 미챠는 곧 설명했다. 표트르 일리치는 미간을 찌푸리고 듣고 있었다.

"이런 봉변이 어디 있습니까. 누구와 싸우셨나 보군요" 하고 그는 중얼거렸다.

미챠는 세수를 하기 시작했다. 표트르 일리치는 물그릇을 들고 물을 따라 주었다. 미챠는 몹시 서둘렀기 때문에 손에 비누칠도 제대로 하지 않았다. (그의 손이 떨고 있었던 것을 표트르 일리치는 후에 상기했다) 표트르 일리치는 곧 비누칠을 더 해서 좀 더 잘 문지르라고 명령했다. 이 순간 그는 미챠에 대하여 일종의 권력을 쥐고 있는 것같이 행동했고, 시간이 경과함에 따라 그것은 더욱더 심해졌다. 말이 나왔으니 말이지만, 이 청년은 상당히 대담한 성격을 지닌 사내였다.

"보세요, 아직도 손톱 밑에 핏자국이 그대로 남아 있지 않습니까. 자, 이번에는 얼굴을 잘 문지르십시오. 여기, 관자놀이를, 그리고 그 옆에도……. 그래 당신은 그 셔츠를 입고 갈 참입니까? 대체 어디로 가시려는 거죠? 보세요, 오른쪽 팔소매 끝이 온통 피투성이가 아닙니까?"

"음, 피가 묻었군요." 셔츠 소매 끝을 들여다보며 미챠는 말을 받았다.

"그럼 셔츠를 갈아입으십시오."

"시간이 없어요. 나는 이렇게……" 벌써 수건으로 얼굴과 손을 닦고 프록코트를 입으며, 여전히 허물없는 말투로 미챠는 말을 이었다. "소매를 걷어 올리겠소. 이렇게 하면 프록코트 안으로 들어가니까 보이지 않겠죠……. 자, 어떻소!"

"그럼 이젠 어디서 이런 봉변을 당하셨는지 좀 들려주시오. 누구와 싸우셨죠? 언젠가처럼 또 그 술집에서 싸우신 건 아닙니까? 그때처럼 그 이등 대위를 끌어내서 패 준 건 아닌가요?" 하고 표트르 일리치는 나무라는 것 같은 말투로 전번의 일까지 끄집어냈다. "대체 누구를 또 패주었습니까?…… 혹시 죽인 건 아닙니까?"

"아무것도 아네요!" 하고 미챠는 말했다.

"아무것도 아니라뇨?"

"그만둡시다." 미챠는 히죽 웃었다. "방금 광장에서 어떤 노파를 밟아 죽였소."

"밟아 죽였다고요? 노파를?"

"아니, 영감쟁이였소!" 미챠는 웃는 얼굴로 상대방의 눈을 정시하며, 마치 귀머거리한테 말하듯 커다란 소리로 외쳤다.

"도대체 그게 무슨 소리요, 노파랬다, 영감쟁이랬다……. 그래 정말 누구를 죽였단 말입니까?"

"벌써 화해했지요. 한바탕 치고 때리고 했지만 곧 화해했어요. 어떤 장소에서 말이오. 우린 친구로서 헤어졌소. 바보 같은 작자였는데…… 그자는 나를 용서해 주었소…… 지금쯤 틀림없이 나를 용서했을 거요……. 그렇지만 그자가 만일 살아서 일어났다면 용서하지 않았을지도 모르죠." 갑자기 미챠는 한쪽 눈을 깜박거려 보였다. "그러나 그런 건 아무래도 좋소, 표트르 일리치. 아무래도 좋단 말이오. 그만둡시다! 지금은 그런 얘기 하고 싶지도 않소!" 하고 미챠는 딱 잘라 말했다.

"아니, 내가 그런 말을 한 건 당신이 아무하고나 닥치는 대로 싸움을 하는 것 같아서 그러는 겁니다……. 그때 그 이등 대위하고 싸운 것처럼 대수롭지 않은 일로 말입니다……. 하지만 한바탕 싸움을 하고 나서 당장 주연을 벌이러 가다니, 당신의 성격을 그대로 드러내는군요. 샴페인을 세 상자나 가져간다니 그걸 다 무엇에 쓰려는 겁니까?"

"브라보! 자, 이제 권총을 주시오. 정말 시간이 없어요. 실은 당신과 좀 얘기를 하고 싶지만 시간이 없어서 안 되겠소. 하긴 그럴 필요도 없군. 얘기를 하기에는 이미 늦었으니까. 아 참, 내 돈은 어디 있지? 내가 그걸 어디다 넣었더라?" 하고 외치더니 그는 두 손으로 호주머니를 뒤지기 시작했다.

"탁자 위에 놓지 않았습니까…… 당신이 제 손으로……. 저기 있지 않습니까. 벌써 잊었나요? 당신한텐 돈이 먼지나 물 정도로밖엔 생각되지 않는가 보군요. 자, 여기 당신의 권총이 있습니다. 아까 다섯 시경에는 이걸 단돈 10루블에 잡힌 분이, 이젠 수천 루블의 돈을 갖고 있으니 참 이상한 일인데요. 아마 2, 3천 루블은 되지요?"

"3천 루블가량은 될 거요." 미챠는 바지 호주머니에 돈을 쑤셔 넣으며 소리를 내어 웃었다.

"그렇게 하면 돈을 떨어뜨릴 우려가 있어요. 그런데 금광이라도 발견했나요?"

"금광이요? 흠, 금광이라!" 미챠는 괴상한 소리로 외치더니 배를 움켜쥐고 웃어 댔다. "페르호친, 당신도 금광에 가고 싶소? 당신이 금광으로 떠나기만 한다면 어떤 부인이 당장에 3천 루블을 쾌히 던져 줄 거요. 나한테도 던져 주었으니까. 굉장히 금광을 좋아하는 여자예요! 혹시 호흘라코바 부인을 아시오?"

"아는 사이는 아니지만, 본 일도 있고 소문을 들은 일도 있습니다. 그래 그 여자가 당신한테 3천 루블을 주었습니까? 정말로 던져 주었단 말인가요?" 표트르 일리치는 못 믿겠다는 듯이 그를 바라보았다.

"그럼 내일 아침 태양이 떠올랐을 때—영원한 청춘 아폴로가 신을 찬미하며 떠올랐을 때, 그 여자에게, 호흘라코바 부인에게 찾아가서, 내게 3천 루블을 던져 주었는지 아닌지 물어보시오. 한번 조사해 보란 말이오."

"나는 당신네들의 관계를 모르니까…… 그러나 당신이 그렇게 단언하는 걸 보니, 정말로 주긴 준 모양이군요……. 그런데 그렇게 돈을 움켜쥐고, 시베리아로 금광을 찾아가는 대신에, 딴 곳으로 트로이카(三頭馬車)를 몰 생각인가요……. 정말 어디로 가려는 겁니까?"

"모크로예로."

"모크로예로? 하지만 벌써 밤중인데요!"

"그전엔 모든 것을 소유한 마스트류크였지만, 지금은 아무것도 가진 것이 없는 마스트류크가 되었구나!" 하고 미챠는 불쑥 뇌까렸다.

"아무것도 가진 것이 없다뇨? 그렇게 몇천 루블을 가지고서도 무일푼이란 말입니까?"

"돈을 두고 하는 말이 아니오. 돈 같은 건 문제가 아니에요! 나는 여자의 마음을 두고 말하는 거요.

못 믿을 건 여자의 마음
변하기 쉬운 악마의 마음

이건 율리시스Ulysses[7*]가 한 말이지만, 나는 그와 전적으로 동감이오."
"나는 당신이 무슨 말을 하는 건지 모르겠어요!"
"그럼 뭡니까, 내가 술에 취하기라도 했다는 거요?"
"취하지는 않았지만, 그보다 더합니다."
"나는 정신적으로 취해 있어요, 표트르 일리치. 정신적으로 말이오. 하지만 이런 얘기는 집어치웁시다."
"그런데 뭘 하고 있죠, 권총에 탄약을 재는 겁니까?"
"그렇소, 탄약을 재고 있어요."
미챠는 정말 권총이 든 상자를 열고 탄약통에 열심히 화약을 넣고 있었다. 그러고 나서 탄환을 꺼냈으나, 재기 전에 두 손가락으로 그것을 들고 앞에 놓인 촛불에 비춰 보았다.
"어째서 탄환을 그렇게 들여다보죠?" 표트르 일리치는 불안감이 섞인 호기심에 사로잡혀 상대방의 동작을 지켜보고 있었다.
"그저 뭘 좀 생각하고 있을 뿐이오. 만일 당신이 이 탄환을 자기 머리에 쏘아 넣기로 작정했다면, 권총을 잴 때 그 탄환을 보겠소, 안 보겠소?"
"그건 무엇 때문에 봅니까?"
"내 머릿속에 들어갈 탄환이 어떻게 생겼는지 잠깐 들여다보는 것도 재미있는 일이니까요……. 그렇지만 쓸데없는 얘기죠, 잠깐 머리에 떠오른 쓸데없는 얘기예요, 이젠 끝났소." 그는 탄환을 재고 마포麻布 조각으로 마개를 하고 나서 이렇게 덧붙였다. "표트르 일리치, 부질없는 얘기예요, 모든 것이 부질없는 얘

7* 그리스 신화에 나오는 영웅 오디세우스의 라틴어 이름.

기죠. 이것이 얼마나 부질없는 얘긴지 당신은 아마 모를 거요! 그건 그렇고, 종잇조각이나 좀 주시오."

"자, 여기 있습니다."

"아니, 글을 좀 쓰게 매끄럽고 깨끗한 걸로 주시오. 아, 그게 좋소."

미챠는 책상에서 펜을 집어 들고 그 종이에다 무언가 두어 줄 쓰더니, 종이를 넷으로 접어 조끼 호주머니에 찔러 넣었다. 그리고 권총을 상자에 넣고 쇠를 잠근 다음 그것을 손에 들었다. 그러고는 표트르 일리치를 바라보며 히죽 웃어 보였다.

"그럼, 이젠 가 볼까" 하고 그는 말했다.

"어디로 가시죠? 아니, 잠깐만 기다리세요……. 당신은 자기 머릿속에 그것을 쏘아 넣으려는 건 아닙니까, 그 탄환을……?" 표트르 일리치는 불안하다는 듯이 물었다.

"그까짓 탄환 같은 건 문제가 아네요! 나는 살고 싶소, 나는 삶을 사랑해요! 이걸 기억해 두시오. 나는 금발의 아폴로와 그 뜨거운 빛을 사랑한단 말이오……. 그보다도 표트르 일리치, 당신은 물러설 줄 아시오?"

"물러서다뇨?"

"비켜 주는 것 말이오. 귀여운 인간과 미운 인간에게 길을 내주는 것 말이오. 죽도록 미운 인간도 귀엽게 여겨지도록 하는 것—이것이 길을 내준다는 뜻이오. 나는 그 두 사람에게 이렇게 말할 작정이오—부디 잘들 가거라, 내가 길을 비켜 줄 테니…… 나는……"

"그럼 당신은?"

"그만해 두고 어서 갑시다."

"이거 큰일인걸, 누구한테 말해서" 하고 표트르 일리치는 그의 얼굴을 바라보았다. "당신을 그리로 가지 못하게 해야겠군요. 이렇게 밤늦게 모크로예에는 무엇 때문에 간다는 겁니까?"

"거기 여자가 있어요, 여자가. 당신하곤 더 이상 말하고 싶지 않소, 표트르 일리치, 제발 그만둡시다!"

"그러지 말고 내 말 좀 들어 보시오. 당신은 야성적인 인간이긴 하지만, 나는 어쩐지 당신이 늘 좋았어요……. 그래서 이렇게 당신 일을 걱정하고 있는 겁니다."

"고맙소. 당신 말마따나 나는 야성적인 인간이오, 야만인이란 말이오! 이것 하나만은 단언할 수 있소—나는 야만인이다, 라고! 아, 저기 미샤가 온다. 내가 저 애를 깜박 잊고 있었군."

미샤는 잔돈으로 바꾼 돈뭉치를 들고 헐레벌떡 달려 들어와서, 지금 플로트니코프네 가게에서는 술병이다, 생선이다, 차다, 하고 온통 '야단법석이니까,' 곧 준비가 다 될 것이라고 보고했다. 미챠는 10루블짜리 지폐 한 장을 표트르 일리치에게 주고 또 한 장을 미샤에게 쥐어 주었다.

"그건 안 됩니다!" 하고 표트르 일리치는 소리쳤다. "내 집에서 그런 짓을 하시면 곤란합니다. 나쁜 버릇을 길러 주게 되니까요. 그 돈을 거두십시오. 거기다 넣어 두세요. 공연히 돈을 뿌릴 필요가 어디 있습니까? 그러다가 내일이면 또 돈이 궁해져서 나한테 10루블만 꿔 달라고 찾아올지도 모릅니다. 그런데 돈을 왜 옆 주머니에만 쑤셔 넣는 겁니까? 잃어버린다니까요!"

"그보다도 어떻소, 나하고 함께 모크로예에 가지 않겠소?"

"내가 뭣 때문에 거기 갑니까?"

"그럼 여기서 지금 한 병 터뜨려 인생을 위해 건배하기로 합시다! 나는 한 잔 들이켜야겠소. 하지만 꼭 당신과 함께 마시고 싶군요. 당신과 함께 술을 마신 일은 여태 한 번도 없는 것 같은데, 그렇죠?"

"그렇다면 요리점으로 가서 마십시다. 나도 지금 그리로 가려던 참이니까."

"요리점에 갈 시간이 어디 있소! 그럼 플로트니코프네 가게 뒷방에서 합시다. 그런데 어떻소, 내가 수수께끼를 하나 물어볼까요?"

"좋습니다."

미챠는 조끼 호주머니에서 조금 전의 그 종이쪽지를 꺼내더니 그것을 펼쳐서 보여 주었다. 거기에는 똑똑하고 굵은 글씨로 다음과 같이 적혀 있었다.

전 생애에 대하여 스스로를 벌하노라, 내 전 생애를 벌하노라!

“정말로 누구한테 말해야겠습니다. 지금 곧 가서 알려야 하겠어요.” 종이에 적힌 것을 읽더니 표트르 일리치는 이렇게 말했다.

“이젠 그럴 시간도 없을 거요. 자, 가서 한잔합시다. 앞으로 갓!”

플로트니코프네 가게는 표트르 일리치네 집에서 한두 집 건너 한길 모퉁이에 자리 잡고 있었다. 그것은 돈 많은 상인들 몇이 공동 경영하고 있는, 이 고장에서 제일 큰 식료 잡화점으로 점포 자체도 제법 훌륭했다. 수도首都의 큰 상점에 있는 식료품이면 이 가게에서도 무엇이든지 다 구할 수 있었다. ‘옐리세예프 형제표’ 포도주, 과일, 엽궐련, 차, 설탕, 커피 등 무엇이나 다 갖추고 있었다. 그리고 가게에는 언제나 점원 세 사람이 앉아 있었고, 나이 어린 배달원 둘이 분주하게 드나들었다. 이 고장은 대체로 경기가 쇠퇴하여, 지주들은 다른 곳으로 흩어졌고, 상업은 침체 일로에 있었지만, 식료품점만은 여전히 활기를 띠고 있었을뿐더러 해마다 점점 번창해 갔다. 이런 종류의 상품을 찾는 손님은 언제나 끊어지지 않았기 때문이다.

가게에서는 미챠가 오기를 이제나저제나 하고 기다리고 있었다. 그들은 삼사 주일 전에 미챠가 이번처럼 온갖 종류의 식료품과 주류酒類를 한꺼번에 수백 루블어치나 현금으로 팔아 준 일을 너무나 잘 기억하고 있었던 것이다. (외상이었다면 물론 미챠에게 빵 한 조각도 팔지 않았을 것이다) 저번에도 이번처럼 이것 보라는 듯이 무지갯빛 지폐 뭉치를 움켜쥐고, 그렇게 많은 식료품과 술이 무엇에 필요한지 생각하지도 않고, 또한 생각하려 하지도 않고, 값을 깎으려는 기색도 없이 마구 돈을 뿌렸던 것이다.

후에 온 읍내에 퍼진 소문에 의하면, 그는 그때 그루셴카를 데리고 모크로예로 마차를 몰고 가서, 그날 밤과 그 이튿날 사이에 3천 루블이라는 큰돈을 몽땅 뿌리면서 흥청망청 난장판을 벌인 끝에, 돌아올 때는 그야말로 무일푼이었다는 것이다. 그때 그는 한 무리의 집시(마침 그때 이 고장으로 흘러와서 막을 치고 있었다)를 모두 데려다 놓았는데, 집시들은 이틀 동안에 곤드레만드레가 된 미챠한테서 터무니없이 돈을 뜯어내고, 값비싼 술을 마음껏 퍼먹었다. 그리고 사람들은, 모크로예에서 그가 더러운 농부들에게 샴페인을 실컷 마시게 하고, 시골 계집애들과 아낙네들에겐 고급 과자와 스트라스부르의 파이를 한 아름씩 안겨 주었다고 수군거리며 그를 웃음가마리로 삼았었다. 또한 미챠가 그때 여러 사람 앞에서 직접 털어놓은 노골적인 고백 역시 이 고을의, 특히 선술집이나 요리점에서의 웃음거리였다. (물론 그의 면전에서 비웃는 사람은 없었다. 그의 면전에서 비웃는다는 것은 약간 위험한 일이었기 때문이다) 그 고백이란 다름 아니라, 이렇게까지 '무모한 탈선'으로 그가 그루셴카한테서 얻은 것이란 '겨우 여자의 발에 키스를 할 수 있었을 뿐, 그 이상의 아무것도 허락받지 못했다'는 것이다.

미챠가 표트르 일리치와 함께 가게 앞까지 와 보니, 좌석에 양탄자를 깔고 방울까지 달아 놓은 트로이카가 입구에 이미 준비되어, 마부인 안드레이가 미챠를 기다리고 있었다. 가게 안에서는 거의 모든 물건을 커다란 궤짝 하나에 채워 넣고, 미챠가 오기만 하면 곧 못질을 하고 마차에 실을 수 있게 준비하고 있었다. 표트르 일리치는 눈이 휘둥그레졌다.

"아니, 어느새 벌써 트로이카까지 준비시켰소?" 하고 그는 미챠에게 물었다.

"당신한테 가는 도중에 안드레이를 만나서, 곧장 가게로 마차를 끌고 오도록 일러두었던 거요. 시간을 허비할 필요가 없으니까! 전번엔 치모페이의 마차로 갔었지만, 치모페이는 오늘 매혹적인 여자를 하나 태우고 나보다 먼저 날아가 버렸소. 이봐, 안드레이, 많이 늦을 것 같나?"

"기껏해야 우리보다 한 시간쯤 먼저 도착할 겁니다. 그것도 어려울지 모르지만, 어쨌든 한 시간 이상은 앞서지 못할 겁니다" 하고 안드레이는 급히 대답했다. "치도페이의 마차는 제가 준비해 준 걸요. 그 녀석의 솜씨는 제가 잘 알고 있어요. 말 모는 솜씨로 말하면 저한텐 어림도 없지요. 드미트리 표도로비치, 우리 마차에 비하면 아무것도 아니라니까요! 그러니 우리보다 한 시간도 앞서지 못할 겁니다!" 아직도 혈기왕성한 마부 안드레이는 이렇게 열을 올렸다. 그는 불그죽죽한 머리에 호리호리한 몸집을 가진 청년으로, 소매 없는 누비옷을 입고 왼팔에는 무명 외투를 걸치고 있었다.

"한 시간밖에 늦지 않는다면 내가 술값으로 50루블을 주지."

"한 시간 정도는 문제없다니까요, 드미트리 표도로비치. 1시간은커녕 30분도 앞서지 못할 겁니다."

미차는 이것저것 지시를 하며 분주히 서둘렀으나, 하는 말이나 명령이 도무지 두서가 없는 데다가 어조 역시 이상했다. 그리고 무슨 말을 꺼냈다가는 끝을 맺지 못하기가 일쑤였다. 표트르 일리치는 자기가 나서서 도와줄 필요가 있다고 생각했다.

"4백 루블어치다, 4백 루블보다 적어서는 안 돼. 전번과 똑같이 하란 말이다" 하고 미챠는 호통을 쳤다. "샴페인은 네 상자, 한 병이라도 적으면 안 돼."

"무엇 때문에 그렇게 많이 사죠? 그걸 다 무엇에 쓰려고? 잠깐만 기다려!" 하고 표트르 일리치는 외쳤다. "이 상자는 뭐야? 뭐가 들어 있어? 그래, 이 상자에 4백 루블어치가 들었단 말이냐?"

분주하게 오락가락하던 점원들은 곧 아첨 섞인 어조로 설명하기 시작했다. 즉, '이 첫째 상자에는 샴페인 반 상자와 술안주의 캔디와 과일 사탕과 그 밖의 '우선 급한 대로 필요한 것'만 들어 있고, 나머지 '주문품'의 대부분은 전번처럼 따로 트로이카 한 대를 내서 곧 실어 보낼 테니까 드미트리 표도로비치께서 거기 도착하신 후 적어도 한 시간 이내에는 물건이 도착할 것입니다'라는 것이었다.

"한 시간 이내에, 틀림없이 한 시간 이내에 도착해야 해. 그리고 과일 사탕과 엿을 될 수 있는 대로 많이 넣도록. 그곳 계집애들이 그걸 좋아하니까" 하고 미챠는 기세를 올리며 다짐했다.

"엿이라고? 무방하겠지. 그러나 샴페인을 네 상자씩이나 뭣에 쓰겠다는 거요? 한 상자면 충분할 텐데!" 표트르 일리치는 사뭇 성을 내며 말했다. 그는 점원한테 따지고 드는가 하면, 계산서를 요구하기도 하면서, 잠자코 물러나려 하지 않았다. 그러나 겨우 1백 루블 정도 절약하는 데 성공했을 뿐이다. 그래서 결국은 도합 3백 루블로 타협이 이루어졌다.

"내가 알 게 뭐냐, 어서 마음대로들 하려무나!" 갑자기 생각이 달라졌는지 표트르 일리치는 이렇게 외쳤다. "어차피 나하곤 관계없는 일 아니냐! 공짜로 생긴 돈이라면 어서 마음대로 뿌리라지!"

"이리 오시오, 경제학자님, 그렇게 성낼 건 없소." 미차는 가게 뒷방으로 그를 끌고 들어갔다. "이제 곧 이리로 한 병 가져올 테니 우리 한잔합시다. 그보다도 표트르 일리치, 아주 나하고 함께 가는 게 어떻소? 당신은 참 귀여운 데가 있는 사람이오. 나는 당신 같은 사람을 좋아해요."

미차는 더러운 상보를 씌운 조그만 탁자 앞에 놓인 등의자에 앉았다. 표트르 일리치는 그 맞은편에 자리를 잡았다. 곧 샴페인이 들어왔다. 점원은 들어온 지 얼마 안 되는 썩 좋은 굴이 있다면서 그들에게 굴 안주를 권했다.

"굴은 해서 뭘 해! 난 안 먹겠어. 아무것도 가져올 필요 없어." 표트르 일리치는 거의 악을 쓰다시피 하며 말했다.

"굴 같은 걸 먹고 있을 시간은 없다" 하고 미챠도 한마디 했다. "하긴 먹고 싶지도 않지만, 그런데 말이오" 하고 그는 갑자기 정다운 어조로 말했다. "나는 원래 이런 무질서한 일은 딱 질색이었소."

"그런 걸 좋아할 사람이 어디 있단 말이오! 생각 좀 해 보시오, 그따위 상놈들에게 샴페인을 세 상자나 사 주다니, 그게 어디 될 법이나 한 일이오!"

"내 말은 그게 아니오. 나는 좀 더 높은 의미의 질서를 말하는 거요. 나한테는 질서라는 게 없어요. 높은 의미의 질서가…… 그렇지만…… 모든 건 다 끝났소. 이제 와서 슬퍼해 봤자 소용없는 일이죠. 때는 이미 늦었어요. 될 대로 되라고 할 수밖에! 내 일생은 무질서의 연속이었소. 그러니까 이제는 질서를 세울 필요가 있어요. 내가 무슨 익살을 부리는 것 같군요, 그렇잖소?"
"익살이 아니라 잠꼬대를 하고 있어요."

"세상에 계신 신에게 영광 있으라,
내 마음속에 계신 신에게 영광 있으라!

이건 언젠가 내 가슴에서 솟구쳐 나온 시의 한 구절이오. 아니, 시가 아니라 눈물이오……. 나 자신이 지은 건데……. 그렇지만 그 이등 대위의 수염을 움켜쥐고 끌어냈을 때 지은 것은 아니고……."
"무엇 때문에 별안간 그 사람 얘길 꺼내는 거요?"
"왜 별안간 그 얘길 꺼내느냐고? 우스운 얘기죠! 모든 것은 끝나려 하고 있소. 모든 것이 다 이퀄Equal이 되려 하고 있소. 줄만 하나 그으면—그것으로 결말이나 버리는 거요."
"아무래도 당신의 그 권총이 마음에 걸리는군요."
"권총도 문제 될 게 없어요! 쓸데없는 생각은 그만두고 어서 술이나 드시오. 나는 삶을 사랑하오. 너무나 지나치게 삶을 사랑했기 때문에 이젠 진저리가 날 지경이오. 더 이상 말하지 맙시다! 삶을 위해…… 삶을 위해 마시지 않겠소? 자, 삶을 위해 건배합시다. 어째서 나는 스스로 만족하고 있을까? 나는 비열한 인간이지만 자기 자신에 만족하고 있소. 나 자신이 비열한 인간이라는 의식 때문에 괴로워하고는 있지만, 그래도 나는 자기 자신에 만족하고 있소. 나는 신의 창조를 축복하오. 나는 당장에라도 신과 그의 창조를 축복할 용의가 있소. 그러나…… 그전에 우선 악취를 풍기는 벌레를 한 마리 죽여야 하오. 그놈이 살금살금 기어 다니면서 남의 생활을 해치지 않게 하기 위해서…… 자, 그럼 삶을 위해서 건배합시다! 삶보다 더 귀중한 것이 있을 수 있을까? 없소, 절대로 없소! 자, 삶을 위해서, 그리고 여왕 중의 여왕을 위해서!"
"그럼 삶을 위해 건배합시다. 그리고 당신의 그 여왕을 위해서도!"

두 사람은 한 잔씩 들이켰다. 미챠는 환희에 싸여 어쩔 줄 모르는 눈치였으나, 한편으로는 어딘지 우울한 빛이 엿보이는 것 같기도 했다. 그것은 마치 무슨 힘으로도 극복할 길 없는 굉장한 걱정거리가 눈앞을 가로막고 있기라도 한 것 같은 표정이었다.

"미샤로군…… 저기 들어온 건 당신네 미샤 아니오? 얘, 미샤, 이리 오너라. 그리고 내일 아침 솟아오를 금발의 아폴로를 위해 너도 한 잔 마시렴."

"뭣 때문에 저 애한테까지!" 표트르 일리치는 버럭 고함을 질렀다.

"가만 놔두시오, 이건 내 기분이니까."

"쳇!"

미샤는 얼른 잔을 비우고 나서 꾸벅 절을 하고는 그냥 내빼버렸다.

"저 녀석은 오래오래 나를 기억해 줄 거요" 하고 미챠는 말했다. "나는 여자를 좋아하오, 여자를! 여자란 뭐냐? 지상의 여왕이오! 아, 어쩐지 마음이 서글퍼지는군. 표트르 일리치, 햄릿을 기억하오? '어쩐지 마음이 서글퍼지는구나, 호레이쇼…… 아, 가엾은 요리크!' 나는 어쩌면 요리크인지도 몰라. 지금의 나는 틀림없는 요리크요. 해골은 좀 더 후의 일이지만."

표트르 일리치는 잠자코 듣고 있었다. 미챠는 잠시 말을 끊었다.

"저기 저 개는 무슨 개지?" 미챠는 구석에 앉아 있는, 눈이 까만 귀여운 강아지를 보고 갑자기 점원에게 물었다.

"저건 우리 주인마님인 바르바라 알렉세예브나의 강아지입니다" 하고 점원은 대답했다. "아까 안고 나오셨다가 여기다 잊고 가셨군요. 곧 갖다 드려야겠습니다."

"저놈과 똑같은 개를 본 일이 있었지…… 연대聯隊에서……." 미챠는 무엇을 생각하는 듯이 말했다. "다만 그놈은 뒷다리가 부러져 있었지만…… 그보다도 표트르 일리치, 당신한테 한 가지 물어보고 싶은 게 있는데, 당신은 일생을 통하여 남으 것을 훔친 경험이 있소, 없소?"

"아니, 그런 질문이 어디 있어요?"

"뭐 그저 좀 물어보는 것뿐인데, 남의 호주머니나 지갑의 돈을 슬쩍해 본 일은 없었느냐 말이오? 물론 나는 공금公金을 두고 말하는 건 아니오. 공금이라면 누구나가 다 해 먹고 있으니까. 물론 당신도 그 부류에 속하겠지만."

"되지도 않은 소리 작작 하시오."

"나는 타인의 돈을 말하는 거요. 타인의 호주머니나 지갑의 돈을 훔쳐 본 일이 있소, 없소?"

"아홉 살 때 책상 위에 있는 어머니 돈을 20코페이카 슬쩍한 일이 한 번 있었어요. 슬그머니 훔쳐 가지고 손에 꼭 쥐었었어요."

"그래서 어떻게 했소?"

"뭐 아무 일도 하지 않았어요. 사흘 동안 가지고 있다가 부끄러운 생각이 들어 자백을 하고 도로 돌려 드렸지요."

"그래서 그다음엔?"

"물론 매를 맞았지요. 그런데 당신은 어때요? 당신 자신은 남의 것을 훔친 경험이 없나요?"

"있소." 미차는 능청스럽게 한쪽 눈을 깜박여 보였다.

"무얼 훔쳤는데요?" 표트르 일리치는 호기심을 표시했다.

"아홉 살 때 어머니 돈을 20코페이카 훔쳤었지만, 사흘 만에 도로 돌려 드렸소." 이렇게 말하고 미차는 갑자기 자리에서 일어났다.

"드미트리 표도로비치, 이젠 떠나셔야 할 텐데요?" 가게 문에서 안드레이가 외쳤다.

"준비가 다 됐나? 그럼 떠나세!" 하고 미차는 갑자기 서둘러댔다. "마지막으로 한 가지만 더……. 떠나기 전에 기운을 내도록 안드레이한테 지금 곧 보드카를 한 잔 주게. 코냑도 한 잔 따라 주고! 이 상자는 (그것은 권총이 든 상자였다) 내 좌석 밑에다 갖다 넣게. 그럼 표트르 일리치, 잘 있소. 나쁘게 생각지는 말아 주시오."

"그렇지만 내일이면 돌아올 게 아닙니까?"

"틀림없이 돌아올 거요."

"지금 셈을 끝내 주실 수 없을까요?" 하고 점원이 앞으로 달려 나왔다.

"아 참, 셈을 해야지! 물론 하고말고!"

그는 또다시 호주머니에서 지폐 뭉치를 꺼내, 무지갯빛 지폐 석 장을 뽑아서 계산대 위에 내던지고는 급히 가게 문을 나섰다. 점원은 뒤를 따라 나가서 꾸벅꾸벅 절을 하고, 아첨 섞인 인사의 말을 던지며 그를 전송했다. 안드레이는 코냑을 꿀꺽 마시고 나서 마부석에 뛰어올랐다. 그러나 미챠가 마차에 자리를 잡고 앉자마자, 뜻밖에도 페냐가 그의 앞에 나타났다. 그녀는 숨을 헐떡이며 달려오더니, 두 손을 모으며 그의 발아래 몸을 던지고 커다란 소리로 외쳤다.

"드미트리 표도로비치, 제발 우리 아씨를 죽이지 말아 주세요. 네, 나리님! 제가 공연히 그런 얘기를 당신한테 죄다 지껄였나 봐요…… 그 장교님도 죽이지 말아 주세요. 그분은 아씨가 옛날에 좋아했던 사람이에요. 이번에 아그라페나 알렉산드로브나와 결혼하려고 일부러 시베리아에서 돌아오셨답니다……. 드미트리 표도로비치, 제발 사람의 목숨을 끊는 짓만은 하지 말아 주세요. 네!"

"아하, 그랬었구나! 이제 거기 가면 한바탕 소동이 벌어지겠는걸!" 하고 표트르 일리치는 혼자서 중얼거렸다. "이제야 모든 걸 알겠군. 그만 하면 알고도 남음이 있지! 드미트리 표도로비치, 당신이 만일 사람이라면 그 권총을 당장 이리 내놓으시오!" 하고 그는 미챠에게 고함을 쳤다. "내 말이 들리지 않소, 드미트리!"

"권총을? 서두를 것 없소, 도중에 웅덩이 속에 던져 버릴 테니까" 하고 미챠는 대꾸했다. "페냐, 일어나거라. 내 앞에 꿇어 엎드릴 필요는 없어. 미챠는 남을 파멸시키는 따위 짓은 하지 않는다. 아무리 내가 바보라도, 앞으로 사람을 죽이거나 하는 일은 절대로 없을 테니까. 아 참, 페냐." 그는 마차 위에 완전히 자리를 잡고 앉아서 그녀에게 소리쳤다. "아까는 너한테 미안하게 됐다. 용서하거라. 이 악당 놈을 불쌍히 여겨 용서해 주렴. 그러나 용서해 주지 않는대도 상관없다. 이제는 어찌됐든 매한가지니까! 자, 떠나세, 안드레이, 한번 멋지게 몰아 봐!"

안드레이는 채찍을 휘둘렀다. 말방울이 울리기 시작했다.

"잘 있소, 표트르 일리치! 당신에게 마지막 눈물을 바치겠소!"

'취하지는 않았는데 저렇게 잠꼬대 같은 소리만 뇌까린다니까!' 표트르 일리치는 그의 뒷모습을 바라보며 생각했다. 그는 아무래도 가게 사람들이 미챠를 속여 넘길 것 같은 예감이 들어서, 나머지 식료품과 술을 마차에 (이것 역시 트로이카였다) 싣는 것을 감시하기 위해 가게에 그냥 남아 있을까 생각했으나, 갑자기 그러한 자기 자신에게 화가 나서, 퉤 침을 뱉고는 단골 요리점으로 당구를 치러 가 버렸다.

"인간은 좋은 인간인데 바보라서 탈이야." 그는 길을 걸으며 혼자 중얼거렸다. "그루셴카의 '옛날 애인'인가 하는 장교 얘기는 나도 들은 적이 있지만, 미챠가 거기 도착하기만 하면 그때는…… 쳇, 아무래도 그 권총이 걱정인걸! 하지만 내가 뭐 그자의 아저씨라도 된다는 건가? 멋대로 내버려 둘 수밖에! 하긴 아무 일도 일어나지 않을 거야. 공연히 큰소리를 치는 것뿐이지. 술이나 실컷 마시고, 싸움이나 하고, 싸우고 나서는 화해하고, 그저 그 정도겠지. 그런 친구는 무슨 일을 끝까지 해낼 수 없는 인간이니까. 그렇지만 '길을 비켜 주고, 자기 자신을 벌한다'는 말은 무슨 뜻일까? 설마 무슨 일이 있으려고? 그런 소린 요리점에서 술이 취해 가지고 입버릇처럼 뇌까렸으니까. 그러나 오늘은 취하지 않았었거든. 하긴 '정신적으로 취해 있다'고 했지만—악한들이란 원래가 그런 수작을 좋아하는 법이야. 도대체 내가 그자의 아저씨라도 된단 말인가? 아마 누구와 싸운 건 틀림없을 거야, 얼굴이 피투성이가 된 걸 보니. 누구와 싸웠을까? 요리점에 가면 알 수가 있겠지. 손수건도 온통 피에 젖어 있었어……. 제기랄, 그런 물건을 우리 집 방바닥에 내버려 두고 가다니……. 하지만 내가 알 게 뭐냐!"

그는 몹시 언짢은 기분으로 요리점에 들어와서는 곧 당구를 치기 시작했다. 게임은 그의 기분을 풀어 주었다. 두 번째 게임이 끝났을 때 그는 갑자기 상대방에게 말을 걸었다—드미트리 카라마조프한테 또 돈이 생겼는데, 자그만치 3천 루블가량이나 되는 걸 직접 내 눈으로 보았다. 그걸 가지고 그루셴카와 흥청망청 놀기 위해 모크로예로 마차를 몰고 갔다, 라는 얘기를 했다. 이 소식은 듣는 사람들에게 비상한 호기심을 불러일으켰다. 그들은 웃으려고도 하지 않고, 모두들 이상하리만큼 심각한 표정으로 이야기에 끼어들었다. 게임조차 중단되어 버렸다.

"3천 루블이라니? 3천 루블이라는 큰돈이 어디서 생겼을까?"

사람들은 좀 더 자세한 설명을 요구했다. 호흘라코바 부인에 관한 얘기는 아무래도 믿을 수가 없는 모양이었다.

"혹시 자기 아버지한테서 강탈한 건 아닐까?"

"3천 루블! 어쩐지 수상한걸."

"그자는 자기 아버지를 죽여 버리겠다고 자랑삼아 떠들어댔어. 여기 있는 사람은 다 들었을 거야. 바로 그 3천 루블이란 돈이 화제에 올랐었거든."

이런 말을 듣자 표트르 일리치는 갑자기 시무룩해져서 사람들의 질문에도 냉담한 태도로 대답하게 되었다. 그는 요리점에 올 때는 모든 걸 다 얘기할 생각이었으나, 미챠의 얼굴이며 손이 피투성이가 되어 있었다는 것만은 끝내 입 밖에 내지 않았다.

이윽고 세 번째 게임이 시작되어 미챠에 대한 얘기도 별로 사람들의 입에 오르내리지 않게 되었다. 그러나 세 번째 게임이 끝나자, 표트르 일리치는 더 이상 당구를 치고 싶지 않았으므로, 큐를 놓고 예정했던 야식夜食도 그만두고 그냥 요리점을 나와 버렸다. 광장에 이르렀을 때, 그는 스스로 놀랄 만큼 어리둥절한 기분이 되어 걸음을 멈췄다. 그는 문득, 자기가 이 길로 곧장 표도르 파블로비치네 집으로 가서 무슨 별고나 일어나지 않았는가 알아보려 하고 있다는 데 생각이 미쳤다. '가 봐야 아무것도 아닐 텐데, 일부러 남의 집 사람들을 깨워 가지고 공연히 창피만 당하기 쉽지. 제기랄! 그래 내가 그자의 아저씨라도 된단 말인가?'

그는 몹시 침울한 기분으로 곧장 자기 집을 향해 걷기 시작했으나, 이때 갑자기 페냐 생각이 났다. '이런 제기랄, 아까 그 하녀한테 물어봤더라면' 하고 그는 분하게 생각했다. '모든 걸 다 알 수 있었을 텐데.' 그러자 그의 마음속에는, 그 하녀와 얘기를 해서 모든 사정을 알아내고 싶은, 성급하고도 강렬한 욕망이 불현듯 타올랐다. 마침내 그는 도중에 발길을 돌려 그루셴카가 살고 있는 모로조바의 집으로 갔다. 그는 대문으로 다가가서 문짝을 두드렸다. 그러나 밤의 정적 속에 울려 퍼지는 노크 소리는 갑자기 그의 훈훈한 마음을 식혀 금세 짜증이라도 일으킬 것 같은 기분이 되어 버렸다. 게다가 집 사람들은 모두 잠이 들었는지 아무도 대답하는 사람은 없었다.

'여기서도 창피한 꼴을 당하려는 건가!' 그는 거의 고통에 가까운 느낌을 가슴 속에 느끼면서 이렇게 생각했으나, 깨끗이 단념하고 돌아가려 하지는 않고, 오히려 더욱 세차게 문을 두드리기 시작했다. 노크 소리가 거리에 울려 퍼졌다.

"이렇게 된 이상 일어나서 나올 때까지 두드려야지. 암, 두드려야 하고말고!" 라고 그는 중얼거렸다. 그리고 쾅쾅 노크 소리가 날 때마다 자기 자신에 대해 미칠 듯한 분노를 느끼며 주먹에 더욱더 힘을 주었다.

6. 내가 왔다

한편, 드미트리 표도로비치는 큰길을 따라 마차를 타고 쏜살같이 달리고 있었다. 모크로예는 20킬로미터 남짓한 거리였으나, 안드레이가 모는 트로이카의 속력으로는 1시간 15분이면 도착할 수 있을 것 같았다. 질주하는 마차의 속력 때문인지, 갑자기 미챠는 기분이 상쾌해지는 듯 싶었다. 공기는 맑고 시원했으며, 구름 한 점 없는 하늘에는 커다란 별들이 반짝이고 있었다. 그것은 알료샤가 대지에 엎드려 영원히 이 대지를 사랑하겠노라고 희열에 넘쳐 맹세했던 바로 그날 밤이었다. 어쩌면 그와 똑같은 시각이었는지도 모른다.

그러나 미챠의 마음은 극도의 혼돈 상태에 빠져 있었다. 그리고 지금 그의 마음은 여러 가지 일로 가책을 받고 있었지만, 그러나 이 순간 그의 전 존재는 극복할 수 없는 힘을 가지고 그녀를 향해, 그의 이른바 여왕을 향해 줄달음질치고 있었다. 그는 이 세상을 하직하기에 앞서, 마지막으로 그녀를 한번 보고 싶어 이렇게 마차를 몰고 있는 것이었다. 여기서 한 가지 말해 둘 것은, 그의 마음이 순간적으로나마 아무런 갈등도 느끼지 않았다는 점이다. 땅에서 솟아난 것처럼 느닷없이 나타난 새로운 라이벌에 대하여, 즉, 그 장교라는 사내에 대하여, 미챠처럼 질투심이 강한 인간이 전혀 질투를 느끼지 않았다고 말한대도 아마 독자는 곧이듣지 않을 것이다. 만약에 그 사내 말고 다른 사내가 나타났다면, 그것이 누구이든 간에 대번에 질투를 일으켜 그 무서운 손을 또다시 피로 물들였을지도 모를 일이다. 그러나 지금 이렇게 트로이카에 앉아 달리고 있으면서도 '그 여자의 첫사랑'인 이 사내한테만은 질투에 기인하는 적개심 같은 것은 느끼지 않았을 뿐만 아니라, 가벼운 반감조차도 느끼지 않았다—하기는 아직 상대방을 만나보지는 못했지만…….

'이 문제에 대해선 왈가왈부할 여지도 없다. 이것은 그들 두 사람이 가져야 할 당연한 권티니까. 뭐니 뭐니 해도 5년 동안이나 잊지 못했던 그 여자의 첫사랑이 아닌가. 그렇다면 그 여자는 지난 5년 동안 그 사내 하나만을 사랑해 왔다고 해야 할 것이다. 그런데 나는 도대체 무엇 때문에 그런 데 끼어들었단 말인가? 나 같은 게 뭐냔 말이다, 무슨 상관이냔 말이다! 옆으로 비켜라, 미챠. 길을 내주는 거야! 더욱이 지금 나의 처지를 생각해 봐라! 이제 와서는 그 장교가 있건 없건 모든 일은 이미 끝난 것이다. 그 장교가 나타나지 않았더라도 어차피 만사는 끝장이 나고 만 것이다.'

만일 지금 그에게 무엇을 생각할 수 있는 힘이 있었다면, 대략 이런 말로 자기의 느낌을 표현했을 것이다. 그러나 그는 이미 아무것도 생각할 수 없었다. 지금 그의 결심 역시 아무런 사고도 거침이 없이 저절로 생겨난 것이었다. 아까 페냐가 말을 꺼내기가 무섭게 이 결심은 순간적으로 그의 가슴에 떠올랐고, 거기 따르는 모든 결과와 함께 즉석에서 받아들여졌던 것이다. 그러나 이러한 결심이 생겼음에도 불구하고, 그의 마음은 산란하기만 했다. 그 결심도 그의 마음에 안정을 주지는 못했다. 너무나도 많은 것이 배후에서 한꺼번에 밀어닥쳐 그를 괴롭히는 것이었다. 그리고 이따금 자기 자신도 이상하게 여겨지는 것이었다. '나는 스스로를 벌하노라'라는 선고문을 자기 손으로 썼고, 그 종이는 지금 자기 호주머니 속에 들어 있을뿐더러, 권총도 탄환이 재어 있고, 내일 아침에 자기가 '금발의 아폴로'의 뜨거운 첫 광선을 어떻게 맞을 것인지도 이미 결심이 되어 있지 않은가.

그럼에도 불구하고 여전히 등 뒤에서 밀어닥쳐 그를 괴롭히는 과거의 것들과 깨끗이 손을 끊을 수가 없었다. 이것을 그는 괴롭도록 자각했다. 그리고 그 자각이 절망으로 변하여 그의 가슴을 푹푹 찌르는 것이었다. 한순간 그는 안드레이에게 마차를 멈추게 하고, 밖으로 뛰어내려, 이미 재어진 권총을 꺼내서 새벽까지 기다릴 것도 없이 모든 일을 끝장내고 싶은 충동을 느꼈다. 그러나 그 순간은 번개처럼 지나가 버렸다. 트로이카는 '공간을 삼키며' 질주했고, 목적지가 가까워짐에 따라 그녀에 대한 생각만이 점차로 그를 사로잡아, 그 밖의 모든 무서운 환상을 모조리 몰아냈다. 아아, 그는 먼빛으로나마 그녀의 모습을 꼭 한 번 보고 싶었던 것이다!

'그루셴카는 지금 '그자'와 같이 있겠지. 그자와 같이, 옛날 애인과 같이 있는 걸 잠깐만이라도 내 눈으로 보고 싶다. 내가 보고 싶은 건 그것뿐이니까.' 그는 자기 생애에 있어 그처럼 숙명적인 이 여인에 대하여 이 순간만큼 강렬한 애정을 느낀 적은 여태까지 한 번도 없었다. 그것은 일찍이 경험해 보지 못한 새로운 감정이었다. 자기 자신이 전혀 예기치 못했던 감정이었다. 그녀 앞에서 스스로 소멸해 버린대도 무방할 것 같은, 경건敬虔에 가까운 부드러운 감정이었다. "그렇다. 스스로 꺼져 없어져 버려야 한다!" 갑자기 그는 발작적인 환희에 휩싸여 이렇게 중얼거렸다.

마차는 이미 한 시간 가까이 달렸을 것이다. 미챠는 침묵을 지키고 있었다. 원래가 수다스러운 편인 안드레이도 말하기가 두렵기라도 한 것처럼 한마디도 입을 놀리지 않았고, 여위긴 했으나 날쌔게 달리는 세 필의 밤빛 말들에게 연방 채찍질을 하고 있었다. 미챠는 불현듯 무서운 불안에 휩싸여 소리쳤다.

"안드레이! 혹시 자고들 있으면 어떡하지?"

그의 머릿속에는 퍼뜩 이런 생각이 떠올랐다. 여태까지 이런 생각은 해보지도 않았던 것이었다.

"이미 잠자리에 들었다고 생각하는 게 옳겠죠, 드미트리 표도로비치."

미챠는 병적으로 얼굴을 찌푸렸다. '정말로 그렇다면 어떡한단 말인가? 내가 이런 감정을 품고 달려갔는데…… 벌써 모두들 자고 있다면?…… 어쩌면 그 여자도 거기서 함께 자고 있을지 모른다.' 가슴속에서 쓰디쓴 감정이 끓어올랐다.

"좀 더 채찍질을 하게, 안드레이! 좀 더 빨리 몰아!" 그는 미친 듯이 소리쳤다.

"하지만 어쩌면 아직 자리에 들지 않았는지도 모릅니다." 안드레이는 잠시 입을 다물고 있다가 다시 말했다. "아까 치모페이한테서 들었는데, 거기 꽤 여러 사람이 모여 있더라고 하던데요."

"그 역참驛站에 말인가?"

"역참이 아니라 플라스투노프네 여관 말입니다. 이를테면 사설私設 역참이죠."

"그건 나도 알아. 그런데 여러 사람이 모였다는 건 무슨 소릴까? 어디서 그렇게 많은 사람이 왔다는 건가? 도대체 어떤 작자들이야?" 뜻하지 않았던 정보에 극심한 불안을 느끼며 미챠는 외쳤다.

"치모페이의 얘기로는 모두 지체 있는 어른들이라더군요. 그중 두 분은 우리 읍에서 가신 분들이라는데, 그게 누군지는 잘 모르겠습니다. 그리고 딴 지방에서 온 손님이 또 두 분 계시다더군요. 그밖에도 누군지 또 있는 모양입니다만, 자세한 건 물어보지 않았습니다. 모두들 트럼프 놀이를 시작했다는 말을 치모페이한테서 들었습니다만."

"트럼프 놀이를?"

"예, 그렇습니다. 트럼프 놀이를 시작했다면 아직 자리에 들지 않았는지 모르죠. 이제 겨우 열한 시가 좀 지났을 테니까요. 그보다 더 늦지는 않았을 겁니다."

"빨리 몰게, 안드레이, 더 빨리!" 미챠는 또다시 신경질적으로 외쳤다.

"그런데 나리님, 한 가지 여쭈어 볼 일이 있는데요." 잠시 입을 다물고 있다가 안드레이는 다시 말을 건넸다. "그렇다고 제발 화를 내지는 말아 주십시오."

"뭔데?"

"아까 페도시야 마르코브나(페냐의 정식 이름)가 나리님의 발밑에 엎드려, 자기네 아씨하고 누군지 또 한 사람을 죽이지 말아 주십사고 애걸하지 않았습니까……. 그래서 말씀입니다, 나리님, 제가 나리님을 그리로 모셔다 드리는 건 좋지만…… 아니, 용서하십시오, 나리님, 원래가 고지식한 놈이라 공연한 소릴 꺼냈는지 모르겠습니다."

미챠는 등 뒤에서 느닷없이 그의 어깨를 꽉 움켜잡았다.

"자넨 마부지? 마분가, 아닌가?" 그는 미친 듯이 물었다.

"예, 마붑니다만."

"그럼 남에게 길을 비켜 줘야 한다는 걸 알겠군? 나는 마부니까 아무에게도 길을 비켜 주지 않겠다, 사람이 차에 치이건 말건 그냥 차를 몰겠다!라고는 할 수 없겠지. 마부는 사람을 치이게 해서는 안 돼! 사람을 치이게 하거나 사람의 생명을 해쳐서는 안 되고말고. 만일 남의 생명을 해쳤다고 한다면, 스스로를 벌해야 하는 거야……. 만일 남을 다치게 하거나 남의 생명을 빼앗았다면, 그때는 자기 자신을 벌하여 스스로 꺼져 없어져 버려야 하는 거야."

이런 말들이 완전히 히스테리 상태에 빠져 버린 미챠의 입에서 거침없이 터져 나왔다. 안드레이는 나리님의 말투가 좀 이상하다고는 생각했으나, 그냥 말 상대가 되어 주었다.

"그렇고말고요, 드미트리 표도로비치, 사람을 치이게 하거나 괴롭혀서는 안 된다는 건 지당한 말씀입니다. 사람뿐만 아니라 어떠한 생물이건 매한가지죠. 생물이란 어느 것이나 다 하느님께서 창조하신 거니까요. 저 말들만 하더라도 어떤 마부는 마구 때리기만 합니다. 우리 러시아의 마부들도 마찬가집니다만…… 그런 놈들은 정도라는 걸 모르고 그냥 몰아대기만 하죠. 무작정 몰아대기만 한단 말입니다."

"지옥으로 말인가?" 하고 미챠는 갑자기 말을 가로채더니, 그의 버릇인 폭발하는 것 같은 짤막짤막한 웃음을 웃어 댔다. "안드레이, 자넨 참 소박한 인간이군" 하며 그는 또다시 마부의 어깨를 꽉 움켜잡았다. "말해 보게, 드미트리 표도로비치 카라마조프는 지옥으로 떨어질까? 자네 생각엔 어떤가?"

"저는 모르겠는데요. 그건 나리님한테 달려 있는 게 아니겠어요? 왜냐하면 나리님은 이 고장에선…… 그보다도 나리님, 옛날에 예수님께서는 십자가에 못 박혀 돌아가셨을 때, 십자가에서 곧장 지옥으로 내려가셔서, 거기서 고통을 받고 있는 죄인들을 모두 놓아주셨습니다. 그러자 지옥은, 이제부턴 자기한테로 떨어져 내려올 죄인은 아무도 없을 거라 생각하고 너무나 슬퍼서 끙끙 앓는 소리를 냈다고 합니다. 그때 하느님께서는 지옥을 향하여 '지옥아, 슬퍼하지 마라. 이제 곧 고관대작들과 지배자들과 재판관들과 부자들이 너한테 가서, 또다시 내가 찾아갈 때까지 몇백 년 몇천 년 동안 그전처럼 너를 가득 채우리라'라고 말씀하셨답니다. 이건 틀림없습니다. 하느님께서 바로 이렇게 말씀하셨으니까요."

"민중의 전설이로군. 그럴듯한 얘기야! 왼쪽 말에 채찍을 주게, 안드레이!"

"그러니까, 나리님. 지옥은 그런 사람들을 위해 있는 겁니다" 하며 안드레이는 왼쪽 말에 채찍을 휘둘렀다. "하지만 나리님은 순진한 어린애와 마찬가지거든요…… 저희들 생각엔 그렇단 말입니다……. 성미가 좀 급하신 건 사실이지만요. 그러나 그 정직한 마음씨를 보아 하느님께서는 반드시 용서해 주실 겁니다."

"그럼 자네도 나를 용서해 주겠나, 안드레이?"

"제가 무엇을 용서한단 말씀입니까? 나리님께선 저한테 아무런 일도 하시지 않았는데요."

"그런 게 아니라, 모든 사람을 대신해서 말이야. 모든 사람을 대신해서 자네 혼자 지금 이 길 위에서 나를 용서해 줄 수 있겠나? 자네의 소박한 머리로 생각하는 바를 말해 주게!"

"나리님도 별말씀을 다 하십니다! 저는 나리님을 태워다 드리기가 무서워졌습니다. 그렇게 이상한 말씀만 하시니."

그러나 미챠는 마부의 말을 제대로 듣고 있지 않았다. 그는 혼자서 미친 듯이 기도를 올리며 괴이한 어조로 중얼거리는 것이었다.

"하느님, 방종하기 짝이 없는 놈이지만 제발 저를 당신의 곁으로 가게 해 주십시오. 그리고 저를 책하지 말아 주십시오. 당신의 심판 받음 없이 그냥 통과시켜 주십시오……. 제발 저를 심판하지 말아 주십시오. 저 자신이 저의 죄를 신고했으니까요. 저는 당신을 사랑하고 있습니다. 그러니 하느님, 저를 책하지 말아 주십시오! 저는 비열한 인간이긴 합니다만, 비록 당신이 저를 지옥에 보내신대도 여전히 당신을 사랑할 겁니다. 지옥 속에서도 저는 영원히 당신을 사랑한다고 외칠 겁니다……. 그 대신 이 세상에서 끝까지 사랑하게 해 주십시오……. 지금 이 지상에서, 당신의 뜨거운 빛이 솟아오를 때까지 다섯 시간 동안만이라도 저의 사랑을 관철하게 해 주십시오……. 저는 저의 마음의 여왕을 사랑하고 있으니까요. 사랑하지 않으래야 않을 수 없습니다. 하느님께서는 이미 저의 마음속을 다 알고 계실 테지만, 저는 지금 그리로 달려가서 그 여자 앞에 엎드려 이렇게 말하겠습니다—네가 나를 무시한 건 당연한 일이다……. 부디 잘 살거라, 그리고 너의 희생물인 나의 일을 깨끗이 잊고 더 이상 마음을 쓰지 말아 다오, 라고!"

"모크로예에 다 왔습니다!" 안드레이가 채찍으로 전방을 가리키며 소리쳤다.

어슴푸레한 야음을 통하여 광활한 공간에 흩뿌려진 건물들의 육중한 집단이 갑자기 시커멓게 드러나 보이기 시작했다. 모크로예는 인구 2천가량의 촌락이었으나, 이때는 이미 마을 전체가 잠들어 있었고, 군데군데 희미한 등불이 어둠 속에서 깜박이고 있을 뿐이었다.

"몰아라, 몰아, 안드레이, 좀 더 빨리!" 미챠는 열병에 걸린 사람처럼 소리를 질렀다.

"아직 자리에들 들지 않았군요!" 마을 어귀에 서 있는 플라스투노프네 여관을 채찍으로 가리키며 안드레이가 또 말했다. 한길 쪽으로 난 여섯 개의 창문은 모두 불이 환하게 켜져 있었다.

"아직 자지들 않는가 보군!" 미챠는 기쁜 듯이 말을 받았다.

"안드레이, 요란스럽게 몰고 들어가게. 방울을 울리며 요란스럽게 몰고 들어가는 거야. 누가 왔는가를 모든 사람이 다 알 수 있도록 말이야! 자, 들거라, 내가 왔다, 내가 왔어!" 하고 미챠는 미친 듯이 고함을 질렀다.

안드레이는 지쳐 빠진 말들을 후려치며, 정말로 요란스럽게 높다란 층층대 앞으로 마차를 몰고 들어가, 등에서 김이 무럭무럭 나는 기진맥진한 말들의 고삐를 힘껏 잡아당겼다. 미챠는 마차에서 뛰어내렸다. 때마침 잠자리에 들려던 여관 주인이, 대체 누가 이렇게 요란스럽게 마차를 몰고 왔나 알아보려고 밖을 내다보았다.

"자네 트리폰 보리스이치 아닌가?"

주인은 허리를 구부리고 이쪽을 자세히 바라보더니, 쏜살같이 층계를 뛰어 내려와서 반색을 하며 비굴한 태도로 손님을 맞았다.

"아니 이거 드미트리 표도로비치 아니십니까! 나리님을 다시 뵙게 되다니 이거 참!"

트리폰 보리스이치는 중키에 얼굴이 투실투실하게 생긴 건장한 체구의 사나이였다. 겉보기엔 무척 딱딱한 표정을 하고 있어 붙임성이 전혀 없었고, 특히 상대가 모크로예의 농부들인 경우엔 그것이 더욱 심했지만, 자기한테 조금이라도 이로울 것 같은 사람에겐 재빨리 비굴할 만큼 아첨 섞인 표정으로 바꾸어 버리는 천부의 재능을 지니고 있었다. 그는 늘 러시아식으로 옷깃을 비스듬히 자른 루바시카에 소매 없는 외투를 걸치고 다녔다. 벌써 돈냥이나 꽤 모았는데도, 좀 더 벌어서 재산을 불릴 꿈만 꾸고 있었다. 이 마을 농민의 반수 이상이 그에게 빚을 걸머지고 그의 손아귀 속에 들어 있었는데, 그는 지주들한테서 땅을 빌거나 사거나 해 가지고는, 한평생 청산할 길 없는 빚 대신 그 땅을 경작하게 했다. 홀아비인 그에게는 다 자란 딸이 넷 있었다. 그중 하나는 과부가 되어, 그와 외손자가 되는 아이 둘을 데리고 친정에 와 살면서, 마치 품팔이 여자처럼 일을 해 주고 있었다. 그리고 유난히 촌스럽게 생긴 딸 하나는 어느 하급 관리한테 시집을 갔는데, 이 여관에 걸려 있는 몇 장의 조그만 가족사진 중에는, 견장이 달린 제복을 입은 그 관리의 사진도 눈에 띄었다. 밑의 두 딸은 교회의 축일이나 누구 집에 나들이를 갈 때는 등이 꼭 끼고 두 자가 넘는 긴 소매가 달린 최신 유행의 하늘빛 또는 초록빛 옷을 입곤 했지만, 다음 날이면 또 언제나처럼 이른 새벽에 일어나서 자작나무 비로 객실들을 쓸어내고 구정물을 들어내고, 손님이 떠난 후에 휴지나 쓰레기를 치웠다.

트리폰 보리스이치는 모아 둔 돈이 벌써 수천 루블이나 되는 데도 불구하고, 여관에 드는 유흥객한테서 돈을 우려먹기를 무척 좋아했다. 전번에 미챠가 그 루셴카와 호화판으로 주연을 벌였을 때, 불과 일주야 동안에 미챠한테서 3백 루블은 안 되더라도 2백 루블 이상이나 우려먹은 기억이, 아직 한 달도 채 안 된 지금 그의 기억 속에 생생하게 남아 있었으므로, 지금도 미챠가 요란스럽게 마차를 현관 앞에 들이대는 소리를 듣기가 무섭게, 또 횡재를 했구나 싶어 반갑게 달려 나와 맞아들였던 것이다.

"드미트리 표도로비치, 나리님을 또 뵙게 될 줄은 정말 몰랐습니다."

"잠깐만, 트리폰 보리스이치" 하고 미챠는 말을 시작하였다. "우선 제일 중요한 것부터 묻겠는데, 그 여잔 어디 있나?"

"아그라페나 알렉산드로브나 말씀입니까?" 여관 주인은 이내 알아채고 미챠의 얼굴을 빤히 쳐다보았다. "예, 여기…… 여기 와 계십니다만."

"누구하고? 누구하고 와 있지?"

"타지방 손님들인데요……. 한 분은 관리 양반인데 말씨를 들으니 아무래도 폴란드 사람 같더군요. 그분이 아그라페나 알렉산드로브나를 모셔 오라고 여기서 마차를 보냈답니다. 또 한 분은 그 관리 양반의 친구인지 그저 동행하는 분인지, 확실한 건 모르겠습니다. 두 분 다 평복을 하고 있더군요."

"그래 주연을 벌이고들 있나? 돈냥이나 있는 것 같던가?"

"주연이 다 뭡니까? 아주 시시하다니까요, 드미트리 표도로비치."

"시시하다고? 그 밖에 딴 사람은 없나?"

"읍의 손님이 두 분 계십니다……. 쵸르느이에서 돌아오시는 길에 들르셨지요. 한 분은 젊은 양반인데 성함은 잊었습니다만, 아마 미우소프 씨의 친척일 겁니다. 또 한 분은 나리님도 아시리라 믿습니다만, 막시모프라는 지주인데, 읍에 있는 수도원에 순례를 갔다가, 미우소프 씨의 친척인 그 젊은 양반과 만나서 둘이 함께 길을 떠났다고 하더군요."

"그렇게 네 사람뿐인가?"

"예, 그렇습니다."

"좋아, 더 이상 말할 필요 없어, 트리폰 보리스이치. 그보다도 가장 중요한 걸 묻겠는데, 그 여잔 어찌 됐어? 지금 어떡하고 있지?"

"아까 도착하셔서 지금 그분들과 같이 앉아 계십니다."

"유쾌한 얼굴이었나? 웃고 있던가?"

"아뇨, 별로 웃으시는 것 같지 않더군요……. 몹시 따분한 얼굴을 하고 앉아서 젊은 양반의 머리를 빗겨 주고 있었습니다."

"그 폴란드인 장교 말인가?"

"아니, 그분은 젊다고 할 수는 없지요. 그리고 장교도 아니에요. 그분이 아니라 미우소프 씨의 조카뻘 되는 그 젊은 양반…… 성함이 얼른 생각나지 않는군요."

"칼가노프라고 하던가?"

"맞았습니다. 칼카노픕니다."

"좋아, 내가 직접 확인할 테니. 그래, 트럼프 놀이를 하고 있나?"

"하다가 벌써 끝냈어요. 차를 마시고 나서 그 관리 양반이 과실주를 주문하셨습니다."

"됐어, 트리폰 보리스이치, 내가 직접 가 볼 테니까. 그보다도 또 한 가지 아주 중요한 걸 묻겠는데, 집시들은 없나?"

"요즘은 집시를 구경할 수 없게 되었습니다. 당국에서 모두 쫓아 버렸기 때문이죠. 그 대신에 심벌즈를 치고 바이올린을 켜는 유대인들이 있습니다. 로제스트벤스카야에 있으니까 지금이라도 부르러 보낼 수 있습니다. 곧 올 겁니다."

"불러오도록 하게. 꼭 불러와야 해!" 하고 미챠는 소리쳤다. "그리고 마을 처녀들도 그때처럼 모두 데려올 수 있겠지? 특히 마리야를 잊지 말도록. 스체파니다도 아리나도 빼놓으면 안 되네. 코러스 삯으로 2백 루블을 내겠네!"

"그렇게 많은 돈을 내신다면 온 마을 사람을 다 불러오겠습니다. 지금 모두 잠들어 있지만요. 그렇지만 드미트리 표도로비치, 이 마을 농군들이나 계집애들한테 그런 친절을 받을 만한 자격이 있을까요? 그따위 추접스런 상놈들한테 그렇게 많은 돈을 나눠 주시다니, 원! 그런 상놈들이 엽궐련을 피운다는 건 말도 안 됩니다. 그런데 나리님은 그놈들에게 엽궐련을 다 주시곤 하니, 그건 너무하시는 일입니다. 옆에 가면 구린내가 풍기는 도둑놈 같은 자들이 아닙니까. 그리고 계집애들은 하나같이 온몸에 이가 들끓고 있다니까요. 그보다도 나리님을 위해 저의 딸년들을 깨우겠습니다. 그렇게 많은 돈을 주실 필요는 없습니다. 방금 잠자리에 들어갔지만, 제가 등을 걷어차서 깨우겠습니다. 그리고 나리님을 위해서 노래를 부르게 하겠습니다. 전번엔 농민들한테 샴페인을 다 마시게 하셨는데, 그렇게까지 하실 필요가 어디 있습니까!"

트리폰 보리스이치는 마치 미챠를 위하는 듯이 말했지만, 그것은 어디까지나 침 발린 수작이었다. 그는 전번에 샴페인을 반 타스나 빼돌렸을뿐더러 식탁 밑에 떨어져 있던 1백 루블짜리 지폐를 슬쩍 집어서 그냥 손아귀 속에 넣고 말았던 것이다.

"트리폰 보리스이치, 전번에 내가 여기서 1천 루블 정도만 뿌리고 간 건 아니었을 텐데, 생각나겠지?"

"그렇고말고요. 나리님, 어찌 그것을 잊겠습니까. 아마 우리 마을에 3천 루블가량은 뿌리고 가셨을 겁니다."

"그럴 테지. 이번에도 그때처럼 하려고 온 거야. 자, 보게."

이렇게 말하며 그는 지전 뭉치를 꺼내서 주인의 코끝에다 내밀어 보였다.

"그럼 똑똑히 듣고 내 말대로 하게. 한 시간만 있으면 술이 올 거야. 술안주와 파이와 과자도 올 테니 곧 저리로 올려 보내게. 그리고 안드레이가 갖고 온 저 상자는 지금 곧 올려다가 열도록 하고, 샴페인을 곧 내오도록…… 그러나 제일 중요한 건 여자들이야, 여자들. 마리야를 특히 잊지 말도록.”

그는 마차 쪽으로 돌아서서, 좌석 밑에서 권총이 든 상자를 끄집어냈다.

“자, 돈을 받게, 안드레이! 이 15루블은 찻삯이고, 이 50루블은 술값이야……. 자네가 나한테 친절하게 해준 데 대한 사례조로 주는 거니까……. 카라마조프를 잊지 말아 주게!”

“어쩐지 두렵습니다, 나리님” 하고 안드레이는 더듬거리며 말했다. “찻삯이라면 5루블이면 족합니다. 그 이상은 받을 수 없습니다. 트리폰 보리스이치가 증인입니다. 제가 쓸데없는 소리를 한 건 제발 용서해 주십시오.”

“뭐가 두렵다는 거야?” 미챠는 마부를 아래위로 훑어보았다. “정 그렇다면 맘대로 하게!” 이렇게 소리치며 그는 5루블을 마부에게 던져 주었다.

“그럼 트리폰 보리스이치, 우선 그 사람들을 볼 수 있게 나를 살그머니 안으로 안내하게. 저쪽에선 나를 보지 못하게 해야 하네. 어디들 있나, 그때 그 하늘빛 방인가?”

트리폰은 마음에 거리낀다는 듯이 흘끗 미챠를 쳐다보았으나, 그래도 군소리 없이 시키는 대로 했다. 그는 미챠를 조심스럽게 문간방으로 안내한 다음, 손님들이 앉아 있는 방과 접해 있는 큰 방으로 자기 혼자 들어가서 켜 놓은 촛불을 들고 나왔다. 그러고는 다시 소리 나지 않게 미챠를 데리고 그 방으로 들어가서 캄캄한 구석에 세웠다. 그곳에서는 저쪽 사람들 모르게 얼마든지 그들을 관찰할 수 있었다. 그러나 미챠는 오랫동안 보고 있을 수가 없었다. 도대체 관찰을 한다는 건 불가능한 일이었다. 여자의 모습을 보자마자 갑자기 가슴이 무섭게 뛰기 시작하고 눈앞이 뿌옇게 흐려 버리는 것이었다.

여자는 식탁 옆에 놓인 안락의자에 앉아 있었다. 그 옆에는 예쁘장하게 생긴 풋내기 청년 칼가노프가 소파에 자리 잡고 있었다. 그루셴카는 그의 손을 잡고 웃고 있는 것 같았으나, 그는 여자 쪽엔 눈도 주지 않고, 식탁을 사이에 두고 그루셴카와 마주 앉아 있는 막시모프를 상대로, 화난 얼굴로 무어라고 떠들어대고 있었다. 막시모프는 뭐가 우스운지 연방 껄껄거리고 있었다. 소파에는 바로 '그자'가 앉아 있고, 소파 옆 벽 밑에 놓인 의자에는 또 하나 낯선 사내가 앉아 있었다. 소파에 팔다리를 쭉 펴고 앉아 있는 사내는 파이프를 입에 물고 있었다. '저 뚱뚱하게 살이 찐, 얼굴이 커다란 사내는 필시 키가 그리 클 것 같진 않군. 그리고 뭔가 몹시 못마땅한 눈치로군.' 이 순간 미챠의 머리에 떠오른 생각은 이것뿐이었다. 한편 그자의 친구처럼 보이는 낯선 사내는 굉장히 키가 클 거라고 미챠는 생각했다. 그러나 그 이상은 아무것도 분간할 수 없었다. 그는 숨이 꽉 막혔다. 그래서 1분도 그대로 서 있을 수가 없었다. 그는 권총이 든 상자를 장롱 위에 놓고, 온몸이 오싹해 오고 심장이 마비되는 것을 느끼며, 하늘빛 방에서 얘기하고 있는 사람들 앞으로 곧장 걸어 나갔다.

"어머나!" 그루셴카가 제일 먼저 그를 알아보고 깜짝 놀라 소리쳤다.

7. 틀림없는 옛 사내

미챠는 성큼성큼 빠른 걸음으로 식탁 옆에까지 걸어 나갔다.

"여러분." 그는 거의 고함치듯 큰 소리로 말을 시작했으나, 한마디 한마디 몹시 더듬었다. "나는…… 나는…… 아무것도 아닙니다! 염려하실 건 없습니다!" 하고 그는 소리쳤다. "나는…… 아무것도 아닙니다, 정말 아무것도 아니에요." 그는 갑자기 그루셴카 쪽으로 몸을 돌렸다. 그루셴카는 안락의자에 앉은 채 칼가노프에게 몸을 기대고 그의 팔을 꼭 움켜잡고 있었다. "나는…… 나도 역시 행객입니다. 아침까지 여기 머무르려는 것뿐입니다. 여러분, 길 가는 나그네를…… 아침까지 당신들과 함께 있게 해 주실 수 있겠습니까? 아침까지면 됩니다. 마지막으로 이 방에서 함께 시간을 보내게 해 주십시오."

그는 파이프를 물고 소파에 앉아 있는 뚱뚱한 사내 쪽으로 몸을 돌리며 말을 마쳤다. 이쪽 사내는 거드름스런 동작으로 입에서 파이프를 떼고 퉁명스럽게 대꾸했다.

"빠네Panie[8], 여긴 우리들끼리만 모인 좌석이오. 이 방 말고도 방은 또 있을 게 아니오."

"아니, 이거 드미트리 표도로비치 아니십니까? 대체 어찌 된 일이시오?" 하고 칼가노프가 갑자기 끼어들었다. "자, 어서 앉으십시오. 그동안 어떠십니까?"

"안녕하시오. 당신은 참 친절한 분이시군요……. 그리고 아주 훌륭한 분이십니다! 나는 언제나 당신을 존경해 왔지요." 미챠는 식탁 너머로 그에게 악수를 청하며 무척 반가운 듯이 말했다.

"아이쿠, 너무 꽉 쥐지 마십시오, 손가락이 부러지겠습니다!" 하며 칼가노프는 웃었다.

"저분은 언제나 그렇게 꽉 쥐곤 합니다. 언제나 그렇다니까요!" 하고 유쾌한 듯이 그루셴카가 말참견을 했다. 그 미소는 아직도 조심스러운 것이었으나, 미챠의 태도로 보아 난폭한 짓은 하지 않을 것이라는 자신을 얻었는지, 여전히 불안을 느끼기는 하면서도 대단한 호기심을 가지고 그의 거동을 지켜보고 있었다. 그에게는 무언가 그녀에게 비상한 충격을 주는 것이 있었다. 뿐만 아니라 그루셴카는 그가 이런 순간에, 이런 식으로 나타나서, 그런 투로 말을 하리라고는 정말 꿈에도 생각지 못했던 것이다.

"안녕하십니까?" 지주 막시모프가 왼쪽에서 상냥하게 말을 건넸다. 미챠는 그에게도 반갑게 인사를 했다.

"아, 안녕하세요? 당신도 여기 계셨군요. 당신도 여기서 만나다니 정말 기쁩니다! 그런데 여러분, 여러분, 나는……." 그는 파이프를 입에 문 빤Pan(신사)에게로 다시 몸을 돌렸다. 아마도 그 사내를 이 자리의 주인공으로 판단한 모양이었다. "나는 이리로 달려왔습니다……. 이 세상에서의 나의 마지막 시간을 이 방에서 보내고 싶었기 때문입니다……. 바로 이 방에서 나도 나의 여왕에게 뜨거운 사랑을 바친 적이 있으니까요……. 용서하십시오, 빠네!" 하고 그는 미친

8 Mr.에 해당하는 폴란드어 '빤'의 호격呼格. 여성형은 '빠니'.

듯이 소리쳤다. "나는 이리로 달려오며 맹세했습니다……. 절대로 겁내실 건 없습니다. 이 밤이 나의 마지막 밤이니까요! 빠네, 우리 사이좋게 술을 나눕시다! 이제 곧 술이 올 겁니다……. 나는 이걸 가져왔죠" 하며 그는 갑자기 무엇 때문인지 지폐 뭉치를 꺼냈다. "용서하십시오, 빠네! 나는 음악이 필요합니다. 전번처럼 집이 떠나갈 듯이 노래와 술의 향연을 벌이고 싶습니다……. 하지만 이 벌레는, 이 구더기만도 못한 무용한 벌레는, 잠시 동안 땅바닥을 기어 다니다가 곧 없어져 버릴 겁니다! 나는 기쁨의 날을, 나의 마지막 밤을 기념하려는 겁니다!"

그는 거의 숨이 막힐 지경이었다. 하고 싶은 말은 많고 많았지만, 입을 뚫고 나오는 것은 괴상한 절규뿐이었다. 폴란드 신사는 꼼짝 않고 앉아서, 그의 얼굴과 그 손에 쥐인 지폐 뭉치와 그루셴카의 얼굴을 번갈아 바라보고 있었으나, 뭐가 뭔지 확실히 알 수 없다는 표정이었다.

"만약에 나의 코룰레바가 허락한다면……" 하고 그는 입을 열었다.

"코룰레바는 또 뭐죠? 코룰레바(여왕)란 뜻인가요?" 갑자기 그루셴카가 말을 가로챘다. "당신들이 하는 말을 듣고 있으니 우스워 못 견디겠어요. 그보다도 미챠, 거기 앉으세요. 도대체 당신은 무슨 말을 하는 거죠? 제발 위협적인 언사는 그만두세요. 설마 우리를 위협하려는 건 아니겠죠. 그렇죠? 그렇다고 약속하면 나도 당신을 환영하겠어요."

"내가, 내가 여러분을 위협한다고요?" 미챠는 양손을 번쩍 쳐들며 이렇게 소리쳤다. "천만에. 나 같은 건 거들떠보지도 말고 그냥 통과하십시오. 절대로 방해를 하지는 않을 테니까!"

그는 별안간 의자에 털썩 주저앉아 반대쪽 벽으로 얼굴을 돌리더니, 의자의 등받이를 두 팔로 끌어안고 울음을 터뜨리고 말았다. 이것은 방 안에 있는 다른 사람들뿐만 아니라, 그 자신에게까지도 물론 전혀 뜻밖의 일이었다.

"원, 저런, 그저 그렇다니까, 어쩌면 당신은!" 하고 그루셴카는 나무라듯 외쳤다. "우리 집에 올 때는 언제나 저렇답니다. 느닷없이 무슨 말을 지껄이곤 하지만, 나는 하나도 알아듣지 못하죠. 전에도 한 번 저렇게 울음을 터뜨린 일이 있으니까 오늘이 두 번째군요…… 창피스럽게 그게 뭐예요! 도대체 무엇 때문에 우는 거죠? 필시 무슨 까닭이 또 있는가 보죠?" 그녀는 어쩐지 짜증 섞인 어조로, 한마디 한마디에 힘을 주며 이렇게 수수께끼 같은 말을 덧붙였다.

"나는…… 나는 울고 있는 게 아니에요……. 자, 보시오!" 그는 의자 위에서 홱 돌아앉으며 갑자기 웃어 댔다. 그러나 그것은 그의 특유한 폭발적이고도 투박스런 웃음이 아니라, 길게 떨려 나오는 신경질적인 웃음이었다.

"저런, 이번엔 또 저렇게…… 하지만 됐어요. 그렇게 명랑한 게 좋아요!" 그루셴카는 그를 달래듯이 말했다. "당신이 와서 정말 기뻐요. 얼마나 기쁜지 모르겠어요. 들려요, 미챠, 내가 기쁘다고 하는 말이? 나는 이분도 우리와 자리를 함께하게 하고 싶어요" 하고 그녀는 일동을 향하여 명령조로 말했으나, 이 말은 분명히 소파에 앉아 있는 사내가 들으라고 한 말 같았다. "내가 원하는 거니까 괜찮겠죠? 만일 이분이 가 버리면 나도 가 버리겠어요. 아시겠어요?" 그녀는 갑자기 눈을 번쩍이며 이렇게 덧붙였다.

"우리 여왕께서 하시는 말씀은 곧 법률이지요!" 폴란드 신사는 자못 공손한 태도로 그루셴카의 손에 키스를 하며 말했다. "빤(귀하)께서도 우리와 동석해 주시기 바랍니다!" 그는 미챠를 향해 상냥하게 말했다.

미챠는 또 기다란 웅변이라도 토하려는 듯이 벌떡 일어섰으나, 실제는 그게 아니었다.

"마십시다, 빠네!" 긴 연설 대신에 그는 이렇게 한마디 외쳤다. 모두들 웃었다.

"아아, 나는 또 이분이 한바탕 떠들어 대려는 줄 알았어요!" 그루셴카가 신경질적으로 소리쳤다. "이봐요, 미챠" 하고 그녀는 강압적인 어조로 덧붙였다. "공연히 벌떡 일어나곤 하지 마세요. 하지만 샴페인을 가져온 건 참 잘했어요! 나도 마셔야지. 과실주 같은 건 냄새도 맡기 싫어졌다니까요. 그보다도 당신이 온 게 제일 반가워요. 그렇잖아도 따분해서 죽을 지경이었는데……. 당신은 또 주연을 벌이려고 온 모양이군요? 하지만 돈은 호주머니 속에 넣으세요! 그렇게 많은 돈을 어디서 구했죠?"

미챠의 손에 여전히 쥐여 있는 지폐 뭉치는 좌중의—특히 두 폴란드 신사의 주의를 끌었다. 미챠는 황급히 그 돈을 호주머니에 쑤셔 넣고 얼굴을 붉혔다. 이때 여관 주인이 마개를 딴 샴페인 병과 유리잔을 쟁반에 받쳐 들고 들어왔다. 미챠는 술병에 손을 가져갔으나 너무나 당황해서 그것을 어떻게 해야 할지조차 잊은 것 같았다. 그래서 칼가노프가 병을 빼앗아 쥐고 그를 대신해서 술을 따랐다.

"한 병 더 가져와, 한 병 더!" 하고 미챠는 여관 주인에게 외쳤다. 그러고는 조금 전에 서로 술을 마시고 가깝게 사귀자고 엄숙하게 청했던 폴란드 신사와 잔을 마주치는 것도 잊고, 다른 사람들이 미처 잔을 들기도 전에 혼자서 홀쩍 마셔 버렸다. 그러자 별안간 그의 얼굴이 일변해 버렸다. 방에 들어올 때의 그 엄숙한 비극적 표정은 사라지고, 어쩐지 어린애 같은 표정이 나타났다. 그는 갑자기 기가 꺾여 유순해진 것같이 보였다. 나쁜 짓을 해서, 쫓겨났던 강아지가 다시 안에 들어가서 귀염을 받을 수 있게 되었을 때처럼 감사의 빛을 띠우고, 연방 짤막한 웃음소리를 내면서 겁먹은 것 같은 기쁜 얼굴로 일동을 바라보았다. 그는 모든 것을 잊은 듯이 어린애 같은 미소를 지으며, 환희의 빛을 띠고 좌중을 둘러보는 것이었다. 그루셴카를 보는 그의 눈은 언제나 웃고 있었다.

그는 자기 의자를 그녀의 소파 옆에 바싹 다가놓았다. 그는 차차 두 폴란드 신사를 관찰할 수 있었으나, 아직도 그들에 대해서 정확히 평가할 수는 없었다. 소파에 앉아 있는 폴란드 신사는 그 위엄 있는 태도와 폴란드 사투리, 그리고 특히 그 파이프로 미챠에게 강한 인상을 주었다. '뭐 아무러면 어떤가, 파이프를 피우건 말건 상관없는 일이다' 하고 미챠는 생각했다. 약간 부석부석한, 40세 전후로 보이는 이 신사의 얼굴도, 아주 조그맣게 생긴 코도, 그 밑으로 보이는 가느다랗고 뾰족한, 염색한 것 같은 콧수염도, 아직은 미챠의 마음에 아무런 의혹도 불러일으키지 않았다. 관자놀이께로 앞머리를 어색하게 빗어 붙인 시베리아제製 싸구려 가발도 그다지 미챠를 놀라게 하지는 않았다. '가발은 역시 저런 식으로 써야 하는가 보군' 하고, 미챠는 행복한 기분으로 생각했다. 창가에 앉아 있는 또 다른 폴란드인은 소파에 앉아 있는 신사보다 훨씬 젊어 보였는데, 거만하고 도전적인 태도로 좌중을 둘러보며, 멸시하는 듯한 얼굴로 말없이 사람들의 대화를 듣고 있었다. 이 사내 역시 미챠에게 강한 인상을 주었으나, 그것은 그가 소파에 앉아 있는 신사와는 어울리지 않을 만큼 굉장히 키가 크다는 점에서였다. '저자가 일어서면 아마 2미터 반은 실히 되겠군' 하는 생각이 미챠의 머릿속을 스치고 지나갔다. 그리고 또, 저 키다리 신사는 소파에 앉아 있는 신사의 친구인 동시에 '호위護衛'임이 틀림없으니까, 파이프를 입에 문 작달막한 신사의 명령대로 움직이고 있을 것이라는 생각도 떠올랐다. 그러나 이 모든 것이 미챠에게는 왈가왈부할 여지도 없을 만큼 훌륭한 일인 것처럼 생각되었다. 일체의 경쟁의식이 이 강아지의 가슴속에서 완전히 위축되어 버린 것이다.

그루셴카의 태도는 말할 것도 없고, 그녀의 입에서 던져진 몇 마디 말의 수수께끼 같은 어조에서도 그는 아직 아무런 눈치도 채지 못하고 있었다. 그는 다만 그녀가 자기를 친절히 대해 주고, 자기를 '용서하여' 곁에 앉게 해 주었다는 것을 떨리는 가슴으로 이해했을 뿐이었다. 그는 그루셴카가 술잔을 기울이는 것을 보자 기뻐서 어쩔 줄 몰라 했다. 그러나 좌중의 침묵이 갑자기 그를 놀라게 한 모양이었다. 그는 무엇을 기대하는 것 같은 눈으로 좌중을 둘러보기 시작했다.

'그런데 왜들 이렇게 멍청히 앉아 계십니까? 왜들 시작하지 않지요, 여러분?' 미소를 품은 그의 눈은 이렇게 말하는 것 같았다.

"저 사람이 허튼소리만 하는 바람에 우린 아까부터 웃고 있었답니다." 미챠의 심중을 알아챘는지 갑자기 칼가노프가 막시모프를 가리키며 입을 열었다.

미챠는 칼가노프에게 눈을 주었다가 곧 막시모프 쪽으로 시선을 돌렸다.

"허튼소리만 한다고요?" 무엇 때문인지 그는 갑자기 희색을 띠며, 나무토막 같은 무표정한 웃음을 터뜨렸다. "하, 하!"

"그렇다니까요. 글쎄 저 사람이 뭐라고 하는지 아십니까? 20년대(19세기)의 우리 러시아 기병騎兵은 전부 폴란드 여자한테 장가를 들었다는 거예요. 그렇지만 그건 터무니없는 허튼소립니다. 그렇잖습니까?"

"폴란드 여자한테요?" 하고 미챠는 또다시 상대방의 말을 되풀이했다. 이미 더할 수 없이 기분이 들떠 있었다.

칼가노프는 미챠와 그루셴카의 관계를 잘 알고 있었고, 폴란드 신사에 관해서도 대강 짐작은 하고 있었지만, 그러한 일에는 별로 흥미가 없었다. 아니, 아무런 흥미도 느끼지 않았는지 모른다. 무엇보다도 그의 흥미를 끈 것은 막시모프였다. 그는 우연히 막시모프와 함께 이 여관에 들게 되어, 여기서 생면부지인 두 폴란드 신사와 처음으로 만나게 되었던 것이다. 그러나 그루셴카와는 전부터 아는 사이였고, 언젠가 한 번 누구하고 같이 그 여자네 집을 방문한 일도 있었다. 그때 그루셴카는 그에게 호감을 느끼지 않았었으나, 오늘 여기서는 무척 상냥한 눈으로 그를 바라보고 있었다. 미챠가 나타날 때까지는 사뭇 그를 쓰다듬어 줄듯이 하고 있었지만, 그는 왜 그런지 거기 대해 무관심한 것같이 보였다.

칼가노프는 아직 스물을 넘지 못한 나이에 멋있게 옷을 입고, 아주 귀엽게 생긴 희끄무레한 얼굴에, 숱이 많아 탐스러운 아마 빛 머리털을 가진 청년이었다. 그러나 그 희끄무레한 얼굴에는 무척 영리하게 보이는, 때로는 젊은 나이에 어울리지 않는, 깊은 표정을 띠곤 하는 매혹적인 맑은 하늘빛 눈이 있었다. 그러면서도 이 청년은 이따금 아주 어린애 같은 얼굴을 하거나 말을 하곤 했는데, 자기 자신 그것을 자각하고 있으면서도 부끄럽게 여기거나 하지는 않았다. 그의 태도는 늘 상냥한 편이었지만, 대체적으로 고집이 세고 변덕스럽기까지 했다. 간혹 그의 얼굴 표정에는 무언가 집요하고도 요지부동인 것이 나타날 때가 있었다. 즉 상대방의 얼굴을 바라보며 말을 듣고 있으면서도, 마음속으로는 무언가 다른 공상에 골몰하고 있는 것같이 보였다. 그리고 어떤 때는 모든 일이 귀찮다는 듯 무기력해 보이는가 하면, 또 어떤 때는 지극히 사소한 일에도 갑자기 흥분하곤 하는 것이었다.

"그런데 말입니다. 나는 벌써 나흘째나 저 사람을 데리고 다녔단 말이에요" 하고 그는 계속했다. 약간 말을 길게 끄는 것같이 하며 게으름 피우며 입을 놀렸으나, 그렇다고 거드름을 피우는 기색은 조금도 없는, 지극히 자연스러운 어조였다. "기억하시겠죠. 당신 동생한테 걷어채어, 저 사람이 마차에서 나동그라졌던 바로 그때부터예요. 그때 나는 그 일 때문에 저 사람한테 몹시 흥미를 느껴 저 사람을 시골로 데리고 갔었습니다만, 언제나 허튼소리만 하는 바람에 이젠 함께 다니기가 창피스러워서 다시 데리고 돌아가는 길이랍니다."

"당신은 폴란드의 빠니(여성)를 본 일이 없기 때문에 그런 얼토당토않은 말을 하는 겁니다." 파이프를 입에 문 폴란드 신사가 막시모프를 보고 한마디 했다.

파이프를 문 폴란드 신사는 러시아 말을 제법 정확하게 했다. 적어도 생각했던 것보다는 훨씬 잘하는 편이었다. 다만 러시아 말을 할 때 폴란드 말의 억양을 그대로 붙이는 점이 귀에 거슬렸다.

"그렇지만 나 자신 폴란드의 빠니와 결혼한 경험이 있단 말입니다." 막시모프는 이렇게 응수하며 킬킬 웃어 댔다.

"그럼 당신은 정말 기병대에 근무한 일이 있었단 말인가요? 지금 당신은 기병대 얘기를 하던 참이죠? 그러니까 당신은 기병 장교였다는 겁니까?" 하고 칼가노프가 재빨리 말꼬리를 잡았다.

"하긴 그렇군. 과연 저 사람이 기병 장교였을까요? 하, 하!" 하고 미챠가 소리쳤다. 그는 열심히 귀담아들으려고 애쓰며, 누가 입을 열기만 하면 호기심에 찬 눈을 얼른 그쪽으로 돌리곤 했는데, 그것은 마치 상대방에게서 무슨 재미있는 얘기가 나올 것을 기대하고 있는 것 같은 태도였다.

"아니, 그게 아니라니까요" 하고 막시모프는 그를 보고 말했다.

"내가 말하는 건 그게 아니라, 그곳 아가씨들은…… 어여쁜 폴란드 아가씨들은 러시아 창기병槍騎兵들과 마주르카Mazurka[9*]를 추곤 하는데…… 마주르카를 한 곡 추고 나면 흰 고양이처럼 냉큼 사내의 무릎 위에 올라앉는단 말입니다…… 그런데도 아버지나 어머니는 보고도 못 본 체하지요…… 그걸 허락하는 거죠……. 그러면 창기병은 다음 날 그 집에 가서 결혼을 신청하거든요……. 아

9* 폴란드의 민속 춤곡.

시겠어요, 이런 식으로 청혼을 한단 말이에요. 히, 히!" 막시모프는 말을 마치고 킬킬 웃었다.

"저런 엉터리가 어디 있어!" 의자에 앉아 있던 키다리 신사가 갑자기 중얼거리며 무릎에 얹었던 다리를 바꾸어 얹었다. 미챠의 눈에 들어온 것은, 두껍고 더러운 창이 달린, 꺼멓게 약칠을 한 커다란 구두뿐이었다. 이 두 폴란드 신사의 옷차림은 대체로 말쑥한 편은 못 되었다.

"엉터리라고요! 왜 함부로 사람을 욕하죠?" 그루셴카는 발끈 성을 냈다.

"아그랍피나(아그라페나의 폴란드식 발음) 씨, 저분이 본 건 폴란드의 시골뜨기 처녀들이지, 지체 있는 집 아가씨들이 아니에요." 파이프를 문 신사가 그루셴카에게 말했다.

"아마 틀림없을 겁니다!" 의자에 앉은 키다리 신사 역시 경멸적인 어조로 이렇게 단정했다.

"또 저런 소릴! 저분의 얘기부터 들어봐요! 왜 남의 말을 방해하죠? 난 저분들의 얘기가 재미있어요" 하고 그루셴카는 대들었다.

"나는 방해하지 않습니다." 가발을 쓴 신사는 그루셴카의 얼굴을 응시하며 거드름을 피우며 말하고는 위엄 있는 태도로 입을 다물고 다시 파이프를 빨기 시작했다.

"아닙니다, 아녜요, 지금 저 폴란드 양반 말이 맞았습니다." 칼가노프는 무슨 큰 문제나 되는 것처럼 또다시 열을 올렸다. "사실 저 사람은 폴란드에 가 본 일도 없어요. 그런데 어떻게 폴란드 얘기를 할 수 있겠습니까? 이거 봐요, 당신은 폴란드에서 결혼한 게 아니지 않소, 그렇죠?"

"그래요. 스몰렌스크 현縣에서 했지요. 그렇지만 내가 결혼하기 전에 어떤 창기병이 내 아내 될 사람과 그 어머니, 아주머니, 그리고 다 자란 아들이 있는 친척뻘 되는 여자를 데려왔었거든요……. 폴란드 본국에서 데려왔단 말이에요……. 그걸 나한테 양보한 거죠. 그 창기병은 러시아의 중위였는데, 아주 좋은 청년이었지요. 처음엔 자기가 결혼할 생각이었는데, 그 여자가 절름발이라는 게 드러나서 결혼을 단념하고 말았습니다."

"그럼 당신은 절름발이와 결혼했단 말이오?" 하고 칼가노프가 소리쳤다.

"예, 절름발이와 결혼했지요. 실은 그때 두 사람이 짜고 나한테 그걸 숨기고 있었거든요. 처음에 나는 여자가 깡충깡충 뛰고 있다고 생각했어요……. 언제나 깡충깡충 뛰고만 있기에 아마 즐거워서 그러는가 보다 했지요."

"당신과 결혼하는 게 기뻐서 말이죠!" 칼가노프는 어린애처럼 쨍쨍 울리는 소리로 외쳤다.

"예, 기뻐서 그러는 줄 알았지요. 그런데 그게 전혀 다른 원인 때문이라는 걸 나중에야 알게 되었습니다. 우리가 결혼한 다음, 첫날밤에 아내는 모든 걸 고백하고 가련하게 용서를 빌더군요. 어릴 때 웅덩이를 뛰어넘다가 그만 다리를 다쳤다는 거예요. 히, 히!"

칼가노프는 정말로 어린애 같은 목소리로 깔깔거리며 소파에 뒹굴기라도 할 것처럼 웃어 댔다. 그루셴카도 큰 소리로 웃었다. 미챠는 그야말로 행복의 절정에 있었다.

"이거 보세요, 이번만은 진짜예요. 지금 한 말은 절대 거짓말이 아닙니다." 칼가노프는 미챠에게 이렇게 소리쳤다. "저 사람은 두 번 결혼했었거든요. 지금 얘기는 첫 번 부인 얘기죠. 그런데 두 번째 부인은 도망쳐 버리고 말았답니다. 아직도 살아 있다더군요. 당신도 그걸 아십니까?"

"설마 그럴 수가!" 미챠는 몹시 놀란 빛을 띠며 급히 막시모프를 돌아보았다.

"예, 도망쳐 버렸어요. 나는 그런 유쾌하지 못한 경험을 가지고 있답니다" 하고 막시모프는 순순히 자인했다. "어떤 프랑스 사내하고 배가 맞았거든요. 그런데 무엇보다 고약한 건, 나의 전 재산인 조그만 마을 하나를 미리 자기 명의로 바꾸어 놨다는 점입니다. 그러고는 한다는 소리가, 당신은 교육을 받은 사람이니까 어떻게 해서든 먹고살 수 있을 게 아녜요, 라는 겁니다. 그렇게 해 놓고는 곧 달아나 버렸습니다. 언젠가 존경하는 주교님께서 나한테 이렇게 말씀하시더군요—'너의 아내 하나는 절름발이었는데 또 하나는 너무 발이 가벼워서 탈이었군' 히, 히!"

"이것 보세요, 내 말 좀 들어보십시오!" 하고 칼가노프는 신이 나서 지껄였다. "저 사람이 거짓말을 한다 해도 (하긴 줄곧 거짓말만 하지만) 그건 단지 사람들을 웃기기 위해서죠. 이건 나쁘다 할 수 없지 않겠어요? 나는 저 사람이 좋아질 때가 가끔 있어요. 저 사람은 비굴한 인간이긴 하지만, 그것이 오히려 자연스럽단 말이에요. 그렇지 않습니까? 어떻게 생각하세요? 다른 사람들은 무슨 속셈이 있어서, 무슨 이득을 보려고 비굴한 짓을 하지만, 저 사람은 천성이 그렇기 때문에 저도 모르게 그런 짓을 하거든요……. 그런데 말입니다. 예를 들면 이런 일이 있습니다. 저 사람은 고골[10*]의 《죽은 혼Mértovye dushi》 속엔 자기를 모델로 삼은 부분이 있다고 우기는 거예요. (어제는 여기 오는 도중에 이 문제를 가지고 온종일 토론했어요) 그 작품 속에 막시모프라는 지주가 나오지 않습니까, 기억하시지요? 노즈드료프가 그 사내를 때려 주고, 그것 때문에 '술에 취해 지주 막시모프에게 채찍으로 개인적인 모욕을 가한 죄'로 재판에 회부되는…… 바로 그 막시모프 말입니다. 그런데 저 사람은 그것이 바로 자기라는 겁니다. 자기가 정말 얻어맞았다고 우기는 거예요! 도대체 그럴 수가 있느냐 말입니다. 치치코프[11]가 여행을 하고 돌아다닌 것은, 아무리 늦게 잡아도 20년대의 전반이라고 봐야 하니까, 아무래도 연대年代가 맞지 않거든요. 그때 어떻게 저 사람이 매를 맞는단 말입니까? 그렇잖아요?"

무엇 때문에 칼가노프가 이렇게 열을 올리는지는 언뜻 상상할 수조차 없었지만, 아무튼 그의 흥분은 진짜였다. 미차는 무조건 그에게 공명하는 것이었다.

"그렇지만 저 사람이 정말로 매를 맞았는지도 모르잖아요!" 하고 미차는 큰 소리로 웃으며 소리쳤다.

"뭐 내가 얻어맞았다는 건 아니지만, 그저 좀……" 막시모프가 얼른 끼어들었

10* 니콜라이 고골Nikolai Gogol(1809~1852). 러시아의 소설가·극작가. 러시아 자연파의 중심적인 작가이며, 러시아 사실주의 문학의 창시자.

11 고골의 소설 《죽은 혼》의 주인공.

다.

"그저 좀이라니? 얻어맞았소, 맞지 않았소?"

"Ktura godzina, pane(지금 몇 시나 됐소)?" 파이프를 문 신사가 따분하다는 듯이 키다리 신사에게 폴란드 말로 물었다. 키다리 신사는 대답 대신 어깨를 흠칫해 보였다. 둘 다 시계를 갖고 있지 않았던 것이다.

"얘기도 하지 말라는 건가요? 다른 사람들에게도 하고 싶은 얘기를 하게 해야죠. 자기가 재미없대서 다른 사람도 입을 다물고 있으란 법은 없잖아요!" 일부러 트집을 잡으려는 것 같은 말투로 그루셴카가 또다시 쏘아 붙였다. 이때야 비로소 미챠의 머릿속에 무언가가 퍼뜩 스치고 지나간 것 같았다. 폴란드 신사도 이번엔 노골적으로 성을 내며 대꾸했다.

"Pani, ya nits ne muven protiv, nits ne povedzyalem(나는 결코 반대하려는 게 아닙니다. 나는 아무 말도 안 했어요)."

"그렇다면 좋아요. 자, 그럼 어서 당신 얘기를 계속하세요" 하고 그루셴카는 막시모프에게 소리쳤다. "왜 모두들 말이 없죠?"

"뭐 할 만한 얘기가 있어야지요. 모두가 실없는 얘기뿐이니까요. 막시모프는 약간 거드름을 피우며 자못 만족스러운 듯이 얼른 말을 받았다. "게다가 고골의 작품에서는 모든 것이 알레고리Allegory(諷刺)의 형식을 취하고 있거든요. 등장인물의 이름까지도 모두가 알레고리하게 되어 있으니까요. 노즈드료프('콧구멍'에서 따온 이름)도 정말은 노즈드료프가 아니라 노소프('코'에서 따온 이름)지요. 쿱쉰니코프('주전자'에서 따온 이름) 같은 건 비슷하지도 않습니다. 정말은 쉬크보르네프였으니까요. 그러나 페나르지만은 실제로도 페나르지인데, 다만 이탈리아 사람이 아니라, 페트로프라는 성을 가진 러시아 사람입니다. 페나르지 부인으로 말하면 정말로 아름다운 여성이었지요. 그 예쁜 다리에 꼭 끼는 타이츠를 신고, 금박 무늬가 있는 짧은 치마를 입고서 뱅글뱅글 춤을 추며 돌아갔는데, 4시간 동안이나 추었다는 건 거짓말이고 실은 4분 동안이었죠……. 그렇게 해서 모든 사람을 매혹했던 거죠."

"그런데, 무엇 때문에 얻어맞았죠? 당신이 얻어맞은 건 무엇 때문이었느냐 말이에요!" 하고 칼가노프가 고함을 쳤다.

"피롱[12*] 때문이었지요" 막시모프가 대답했다.

"피롱이라니 누구 말이오?" 하고 미챠가 소리쳤다.

"유명한 프랑스 작가 피롱 말입니다. 그때 우리는 여럿이 모여 바로 그 장터 술집에서 술을 마시고 있었지요. 나는 그들한테 초대를 받고 갔었는데, 그 자리에서 우선 풍자시諷刺詩 한 구절을 외기로 했습니다—'거기 있는 건 부알로, 바로 자네가 아닌가? 그 우스꽝스런 분장은 또 어쩐 일인가?' 이 말에 부알로란 녀석은, 가면무도회에 가는 길이라고 대답했지만, 실은 목욕탕엘 가는 길이었지요, 히, 히! 그랬더니 모두들 자기를 비꼬는 거라고 해석했단 말입니다. 나는 얼른 또 다른 풍자시 한 구절을 외었습니다. 이건 교육받은 사람이면 누구나가 다 아는, 아주 풍자적인 구절입니다.

그대는 사포, 나는 파온—여기엔
나도 이론이 없노라
그러나 슬프게도 그대는
바다로 가는 길을 모르는도다[13]

모두들 더한층 화를 내며 나한테 마구 욕설을 퍼붓기 시작했습니다. 그런데 나는 사태를 바로 잡으려다가 오히려 불행을 초래케 하고야 말았습니다. 다름 아니라, 나는 피롱의 그 유식한 일화逸話를 끄집어냈단 말입니다. 피롱은 프랑스 아카데미 회원이 못 된 데 대해 복수를 할 셈으로 이렇게 자기 자신의 묘비명을 썼다는 얘기지요.

12* 알렉시스 피롱Alexis Piron(1689~1773). 프랑스의 풍자가이자 극작가.

13 러시아의 시인이자 번역가 콘스탄틴 바투시코프Konstantin Batyushkov(1787~1855)의 시의 한 구절.

여기 피롱 잠들다.

그는 아카데미 회원도 아무것도 아니었다.

Ci-gît Piron qui ne fut rien

Pas même académicien.

그랬더니 고두들 나를 붙잡고 두드려 패더군요."

"아니 무엇 때문에, 도대체 무엇 때문에?"

"그야 내가 유식하기 때문이지요. 인간이란 별별 트집을 다 잡아 남을 때리는 법이니까요." 막시모프는 타이르는 것 같은 부드러운 어조로 이렇게 말을 맺었다.

"이젠 그단하세요. 처음부터 끝까지 실없는 얘기뿐이니 듣고 싶지도 않군요. 나는 좀 더 재미있는 얘긴 줄 알았는데" 하고 그루셴카가 버럭 고함을 쳤다.

미챠는 흠칫 놀라 즉시 웃음을 그쳤다. 키다리 신사는 자리에서 일어나더니, 취미에 안 맞는 좌석에 끼어들어 따분해 죽겠다는 듯이 거만한 태도로 뒷짐을 지고 방 안을 이리저리 거닐기 시작했다.

"흥, 가만 앉아 있을 수가 없는가 보죠!" 그루셴카는 멸시하는 듯한 눈초리로 흘끗 그에게 눈을 주었다. 미챠는 어쩐지 마음이 불안해졌다. 그는 소파에 앉은 신사가 성난 얼굴로 자기를 지켜보고 있는 것을 알아챘던 것이다.

"빤!" 하고 미챠는 소리쳤다. "한잔 마십시다, 빠네! 거기 계신 빤도 함께 마십시다, 여러분!" 그는 얼른 유리잔 세 개를 한군데다 모아 놓고 샴페인을 따랐다. "폴란드를 위해서, 빠네, 당신네들의 폴란드를 위해서 건배합시다!" 하고 미챠는 외쳤다.

"Bardzo mi to milo, pane, vypiem(참으로 유쾌한 일입니다, 빠네, 건배합시다)." 소파에 앉은 폴란드 신사는 상냥하면서도 위엄 있는 어조로 말하고, 자기 앞의 잔을 집어 들었다.

"그럼, 저기 계신 빤도…… 성함은 아직 모르겠습니다만, 저기 계신 폴란드 양반도 어서 잔을 드십시오!" 하고 미챠는 수선을 떨었다.

"저 사람은 빤 브루블렙스키입니다." 소파의 폴란드 신사가 옆에서 말했다.

브루블렙스키는 어깨를 좌우로 흔들며 식탁으로 다가와서 자기 잔을 들었다.

"자, 폴란드를 위해서, 빠네, 우라!" 미챠는 술잔을 쳐들며 외쳤다.

세 사람 다 잔을 비웠다. 미챠는 이내 술병을 들고 다시 유리잔 세 개에 술을 따랐다.

"이번엔 러시아를 위해서, 빠네, 그리고 서로 사이좋게 지냅시다!"

"나한테도 따라 주세요" 하고 그루셴카가 말했다. "러시아를 위해서라면 나도 마시겠어요."

"그럼 나도." 칼가노프가 말했다.

"나도 끼워 주십시오……. 우리의 늙은 할머니 같은 러시아를 위해서." 막시모프도 킬킬거리며 끼어들었다.

"다 함께 마십시다, 다 함께!" 하고 미챠는 외쳤다. "여보게, 주인, 한 병 더!"

미챠가 가져온 술 중의 나머지 세 병이 한꺼번에 나왔다. 미챠는 술을 따랐다.

"러시아를 위해서, 우라!" 그는 다시 고함을 질렀다.

두 폴란드 신사를 제외하고는 모두들 잔을 들었다. 그루셴카도 단숨에 술잔을 비워 버렸다. 그러나 폴란드 신사들은 이번엔 술잔에 손을 대려고도 하지 않았다.

"아니, 왜들 그러십니까?" 하고 미챠는 소리쳤다. "그러고 보니 당신들은 역시……"

브루블렙스키는 잔을 쳐들며 쩡쩡 울리는 소리로 말했다.

"1772년[14, 15*] 이전의 러시아를 위해서!"

"Oto bardzo penkne(그것 참 그럴듯하군)!" 다른 폴란드 신사가 외쳤다. 그러

14 프로이센·오스트리아·러시아 3국의 제1차 폴란드 분할의 해.

15* 프로이센 왕 프리드리히 2세Friedrich II(1712~1786)가 러시아의 폴란드 합병을 우려해 오스트리아 여황제 마리아 테레지아를 끌어들여 폴란드 영토 (1차) 분할을 시도. 1918년 독립할 때까지 폴란드는 3차에 걸친 분할 과정을 거침.

고는 둘이 다 단숨에 잔을 비웠다.

"당신들은 참 어리석군요!" 미챠는 그만 무의식중에 이렇게 뇌까리고 말았다.

"뭐라고요?" 폴란드 신사들은 마치 수탉처럼 앞가슴을 내밀며 당장 덤벼들기라도 할 듯이 미챠에게 외쳤다. 그중에서도 브루블렙스키가 더욱 성을 냈다.

"Ale ne mojno ne metsi slabositsi do svoevo krayu(그래 자기 조국을 사랑하지 않을 수 있단 말이오)?" 하고 그는 언성을 높였다.

"조용히 해요! 싸우지 말아요! 싸움을 하지 달란 말이에요!" 그루셴카는 명령조로 이렇게 소리치며, 쾅 하고 발을 굴렀다. 그녀의 얼굴은 붉게 달아오르고, 눈은 번쩍이기 시작했다. 방금 마신 한 잔의 술이 벌써 효력을 나타낸 것이다. 미챠는 소스라치게 놀랐다.

"여러분, 용서하십시오! 내가 나빴습니다. 그런 소린 다시 하지 않겠습니다. 브루블렙스키, 빤 브루블렙스키, 다시는 그런 소린 하지 않겠습니다."

"당신도 잠자코 앉아 있어요, 바보 같은 소린 작작하고!" 그루셴카는 심히 못마땅하다는 듯이 그에게 쏘아 붙였다.

모두 자리에 앉았다. 서로들 바라보고만 있을 뿐 말이 없었다.

"여러분, 모든 책임은 나한테 있습니다!" 미챠는 그루셴카의 외침의 참뜻을 알아채지 못하고 또다시 입을 열었다. "그렇지만 왜들 이렇게 멍청히 앉아 있습니까? 무엇을 하면 재미있을까요?…… 아까처럼 다시 흥겨운 자리가 되었으면 좋겠는데……."

"이거 정말 흥이 깨져 버렸는걸" 하고 칼가느프가 입 속으로 중얼거렸다.

"'은행놀이(Faro)[16]'라도 하면 어떨까요, 아까처럼." 막시모프가 갑자기 킬킬거리며 웃었다.

"은행놀이? 거 좋은 생각이오!" 미챠가 얼른 말을 받았다. "저분들만 좋으시다면……"

"Puzino, pane!" 소파에 앉은 신사는 내키지 않는다는 듯이 대꾸했다.

16 트럼프 도박의 일종.

"옳은 말이오" 하고 브루블렙스키가 맞장구를 쳤다.

"Puzino? 대체 Puzino란 무슨 뜻이죠?" 그루셴카가 물었다.

"늦었다는 뜻입니다. 시간이 늦었다는 뜻이에요." 소파에 앉은 신사가 설명했다.

"저 사람들은, 뭐든지 늦었다, 아무것도 해선 안 된다, 라는 말밖엔 모른다니까요!" 그루셴카는 성이 나서 버럭 고함을 질렀다. "자기들이 따분하게 앉아 있으니까, 다른 사람들까지 따분하게 앉아 있으라는 심보죠. 미챠, 저 사람들은 당신이 오기 전에도 저렇게 말없이 시큰둥한 얼굴을 하고 있었거든요."

"천만에!" 소파에 앉은 폴란드 신사는 펄쩍 뛰었다. "Tso muvish, to sen stane. Vidzen ne lasken, i estem smutny(뭐든지 당신이 하자는 대로 하겠습니다. 당신이 언짢은 얼굴을 하고 있기 때문에 나도 우울해졌던 겁니다). Estem gotuv, nane(그럼 나도 하겠습니다, 빠네)" 하고 그는 미챠를 향해 덧붙였다.

"자, 시작합시다, 여러분" 하고 미챠는 서둘렀다. 그는 호주머니에서 지전 뭉치를 꺼내더니 거기서 1백 루블짜리 두 장을 뽑아 식탁 위에 놓았다. "내가 많이 잃어 드리죠. 어서 트럼프를 내놓고, '은행'을 여십시오!"

"아니, 트럼프는 여관 주인 것을 가져오게 합시다." 키가 작은 폴란드 신사는 정색을 하며 완강한 어조로 말했다.

"To nailepshi sposub(그게 제일 좋은 방법이오)." 브루블렙스키가 또 맞장구를 쳤다.

"주인 것을? 좋습니다, 알겠어요. 그럼 주인 보고 가져오라고 합시다. 참 훌륭한 생각이십니다. 여보게, 트럼프를 갖다 주게!" 하고 미챠는 주인에게 호령하듯 소리쳤다.

주인은 아직 포장지도 뜯지 않은 새 트럼프를 가져왔다. 그러고는 미챠에게, 마을 처녀들은 벌써 다 모였고, 유대인 악사들도 곧 올 텐데, 먹을 것을 실은 트로이카가 아직 도착하지 않았다고 보고했다. 미챠는 식탁에서 벌떡 일어나서 여러 가지 지시를 하기 위해 옆방으로 달려 나갔다. 그러나 처녀라곤 셋밖에 모이지 않았을뿐더러, 마리야도 아직 와 있지 않았다. 그보다도 미챠 자신 무슨 지시를 내려야 할지, 자기가 무엇 때문에 달려 나왔는지 그것조차 몰랐다. 그래서 그는 선물 상자에서 얼음사탕과 엿을 꺼내 처녀들에게 노나주라고만 일렀다. "아 참, 안드레이한테 보드카를, 보드카를 안드레이한테!" 하고 그는 황급히 명령했다. "안드레이가 기분이 상했겠는걸."

이때 그의 뒤를 따라 달려 나온 막시모프가 슬쩍 그의 어깨를 건드렸다.

"나한테 5루블만 주십시오" 하고 그는 미챠에게 속삭였다. "나도 은행놀이를 좀 해 보려고요, 히, 히!"

"좋소, 훌륭한 생각이오! 자, 10루블 줄 테니 받으시오!"

그는 또다시 지전 뭉치를 죄다 꺼내서 10루블짜리 한 장을 골라냈다. "잃거든 또 오시오, 또 와."

"알겠습니다." 막시모프는 기쁜 얼굴로 속삭이고는 홀 쪽으로 뛰어 들어갔다. 미챠도 곧 되돌아와서, 기다리게 해서 미안하다는 말을 했다. 두 폴란드 신사는 벌써 자리에 앉아 트럼프를 꺼내 놓고 있었다. 그들은 아까보다 훨씬 상냥해져서, 그야말로 화기애애한 분위기였다. 소파에 앉은 신사는 파이프에 새로 담배를 담아 불을 붙여 물고 트럼프 장을 돌릴 채비를 하고 있었다. 그 얼굴엔 어떤 득의의 빛을 띠고 있었다.

"자, 이제부터 시작합니다, 여러분!" 브루블렙스키가 선언했다.

"아니, 나는 이젠 그만두겠습니다" 하고 칼가노프가 말했다. "나는 아까 이분들한테 50루블이나 잃었어요."

"당신은 운이 나빴어요. 그렇지만 이번엔 운이 좋을지도 모르지 않습니까" 하고 소파에 앉은 신사가 그에게 말했다.

"얼마짜리 은행입니까? 유한有限인가요?" 미챠는 벌써부터 흥분하고 있었다.

"얼마든지, 1백 루블이건 2백 루블이건 마음대로 거십시오."

"그럼 1백만 루블을 걸까요?" 하며 미챠는 커다란 소리로 웃었다.

"대위님, 당신은 빤 포드브이소츠키의 얘기를 들으셨습니까?"

"포드브이소츠키란 누굽니까?"

"바르샤바에서 어떤 사람이 '유한有限 은행'의 물주를 하고 있었는데, 누구든지 와서 돈을 걸 수 있게 돼 있었지요. 포드브이소츠키가 와서 1천 루블짜리 금화를 보고는 은행놀이를 하자고 했습니다. 그러자 물주는 '빤 포드브이소츠키, 당신은 금화를 걸고 합니까, 명예를 걸고 합니까?'라고 다짐을 받았지요. '물론 명예를 걸고 하겠습니다.' '그렇다면 좋소.' 물주는 패를 돌렸습니다. 포드브이소츠키가 이겼기 때문에 1천 루블짜리 금화에 손을 내밀었습니다. 그러자 '잠깐 기다리시오' 하더니 물주는 금고에서 1백만 루블을 꺼내 주면서 '받으시오, 이건 당신이 딴 돈이오!'라고 했습니다. 그것은 1백만 루블짜리 은행이었던 것입니다. '나는 그런 줄 몰랐습니다'라고 포드브이소츠키가 말하자, 물주는 '빤 포드브이소츠키, 당신이 명예를 걸고 했으니까 나도 명예를 걸고 한 것뿐이오'라고 말했습니다. 그래서 포드브이소츠키는 1백만 루블을 벌었다는 얘기지요."

"그건 거짓말이오" 하고 칼가노프가 말했다.

"Pane Kalganov, v shlyakhetnoi kompanii tak muvitsi ne prjistoi(칼가노프 씨, 점잖은 사람들 앞에서 그런 말 하는 건 실례입니다)."

"그럼 당신한테도 그 폴란드 도박사가 1백만 루블 줄 거요!" 하고 미차는 소리쳤으나, 곧 어조를 바꾸었다. "아니, 용서하십시오, 빠네, 내가 또 실언을 했군요. 명예를 걸고 1백만 루블을 내놓겠습니다. 폴란드식 명예를 걸고! 어떻습니까, 나도 제법 폴란드 말을 할 줄 알죠, 하하! 그럼, 10루블 걸겠습니다. 자, 쟈크!"

"나도 1루블만 퀸(여왕)에다, 귀여운 하트의 원에다 걸어 드리겠습니다, 히, 히!" 하고 막시모프는 웃으며 자기의 원을 내밀어 놓고는 다른 사람들이 보지 못하게 식탁에 몸을 붙이고 재빨리 식탁 밑에서 성호를 그었다. 미챠가 이겼다. 1루블짜리도 이겼다.

"코너Corner[17]!" 하고 미챠는 외쳤다.

17 4분의 1을 더 건다는 뜻.

“나는 이번에도 1루블만 걸겠습니다. 조금씩 걸기로 하지요.” 1루블 딴 것이 너무나 좋아서 막시모프는 행복에 겨워 이렇게 중얼거렸다.

“잃었군!” 하고 미챠는 소리쳤다. “이번엔 7 자에 더블Double[18]!”

더블도 또 졌다.

“그만둬요!” 하고 갑자기 칼가노프가 말했다.

“더블로, 또 더블로!” 미챠는 번번이 두 배로 금액을 올렸다. 그러나 더블로 걸 때마다 지기만 했다. 1루블짜리는 계속해서 이겼다.

“또 더블로!” 미챠는 기를 쓰며 외쳤다.

“벌써 2백 루블이나 잃으셨습니다. 또 2백 루블을 거시겠습니까?” 하고 소파에 앉은 신사가 물었다.

“뭐, 2백 루블이나 잃었다고요? 그럼 또 2백 루블! 더블로 2백 루블!”

이렇게 외치며 미챠는 호주머니에서 돈을 꺼내 2백 루블을 퀸에다 던지려 했다. 그러자 칼가노프가 갑자기 퀸 장을 손으로 덮었다.

“그만두세요!” 그는 쨍쨍 울리는 소리로 외쳤다.

“왜 그러는 거요?” 미챠는 그의 얼굴을 쳐다보았다.

“그만두라니까요! 옆에서 보고 있을 수가 없어요. 더 이상 안 됩니다!”

“왜?”

“그럴 이유가 있어요. 침이나 퉤 뱉고 집어치우십시오. 아셨죠. 더 이상 못 하십니다!”

미챠는 놀란 얼굴로 그를 바라보았다.

“그만둬요, 미챠. 이 사람 말이 옳을지 몰라요. 그렇지 않아도 벌써 많이 잃었는데” 하고 이번엔 그루셴카가 이상한 어조로 말했다. 두 폴란드 신사는 몹시 모욕을 느낀 듯이 자리를 차고 일어났다.

“Jartueshi, pane(농담을 하는 거요, 빠네)?” 키 작은 신사가 칼가노프를 잔뜩 노려보며 말했다.

18 두 배를 더 건다는 뜻.

"Yak sen povajashi to robitsi, pane(그따위 실례의 말이 어디 있소, 빠네)!" 브루블렙스키도 칼가노프에게 호통을 쳤다.

"어디서 함부로 고함치는 거예요!" 하고 그루셴카가 소리를 질렀다. "칠면조 같은 얼굴들을 해 가지고!" 미챠는 그들의 얼굴을 번갈아 바라보았다. 그러다가 그는 그루셴카의 얼굴에 떠오른 그 어떤 표정에 번쩍 눈이 뜨이는 것 같았다. 바로 그 순간, 그 어떤 전혀 새로운 생각이 퍼뜩 그의 머릿속에 떠올랐다—그것은 참으로 괴이하고도 새로운 상념이었다!

"빠니 아그랍피나!" 키 작은 폴란드 신사가 성이 나서 얼굴이 뻘개 가지고 이렇게 입을 열었을 때, 갑자기 미챠가 그 곁으로 다가가서 그의 어깨를 탁 쳤다.

"이거 보시오, 선생, 잠깐 말씀드릴 일이 있습니다만."

"Cheve khtseshi, pane(무슨 일이오)?"

"저 방으로, 저쪽 방으로 갑시다. 잠깐 당신한테 할 얘기가 있어요. 아주 좋은 얘깁니다. 들으시면 틀림없이 만족하실 만한 얘기지요."

키 작은 신사는 어리둥절해서 경계하는 눈으로 미챠를 바라보았다. 그러면서도 즉시 응하기는 했으나, 빤 브루블렙스키도 같이 간다는 조건을 붙였다.

"호위관으로 말입니까? 그분도 오라고 하십시오. 아니, 함께 와 주어야겠습니다! 꼭 와 주어야만 하겠어요!" 하고 미챠는 소리쳤다. "자, 갑시다!"

"어디로 가시는 거죠?" 그루셴카가 마음이 안 놓인다는 듯이 물었다.

"금방 돌아옵니다." 미챠는 대답했다.

그의 얼굴에서는 일종의 용기가, 뜻하지 않은 일종의 활기 같은 것이 광채를 발하기 시작했다. 한 시간 전에 이 방에 들어올 때와는 아주 딴사람이 된 것 같은 얼굴이었다. 그는 처녀들이 합창 준비를 하고 식탁을 차리고 있는 큰 방으로 가지 않고, 오른쪽에 있는 조그만 침실로 두 폴란드 신사를 데리고 갔다. 이 방에는 궤짝이며 트렁크가 여러 개 보관되어 있고, 무명 베개를 산더미처럼 쌓아 올린 커다란 침대가 두 개 놓여 있었다. 한쪽 구석에는 조그만 탁자 위에 촛불이 켜져 있었다. 폴란드 신사와 미챠는 이 탁자를 사이에 두고 마주 앉았다. 키가 큰 빤 브루블렙스키는 뒷짐을 지고서 두 사람 옆에 버티고 섰다. 둘이 다 심각한 표정이었지만, 그러면서도 적이 호기심을 느끼는 눈치였다.

"그래 용건은 뭐요?" 키 작은 신사가 폴란드 말로 성급히 물었다.

"다름이 아니라, 나는 길게 말하지 않겠습니다만, 여기 돈이 있습니다" 하고 미챠는 가지고 있던 지폐 뭉치를 꺼냈다. "어떻소, 3천 루블을 드릴 테니 그걸 갖고 어디로든지 떠나 버릴 생각은 없으신지?"

폴란드인은 눈을 둥그렇게 뜨고 상대방의 의도를 파악하려는 듯이 미챠의 얼굴을 응시했다.

"Trji tisentsi, pane(3천 루블이라고요)?" 그는 브루블렙스키와 서로 눈짓을 했다.

"Trji, panoße, trji(3천이오, 3천)! 알겠어요, 빠네, 보건대 당신이 분별이 있는 분 같군요. 그러니 3천 루블을 가지고 어디로든지 사라져 버리는 게 어떻소? 물론 브루블렙스키도 함께 데리고 말이오. 그 대신 지금 당장, 이 자리에서 곧 떠나야 해요. 영원히, 영원히 떠나 버리란 말이오, 알겠소? 여기 이 문으로 해서 나가시오. 저쪽 방에 뭐 놔두고 온 게 있소? 외투요, 아니면 털가죽 외투요? 그건 내가 갖다 주겠소. 지금 곧 당신네들을 위해 트로이카를 준비시킬 테니…… 그것으로 do vidzeniya, pane(굿바이 합시다)! 어떻소?"

미챠는 자신 있는 태도로 상대방의 답변을 기다렸다. 그는 조금도 의심치 않았다. 그 어떤 비상한 결심 같은 것이 폴란드인의 얼굴을 스치고 지나갔다.

"그럼 돈은?"

"돈은 이렇게 하기로 합시다. 이 자리에서 마차 값과 선금조로 우선 5백 루블을 드리고, 나머지 2천 5백 루블은 내일 읍내로 돌아가서 드리겠소—내 명예를 걸고 약속합니다. 무슨 짓을 해서라도 틀림없이 마련해 드리겠소!" 하고 미챠는 외쳤다.

두 폴란드인은 또 한 번 서로 눈짓을 했다. 키 작은 신사의 얼굴빛이 험악해지기 시작했다.

"7백 루블 드리죠. 5백 루블이 아니라, 7백 루블을 당장 이 자리에서 드리겠소!" 미챠는 일이 틀어지는 기미를 느끼고 이렇게 액수를 올려 불렀다. "어떻습니까? 내 말을 믿을 수 없습니까? 지금 당장에 3천 루블 다 드릴 수는 없지만, 내일 당신이 저 여자네 집에 오면 틀림없이 드릴 테니까…… 지금은 3천 루블을 가지고 있지 않지만, 읍내에 가면 집에 돈이 있단 말입니다." 미챠는 기가 죽어 한마디 한마디 더듬으며 이렇게 말했다. "정말입니다, 집에 숨겨 둔 게 있다니까요."

키 작은 신사의 얼굴이 순식간에 어마어마한 자존심으로 빛나기 시작했다.

"또 뭐 할 말이 있소?" 하고 그는 비꼬는 투로 물었다. "Pfe! A pfe(그따위 더러운 소릴 어디다 하는 거요)!" 하고 그는 퉤 침을 뱉었다. 브루블렙스키도 침을 뱉었다.

"당신이 침을 뱉는 건" 하고, 이미 만사는 끝났다고 느끼며 미챠는 절망적인 어조로 말했다. "그루셴카한테서 좀 더 많이 뜯어먹을 수 있다고 생각했기 때문일 거요. 당신들은 둘 다 불알을 깐 수탉들이란 말이오, 알겠소!"

"Estem do jivogo dotknentnym(이런 모욕은 생전 처음이다)!" 키 작은 신사는 몹시 분개한 듯이 얼굴이 새빨개져서 더 이상 아무 말도 듣기 싫다는 듯이 급히 방에서 나가 버렸다. 브루블렙스키도 어깨를 흔들며 따라 나갔다. 그 뒤를 따라 미챠도 풀이 죽어 어색한 얼굴을 하고 걸어 나왔다. 그는 그루셴카가 무서웠다. 그는 폴란드 신사가 곧 커다란 소리로 떠들어 댈 것이라 생각했다. 아니나 다를까, 신사는 홀에 들어서기가 무섭게 연극배우 같은 제스처를 써 가며 그루셴카 앞에 가서 섰다.

"빠니 아그랍삐나, Estem do jivogo dotknentnym!"하고 그는 소리를 질렀다. 그러나 그루셴카는 마치 제일 아픈 곳을 찔리기라도 한 것처럼, 더 이상 참을 수 없다는 듯이 갑자기 고함을 질렀다.

"러시아어로 말해요, 러시아어로! 한마디라도 폴란드 말을 했다가는 용서하지 않을 테니까! 그전엔 러시아어로 곧잘 말하더니, 5년 동안에 죄다 잊어버렸단 말인가요?" 그녀는 얼굴을 붉히며 성을 냈다.

"빠니 아그랍삐나……"

"나는 아그라페나예요, 그루센카예요. 러시아어로 말해요. 그렇지 않으면 듣지도 않을 테니까!" 신사는 자존심 때문에 숨을 헐떡이다시피 하며, 빠른 소리로 엉터리 러시아어를 거드름 피우며 지껄이기 시작했다.

"빠니 아그라페나, 나는 지나간 일을 잊고 모든 걸 용서하려고 왔습니다. 오늘까지의 일은 죄다 잊어버리리라 마음먹고 왔단 말입니다."

"뭐요, 용서한다고요? 나를 용서해 주려고 왔단 말인가요?" 하고 그루센카는 말을 막으며 자리에서 벌떡 일어났다.

"바로 그렇습니다. 나는 그렇게 마음이 좁은 인간이 아닙니다. 훨씬 관대한 편이지요. 그러나 당신의 정부情夫들을 보고 나는 놀라지 않을 수 없었습니다. 빤 미챠는 저 방에서 나더러 물러서라고 하며 3천 루블을 주겠다고 하더군요. 나는 저 사람 얼굴에 침을 뱉어 주었습니다."

"뭐라고요? 저 사람이 나 때문에 돈을 주겠다고 했어요?" 그루센카는 신경질적으로 소리를 질렀다. "그게 정말인가요, 미챠? 어떻게 당신이 그런 짓을 할 수 있어요! 내가 돈으로 팔고 사는 물건인 줄 아셨나요?"

"빠네, 빠네!" 하고 미챠는 외쳤다. "이 여자는 순결하오. 한 점의 티도 없이 깨끗하오! 나는 절대로 이 여자의 정부가 되어 본 적은 없소! 정부니 뭐니 하고 함부로 입을 놀리지 말란 말이오."

"당신이 뭔데 저 사람 앞에서 감히 나를 변호하려 드는 거예요?" 그루센카는 버럭 고함을 질렀다. "내가 순결했던 건 덕을 쌓았기 때문도 아니고, 쿠지마 노인이 무서웠기 때문도 아니에요. 다만 저 사람 앞에 떳떳이 나서고 싶었을 뿐이죠. 저 사람을 만났을 때, 너는 비열한 사내다, 라고 말할 수 있는 권리를 보유하고 싶었던 거예요. 그래 저 사람이 당신한테서 돈을 받지 않던가요?"

"아니, 받으려 했어요, 받으려 했단 말이에요!" 하고 미챠는 소리쳤다. "3천 루블을 일시에 다 받고 싶어 하는 걸 내가 우선 7백 루블만 선금으로 주겠다니까 거절한 것뿐이죠."

"이젠 알겠어요. 저 사람은 나한테 돈이 있다는 소문을 듣고 나한테 결혼하러 온 거예요!"

"빠니 아그랍피나" 하고 신사는 고함을 쳤다. "나는 기사騎士요. 나는 어디까지나 귀족이지 건달 놈은 아니란 말이오! 나는 당신을 아내로 삼기 위해서 일부러 찾아왔소. 그런데 정작 와서 보니, 옛날과는 딴판으로 upartui beʒ vstydu(수치를 모르는 변덕쟁이)가 되어 버렸군요."

"어서 전에 있던 곳으로 되돌아가 버려요! 내가 쫓아내라고 한마디만 하면 당신네들은 당장 여기서 쫓겨나고 말 테니까!" 그루셴카는 미친 듯이 소리쳤다. "아아, 5년 동안이나 자기 자신을 괴롭혀 온 내가 바보였지, 바보였어! 그렇지만 이런 사내 때문에 나 자신을 괴롭혀 온 건 아냐. 다만 씻을 길 없는 원한 때문에 자신을 괴롭혀 온 것뿐이지! 게다가 이 사람도 아주 딴사람처럼 변해 버렸어! 정말로 그 사람이 이런 사람이었을까? 이건 아마 그 사람의 아버지인지도 몰라? 대체 어디서 당신은 그따위 가발을 얻어 쓰고 왔죠? 그때 그 사람이 매(鷹)였다면, 여기 이 사내는 수탉이야. 그 사람은 쾌활하게 웃으며 늘 나한테 노래를 불러 주곤 했어……. 그런데 나는, 지지리도 못난 이 바보는, 5년 동안이나 눈물로 세월을 보냈지. 정말 나는 수치를 모르는 비열한 계집이었어!"

그녀는 안락의자에 몸을 던지고 두 손으로 얼굴을 가렸다. 바로 이때 왼쪽에 붙은 옆방에서, 준비를 끝낸 모크로에 처녀들의 합창 소리가 갑자기 울려 나왔다—신바람 나는 무도곡이었다.

"그야말로 소돔이로군!" 빤 브루블렙스키가 갑자기 으르렁거리듯 소리쳤다. "이봐, 주인, 저 더러운 계집들을 쫓아 버려!"

여관 주인은 고함 소리를 듣고 손님들이 다투는가 싶어 아까부터 문간에서 흘금흘금 들여다보고 있었으나, 이 말이 떨어지기가 무섭게 성큼 방 안으로 들어섰다.

"뭣 때문에 그렇게 고함을 치는 거야? 이 양반이 목청이 터지고 싶나?" 뜻밖에도 그는 브루블렙스키에게 굉장히 무뚝뚝한 태도로 대꾸했다.

"저런 개 같은 놈 봤나!" 하고 브루블렙스키는 호통을 쳤다.

"개 같은 놈이라고? 그렇게 말하는 당신은 지금 무슨 카드를 가지고 노름을 했지? 내가 준 새 카드는 감춰 버리고 엉터리 카드를 가지고 노름을 하지 않았느냐 말이야! 나는 사기도박으로 당신을 고발해서 시베리아로 보낼 수도 있단 말이야. 이건 지폐 위조나 다를 게 없다는 걸 몰라?" 이렇게 말하고 그는 소파로 다가가더니, 등받이와 쿠션 사이에 손가락을 넣어 거기서 피봉皮封을 뜯지도 않은 새 카드 한 갑을 끄집어냈다.

"자, 이게 내가 준 카드야. 아직 피봉을 뜯지도 않은 채로 있군!"

그는 카드를 높이 쳐들어 방 안에 있는 사람들에게 보여 주었다. "내가 준 카드를 저 틈새에 슬쩍 쑤셔 넣고 자기 것과 바꿔친 걸 나는 저기서 똑똑히 보았단 말이야. 당신은 사기꾼이야. 그러고도 뭐 빤(신사)이라고?"

"나도 저 사람이 카드를 두 번이나 바꾸는 걸 보았어요!" 하고 칼가노프가 소리쳤다.

"아아, 이런 창피가 또 어디 있담, 또 어디 있담!" 그루셴카가 손뼉을 탁 치며 외쳤다. 그녀는 정말 창피해서 얼굴을 붉혔다. "어쩌면 인간이 저렇게까지 타락해 버렸을까!"

"하긴 나도 그렇게 생각했었어!" 하고 미챠가 소리쳤다. 그러나 그가 말을 채 마치기도 전에 갑자기 낭패한 꼴을 당해 극도로 흥분한 브루블렙스키가 그루셴카 앞에 주먹을 내두르며 호통을 쳤다.

"이 갈보 같은 년아!"

그러나 그의 말이 떨어지기가 무섭게 미챠가 덤벼들어 두 손으로 그를 번쩍 쳐들더니 눈 깜박할 사이에 오른쪽에 붙은 옆방으로 그를 들어냈다. 그것은 미챠가 방금 두 사람을 안내했던 바로 그 침실이었다.

"그놈을 방바닥에 동댕이치고 왔소!" 미챠는 곧 돌아와서, 흥분에 숨을 헐떡이며 이렇게 보고했다. "그래도 그놈이 나한테 반항하려 하더군요. 하지만 이젠 거기서 나오지 못할 거요."

그는 양쪽으로 여닫는 도어의 한쪽은 닫고, 다른 한쪽만 열어 놓고서 작달막한 폴란드 신사에게 소리쳤다.

"각하, 당신도 저 방으로 물러가시지 않으시렵니까? 두 손 모아 간청하는 바입니다!"

"이거 보세요, 드미트리 표도로비치" 하고 트리폰 보리스이치가 큰 소리로 말했다. "저놈한테서 돈을 도로 뺏으십시오. 지금 저놈들한테 잃은 돈 말이에요! 당신한테서 훔쳐 가진 거나 다름없으니까요."

"나는 아까 잃은 50루블을 돌려받고 싶지 않아요." 칼가노프가 불쑥 뇌까렸다.

"나도 그까짓 2백 루블은 필요 없소!" 하고 미챠는 소리쳤다. "절대로 돌려받지는 않을 테니까. 그것으로 마음의 위안이 되도록 그냥 가지라지!"

"잘했어요, 미챠! 정말 장해요, 당신은!" 하고 그루셴카는 외쳤다. 그 외침 속에는 폴란드 신사에 대한 노여움이 가득 서려 있었다.

얼굴이 시퍼렇게 되도록 성이 난 키 작은 폴란드 신사는, 그래도 끝내 위엄을 지키려고 애쓰며 문 쪽으로 걸어 나가다가, 갑자기 걸음을 멈추고는 그루셴카를 돌아보며 말했다.

"Pani, ejeli khtseshi isitsi za mnoyu, idzimy, esli ne-byvai zdrova(빠니, 나를 따르고 싶으면 같이 갑시다. 그것이 싫으면 이것으로 이별이오)!"

그러고는 분노와 자만 때문에 씨근거리며, 거드름스런 걸음걸이로 옆방으로 걸어 들어갔다. 그는 상당히 자만심이 강한 사내였다. 그런 일이 일어난 다음에도 그는 여자가 자기를 따라 나서리라는 희망을 여전히 잃지 않고 있었다—그만큼 그는 자신이 있었던 것이다. 미챠는 그가 나가자 문을 쾅 닫아 버렸다.

"나오지 못하게 문을 잠가 버리세요" 하고 칼가노프가 말했다. 그러나 저쪽에서 열쇠 소리가 났다. 그들이 먼저 안에서 잠가 버린 것이다.

"참 잘됐어요!" 그루셴카가 또다시 증오에 찬 무자비한 어조로 소리쳤다. "잘됐어! 저런 사람에겐 그게 당연한 결과죠!"

8. 악몽惡夢

박카스의 주연酒宴을 방불케 하는 굉장한 술판이 벌어졌다. 그루셴카가 제일 먼저 술을 달라고 소리쳤다.

"술이 먹고 싶어요, 전번처럼 잔뜩 취해 보고 싶어요. 생각나죠, 미챠? 그때 우리가 여기서 서로 친해졌던 일 말이에요."

미챠 자신으로 말하면, '자기의 행복'이 이미 눈앞에 와 있는 것으로 생각하고, 마치 꿈속에 있는 것 같은 기분이었다. 그러나 그루셴카는 자꾸만 그를 자기 곁에서 멀리하려 했다.

"저리 가서 흥겹게 노세요. 모두들 즐겁게 한바탕 춤을 추라고 하세요. 그때처럼 '집도 춤추고, 페치카도 춤추게' 흥청망청 노는 거예요, 그때처럼!" 그녀는 쉴 새 없이 소리쳤다. 몹시 흥분하고 있는 것 같았다. 미챠는 그녀가 시키는 대로 하느라고 급히 달려 나가곤 했다. 합창대는 옆방에 모여 있었다. 여태까지 그루셴카 일행이 앉아 있던 이쪽 방은 원래가 좁은 데다가, 무명으로 만든 커튼으로 한가운데를 막고 그 안쪽에는 푹신한 깃털 포단과, 역시 무명으로 씌운 베개를 산더미처럼 쌓아 놓은 커다란 침대가 놓여 있었다. 이 집에 네 개 있는 '깨끗한' 방치고 침대를 들여놓지 않은 방이라곤 하나도 없었다. 그루셴카는 바로 문턱 앞에 자리를 잡고 있었다. 미챠가 그리로 안락의자를 갖다 놓아 주었던 것이다. '그때', 처음으로 여기서 난장판을 벌였던 그날도, 바로 이 자리에 앉아서 옆방에서 노래하고 춤추는 것을 구경했었다. 모여 온 처녀들도 '그때'와 똑같은 얼굴들이었다. 바이올린과 치터Zither[19]를 가진 유대인 악사들도 와 있었다.

드디어 기다리던 트로이카가 술과 먹을 것을 가득 싣고 도착했다. 미챠는 분주하게 뛰어다녔다. 아무 상관도 없는 마을 농부들과 아낙네들까지 구경하러 방 안으로 기어들었다. 그들은 이미 잠자리에 들었었으나, 한 달 전과 같은 굉장한 잔치가 벌어질 것을 눈치채고 자리에서 일어나 모여들었던 것이다. 미챠는 낯

19 다섯 개의 리듬 현弦과 3, 40개의 화음현和音弦으로 된 하프 비슷한 악기.

익은 사람들과 일일이 인사를 하고 포옹했다. 그들의 얼굴이 하나씩 기억에 되살아났다. 그는 연방 술병 마개를 따서는 아무한테나 닥치는 대로 따라 주었다. 샴페인을 좋아하는 건 여자들뿐이고, 농부들은 럼과 코냑, 특히 뜨겁게 데운 펀치 술을 좋아했다. 미챠는 여자들한테 모조리 차례가 가도록 따뜻한 코코아를 만들게 하고 모든 사람에게 차와 펀치 술을 대접할 수 있도록 밤새껏 세 개의 사모바르를 끓게 하라고 명령했다. 먹고 싶은 사람은 얼마든지 먹게 하라는 것이었다.

한마디로 말해서, 어처구니없는 난장판이 벌어진 것이다. 그러나 미챠는 마치 물속에 들어간 물고기처럼, 연회가 난장판을 이루면 이룰수록 더욱더 신바람이 나는 모양이었다. 이럴 때 만일 어떤 농부가 그에게 돈을 달라고 손을 내밀었다면, 그는 서슴지 않고 그 지전 뭉치를 몽땅 꺼내서 손에 집히는 대로 이놈 저놈에게 노나주었을 것이다. 여관 주인 트리폰 보리스이치가 거의 한시도 미챠의 곁을 떠나지 않고 그의 옆을 서성거리고 있는 것은, 아마도 이런 이유에서 그를 감시하고 있음이 틀림없었다. 그는 이날 밤잠을 잘 생각은 아예 단념하고, 술도 제대로 마시지 않고, (그는 펀치 술 한 잔밖엔 마시지 않았다) 자기대로의 견지에서 미챠의 이해에 날카로운 감시의 눈을 번쩍이고 있었다. 그리고 필요한 경우에는 아첨 섞인 말로 미챠를 제지하며, '그때'처럼 농부들에게 '엽궐련'이며 '라인 산産 백포도주'며 특히 돈까지 노나준다는 건 절대로 안 될 일이라고 그를 타일렀다. 또한 계집애들이 함부로 리큐어를 마시고 과자를 집어 먹는다고 마구 화를 내는 것이었다.

"저것들은 모두 이가 득실거리는 거지들입니다, 드미트리 표도로비치" 하고 그는 말했다. "내가 저것들을 모조리 발길로 차주어도 저것들은 도리어 고맙다고 할 테니 두고 보십시오. 저것들에겐 그 정도가 알맞죠!"

미챠는 또다시 안드레이 생각이 나서 그에게 펀치 술을 내다주라고 명령했다. "나는 아까 안드레이를 모욕했어" 하고 그는 미안한 듯이 기가 죽은 목소리로 몇 번이나 되풀이하는 것이었다.

칼가노프는 술도 들려 하지 않았고, 처음엔 처녀들의 합창도 귀에 몹시 거슬리는 표정이더니, 샴페인을 두어 잔 들이키자 갑자기 기분이 유쾌해져서 이 방 저 방으로 돌아다니며 시시덕거리기 시작했다. 그리고 노래도 좋고, 음악도 좋고, 모든 것이 다 좋다고 침이 마르도록 칭찬하는 것이었다. 막시모프도 얼근하게 취해 가지고 기분이 좋아서 한시도 칼가노프의 곁을 떠나지 않았다. 그루셴카 역시 취기가 돌기 시작했는지 칼가노프를 가리키며 미챠에게, "어쩌면 저렇게 귀여울까, 정말 멋진 도련님이에요!"라고 말했다.

그러자 미챠는 기뻐서 어쩔 줄 모르며 곧장 달려 나가, 칼가노프와 막시모프에게 키스를 했다. 오오, 그는 많은 것을 예감하고 있었던 것이다. 그녀는 아직 그에게 그런 말은 비치지도 않았지만, 말하고 싶은 것을 억지로 참고 있는 것 같기도 했다. 그러나 이따금 그를 바라보는 그녀의 눈은 상대방을 애무하는 듯한 열정적인 표정을 띠고 있었다. 마침내 그녀는 그의 손을 덥석 움켜잡고 자기한테로 힘껏 끌어당겼다. 이때 그녀는 문 옆에 놓인 안락의자에 앉아 있었다.

"아까 당신이 어떤 꼴을 하고 들어왔는지 아세요, 네? 느닷없이 그런 꼴을 하고 들어오다니…… 난 깜짝 놀랐다니까요! 어째서 당신은 나를 그 사내한테 양보하려 했죠? 정말로 그럴 생각이었나요?"

"나는 당신의 행복을 망치고 싶지가 않았어!" 미챠는 기쁨에 넘쳐 잘 돌아가지 않는 혀로 이렇게 말했다. 그러나 그루셴카는 그의 대답이 듣고 싶었던 것은 아니었다.

"자, 저리 가세요…… 가서 재미있게 노세요" 하고 그녀는 또다시 그를 쫓아 버리는 것이었다. "그렇다고 울지는 말아요, 또 부를 테니까."

그러면 그는 얼른 그녀의 곁을 떠나곤 했다. 그녀는 다시 노랫소리에 귀를 기울이며 춤추는 것을 구경하기 시작했으나, 미챠가 어디 있건 그녀의 눈은 항상 그의 뒤를 쫓고 있었다. 그러다가 15분가량 지나면 또다시 그를 불렀고, 그러면 그는 또다시 여자한테로 달려오곤 했다.

"자, 이젠 내 옆에 앉으세요. 그리고 어제 어떻게 내가 여기 온 걸 알았는지 말해 보세요. 제일 먼저 그걸 당신한테 말해 준 사람은 누구죠?"

미챠는 이상하리만큼 열띤 어조로 더듬더듬 두서없이 모든 것을 얘기했다. 그러면서 그는 자주 미간을 찌푸리고는 하던 말을 끊곤 하는 것이었다.

"왜 그렇게 자꾸 눈살을 찌푸리죠?" 그루셴카는 물었다.

"아무것도 아니야……. 거기다 환자를 하나 두고 와서 만약에 그 사람이 살아난다면, 그리고 병이 완전히 회복된다는 걸 안다면 내 수명에서 10년쯤 당장에 희생할 용의가 있으련만!"

"그까짓 환자야 아무러면 어때요. 그보다도 당신은 정말로 내일 자살할 생각이었나요? 바보 같은 사람! 도대체 자살할 이유가 없잖아요? 하긴 당신처럼 앞뒤를 헤아릴 줄 모르는 사람이 나는 좋아요." 약간 무거워진 듯싶은 혀를 움직여 그녀는 이렇게 말했다. "그럼 당신은 나를 위해서라면 무슨 일이든 다 할 용의가 있군요? 그렇죠? 정말로 당신은 내일 권총으로 자살할 생각이었나요? 바보같이! 그렇지만 잠깐만 기다리세요, 내일 내가 당신한테 좋은 얘기를 할지 모르니까요……. 오늘은 말고 내일 하겠어요. 당신은 오늘 듣고 싶겠죠? 안 돼요, 오늘은 말하지 않겠어요……. 자 그럼 이젠 또 저리로 가세요. 가서 흥겹게 노세요."

그러나 이번엔 무언가 몹시 염려되는 것 같은 얼굴로 그녀는 다시 미챠를 불렀다.

"왜 그렇게 슬픈 얼굴을 하고 있죠? 난 다 알아요, 당신이 슬픔에 잠겨 있다는 걸…… 내 눈이 틀림없을 거예요." 사내의 눈을 뚫어지게 들여다보며 그녀는 이렇게 덧붙였다. "저기서 당신이 농부들과 키스를 하며 아무리 큰 소리로 떠들어 대도 나는 빤히 알고 있단 말이에요. 그러지 말고 흥겹게 노세요. 나도 이렇게 흥겨운 기분이니까 당신도 좀 더 기분을 내야 할 게 아녜요……. 나는 여기 있는 사람 중에서 누군가를 사랑하고 있어요. 그게 누군지 알아맞혀 보세요……. 원 저런, 우리 도련님이 잠들어 버렸네, 가엾게도 술에 취해 쓰러져 버린 모양이군요."

이것은 칼가노프를 보고 한 말이었다. 그는 정말로 취해서 소파에 주저앉기가 무섭게 금세 잠이 들어 버렸던 것이다. 그러나 그가 잠이 든 것은 취기 때문만은 아니었다. 왜 그런지 그는 갑자기 서글픈 느낌이, 그의 말을 빈다면, '따분한' 느낌이 들었던 것이다. 주연이 진행됨에 따라 점점 추잡스런 것으로 변해 가는 여자들의 노랫소리가 나중에는 그의 기분을 아주 잡쳐 버리고 말았다. 춤도 역시 매한가지였다. 처녀 둘이 곰으로 가장하고, 손에 막대기를 든 스체파니다라는 활발한 처녀가 곰 놀리는 사람이 되어, 곰의 '재주'를 보여 주기 시작했다.

"마리야, 좀 더 신나게 하지 못하겠니" 하고 처녀는 소리쳤다. "몽둥이맛을 보고 싶으냐?"

드디어 곰들은 가장 추잡하고도 야릇한 꼴을 하고 방바닥에 뒹굴었다. 그러자 방 안에 빽빽이 들어선 농부들과 아낙네들은 환성을 올리며 웃어 댔다.

"어서들 실컷 웃고 즐기라지." 그루셴카가 행복에 찬 얼굴을 하고 제법 초연한 어조로 말했다. "저렇게 흥겹게 놀 수 있는 기회도 좀처럼 없을 테니까 이런 때 마음껏 즐기라고 해야지."

그러나 칼가노프는 무슨 더러운 것이라도 자기 몸에 묻은 것 같은 얼굴을 하고 있었다.

"이건 차마 눈뜨곤 볼 수 없군. 참으로 더러운 풍속이야!" 하고 그는 뒤로 물러나며 말했다. "저건 여름에 밤새도록 태양을 지킬 때 노는 농부들의 놀이 중의 하나야."

무엇보다도 그가 못마땅하게 여긴 것은, 경쾌한 무도곡에 붙인, 이른바 '새로운' 노래였는데, 그것은 지나가던 귀족이 마을 처녀들을 떠본다는 내용이었다.

귀족이 가시내한테 물어보았지,
내가 좋으냐, 가시내야?

그러나 처녀들은 귀족을 좋아해서는 안 될 것 같다.

귀족은 나를 두드려 팰 거야
그런 사람 나는 싫어

그다음엔 집시가 와서 역시 처녀들을 떠본다.

집시가 가시내한테 물어보았지,
내가 좋으냐, 가시내야?

그러나 집시를 좋아하는 것도 안 될 말이다.

집시는 도둑질이나 하다가 잡혀가겠지
나는 눈물로 허송세월하게 될 거야

그리고 또 온갖 사람이 다 와서 처녀들을 유혹하려 든다. 나중에는 병정까지 와서 떠본다.

병정이 가시내한테 물어보았지,
나는 어떠냐, 가시내야?

그러나 병정은 코웃음과 함께 거절당한다.

병정은 배낭을 메고 다니지,
그러니까 나는 등 뒤에서……

그다음 한 구절은 음담패설이나 다름없는 것이었다. 그것을 아무 거리낌 없이 그대로 불렀고, 청중들은 손뼉을 치며 환성을 올렸다. 결국 얘기는 상인한테로 낙착이 된다.

장사꾼이 가시내한테 물어보았지,
그러면 나는 어떠냐, 가시내야?

결국 처녀들의 호감을 살 수 있는 것은 상인이라는 것이 판명된다. 그 이유는 다음과 같다.

장사꾼은 돈을 많이 버니까
나는 실컷 호강을 할 수 있겠지

칼가노프는 벌컥 성을 내기까지 했다.

"새로운 노래라는 게 기껏 그거야?" 하고 그는 큰 소리로 말했다. "대체 누가 그따위 노리를 지어 주는 걸까? 철도국원이나 유대인이 와서 처녀들을 유혹했다면 좋다구나 하고 모두 넘어갔을 게 아닌가."

그는 그것이 자기 자신에 대한 모욕이라도 되는 것같이 생각했다. 따분하고 지루하다는 말을 하기 시작한 것은 바로 이때였다. 그는 소파에 앉자마자 금세 잠들어 버렸던 것이다. 소파 쿠션 위에 던져진 그 귀여운 얼굴은 약간 창백한 빛을 띠고 있었다.

"보세요, 어쩌면 이렇게 귀여울까요!" 미챠를 소파 옆으로 끌고 가서 그루셴카는 이렇게 말했다.

"아까 나는 이 사람의 머리를 빗겨 주었어요. 꼭 아마亞麻처럼 숱이 많은 머리예요."

그러고는 감동 어린 얼굴로 몸을 굽혀 청년의 이마에 키스를 했다. 칼가노프는 번쩍 눈을 뜨고 그녀의 얼굴을 쳐다보더니, 엉거주춤 몸을 일으키며 걱정스러운 듯이 물었다. "막시모프는 어디 있죠?"

"어마나, 꼭 그 사람이어야만 하는가 보죠" 하고 그루셴카는 웃었다. "그러지 말고 나하고 좀 같이 앉아 있어요. 미챠, 얼른 달려가서 막시모프를 이 사람한테 데려다 줘요."

알고 보니, 막시모프는 이따금 리큐어를 따라 마시려고 달려가는 이외에는 한시도 처녀들의 곁을 떠나려 하지 않는 모양이었다. 따뜻한 코코아는 벌써 컵으로 두 잔이나 마셨다. 그의 조그만 얼굴은 빨갛게 되었고, 코는 자줏빛으로 변했고, 두 눈은 음탕한 빛을 띠고 번들거리고 있었다. 그는 가까이 뛰어오더니, 지금 곧 '어떤 재미있는 곡에 맞춰' 나막신 춤이라는 걸 출 테니 봐 달라고 했다.

"나는 어릴 적부터 상류 사회에서 추는 고상한 춤을 배웠거든요."

"자, 어서 가 보세요. 미챠, 그 사람하고 같이 가 보세요. 나는 여기서 그 사람의 춤을 구경할 테니."

"그럼 나도 저리로 가서 구경하겠습니다." 자기와 함께 앉아 있어 달라는 그루셴카의 청을 어린애다운 순진한 방법으로 거절하며 칼가노프는 이렇게 소리쳤다. 모두들 춤 구경을 하러 갔다. 막시모프는 정말로 나막신 춤이라는 걸 추어 보였다. 그러나 미챠를 제외하고는 거의 아무도 칭찬하는 사람이 없었다. 그 춤이라는 건, 발바닥을 위로 하고 발을 옆으로 꼬며 그저 껑충껑충 뛰어오르며, 그런 때마다 손바닥으로 발바닥을 철썩철썩 치곤 하는 것뿐이었다. 칼가노프는 시큰둥한 얼굴이었지만, 미챠는 춤 춘 사람에게 키스까지 했다.

"고맙소. 피곤하지 않소? 왜 이쪽만 보고 있지? 과자라도 드릴까? 아니면 엽궐련이라도?"

"보통 궐련으로 한 대만."

"술은 한 잔 안 하시려오?"

"저기서 리큐어를 마셨어요……. 그보다도 초콜릿 과자는 없습니까?"

"저기 식탁 위에 얼마든지 있잖소. 어서 마음대로 집어 잡수시오. 당신은 참 귀여운 데가 있어 좋소!"

"아니, 내가 찾는 건 바닐라를 넣어 만든 과자지요……. 늙은이한텐 그게 제일

이거든요……. 히, 히!”
“없어요, 그런 특제품은 없어요.”
“내 말 좀 들으시오.” 갑자기 노인은 허리를 굽혀 미챠의 귀에다 대고 소곤거렸다. “저기 저 계집애 말입니다. 마류쉬카 말이에요, 히, 히! 어떻게 저 애하고 좀 가까이 사귀고 싶은데, 당신이 친절을 베풀어 사이에 들어주시면 해서…….”
“오호, 엉뚱한 야심을 일으키셨군! 말 같지도 않은 소린 그만둬요.”
“하지만 난 아무한테도 나쁜 짓은 하지 않습니다.” 막시모프는 풀이 죽어 이렇게 중얼거렸다.
“좋아요, 좋아, 저 애들은 노래하고 춤추려고 여기 온 것뿐이니까……. 하지만 그까짓 건 아무래도 좋아! 뭐 그리 급하게 굴 건 없어요……. 우선은 실컷 먹고 마시며 흥겹게 놀아요. 돈은 필요 없소?”
“나중에 차차……” 하고 막시모프는 히죽 웃었다.
“좋아, 좋아.”
미챠는 머리가 타오르는 것 같았다. 그는 이층 목조 베란다로 나갔다. 베란다는 이 집 한쪽에 길게 붙어 있었는데, 거기서는 뜰 안이 한눈에 내려다보였다. 신선한 바깥 공기를 마시니 살 것 같았다. 그는 한쪽 구석 어둠 속에 혼자서 있다가 두 손으로 와락 자기 머리를 움켜쥐었다. 산산이 흩어졌던 상념들이 갑자기 결합되고, 잡다한 감각이 하나로 융합되어, 모든 것이 환하게 떠올랐다. 그리고 모든 것이 빛을 발하는 것이었다. 그것은 몸서리 칠 만큼 무서운 빛이었다. ‘그렇다, 만약에 자살을 할 생각이라면 지금이 바로 그때가 아닌가?’ 하는 상념이 그의 머릿속을 스치고 지나갔던 것이다. ‘가서 권총을 가지고 다시 이리로 나와서, 이 더럽고 어두운 베란다 구석에서 아주 끝장을 내버려야 한다.’ 그는 1분가량이나 결단을 내리지 못하고 그냥 서 있었다. 아까 마차를 몰고 이리로 달려오고 있을 때는 그의 등 뒤에 오욕이 덮쳐 오고 있었다. 그가 저지른 절도 행위와 피, 그 피에 쫓기고 있는 기분이었다. 그러나 그때가 오히려 마음이 홀가분했다. 훨씬 홀가분했다. 그때는 이미 만사가 끝나 버렸던 것이다. 그는 여자를 잃었다, 양보해 버렸다. 그루셴카는 영영 그에게서 사라져 버린 존재였다. 아아, 그때는 자기에게 사형선고를 내리는 일도 훨씬 수월했었다. 적어도 절대 불가피한 필연적인 것으로 생각되었었다. 왜냐하면 이 세상에 더 이상 살아남아 있어야 할 이유가 하나도 없었기 때문이다!

그러나 지금은, 지금은? 그때와 형편이 똑같다고 할 수는 없잖은가! 적어도 지금은 한 가지 무서운 환영이 사라져 버린 것이다. 그 여자의 '첫사랑'인 그 숙명적인 사내는 자취도 없이 사라져 버렸다. 무서운 환영은 갑자기 보잘것없는 우스꽝스런 존재로 변해 버렸다. 그리고 순순히 침실로 쫓겨 들어가 갇혀 버리고 말았다. 이제 다시는 돌아오지 못할 것이다. 그루셴카는 수치를 느끼고 있다. 그리고 지금 그녀가 누구를 사랑하는지는 그 눈만 보아도 그는 알 수 있다. 그렇다, 이제야 비로소 삶의 보람을 느낄 수 있게 된 것이다. 그러나…… 그러나 더 이상 살 수는 없지 않은가. 아아, 이렇게 원통할 때가 또 어디 있으랴!

'오오, 하느님, 그 울타리 밑에 쓰러진 사람을 제발 소생시켜 주십시오! 이 무서운 잔盞을 제발 내 입에서 떼어 주십시오! 당신은 나처럼 죄 많은 사람들을 위해 기적을 행하시지 않았습니까! 만약에, 만약에 그 늙은이가 살아 있다면……. 오오, 그렇다면 나는 그 밖의 모든 치욕을 깨끗이 씻어 버리겠습니다. 가로 챈 돈도 돌려주겠습니다. 무슨 일이 있어도 반드시 반환하겠습니다……. 그렇게 하면 치욕의 흔적은 내 가슴속에밖엔 남지 않을 것입니다! 그렇지만 안 되지, 안 돼, 이건 비겁한 자의 꿈이야, 불가능한 꿈이야! 아아, 이런 저주가 또 어디 있담!'

그러나 그의 캄캄한 마음속에 한 줄기 밝은 희망의 빛이 새어 든 것 같았다. 그는 급히 그 자리를 떠나 방 안으로 달려들어 갔다—그 여자한테로, 그의 영원한 여왕인 그 여자 곁으로! '비록 치욕의 고통 속에 빠져 있더라도 그녀와의 사랑의 한 시간, 아니 한순간이, 나머지 전 생애만 한 가치가 있는 게 아닐까?' 이처럼 괴이한 의문이 갑자기 그의 마음을 휘어잡았던 것이다. '그 여자한테 가자. 그 여자한테 가기만 하면 된다. 그 얼굴을 보고 그 목소리를 듣기만 하면 된다.

그리고 다른 건 하나도 생각지 말고 모든 걸 다 잊어버리자. 오늘 하룻밤만이라도, 아니, 한 시간, 한순간만이라도 좋다!'

베란다에서 방 안으로 막 들어서려 할 때 그는 여관 주인 트리폰 보리스이치와 마주쳤다. 주인은 무슨 걱정되는 일이라도 있는지 잔뜩 찌푸린 얼굴을 하고 있었다. 아마도 미챠를 찾으러 나온 모양이었다.

"왜 그래, 보리스이치, 나를 찾고 있었나?"

"아닙니다, 당신을 찾지는 않았어요." 주인은 갑자기 당황해하는 눈치였다. "제가 당신을 찾을 까닭이 없잖아요? 그건 그렇고…… 여태 어디 계셨습니까?"

"자네 왜 그렇게 시큰둥한 얼굴을 하고 있나? 화가 난 것 아닌가? 잠깐만 기다리게, 곧 잠을 잘 수 있게 해 줄 테니……. 지금 몇 시나 됐지?"

"벌써 세 시쯤 됐을 겁니다. 어쩌면 세 시가 넘었는지도 모르겠군요."

"그럼 이젠 끝내기로 하지."

"아닙니다, 괜찮아요. 시간 걱정은 말고 얼마든지."

'무슨 일이 있었나?' 하고 미챠는 잠깐 생각했으나, 곧장 처녀들이 춤추고 있는 방으로 달려들어 갔다. 그러나 그루셴카는 거기 없었다. 하늘빛 방에도 보이지 않았다. 칼가노프가 소파에서 혼자 졸고 있을 뿐이었다. 미챠는 칸막이 커튼 뒤를 들여다보았다—그녀는 거기 있었다. 한쪽 구석에 놓인 궤짝 위에 앉아서 두 팔과 머리를 옆에 있는 침대에 파묻고, 남이 들을까 봐 억지로 소리를 죽여 가며 흐느껴 울고 있었다. 그녀는 미챠를 보더니 손짓을 해서 불렀다. 그가 옆으로 달려가자 그녀는 그의 손을 꼭 쥐었다.

"아아, 미챠, 나는 역시 그 사람을 사랑하고 있었나 봐요!" 그녀는 소곤거리듯 말하기 시작했다. "지난 5년 동안 줄곧 그 사람을 사랑해 왔나 봐요! 나는 정말 그 사람을 사랑했을까, 아니면 나 자신의 앙심을 사랑했던 것뿐일까? 아니, 내가 사랑한 건 그 사람이야! 어디까지나 그 사람이야! 나는 나 자신의 앙심을 사랑했을 뿐 그 사람을 사랑한 건 아니다, 라고 한 말은 거짓말이었어! 미챠, 나는 그때 열일곱 살밖엔 안 됐었지만, 그 사람은 나한테 아주 친절하게 대해 주었답니다. 언제나 친절한 사람이었죠. 곧잘 노래도 불러 주고……. 하긴 내가 어리석은 계집애였기 때문에 그렇게 생각했던 것뿐인지도 모르지만요……. 그런데 지금은 아주 딴사람같이 변해 버렸어요. 얼굴도 그때와는 딴판이에요. 그래서 나는 그 사람의 얼굴을 알아보지 못했다니까요. 나는 치모페이와 함께 이리로 오면서 줄곧 이런 생각만 하고 있었죠—'어떻게 그 사람을 만날까? 무슨 말을 하면 좋을까? 서로 어떤 얼굴로 대하게 될까?' 하고 말이에요. 가슴이 온통 저려 오는 것 같았어요. 그런데 정작 만나고 보니, 그 사람은 나한테 구정물을 뒤집어씌우는 것 같은 태도로 나오지 않겠어요. 마치 학교 선생님 같은 말투로 엄숙하고 유식한 말만 하며 굉장히 거드름 피우며 대하는 바람에, 나는 어찌할 바를 몰랐어요. 무어라고 한마디도 입을 뗄 수가 없었어요. 처음엔 그 사람이 그 키다리 폴란드인 때문에 체면을 차리느라고 그러는 줄 알았죠. 나는 그저 멍청히 앉아서 그 두 사람을 바라보며, 왜 내가 저 사람한테 아무 말도 못 하는 걸까 하고, 그 생각만 하고 있었죠. 그 사람을 그렇게 만든 건 그의 부인이었을 거예요. 그 사람이 나를 버린 후에 결혼한 그 부인 말이에요, 그 여자가 그 사람을 아주 딴사람으로 만들어 버렸을 거예요. 미챠, 이렇게 창피한 일이 또 어디 있겠어요! 일생을 두고 이 창피는 잊지 못할 거예요! 나는 지나간 5년 동안을 저주해요, 저주하고 또 저주해요!"

그루셴카는 또다시 흐느끼기 시작했다. 그러나 그녀는 미챠의 손을 움켜잡은 채 놓아주려 하지 않았다.

"이봐요, 미챠, 가지 말고 잠깐만 기다려요. 당신한테 한 가지 할 말이 있어요" 하고 속삭이더니 그녀는 번쩍 얼굴을 쳐들었다. "다름 아니라, 지금 내가 누구를 사랑하고 있는지 당신이 말해 줄 수 없겠어요? 나는 여기 있는 사람들 중에서 어떤 한 사람을 사랑하고 있어요. 그게 누굴까요? 어디 당신이 한번 말해 보세요."

눈물 때문에 부석부석해진 그녀의 얼굴엔 미소가 떠오르고, 두 눈은 어둠 속에서 반짝이었다.

“아까 매(鷹)가 하나 들어왔을 때 나는 가슴이 덜컥 내려앉는 것 같았어요. ‘이 바보야, 네가 사랑하는 건 저 사람이 아니냐’라고 내 마음이 대뜸 나한테 귀띔해 주었어요. 당신이 방 안에 들어오자 갑자기 모든 것이 환해진 것 같았어요. 그런데 저 사람은 무엇을 두려워하고 있는 걸까, 하고 나는 생각했죠. 당신은 정말 무엇이 두려운지 겁을 집어먹고 말도 제대로 하지 못했으니까요. 저 사람은 결코 여기 있는 폴란드인들을 무서워하는 건 아니다, 라고 나는 생각했어요. 당신이 누구를 무서워할 리는 만무하니까요. 그러니까 저 사람은 나를, 나 한 사람을 무서워하고 있음이 틀림없다, 라고 생각했죠. 내가 창문밖으로 알료샤를 불러 세우고, 잠시나마 한때는 미첸카를 사랑한 일이 있지만 지금은 다른 사람한테 사랑을 바치려고 떠난다고 소리 질렀다는 말을 틀림없이 페냐가 당신한테 했을 테니까요. 미챠, 미챠, 당신 같은 사람을 두고 어떻게 내가 다른 사람을 사랑한다고 생각할 수가 있었을까요! 내가 바보였죠. 용서해 주시겠죠, 미챠? 용서해 주시겠죠, 싫어요? 그리고 사랑해 주시겠죠, 나를? 사랑해 주시겠죠?” 그녀는 벌떡 일어나 두 손으로 사내의 어깨를 움켜잡았다. 미챠는 기뻐서 어쩔 줄을 모르며, 벙어리처럼 여자의 눈을, 얼굴을, 그리고 미소를 멍하니 바라보다가, 갑자기 그녀를 꼭 그러안고 미친 듯이 키스를 했다.

“여태까지 당신을 괴롭힌 거 용서해 주시죠? 나는 단지 화풀이를 위해서 당신네들을 괴롭혀 왔어요. 그 영감님을 미쳐 날뛰게 한 것도 순전히 화풀이를 하기 위해서였죠……. 기억하세요, 언젠가 당신이 우리 집에서 술을 마시다가 술잔을 내동댕이쳐 깨뜨려 버린 일을? 아까 그 생각이 나서 나도 술잔을 깨뜨렸어요. 그리고 ‘더럽혀진 내 마음’을 위해 술을 마셨죠. 미챠, 왜 나한테 키스를 안 하죠? 한 번 키스를 하고는 곧 물러나서 내 얼굴만 바라보며 귀를 기울이고 있군요……. 내 말 같은 건 들으나 마나예요! 그보다도 키스를 해 줘요. 좀 더 뜨겁게 키스해 주세요, 네, 그렇게. 사랑한다고 한 이상 끝까지 사랑해야죠! 이제부턴 당신의 노예가 되겠어요. 한평생 당신의 노예가 되겠어요! 노예가 되는 것도 즐거운 일이죠!…… 자, 키스해 줘요! 나를 때려 줘요, 괴롭혀 줘요, 당신 마음대로 해 줘요……. 정말이지 나 같은 건 학대를 받아야 할 계집이에요……. 가만 계세요! 조금만 기다려 줘요, 나중에 또…… 지금은 어쩐지 마음이 내키지 않는군요" 하고 그녀는 갑자기 사내를 밀어냈다. "저리 가세요, 미챠, 나도 가서 좀 더 마시겠어요. 마음껏 취해 보고 싶군요. 이제 곧 취해 가지고 춤을 추겠어요. 흥청망청 춤을 추고 싶어요!" 그녀는 사내의 팔에서 빠져나와 커튼 뒤에서 밖으로 달려 나갔다. 미챠는 마치 술에 취하기라도 한 것 같은 꼴을 하고 그 뒤를 따라 나갔다.

'될 대로 되라지. 이제 무슨 일이 일어난대도 좋아……. 그 한순간을 위해서라면 전 세계를 다 주어도 아깝지 않다' 이런 생각이 그의 머리에 떠올랐다. 그루셴카는 정말로 샴페인을 단숨에 들이켜고는 금세 취해 버렸다. 그녀는 행복스런 미소를 띠며 아까 앉았던 안락의자에 가서 앉았다. 양쪽 볼은 홍조를 띠고, 입술은 불타오르고, 반짝이던 두 눈은 거슴츠레해졌다. 그러나 그 정열적인 눈길은 사내를 손짓해 부르고 있는 것만 같았다. 칼가노프까지도 무언가 가슴을 푹 찌르는 것 같은 기분을 느끼며 그녀에게 가까이 다가갔다.

"아까 당신이 잠들었을 때, 내가 당신한테 키스하는 거 알았어요?" 하고 그녀는 혀 꼬부라진 소리로 말했다. "아아, 이젠 아주 취해 버렸군……. 당신은 취하지 않았나요? 그런데 미챠는 왜 마시지 않을까? 왜 마시지 않죠, 미챠? 나는 이렇게 많이 마셨는데, 당신은 마시지 않는군요."

"나도 취했어! 벌써 이렇게 취했는걸……. 당신한테 취한 거야. 하지만 이번엔 술에 취해 볼까."

그는 한 잔을 더 마셨다. 그러자—이건 미챠 자신도 이상스러울 지경이었지만—이 마지막 한 잔 술에 그는 갑자기 취해 버렸다. 여태까지는 정신이 아주 말끔했던 것이다. 이것은 미챠 자신도 기억하고 있었다. 이 순간부터 갑자기 모든 것이 악몽 속에서처럼 그의 주위를 빙글빙글 돌기 시작했던 것이다. 그는 공연히 왔다 갔다 하며 껄껄 웃기도 하고, 아무나 붙잡고 말을 건네기도 하였으나, 이미 자기 자신이 무엇을 하고 있는지조차 모르는 모양이었다. 다만 한 가지 뜨거운 감촉이 한시도 떠나지를 않고 그의 마음을 자극하는 것이었다. 후에 그가 이때 일을 술회한 바에 의하면 '마치 가슴속에 시뻘건 숯 덩어리가 들어 앉아 있는 것 같은' 느낌이었었다고 한다. 그는 몇 번이나 그루셴카한테 다가가서 그 옆에 앉아 그녀의 얼굴을 바라보고, 목소리를 듣곤 하였다……. 한편 그루셴카는 갑자기 수다스러워져서 아무나 닥치는 대로 자기 곁으로 불렀다. 합창대 처녀들까지도 손짓해서 불러다가는 키스를 해 주기도 하고, 한쪽 손으로 성호를 그어 주기도 했다. 그녀의 '영감쟁이', 즉 막시모프도 그녀의 마음을 무척 흥겹게 해 주었다. 그는 연방 그녀한테 달려와서는 '손가락 하나하나에' 키스를 하곤 했는데, 나중에는 어느 옛날 노래에 맞춰 또 다른 춤을 추어 보였다. 더욱이 그 노래도 자기가 직접 불렀다. 그리고 다음과 같은 후렴을 부를 때는 특히 열심히 춤을 추었다.

"돼지 새끼는 꿀 꿀 꿀
송아지 새끼는 음매 음매 음매
오리 새끼는 꽥 꽥 꽥
거위 새끼는 꺼우 꺼우 꺼우
암탉은 헛간에서 왔다 갔다 하며
꾸 꾸 꾸 꾸 울었네
꾸 꾸 꾸 꾸 울었네"

"저 사람한테 뭘 좀 주세요, 미챠." 그루셴카가 말했다. "뭐든지 선사하세요, 저 사람은 참 불쌍한 사람 아네요. 아아, 세상엔 불쌍한 사람, 모욕 받은 사람도 많군요! 나는 말이에요, 미챠, 수녀원에 들어가기로 했어요. 정말이지 언젠가는 꼭 들어가게 될 거예요. 오늘 알료샤가 나한테 한평생 잊지 못할 말을 해 주었거든요……. 정말이에요……. 그렇지만 오늘은 다 함께 춤을 추기로 해요, 네! 내일은 수녀원에 가더라도 오늘은 마음껏 춤을 춥시다. 나는 흥청망청 놀고 싶어요. 뭐 괜찮을 거예요, 하느님도 용서해 주실 테니까. 내가 만일 하느님이라면 사람들을 모두 용서하겠어요. '내 사랑하는 죄인들아, 오늘부터 너희를 모두 용서하노라'라고 말이에요. 그리고 나는 사람들에게 용서를 빌겠어요—'여러분, 이 어리석은 계집을 용서해 주십시오.' 나는 정말 짐승이나 다를 것이 없는 계집이에요. 하지만 나는 기도를 올리고 싶어요. 나도 남에게 파 한 뿌리를 준 일이 있거든요. 나같이 못된 계집도 기도를 올리고 싶을 때가 있답니다. 미챠, 어서 춤들을 추라고 내버려 두세요. 이 세상 사람들은 모두 좋은 사람뿐예요. 한 사람도 빼놓지 않고 모두가 좋은 사람이에요. 이 세상이란 참 좋군요. 우린 더러운 인간이지만, 이 세상이란 참 좋은 곳이에요. 우린 나쁜 인간이긴 하지만 한편으로는 좋은 인간이거든요……. 그건 그렇고, 모두들 이리 가까이 와서 내가 묻는 말에 대답해 보세요—왜 나는 이렇게 좋은 인간일까요? 내가 좋은 인간이라는 건, 내가 더없이 좋은 인간이라는 건, 당신들도 알고 있죠? 그러니까 왜 내가 그렇게 좋은 인간인지 대답해 보란 말이에요."

그루셴카는 더욱더 취해 가면서 혀 꼬부라진 소리로 이렇게 말했다. 그러다가 그녀는 기어이 자기도 춤을 추겠노라고 선언하더니, 의자에서 비틀거리며 일어났다.

"미챠, 이젠 제발 나한테 술을 더 따라 주지 마세요. 술을 마시니까 마음이 불안해지는군요. 모든 것이 빙글빙글 도는 것 같아요. 페치카도, 사람들도 모두 빙글빙글 도는 것 같아요. 나도 춤을 추어야겠어요. 내가 어떻게 춤을 추는지…… 내가 얼마나 멋들어지게 춤을 추는지 모두들 구경하세요."

그녀는 정말로 춤을 출 생각이었다. 주머니에서 하얀 손수건을 꺼내서, 춤을 추며 흔들려고 오른쪽 손가락 끝으로 한쪽 귀퉁이를 가볍게 잡았다. 미챠는 분주하게 왔다 갔다 하기 시작했고, 합창대 처녀들은 이쪽에서 손짓만 하면 지체 없이 춤추는 노래를 시작하려고 조용히 대기하고 있었다. 막시모프는 그루셴카 자신이 춤을 추겠다는 말을 듣고는 기뻐서 어쩔 줄 모르며 목청이 찢어질 듯한 소리로

"깡총한 두 다리에 배때기는 통통
꼬리는 동그랗게 말려 올랐네"

라는 노래를 부르며 여자 앞에서 껑충껑충 뛰기 시작했다. 그러나 그루셴카는 손수건을 흔들어 그를 쫓아 버렸다.

"조용히 해요! 그런데 미챠, 왜들 오지 않는 거예요? 다들 와서 구경하라고 하세요! 저기 갇힌 사람들도 불러내 오고요……. 무엇 때문에 그 사람들을 가둬 두었죠? 가서 내가 춤을 춘다고 말하세요. 그 사람들도 내가 춤추는 걸 구경하게 하세요."

미챠는 술기운에 힘입어 의기양양한 걸음걸이로 폴란드 신사들이 들어앉은 방문 앞에 다가가더니 주먹으로 쾅쾅 노크를 했다.

"이봐, 안에 있는 포드브이소츠키 족속들! 그루셴카가 춤을 춘다고 너희들을 부른다, 나오너라."

"야, 이 망나니야!" 대답 대신 그중 하나가 이렇게 소리쳤다.

"그럼 너는 개망나니다! 너는 쩨쩨한 악당이란 말이다."

"폴란드를 조소하는 건 삼가는 게 좋을 거예요." 칼가노프가 제법 위엄을 부리며 한마디 했다. 그도 역시 몸을 제대로 가누지 못할 만큼 취해 있었다.

"잠자코 있어요, 도련님! 내가 저놈 보고 악당이라 했다 해서 폴란드 전체를 악당이라 욕한 건 아니니까. 저 개망나니가 혼자서 폴란드 전체를 대표하고 있는 건 아니지 않소. 아무 소리 말고 과자나 먹고 있어요, 귀여운 도련님."

"어쩌면 사람들이 저 모양이람! 그들도 인간이긴 매한가진데, 왜 화해하려 하지 않을까?" 이렇게 말하고 그루셴카는 춤을 추려고 앞으로 나왔다. 합창대는 일제히 〈아아, 세니(Porch)[20], 그리운 나의 세니〉를 부르기 시작했다. 그루셴카는 고개를 뒤로 젖힌 채 입을 반쯤 벌리고 상긋 웃어 보이고는 손수건을 흔들려다가 갑자기 그 자리에서 비틀거리며 방 한가운데 우뚝 멈춰 서서 당황한 표정을

20 현관에 달린 문간방을 뜻함.

지었다.
“기운이 없어요” 하고 그녀는 지쳐 빠진 것 같은 목소리로 말하였다. “용서하세요, 기운이 없어서 안 되겠어요…… 미안해요…….”
그녀는 합창대 쪽을 향해 머리를 숙여 보인 다음 사방으로 돌아가며 절을 하기 시작했다.
“미안합니다…… 용서하세요…….”
“취하셨나 보군요, 아씨, 취하셨어요, 귀여운 아씨” 하는 소리가 여기저기서 들려왔다.
“술이 과하셨던 모양이야.” 막시모프는 연방 킥킥거리며 처녀들에게 설명했다.
“미챠, 나를 데려다 줘요……. 저쪽으로 데려다 줘요, 미챠.” 그루셴카는 맥 빠진 소리로 말했다. 미챠는 그녀한테 달려가서 두 손을 움켜쥐고는, 이 귀중한 포획물을 떠받들고 커튼 뒤로 옮아갔다.
‘나는 이젠 가 볼까’ 하고 칼가노프는 생각했다. 그리고 하늘빛 방을 나가며, 양쪽으로 여닫게 된 문을 두 짝 다 닫아 버렸다. 그러나 홀에서는 여전히 술판이 계속되고 있을뿐더러, 더한층 떠들썩하는 것 같았다. 미챠는 그루셴카를 침대에 누이고 그 얼굴에 키스했다.
“나를 건드리지 마세요” 하고 그녀는 애원하는 목소리로 중얼거렸다. “나한테 손을 대지 마세요. 아직은 당신 것이 아니니까……. 아까 당신 것이라고 말하긴 했지만, 지금은 나한테 손을 대지 말아 줘요……. 미안해요…… 저 사람들이 있는 데서는 안 돼요. 그 사람이 가까이 있는 데서는 싫어요. 여긴 왜 그런지 기분이 나빠요, 어디든지 먼 데로, 아주 먼 데로…….”
“뭐든지 당신 말대로 하겠어! 그런 건 생각지도 않을 테야……. 나는 당신을 하느님처럼 숭배하고 있으니까” 하고 미챠는 중얼거렸다. “사실 여긴 기분이 나빠, 더러운 곳이야.”
그는 여자의 몸에 팔을 감은 채 침대 옆 방바닥에 무릎을 꿇었다.

"당신은 야수 같은 데가 있긴 하지만 마음만은 고결한 사람이라는 걸 나는 알아요." 그루셴카는 무거워진 혀를 움직여 이렇게 말했다. "우린 모든 일을 떳떳하게 해야 해요……. 앞으론 언제나 떳떳하게 행동하기로 해요, 네…… 우린 정직한 인간이 됩시다. 짐승이 아닌 선량한 인간이 됩시다……. 그리고 나를 데려가 주세요. 먼 데로 데려가 주세요, 알겠죠?…… 이런 데선 살기 싫어요. 어디든지 먼 데로, 아주 먼 데로……."

"오, 그래야지, 그래야 하고말고!" 하며 미챠는 여자를 포옹한 팔에 힘을 주었다. "당신을 데리고 갈 테니, 우리 멀리 떠나갑시다……. 아아, 그 피에 대해서만 알 수 있다면, 내 일생을 단 1년과 맞바꿔도 아깝지 않으련만."

"피라니 무슨 뜻이죠?" 의아스런 얼굴로 그루셴카는 물었다.

"아무것도 아니야!" 미챠는 이 사이로 내뱉듯 말했다. "그루샤, 당신은 정직한 사람이 되자고 했지만, 나는 도둑놈이야. 난 카치카의 돈을 가로챘어……. 그러니 이런 수치가 또 어디 있느냐 말야!"

"카치카라뇨? 그 아가씨 말이에요? 아니, 당신은 가로챈 게 아녜요! 당장에 그 돈을 갚아 버리세요. 내가 드릴 테니…… 그까짓 게 뭐가 큰 문제라고 그렇게 떠드세요? 이젠 내 것은 모두 당신 거예요. 우리들한테 돈 같은 게 문제예요? 어차피 다 써 버릴 돈인걸……. 우리 같은 사람은 가진 돈을 다 써 버리지 않고는 배겨 내지 못할 테니까요. 차라리 우린 어디 가서 농사나 짓는 게 날 거예요. 나는 내 손으로 땅을 파고 싶어요. 우린 일을 해야 한단 말이에요! 알료샤가 그렇게 하라고 했거든요. 나는 당신의 정부情婦가 되고 싶진 않아요. 당신의 성실한 아내가 되고 싶어요. 당신의 노예가 되어 당신을 위해 일을 하겠어요. 우리 함께 그 아가씨한테 가서 고개를 숙여 용서를 빕시다. 그리고 나서 떠나기로 해요. 만일 우리를 용서해 주지 않더라도, 우리는 떠나야만 해요. 당신은 그 아가씨의 돈을 갚아 버리세요. 그리고 나를 사랑해 주세요……. 그 여자는 사랑하지 말고요……. 앞으로 또 그 여자를 사랑하면 난 싫어요. 만일 당신이 그 여자를 사랑하면 난 그 여자의 목을 졸라 죽여 버릴 테야……. 송곳으로 그 여자의 눈

깔을 찔러 버릴 테야."

"나는 당신을, 당신만을 사랑해. 시베리아에 가게 되더라도 당신만을 사랑할 테야."

"시베리아엔 왜 가요? 아니, 당신이 가는 곳이라면 시베리아든 어디든 다 좋아요……. 우리 열심히 일합시다……. 시베리아엔 눈이 많죠? 나는 썰매를 타고 눈 위를 달리는 게 제일 좋아요. 말에는 방울을 달아야죠……. 아, 방울 소리가 들려오네요……. 어디서 울려오는 방울 소릴까? 누군가 썰매를 타고 오는가 봐요……. 아아, 이젠 방울 소리가 멎어 버렸네."

그루셴카는 맥없이 눈을 감더니 금세 잠이 들고 말았다. 방울 소리는 분명히 어딘가 먼 데서 울려오고 있었는데 갑자기 멎어 버렸다. 미챠는 여자의 가슴 위에 머리를 얹었다. 그는 방울 소리가 멎어 버린 것도 몰랐고, 갑자기 노랫소리가 멎고 술 취한 사람들의 노래와 소음 대신에, 죽음과도 같은 정적만이 집안에 감돌고 있는 것도 모르고 있었다. 그루셴카는 눈을 떴다.

"어마, 내가 잠이 들었었나? 그렇지, 방울 소리가 들려오고 있었어. 나는 그새 잠이 들어 꿈을 꾸었어요—썰매를 타고 눈 위를 달리고 있는데…… 방울 소리가 울리고, 나는 졸고 있었나 봐요. 내가 사랑하는 사람하고, 그러니까 당신하고 같이 어딘지 먼 곳으로 가고 있었죠. 나는 당신을 그러안고 바싹 붙어 앉아서 키스를 했어요. 나는 추운 것 같았어요. 흰 눈이 반짝이고…… 밤에 눈이 반짝이고 있었으니 아마 달이 떠 있었나 보죠? 어쩐지 이 세상에 있는 것 같지가 않았어요……. 그런데 깨어 보니, 사랑하는 그 사람이 정말 내 곁에 있지 않겠어요? 참 좋은 꿈이었어요."

"곁에 있고말고." 미챠는 여자의 옷이며 가슴이며 그 손에 키스하며 이렇게 중얼거렸다. 그러자 그는 문득 이상한 생각이 들었다—그루셴카는 열심히 앞을 바라보고 있지만, 그것은 그의 얼굴을 바라보는 것이 아니라, 그의 머리 너머를 꼼짝도 않고 응시하고 있는 것같이 생각되었던 것이다. 순간 그녀의 얼굴에 경악의 빛이, 아니 공포에 가까운 빛이 떠올랐다.

"미챠, 저기서 우리를 들여다보고 있는 건 누굴까요?" 하고 그녀는 속삭였다.

미챠는 뒤를 돌아보았다. 정말로 누군가 커튼 자락을 헤치고 이쪽을 엿보고 있는 것 같았다. 그것도 한 사람만은 아닌 모양이었다.

그는 벌떡 일어나서 빠른 걸음으로 그쪽을 향해 걸어갔다.

"이리로 나오시오, 이리로." 나지막하면서도 강경하고 위압적인 목소리로 누군가 이쪽을 향해 말했다.

미챠는 커튼 밖으로 나서자마자, 그 자리에 얼어붙은 듯이 서 버렸다. 방 안은 사람들로 가득 차 있었는데, 아까와는 전혀 다른 새로운 사람들이었다. 순간적인 전율이 그의 등골을 스쳐갔다. 그는 부르르 몸을 떨었다. 그는 거기 와 있는 사람들을 더번에 알아보았던 것이다. 외투를 입고, 모표가 붙은 모자를 쓴, 키 크고 뚱뚱한 사내는 경찰서장인 미하일 마카르이치였다. 그리고 '폐병쟁이같이 생긴', '언제나 반들거리는 장화를 신은' 말쑥한 멋쟁이는 검사보檢事補였다. '저 친구는 4백 루블짜리 정밀 시계를 갖고 있지. 나한테도 그걸 보여 준 일이 있었어' 하고 미챠는 생각했다. 그리고 또, 안경을 낀 자그마한 젊은 사내는—그의 이름은 잊었지만 미챠는 전에 그를 본 일이 있어서 잘 알고 있었다—최근에 이 고장으로 부임해 온 법률 학교 출신 예심 판사豫審判事였다. 그 밖에도 그와 잘 아는 사이인 경찰지서장 마브리키 마브리키치도 와 있었다. 그런데 무엇 때문에 저런 휘장徽章을 단 친구들이 몰려온 것일까? 그들 이외에도 농부처럼 보이는 사내가 둘, 그리고 문간에는 칼가노프와 여관 주인 트리폰 보리스이치가 서 있었다.

"여러분…… 대체 무슨 일입니까?" 하고 미챠는 입을 열었으나, 갑자기 저도 모르게 고함을 지르는 것처럼 터무니없이 큰 소리로 외쳤다.

"아아, 알…… 겠…… 습니다!"

안경을 낀 젊은 사람이 급히 앞으로 걸어 나와 미챠에게로 다가오더니, 위엄 있는 어조로, 그러나 약간 말을 더듬으며 입을 열었다.

"우리는 당신한테…… 간단히 말해서, 여기 이 소파에 와 앉으시길 바랍니다. 당신한테 긴급히 말씀드릴 일이 있어서요."

"그 늙은이 때문이군요!" 미챠는 미친 듯이 소리쳤다. "그 늙은이와 피 때문이죠?…… 알…… 겠…… 습니다!"

그러고는 마치 발목을 잘리기라도 한 것처럼, 그는 옆에 있는 의자에 털썩 주저앉고 말았다.

"알겠나? 알겠냐 말이다! 아비를 죽인 극악무도한 놈아, 너의 늙은 아비의 피가 네 등 뒤에서 울부짖고 있다!" 늙은 경찰서장이 앞으로 나서며 별안간 이렇게 고함을 질렀다.

그는 얼굴이 빨개 가지고 온몸을 후들후들 떨고 있었다.

"그렇게 나가시면 곤란합니다!" 몸집이 작은 젊은 사내가 소리쳤다. "미하일 마카르이치, 미하일 마카르이치! 그러시면 안 된다니까요……. 제발 나 혼자 말하게 해 주십시오……. 당신이 그러실 줄은 정말 뜻밖입니다."

"그렇지만 이건 도저히 상식으론 생각할 수 없는 일입니다, 여러분!" 경찰서장은 여전히 큰 소리로 외쳤다. "저놈을 좀 보십시오. 밤중에 술이 취해, 제 아비의 피가 묻은 손으로 더러운 계집과 저러고 있으니…… 이게 어디 제정신이라 할 수 있습니까!"

"이봐요, 미하일 마카르이치. 제발 오늘만은 당신의 감정을 좀 억제해 주실 수 없겠습니까." 검사보가 늙은 경찰서장에게 빠른 소리로 속삭였다. "그렇잖으면 나는 적절한 조치를 취할 수밖엔……."

그러나 그의 말이 끝나기도 전에 작달막한 예심 판사는 미챠를 향해 언성을 높여 강경하고 위엄 있는 어조로 선언했다.

"퇴직 중위 카라마조프 씨, 나는 당신이 간밤에 일어난 당신의 부친 표도르 파블로비치 카라마조프 살해 사건의 하수인으로 지목되고 있음을 알리지 않을 수 없습니다……."

그는 또 뭐라고 몇 마디 덧붙였고, 검사보 역시 무슨 말을 한 것 같았으나, 미챠는 듣고 있으면서도 무슨 뜻인지 알아듣지를 못했다. 그는 야수와 같은 눈초리로 그들 일행을 둘러보고 있을 뿐이었다.

제9편 예심豫審

1. 관리 페르호친의 출세의 시작

표트르 일리치 페르호친이 상인의 미망인인 모로조바네의 굳게 잠긴 대문을 부서져라 두드려 대는 대목에서 우리는 일단 이야기를 중단했었으나, 물론 그는 끝내 목적을 이루고야 말았다. 대문을 무섭게 두드려 대는 소리를 듣자, 두 시간 전에 받은 충격으로 아직도 흥분이 가라앉지 않아 '이런 생각 저런 생각' 때문에 잠자리에 들지도 못하고 있던 페냐는, 또다시 발작이라도 일으킬 만큼 소스라치게 놀랐다. 페냐는 드미트리 표도로비치가 또 찾아와서 (그가 마차를 타고 떠나는 것을 제 눈으로 똑똑히 보았음에도 불구하고) 대문을 두드리는 줄 알았다. 그도 그럴 것이, 그 사람 말고는 그처럼 '대담하게' 문을 두드릴 사람은 아무도 없기 때문이다. 그녀는 문 두드리는 소리에 벌써 잠이 깨서 대문 쪽으로 나가고 있는 문지기한테 달려가서, 제발 문을 열어 주지 말라고 애원했다. 그러나 문지기는 문 두드리는 사람이 누구인가를 알아본 후 상대방이 지극히 중대한 용건으로 페냐를 만나려 한다는 말을 듣고는 결국 문을 열어 주기로 결심했다. 표트르 일리치는 이번에도 부엌으로 안내되었다. 이때 페도시야 마르코브나, 즉 페냐는 표트르 일리치의 양해를 얻어, '만일의 경우를 위해' 문지기도 함께 들어오게 했다. 표트르 일리치는 이리저리 캐묻기 시작했는데, 그는 대번에 가장 중요한 사실을 알아내고 말았다. 즉 드미트리 표도로비치는 그루셴카를 찾으러 달려 나갈 때 절구에서 절굿공이를 집어 들고 갔었는데, 다시 돌아왔을 때는 공이는 보이지 않고 그의 손은 피투성이가 되어 있더라는 것이다.

"그리고 그때까지도 피가 뚝뚝 떨어지고 있었어요. 그분한테서 핏방울이 막 떨어지고 있더라니까요!" 하고 페냐는 호들갑스럽게 말했다. 그녀는 자기의 혼란된 상상 속에서 이런 무서운 사실을 무의식중에 만들어 냈음이 분명했다. 그러나 표트르 일리치도, 피가 뚝뚝 떨어질 정도는 아니었으나, 어쨌든 피투성이가 된 손을 제 눈으로 똑똑히 보았고, 또 그것을 씻는 걸 도와주기까지 한 처지였다. 더욱이 여기서 문제가 되는 것은, 손에 묻은 피가 그처럼 빨리 마를 수가 있겠느냐 하는 것이 아니라, 드미트리 표도로비치가 공이를 집어 들고 과연 어디로 달려갔는가, 정말로 표도르 파블로비치한테로 달려갔는가, 그렇다면 무엇을 근거로 여기 대한 단정적인 결론을 내릴 수 있느냐 하는 것이 문제였다. 표트르 일리치는 특히 이 점을 추궁해 보았으나 이렇다 할 만한 결과를 얻지 못했다. 그래도 그는 드미트리 표도로비치가 달려갈 데라고는 자기 아버지 집 이외에는 없었을 것이고, 따라서 그 집에서 반드시 무슨 일이 일어났을 것이라는, 거의 확신에 가까운 것을 결론으로 얻을 수 있었다.

"그리고 그분이 다시 돌아오셨을 때" 하고 페냐는 흥분한 어조로 말을 계속했다. "저는 모든 걸 사실대로 말씀드렸어요. 그러고 나서 이번엔 제가 캐묻기 시작했죠—드미트리 표도로비치, 손에 웬 피가 그렇게 묻었어요? 라고 말이에요. 그랬더니 그분이 대답하시기를, 이건 사람의 피다, 나는 지금 사람을 죽이고 오는 길이다, 라고 하시며 몹시 후회하는 듯이 저한테 깨끗이 고백하시더군요. 그러더니 갑자기 미친 사람처럼 달려 나가 버리셨습니다. 저는 가만히 앉아서 생각해 보았죠—그분은 대체 어디로 미친 사람처럼 달려가시는 걸까? 모크로예로 가서 우리 아씨를 죽이려는 게 틀림없을 거라는 생각이 들더군요. 그래서 저는 아씨를 죽이지 말아 달라고 애원하려고 그분의 하숙집을 향해 달려갔습니다. 그런데 도중에 플로트니코프네 상점 앞을 지나다 보니, 그분이 거기서 막 출발하려 하지 않겠어요. 그때 보니, 그분의 손엔 피가 묻어 있지 않았어요(페냐는 그것을 눈여겨보았기 때문에 후에까지 기억하고 있었다)." 페냐의 할머니인 늙은 식모도 될 수 있는 데까지 손녀의 이 증언을 뒷받침해 주었다. 표트르 일리치는 몇 가지 더 물어보고 나서, 조금 전에 들어올 때보다 더욱 심한 흥분과 불안에 싸여 이 집을 나섰다.

이제부터 곧장 표도르 파블로비치네 집으로 가서, 무슨 변고가 없었는가 알아보고, 만일 변고가 있었다면 그것이 어떤 일인지 물어보아 확고한 신념을 얻게 되면, 그때 비로소 경찰서장을 찾아가는 것이 가장 손쉽고 적절한 순서일 것 같았다. 표트르 일리치는 그렇게 하기로 마음먹었다. 그러나 밤은 캄캄했고, 표도르네 집 대문은 굳게 잠겨 있었다. 문을 또 두드려야만 했다. 더욱이 그는 표도르와 안면이나 약간 있을 뿐, 그리 잘 아는 사이도 아니었다. 그런 처지에 그가 문을 쾅쾅 두드려 사람을 깨워서 문을 열게 하는 것까지는 좋지만, 만약에 이 집에 아무런 일도 일어나지 않았다면, 그때는 대체 어떻게 할 것인가? 그렇게 되면 원래가 짓궂기 짝이 없는 표도르는 날이 새기가 무섭게 온 읍내를 돌아다니며, 자기와는 별로 안면도 없는 페르호친이라는 관리가 한밤중에 자기 집 문을 부서져라 두드리며, 자기가 혹시 누구한테 살해되지나 않았나 물어보더라는 말을 퍼뜨릴 것이다. 그랬다가는 추문醜聞도 이만저만한 추문이 아니다! 그것이 어떤 종류의 것이든, 표트르 일리치는 추문이란 것을 이 세상에서 제일 무서워하고 있었다.

그럼에도 불구하고, 그의 마음은 너무나도 강한 호기심에 휘어잡혀 버리고 말았다. 그는 공연히 화가 나서 사뭇 발을 구르듯이 자기 자신에게 욕설을 퍼부으면서, 곧 다른 방향으로 달리기 시작했다. 그것은 표도르 파블로비치네 집 쪽이 아니라, 호흘라코바 부인네 집 쪽이었다. 만약에 호흘라코바 부인이, 이러이러한 시각에 드미트리 표도로비치한테 3천 루블을 준 일이 있는가, 라는 이쪽의 질문에 대하여 부정적인 대답을 하는 경우에는, 표도르 파블로비치네 집엔 들를 것도 없이 곧장 경찰서장을 찾아가자. 그리고 만약에 긍정적인 대답을 하는 경우에는 모든 일을 내 일로 미루기로 하고 집에 돌아가기로 하자—그는 이렇게 생각했던 것이다.

하기는 표트르 일리치와 같은 젊은 사내가, 밤 열한 시가 다 된 시각에 전혀 안면도 없는 상류 사회의 부인네 집을 찾아가서, 벌써 잠자리에 들었는지도 모르는 부인을 깨워 가지고, 어떻게 보면 괴이하게 짝이 없는 질문을 던진다는 것은, 표도르 파블로비치네 집에 찾아가는 것 이상의 추문을 자아 낼 우려가 있다는 건 뻔한 일이었다. 그러나 특히 지금과 같은 경우에는, 아무리 정확하고 냉정한 인간이라도 때로는 이런 결심을 할 때가 있는 법이다. 더욱이 이 순간 표트르 일리치는 결코 냉정한 인간일 수는 없었던 것이다! 무슨 힘으로도 억제할 수 없는 불안이 점차로 그의 마음을 휘어잡으며, 마침내는 고통을 느낄 만큼 성장하여, 그의 의지를 거역하면서까지 그를, 마구 끌고 가는 것이었다. (후에도 그는 한평생 이때 일을 잊을 수가 없었다) 물론 그는 부인의 집을 향해 끌려가듯 걸어가고 있는 자기 자신을 줄곧 저주했으나, 한편으로는 '이왕 나선 일이니 무슨 일이 있어도 끝까지 캐내고야 말 테다'라고 이를 악물며 열 번 이상이나 되풀이했고, 결국은 자기 생각을 끝끝내 실천에 옮기고 말았던 것이다.

그가 호흘라코바 부인네 집에 들어갔을 때는 열한 시 정각이었다. 대문으로 해서 뜰 안까지 들어가는 데는 그다지 시간을 허비하지 않았으나, 부인께서 벌써 자리에 드셨는지 어떤지를 묻는 말에, 문지기는, 보통 이 시간엔 자리에 드십니다, 라고 말했을 뿐, 더 이상 정확한 답변을 하지 못했다.

"현관으로 올라가서 면회를 요청해 보십시오. 부인께서 마음이 내키시면 만나 주실 게고, 내키시지 않으면 안 만나 주시겠죠."

표트르 일리치는 현관으로 올라갔다. 그런데 여기서는 일이 좀 수월치가 못했다. 하인은 손님이 온 것을 알리러 안에 들어가려 하지 않고 마지못해 젊은 하녀를 불러냈다. 표트르 일리치는 하녀에게 정중한 태도로, 그러나 끈덕지게 간청했다. 즉, 자기는 페르호친이라는 이 지방 관리인데 특별한 용건으로 부인을 찾아왔다, 그렇게까지 중대한 용건이 아니라면 이런 시각에 찾아왔을 리가 없지 않으냐, 그러니 꼭 부인을 만나게 해 달라, 이렇게 간청하면서, "이 말을 그대로, 꼭 그대로 전해 주시오" 하고 그는 하녀에게 거듭 당부했다.

하녀는 안으로 들어갔다. 그는 문간방에 남아서 기다렸다. 집주인 호흘라코바 부인은 아직 잠자리에 들지는 않았었으나, 그때는 이미 자기 침실에 들어가 있었다. 그녀는 아까 미차의 방문을 받고 기분이 상해서, 이런 때면 으레 일어나곤 하는 편두통 때문에 밤새도록 고통을 받을 것이라 각오하고 있었다. 하녀의 보고를 받고 그녀는 몹시 놀라지 않을 수 없었다. 그녀는 짜증 섞인 어조로, 면회를 거절하도록 하녀에게 일렀다. 그러나 한편으로는 이런 밤중에 안면도 없는 '이 지방 관리'가 찾아왔다는 사실이 그녀의 호기심을 극도로 자극했다. 표트르 일리치도 이번엔 나귀만큼이나 고집을 부려 한 걸음도 물러나려 하지 않았다. 그는 면회를 사절한다는 말을 듣자, 더한층 끈덕진 태도로 다시 한번 자기가 찾아온 뜻을 부인에게 전해 달라고 간청하면서, "지극히 중대한 용건으로 찾아왔는데, 만일 만나 주시지 않는다면 나중에 후회하시게 될 거요"라고 말했다. 그리고 "이 말을 꼭 그대로" 전해 달라고 거듭 당부했다. "그때 나는 흡사 낭떠러지에서 뛰어내리는 것 같은 기분이었다"고 후에 그는 이때 일을 사람들에게 얘기하곤 했다.

하녀는 몹시 놀란 듯이 그의 얼굴을 쳐다보고 있다가 또 한 번 보고를 하러 안으로 들어갔다. 호흘라코바 부인은 어리둥절해서 잠시 생각을 가다듬었다. 겉보기에 그 사람은 어떻더냐는 물음에, 하녀는 "옷차림이 아주 단정한 점잖게 생긴 젊은 분"이라고 대답했다. 여기서 한마디 말해 두지만, 표트르 일리치는 꽤 잘생긴 청년으로 이것은 자기 자신도 잘 알고 있었다. 호흘라코바 부인은 만나 보기로 결심했다. 부인은 이미 가운으로 갈아입고 실내화를 신고 있었지만, 그냥 그대로의 옷차림에 다만 어깨에 검은 숄만을 걸쳤다. '관리'는 아까 미차가 안내되었던 바로 그 응접실로 안내되었다. 부인은 마치 무엇을 심문하려는 것 같은 엄한 표정을 하고 응접실로 나오더니, 앉으란 말도 하지 않고 다짜고짜로 질문을 던졌다.

"무슨 일로 오셨죠?"

"제가 실례를 무릅쓰고 이렇게 찾아온 것은, 부인께서도 잘 아시는 드미트리 표도로비치 카라마조프와 관련된 일 때문입니다" 하고 페르호친은 입을 열었으나, 드미트리의 이름이 입 밖에 떨어지기가 무섭게 부인의 얼굴엔 심한 초조의 빛이 나타났다.

"아아, 나는 언제까지, 대체 언제까지 그 무서운 사람 때문에 고통을 받아야 하는 걸까요!" 하고 그녀는 미친 듯이 소리쳤다. "그렇지만 이런 시각에 안면도 없는 부인을 찾아와서 귀찮게 군다는 건 실례가 아닐까요. 더욱이 그 용건이라는 게 세 시간 전에 나를 죽이려고 이 응접실에 와서 발을 구르며 한바탕 을러대고 간 바로 그 사내의 일이라니, 참 어이가 없군요. 점잖은 집에 왔다가 그 사람처럼 무례하게 자리를 박차고 나가는 사람은 아마 이 세상에 없을 거예요. 똑똑히 들으세요. 나는 당신을 고발할 테야요. 절대로 가만 놔두지 않을 테니까……. 자, 당장 나가 주세요……. 난 자식을 거느린 어머니란 말이에요. 나는 당장에…… 나는, 나는……"

"죽이러 왔다고요? 그럼 그자는 당신까지 죽이려 했나요?"

"아니, 그럼, 그 사람 손에 벌써 누가 죽었단 말인가요?" 호흘라코바 부인은 귀가 번쩍 뜨인 것처럼 급히 물었다.

"제발 삼십 초가량만 제 말을 들어 주십시오. 될 수 있는 대로 간단히 모든 사정을 설명해 드리겠습니다" 하고 페르호친은 자신 있게 대답했다. "오늘 오후 다섯 시경에 드미트리 표도로비치가 저한테 와서 10루블을 꾸어 갔습니다. 그 사람한테 돈이 한 푼도 없었다는 걸 저는 잘 압니다. 그런데 오후 아홉 시경에 그 사람은 1백 루블짜리 지전 뭉치를 보란 듯이 손에 들고 다시 저를 찾아왔습니다. 아마 2, 3천 루블가량은 되었을 겁니다. 게다가 두 손과 얼굴이 온통 피투성이란 말입니다. 꼭 미친 사람 같더군요. 어디서 그렇게 많은 돈이 생겼느냐고 물었더니, '방금 호흘라코바 부인한테서 얻어 갖고 오는 길이다, 금광인가 어딘가에 간다는 조건으로 부인이 3천 루블을 빌려주었다'라고 대답하는 거예요."

호흘라코바 부인의 얼굴에 갑자기 병적인 흥분의 빛이 떠올랐다.

"아아, 큰일 났어요! 그 사람은 자기 아버지를 죽인 거예요!" 하고 그녀는 손뼉을 탁 치며 외쳤다. "나는 돈을 준 일이 없어요, 절대로 없어요! 자, 어서 빨리 달려가 보세요……. 더 이상 말할 필요 없어요! 빨리 가서 그 노인을 구해 줘야 해요. 어서 그 사람 아버지한테 달려가 보세요!"

"미안합니다만, 부인, 그러니까 당신은 그 사람한테 돈을 주지 않았단 말씀이죠? 기억이 분명하십니까? 절대로 돈을 주지 않으셨죠?"

"안 줬어요, 안 줬어! 깨끗이 거절해 버렸죠. 첫째, 그 사람은 돈의 고마움을 모르는 인간이니까요. 그랬더니 그 사람은 화가 나서 미친 사람처럼 발을 구르며 나가더군요. 그것뿐인 줄 아세요, 나한테 막 달려드는 걸 나는 얼른 피해 버렸죠……. 당신한텐 숨기지 않고 말하지만, 그 사람은 나한테 침까지 뱉었답니다. 정말 상상도 할 수 없는 일이죠. 그건 그렇고, 내가 왜 이렇게 서 있을까? 자, 앉으세요……. 용서하십시오…… 내가 그만……. 아니, 그보다도 역시 달려가 보시는 게 좋겠군요. 어서 달려가 보세요. 가서 그 가엾은 노인이 죽음을 면하도록 구해 줘야 해요!"

"그렇지만 벌써 죽었다면 어떡하죠?"

"아아, 이런 무서운 일이 또 어디 있을까요? 그럼 우린 이제 어떡하면 좋을까요? 당신 생각엔 어떠세요? 이제부터 우린 어떻게 해야 하죠?"

이러는 동안에 표트르 일리치에게 의자를 권하고 자기도 그와 마주 앉았다. 표트르 일리치는 간단하지만 꽤 명확하게 사건의 전말을, 적어도 오늘 자기가 목격한 일들을 부인에게 얘기하고, 방금 페냐한테 들렀었다는 것과, 절굿공이에 관해서도 설명했다.

이런 상세한 보고는 그러지 않아도 흥분한 부인에게 극도의 충격을 주었다. 부인은 몇 번이나 찢는 듯한 소리를 내며 두 손으로 눈을 가리곤 했다.

"나는 이렇게 되리라는 걸 처음부터 예감하고 있었답니다! 나한테는 그런 면에 천부의 재능이 있으니까요! 내가 예상하는 것은 무엇이든지 그대로 실현되거든요. 나는 그 무시무시한 사내를 볼 때마다, 이 사람은 언젠가 반드시 나를 죽이고 말 것이라고 생각한 적이 한두 번이 아니었어요. 그런데 결국은 이런 일이 일어나지 않았느냐 말이에요……. 그 사람이 나를 죽이지 않고 자기 아버지를 죽인 것은, 하느님의 손길이 나를 지켜 주셨기 때문일 거예요. 그리고 그 사람 자신도 나를 죽이기가 부끄러웠을 겁니다. 왜냐하면 나는 바로 이 응접실에서 위대한 순교자 성 바르바라의 유물인 성상을 직접 그 사람 목에 걸어 주었거든요……. 그러고 보니 그때 나는 죽음 바로 옆에까지 가 있었군요. 나는 그 사람한테 바싹 다가갔었고, 그 사람은 나한테 목을 길게 내밀었었으니까요……. 헌데 표트르 일리치, (실례지만 당신 성함이 표트르 일리치라고 하셨죠?) 나는 기적이라는 걸 믿지 않아요. 그렇지만 그 성상과 그 명백한 기적—여기에는 나도 동요를 느끼지 않을 수 없군요. 그래서 이제는 무엇이든지 믿을 수 있을 것 같은 심정입니다. 당신은 조시마 장로의 소식을 들으셨나요?…… 하긴 내가 무슨 말을 하는 건지 나 자신도 모르겠군요……. 그렇지만 그 사내는 성상을 목에 걸고도 나한테 침을 뱉지 않겠어요……. 물론 침을 뱉었을 뿐이고 죽이지는 않았지만, 그러고 나서…… 그러고 나서, 그리로 달려갔던 거예요! 그렇지만 우린 어디로 가면 좋을까요, 지금 어디로 가면 좋을까요? 당신 생각엔 어떡하면 좋을 것 같아요?"

표트르 일리치는 자리에서 일어났다. 그리고 자기는 곧장 경찰서장한테 가서 모든 일을 알리겠노라고 했다. 알리고 난 다음엔 저쪽이 알아서 처리할 테니까 염려 없다는 것이었다.

"오, 그분은, 아주 훌륭한 분예요. 나도 미하일 마카르이치와는 잘 아는 사이죠. 그래요, 무엇보다도 먼저 그분한테 가야죠. 어쩌면 당신은 그렇게 머리가 잘 돌까요, 표트르 일리치! 정말 잘도 생각해 내십니다! 내가 당신의 입장에 있다면 그런 생각은 도저히 머리에 떠오르지 않을 거예요!"

"더욱이 나는 경찰서장과는 절친한 사이니까요." 표트르 일리치는 그대로 선 채 이렇게 말했다. 그는 어떻게 해서든지 이 고집불통인 부인 곁에서 한시바삐 달아나고 싶어 하는 눈치였다. 그러나 부인은 그에게 작별 인사를 할 기회를 주지 않고, 언제까지나 그를 붙잡고 놓아 주려 하지 않는 것이었다.

"그리고 말이에요, 표트르 일리치" 하고 그녀는 두서없는 소리를 늘어놓았다. "당신이 거기서 보고 들으신 것을 나한테 와서 죄다 알려 주세요……. 어떤 사실이 드러났는지…… 그리고 어떻게 재판을 받고, 어떤 선고를 받을 것인지……. 우리 러시아에는…… 사형이라는 게 없다면서요? 아무튼 꼭 와서 알려 주셔야 합니다. 새벽 세 시건, 네 시건, 네 시 반이건 상관없어요…… 내가 잠이 깨지 않거든 그때는 하인들 보고 흔들어 깨우라고 이르세요……. 아니 나는 잠이 들 것 같지도 않아요. 차라리 나도 당신을 따라 나서는 편이 낫지 않을까요?"

"아, 아닙니다. 그보다도 만일의 경우를 생각하여, 드미트리 표도로비치한테 한 푼도 돈을 준 일이 없다고 몇 자 적어 주시면 혹시 소용이 될지도 모르겠습니다만…… 만일의 경우를 위해서 말이죠."

"어서 그렇게 하세요!" 호홀라코바 부인은 기뻐서 어쩔 줄 모르며 책상 앞으로 달려갔다. "당신이 이런 사건을 그야말로 능숙하게 처리하시는 데는 정말 놀랄 수밖엔 없군요……. 당신은 이 고장에 근무하고 계시다고요? 당신 같은 분이 이 고장에 근무하고 계시다니 얼마나 반가운지 모르겠습니다."

이런 말을 지껄이며 그녀는 편지지 반절에 큼직큼직한 글씨로 다음과 같은 말을 세 줄가량 적었다.

> 본인은 오늘 그 불행한 드미트리 표도로비치 카라마조프에게 (어쨌든 그가 불행하다는 것만은 사실이니까) 3천 루블이라는 돈을 준 일이 절대로 없을뿐더러, 여태까지 한 번도 돈을 꿔어준 일이 없습니다. 이 세상의 모든 거룩한 이름으로 이를 맹세하는 바입니다.
>
> 호홀라코바

"자, 다 썼습니다!" 부인은 표트르 일리치 쪽으로 급히 몸을 돌렸다. "이젠 빨리 가서 그 사람을 구해 주세요. 이건 당신으로선 아주 훌륭한 일이니까요."

이렇게 말하고 그녀는 그에게 세 번 성호를 그어 주었다. 그러고도 그를 따라 문간방까지 달려 나와서는 또 수선을 떨기 시작했다.

"뭐라고 감사를 드려야 할지 모르겠군요! 당신이 나한테 제일 먼저 찾아와 주신 것을 내가 얼마나 감사하게 생각하는지 아마 당신은 상상도 못 하실 거예요. 어떻게 돼서 여태까지 당신을 만나 뵙지 못했을까요? 앞으로라도 우리 집에 들러 주시면 언제나 반갑게 맞아들이겠습니다. 더욱이 당신이 이 고장에 근무하고 계시다니 정말 기쁘군요. 무슨 일에나 빈틈이 없으시고 그렇게 머리가 좋으시니…… 모든 사람이 당신의 가치를 인정하게 될 거예요. 결국은 모든 사람이 당신을 이해하게 될 겁니다. 나도 내 힘으로 가능한 일이면 무엇이든지 당신을 위해 해 드릴 용의가 있어요……. 정말이지 나는 젊은 분들이 좋아요! 나는 젊은 분들한테 반하다시피 한 사람이랍니다. 젊은이들이야말로 오늘날 고난의 길을 걷고 있는 우리 러시아의 초석이며 희망이니까요……. 자, 어서 가 보세요, 어서."

그러나 표트르 일리치는 이미 달려 나가고 있었다. 그렇지 않았다면 부인은 그렇게 빨리 그를 놓아 주지 않았을 것이다. 그래도 호흘라코바 부인은 그에게 꽤 좋은 인상을 주었고, 이처럼 불쾌한 사건에 끼어든 데 대한 그의 불안감을 어느 정도 완화시켜 주기까지 했다. 다 아는 말이긴 하지만, 사람의 취미는 각양각색인 것이다. '하지만 부인은 아직도 별로 늙어 보이지 않던걸' 하고 그는 유쾌한 심정으로 생각했다. '늙기는커녕 그 집 딸이 아닌지 오인할 지경이었어.'

한편, 호흘라코바 부인은 이 청년한테 완전히 매혹된 모양이었다. '어쩌면 그렇게 재치가 있고 치밀할까! 요즘 젊은이치고는 희귀한 일이야. 게다가 언어 동작도 훌륭하고 용모도 단정하고……. 요즘 젊은이들은 아무 데도 쓸모가 없다고들 하지만, 그런 사람들한테 그 청년을 한번 보여 주고 싶군' 운운. 이리하여 그녀는 이 '무시무시한 사건'을 거의 잊고 있었으나, 잠자리에 들어갈 때 비로소 자기가 '죽음 바로 옆에까지' 갔었다는 것을 상기하고는 "아이 무서워, 아이 무서워!" 하고 되풀이했다.

그러나 그녀는 곧 달콤하고 포근한 잠 속에 빠져들고 말았다.

물론 필자인 나로서는 다음과 같은 사정만 없었더라면 이런 대수롭지 않은 에피소드를 이렇게까지 자세하게 기술하려 들지는 않았을 것이다. 즉, 젊은 관리와 과히 나이가 많지 않은 미망인과의 돌발적인 상봉은, 후에 이 정확하고 민첩한 청년의 출세의 기초가 되었던 것이다. 여기 대해서는 지금도 이 고장 사람들이 놀라움을 가지고 얘기하고 있는 형편이다. 그러고는 나 역시 카라마조프네 형제들에 관한 긴 이야기를 끝낸 다음에 따로 여기 대해 몇 마디 하게 될는지도 모르겠다.

2. 소란騷亂

이 고장 경찰서장인 미하일 마카르이치 마카로프는 칠등문관七等文官[21]으로 옮아앉은 퇴역 중령으로, 홀아비 생활을 하고 있는 제법 훌륭한 인물이었다. 그는 이 지방에 부임해 온 지 3년밖엔 안 되었지만, 이제는 일반 사회에서 호평을 받고 있었는데, 이것은 주로 그가 사교계를 이끌어 나가는 수완을 지니고 있기 때문이었다. 그의 집에는 손님이 끊일 사이가 없었고, 그도 또한 손님 없이는 하루도 살 수 없는 성싶었다. 날이면 날마다 한두 사람쯤은 반드시 그의 집에서 식사를 하곤 했다. 손님이 없으면 그는 식탁에 앉으려고도 하지 않았다. 이러저러한 구실을 붙여, 때로는 얼토당토않은 구실까지 붙여, 정식으로 손님들을 초대하곤 했다. 대접하는 음식은 산해진미라고 할 것까지는 없어도 언제나 푸짐했다. 생선파이도 맛이 제법이었고, 술도 질은 신통치 않았으나, 그 대신 양만은 풍족했다.

현관 옆 큰 방에는 당구대가 놓여 있었고, 방 안의 장식도 거기에 어울리는 것이어서 사면의 벽에는 검은 틀에 끼운 영국산 경주마의 그림까지 걸려 있었다. 주지하는 바와 같이 이것은 독신자의 당구실에는 없어서는 안 될 장식의 하나인 것이다. 한 테이블에서 모두 함께 놀 수 있을 만큼 사람 수는 적었지만, 그래도 저녁마다 카드놀이가 벌어지곤 했고, 이 고장의 상류 사회 전체가 부인들과 딸들을 동반하고 댄스를 하러 모이는 일도 자주 있었다. 미하일 마카르이치는 홀아비이긴 했으나 오래전에 과부가 된 딸을 데려다가 살림을 맡아 보게 하고 있었다. 그 딸은 딸대로, 미하일 마카르이치에겐 외손녀가 되는 두 아가씨의 어

21 육군 중령에 해당하는 문관.

머니이기도 했다. 둘 다 이미 나이가 차서 학업도 마쳤고, 용모도 괜찮은 데다가 성격 또한 명랑해서 지참금 같은 건 한 푼도 없다는 것을 알면서도 이 고장 사교계의 청년들은 이 집에 뻔질나게 드나들고 있었다.

미하일 마카르이치는 사무적인 면에선 그다지 유능하다고는 할 수 없었지만, 자기 책임을 이행하는 점에선 결코 남에게 뒤떨어지지 않았다. 솔직히 말해서, 그는 별반 교육을 받지 못한 사람이었고, 자기의 행정상 권한조차도 정확히 이해하지 못할 만큼 부주의한 인물이었다. 그는 현대의 몇몇 정치적 개혁에 대해서도 충분히 그 뜻을 파악하지 못했을 뿐만 아니라, 때로는 아주 엉뚱한 방향으로 해석하는 수도 있었다. 이것은 그가 특별히 무능했다기보다는, 다만 그의 부주의한 성격에 기인하는 것이었다.

그도 그럴 것이, 그에겐 무슨 문제를 착실하게 연구할 만한 시간적인 여유가 없었던 것이다. "나 같은 성격은 군대에나 적합하지 문관으론 적합하지 않아"라고 그는 곧잘 자기 자신을 평했다. 그는 농노제 개혁의 정확한 근거에 관해서도 확실한 지식을 갖고 있지 못했던 모양이었다. 다만 한 해 두 해 지나가는 동안에, 실제적인 면에서 자연히 그러한 지식을 조금씩 터득했을 뿐이었다. 이런 형편이었음에도 불구하고, 그도 역시 어엿한 지주였던 것이다.

표트르 일리치는 이날 밤에도 미하일 마카르치네 집에서 누구든 손님을 만나게 될 것이라 생각했다. 그러나 누구를 만날지는 예측할 수 없었다. 그런데 공교롭게도 경찰서장 집에는 그때 검사와 이 지방 공의公醫인 바르빈스키가 와서 카드놀이를 하고 있었다. 이 의사는 페테르부르크 의과 대학을 우수한 성적으로 졸업한 수재 중의 하나로, 최근에 페테르부르크에서 이 고장으로 부임해 온 청년이었다. 검사실은 검사보였지만 이 고장에서는 그저 검사로 통하고 있는 입폴리트 키릴로비치는 좀 유별난 사나이였다. 이제 겨우 서른다섯 살밖엔 안 된 한창 나이였지만, 폐병으로 몹시 고생하고 있었다. 이와는 반대로, 아이를 못 낳는 그의 마누라는 굉장한 뚱보였다. 그는 자존심이 강한 신경질적인 인간이었으나, 두뇌는 명석한 편이었고 마음씨도 착했다. 그의 성격상 결함은, 자기 자신의 가치를 실제보다 과대평가하고 있는 점인 것 같았다. 언제나 침착성이 없어 보이는 것도 실은 그 때문이었다. 뿐만 아니라 그는 그 어떤 고상하고도 예술적이라고 할 만한 자긍심을 지니고 있었다. 예를 들면, 심리적 관찰이라든가, 인간의 감정에 관한 특별한 지식이라든가, 범죄자와 그 범죄를 알아채는 특별한 재능이라든가, 이런 것에 대해 자부하는 바가 적지 않았다. 이러한 의미에서, 그는 자기 자신을 직장에서 무시를 받고 있는 불우한 인간으로 자처하고 있었고, 상관들이 자기의 진가를 알아주지 않을뿐더러 자기를 모함하는 자들이 있다고 생각하고 있었다. 그리고 기분이 몹시 우울할 때에는, 이런 자리는 내던지고 차라리 형사 소송 전문의 변호사가 되어 버리겠다고 위협적인 소리를 늘어놓는 일도 있었다. 그러나 뜻하지 않은 카라마조프네 친부親父 살해 사건은 그의 마음을 분기奮起시켰다. '이것이야말로 러시아 전국에 널리 알려질 만한 대사건이다'라고 그는 생각했던 것이다. 그러나 필자는 또 이야기를 앞질러 하고 있는 것 같다.

그 옆방에서는 불과 두 달 전에 페테르부르크에서 부임해 온 이 지방의 젊은 예심 판사 니콜라이 파르페노비치 넬류도프가 아가씨들과 함께 앉아 있었다. 후에 이 고장 사람들은, '범행'이 있었던 바로 그날 밤에 마치 약속이라도 한 듯이 이런 인물들이 경찰서장네 집에 회동하고 있었다는 것을 기이하게 생각하며 오래도록 화제에 올리곤 했다. 그러나 이것은 지극히 단순하고 지극히 자연스럽게 이뤄진 일이었다.

검사인 입폴리트 키릴로비치는 자기 아내가 전날부터 이를 앓고 있었기 때문에, 그 신음 소리가 안 들리는 곳으로 피해 달아나야만 했었다. 공의는 저녁마다 카드놀이를 하지 않고는 배겨 내지 못하는 성미였고, 예심 판사 니콜라이 파르페노비치 넬류도프는 벌써 사흘 전부터 이날 저녁에 미하일 마카르이치네 집에 들르려고 벼르고 있었다. 그것은 다름 아니라, 이 집 큰아가씨 올리가 미하일로브나에게, "나는 당신의 비밀을 알고 있습니다. 오늘이 당신 생일날이죠? 사람들을 무도회에 초대해야 하기 때문에 일부러 그것을 숨기려 했던 걸 누가 모를 줄 아십니까?"라고 말하여 그녀를 깜짝 놀라게 해 주려는 속셈이었다. 또한 그녀의 나이에 대해 은근히 암시를 주어 놀려 주자, 그리고 그녀는 자기 나이가 알려지는 것을 몹시 두려워하고 있는 모양이니, 내일 당장 사람들에게 그 비밀을 폭로하겠노라고 협박조로 말을 건네 보자, 하고 그는 잔뜩 벼르고 있었던 것이다. 이 매력적인 젊은 청년은 이런 면에선 대단한 장난꾸러기였다. 그래서 이 고을 귀부인들은 그를 장난꾸러기라 부르고 있었는데, 그는 그것이 무척 마음에 드는 모양이었다. 그러나 그는 최상류 계급의 출신으로 훌륭한 가문에 훌륭한 교육, 그리고 고상한 감정의 소유자이기도 했다. 하기는 어느 정도 향락주의적인 데가 없지도 않았으나, 그것은 언제나 사교상의 예의에 벗어나지 않는 순진한 성질의 것이었다. 겉보기엔 키도 작고, 몸집 또한 허약하고 가냘프게 보였다. 그의 가늘고 창백한 손가락에는 언제나 커다란 반지가 몇 개씩이나 번쩍이고 있었다. 그렇지만, 자기의 직무를 수행할 때만은, 마치 그 사명과 의무를 무슨 신성한 것이나 되는 것처럼 생각하는지 유별나게 도도한 태도를 취하는 것이었다. 특히 평민 출신의 살인범이나 그 밖의 악한들을 심문할 때는 상대방을 꼼짝없이 궁지에 몰아넣는 수완을 갖고 있었다. 그리고 그들의 마음속에 경의敬意라고까지는 하지 않더라도, 일종의 경이驚異를 불러일으키는 것만은 사실이었다.

표트르 일리치는 경찰서장 집에 들어서자마자 입이 딱 벌어지고 말았다. 그곳에 와 있는 사람들이 이미 모든 것을 알고 있는 눈치였기 때문이다. 사실 그들은 트럼프 장을 내던지고 모두들 일어서서 의논을 하고 있는 중이었다. 니콜라이 파르페노비치까지도 아가씨들을 버려두고 달려와서, 전쟁이라도 일어난 것처럼 긴장한 얼굴을 하고 서 있었다. 여기서 표트르 일리치는, 그날 밤에 정말로 늙은 표도르 파블로비치가 자기 집에서 살해되고 돈까지 강탈당했다는 놀라운 소식을 들었다. 그 소식은 그가 여기 나타나기 전에 다음과 같은 경로를 통해 이 집에 알려졌던 것이다.

울타리 옆에 정신을 잃고 쓰러진 그리고리 영감의 아내 마르파 이그나치예브나는 자기 침대에서 깊이 잠들어 있었으므로 여느 때 같으면 아침까지 잠에서 깨어나지 못했을 것이지만, 그날만은 어쩌다가 퍼뜩 깨어났다. 그녀가 눈을 뜬 것은 옆방에서 의식을 잃은 채 누워 있던 간질병 환자 스메르쟈코프의 무서운 비명 때문이었다. 그러한 비명 뒤에는 언제나 발작을 일으키곤 했으므로, 그럴 때마다 마트파 이그나치예브나는 겁에 질려 거의 병적인 자극을 받는 것이었다. 그녀는 아무리 해도 그 비명 소리에 익숙해질 수가 없었다. 그래서 그날 밤도 그녀는 잠에 취한 채 벌떡 일어나서 정신없이 스메르쟈코프의 방으로 달려가 보았다. 그러나 방 안은 캄캄했고, 다만 환자가 무섭게 신음하며 몸을 뒤틀고 있는 소리만 들릴 뿐이었다. 마르파 이그나치예브나도 깜짝 놀라 비명을 지르며 자기 남편을 부르기 시작했다. 그러나 문득 자기가 일어났을 때 그리고리가 침대에 없었던 것 같다는 생각이 들었다. 그녀는 침대 옆으로 급히 되돌아가서 손으로 더듬어 보았으나, 침대는 정말 비어 있었다. 그러고 보니 어디로 나간 모양이었는데, 그렇다면 대체 어딜 갔을까? 그녀는 현관 앞 계단으로 달려나가서 겁에 질린 목소리로 남편을 불러 보았다. 물론 대답은 없었으나, 그 대신 밤의 정적 속에서 멀리 정원 쪽 어디에선가 신음 소리 같은 것이 들려왔다. 그녀는 바싹 귀를 기울였다. 신음 소리는 또다시 되풀이되고, 그것이 정원 쪽이라는 것도 이제는 확실해졌다.

'이거 큰일 났구나. 리자베타 스메르쟈시차야(고린내 나는 여자)가 아기를 낳았을 때와 똑같군!' 하는 생각이 그녀의 혼란된 머릿속에 퍼뜩 떠올랐다. 그녀는 떨리는 가슴을 안고 계단을 내려가서 눈을 모아 그쪽을 살펴보았더니, 정원으로 통하는 문이 활짝 열려 있었다.

'아마 우리 영감이 저기 들어가 있는가 보다' 이렇게 생각하고 그녀는 문 쪽으로 다가갔다. 그러자 뜻밖에도 그리고리 영감이 숨이 끊어질 것 같은 신음 섞인 무서운 목소리로 "마르파, 마르파!" 하고 부르는 소리가 이번엔 아주 똑똑히 들려왔다. "하느님, 우리를 불행으로부터 구해 주시옵소서" 하고 중얼거리며 마르파 이그나치예브나는 소리가 나는 쪽으로 달려갔다. 이리하여 그녀는 그리고리를 찾아내게 되었던 것이다. 그러나 그리고리가 발견된 장소는 그가 처음 쓰러진 울타리 밑이 아니라 거기서 20보가량 떨어진 곳이었다. 이것은 나중에 알게 된 일이지만, 그리고리는 정신이 들어 거기까지 기어 왔다는 것이었다. 아마 몇 번이나 의식을 잃고 인사불성에 빠지면서 오랫동안 땅 위를 기었던 모양이다. 그녀는 곧 자기 남편이 온통 피투성이가 되어 있는 것을 알아보고는 기급을 하여 비명을 질렀다.

"죽였어……. 제 아비를 죽였다니까……. 소리는 왜 질러, 바보 같으니……. 빨리 가서 사람을 불러오지 않고……" 하고 그리고리는 가느다란 목소리로 두서없는 말을 중얼거렸다.

그러나 마르파 이그나치예브나는 귀담아들으려고도 않고 그냥 소리만 지르고 있다가 언뜻 보니, 주인의 방 창문이 열려 있고, 거기서 불빛이 흘러나오고 있었다. 그녀는 급히 그쪽으로 달려가서 표도르 파블로비치를 불렀다. 그러나 창문으로 안을 들여다보았을 때, 무시무시한 광경이 그녀의 눈에 들어왔다. 주인은 방바닥에 나자빠져 꼼짝도 하지 않고 있었다. 그리고 연한 빛깔의 잠옷과 새하얀 셔츠는 가슴께가 피로 물들여져 있었다. 책상 위의 촛불이 그 피와 표도르 파블로비치의 굳어진 얼굴을 환하게 비춰 주고 있었다. 이것을 보자 마르파 이그나치예브나는 질겁하고 창 옆에서 물러나 정원 밖으로 뛰어나왔다. 그러고는 황급히 대문 빗장을 뽑고, 뒷길로 해서 쏜살같이 이웃집인 마리야 콘드라치예브나한테로 달려갔다. 이웃집에서는 모녀가 다 잠들어 있었으나, 창문을 요란하게 두드리는 소리와 마르파 이그나치예브나의 비명 소리에 잠이 깨어 창가로 달려 나왔다. 마르파 이그나치예브나는 목이 찢어지는 것 같은 소리로 두서없이 지껄여 댔지만, 그래도 요점만은 알아들을 수 있을 만큼 얘기하고, 좀 도와 달라고 간청했다. 마침 그날 밤 이 집에는 집 없이 떠돌아다니는 포마가 묵고 있었다. 모녀는 곧 그를 깨워 가지고 다 함께 범행 현장으로 달려갔다. 도중에 마리야 콘드라치예브나는, 그날 저녁 여덟 시가 좀 지난 시각에 이웃집 정원 쪽에서 무시무시한 비명 소리가 들려온 일이 있었던 것을 상기했다. 물론 그 소리는 울타리 위에 올라간 드미트리의 발을 꽉 붙잡고 '제 아비를 죽인 놈!'이라고 외쳤을 때의 그리고리의 부르짖음이 틀림없었을 것이다.

"누군가 죽는 소리를 지르더니 그다음엔 잠잠해지더군요" 하고 마리야 콘드라치예브나는 달리면서 말했다.

그리고리가 쓰러져 있는 현장에 다다르자 두 여인은 포마의 도움을 받아 가며 노인을 바깥채로 날라 갔다. 불을 켜 보니, 스메르쟈코프는 아직도 발작이 그치지 않았는지 눈을 뒤집고 거품을 입에 문 채 자기 방에서 몸을 뒤틀고 있었다. 그들은 초를 탄 물로 그리고리의 머리를 씻어 주었다. 그랬더니 노인은 완전히 제정신으로 돌아와서, "주인어른은 살아 계신가?" 하고 급히 물었다.

그래서 두 여인과 포마는 안채에 가 보려고 정원으로 들어갔다. 그런데 이번에는 주인 방의 창문뿐만 아니라 안채에서 정원으로 나오는 출입문까지 열려 있는 것이 보였다. 이 문은 지난 일주일 동안 주인이 저녁마다 굳게 잠그고 그리고리조차도 절대로 노크하지 못하도록 엄중히 단속하고 있던 문이었다. 이 문이 열려 있는 것을 보자 그들은—두 여인과 포마는, 갑자기 주인 방에 들어가기가 겁이 났다. '혹시 후에 무슨 시끄러운 문제라도 일어나면 곤란하다'고 생각하였기 때문이다. 그들이 다시 그리고리한테로 돌아오자, 그리고리는 곧 경찰서장한테 가서 알리라고 일렀다. 그래서 마리야 콘드라치예브나가 곧 서장 집으로 달려가서, 거기 와 있는 모든 사람들을 깜짝 놀라게 했던 것이다. 그것은 표트르 일리치가 거기 도착하기 불과 5분 전의 일이었다. 그러나 표트르 일리치는 다만 자기 자신의 상상이나 추측만을 가지고 그곳에 나타났다기보다는, 어떤 사실의 목격자로서 범인이 누구인가라는 일동의 추측을 자기의 설명으로 한층 더 확인하는 구실을 한 셈이었다. (그러나 그는 이 마지막 순간까지도 마음속으로 그러한 추측을 믿으려 하지 않고 있었던 것이다)

그리하여 이 자리에 모였던 사람들은 전력을 기울여 활동을 개시하기로 결의했다. 네 사람의 증인에 대한 증거 수집은 부서장에게 일임되었다. 필자는 구태여 여기서 수사상의 형식적인 문제에 대해서는 설명하지 않겠지만, 아무튼 그들은 일정한 수속 절차를 밟아 표도르 파블로비치네 집으로 들어가서 현장 검증을 시작하였다. 아직 경험이 많지 않으나 그 대신 자기 일에 열심인 지방 공의는 자청하다시피 하여 서장과 검사와 예심 판사 일행과 동행하기로 했다.

여기서부터는 좀 더 간단하게 설명하기로 하겠다. 표도르 파블로비치는 머리통이 깨어져 완전히 절명했다는 것이 판명되었다. 그러나 여기 사용된 흉기는 무엇이었을까? 필시 그것은 그다음에 그리고리를 때려누인 것과 동일한 흉기였을 것이다. 그들은 응급 치료를 받은 그리고리한테서, 숨이 넘어가는 것 같은 가느다란 소리이긴 했지만, 그가 습격당했을 때의 사정을 꽤 자세하게 들을 수 있었으므로, 그 흉기도 곧 찾아낼 수 있었다. 등불을 켜 들고 울타리 근처를 찾아보았더니, 눈에 잘 뜨이는 정원 길에 놋절구공이가 던져져 있는 것이 발견되었던 것이다. 표도르 파블로비치가 쓰러져 있는 방 안은 별로 흐트러진 흔적이 보이지는 않았으나, 병풍 뒤의 침대 옆에는, 보통 관청에서 쓰는 것 같은 두꺼운 종이로 된 커다란 봉투가 하나 떨어져 있는 것이 보였다. 거기엔 '내 천사 그루셴카에게 주는 선물. 만약에 네가 여기 온다면'이라고 적혀 있었고, 그 아래쪽에는 다시 '내 귀여운 병아리에게'라고 쓰여 있었다. 아마도 표도르 파블로비치가 나중에 다시 덧붙여 적어 넣은 모양이었다. 봉투에는 빨간 봉랍으로 세 군데나 봉인이 찍혀 있었지만, 누군가가 벌써 봉투를 찢어 버리고 돈을 꺼내 가서 속은 텅 비어 있었다. 방바닥에는 종이봉투를 묶었던 가느다란 장밋빛 리본이 떨어져 있었다.

표트르 일리치의 증언 중에서 검사와 예심 판사에게 특히 강한 인상을 준 사실이 한 가지 있었다. 다름 아니라, 드미트리가 새벽녘에는 반드시 자살해 버릴 것이라는 추측이었다. 드미트리 자신이 자살할 결심을 하고 표트르 일리치에게 그런 말을 했을뿐더러, 그가 보는 앞에서 권총에 탄약을 재는가 하면 유서까지 써서 주머니에 넣었던 것이다. 그러나 표트르 일리치가 그 말을 곧이듣지 않고 누구한테 가서 말을 하여 자살을 방해하겠다고 위협하자, 미챠는 히죽 웃으며 "아마 그럴 여유가 없을 거요"라고 대답했었다. 그렇다면 범인이 정말로 자살할

지도 모르므로 즉시 현장으로, 즉 모크로예로 달려가서, 죽기 전에 그를 체포해야 한다.

“그건 확실합니다. 확실해요!” 하고 검사는 극도로 흥분하여 외쳤다. “그런 종류의 악한은 곧잘 그런 짓을 하는 법입니다. 어차피 내일이면 자살해 버릴 몸이니까 실컷 놀아나 보자, 라는 거죠.”

드미트리가 상점에서 술이며 식료품을 사 가지고 갔다는 얘기를 듣고 검사는 한층 더 흥분했다.

“여러분, 올수피예프라는 상인을 죽인 그 젊은 놈을 기억하시겠죠? 그놈은 1천 5백 루블을 강탈해 가지고는 그길로 이발소에 들러 머리를 지진 다음, 그 돈을 감추려고도 않고 그냥 한 손에 움켜쥔 채 곧장 계집들한테로 달려가지 않았었느냐 말입니다.”

그러나 표도르 파블로비치네 집을 수색하고, 또 그 밖에 필요한 절차를 밟느라고 그들은 몹시 지체되었다. 그런 일 때문에 꽤 시간이 걸렸으므로 우선 지서장인 마브리키 마브리키예비치 쉬메르초프를 그들보다 두 시간가량 먼저 모크로예로 보내기로 했다. 이 사람은 마침 그 전날 아침에 봉급을 타러 읍내에 와 있었던 것이다. 마브리키 마브리키예비치는, 모크로예에 도착하면 절대로 소란을 피우지 말고 그들 일행이 갈 때까지 쉴 새 없이 ‘범인’의 행동을 감시하는 한편, 필요한 증인들과 촌장村長, 구장區長 등을 미리 소집해 두라는 지시를 받았다. 마브리키 마브리키예비치는 그 지시를 그대로 이행하였다. 그는 전부터 잘 아는 사이인 트리폰 보리스이치한테만 비밀의 일부를 귀띔해 주었을 뿐 아무도 눈치채지 못하게 행동했다. 미챠가 자기를 찾고 있는 여관 주인과 어두운 복도에서 마주쳤을 때, 상대방의 얼굴빛과 말투가 갑자기 변했다고 느낀 것은, 바로 그 무렵의 일이었던 것이다. 그리하여 미챠도, 또 그 밖의 사람들도, 자기들이 감시를 받고 있다고는 꿈에도 생각지 못하고 있었다. 권총이 든 상자는 벌써 트리폰 보리스이치가 훔쳐 내다가 안전한 곳에 감춰 두었었다.

이윽고 오전 네 시가 지나 날이 새기 시작할 무렵에야 경찰서장과 검사와 예심 판사 일행이 두 대의 트로이카에 나누어 타고 모크로예에 도착했다. 공의는 표도르 파블로비치네 집에 그냥 남아 있었는데, 그것은 아침에 피해자의 시체를 해부하기 위해서였다. 그러나 그보다도 그 집 하인인 스메르쟈코프의 병상病狀에 특별한 흥미를 느꼈던 것이다. "이三 주야나 계속해서 되풀이되는 이처럼 맹렬하고도 지속적인 간질의 발작은 좀처럼 보기 드문 일입니다. 이건 연구해 볼 만한 가치가 충분히 있어요." 그는 모크로예로 떠나려는 사람들을 붙잡고 흥분한 얼굴로 이렇게 말했다. 그들은 웃으면서 그의 발견을 축하했다. 이때 공의가, 스메르쟈코프는 아침까지 견디어 내지 못할 것이라고 자신만만한 어조로 덧붙인 말을 검사와 예심 판사는 똑똑히 기억하고 있었다.

이것으로 지루하기는 하지만 그래도 꼭 필요하다고 생각되는 설명을 끝마쳤으므로, 이제는 우리가 전편前篇에서 일단 끊었던 이야기의 그 대목으로 되돌아갈 수 있게 된 셈이다.

3. 영혼의 고난 – 첫째 시련

그리하여 미챠는 야수와 같은 눈초리로 자기를 둘러싼 사람들을 둘러보며 앉아 있었다. 그러나 그는 사람들이 자기에게 무슨 말을 하고 있는 것인지 하나도 알아들을 수가 없었다. 갑자기 그는 일어서더니 두 손을 번쩍 쳐들며 커다란 소리로 외쳤다.

"나는 죄가 없소! 그 피에 대해선 아무런 죄도 없소! 아버지의 피에 대해선 죄가 없단 말이오……. 죽이려고 생각한 일은 있지만 죽인 일은 없소! 내가 죽인 건 절대 아니오!"

그러나 그가 이렇게 외치자마자 커튼 뒤에서 그루셴카가 달려 나와 경찰서장의 발 아래 몸을 던졌다.

"그건 나예요, 이 저주 받을 년이에요! 죄는 나한테 있어요!" 그녀는 눈물이 글썽해 가지고 사람들에게 두 손을 내밀며 가슴을 쥐어짜는 듯한 소리로 외쳤다.
"저 사람이 살인을 한 것도 실은 나 때문예요……. 내가 저 사람을 괴롭혔기 때문에 그런 일을 저지른 거예요. 가엾게 죽은 그 노인도 내가 짓궂게 괴롭혔기 때문에 이런 일이 일어나고 만 거예요! 내가 나빴어요, 누구보다도 내가 나빴어요, 모든 잘못은 나한테 있어요!"

"물론 네가 나빴지! 네가 이 사건의 장본인이야! 요상하고 음탕한 계집 같으니, 너야말로 첫 손가락으로 꼽아야 할 죄인이란 말이다." 서장은 한 손으로 여자를 윽박지르듯 하며 이렇게 을러댔다. 그러나 그는 곧 동료들의 강경한 제지를 받았다. 검사는 두 손으로 그를 꽉 붙들기까지 했다.

"그렇게 무질서하게 나가선 안 됩니다. 미하일 마카르이치" 하고 검사는 소리쳤다. "사건의 심리를 정면으로 방해하는 것과 다를 게 없지 않습니까……. 일을 아주 망쳐 버릴 작정입니까?" 그는 거의 숨을 헐떡이다시피 하며 말했다.

"단호한 조치를 취해야 합니다, 단호한 조치를! 단호한 조치를 취해야 해요!" 하고 니콜라이 파르페노비치도 굉장히 흥분해 가지고 고함쳤다. "그렇지 않으면 도저히 일할 수가 없습니다."

"우리 두 사람을 함께 재판해 주세요!" 그루셴카는 여전히 무릎을 꿇은 채 미친 듯이 외쳤다. "나도 함께 벌을 주세요. 저 사람과 함께라면 이젠 사형이라도 기꺼이 받겠어요!"

"그루셴카, 당신은 내 생명이야, 내 피야, 내 귀중한 보배야!" 미챠도 느닷없이 그 옆에 무릎을 꿇고 여자를 힘껏 그러안았다. "여러분, 이 여자의 말을 믿지 마십시오" 하고 그는 외쳤다. "이 여자에겐 아무 죄도 없습니다. 그 누구의 피에 대해서도 전혀 관계가 없습니다. 아무 죄도 없어요!"

그는 몇 사람이 억지로 자기를 여자 옆에서 떼어 놓고, 여자 옆에서 어디론가 급히 끌고 가 버린 일을 나중에야 상기할 수 있었다. 정신을 차렸을 때 그는 이미 테이블 앞에 끌려와 앉아 있었다. 그의 등 뒤에도 좌우에도 금속 휘장을 단 사람들이 서 있었다. 테이블 맞은편 소파에는 예심 판사 니콜라이 파르페노비치가 앉아 있었는데, 그는 테이블 위에 놓인 유리잔의 물을 좀 마시라고 미차에게 자꾸만 권하는 것이었다.

"그걸 마시면 기분이 새로워질 겁니다. 마음이 가라앉을 거예요. 뭐 무서워하거나 불안해할 건 조금도 없습니다." 그는 무척 상냥한 말투로 이렇게 덧붙였다. 그러나 미차는 갑자기 판사가 끼고 있는 커다란 반지에 흥미를 느꼈다. 하나는 자수정紫水晶, 하나는 찬란한 광채를 발하는 투명한 황옥黃玉이었다. 후에 그는, 이 반지들이 그처럼 무서운 심문을 받고 있던 자기의 시선을 줄곧 끌어당기고 있었다는 사실을 상기하고 새삼 의아스럽게 생각했지만, 아무튼 그는 자기 처지에 합당치도 않은 그 반지에서 왜 그런지 한시도 눈을 뗄 수가 없었고, 또 그것을 머릿속에서 몰아낼 수도 없었다.

간밤에 막시모프가 앉아 있던 미차의 왼쪽에는 지금 검사가 앉아 있고, 그때 그루셴카가 앉아 있던 오른쪽 자리에는 낡아 빠진 사냥 옷 같은 괴상한 옷을 걸친, 볼이 빨간 청년이 앉아 있었다. 그 청년의 앞에는 잉크병과 종이가 놓여 있었다. 그는 예심 판사가 데리고 온 서기였다. 경찰서장은 방 한쪽 구석 창가에 서 있었는데, 그 옆에는 칼가노프가 의자에 앉아 있었다.

"물을 좀 마십시오!" 판사는 상냥한 어조로 열 번째나 같은 말을 되풀이했다.

"마셨습니다, 여러분, 마셨어요……. 그보다도…… 어떻습니까, 여러분. 단숨에 나를 짓밟아 없애 버리십시오. 처벌해 주십시오. 운명을 결정해 주세요!" 무섭게 부릅뜬 눈으로 판사를 응시하며 미차는 소리쳤다.

"그럼, 당신은 부친이신 표도르 파블로비치의 죽음에 대해선 어디까지나 무죄를 주장하는 겁니까?" 하고 판사는 부드러우면서도 끈덕진 어조로 물었다.

"나는 죄가 없습니다! 다른 피에 대해서는, 다른 노인의 피에 대해서는 죄가 있지만, 아버지의 피에 대해서만은 절대 죄가 없습니다. 오히려 나는 그 일을 슬퍼하고 있을 지경이니까요! 죽이긴 죽였습니다. 노인을 죽였습니다. 때려누였지요……. 그러나 그 피 때문에 다른 피에 대한—나와는 전혀 관계없는 무서운 피에 대한 책임을 진다는 건 곤란한 일입니다……. 여러분, 그것은 너무나 억울한 일입니다. 미간을 호되게 얻어맞은 것처럼 얼떨떨하군요! 그렇지만 도대체 누가 아버지를 죽였을까요? 내가 아니라면 대체 누가 아버지를 죽였겠느냐 말입니다. 정말 이상한 일입니다. 도저히 있을 수 없는 일입니다."

"그러니까 죽일 수 있다고 생각되는 사람은, 말하자면……" 하고 판사는 입을 열었으나, 검사인 입폴리트 키릴로비치(정말은 검사보지만, 간단히 검사라 부르기로 하자)가 판사에게 눈짓을 하고는 미챠한테 말을 건넸다.

"늙은 하인 그리고리 바실리예비치에 대해서는 과히 염려할 것 없습니다. 당신한테 알립니다만, 그는 살아 있습니다. 의식을 회복했어요. 당신이 가한 상처는—이건 그 노인의 증언과 당신 자신의 진술에 의거해서 하는 말입니다—대단한 것이었지만, 적어도 의사의 보고에 의하면 생명에는 절대 지장이 없다고 합니다."

"살아 있다고요? 그럼 그 노인은 죽지 않았단 말이군요!" 미챠는 손뼉이라도 칠 듯이 하며 소리를 질렀다. 그의 얼굴은 환하게 빛났다. "오오, 하느님, 나같이 죄 많은 악당의 기도를 들어주시어 위대한 기적을 행하여 주시니 감사하기 짝이 없습니다……. 그렇습니다, 이건 하느님께서 내 기도를 들어주신 거예요. 나는 밤새껏 기도를 드렸거든요" 하고 그는 세 번 성호를 그었다. 그는 거의 숨이 막힐 지경이었다.

"그런데 우리는 그 그리고리한테서 당신에 관한 매우 중대한 증언을 들었습니다. 다름 아니라……" 하고 검사는 말을 계속하려 했다. 그러나 미챠는 의자에서 벌떡 일어났다.

"잠깐만 기다려 주십시오, 여러분. 제발 1분간만 여유를 주십시오. 그 여자한테 잠깐 달려갔다 오겠습니다."

"무슨 말씀을! 지금은 절대로 안 됩니다!" 니콜라이 파르페노비치는 거의 비명에 가까운 소리를 지르며 의자에서 벌떡 일어섰다. 가슴에 금속 휘장을 단 사내들이 미챠를 붙들었다. 그러나 미챠는 자진해서 다시 앉았다.

"여러분, 참으로 유감입니다! 나는 잠깐만 그 여자를 만나고 싶었는데요…….

밤새도록 내 가슴을 괴롭힌 그 피가 깨끗이 씻기고 이제 나는 살인자가 아니라는 걸 그 여자한테 알려 주고 싶었습니다. 여러분, 그 여자는 내 약혼녀란 말입니다!" 그는 일행을 둘러보며, 갑자기 환희의 빛을 띠며 경건한 태도로 말했다. "오오, 여러분, 참으로 감사합니다! 여러분께서는 내게 새 생명을 주셨습니다. 순식간에 나를 소생시켜 주셨습니다……. 그 노인은 나를 품에 안아 길러 준 사람입니다. 여러분, 내가 세 살밖엔 안 된 나이에 버림을 받았을 때, 그 사람은 친아버지처럼 내 몸을 씻어 주며 나를 돌봐 주었답니다."

"그래서 당신은……" 하고 판사가 말을 시작하려 했다.

"여러분, 미안합니다만 잠깐만 더 기다려 주십시오." 미챠는 테이블 위에 팔꿈치를 세우고 손으로 얼굴을 가리면서 상대방의 말을 제지했다. "조금만 생각할 여유를 주십시오. 여러분, 숨을 좀 돌리게 해 주십시오. 너무나 뜻밖의 일이어서 정신을 차릴 수가 없군요. 참으로 무서운 일입니다……. 인간이란 북(鼓)의 가죽이 아니지 않습니까, 여러분!"

"그럼, 물이라도 좀……" 하고 니콜라이 파르페노비치는 중얼거렸다.

미챠는 얼굴에서 손을 떼더니 소리를 내어 웃어 댔다. 그 눈에는 활기가 넘쳐 있었다. 그는 순식간에 아주 딴사람이 되어 버린 것 같았다. 태도 역시 돌변해 버렸다. 그는 또다시 이 자리에 있는 모든 사람들—전부터 잘 아는 사이인 이 사람들과 대등한 인간으로 대하고 있었다. 아직 아무 일도 일어나지 않았던 그 전날 무슨 사교적인 모임에서 그들을 만났다 해도 지금의 태도와 다를 것이 한 군데도 없었을 것이다. 말이 나왔으니까 말이지만, 미챠 역시 이 고을에 처음 왔을 때는 경찰서장네 집에서도 크게 환영을 받곤 했었다. 그러나 그 후, 특히 최근 한 달 동안 미챠는 서장네 집을 방문한 일이 거의 없었고, 서장 역시 지나는 길에 거리에서 간혹 그를 만나게 되면 얼굴을 잔뜩 찌푸리고 그저 예의적으로 고개를 끄덕여 보일 뿐이었다. 미챠는 그런 눈치를 너무나도 잘 알아채고 있었다. 검사와는 더욱 서먹서먹한 사이였지만, 신경질적이고도 공상적인 검사 부인한테는 간혹 찾아다닌 일이 있었다. 물론 그것은 어디까지나 예의에 어긋나지 않는 방문이었으나, 그러면서도 그는 자기가 무엇 때문에 검사 부인을 방문하는 것인지조차 모르고 있었다. 그러나 검사 부인은 무슨 이유에선지 극히 최근까지 그에게 흥미를 느끼고 있었기 때문에 언제나 상냥하게 그를 맞아들이곤 했다. 판사와는 아직 가까이 사귈 기회가 없었지만, 한두 번만 서서 이야기를 한 일은 있었는데, 두 번 다 여성에 대한 것이 화제에 올랐었다.

"니콜라이 파르페노비치, 당신은 아주 노련한 예심 판사인 것 같군요" 하고 미챠는 갑자기 유쾌한 듯이 웃어 댔다. "하지만 이번엔 내가 당신을 도와 드리기로 하겠습니다. 오오, 여러분, 나는 정말로 새 생명을 얻은 것 같은 기분입니다……. 그러니 내가 이렇게 툭 터놓고 허물없는 태도를 취한다고 해서 나를 나무라지 마시기 바랍니다. 뿐만 아니라, 솔직히 말씀드려서 나는 약간 취해 있으니까요. 니콜라이 파르페노비치, 나는 당신을 미우소프라는 내 친척 집에서 만나 뵐 수 있는 영광을…… 영광과 기쁨을 가졌었다고 생각하는데요……. 아, 여러분, 나는 결코 여러분과 대등한 위치에 서려고 하는 건 아닙니다. 내가 지금 당신네들 앞에 어떤 인간으로 앉아 있는가 하는 건 나 자신 잘 알고 있으니까요. 그야 물론 내게는…… 그리고리가 그렇게 증언했다면…… 내게는…… 오오, 내게는 무서운 혐의가 걸려 있겠지요! 무서운 일입니다, 참으로 무서운 일이에요…… 나도 그쯤은 알고 있단 말입니다! 그러나 여러분, 이 사건에 대해서는 나 자신 얼마든지 해명할 수 있는 것이니까 이런 일은 대번에 해결될 겁니다. 왜냐하면, 여러분, 잘 들어 주십시오. 나 자신 전혀 죄가 없다는 걸 분명히 알고 있는 이상, 이 문제는 당장에 해결될 수 있는 게 아니냐 말이에요! 어때요, 그렇지 않습니까?"

상대방을 마치 자기의 절친한 친구로 생각하는 것 같은 태도로 미챠는 성급히 자기의 진정을 토로하기 시작했다.

"그렇다면 우선 그렇게 적어 두겠습니다, 당신은 자기에게 걸려 있는 혐의를 절대 부인한다고." 니콜라이 파르페노비치는 상대방의 가슴을 찌르는 것 같은 어조로 이렇게 말하고는, 서기를 돌아보고 기록할 말을 소곤소곤 일러 주었다.

"적어 두겠다고요? 당신네들은 그걸 적어 두고 싶습니까? 할 수 없군요. 어서 적어 두십시오. 반대하지 않겠습니다. 전적으로 동의합니다, 여러분…… 그렇지만 말입니다…… 잠깐 기다려 주세요. 이렇게 적어 주십시오. '폭행을 자행했다는 점에서는 유죄가 없는, 노인에게 중상을 입혔다는 점에서는 유죄'라고 말이에요. 그리고 또 한 가지, 나 자신의 마음속으로 자기의 죄를 느끼는 바가 있습니다. 그러나 이건 적을 필요가 없겠지요" 하고 그는 갑자기 서기 쪽을 돌아보았다. "이건 내 사생활에 관한 거니까 여러분과는 아무런 관계도 없습니다. 말하자면 내 마음속 깊은 곳의 문제지요……. 그러나 아버지의 살해 사건에 관해선 나한텐 아무 죄도 없습니다! 그건 얼토당토않은 일입니다! 정말로 얼토당토않은 일이에요……. 내가 지금 증거를 들어 여러분들에게 해명해 드리겠습니다. 그럭하면 당신네들은 아마 웃음이 나올 겁니다. 나한테 그런 혐의를 건 당신네들 자신이 아마 우스워질 겁니다."

"좀 진정하십시오, 드미트리 표도로비치" 하고 예심 판사는 자기의 침착한 태도로 흥분의 절정에 달한 미챠를 억누르기라도 하려는 듯이 이렇게 주의를 주었다. "나는 심문을 계속하기에 앞서, 만일 당신이 동의한다면, 다음 사실을 승인하는지 어떤지를 묻고 싶습니다. 다름 아니라, 당신은 고인이 된 표도르 파블로비치를 좋아하지 않은 것 같더군요. 그래서 줄곧 다투어 온 걸로 알고 있는데요……. 딴 건 그만두고라도, 당신은 약 15분 전에 이 자리에서, 그 사람을 죽이고 싶었다는 말을 한 것으로 나는 기억하고 있습니다. '죽이지는 않았지만 죽이려던 것만은 사실이다'라고 커다란 소리로 말했지요?"

"내가 그런 소리를 했던가요? 오오, 여러분, 어쩌면 그랬을런지 모릅니다! 그렇습니다, 불행하게도 나는 아버지를 죽이려 했습니다. 몇 번이나 그런 생각을 했지요……. 불행한 일입니다, 참으로 불행한 일입니다!"

"그렇게 생각했었단 말이죠. 그럼 대체 무슨 이유로 당신은 부친에 대해 그러한 증오를 품게 되었는지, 그걸 설명해 줄 수 없겠습니까?"

"설명할 것도 없지 않습니까, 여러분!" 미챠는 눈을 내리깔고 퉁명스런 얼굴로 어깨를 흠칫해 보였다. "나는 나 자신의 감정을 조금도 숨기려 하지 않았으니까, 여기 대해선 온 고을 사람이 다 알고 있습니다—술집에 드나드는 사람이라면 누구나가 아는 일이죠. 며칠 전에도 수도원에 있는 조시마 장로의 암자에서 나는 분명히 그런 말을 입 밖에 내어 말했습니다……. 그리고 그날 저녁엔 아버지를 초죽음이 되도록 두드려 패주고 나서, 다시 찾아와서 꼭 죽이고 말겠다고 사람들이 있는 앞에서 큰 소리로 맹세했지요……. 오오, 그런 증인이라면 얼마든지 있습니다! 한 달 동안이나 줄곧 그런 소릴 외치고 다녔으니까, 그야말로 모든 사람이 다 증인입니다……. 그런 사실은 엄연히 있는 것이니까, 사실이 말을 합니다, 숨기려고 해 봐야 소용없지요. 그러나 감정이란 것은 말입니다, 여러분, 감정이란 전혀 별개의 것입니다, 그러니까 여러분" 하고 미챠는 미간을 찌푸렸다. "감정에 관한 것까지 심문할 권리는 당신네들한테도 없다고 나는 생각합니다. 설사 당신네들한테 그런 권리가 있다 하더라도, 이건 어디까지나 나 자신의 문제입니다, 나 자신의 마음속의 문제란 말입니다.

나는 이 점을 잘 알고 있습니다. 그렇지만…… 나는 전에도 내 감정을 숨기지 않았고…… 예를 들면 술집 같은 데서도 누구에게나 닥치는 대로 지껄이곤 했었으니까, 지금도 구태여 비밀로 하고 싶은 생각은 없습니다. 여러분, 이번의 사건과 관련해서 내게 지극히 불리한 증거가 수두룩하다는 건 나도 잘 알고 있습니다. 나는 아버지를 죽여 버리겠다고 공언하고 다녔으니까요. 그런데 그 아버지가 갑자기 살해되었습니다. 이렇게 되면 내가 죽였다고 생각하는 게 오히려 당연하겠지요, 하, 하! 나는 당신네들을 탓할 생각은 없습니다. 여러분, 지극히 당연한 일이에요. 나 자신도 어리둥절했을 지경이니까요. 만약에 내가 아니라면 도대체 누가 우리 아버지를 죽였겠습니까? 그렇지 않아요? 내가 아니라면 대체 누굴까요? 대체 누가 죽였겠느냐 말입니다! 여러분" 하고 그는 버럭 소리를 질렀다. "나는 한 가지 알고 싶은 것이 있습니다. 아니, 당신들에게 설명을 요구하고 싶습니다. 여러분, 아버지는 대체 어디서 살해되었습니까? 어떠한 흉기로 어떻게 살해되었습니까? 그걸 좀 말씀해 주십시오." 그는 검사와 판사의 얼굴을 번갈아 바라보며 빠른 소리로 물었다.

"우리가 갔을 때는 머리가 깨어진 채 자기 서재에 쓰러져 계셨습니다." 검사가 대답했다.

"아아, 무서운 일입니다, 여러분!" 미챠는 부르르 몸을 떨더니, 테이블 위에 팔꿈치를 세우고 오른손으로 얼굴을 감쌌다.

"다시 계속하기로 합시다" 하고 니콜라이 파르페노비치가 끼어들었다. "그래서, 그때 당신에게 그와 같은 증오감을 불러일으킨 원인은 대체 무엇이었을까요? 당신은 질투 때문이라고 공공연하게 말하고 다닌 모양인데."

"그렇죠, 질투 때문이죠. 그러나 결코 질투 때문만은 아닙니다."

"그럼 금전상의 분쟁입니까?"

"그렇습니다, 금전상의 문제도 있지요."

"그 분쟁이란 3천 루블의 유산을 부친께서 당신한테 넘겨주시지 않은 데 기인한다고 들었는데요?"

"3천 루블이 뭡니까! 훨씬 더 많아요" 하고 미챠는 펄쩍 뛰었다. "6천 루블 이상입니다. 1만 루블이 넘을지도 몰라요. 나는 누구에게나 그렇게 말했습니다. 그렇게 떠들고 다녔어요! 그러나 하는 수 없이 나는 3천 루블로 타협하려고 결심했었습니다. 3천 루블이란 돈이 시급히 필요했기 때문이죠. 그래서 나는, 아버지가 그루셴카한테 주려고 베개 밑에 꾸려 둔 그 3천 루블 뭉치는 나한테서 훔친 돈이나 다를 게 없다고 확신했어요. 그 돈을 거기 둔 걸 나는 알고 있었거든요. 그렇습니다, 여러분. 나는 그 돈을 내 것이라 생각하고 있었습니다. 사실 그건 내 돈이나 다름없는 것이니까요."

검사는 의미심장한 표정으로 판사를 보며 슬쩍 눈짓해 보였다.

"그 문젠 나중에 또 말하기로 하고" 판사가 얼른 말을 받았다. "우선 다음 사실을 기록하는 데 동의하기 바랍니다—즉, 당신은 그 봉투에 든 돈을 자기 것이나 다름없는 돈이라 생각하고 있었다는 사실 말입니다."

"어서 그렇게 기록하십시오. 여러분, 나는 이것 역시 내게 불리한 증거라는 걸 알고 있습니다. 그러나 나는 증거 같은 것은 두렵지가 않습니다. 나는 내 입으로 불리한 증언을 하고 있는 셈입니다. 나 자신의 입으로 말입니다! 여러분, 당신네들은 나를 실제의 나와는 전혀 다른 인간으로 보고 계신 것 같군요." 그는 갑자기 침울한 어조로 덧붙였다. "지금 당신네들과 말을 하고 있는 이 인간은 수치를 아는 인간입니다. 더없이 고결한 인간입니다. 무엇보다도 당신네들은 이 점을 염두에 두시기 바랍니다. 추악한 행위를 수없이 자행하기는 했지만, 그러면서도 항상 더없이 고결한 심정을 간직해 온 인간입니다. 마음속으로는, 마음속 깊은 곳에서는…… 그러니까 한마디로 말해서…… 아니, 뭐라고 표현하면 좋을지 모르겠군요……. 아무튼 나는 고결함을 갈망했기 때문에 한평생 고뇌 속에서 살아온 인간입니다. 이를테면 인간의 고결함을 위한 수난자受難者라고나 할까요, 등불을 켜 든, 디오게네스[22*]의 등불을 켜 든 고결함의 탐구자였습니다. 그럼에도 불구하고 나는 다른 모든 사람들과 마찬가지로 여태까지 비열한 짓만 일삼아 왔습니다……. 아니, 이건 나 하나만의 얘깁니다, 여러분. 모든 사람이 아니라 나 혼자뿐입니다. 내가 그만 실언을 했군요. 나 혼자뿐입니다, 혼자뿐이에요……. 여러분, 나는 지금 두통이 납니다." 그는 몹시 괴로운 듯 얼굴을 찡그렸다. "그런데 말입니다, 여러분. 나는 아버지의 그 뻔뻔스런 얼굴이 무엇보다 싫었습니다. 모든 신성한 것을 멸시하는 것 같은 오만과 냉소와 불신의 표정이 어려 있는 그 얼굴, 참으로 추악하기 짝이 없는 얼굴입니다! 그러나 아버지가 죽어 버렸다니 이젠 생각이 달라지는군요."

"어떻게 달라졌다는 건가요?"

"아니, 아주 달라진 건 아니지만, 그처럼 아버지를 미워할 것까지는 없었다는 생각이 듭니다."

"후회하고 있단 말이군요?"

"아닙니다, 후회한다는 건 아니에요. 그렇게 적어 넣지는 마십시오. 그런 말을 하는 나 자신도 별로 나을 것이 없는 인간이죠. 사실 나 자신도 그다지 보기 좋

22* 디오게네스Diogenes(생몰미상). 고대 그리스의 철학자. 키니코스 학파의 대표적 인물.

은 얼굴을 하고 있는 건 아니니까 아버지의 얼굴을 추악하다느니 뭐니 말할 권리는 없는 게 아닙니까! 이 말은 적으셔도 무방하겠지요."

이렇게 말을 마치자 미챠는 몹시 침울한 얼굴이 되었다. 벌써 아까부터 예심판사의 심문에 대답하고 있는 동안 그는 점점 얼굴빛이 어두워졌던 것이다.

그런데 바로 이 순간, 다음과 같은 뜻밖의 장면이 또 벌어졌다. 그루셴카는 아까 딴 곳으로 끌려가긴 했지만, 그녀가 끌려간 방은 그리 멀리 떨어진 곳은 아니었다. 지금 심문이 진행되고 있는 하늘빛 방에서 세 번째 방이었던 것이다. 그것은 간밤에 춤판이 벌어지기도 하고, 세상이 온통 뒤집힐 것 같은 난장판이 벌어지기도 한 커다란 방 바로 뒤에 붙은 창문이 하나밖엔 없는 조그만 방이었다. 그 방에 그녀는 앉아 있었는데, 그 옆에는 막시모프 한 사람밖엔 아무도 없었다. 막시모프는 굉장히 충격을 받은 나머지, 몹시 겁에 질려 오직 그녀에게서 구원을 얻기라도 하려는 듯이 줄곧 그녀의 곁에 붙어 있었다. 그 방 문 앞에는 가슴에 휘장을 단 농부가 하나 서 있었다. 그루셴카는 울고 있었다. 그러나 그녀는 억제할 길 없는 설움이 일시에 복받쳐 올라 벌떡 튀어 일어났다. 그러고는 두 손을 탁 치며 가슴이 찢어지는 것 같은 목소리로 "아아, 아아!" 하고 부르짖더니 느닷없이 방에서 뛰어나와 남자한테로, 자기의 미챠한테로 달려갔다. 너무나 급작스런 일이어서 아무도 그녀를 제지할 사람이 없었다. 미챠는 그녀의 울부짖음을 듣자 몸을 부르르 떨며 튀어 일어나, 욱 하는 외마디 소리와 함께 정신이 그녀 쪽으로 달려 나갔다. 그러나 두 사람은 서로 상대방의 얼굴을 볼 수는 있었지만 부둥켜안을 수는 없었다. 미챠는 양쪽 팔을 꽉 붙잡혔다. 너무나 세차게 몸부림을 치는 바람에 그를 제지하는 데 서너 너덧 사람이 달려들어야 했다. 여자 역시 제지당했다. 그녀가 억지로 끌려 나가면서 뭐라고 외치며 이쪽으로 손을 내젓는 것을 미챠는 똑똑히 보았다. 이러한 소동이 끝나고 제정신으로 돌아왔을 때, 그는 아까처럼 테이블을 사이에 두고 판사와 마주 앉아 있는 자기 자신을 발견했다. 그는 그들에게 고래고래 고함을 쳤다.

"당신네들은 저 여자를 어쩌겠다는 거요? 무엇 때문에 저 여자를 괴롭히느냐 말이오? 저 여자는 죄가 없어요. 아무 죄도 없어요."

검사와 판사는 달랬다. 그러느라고 10분가량이나 시간을 보냈다. 그러자 잠시 이 자리를 비웠던 미하일 마카르이치가 황급히 방 안으로 들어오더니, 몹시 흥분한 듯이 커다란 소리로 검사에게 말했다.

"그 여자는 좀 멀찌감치 떼어 놓았어요. 지금 아래층에 있습니다. 그런데 여러분, 이 불행한 사나이한테 한마디만 말하고 싶은 것이 있는데 허락해 주시겠소? 당신들이 옆에 있어도 무방합니다."

"어서 그렇게 하십시오, 미하일 마카르이치" 하고 판사가 대답했다. "이제는 우리도 그것을 반대하지 않겠습니다."

"여보게, 드미트리 표도로비치, 내 말을 잘 듣게나" 하고 미하일 마카르이치는 미챠를 향해 입을 열었으나, 그 흥분한 얼굴에는 이 불행한 사나이에 대한 거의 육친과도 같은 뜨거운 동경의 빛이 어려 있었다. "나는 지금 자네의 아그라페나 알렉산드로브나를 아래층으로 데려다가 이 집 주인 딸들한테 맡겨 두고 왔네. 그 여자 옆에는 막시모프 노인이 잠시도 떠나지 않고 붙어 있지. 나도 그 여자를 잘 타이르고 왔어, 알겠나? 잘 타일러서 진정시키고 왔단 말일세. 자네는 죄가 없다는 것을 조리 있게 해명해야 할 사람이니까, 공연히 마음을 자극하여 방해를 해서는 안 된다, 그랬다가는 자네 머리를 혼란케 해서 제대로 해명할 수 없게 될지 모른다, 이렇게 타일렀지. 내 말 알아듣겠나? 한마디로 말해서, 내가 잘 말했더니 그 여자도 금세 이해하더란 말일세. 여보게, 그 여자는 참 영리하더군, 좋은 여자야. 나 같은 노인의 손에 키스까지 하면서 자네 일을 부탁하지 않겠나. 그러고는 나를 이리로 올려 보내면서, 자기 걱정은 말라고 자네한테 전해 달라고 했어. 그래서 나도 이제 곧 그 여자한테 내려가서 자네가 마음을 가라앉히고 그 여자에 대해서도 안심하고 있다고 말해 주어야겠단 말일세. 그러니까 여보게, 자네도 어서 마음을 가라앉혀야 하네, 알겠나? 나는 여태까지 그 여자를 잘못 보아 왔어. 그 여자는 그리스도교 신자다운 마음씨를 가진 사람이야. 여러분, 그 여자는 참으로 착한 마음씨의 소유자더군요. 흠잡을 만한 데라곤 조금도 없는 여자예요. 자, 그럼 드미트리 표도로비치, 그 여자한테 가서 뭐라고 말하지? 자네는 얌전히 앉아 있을 것 같은가, 어떤가?"

원래가 호인인 경찰서장은 여러 가지 소용없는 소리까지 길게 늘어놓았다. 그러나 그루셴카의 슬픔, 인간적인 슬픔은, 그의 선량한 마음속에 파고들어, 그 눈에는 눈물까지 글썽해 있었다. 미챠는 벌떡 일어나 그에게 몸을 던졌다.

"용서하십시오, 여러분, 용서해 주십시오!" 하고 그는 외쳤다. "당신은 정말 천사와 같은 마음을 가진 분입니다, 미하일 마카르이치, 그 여자를 대신해서 감사를 드립니다! 네, 마음을 가라앉히겠습니다. 얌전히 앉아 있겠어요. 명랑한 마음이 되겠습니다. 더없이 친절하신 당신의 호의를 믿고 부탁드리겠습니다……. 내가 아주 명랑해졌다고, 당신 같은 수호천사가 그 여자 곁에 붙어 계시다는 걸 알았기 때문에 금세 웃음을 터뜨릴 정도로 기분이 좋아졌다고, 그 여자한테 전해 주십시오. 이제 곧 이 문제를 해결 짓고 그 여자한테 달려가겠습니다. 곧 만나게 될 테니까 조금만 기다려 달라고 전해 주십시오, 그럼 여러분" 하고 갑자기 검사와 판사에게로 얼굴을 돌렸다. "이제부터 내 가슴속을 죄다 털어놓겠습니다. 모든 것을 숨김없이 말씀드리죠. 이런 문제는 당장에 해결 지어 버릴 수 있습니다. 유쾌하게 해결 지을 수 있어요……. 결국은 다 같이 한바탕 웃어 버리고 말게 될 겁니다, 그렇지 않습니까? 그렇지만 여러분, 그 여자는 내 마음의 여왕입니다! 오오, 나로 하여금 그렇게 말하게 해 주십시오. 나는 모든 것을 숨김없이 말씀드리는 겁니다……. 가장 고결한 분들과 자리를 같이하고 있다는 걸 나는 알고 있으니까요. 그 여자는 빛입니다. 나의 신성한 보배입니다. 아아, 당신네들이 그걸 이해해 주신다면! '당신과 함께라면 사형을 받아도 좋아요!'라고 그 여자가 외치는 걸 당신들도 들으셨겠죠? 그런데 나는 그 여자에게 무엇을 주었을까요? 나는 알몸뚱이 하나밖엔 없는 거지입니다. 이런 사내한테 어째서 그런 사랑을 바쳐 주는 걸까요? 이렇게 추한 얼굴을 가진 짐승만도 못한 더러운 사나이가 어찌 그런 사랑을 받을 자격이 있겠습니까? 그 여자는 나와 함께 유형지까지라도 서슴지 않고 가겠다지 않습니까? 아까만 해도 그처럼 자존심이 강하고, 또 아무 잘못도 없는 그 여자가 나를 위해 당신들의 발 앞에 꿇어 엎드리지 않았습니까! 그러니 어찌 그 여자를 존경하지 않을 수 있겠습니까? 어찌 소리 높이 외치지 않을 수 있겠습니까? 지금처럼 어찌 그 여자한테 달려가지 않을 수 있겠습니까? 아아, 여러분, 용서하십시오! 아무튼 이젠 마음이 가라앉는 것 같습니다!"

이렇게 말하고 그는 의자에 주저앉아서 두 손으로 얼굴을 가린 채 흑흑 느껴 울었으나, 그것은 이미 행복의 눈물이었다. 그는 곧 정신을 차렸다. 늙은 서장은 지극히 만족스런 얼굴이었고, 두 법관 역시 만족한 모양이었다. 그들은 심문이 곧 새로운 단계로 진전해 나갈 것이라 생각했던 것이다. 경찰서장을 내보내고 나서 미챠는 정말로 명랑해진 것같이 보였다.

"그럼 여러분, 이젠 당신네들 마음대로입니다. 하라는 대로 할 테니까요……. 그런 하찮은 소리만 하지 않았어도 우린 당장에 일을 끝마쳐 버릴 수 있었을 텐데요. 아니, 내가 또 쓸데없는 소릴 했군요. 나는 물론 당신네들이 하라는 대로 하겠지만, 그러나 여러분, 필요한 것은 상호 간의 신뢰입니다—당신들은 나를, 나는 당신들을 신뢰해야 합니다—그렇지 않고는 우린 절대로 일을 끝마칠 수 없을 겁니다. 이건 당신들을 위해서 하는 말입니다. 자, 본제本題로 들어갑시다, 여러분, 본제로. 그러나 가장 중요한 점은, 내 감정을 너무 자극하지 말아 달라는 겁니다. 하찮은 일을 가지고 내 마음을 건드리지 말고, 직접 사건에 관계되는 사실만을 물어 주십시오. 그렇게 하면 나는 곧 당신네들을 만족시켜 줄 수 있을 것입니다. 지엽적인 것은 제발 묻지 말아 주세요!"

미챠는 이렇게 외쳤다. 심문이 다시 시작되었다.

4. 둘째 시련

"드미트리 표도로비치, 당신은 믿지 않을지 모르지만, 당신이 그처럼 기꺼이 응해 주겠다니 우리는 얼마나 기운이 나는지 모르겠습니다" 하고 니콜라이 파르페노비치는 활기를 띠며 말을 시작했다. 방금 안경을 벗어 버린, 극도의 근시近視 때문에 약간 불거져 나온 듯싶은 그 커다란 연회색 눈에는 만족의 빛이 뚜렷이 나타나 있었다. "당신은 지금 상호 간의 신뢰라는 점을 지적했는데, 그건 참으로 지당한 말입니다. 사실 그것 없이는 이런 중대한 사건의 심리審理는 불가능할 경우도 있을 수 있으니까요. 이것은 혐의를 받고 있는 사람이 정말로 자기의 무죄를 밝혀 낼 것을 희망하고 기대하며 또한 실제로 그것이 가능한 경우를 두고 하는 말입니다만. 그래서 우리는 우리들대로 최선을 다해 볼 생각입니다. 우리가 이 사건을 어떻게 다루고 있는가는 당신도 잘 알 수 있을 줄 압니다……. 그렇잖아요, 입폴리트 키릴로비치?" 하고 그는 갑자기 검사를 돌아보며 말했다.

"그야 물론이죠" 하고 검사는 동의했으나, 니콜라이 파르페노비치의 흥분에 비하면 그 어조는 약간 냉정한 편이었다.

여기서 한 번만 더 말해 두지만, 이 고을에 새로 부임해 온 니콜라이 파르페노비치는 이 지방에서 활동을 개시한 시초부터 검사인 입폴리트 키릴로비치에게 특별한 존경을 품어 왔고 이제는 거의 단짝이나 다름없이 되어 있었다. '직책상 냉대 받고 있는' 입폴리트 키릴로비치의 비범한 심리학적 재능과 그 뛰어난 언변을 무조건 인정할 뿐만 아니라, 그가 냉대를 받고 있다고 확신하고 있는 것은 아마 니콜라이 파르페노비치 한 사람밖엔 없었을 것이다. 니콜라이 파르페노비치는 페테르부르크에 있을 때부터 이미 이 검사에 대한 소문을 듣고 있었던 것이다. 또한 '냉대 받고 있는' 검사가 진심으로 사랑하는 사람 역시 이 넓은 세상에서 젊은 니콜라이 파르페노비치 한 사람밖에는 없었다. 이리로 오는 도중에 그들은 이번 사건에 관해서 사전에 서로 협의하여 약속해 둔 바가 있었으므로, 지금 이렇게 테이블 앞에 마주 앉아 있으면서도, 니콜라이 파르페노비치의 예민한 두뇌는 자기 선배의 얼굴에 나타나는 하나하나의 표정을 대번에 알아챘고, 미처 끝맺지 못한 말 한마디만 들어도, 그 시선이나 눈짓 하나만 보아도, 상대방이 지시하려는 것을 모조리 깨달을 수 있었던 것이다.

"여러분, 제발 나 혼자서 말하게 해 주십시오. 하찮은 일로 내 말을 중단시키지 말아 주십시오. 내가 단숨에 모든 걸 얘기해 버릴 테니까요" 하고 미챠는 격한 어조로 말했다.

"좋습니다. 어서 그렇게 해 주시오. 그러나 당신의 얘기를 듣기 전에 우리들의 관심을 끄는 또 한 가지 사실을 확인하게 해 주시면 좋겠습니다. 다름 아니라, 어제 다섯 시경에 당신이 친구인 표트르 일리치한테 권총을 저당 잡히고 10루블을 꾸어 간 사실 말입니다."

"저당 잡혔습니다, 여러분. 권총을 잡히고 10루블을 꾸었지요. 그래서 그게 어쨌단 말입니까? 어디 좀 갔다가 읍내로 돌아오는 길로 곧 저당 잡혔습니다."

"돌아왔다고요? 그럼, 당신은 여행을 하셨습니까?"

"네, 여행을 좀 했습니다. 40킬로가량 되는 곳에 다녀왔지요. 당신네들은 그걸 몰랐었나요?"

검사와 니콜라이 파르페노비치는 서로 눈짓을 했다.

"그건 그렇다 치고, 어제 아침 이후의 일을 조리 있게 차근차근 얘기해 줄 수 없겠습니까? 예를 들면, 무엇 때문에 읍을 떠났으며, 몇 시에 출발해서 몇 시에 돌아왔는지…… 그런 사실들을 빠짐없이 말입니다."

"그러면 그렇다고 처음부터 물어 주었다면 좋았을 텐데" 하고 미챠는 큰 소리로 웃었다. "하지만 원하신다면, 이 문제는 어제부터가 아니라 그저께 아침부터 얘기해야 하겠습니다. 그렇게 해야만 내가 어디에, 어떻게, 무엇 때문에 갔었는지 알 수 있을 테니까요. 여러분, 나는 그저께 아침에 이 고장 상인인 삼소노프라는 사람을 찾아갔었습니다. 확실한 저당을 잡혀서 3천 루블을 꾸어 보려 했지요. 실은 갑자기 그만한 돈이 필요한 데가 있어서요, 꼭 필요한 데가."

"이야기하시는 도중에 미안합니다만" 하고 검사가 정중한 어조로 끼어들었다. "무엇 때문에 갑자기 그런 큰돈이, 즉 3천 루블이라는 돈이 꼭 필요했었습니까?"

"이거 봐요, 여러분, 그러한 사소한 문제는 집어치우십시오! 언제, 어떻게 무엇 때문에 그만한 금액의 돈이 필요했는가 하는 따위는 어디까지나 사소한 문젭니다……. 그런 걸 일일이 적으려면 책으로 써도 세 권으론 부족해서 에필로그까지 따로 붙여야 할 거예요!"

진실을 남김없이 말하고자 하는 더없이 선량한 의도를 가진 인간에게서만 볼 수 있는 허물없는 성급한 어조로 미챠는 이렇게 말하는 것이었다.

"여러분" 그는 갑자기 생각난 것처럼 다시 말을 이었다. "제발 나의 급한 성미를 나무라지 말아 주십시오. 거듭 부탁드립니다만, 내가 여러분을 존경하고 있으며 또 현재의 나 자신의 처지를 충분히 이해하고 있다는 것을 다시 한번 믿어 주십시오. 내가 술에 취해 있다고 생각하시면 곤란합니다. 이젠 완전히 술이 깼습니다. 하기는 취해 있다고 해도 상관은 없습니다만.

술이 깨면 영리해지는 것 같지만—남의 눈엔 여전히 바보로 보이고
술을 마시면 바보가 되는 것 같지만—남의 눈엔 오히려 영리하게 보인다

이건 바로 나 같은 놈을 두고 한 말이죠. 하, 하! 그렇지만 여러분, 내가 여러분 앞에서 이런 농담을 한다는 것이 아직은, 즉 진상이 밝혀질 때까지는 실례되는 짓이라는 것쯤은 나도 알고 있습니다. 제발 나 자신의 품위를 지키게 해 주십시오. 물론 내가 당신들과는 다른 처지에 놓여 있다는 걸 나는 잘 압니다. 어쨌든 나는 범죄자로서 당신들 앞에 앉아 있으니까요. 따라서 당신들과는 하늘과 땅의 차이가 있습니다. 당신들은 나를 심문하는 임무를 띠고 있으니까, 내가 그리고리한테 저지른 일을 칭찬하여 내 머리를 쓰다듬어 주실 리는 없지 않습니까? 사실 말이지 노인의 머리를 깨 놓았으니 벌을 안 받을 수는 없는 일이죠. 당신들은 그 노인을 대신해서 나를 재판에 회부하여, 비록 모든 권리의 박탈을 선고하지는 않더라도, 반년이건 1년이건 나를 교도소에 처넣을 겁니다. 설마 권리 박탈까지는 안 되겠지요, 검사님? 그러니까 여러분, 나도 처지가 다르다

는 건 잘 안단 말입니다……. 그렇지만 생각해 보세요. 당신네들처럼, 어디에 갔었느냐, 어떻게 갔었느냐, 언제 갔었느냐, 어디로 들어갔었느냐, 하는 식으로 질문을 퍼부으면 아마 하느님도 어리둥절하실 겁니다. 그렇다면 내가 혼란을 느끼는 건 당연한 일이 아닙니까. 그런데도 당신네들은 대수롭지 않은 일들을 캐내 가지고는 일일이 그걸 적고 앉았으니 대체 그게 무슨 소용이 된다는 겁니까? 아무 소용도 없는 짓입니다. 하지만, 어차피 되지도 않는 소릴 지껄이기 시작했으니 끝까지 다 말하겠습니다. 당신들은 고등 교육을 받은 훌륭한 분들이시니까 나를 용서해 주시겠지요. 내가 마지막으로 간청하고 싶은 것은 그런 판에 박은 듯한 심문 방법은 버려 달라는 겁니다. 즉 처음에는, 어떻게 자리에서 일어났으며, 무엇을 먹었으며, 어떻게 침을 뱉었느냐, 하는 식으로, 그야말로 쓸데없는 것으로부터 심문을 시작하여 범인의 주의를 딴 데로 돌리게 해 놓은 다음, 느닷없이 '누굴 죽였지? 누구의 물건을 훔쳤지?' 하고 들이대는 방법 말입니다. 하, 하! 이것이 당신네들의 판에 박은 방법이죠. 이것이 당신네들의 교활한 상투 수단이에요! 그따위 교활한 방법으로 농부들을 속일 수는 있을지 모르지만 나한텐 어림도 없을 겁니다. 나는 그런 속임수 정도는 빤히 알고 있으니까요. 이래 봬도 관청에 근무한 일이 있었거든요, 하, 하! 여러분, 화내지는 말아 주십시오. 나의 무례한 언사를 용서해 주시겠죠?" 그는 놀라울 만큼 솔직한 태도로 그들을 바라보며 이렇게 소리쳤다. "다름 아닌 미치카 카라마조프가 한 말이니까 용서해 줄 수 있을 겁니다. 현명한 사람이 이런 말을 하면야 용서할 수 없을 테지만. 이건 미치카가 한 말이니까 용서하지 않을 수 없겠죠, 하, 하!"

니콜라이 파르페노비치는 이 말을 듣고 따라 웃었다. 검사는 웃지는 않았지만, 잠시도 눈을 떼지 않고 날카로운 눈초리로 미챠의 얼굴을 지켜보고 있었다. 미챠의 말 한마디, 사소한 동작 하나, 안면 근육의 움직임 하나라도 놓치지 않으려고 애쓰고 있는 것 같았다.

"그렇지만 우리는 처음부터 당신을 그렇게 대했다고 생각하는데요" 하고 여전히 웃는 얼굴로 니콜라이 파르페노비치가 말을 받았다.

"아침에 어떻게 일어났느냐느니, 무엇을 먹었느냐느니 하는 따위 질문으로 당신을 괴롭히지는 않았습니다. 오히려 가장 중요한 실질적인 문제부터 심문을 시작했지요."

"그건 잘 압니다. 그 점에 대해서 나는 감사하게 생각했어요. 그리고 또 지금 나한테 보여 주신 호의, 당신의 고결한 심정에서 우러나온 비길 데 없이 훌륭한 호의에 대해서는 더욱더 감사하게 생각합니다. 여기 모인 우리 세 사람은 모두 고결한 신사들입니다. 따라서 우리들은 귀족의 품위와 명예를 지닌 상류 사회의 교양인으로서 상호 간의 신용을 기초로 하여 모든 일을 처리해야 할 겁니다. 아무튼 내 생애에서의 바로 이 순간, 내 명예가 손상된 이 순간에도 당신들을 나의 가장 훌륭한 벗으로 생각하게 해 주십시오. 이렇게 말해서 별로 실례가 되지는 않겠지요, 여러분? 실례가 되지는 않겠지요?"

"천만에, 당신은 참으로 훌륭한 말을 했습니다, 드미트리 표도로비치" 하고 니콜라이 파르페노비치는 위엄 있게 동의했다.

"그러니까 여러분, 제발 자질구레한 속임수 같은 질문은 그만둬 주십시오." 미챠는 열광적으로 외쳤다. "그렇지 않으면 나중엔 어떤 결과가 될지 모릅니다, 그렇지 않습니까?"

"당신의 지당한 충고에 전적으로 따르기로 하겠습니다" 하고 검사가 미챠를 향하여 갑자기 입을 열었다. "그렇다고 나의 질문을 철회할 수는 없습니다. 당신이 무엇 때문에 그런 큰돈이, 3천 루블이라는 큰돈이 필요했는지, 그것만은 꼭 알아야 하겠습니다."

"무엇 때문에 필요했느냐고요? 그건 그럴 만한 이유가 있었기 때문이죠……. 다름 아니라 빚을 갚기 위해서였습니다."

"누구의 빚을?"

"거기 대한 답변만은 절대로 거부하겠습니다, 여러분! 그것은 내가 답변을 할 수 없기 때문도 아니요, 감히 입 밖에 낼 수 없기 때문도 아니요, 아주 어리석고도 우스꽝스런 얘기가 돼서 말하기를 꺼리기 때문도 아닙니다. 내가 답변을 거부하는 것은 주의主義 때문입니다. 이것은 나의 사생활에 관한 문제입니다. 나는 자기의 사생활에 간섭을 받고 싶진 않습니다. 이것이 나의 주의지요. 당신의 질문은 이 사건과는 아무런 관계도 없습니다. 사건과 관계가 없는 것은 모두 나의 사생활이란 말입니다. 나는 빚을 갚으려 했던 겁니다. 명예의 빚을 갚으려 했던 거예요. 그러나 상대방이 누구냐 하는 건 절대로 말할 수 없습니다."

"그럼 그렇게 기록해도 괜찮겠지요?" 하고 검사는 말했다.

"어서 그렇게 하십시오. 그렇게 적으세요. 말할 수 없다고, 절대로 말할 수 없다고. 아니, 그런 말을 하는 것은 파렴치한 짓이라고 생각한다고 적으십시오. 정말 당신네들은 시간도 많군요. 그런 것까지 일일이 기록하다니!"

"실례지만 당신한테 말씀드려 주의를 환기시킬 일이 있습니다. 만일 당신이 아직 모르고 있다면 말입니다만." 검사는 상대방을 타이르듯 자못 엄격한 어조로 말했다. "다름이 아니라, 당신은 지금 우리가 제출한 질문에 대해서 답변을 거부할 충분한 권리를 갖고 있습니다. 한편 우리로서는, 당신이 무슨 이유에서든 답변을 거부하는 경우, 그것을 강요할 권리는 조금도 없습니다. 그것은 전혀 당신 자신의 판단에 속하는 문제지요. 그러나 지금과 같은 경우, 당신이 어떤 종류의 진술을 거부함으로써 자신을 얼마나 불리한 입장에 몰아넣고 있는가를 분명하게 당신에게 설명해 주는 것이 우리의 임무란 말입니다. 자, 그럼 그다음을 계속하시오."

"여러분, 나는 결코 화를 내고 있는 건 아닙니다……. 나는 그저……." 미챠는 검사의 경고에 약간 당황하여 이렇게 중얼거렸다. "그래서 말입니다, 여러분, 내가 그때 찾아간 그 삼소노프라는 사람은……."

물론 독자가 이미 다 알고 있는 그의 이야기를 필자는 여기서 다시 상세하게 되풀이하지는 않기로 하겠다. 미챠는 지극히 상세한 점에 이르기까지 하나도 빼놓지 않고 얘기하려고 애쓰는 것 같았으나, 한편으로는 될 수 있는 대로 빨리 일을 끝내 버리려고 몹시 서두르는 눈치였다. 그러나 그의 진술은 그대로 기록되고 있었으므로 이따금 얘길 중단하지 않으면 안 되었다. 드미트리 표도로비치는 그것을 항의했지만, 결국은 복종하는 수밖엔 없었다. 그는 기분이 상하기는 했으나, 아직은 호의적인 태도를 잃지 않고 있었다. 하기는 이따금 "여러분, 이러다간 하느님이라도 화를 내고 말 겁니다"라든가, "여러분, 이러시면 공연히 내 마음을 자극할 뿐이라는 걸 모르십니까?"라고 고함을 치기도 하였지만, 그러면서도 여전히 모든 것을 털어놓으려는 호의적인 기분을 그대로 지니고 있었다.

그리하여 그는 그저께 삼소노프한테 '골탕 먹은' 얘기를 죄다 늘어놓았다. (이제는 그도 자기가 그때 속아 넘어갔다는 것을 똑똑히 깨달았던 것이다) 그가 여비를 마련하느라고 시계를 6루블에 팔았다는 얘기는 판사와 검사에겐 금시초문이었기 때문에, 이 사실은 곧 그들의 비상한 관심을 끌었다. 그래서 그들은 미챠가 그때까지 돈이라곤 거의 한 푼도 갖지 않았다는 또 하나의 증거로서 이 사실을 자세히 기록할 필요가 있다고 생각했다. 미챠는 극도로 분개하여 점점 무뚝뚝해졌다. 그다음 그는 랴가브이를 만나러 갔던 일이며, 탄산가스가 가득한 오두막집에서 하룻밤을 지낸 일 등을 얘기하고, 읍내로 돌아왔을 때까지의 일을 진술했다. 여기서 그는 특별히 요청받은 것도 아닌데, 갑자기 그루셴카에 대한 질투에서 오는 자기의 괴로움을 상세하게 얘기하기 시작했다.

검사 측에서는 아무 말 없이 귀를 기울이고 있었으나, 미챠가 오래전부터 마리야 콘드라치예브나네 집 '뒤뜰'에다 표도르 파블로비치와 그루셴카의 동정을 살피기 위한 감시소를 마련했었다는 것과, 스메르쟈코프가 그에게 여러 가지 정보를 제공하고 있었다는 사실에 특별한 주의를 돌렸다. 그들은 이 사실을 극히 중대시하여 빠짐없이 적어 넣었다. 미챠는 자기의 질투에 대해서 열심히 장황하게 늘어놓았다. 자기의 은밀한 감정을 '세상 사람들의 웃음거리'가 되게 모조리 폭로해 버린 것을 마음속으로는 부끄럽게 생각하면서도, 거짓말쟁이가 되고 싶지 않아서 그 부끄러움을 억누르고 있는 모양이었다. 그가 얘기를 하고 있는 동안, 그에게 향해지고 있던 예심 판사와 특히 검사의 눈에 나타난 냉정하고도 엄격한 표정은 마침내 그의 마음을 세차게 뒤흔들어 놓고야 말았다.

'불과 며칠 전만 해도 나하고 쓸데없는 여자 얘기나 하던 이 애송이 니콜라이나 저 병신 같은 검사 따위한테 이런 얘기를 들려줄 가치가 있을까? 이건 이만저만한 수치가 아니다!' 하는 생각이 그의 머릿속에 떠올라 몹시 침울한 기분이 되었다. '참으라, 진정하라, 입을 다물라'[23]라는 시의 한 구절을 상기하고 그는 이런 생각에 종지부를 찍었으나, 다시금 기운을 내서 얘기를 계속하기로 했다. 호흘라코바 부인 얘기가 나오자 그는 또다시 기분이 들떠서, 이번 사건과는 관계가 없지만 최근에 있었던 그 부인의 일화까지 얘기하려 했다. 그러나 판사가 그를 제지하고 정중한 어조로 '좀 더 본질적인 문제'를 얘기해 주기 바란다고 했다. 끝으로 미챠가 자기의 절망에 대해 말하고, '호흘라코바네 집을 나왔을 때 누구를 죽이는 한이 있더라도 3천 루블을 꼭 구해야겠다'고까지 생각했었다는 말을 하자, 심문관들은 또다시 그를 제지하고, '죽이려고까지 생각했다'라는 말을 적어 넣었다. 미챠는 아무 말 않고 적는 대로 내버려 두었다.

그다음 얘기로 넘어가서, 그루셴카가 그에게는 밤중까지 삼소노프네 집에 있겠노라고 속여 놓고는, 그를 보내기가 무섭게 곧 노인의 집에서 빠져나왔다는 걸 갑자기 알게 되었다는 대목까지 이르렀을 때, "여러분 내가 그때 페냐를 죽여 버리지 않은 것은 다만 그럴 시간의 여유가 없었기 때문입니다"라는 말을 그는 무심코 뇌까리고 말았다. 이 말도 그대로 기록되었다. 미챠는 침울한 얼굴로 기록이 끝나기를 기다렸다. 그다음 아버지 집 정원으로 달려갔다는 얘기를 하려 하자, 예심 판사는 갑자기 그의 말을 제지하고 옆에 있는 소파에 놓아두었던 커다란 가방을 열고 거기서 조그만 놋공이를 꺼냈다.

"당신은 이 물건을 본 일이 있습니까?" 관사는 공이를 미챠에게 보여 주었다.

"아, 그것 말입니까?" 미챠는 우울한 얼굴로 피식 웃었다. "물론 본 일이 있지요! 어디 좀 보여 주시오. 첫, 이젠 됐습니다!"

"당신은 이 물건에 대해서 말하는 것을 잊었던 모양이군요" 하고 예심 판사는

23 러시아의 서정 시인 표도르 튜체프Fyodor Tyutchev(1803~1873)의 시詩.

말했다.

“제기랄! 내가 뭐 그걸 당신들한테 숨기려고 한 건 아닙니다. 어차피 말하지 않고 그냥 넘길 수는 없는 일 아닙니까, 그렇잖아요? 나는 그저 잊어버렸던 것뿐입니다.”

“미안하지만 이런 물건을 준비하게 된 동기를 말해 줄 수 없겠습니까.”

“어서 그렇게 하십시오, 말씀드리고말고요.”

미챠는 놋공이를 집어 들고 달려갔을 때의 얘기를 했다.

“그보다도, 당신이 이런 흉기를 준비한 데는 어떤 목적이 있었는지?”

“어떤 목적이냐고요? 아무런 목적도 없었지요! 그저 집어 들고 달려갔던 것뿐입니다.”

“목적이 없었다면 무엇 때문에 그랬을까요?”

미챠는 부아가 치밀어 올라 견딜 수가 없었다. 그는 이 ‘애송이’의 얼굴을 뚫어지게 바라보며 음산하고 짓궂은 표정으로 히죽 웃었다. 그는 자기가 방금 ‘이따위 인간들’에게 진정 어린 마음으로 숨김없이 자기의 질투에 관한 얘기를 털어놓은 것이 더욱더 부끄럽게 여겨졌다.

“그까짓 공이 같은 건 아무래도 좋아요!” 하고 그는 불쑥 뇌까렸다.

“그렇지만……”

“혹시 개가 덤비면 쫓으려고 가져갔었다고 해 둡시다……. 그리고 어두운 밤이었으니까 만일의 경우에 대비하는 뜻에서도…….”

“그렇게 어두움을 두려워한다면 전에도 밤에 나다닐 때는 무슨 무기 같은 걸 갖고 다녔나요?”

“이런 제기랄! 여러분, 당신들과는 정말 얘기할 수가 없군요!” 미챠는 극도로 화가 나서 이렇게 외쳤다. 그러고는 분노해서 새빨개진 얼굴을 서기 쪽으로 돌리더니, 미친 사람 같은 성급한 어조로 말했다.

“그럼, 어서 이렇게 적게, 어서…… ‘자기 아버지…… 표도르 파블로비치한테 달려가서…… 그 머리에 일격을 가하여 죽여 버리려고 공이를 집어 들고 갔다!’

라고. 자, 여러분, 이젠 만족합니까? 속이 시원해지셨나요?" 그는 도전적인 눈초리로 예심 판사와 검사의 얼굴을 노려보며 말했다.

"당신이 지금 그런 진술을 한 것은 우리들한테 화가 나서 그렇다는 걸 우리는 너무나도 잘 알고 있습니다. 당신에겐 우리들의 질문이 몹시 못마땅했겠지요. 우리들이 쓸데없는 질문을 한다고 생각하겠지만, 사실은 바로 그것이 가장 본질적인 문제란 말입니다." 검사는 퉁명스럽게 대답했다.

"그건 천단의 말씀입니다. 여러분! 물론 공이를 집어 들고 갔던 것만은 사실입니다……. 그러나 그러한 경우에 무엇이든 손에 집어 든다는 것이, 반드시 무슨 이유가 있어서 하는 일일까요? 나는 그것이 무엇 때문이었는지 알 수 없습니다. 그저 집어 들고 달려갔던 것뿐이에요. 부끄럽지도 않습니까, 여러분? 이 얘긴 이만해 둡시다. 그렇지 않으면 나는 더 이상 아무 말도 안 하겠습니다, 정말이에요!"

그는 테이블에 팔꿈치를 세우고 한쪽 손으로 머리를 괴었다. 그는 상대방에 외면을 하고 앉아서 뱃속에서 치밀어 오르는 불쾌한 감정을 억누르며 벽을 응시하고 있었다. 사실 그는 벌떡 일어나서 '설사 사형대에 끌려가는 한이 있더라도 절대로 입을 열지 않을 테니 두고 보라'고 호통을 치고 싶어 견딜 수가 없었다.

"이거 보시오, 여러분" 그는 간신히 자신을 억제하며 불쑥 입을 열었다. "당신네들이 하는 말을 듣고 있노라니까 이런 생각이 드는군요……. 나는 이따금 어떤 꿈을 꾸곤 한답니다……. 아주 이상한 꿈인데, 나는 곧잘 그 꿈을, 언제나 똑같은 꿈을 꾸곤 합니다. 다름 아니라 누구한테 쫓기는 꿈입니다. 내가 몹시 두려워하는 사람인데, 그 사람이 캄캄한 밤중에 쫓아와서 나를 찾는 거예요. 나는 그 사람한테 잡히지 않으려고 문 뒤나 찬장 뒤 같은 데 숨습니다. 겁을 집어먹고 숨는 거예요. 그런데 이상하게도 그 사람은 내가 어디 숨어 있는지를 잘 알고 있단 말입니다. 그러면서도 일부러 내가 숨은 곳을 모르는 척하고 조금이라도 오래 나를 괴롭혀서 내가 무서워하는 꼴을 보고 즐기려 합니다……. 당신네들은 지금 그와 똑같은 짓을 하고 있는 거예요. 똑같다고 생각지 않습니까?"

“당신은 늘 그런 꿈을 꾼단 말인가요?” 하고 검사가 물었다.

“네, 곧잘 그런 꿈을 꾸곤 합니다……. 그것도 적어 넣으시려는 건가요?” 미챠는 입을 일그러뜨리며 히죽 웃었다.

“아니, 적을 필요는 없습니다. 그러나 당신의 꿈은 참 흥미 있군요.”

“그렇지만 지금은 이미 꿈이 아닙니다! 현실입니다, 여러분, 리얼리즘이에요. 현실 생활이란 말입니다. 나는 승냥이고 당신네들은 사냥꾼이죠. 자, 어서 승냥이를 잡으십시오.”

“그건 비슷하지도 않은 비유입니다……” 하고 니콜라이 파르페노비치가 무척 부드러운 어조로 입을 열었다.

“비슷하지도 않다니요, 여러분, 절대 그렇지 않습니다!” 미챠는 또다시 기를 쓰며 소리쳤다. 그러나 뜻하지 않았던 분노의 배출구를 얻어 마음이 한결 가벼워졌는지, 그는 조금씩 호의적인 태도로 되돌아갔다. “당신네들은 범인의 말을, 당신네들의 심문으로 고통을 당하고 있는 피고의 말을 믿지 않아도 좋겠지요. 그렇지만, 여러분, 고결한 인간의 말은, 고결한 영혼의 외침은 (나는 감히 이렇게 말합니다!) 그렇지가 않습니다! 당신네들도 그것은 믿지 않을 수 없을 겁니다……. 당신네들에게 그걸 믿지 않을 수 있는 권리는 없으니까요……. 그렇지만—

마음이여, 잠잠하라
참으라, 진정하라, 입을 다물라

자, 그럼 다음을 계속해 볼까요?” 하고 그는 어두운 표정으로 말을 이었다.

“물론, 그렇게 해 주면 고맙겠습니다” 하고 니콜라이 파르페노비치는 대답했다.

5. 셋째 시련

미챠는 퉁명스럽게 말을 하기 시작했으나, 그래도 자기가 진술하려는 사건과 관련된 사소한 사실 하나라도 빠뜨리거나 잊어버리거나 하지 않으려고 처음보다 더한층 애를 쓰고 있는 것 같았다. 그는 어떻게 해서 울타리를 넘어 아버지 집 정원으로 들어가서 창문 옆으로 다가갔는가를 얘기하고, 끝으로 창문 밑에서 있었던 일을 그들에게 들려주었다. 그리고 아버지한테 그루셴카가 와 있지나 않을까, 그것이 궁금해서 안절부절못하며, 정원 안에서 여러 가지 감정에 가슴이 끓어오르던 일을 마치 부각浮刻처럼 명확하게 얘기했다. 그런데 이상한 일은, 검사도 예심 판사도 이번엔 왜 그런지 몹시 소극적인 태도로 귀를 기울이고 그의 얼굴을 냉랭하게 바라보고 있었다. 전에 비하면 질문도 퍽 적어졌다. 미챠는 그들의 얼굴빛만으로는 상대방의 눈치를 좀처럼 파악할 수가 없었다.

'모욕을 느껴 기분이 상한 모양이군' 하고 그는 생각했다. '흥, 마음대로 하라지!' 이윽고, 그루셴카가 왔다는 '암호'를 해서 아버지 방의 창문을 열게 하기로 결심했다는 대목을 설명했을 때에도, 검사와 판사는 '암호'라는 말에 전혀 주의를 돌리지 않았다. 이런 경우, 이 말이 어떤 의미를 지니는지조차 전혀 깨닫지 못하는 듯싶었다. 미챠조차도 그것을 느낄 정도였다. 마침내 창문으로 얼굴을 내민 아버지를 보고 저도 모르게 증오심이 치밀어 올라, 주머니에서 공이를 끄집어낸 대목에까지 이르렀을 때, 그는 일부러 그러는 것처럼 갑자기 말을 끊어버렸다. 그는 여전히 벽을 바라보고 앉아 있었으나, 상대방의 눈이 자기를 응시하고 있다는 것을 잘 알고 있었다.

"그래서" 하고 예심 판사는 말했다. "당신은 흉기를 꺼내 들었다는 거군요……. 그럼, 그다음엔 어떻게 되었습니까?"

"그다음 말입니까? 그다음엔 죽였습니다……. 머리통을 후려쳐서 박살을 내버렸습니다……. 당신네들 생각엔 이렇게 되었을 거라는 거겠죠, 그렇잖습니까?"

그의 눈은 갑자기 번들번들 빛나기 시작했다. 거의 꺼져 가던 분노의 불길이 다시금 그의 가슴속에서 맹렬히 타오르는 것이었다.

"우리들 생각엔 그렇습니다만" 하고 니콜라이 파르페노비치는 말을 받았다. "그럼 당신 생각엔 어떻습니까?"

미챠는 눈을 내리깔고 한참 동안 잠자코 있었다.

"나는 말입니다, 여러분, 나의 경우엔 이렇게 되었지요." 그는 조용히 입을 열었다. "그 누구의 눈물 때문이었는지, 아니면 죽은 우리 어머니가 하느님께 기도를 드렸기 때문이었는지, 또는 착하디 착한 천사가 그 순간에 내게 키스를 해 주었기 때문이었는지, 아무튼 악마는 정복당하고 말았습니다. 나는 얼른 창문 옆에서 물러나 울타리 쪽으로 달아났습니다……. 아버지는 깜짝 놀랐지요. 그때야 비로소 나라는 걸 알았는지, 외마디 소리를 지르며 창가에서 물러났습니다……. 나는 그 순간의 일을 똑똑히 기억합니다. 나는 정원을 가로질러 울타리 쪽으로 달려갔지요……. 그리고리가 나를 따라잡은 것은, 내가 막 울타리를 타고 넘으려던 바로 그 순간이었습니다."

여기까지 말하고 그는 마침내 눈을 들어 상대방을 쳐다보았다. 그들은 지극히 냉랭한 표정으로 그를 바라보고 있는 것 같았다. 일종의 격렬한 분노의 발작이 미챠의 가슴속을 스치고 지나갔다. "당신네들은 지금 이 순간 나를 조소하고 있군요!" 하고 그는 갑자기 침묵을 깨뜨렸다.

"왜 그렇게 생각하지요?" 하고 니콜라이 파르페노비치는 물었다.

"당신네들이 내 말을 한마디도 믿으려 들지 않기 때문이죠! 나도 물론 잘 압니다, 이야기가 가장 중요한 대목에까지 이르렀다는 것은. 노인은 머리가 깨져 지금 거기 쓰러져 있습니다. 그런데 나는…… 그 노인을 죽이려고 공이를 꺼내 들었다는 비극적인 묘사를 한 끝에, 이번엔 갑자기 창 옆에서 도망쳐 나왔다고 하니 말입니다……. 이건 한 편의 서사시입니다! 시가 될 만한 얘기예요! 풋내기가 하는 말을 어디 그대로 믿을 수 있겠어요! 하, 하! 당신네들은 정말 냉소가冷笑家들이시군요!"

이렇게 말하고 그는 의자에 앉은 채 몸을 옆으로 돌려 버렸다. 의자가 부드득 소리를 냈다.

"그럼 당신은 보지 못했습니까?" 검사는 미챠의 흥분 같은 건 아랑곳없다는 듯이 갑자기 입을 열었다. "창문 옆에서 도망쳐 나올 때, 바깥채 맞은편에 달린 정원으로 통하는 출입문이 열려 있는 것을 당신은 보지 못했습니까?"

"아니, 열려 있지 않았습니다."

"열려 있지 않았다고요?"

"열려 있기는커녕 꼭 닫혀 있었습니다. 그 문을 누가 열리는 없지 않습니까? 가만 있자, 문이라……. 잠깐만 기다리십시오!" 그는 갑자기 제정신으로 돌아온 듯 가늘게 몸을 떨었다. "그럼 당신네들이 보았을 땐 문이 열려 있었나요?"

"열려 있더군요."

"만약에 당신네들이 열지 않았다면 도대체 누가 그 문을 열었을까요?" 미챠는 몹시 놀라는 눈치였다.

"문은 열려 있었습니다. 당신의 부친을 살해한 범인은 틀림없이 그 문으로 해서 들어와 범행을 한 후 다시 그 문으로 빠져나갔을 겁니다." 검사는 한마디 한마디 천천히 잘라 가며 이렇게 말했다.

"우리가 보기엔 이건 명백한 사실입니다. 범행이 방 안에서 이루어졌다는 것은 의심할 여지도 없으며, '창문 너머'로는 절대 이루어지지 않았습니다. 이것은 현장 검증의 결과로 보나 시체의 위치라든가 그 밖의 점으로 보나 지극히 명백합니다. 여기 대해서는 털끝만큼도 의심할 여지가 없습니다."

미챠는 이 말에 무서운 충격을 받았다.

"그렇지만 여러분, 절대 그럴 리가 없습니다!" 그는 몹시 당황한 어조로 외쳤다. "나는…… 나는 안에 들어가지는 않았습니다……. 나는 확실히 단언합니다. 내가 정원에 있을 때나 정원에서 도망쳐 나올 때도 그 문은 처음서부터 끝까지 닫혀 있었습니다. 나는 다만 창 밖에 서서 창 너머로 아버지를 보았을 뿐입니다. 그저 그것뿐입니다……. 나는 마지막 순간까지 분명히 기억하고 있습니다. 설사 기억하고 있지 않다고 하더라도 마찬가지입니다. 왜냐하면 그 '암호'를 알고 있는 건 나와 스메르쟈코프와 그리고 죽은 아버지밖엔 없는데, 그 암호가 없는 한 아버지는 누가 와도 절대로 그 문을 열어 주지 않게 되어 있었으니까요!"

"암호라뇨? 그 암호라는 건 대체 뭡니까?" 검사는 굶주린 듯한 거의 히스테리에 가까운 호기심을 나타내며 이렇게 말했다. 그는 여태까지의 신중하고 위엄 있던 태도를 일시에 잃고 말았다. 그는 조심조심 기어서 다가드는 것 같은 비굴한 어조로 물었다. 아직도 자기가 모르는 그 어떤 중대한 사실이 있음을 깨달았고, 그와 동시에 그 사실을 미챠가 고백하지 않을지도 모른다는 커다란 공포감을 느꼈기 때문이다.

"그럼 당신네들은 그걸 몰랐었군요!" 미챠는 조소 섞인 짓궂은 미소를 띠우며 검사를 향해 한쪽 눈을 끔벅해 보였다.

"만약에 내가 그걸 말하지 않는다면 어떡하죠? 암호를 알고 있는 건 죽은 아버지와 나와 그리고 스메르쟈코프, 이 세 사람뿐입니다. 아 참, 하늘도 그걸 알고 있죠. 그렇지만 하늘은 당신네들한테 가르쳐 주지 않을 겁니다. 이건 그야말로 흥미진진한 사실이어서, 이걸 기초로 한다면 얼마든지 그럴듯한 추리推理를 만들어 낼 수 있을 거예요, 하, 하! 그러나 안심하십시오, 여러분, 내가 다 가르쳐 드릴 테니까. 당신네들은 공연히 쓸데없는 걱정을 하고 있는 것 같군요. 내가 어떤 인간인가를 아직 당신네들은 모르고 있어요! 당신네들이 지금 상대하고 있는 피고는, 제 입으로 증거를 늘어놓아 스스로 불리한 입장으로 자신을 몰아넣고 있는 그러한 위인이란 말입니다. 그렇습니다! 나는 명예를 존중하는 기사騎士이기 때문이죠. 그렇지만 당신네들은 그렇지가 않습니다!"

검사는 상대방이 뭐라고 빈정거리건 그냥 잠자코 듣고만 있었다. 그는 다만 새로운 사실을 듣고 싶어 안절부절못하고 있을 뿐이었다. 미챠는 표도르 파블로비치가 스메르쟈코프를 위해 만들어 낸 암호를 정확하고도 자세하게 설명했다. 그는 실제로 테이블을 톡톡 두드려 보이면서 그 하나하나의 암호가 어떤 뜻을 가지고 있는가를 알려 주었다. 그리고 그가, 즉 미챠가 아버지 방 창문을 두드렸을 때 분명히 '그루셴카가 왔다'는 뜻의 암호였는가를 묻는 니콜라이 파르페노비치의 질문에 대하여, 그는 자기가 틀림없이 '그루셴카가 왔다'는 뜻의 암호를 했노라고 단언했다.

"자, 이젠 어서 원하는 대로의 추리를 세워 보십시오!" 미챠는 말을 마치고는 다시금 멸시하는 표정으로 얼굴을 돌려 버렸다.

"그럼 그 암호를 알고 있는 것은 돌아가신 부친과 당신네 하인인 스메르쟈코프뿐이었단 말인가요? 그 밖에 그걸 아는 사람은 없나요?" 하고 니콜라이는 또 한 번 다짐하듯 물었다.

"그렇습니다. 하인인 스메르쟈코프, 그리고 하늘이 알고 있죠. 하늘이 알고 있다는 말도 적어 두시죠. 그것도 소용이 될지 모르니까요. 당신네들한테도 하늘이 필요할 때가 있을 겁니다."

그래서 이 말도 물론 기록하기로 했다. 그러나 이것을 기록하고 있는 사이에, 마치 뜻밖의 새로운 생각이 떠오르기라도 한 것처럼 갑자기 검사가 말했다.

"만약에 그 암호를 스메르쟈코프도 알고 있다면 말입니다, 당신이 부친 살해에 관한 혐의를 전적으로 부정하는 경우, 미리 약속된 암호를 써서 부친이 문을 열게 한 후…… 그다음에 살인을 감행한 것은 스메르쟈코프라고 할 수 있지 않을까요?"

미챠는 자못 조소적인, 또한 무서운 증오를 띤 눈초리로 상대방의 얼굴을 바라보았다. 그가 너무나 오래 아무 말 않고 바라보는 바람에 검사는 눈을 깜박거렸다.

"또 여우란 놈을 하나 잡았군요!" 마침내 미챠는 입을 열었다. "또 교활한 여우의 꼬리를 붙들었군요. 헤, 헤! 검사님, 나는 당신 속을 빤히 들여다보고 있어요! 당신은 내가 얼른 튀어 일어나서 당신의 조언에 매달려, '맞았어요, 스메르쟈코프입니다. 그놈이 범인입니다!' 하고 기를 쓰며, 외칠 줄 알았겠지요. 그렇지 않습니까, 솔직히 자백해 보세요. 그래야 나도 그다음 얘길 하겠습니다."

그러나 검사는 자백하지 않았다. 그는 잠자코 기다리고 있었다.

"당신은 오산을 했어요. 나는 스메르쟈코프가 범인이라고 외치지 않는단 말입니다" 하고 미챠는 말했다.

"그럼, 그를 털끝만큼도 의심하지 않는다는 건가요?"

"당신네들은 그를 의심합니까?"

"그도 용의자 중의 하나였지요."

미챠는 방바닥으로 시선을 떨어뜨렸다.

"농담은 그만하고" 그는 침울한 어조로 말했다. "내 말을 좀 들어보세요. 나는 처음부터, 아까 저 커튼 뒤에서 이리로 달려 나온 그 순간부터, '스메르쟈코프로구나!' 하는 생각이 머릿속에 떠올랐었습니다. 이 테이블 앞에 앉아서, 그 피에 대해선 죄가 없다고 부르짖으면서 속으로는 쉴 새 없이 '스메르쟈코프다!'라고 생각했었죠. 스메르쟈코프가 한시도 머리를 떠나지 않는단 말입니다. 그리고 지금도 문득 '스메르쟈코프다!'라고 생각했지요. 그러나 그것은 한순간뿐이고, 거의 그와 동시에, '아니, 스메르쟈코프는 아니다!'라고 생각했습니다. 이건 결코 그가 한 짓이 아닙니다, 여러분!"

"그렇다면 그 밖에 또 누구 의심스런 인물은 없습니까?" 니콜라이 파르페노비치는 조심스럽게 물었다.

"도대체 누구인지, 어떤 인물인지, 하늘의 손인지, 아니면 악마의 손인지, 나로서는 짐작도 할 수 없습니다. 그러나…… 스메르쟈코프가 아니라는 것만은 확실합니다!" 미챠는 딱 잘라서 말했다.

"그렇지만, 어떻게 당신은 그처럼 자신 있게 그가 아니라고 단언합니까?"

"신념에 의해서지요. 인상印象에 의해서예요. 왜냐하면, 스메르쟈코프는 가장 천한 천성을 지닌 데다가 겁쟁이기 때문입니다. 겁쟁이라도 그냥 겁쟁이가 아니라, 온 세상의 겁이라는 겁을 모조리 뭉친, 두 발로 걸어 다니는 겁 덩어리지요. 그 녀석은 암탉한테서 태어난 인간입니다. 나하고 말을 할 때도, 내가 손을 쳐들지도 않는데 나한테 맞아 죽을까 봐서 후들후들 떨곤 합니다. 그 녀석은 내

발 아래 엎드려 눈물을 흘리면서, 문자 그대로 내 구두에 입을 맞추며, '제발 협박은 말아 주세요'라고 애원합니다. '제발 협박은 말아 주세요'라니 정말 기가 막히지 않습니까! 나는 그 녀석한테 여러 가지 선물을 주기까지 했지요. 그 녀석은 지능이 모자라는 간질병에 걸린 병든 암탉입니다. 여덟 살 먹은 아이라도 그 녀석쯤은 거뜬히 때려누일 겁니다. 그래도 하나의 온전한 인간이라 할 수 있을까요? 그러니까 여러분, 스메르쟈코프는 절대 아닙니다. 더욱이 그 녀석은 돈엔 별로 흥미가 없습니다. 내가 돈을 주어도 받은 적은 한 번도 없었으니까요……. 도대체 그 녀석이 아버지를 죽일 이유가 없지 않습니까? 그 녀석은 아무래도 우리 아버지의 아들인 모양이던데요, 사생아인지도 모르죠, 당신네들도 그걸 아실 테죠?"

"그런 얘기는 우리도 들은 적이 있습니다. 그렇지만 당신도 그 부친의 아들이 아닙니까. 그런데도 당신은 모든 사람들에게 아버지를 죽이겠다고 공언하고 다니지 않았느냐 말입니다!"

"따끔하게 찌르시는군요! 하지만 비열하고 시원찮은 바늘이에요! 나는 그런 것쯤엔 꿈쩍도 않습니다! 여러분, 나한테 맞대 놓고 그런 말을 한다는 건 좀 저열하지 않을까요? 왜 저열하냐 하면, 내가 이미 당신들한테 그렇게 말한 바가 있으니까요? 나는 아버지를 죽이고 싶었을 뿐만 아니라 정말로 죽일 작정이었고, 하마터면 내 손으로 죽여 버렸을지 모른다고 솔직히 자백하지 않았느냐 말입니다. 그러나 나는 아버지를 죽이지 않았습니다. 수호천사가 나를 구해 준 거예요—당신네들은 이 점을 거들떠보려 하지도 않았습니다. 그래서 나는 당신네들을 저열하다고 하는 겁니다. 나는 죽이지 않았으니까요, 절대로 죽이지 않았으니까요! 알겠습니까, 검사님, 나는 죽이지 않았단 말입니다!"

그는 거의 숨을 헐떡이다시피 하며 말했다. 그가 이렇게까지 흥분한 것은 장시간에 걸친 심문 중에서 아직 한 번도 없었던 일이었다.

"그건 그렇고, 여러분, 그 스메르쟈코프는 당신들에게 뭐라고 말했습니까?" 잠시 입을 다물고 있다가, 그는 갑자기 이렇게 물었다. "그걸 물어봐도 괜찮을까요?”

“어떤 질문이든 상관없습니다” 하고 검사는 냉정하고도 위엄 있는 태도로 대답했다. “이 사건에 관련된 사실에 대해서라면 무엇이든 물어보십시오. 다시 되풀이합니다만, 우리로서는 당신의 어떠한 질문에 대해서도 만족할 만하게 대답해 드릴 의무가 있는 겁니다. 지금 말이 나온 스메르쟈코프라는 하인을 보았을 때, 그는 계속적으로 열 번이나 반복되었다는 격렬한 간질의 발작 때문에 의식을 잃고 자리에 누워 있더군요. 우리와 함께 갔던 의사는 환자를 진찰한 후, 아침까지 살기 어렵겠다고 말했습니다.”

“흠, 그렇다면 아버지를 죽인 건 악마의 짓이군!” 하고 미챠는 갑자기 중얼거렸다. 그는 이 순간까지도 ‘스메르쟈코프가 아닐까, 스메르쟈코프가 아닐까?’ 하고 쉴 새 없이 자문하고 있었던 모양이다.

“이 문제는 나중에 또 말하기로 하고.” 니콜라이 파르페노비치는 이렇게 결정을 내렸다. “지금은 당신의 진술을 계속해 주었으면 좋겠습니다.”

미챠는 숨을 좀 돌리게 해 달라고 했다. 심문관들은 정중하게 그의 청을 허락했다. 잠깐 쉬고 나서 미챠는 다시 진술을 계속했다. 그러나 그는 몹시 괴로운 모양이었다. 그는 정신적으로 고통과 모욕과 격심한 혼란을 느끼고 있었던 것이다. 뿐만 아니라 검사도 이번엔 일부러 그러는 것처럼 ‘사소한 일들’을 가지고 자꾸만 미챠의 마음을 자극하기 시작했다. 미챠가 울타리 위에 올라앉아 왼쪽 발을 붙잡고 늘어지는 그리고리의 머리를 공이로 내려치고는, 그길로 곧 쓰러진 노인의 곁으로 뛰어 내려갔었다는 얘기를 하자, 검사는 갑자기 그의 말을 제지하더니, 울타리 위에 올라앉았을 때의 모양을 좀 더 자세히 설명해 달라고 했다. 미챠는 어이가 없었다.

“뭐 그저 말을 탔을 때처럼 그렇게 앉아 있었죠. 한쪽 다리는 이쪽으로, 또 한쪽 다리는 저쪽으로.”

“그럼, 공이는?”

“공이는 손에 들고 있었습니다.”

"주머니 속에 들어 있지는 않았나요? 그것을 당신은 정확히 기억하십니까? 그래서 어떻습니까, 당신은 세차게 내리쳤나요?"

"아마 세차게 내리쳤겠죠, 하지만 그런 건 왜 묻습니까?"

"당신이 그때 울타리 위에 올라탔던 것처럼 그 의자에 앉아서, 어느 쪽으로 어떻게 손을 들어 내리쳤는지 한번 실제로 해 보여 줄 수는 없겠습니까?"

"당신네들은 나를 또 놀리는 겁니까?" 하고 미챠는 물으며 경멸 어린 눈으로 검사를 노려보았으나, 상대방은 눈 하나 깜짝 안 했다.

미챠는 몸을 돌리더니 의자를 타고 앉아 한쪽 손을 휘둘렀다. "이렇게 내리쳤습니다! 이렇게 죽였어요! 또 무엇이 필요합니까?"

"감사합니다. 그럼 수고스럽겠지만, 또 한 가지 설명해 줄 수 없을까요……. 대체 무엇 때문에 다시 아래로 뛰어내렸습니까? 즉, 어떤 목적으로, 무엇을 하려고 뛰어내렸느냐 말입니다."

"제기랄…… 그저 쓰러진 사람한테로 뛰어 내려갔던 것뿐이죠……. 무엇 때문이었는지 나도 모르겠습니다!"

"그렇게 흥분해 있으면서도? 도망을 치고 있는 중이었는데도 말입니까?"

"그렇습니다. 흥분해서 도망치고 있는 중이었는데도 다시 뛰어내렸죠."

"그럼 그 노인을 구하려는 생각에서였나요?"

"구한다고요…… 네, 어쩌면 구하려는 생각에서였는지도 모르지만, 분명히 기억하지 못하겠습니다."

"당신은 그때 정신이 없었나요? 다시 말해서, 일종의 무의식 상태에 있었습니까?"

"천만에, 결코 무의식 상태에 빠지지는 않았었습니다. 무엇이 세세한 점에 이르기까지 죄다 기억하고 있습니다. 실은 상처가 어떤가 보려고 뛰어내렸던 겁니다. 그리고 손수건으로 피를 닦아 주기까지 했습니다."

"당신의 손수건은 우리도 보았습니다. 그럼, 당신은 쓰러진 사람을 소생시키고 싶었나요?"

"그랬었는지 어떤지는 모르겠습니다. 나는 다만 그가 살아 있는지 어떤지를 확인하고 싶었을 뿐이죠."

"오호, 확인하고 싶었다고요? 그래서 어떻게 했습니까?"

"나는 의사가 아니니까 죽었는지 살았는지 단정할 수가 없었습니다. 그래서 죽은 줄 알고 도망을 쳤습니다. 그런데 그는 살아났다면서요?"

"좋습니다" 하고 검사는 일단 말을 맺었다. "감사합니다. 내가 묻고 싶었던 건 그것뿐입니다. 그러면 수고스럽겠지만 그다음을 계속해 주실까요."

슬프도다. 미챠는 그때 자기가 측은한 마음에서 다시 뛰어내려, 자기 손에 죽은 것으로 생각한 노인 옆에 서서 '재수 없게 여긴 뭣 하러 왔소? 그러나 할 수 없는 일이지. 그대로 거기 누워 있구려'라고 연민 어린 말까지 던진 것을 기억하면서도, 이 자리에서 그런 얘기를 할 생각은 조금도 떠오르지 않았던 것이다.

그래서 검사는 다만 다음과 같은 결론을 얻은 데 지나지 않았다. 즉, 이 사나이가 그런 순간에 그처럼 흥분해 있으면서도 일부러 다시 뛰어 내려온 것은, 자기의 범행의 유일한 증인이 살아 있는가, 어떤가를 확인하고 싶었던 것이다. 그렇다면, 그런 순간에도 이 사나이의 힘과 결단성과 냉철한 사고력은 대단한 것이었음을 알 수 있다……. 운운. 검사는 '병적인 심리를 가진 범인을 사소한 질문으로 흥분시켜 스스로 입을 열게 했다'는 데 만족을 느끼고 있었다.

미챠는 고통을 느끼면서 진술을 계속했다. 그러나 이번엔 니콜라이 파르페노비치가 재빨리 그의 말을 제지했다.

"그렇지만 그렇게 피투성이가 된 손으로, 그리고 나중에 들으니 얼굴도 피투성이가 되었던 모양인데, 그래 가지고 어떻게 페도시야 마르코브나(페냐)라는 하녀한테 달려갔지요?"

"그때는 내가 피투성이가 되었다는 걸 몰랐으니까요" 하고 미챠는 대답했다.

"하긴 그렇겠지. 그런 일은 흔히 있는 법입니다" 하고 검사는 니콜라이 파르페노비치와 시선을 교환했다.

"정말 몰랐어요. 검사님의 말씀이 옳습니다." 미챠는 얼른 동의했다.

이야기는 다시 계속되어, '자기가 양보하여' '행복한 두 남녀에게 길을 내주자'고 순간적으로 결심한 데까지 이르렀다. 그러나 미챠는 아까처럼 또다시 그들에게 마음을 터놓고 자기의 '마음의 여왕'에 대해 이야기할 수는 없었다. 그는 '빈대 새끼처럼 자기한테 파고드는' 이 냉혹한 인간들 앞에서는 죽어도 그런 얘기를 하고 싶지가 않았다. 그는 끈덕진 질문에 대하여 통명스런 어조로 간단하게 대답했다.

"그래서 나는 자살하기로 결심했죠. 무엇 때문에 살아남아야 한단 말인가, 라는 의문이 저절로 떠올랐습니다. 여자의 옛 애인, 왈가왈부할 여지도 없는 첫사랑의 사내가 나타났으니 말입니다. 여자를 배반했던 사내이기는 하지만, 5년이 지난 지금 정식으로 결혼하여 속죄를 하고 사랑을 바치려고 돌아왔단 말입니다. 나는 이제 모든 것이 수포로 돌아갔음을 깨달았습니다……. 게다가 등 뒤에서는 오욕이, 그리고 그 피가, 그리고리의 피가 덮쳐 오고 있었습니다……. 더 이상 살면 무엇할 것인가? 그래서 나는 저당 잡혔던 권총을 찾으러 갔습니다. 거기다 탄환을 재어 날이 샐 무렵에 내 머리에 대고 쏘아 버릴 작정이었지요."

"그래서 죽기 전날 밤은 굉장한 향연으로 지새우자는 거였나요?"

"네, 전날 밤은 굉장한 향연이죠. 쳇, 그따위 질문은 집어치우시오. 어쨌든 자살하려 한 것만은 틀림없어요. 여기서 멀지 않은 마을 밖에서. 새벽 다섯 시엔 결말을 짓기로 결심하고 호주머니 속엔 유서까지 준비해 두었습니다. 페르호친네 집에서 탄환을 잴 때 적은 것입니다. 여기 그 유서가 있으니 읽어 보십시오. 그러나 나는 당신네들을 위해서 이런 얘길 하고 있는 건 아닙니다!" 그는 상대방을 멸시하는 것 같은 어조로 갑자기 이렇게 덧붙였다. 그러고는 조끼 주머니에서 유서를 꺼내 테이블 위에 내던졌다. 심문관들은 호기심을 가지고 그것을 읽어 보고는 일건一件 서류 속에 첨부했다.

"그럼 페르호친 씨 댁에 가서도 손을 씻을 생각을 하지 않았습니까? 즉, 혐의를 받을까 두려워하지 않았단 말씀인가요?"

"혐의는 무슨 혐의입니까? 혐의를 받건 받지 않건 어차피 매한가지죠. 이리로 달려와서 새벽 다섯 시에 머리통에 대고 한 방 갈겨 버리면 아무도 어떻게 할 수 없을 테니까요. 만약에 아버지가 그렇게 되지만 않았더라면, 당신네들은 아무것도 몰랐을 것이고, 따라서 여기도 오지 않았을 게 아닙니까. 오오, 그건 악마가 한 짓입니다. 아버지를 죽인 건 악마예요. 당신네들이 이렇게 빨리 사건을 알게 된 것도 악마의 덕택입니다! 그렇지만 어떻게 이처럼 빨리 여길 오셨지요? 참으로 놀랍습니다. 정말 꿈만 같군요!"

"페르호친 씨의 말을 들으니, 당신은 그 사람을 찾아갔을 때, 손에…… 피투성이가 된 손에…… 당신의 돈을…… 왜 많은 돈을…… 1백 루블짜리 지폐 뭉치를 쥐고 있었다더군요. 그 집에서 심부름하는 아이도 그걸 보았다던데요?"

"그렇습니다, 여러분. 나도 그렇게 기억합니다."

"그렇다면 또 하나의 의문이 생기는데요. 그 점을 설명해 주실 수 없습니까?" 하고 니콜라이 파르페노비치는 더할 수 없이 부드러운 어조로 입을 열었다. "대체 당신은 어디서 그렇게 많은 돈을 순식간에 구했지요? 여러 가지 사실로 미루어 보나, 시간으로 따져 보나 당신은 집에 들르지 않지 않았습니까?"

검사는 너무나도 노골적인 이 질문에 약간 미간을 찌푸렸으나, 니콜라이 파르페노비치의 말을 가로채려 하지는 않았다.

"그렇습니다. 집엔 들르지 않았습니다." 미차는 지극히 침착한 태도로 대답했으나, 눈은 밑으로 내리깔고 있었다.

"그렇다면 미안하지만, 또 한 번 질문을 되풀이하게 해 주시오." 니콜라이 파르페노비치는 상대방의 비위를 맞추려는 듯한 말투로 질문을 계속했다. "대체 어디서 그렇게 많은 돈을 한꺼번에 구할 수 있었을까요? 당신 자신의 자백에 의하면, 당신은 같은 날 다섯 시까지도……"

"단돈 10루블도 없어서 페르호친한테 권총을 저당 잡혔고, 그다음엔 호흘라코바 부인한테 3천 루블을 꾸러 갔다가 거절당하지 않았느냐니 어쩌니 하는 말을 늘어놓으려는 거죠?" 미차는 날카롭게 상대방의 말을 앞질렀다. "그렇습니다.

여러분, 돈이 없었던 건 사실입니다. 그런데 갑자기 몇천 루블이라는 돈이 생겼지요. 당신네들은 내가 그 돈의 출처를 대지 않을까 봐 은근히 떨고 있는 것 같군요. 맞았어요, 여러분, 절대 말하지 않겠습니다. 입이 찢어지는 한이 있어도 말하지 않겠습니다." 미챠는 단호한 태도로 딱 잘라 말했다. 심문관들은 잠시 말이 없었다.

"그렇지만 카라마조프 씨, 우리로서는 그것을 꼭 알아야 할 필요가 있는데요." 니콜라이 파르페노비치는 부드러운 어조로 조용히 말했다.

"그건 알고 있습니다. 그래도 역시 말하지 않겠습니다."

그러자 이번엔 검사가 또 끼어들어 주의를 주었다—심문을 받는 자는 그렇게 하는 것이 자기에게 유리하다고 생각할 때는 물론 질문에 대답하지 않아도 좋다, 그러나 그러한 경우 용의자는 오히려 커다란 손해를 입게 될 수도 있는 일이다……. 특히 이런 중대한 사건에 있어서는 더욱 그러하다, 운운.

"들어보나 마나 그저 그런 얘기겠죠? 이젠 더 듣고 싶지 않습니다. 그런 설교라면 아까도 들었으니까요!" 하고 미챠는 다시금 말을 가로챘다. "그것이 얼마나 중대한 일인가는 나도 잘 알고 있습니다. 또한 그것이 가장 근본적인 요점이라는 것도 알고 있어요. 그러나 역시 말하지 않겠습니다."

"그런 건 우리에겐 아무렇지도 않은 문젭니다. 이건 우리들의 일이 아니라 당신 자신의 일이니까요. 결국 당신 자신이 불리하게 될 뿐이지요." 니콜라이 파르페노비치는 신경질적인 어조로 말했다.

"이거 보시오. 여러분, 농담은 그만둡시다" 하고 미챠는 눈을 들어 두 사람을 쏘아 보았다. "나는 애초부터 우리가 이 점에서 이마를 맞부딪히게 되리라는 걸 느끼고 있었습니다. 그러나 내가 처음 진술했을 때는 모든 것이 먼 장래의 일처럼 안개에 싸여 어렴풋이 보였을 뿐입니다. 그래서 나는 어디까지나 솔직하게 '우리들 상호 간의 신뢰'라는 것을 내세우기까지 했던 것입니다. 그러나 그런 신뢰 같은 것은 존재할 리가 없다는 것을 깨달았습니다. 왜냐하면 우리는 아무래도 한 번은 이 저주스런 벽에 부딪히지 않을 수 없기 때문입니다. 그리고 지금 이렇게 우리는 그 벽에 부딪혀 버렸습니다! 이젠 어쩔 수 없게 되었어요. 일은 틀린 일입니다. 그러나 나는 당신네들을 탓하지는 않겠습니다. 당신네들 역시 내 말만 듣고 나를 신용할 수는 없을 테니까요. 그 점은 나도 충분히 이해할 수 있어요!"

그는 침울한 표정으로 입을 다물었다.

"그럼 가장 중대한 점에 대해서 침묵을 지키겠다는 당신의 결심만은 그대로 유지하십시오. 그러나 이처럼 위태로운 순간에 처해 있으면서도 당신이 굳이 침묵을 지키지 않을 수 없는 그 강한 동기가 무엇인지, 조금이라도 좋으니 암시해 줄 수 없겠습니까."

미챠는 무언가 생각에 잠기는 듯한 서글픈 미소를 지었다.

"여러분, 나는 당신네들이 생각하는 것보다는 훨씬 선량한 인간입니다. 그러니 그 이유를 말씀드리죠. 암시를 해 드리겠어요. 하긴 당신네들에겐 그럴 가치가 없긴 하지만요. 여러분, 내가 침묵을 지키는 것은, 나한테 오욕汚辱이 될까 두려워하기 때문입니다. 어디서 그 돈을 구했는가, 라는 질문에 대한 답변 속에는 설사 내가 아버지를 죽이고 돈을 강탈했다 해도, 그 살인죄나 강도죄와도 비교할 수 없을 만큼 커다란 오욕이 포함되어 있습니다. 그렇기 때문에 말할 수 없는 겁니다. 오욕 때문에 말할 수가 없는 거죠. 여러분, 이것도 기록하시렵니까?"

"기록해야지요." 니콜라이 파르페노비치는 중얼거리듯 말했다.

"그렇지만 그 말만은, '오욕'이니 뭐니 하는 말만은 적지 않는 것이 옳을 것 같군요. 나는 이걸 자백하지 않아도 되었을 것이지만, 내가 선량한 인간이기 때문에 자백한 것뿐입니다. 말하자면, 당신네들한테 선심을 쓴 데 지나지 않지요. 그런데도 당신네들은 말이 떨어지기가 무섭게 일일이 적어 넣으시는군요. 아니, 좋습니다. 어서 적으십시오. 어서 맘대로 적으세요." 그는 경멸 어린 어조로 퉁명스럽게 말했다. "내가 당신네들을 두려워할 줄 압니까……. 나는 당신네들 앞에 자부심을 갖고 있습니다."

"그럼 그 오욕이 어떤 성질의 것인지 말씀해 주실까요." 니콜라이 파르페노비치는 더듬더듬 입을 열었다.

검사는 몹시 얼굴을 찡그렸다.

"절대로 안 돼요. c'est fini(이것으로 끝입니다). 공연한 수고는 마십시오. 더 이상 기분을 잡칠 가치는 없다고 봅니다. 그러잖아도 나는 당신네들을 상대로 나 자신을 무척 더럽혔으니까요. 당신네들은 그걸 들을 자격이 없습니다. 아니, 당신네들뿐만 아니라 그 누구도……. 여러분, 이젠 그만둡시다. 더 이상 말 않겠습니다."

미챠의 어조는 너무나 단호했다. 니콜라이 파르페노비치는 굳이 더 물으려 하지는 않았으나, 입폴리트 키릴로비치의 시선을 보자 그가 아직도 희망을 잃지 않고 있음을 대번에 알아챘다.

"그럼, 이것만이라도 말씀해 주십시오……. 당신이 페르호친 씨한테 갔을 때, 당신 손에 쥐어 있던 돈이 얼마나 되지요? 정확히 말해서 몇 루블이나 됩니까?"

"그것도 말할 수 없습니다."

"당신은 호흘라코바 부인한테서 3천 루블을 받았다고 페르호친 씨에게 말했다던데?"

"아마 그렇게 말했는지도 모르죠. 그렇지만 여러분, 그만둡시다. 나는 더 이상 말하지 않을 테니까."

"그럼 수고스럽지만 당신이 이리로 어떻게 왔는지, 그리고 여기 와서는 무엇을 했는지, 거기 대해 자세히 얘기해 줄 수는 없을까요?"

"아아, 그건 여기 있는 사람들한테 물어보십시오. 하지만 내가 얘기할 수도 있습니다."

그는 얘기를 계속했다. 그러나 그의 얘기를 여기서 다시 되풀이할 필요는 없을 것 같다. 그는 담담한 어조로 대강 추려서 얘기했다. 자기의 사랑의 기쁨에 대해서는 한마디도 말하지 않았다. 그러나 자살해 버리려던 결심이 '어떤 새로운 사실이 발생했기 때문에' 사라져 버렸다는 것만은 얘기했다. 그는 동기動機의 설명이나, 그 밖의 상세한 설명은 생략하고 줄거리만 얘기했다. 그러나 이번엔 예심 판사도 별로 귀찮게 굴지 않았다. 지금 그들에게 중요한 문제는 이런 데에 있는 게 아니라는 것은 명백했다.

"그것은 후에 모두 확인하기로 합시다. 증인들을 심문할 때 아무래도 다시 다루어야 할 문제들이니까. 물론 증인 신문 때는 당신도 입회해 주셔야겠습니다" 하고 니콜라이 파르페노비치는 심문을 마쳤다. "그건 그렇고, 또 한 가지 수고해 주어야 할 일이 있습니다. 이 테이블 위에 당신의 소지품을, 특히 지금 갖고 있는 돈을 죄다 내놓아 주시오."

"돈요? 좋습니다, 그렇게 할 필요가 있다는 건 나도 압니다. 진작 그런 말을 하시지 않은 것이 도리어 이상할 지경입니다. 하기야 아무 데로도 도망치지 않고 나는 이렇게 당신들 눈앞에 앉아 있었지만요. 자, 여기, 돈이 있습니다. 이것이 내 돈입니다. 어서 세어 보십시오. 아마 이게 전부일 겁니다."

그는 주머니마다 다 들추어 잔돈까지 죄다 털어놓았다. 조끼에 달린 호주머니에서도 20코페이카짜리 은전을 두 닢 꺼냈다. 세어 보니, 다 합해서 836루블 40코페이카였다.

"이게 전부입니까?" 하고 판사는 물었다.

"전부입니다."

"당신은 조금 전의 진술 가운데서, 플로트니코프네 상점에서 3백 루블을 쓰셨다고 하셨지요. 페르호친한테 10루블을 돌려주고, 마부한테 20루블을 주고, 여기 와서 노름으로 2백 루블을 잃고, 그다음에……"

니콜라이 파르페노비치는 일일이 셈을 하기 시작했다. 미챠는 자진해서 그것을 도와주었다. 기억을 더듬어 1코페이카라도 빠지지 않도록 계산에 넣었다. 니콜라이 파르페노비치가 대강 그것을 합산해 보았다.

"그러니까, 여기 있는 8백 루블을 합해서 처음엔 1천 5백 루블가량 갖고 있었군요?"

"그렇게 되는 셈이죠." 미차는 아무렇게나 대답했다.
"그러나 모두들 그보다 훨씬 더 많았다고들 하는데 대체 어찌 된 일일까요?"
"어서 맘대로들 말하라죠."
"그렇지만 당신 자신도 그렇게 말하지 않았습니까?"
"나도 그렇게 말했습니다."
"그럼 아직도 심문을 하지 않은 다른 사람들의 증언을 들어 다시 확인해 보기로 합시다. 여기 남은 돈에 대해선 염려하실 필요 없습니다. 이 돈은 적당한 곳에 잘 보관했다가, 당신에게 확실히 권리가 있다는 것이 판명되면, 즉 그것이 증명되면…… 이 사건이…… 다 해결된 다음에 다시 당신에게 돌려 드리겠습니다. 자, 그럼 이번엔……"
니콜라이 파르페노비치는 벌떡 일어나더니, "당신의 의류와 그 밖의 일체의 소지품에 대해서 정밀하고도 엄중한 검사를 할 필요가 있습니다. 이건 우리의 의무이므로 하는 수 없습니다"라고 단호하게 선언했다.
"어서 검사하십시오. 원하신다면 호주머니를 죄다 뒤집어 보이겠습니다."
그리고 그는 정말 호주머니 안을 까뒤집기 시작했다.
"옷을 벗어 주어야겠는데요."
"뭐요? 옷을 벗으라고? 그런 법이 어디 있소! 이대로 검사하십시오, 그렇게 하면 안 됩니까?"
"드미트리 표도로비치, 절대로 그렇게 할 수는 없습니다. 옷을 벗어 주시오."
"좋을 대로 하시오." 미차는 침울하게 동의했다. "그 대신 저 휘장 뒤에서 해 주십시오. 누가 검사하는 겁니까?"
"물론 휘장 뒤에서 합니다."
니콜라이 파르페노비치는 동의한다는 뜻으로 고개를 끄덕였다. 그의 조그만 얼굴에는 일종의 독특한 위엄 같은 것이 나타나 있었다.

6. 검사의 올가미에 미챠가 사로잡히다

미챠에게는 전혀 뜻밖인 놀라운 일이 시작되었다. 전 같으면, 아니, 1분 전까지만 해도 누구든 자기를, 미챠 카라마조프를 이렇게 대할 수 있으리라고는 꿈에도 생각지 못했었다. 무엇보다도 이것은 굴욕적인 일이었다. 그리고 심문관으로서는 '너무나 사람을 멸시하는 거만한' 짓이었다. 프록코트만 벗는 것이라면 참을 수도 있었겠지만, 그들은 아랫도리까지 벗을 것을 요청하였다. 아니, 요청하는 것이 아니라, 실은 명령하는 것이었다. 미챠는 이것을 충분히 깨달았다. 그는 자존심과 그들에 대한 경멸 때문에 묵묵히 명령에 따랐다. 검사도 니콜라이 파르페노비치와 함께 휘장 뒤로 들어왔다. 몇 명의 농부도 이 자리에 입회했다. '물론 완력이 필요하게 되는 경우에 대비하는 거겠지' 하고 미챠는 생각했다. '그 밖에도 무슨 딴 이유가 있을 거야.'

"그럼 내의도 벗어야 합니까?" 하고 미챠는 날카롭게 물었으나, 니콜라이 파르페노비치는 대답이 없었다. 그는 검사와 함께 프록코트며 바지며 조끼, 모자 등을 수색하기에 여념이 없었다. 두 사람 다 이 수색에 비상한 흥미를 느끼는 모양이었다. '체면이고 뭐고 없는 자들이로군' 하는 생각이 미챠의 머릿속을 스치고 지나갔다. '게다가 최소한도의 예의조차 무시하다니.'

"또 한 번 묻겠습니다. 내의를 벗을까요, 말까요?" 그는 짜증 섞인 어조로 더욱 더 날카롭게 물었다.

"미리 염려하실 건 없습니다. 우리가 일러 드릴 테니까요" 하고 니콜라이 파르페노비치는 관리다운 거드름스런 어조로 말했다. 적어도 미챠의 귀에는 그렇게 들렸다.

그러다가 예심 판사와 검사는 소곤소곤 열심히 무언가를 의논하기 시작했다. 웃옷에, 특히 왼쪽 등 밑에 커다랗게 피 묻은 흔적이 나타났던 것이다. 이미 완전히 말라서 뻣뻣했으나, 그다지 구겨져 있진 않았다. 바지에도 역시 피가 묻어 있었다. 니콜라이 파르페노비치는 입회인들 앞에서 웃옷의 깃이며 소맷부리며 바지 솔기며 모조리 손가락으로 매만져 보았다. 무언가를 찾고 있음이 명백했다—물론 돈이었다. 무엇보다 불쾌한 것은, 미차가 자기 옷에 돈을 꿰매 넣었는지도 모른다. 넉넉히 그러한 짓을 하고도 남을 만한 인간이다, 라는 의심을, 당자인 미챠한테 숨기려고도 하지 않는 사실이었다.

'이건 꼭 도둑놈 취급이로군. 적어도 장교한테 이럴 수가 있나' 하고 미챠는 속으로 투덜거렸다. 심문관들은 놀랄 만큼 노골적인 태도로 미챠에 관한 의견을 서로 교환하고 있었다. 예를 들면, 역시 휘장 뒤에 들어와서 분주하게 일을 거들고 있던 서기는, 방금 조사를 끝낸 미챠의 모자에 니콜라이 파르페노비치의 주의를 돌리게 해 주었다.

"그리젠코라는 서기를 기억하시죠?" 하고 서기는 말했다. "지난여름에 그 친구가 자기 관청 전체의 봉급을 수령하러 갔다가 돌아오더니, 술에 취해 돈을 잃어버렸다고 보고했었지요. 그런데 그 돈이 어디서 나왔는지 아십니까? 바로 이런 모자 테두리에 1백 루블짜리 지폐를 감아서 꿰매 넣었더란 말이에요."

그리젠코 사건은 예심 판사나 검사도 잘 기억하고 있었다. 그래서 미챠의 모자도 따로 떼어 놓았다가 나중에 다시 세밀하게 검사하기로 했다. 의복도 죄다 한 번 검사하기로 했다.

"아니, 이건 뭡니까?" 미챠의 셔츠 오른쪽 소매가 안으로 접혀지고 그 소맷부리에 온통 피가 묻어 있는 것을 보고 니콜라이 파르페노비치는 갑자기 이렇게 소리쳤다. "실례지만 이건 피가 아닙니까?"

"피요." 미챠는 짤막하게 대답했다.

"피라면 무슨 피입니까?…… 그리고 소매는 또 왜 안으로 접혀 있지요?"

미챠는 그리고리를 보살펴 주다가 소맷부리에 피가 묻은 것을, 페르호친네 집에서 손을 씻을 때 소매를 안으로 접어 넣었다는 얘기를 했다.

"이 셔츠도 역시 압수해야겠습니다. 이건 증거 물품으로 매우 중요한 물건이니까요."

미챠는 얼굴을 확 붉히며 분개했다.

“그럼 난 벌거벗고 있으란 말이오?” 하고 그는 소리를 질렀다.

“염려할 건 없습니다……. 우리가 어떻게든 할 테니까요. 아무튼 지금은 그 양말도 좀 벗어 주어야겠습니다.”

“농담을 하고 있는 건 아니겠죠? 그래, 정말로 그렇게 해야만 한단 말입니까?” 미챠의 눈이 이글거렸다.

“어디 우리가 농담할 처지에 있습니까!” 니콜라이 파르페노비치는 상대방을 나무라듯 엄격하게 말했다.

“꼭 그렇게 해야만 한다면 할 수 없습니다……. 나는 다만……” 이렇게 중얼거리고 미챠는 침대에 걸터앉아 양말을 벗기 시작했다. 그는 참을 수 없을 만큼 부끄러웠다. 다른 사람들은 모두들 옷을 입고 있는데 자기만이 벌거숭이가 된 것이다. 그리고 이상하게도, 옷을 벗고 나자, 그는 정말로 자기가 이 사람들한테 죄를 짓기라도 한 것 같은 느낌이 들었다. 그보다 더욱 이상한 것은, 정말로 자기가 그들보다 가장 열등한 인간이 되어 버려서, 이제는 자기를 멸시할 충분한 권리를 그들이 가졌다는 것을 그 자신도 거의 인정하고 있다는 사실이었다.

‘모두 다 옷을 벗었다면야 하나도 부끄러울 게 없겠지만, 나 혼자 벌거숭이가 되어 다른 사람들의 구경거리가 되다니, 이런 창피가 또 어디 있담!’ 이런 생각이 몇 번이나 그의 머릿속에 떠올랐다. ‘꼭 꿈을 꾸는 것 같군. 꿈속에서 나는 곧잘 이런 창피한 꼴을 당하곤 했지.’ 그러나 양말을 벗는다는 것은 그에겐 차라리 커다란 고통이었다. 양말은 형편없이 더러웠고, 내의도 마찬가지였다. 그것을 모든 사람한테 보여야 하는 것이다. 하지만 무엇보다도 그는 자기 발이 마음에 들지 않았다. 그는 늘 자기의 커다란 발가락을 볼 때마다 어쩐지 징그러운 느낌이 들곤 했다. 특히 밑으로 굽은 볼품없이 넓적한 오른쪽 발톱 하나는 정말 보기도 싫었다. 그것을 지금 모든 사람한테 보여야 하다니. 그는 참을 수 없는 수치감 때문에, 갑자기 전보다 더한층 의식적으로 난폭한 태도를 취하게 되었다. 그는 제 손으로 셔츠를 훌렁 벗었다.

“또 어디 뒤져 보고 싶은 덴 없습니까? 당신네가 그만큼 뻔뻔스런 인간들이라면 말이오."

"아니, 아직 그럴 필요까지는 없습니다."

"그래 나는 이렇게 벌거숭이가 돼 있으라는 거요?" 하고 미챠는 거칠게 덧붙였다.

"네, 지금은 그러고 있을 수밖엔 없군요……. 수고스럽지만 잠깐 동안 여기 앉아서 침대의 담요로 몸을 두르고 있으시오. 나는…… 나는 그동안에 이것들을 다 처리할 테니까요."

물건들은 일일이 증인들한테 제시된 후 조서調書가 작성되었다. 이윽고 니콜라이 파르페노비치는 밖으로 나가고 의복도 가져가 버렸다. 입폴리트 키릴로비치도 나가 버렸다. 미챠와 몇 명의 농부들만이 남게 되었다. 농부들은 미챠에게서 눈을 떼지 않고 묵묵히 서 있었다. 미챠는 담요를 몸에 둘렀다. 추워 왔기 때문이다. 양말을 벗은 맨발이 밖으로 비죽 나와 있었으나, 아무리 해도 담요로 그 발을 가릴 수가 없었다. 니콜라이 파르페노비치는 왜 그런지 오랫동안, '그야말로 참을 수 없을 만큼 오랫동안' 돌아오지를 않았다. '이건 사람을 개새끼만도 못하게 아는 모양이군' 하고 미챠는 이를 부드득 갈았다. '그 돼먹지 못한 검사 놈까지 나가 버린 걸 보니 나를 깔보고 있음이 틀림없어. 아마 벌거숭이를 보고 있기가 쑥스러웠던 모양이지.'

그래도 미챠는 검사가 끝나는 대로 의복은 다시 자기한테 돌려주겠거니 생각하고 있었다. 그랬던 만큼 니콜라이 파르페노비치가 농부에게 아주 다른 옷을 들려 가지고 갑자기 되돌아왔을 때, 미챠의 분노는 극도에 달했다.

"자, 옷을 가져왔습니다." 니콜라이는 명랑한 어조로 말했다. 그는 자기 일이 성공한 데 돋시 만족하고 있음이 분명했다. "이건 칼가노프 씨가 이 뜻하지 않은 사건을 위해 제공해 준 것입니다. 깨끗한 셔츠도 당신한테 주시겠다는군요. 마침 이런 것들이 그분의 트렁크 속에 들어 있어서 다행입니다. 내의와 양말은 당신 것을 그냥 쓰셔도 좋습니다."

미챠는 울컥 화가 치밀어 올랐다.

"남의 옷은 싫소!" 그는 무섭게 호통을 쳤다. "내 옷을 가져오시오."

"그건 안 됩니다."

"내 옷을 가져오란 말이오. 칼가노픈지 뭔지, 그런 옷은 필요 없어요!"

사람들이 한참 동안이나 그를 설복하느라고 애쓴 끝에 겨우 그를 진정시켰다. 그의 옷엔 피가 묻어 있으므로 '물적 증거'에 포함시키지 않을 수 없으며, 또한 이 사건이 어떻게 해결될지 알 수 없으므로 이제는 심문관인 자기들도 그에게 자기 옷을 입게 할 '권리조차 보유하지 못한다'고 설명했던 것이다. 미챠도 마침내 이러한 사정을 이해하고 침울한 얼굴로 잠자코 있다가 결국은 옷을 입기 시작했다. 그는 옷을 입으며, 이건 자기의 낡은 옷보다 훨씬 고급이기 때문에 이것으로 '덕을 보기는' 싫다고 말했을 뿐이었다. "이렇게 품이 좁아서야 입을 수가 있나. 그래 이런 어릿광대 같은 꼴을 해 보여야만 한단 말입니까, 당신들을 기쁘게 하기 위해서?"

그들은, 그건 너무 과장된 말이다, 칼가노프 씨의 키가 큰 건 사실이지만 그렇다고 대단한 건 아니니까 바지가 좀 길 뿐이다, 라고 또다시 그를 달래기 시작했다. 그러나 웃옷의 어깨는 분명히 좁았다.

"제기랄, 단추도 못 채우겠군" 하고 미챠는 투덜거렸다. "그보다도 여러분, 지금 곧 칼가노프 씨한테 전해 주시오—내가 그 사람의 옷을 빌려 달라고 간청한 게 아니라, 당신네들이 억지로 이 옷을 입혀 나를 어릿광대로 만들었다고."

"그분도 그걸 잘 알고 매우 유감으로 생각하고 계십니다. 자기 옷에 대해서 유감스럽게 생각한다는 것이 아니라, 이번 사건 전체를 유감스럽게 생각한단 말입니다" 하고 니콜라이 파르페노비치는 입 속으로 중얼거렸다.

"그런 친구의 동정 같은 건 받고 싶지도 않아요! 자, 이젠 어디로 가는 겁니까? 여기 그냥 앉아 있으랍니까?"

그들은 그에게 다시 '저쪽 방'으로 가자고 했다. 그는 얼굴을 잔뜩 찌푸리고 아무도 보지 않으려고 애쓰면서 따라나섰다. 그는 남의 옷을 입고 있어서, 농부들에게나 트리폰 보이스이치에게 일종의 굴욕감을 느꼈다. 트리폰은 무엇 때문인지 문밖에서 갑자기 얼굴을 들이밀었다가 황급히 사라져 버렸다. '저놈은 내가 우스꽝스런 꼴을 하고 있는 걸 구경하러 왔었군' 하고 미챠는 생각했다. 그는 아까처럼 의자에 앉았다. 무언가 악몽과도 같은 부질없는 환영이 자꾸만 머릿속에 떠올라서, 그는 제정신이 아닌 것 같은 느낌이 들었다.

"자, 이젠 어떡하겠다는 겁니까? 매질이라도 하렵니까? 이젠 그것밖엔 할 일이 없지 않겠어요?" 그는 검사를 향해 내뱉듯이 말했다. 니콜라이 파르페노비치와는 더 이상 말하기도 싫다는 듯이, 이쪽으론 얼굴을 돌리려고도 하지 않았다.

'저놈은 남의 양말을 찬찬히 들여다보는 것만으론 부족해서 그걸 뒤집어 보이라고까지 했거든. 내가 얼마나 더러운 걸 몸에 걸치고 있는가를 일부러 사람들에게 보여 주려는 생각이었음이 틀림없어!'

"그럼, 이제부터 증인 신문을 시작해야겠습니다." 니콜라이 파르페노비치는 미챠의 물음에 대답하는 것처럼 이렇게 말했다.

"그렇군요" 하고 검사는 무언가 열심히 궁리하고 있는 듯한 어조로 대꾸했다.

"드미트리 표도로비치, 우리는 당신의 이익을 위해 할 수 있는 일을 다했습니다." 니콜라이 파르페노비치는 말을 계속했다. "그러나 당신은 그 돈의 출처를 밝힐 것을 그처럼 완강히 거부했으므로 우리로서는……"

"그보다도 당신 반지의 그 보석은 무엇입니까?" 미챠는 마치 꿈에서 깨어나기라도 한 듯이, 니콜라이의 오른손에 끼여 있는 큼직한 세 개의 반지 중 하나를 가리키며 물었다.

"반지라뇨?" 니콜라이 파르페노비치는 몹시 놀란 듯이 되물었다.

"네, 그 반지 말입니다…… 가운데 손가락에 낀, 가느다란 줄들이 가 있는 그 보석은 무슨 보석이죠?" 미챠는 마치 고집 센 어린애처럼 끈덕지게 물었다.

"이건 연황옥煙黃玉입니다." 니콜라이 파르페노비치는 히죽 웃었다. "구경하고 싶다면 빼서 보여 드리죠."

"아니, 빼지 마십시오!" 미챠는 갑자기 제정신으로 돌아와서 자기 자신에게 분노를 느끼며 고함쳤다. "빼지 마세요. 그럴 것까진 없습니다……. 제기랄……. 여러분, 당신네들은 내 기분을 아주 망쳐 놓고 말았어요! 설사 내가 정말로 아버지를 죽였다 하더라도, 그걸 당신들한테 숨기거나, 속이거나, 또 어디로 피신할 그런 인간인 줄 아시오? 천만에, 드미트리 카라마조프는 그런 인간이 아닙니다. 그런 짓을 태연하게 할 수 있는 인간이 아니란 말입니다. 만약에 내가 죄를 지었다면 구태여 당신네들이 여기 올 때까지 기다리지도 않았을 것이고, 당초에 예정했던 새벽녘까지 기다리지 않고, 그전에 벌써 자살해 버렸을 겁니다! 틀림없이 그랬으리라는 걸 이제는 나 자신도 확실히 알게 되었습니다. 나는 과거 20년 동안에 터득한 것보다 훨씬 많은 것을 이 저주 받을 하룻밤 새에 깨달았습니다!…… 내가 정말로 아버지를 죽인 범인이라면, 오늘 밤 이 순간에 당신네들과 마주 앉아 어떻게 이런 태도로 이런 말을 할 수 있겠습니까? 어떻게 당신네들과 세상을 이런 태도로 대할 수 있겠느냐 말입니다……. 나는 잘못해서 그리고리를 죽였다는 생각만으로도 밤새도록 참을 수 없을 만큼 불안을 느꼈으니까요. 그러나 그것은 공포감 때문만은 아닙니다. 당신네들의 형벌에 대한 공포감 때문만은 절대 아닙니다! 다만 나의 그러한 행위가 내게는 더없는 치욕이기 때문입니다! 그런데도 당신네들은 내가 저지른 또 하나의 비열하고도 치욕적인 행위를 털어놓고 말해 달라고 요구하고 있습니다. 그러나 내가 그걸 말해서 혐의가 풀린다 하더라도, 나는 당신네들처럼 아무것도 보지 못하고 아무것도 믿으려 들지 않는, 눈먼 두더지 같은 냉혹하고 불성실한 인간들에겐 절대로 말하지 않겠습니다. 차라리 유형流刑을 보내 주십시오! 아버지 방의 문을 열고, 그 문으로 해서 안으로 들어간 자, 바로 그자가 아버지를 죽이고 돈을 훔쳐 갔습니다. 그자가 누구냐 하는 건, 아무리 생각해도 나는 짐작이 가지 않습니다. 그러나 그것이 드미트리 카라마조프가 아니라는 것만은 확실합니다. 이 점을 알아주십시오. 내가 당신네들한테 말할 수 있는 건 이것뿐입니다. 그러니 이젠 더 이상 귀찮게 굴지 말아 주십시오……. 유형을 보내든 형벌을 가하든 맘대로 하십시오. 다만 더 이상 내 마음을 자극시키지 말아 주십시오. 나는 이젠 입을 봉해 버리겠습니다. 어서 증인들을 부르면 될 게 아닙니까!"

이젠 절대로 말을 하지 않기로 단단히 결심이라도 한 듯이 미챠는 느닷없이 이런 소리를 지껄여 댔다. 검사는 줄곧 그를 지켜보고 있었으나, 그가 입을 다물자마자, 지극히 냉정하고도 잔인한 태도로, 마치 가장 평범한 것을 말하듯이 이렇게 입을 열었다.

"당신은 방금 '문을 열고 들어간 자'라는 말을 했는데, 말이 나온 김에 한 가지 당신한테 알려 드릴 것이 있습니다. 이것은 당신에게나 우리들에게나 지극히 중대한 의미를 갖는 아주 흥미 있는 일입니다. 다름 아니라 당신한테 상처를 입은 그리고리 바실리예비치 노인의 증언인데, 그때 층계에 나온 노인은 정원 쪽에서 이상한 소리가 나는 것을 듣고, 열려 있는 사립문으로 해서 정원으로 들어갈 결심을 했다더군요. 그래서 정원으로 들어가려니까 이것은 조금 전에 당신이 말한 대로, 당신이 부친의 모습을 보았다는 그 열려진 창문에서 물러나 어둠 속으로 도망치고 있는 당신을 발견하기 직전의 일입니다만, 그 순간 그리고리 노인은 왼쪽을 바라보았더니 정말로 그 창문이 열려 있었더랍니다. 그런데 그와 동시에 그 창문보다 훨씬 가까운 쪽에 있는 출입문도 그때 활짝 열려 있는 것을 보았다는 거예요. 당신이 정원에 들어가 있는 동안 처음부터 끝까지 굳게 닫혀 있었다고 진술한, 바로 그 출입문이 말입니다. 노인은 의식을 회복했을 때 우리의 질문에 노인이 확고하게 증언한 바에 의하면, 당신은 틀림없이 그 출입문으로 해서 도망쳤을 것이라는 겁니다. 물론 당신이 그 출입문으로 나오는 걸 노인이 직접 본 것은 아닙니다. 당신을 처음 발견한 것은, 당신이 울타리 쪽을 향해 멀리 정원 속을 달려가고 있을 때였으니까요."

미챠는 말이 채 끝나기도 전에 의자에서 벌떡 일어났다.

"허튼소립니다!" 갑자기 그는 고함을 쳤다. "그따위 거짓말이 어디 있어요! 문이 열려 있는 걸 그 노인이 보았을 리가 없습니다. 그때 그 문은 분명히 닫혀 있었어……. 느인의 말은 거짓말입니다."

"직책상 다시 한번 말하겠습니다만, 노인의 진술은 확고한 것이었습니다. 모호한 곳이라곤 전혀 없었습니다. 어디까지나 자기 진술을 주장하고 있어요. 우리는 몇 번이나 되풀이해서 물어보았습니다."

"그렇고말고요. 우리는 몇 번이나 되풀이해서 확인했단 말입니다!" 하고 이번엔 니콜라이 파르페노비치가 열띤 어조로 맞장구를 쳤다.

"아닙니다, 그건 새빨간 거짓말입니다! 나에 대한 중상이든가, 그렇잖으면 미친 사람의 착각일 겁니다" 하고 미챠는 계속해서 소리쳤다. "상처를 입고 피를 많이 흘려서 헛소리를 한 것뿐이에요. 정신이 들었을 때 그렇게 생각되었을 뿐일 겁니다……. 그렇습니다, 그 노인은 헛소리를 하고 있는 거예요."

"그럴 테지요. 그러나 그 문이 열린 것을 본 건 노인이 상처를 입은 다음 제정신으로 돌아왔을 때가 아니라, 바깥채에서 정원으로 들어서는 순간이었습니다."

"어쨌든 그건 거짓말이에요, 거짓말! 절대로 그럴 리가 없어요! 그 노인은 나한테 원한을 품고 나를 중상하는 겁니다……. 그가 그걸 보았을 리가 없습니다……. 나는 그 문으로 해서 도망쳐 나오지는 않았단 말입니다." 미챠는 숨 가쁜 소리로 말했다.

검사는 니콜라이 파르페노비치를 돌아보고 의미 있게 말했다.

"그걸 내놓으시지요."

"이 물건을 알아보시겠습니까?" 하며, 니콜라이 파르페노비치는 커다랗고 두툼한 사무용 봉투를 꺼내서 테이블 위에 올려놓았다. 봉투에는 아직 봉인이 세 군데 그대로 남아 있는 것이 보였다. 봉투는 속이 비어 있고 한쪽 귀퉁이가 찢어져 있었다. 미챠는 눈이 휘둥그레졌다.

"그건…… 그러니까 그건 아버지 봉투로군요" 하고 그는 중얼거렸다. "3천 루블이 들어 있다던 그 봉투일 겁니다……. 거기 받을 사람의 이름이 적혀 있다면 말이에요……. 이리 좀 보여 주십시오. '내 귀여운 병아리에게'…… 역시 그렇군요—3천 루블입니다!" 하고 그는 소리쳤다. "3천 루블이란 말이에요, 아시겠어요?"

"물론 알고 있습니다. 그러나 돈은 이미 들어 있지 않았습니다. 봉투는 속이 빈 채 병풍 뒤에 있는 침대 옆 방바닥에 떨어져 있었습니다."

몇 초 동안 미챠는 어리둥절한 얼굴로 멍하니 서 있었다.

"여러분, 범인은 스메르쟈코프입니다!" 갑자기 그는 목청이 터질 것같이 고함을 쳤다. "우리 아버지를 죽이고 돈을 훔쳐간 건 그놈입니다! 아버지가 봉투를 어디다 숨겨 두었는지 아는 건 그놈뿐입니다……. 바로 그놈이에요, 이젠 확실합니다!"

"그렇지만 당신도 그런 봉투가 베개 밑에 있었다는 걸 알지 않았습니까?"

"나는 전혀 몰랐습니다. 여태까지 그 봉투를 본 일은, 한 번도 없었으니까요. 그걸 보기는 지금이 처음입니다. 나는 스메르쟈코프한테서 그 말을 들었을 뿐입니다……. 아버지가 그걸 어디다 두었는지 아는 건 그놈뿐입니다. 나는 전혀 몰랐습니다." 미챠는 사뭇 숨을 헐떡거렸다.

"하지만 봉투는, 그 봉투는 돌아가신 부친의 베개 밑에 들어 있었다고 아까 당신 입으로 우리한테 말하지 않았습니까. 당신이 베개 밑이라고 분명하게 진술한 이상, 그것이 어디 있었는가를 알고 있었다고 볼 수밖엔 없지 않으냐 말입니다."

"여기 조서에도 그렇게 적혀 있습니다" 하고 니콜라이 파르페노비치가 맞장구를 쳤다.

"허튼소립니다, 엉터리 같은 소리예요! 나는 그게 베개 밑에 들어 있었다는 건 전혀 몰랐습니다. 그리고 어쩌면 베개 밑이 아니었는지도 모르지 않습니까……. 나는 그저 아무렇게나 베개 밑이라고 지껄였던 것뿐입니다……. 스메르쟈코프는 뭐라고 합디까? 그놈한테도 봉투가 어디 있었는가 물어보았겠죠? 그래, 스메르쟈코프는 뭐라고 했지요? 그것이 무엇보다 중요한 점입니다……. 나는 일부러 거짓말을 했던 겁니다……. 나는 잘 생각해 보지도 않고 베개 밑이라고 되는대로 말했던 겁니다. 그런 걸 가지고 당신네들은 지금…… 사실 말이지, 어쩌다 혀가 잘못 움직여 허튼소리를 하게 되는 수가 얼마든지 있지 않습니까. 그걸 알고 있었던 건 스메르쟈코프밖엔 없습니다! 그놈은 나한테도 어디 있는지 말해 주지를 않았으니까요! 아무튼 그놈입니다, 그놈이에요. 그놈이 죽인 게 틀림없습니다. 이젠 햇빛보다도 더 명백해졌습니다." 미챠는 더욱 흥분하여 화를 내면서 두서없는 소리를 미친 듯이 되풀이해서 외치는 것이었다. "내 말을 알아들으셨겠죠? 그럼 한시바삐 그를 체포하십시오……. 내가 도망친 후, 그리고리가 정신을 잃고 쓰러져 있는 사이에 그놈이 죽인 게 틀림없습니다. 이제 모든 것이 명백해졌어요……. 그놈이 암호를 써서 아버지 방의 문을 열게 했을 겁니다……. 그 암호를 알고 있는 건 그놈밖엔 없으니까요. 암호를 하지 않으면 아버지는 누가 와도 절대로 문을 열어 주지 않았을 겁니다."

"하지만 당신은 그때의 상황을 또 잊고 있습니다." 여전히 조심스럽기는 하면서도, 어딘지 벌써 승리를 얻은 것 같은 말투로 검사는 이렇게 지적했다. "만약에 당신이 거기 있을 때, 즉 정원에 있을 때 이미 그 출입문이 열려 있었다면 구태여 암호를 할 필요도 없었을 게 아닙니까."

"출입문이라, 출입문……" 하고 중얼거리더니 미챠는 말없이 검사의 얼굴을 응시했다. 그는 또다시 의자에 털썩 주저앉았다. 아무도 입을 열지 않았다.

"그렇다, 출입문…… 그건 귀신이다! 아아, 하느님도 나를 버리셨구나!" 그는 이미 아무 생각도 없이 멍하니 앞을 바라보며 부르짖었다.

"바로 그겁니다, 드미트리 표도로비치" 하고 검사는 거드름 피며 말했다. "한번 잘 생각해 보십시오. 한쪽에서는, 출입문이 분명히 열려 있었고 그 문으로 당신이 도망쳐 나갔다는 증언이—당신이나 우리들을 꼼짝 못하게 하는 증언이 있습니다. 그리고, 또 한쪽으로는, 갑자기 당신한테 생긴 돈의 출처에 대해서 당신은 이상할 만큼 완고하게 거의 광적인 태도로 침묵을 지키고 있습니다. 그런데 당신 자신의 진술에 의하면, 그 돈이 생기기 불과 3시간 전에 당신은 단돈 10루블을 마련하기 위해 권총을 저당 잡히지 않았습니까. 이러한 사정을 염두에 두고 당신 자신이 한번 판단해 보십시오—대체 우리는 무엇을 믿어야 하겠습니까? 무엇을 기초로 삼아야 하겠습니까? 당신의 마음의 고결한 외침을 믿지 못하는 '냉혹하고 불성실한 인간들'이라고 우리를 비난하지는 마십시오……. 오히려 우리들의 처지를 생각해 주기 바랍니다."

미챠는 형언할 수 없는 흥분에 싸여 있었다. 그는 얼굴이 창백해졌다.

"좋습니다!" 그는 갑자기 외쳤다. "그럼 내 비밀을 말하죠. 어디서 돈을 구했는지 고백하겠습니다!…… 후에 당신네들이나 나 자신을 탓하게 되지 않도록 나의 치욕을 털어놓겠습니다."

"사실 말이지, 드미트리 표도로비치." 니콜라이 파르페노비치는 자못 감격한 듯이 기쁜 어조로 얼른 말을 받았다. "특히 지금과 같은 순간에 성실하고도 완전한 고백을 한다면, 후에 당신의 운명의 짐을 가볍게 하는 데 얼마나 도움이 될지 모릅니다. 뿐만 아니라……"

그러나 이대 검사가 테이블 밑으로 그를 가볍게 찔렀다. 그래서 그는 적당한 데서 말을 끊을 수 있었다. 하기는, 미챠도 그의 말 같은 건 듣고 있지도 않았다.

7. 미챠가 간직했던 커다란 비밀(조소를 받다)

"여러분." 그는 여전히 흥분에 싸인 채 입을 열었다. "그 돈은…… 나는 남김없이 죄다 고백하겠습니다만…… 그 돈은 '내 것'이었습니다." 검사와 판사는 하도 어이가 없어 금세 얼굴이 길게 늘어졌다. 그들이 예기했던 것과는 비슷하지도 않은 얘기였기 때문이다.

"당신의 돈이라니, 그건 무슨 뜻이죠?" 하고 니콜라이 파르페노비치는 중얼거리듯 말했다. "당신 자신의 진술에 의하면, 그날 다섯 시에……"

"나 자신의 진술이니, 그날 다섯 시니 하는 말은 꺼내지도 마십시오. 그런 건 지금 문제도 되지 않습니다! 그 돈은 내 것이었어요, 내 돈이란 말입니다……. 아니, 내가 훔친 돈입니다……. 내 돈이 아니에요. 내 돈이 아니라 내가 훔친 돈이라는 말입니다. 1천 5백 루블이었습니다. 그 돈을 나는 언제나 몸에 지니고 다녔었지요."

"그럼, 어디서 당신은 그 돈을 가져왔습니까?"

"목에서요, 여러분, 목에서 벗겼습니다. 여기 내 목에서……. 그 돈은 이 목에 걸려 있었으니까요. 헝겊에 꿰매서 목에다 걸고 다녔었지요. 꽤 오래전부터, 벌써 한 달 전부터, 수치와 오욕을 되씹으며 그 돈을 목에 걸고 다녔단 말입니다!"

"그렇다면 누구한테서 당신은 그 돈을 착복했지요?"

"당신은 '훔쳤느냐?'고 말하고 싶었겠죠? 그러지 말고 좀 더 솔직하게 말하십시오. 사실 그 돈은 훔친 거나 다름없는 돈이라고 나는 생각합니다. 그렇지만 원하신다면 '착복했다'고 해도 무방합니다. 아무튼 내 생각으론 '훔쳤다'고 하는 편이 좋을 것 같습니다. 그런데 나는 엊저녁에 그 돈을 완전히 훔쳐 버렸습니다."

"엊저녁에요? 당신은 방금 한 달 전이라고 하지 않았습니까!"

"그렇지만, 아버지 돈은 절대 아닙니다. 염려 마십시오. 나는 아버지 돈을 훔친 게 아니라, 그 여자 돈을 훔친 겁니다. 제발 도중에 가로채지 말고 내 얘기를 끝까지 들어주십시오. 나한테는 몹시 괴로운 일이니까요. 실은 한 달 전에 내 약혼녀였던 카체리나 이바노브나 베르홉체바가 나를 부른 일이 있습니다. 여러분도 그 여자를 아십니까?"

"알고말고요, 모를 리가 있습니까."

"그럴 줄 알았습니다. 그 여자로 말하면 더없이 고결한 여성입니다. 고결한 여성 중에서도 가장 고결한 여성입니다만, 벌써 오래전부터, 아주 오래전부터 나를 미워하고 있습니다……. 허기는 내가 미움을 받는 게 당연하지요!"

"카체리나 이바노브나가요?" 하고 판사는 놀라서 반문했다. 검사도 몹시 놀란 듯이 눈을 크게 떴다.

"오, 그 여자의 이름을 함부로 입에 올리지 마십시오! 내가 이런 일에 그 여자의 이름을 끌어낸 것은 비열하기 짝이 없는 짓입니다. 그러나 나는 그 여자가 나를 미워하고 있다는 걸 알았습니다. 벌써 오래전부터…… 시초부터, 그러니까 처음으로 내 하숙을 찾아온 그날 저녁부터지요……. 아니, 이런 얘긴 그만둡시다. 당신네들은 그런 걸 들을 만한 가치조차 없는 사람들이니까요. 그걸 알 필요도 전혀 없고요……. 다만 다음 사실만은 말씀드려야 하겠습니다. 약 한 달 전에 그 여자는 나를 불러 3천 루블을 내주며, 그것을 모스크바에 있는 자기 언니와 또 한 사람의 친척에게 보내 달라고 하더군요. (마치 자기는 그걸 보낼 수 없다는 듯이 말입니다!) 그런데 나는…… 그때가 바로 내 일생의 운명이 결정되는 시기였습니다만, 그때 나는…… 아니, 한마디로 말해서, 나는 다른 여자를, 즉 지금의 여자를, 아래층에 있는 그루셴카를 사랑하기 시작했던 겁니다……. 그래서 나는 그루셴카를 데리고 이 모크로예로 와서, 이틀 동안에 그 저주 받을 3천 루블의 절반을, 즉 1천 5백 루블을 뿌려 버렸지만, 나머지 반액만은 그대로 남겨 두었습니다. 나는 그 나머지 1천 5백 루블을 성상聖像처럼 언제나 목에 걸고 다니다가 어제야 비로소 그것을 끌러서 써 버렸습니다. 니콜라이 파르페노비치, 지금 당신 손에 있는 8백 루블은 그 1천 5백 루블의 나머지 돈입니다."

"실례지만, 그건 어찌 된 일일까요, 당신이 그때, 그러니까 한 달 전에 여기 와서 쓴 돈은 1천 5백 루블이 아니라 3천 루블이 아닙니까? 그건 누구나가 다 알고 있는 사실입니다."

"누가 그걸 안단 말입니까? 누가 그걸 계산해 봤지요? 누구한테 내가 계산을 시키기라도 했단 말인가요?"

"아니, 당신 자신이 그때 꼭 3천 루블을 썼다고 모든 사람한테 말하지 않았습니까."

"그랬습니다. 온 읍내를 돌아다니며 그렇게 말했죠. 읍내의 모든 사람도 그렇게 말했고 또 그렇게 생각하고 있었습니다. 여기 모크로예에서도 모두들 3천 루블이라고 생각하고 있었습니다. 그러나 내가 실제로 쓴 돈은 3천 루블이 아니라 1천 5백 루블입니다. 그리고 나머지 1천 5백 루블은 헝겊에 싸서 꿰매 두었었지요. 이상입니다. 여러분, 이젠 어제 내가 쓴 돈의 출처를 아셨겠죠?"

"그건 거의 기적 같은 얘기군요" 하고 니콜라이 파르페노비치는 중얼거렸다.
"그렇다면 한 가지 묻겠는데요" 하고 한참 만에 검사가 입을 열었다. "당신은 전에…… 그러니까 그때, 한 달 전에 그런 말을…… 즉, 1천 5백 루블이 남아 있다는 말을 누구한테든 한 일이 있습니까?"
"아무에게도 말하지 않았습니다."
"그것 참 이상한데요. 그래 정말로 아무한테도 말하지 않았습니까?"
"정말입니다. 아무한테도 말하지 않았다니까요."
"하지만 왜 그렇게 침묵을 지키고 있었죠? 그런 일을 그렇게까지 비밀로 한 이유가 무엇입니까? 좀 더 정확히 설명한다면, 당신은 결국 우리한테 당신의 비밀을 털어놓지 않았습니까. 그 비밀은, 당신의 표현을 빈다면, 지극히 '수치스런' 일이라지만, 실질적으로는—물론 이건 상대적인 얘기지요—이런 행위란, 즉 남의 돈 3천 루블을 착복했다, 그것도 일시적으로 착복했다는 행위는, 적어도 내가 보기엔 그저 무분별한 행위일 뿐, 당신의 성격을 고려한다면, 그렇게까지 수치스런 행위라고는 말할 수 없습니다……. 물론 비난을 받을 행위라는 덴 나도 동의하지만, 비난받을 행위라 해서 반드시 수치스런 행위라고는 할 수 없으니까요……. 내가 특히 말하고자 하는 것은 다름 아니라, 당신이 써 버린 그 3천 루블이라는 돈이 베르홉체바 양한테서 나왔다는 것은 지난 한 달 동안 많은 사람들이 짐작하고 있었던 일이어서, 당신의 고백을 듣기 전에 나 자신도 벌써 그런 말을 들은 적이 있다는 점입니다……. 예를 들면, 미하일 마카르이치도 역시 그런 말을 들었다고 합니다. 그래서 나중에는 온 읍내에 그런 소문이 쫙 퍼지고 말았었지요. 뿐만 아니라, 내가 무슨 오해를 하고 있는 게 아니라면, 당신 자신도 그 돈이 베르홉체바 양한테서 나왔다는 걸 어떤 사람한테 실토한 증거가 있습니다……. 따라서 당신이 여태까지 즉, 지금 이 순간까지, 따로 남겨두었었다는 그 1천 5백 루블을 무슨 대단한 비밀이라도 되는 듯이 말씀하실뿐더러, 그 비밀에 일종의 공포감까지 결부시키고 있는 데는 참으로 놀라지 않을 수 없습니다……. 그만한 비밀을 고백하는 데 그렇게까지 고통을 느낀다는 건 아무래도 믿을 수가 없군요……. 당신은 방금, 그런 걸 고백하느니 차라리 시베리아 유형이 낫겠다고까지 외쳤지요?"

검사는 여기서 입을 다물었다. 그는 몹시 흥분해 있었다. 그는 거의 증오에 가까운 자기의 분노를 감추려고도 않고, 말을 꾸미려는 생각도 없이, 가슴속에 있는 것을 아무렇게나 죄다 털어놓고 말았다.

"수치는 1천 5백 루블에 있는 것이 아니라, 그 1천 5백 루블을 3천 루블에서 따로 떼어 두었다는 데 있는 것입니다" 하고 미챠는 확고한 어조로 말했다.

"그렇지만 그게 무슨 상관입니까!" 검사는 신경질적으로 웃었다. "당신이 이미 비난을 받을 만한 방법으로 원하신다면 수치스런 방법이라고 해도 좋습니다만, 아무튼 그런 방법으로 착복한 3천 루블에서 당신 자신이 반액을 따로 떼어 두었다 하더라도, 어째서 그것이 수치스런 일이라는 겁니까? 가장 중요한 점은 당신이 3천 루블을 착복했다는 사실이지, 그것을 어떻게 처분했는가 하는 것은 아닙니다. 말이 나왔으니 말입니다만, 당신은 어째서 그 돈을 그렇게 처분했습니까? 즉, 어째서 반액을 따로 떼어 두었느냐 말입니다. 무엇 때문에, 무슨 목적으로 그렇게 했는지, 그 점을 좀 설명해 줄 수 없을까요?"

"아아, 여러분, 바로 그 목적 속에 모든 의미가 다 포함되어 있습니다" 하고 미챠는 외쳤다. "그 돈을 따로 떼어 둔 건 비열한 동기에서였습니다. 즉, 나 자신의 타산 때문이었지요. 이런 경우 타산은 곧 비열을 의미하니까요……. 게다가 이 비열한 행위는 한 달 동안이나 계속되었단 말입니다!"

"무슨 말인지 모르겠는데요."

"설마 그럴 리가! 하지만 다시 한번 설명해 드리죠. 혹시 정말로 못 알아들으셨는지도 모르니까. 자, 잘 들어 주십시오. 만약에 내가, 나의 결백함을 믿고 나한테 맡긴 3천 루블을 착복하여 그 돈을 죄다 써 버리고 말았다고 합시다. 그리고 이튿날 아침 그 여자를 찾아가서 '카챠, 미안하게 됐소, 난 당신이 맡긴 3천 루블을 죄다 써 버리고 말았어'라고 말했다고 합시다. 어떻습니까, 이렇게 했다면 잘한 일일까요? 물론 좋지 않은 일입니다. 수치스럽고 비열한 행위지요. 그야말로 짐승입니다. 짐승만큼이나 자기를 억제할 줄 모르는 인간입니다. 그렇지 않습니까? 그렇지만, 도둑놈은 아니지 않습니까? 진짜 도둑놈이라곤 할 수 없지 않으냐 말입니다! 그렇잖아요? 남의 돈을 써 버리긴 했지만 훔치진 않았으니까요! 그런데 여기 제이의第二義 방법, 더욱 유리한 방법이 있습니다. 잘 들어 주십시오. 그렇지 않으면 내가 또 횡설수설하게 될지도 모르니까—왜 그런지 머리가 어찔어찔하는 것 같군요. 그건 그렇고, 제이의 방법이란 이런 것입니다. 즉, 그 3천 루블 중에서 1천 5백 루블, 다시 말해서 반액만을 쓴단 말입니다. 그리고 이튿날 그 여자를 찾아가서 나머지 돈을 내놓으며 '카챠, 이 비열하고 더러운 망나니 놈한테서 이 절반만이라도 받아 줘요. 나머지 절반은 내가 벌써 써 버렸어. 이러다간 이 돈마저 써 버릴 것 같으니, 더 이상 죄를 짓지 않게 이 돈을 당신이 도로 받아 줘야겠소!'라고 말합니다. 어떻습니까? 이 방법은? 짐승이라 불러도 좋고 망나니라 불러도 좋습니다. 그러나 도둑놈은 아닙니다. 진짜 도둑놈은 못 됩니다. 정말로 도둑놈이라면 쓰다 남은 돈을 돌려주지 않고 자기가 후무려 버릴 테니까요. 그런데 내가 절반을 곧 돌려준다면, 나머지 절반도, 즉 내가 써 버린 절반도 반드시 돌려줄 것으로 그 여자는 믿을 것이 아닙니까. 그 돈을 마련하느라고 한평생 열심히 일하여, 언젠가는 반드시 돌려줄 테지, 하고 생각할 거란 말입니다. 그러니까 나는 비열한 놈이긴 하지만 결코 도둑놈은 아닙니다. 나를 뭐라고 부른대도 상관없지만, 어쨌든 도둑놈은 아닙니다. 도둑놈은 아니란 말입니다!"

"하기는 약간의 차이야 있겠죠" 하며 검사는 냉랭하게 미소 지었다. "그렇지만, 당신이 거기에 그처럼 근본적인 차이를 인정하고 있다면, 그건 아무래도 이상한데요."

"아니, 나는 거기에 근본적인 차이를 인정합니다! 누구나가 다 비열한 인간이 될 수는 있습니다. 아니, 어쩌면 비열하지 않은 인간이란 없을지도 모릅니다. 그러나 누구나가 다 도둑놈이 될 수는 없습니다. 유별나게 비열한 인간만이 될 수 있는 겁니다. 이 미묘한 차이를 어떻게 설명하면 좋을지 모르겠군요. 아무튼 도둑놈은 보통 비열한 인간보다 몇 배나 더 비열합니다. 이것이 나의 신념이지요. 자, 들어 주십시오. 나는 그 돈을 한 달 동안이나 몸에 지니고 다녔습니다. 결심만 한다면 내일이라도 곧 그 돈을 돌려줄 수 있습니다. 그렇게만 하면 나는 이미 비열한 놈이 아닙니다. 그러나 나는 끝내 그것을 단행할 수가 없었습니다. 마음속으로는 날마다 '단행해라, 어서 단행해라, 비열한 놈아' 하며 나 자신을 재촉하면서도 벌써 한 달 동안이나 미루어 왔단 말입니다. 어떻습니까, 이건 잘한 일일까요? 당신네들이 보기엔 잘한 일인 것 같습니까?"

"뭐 그다지 잘한 일은 못 된다 하더라도, 그 심정만은 충분히 이해할 수 있을 것 같군요. 그 점에 대해서는 나도 이의異議를 제기하지 않겠습니다" 하고 검사는 신중하게 대답했다. "그렇지만 그런 미묘한 차이점에 대한 논의는 뒤로 미루기로 하고, 이젠 본래의 문제로 다시 돌아가는 게 어떻겠습니까? 본래의 문제라는 건 다름 아니라, 왜 당신은 처음에 그 3천 루블을 둘로 나누었는가, 다시 말해서, 왜 반만 쓰고 반은 따로 떼어 두었는가, 하는 점입니다. 아까 당신한테 물었지만 아직 설명을 듣지 못해서 다시 묻는 겁니다. 대체 무엇 때문에 따로 떼어 두었지요? 그 1천 5백 루블을 어디다 쓸 생각이었습니까? 드미트리 표도로비치, 나로서는 여기 대한 답변을 꼭 듣고 싶습니다."

"아 참, 그렇군!" 미챠는 자기 이마를 툭 치면서 이렇게 소리쳤다. "용서하십시오. 가장 중요한 점을 설명하지 않고 공연히 당신네들을 괴롭히기만 했군요. 그것을 설명했더라면 대번에 깨달으실 수 있었을 텐데요. 다름 아닌 바로 그 목적 속에 치욕이 포함되어 있으니 말입니다! 그 노인 때문에, 죽은 우리 아버지 때문에, 아그라페나 알렉산드로브나는 항상 동요하고 있었습니다. 그래서 나는 질투를 했죠. 그 여자는 나와 아버지 사이에 끼여 어느 쪽을 택할지 망설이고 있는 거라고 그때 나는 생각했습니다. 그리고 또 날마다 이런 생각도 했어요—만약에 여자가 더 이상 나를 괴롭히지 않기로 마음을 정하고, '내가 사랑하는 건 그이가 아니라 당신이에요. 그러니 나를 세상 끝으로 데려다 줘요'라고 느닷없이 말한다면 어떡하나. 하지만 내 호주머니 속엔 20코페이카짜리 은화 두 닢밖엔 없으니 무슨 수로 여자를 데리고 간단 말인가? 그렇게 되면 모든 것이 파멸이다. 그때만 해도 나는 그 여자를 잘 몰랐습니다, 이해하질 못했습니다. 그 여자는 돈 없이는 살 수 없는 여자일 테니까, 내가 무일푼이라는 걸 알면 절대로 용서하지 않을 것이다, 라고 나는 생각했었죠. 그래서 나는 간사스럽게 3천 루블 중에서 반을 따로 떼어 가지고 태연하게 바늘로 꿰매 두었습니다. 그런 속셈이 있어서 꿰매 두었던 겁니다. 주연을 벌이러 가기 전에 꿰매 두고 나서 나머지 절반으로 술을 마시러 떠났던 거예요! 이런 비열한 짓이 또 어디 있습니까! 이젠 잘 아셨겠죠?"

검사는 커다란 소리로 웃어 댔다. 판사도 웃음을 터뜨렸다.

"내 생각으로는 당신이 자신을 억제하여 그 돈을 다 써 버리지 않고 남겨 두었다는 건 오히려 현명하고도 도덕적인 처사라고 해야 할 것 같은데요" 하고 니콜라이 파르페노비치는 킬킬거리며 웃었다. "그걸 가지고 특별히 잘못한 일이라곤 할 수 없지 않습니까?"

"그렇지만 그 돈을 훔친 것만은 사실이 아닙니까! 아아, 당신네들은 정말 지독하게 못 알아들으시는군요! 나는 그 1천 5백 루블을 꿰매 넣은 주머니를 목에 걸고 다니는 동안, 매일같이, 아니 매시간마다 나 자신에게 '너는 도둑놈이다, 너는 도둑놈이다!' 하고 말했습니다. 지난 한 달 동안 내가 난폭한 짓만 하고 다닌 것도 실은 그 때문이었습니다. 그 때문에 술집에서도 싸움을 했고, 그 때문에 아버지한테 손찌검까지도 했습니다. 나는 도둑이다, 하는 생각이 떠나지 않았기 때문이죠! 내 동생 알료샤한테까지도 그 1천 5백 루블에 대해선 감히 고백할 용기가 나지 않았습니다. 그렇게까지 나 자신을 비열한 사기꾼이라 생각하고 있었던 겁니다. 그런데 말입니다. 나는 그 돈을 목에 지니고 다니면서도 한편으로는 매일같이 매시간마다 나 자신에게 이렇게 말하곤 했습니다—'아니다, 드미트리 표도로비치, 어쩌면 너는 아직도 도둑놈이 아닐지 모른다.' 왜 그랬느냐고요? 내일이라도 카챠를 찾아가서 1천 5백 루블을 돌려줄 수 있다고 생각했기 때문이죠. 그런데 바로 어제 페냐한테 들렀다가 페르호친네 집으로 가는 도중에 처음으로 그 주머니를 찢기로 결심했습니다. 그때까지는 엄두도 내지 못했었지만, 마침내 주머니를 찢은 그 순간에, 나는 영영 돌이킬 수 없는, 뭐라고 변명할 여지도 없는 진짜 도둑놈이 되어 버렸고, 평생토록 불명예스러운 인간이 되어 버린 것입니다. 왜냐고요? 그 주머니를 찢는 것과 함께 카챠한테 가서 '나는 비열한 놈이긴 하지만 도둑놈은 아니오'라고 말하려던 나 자신의 꿈마저 찢어 버리고 말았으니까요! 이젠 알아들으시겠습니까? 아시겠어요?"

"왜 하필이면 엊저녁에 갑자기 그런 결심을 하게 되었을까요?" 하고 니콜라이 파르페노비치가 말을 가로챘다.

"왜냐고요? 물으나 마나 한 일 아닙니까! 나는 오늘 아침 다섯 시, 날이 샐 무렵에, 여기서 죽어 버리기로 결정을 내렸었으니까요. '비열한 인간으로 죽으나 고결한 인간으로 죽으나, 죽는 데 매한가지가 아니냐!'고 생각했기 때문이죠. 그런데, 그게 아니다, 매한가지일 수는 없다는 것을 알게 되었단 말입니다! 이렇게 말하면 곧이듣지 않으실는지 모르지만, 엊저녁에 무엇보다도 나를 괴롭힌 것은, 내가 늙은 하인을 죽였다는 생각도 아니고, 그것 때문에 시베리아로 유형당해야 한다는 (더욱이 내 사랑이 이루어져 다시금 눈앞이 환해진 이 순간에 말입니다!) 의구심도 아니었습니다. 물론 그것도 나를 괴롭히긴 했지만, 그리 대단한 건 아니었습니다. 마침내 나는 그 저주 받을 돈을 가슴에서 떼어내 죄다 써 버리고 말았으니 이제는 진짜 도둑놈이 되고 말았구나, 하는 참을 수 없는 자각에 비하면 아무것도 아니었습니다! 아아, 여러분, 진심으로부터 거듭 말씀드립니다만, 나는 이 하룻밤 사이에 참으로 많은 것을 깨달았습니다. 나는 비로소 알았습니다. 사람이란 비열한 인간으로는 살아갈 수 없을뿐더러, 비열한 인간으로 죽는 것 역시 불가능하다는 것을……. 그렇습니다, 여러분, 사람은 죽을 때도 결백하게 죽어야만 합니다."

미챠는 안색이 창백했다. 그는 극도로 흥분해 있었음에도 불구하고, 그 얼굴에는 피로와 고통의 빛이 나타나 있었다.

"당신의 심정도 이해할 수 있을 것 같습니다, 드미트리 표도로비치." 검사는 동정 어린 부드러운 어조로 천천히 말했다. "그러나 당신은 어떻게 생각하는지 모르지만, 내가 보기엔 그것은 단지 당신의 신경神經 때문인 것 같습니다……. 병적인 신경 작용이라고 할까요, 틀림없이 그럴 겁니다. 예를 들자면 거의 한 달 동안에 걸친 그처럼 격심한 고통에서 벗어나기 위해 어째서 당신은 돈을 맡긴 아가씨한테 가서 그 1천 5백 루블을 돌려주지 않았을까요? 그리고 당신 자신의 말에 의하면 당신의 처지는 참으로 비참한 것이었다고 하는데, 그렇다면 어째서 그 아가씨에게 사정 얘기를 하여 누구의 머리에나 자연히 떠오를 수 있는 그런 방법을 강구하지 않았을까요? 즉, 그 아가씨에게 자기의 과오를 솔직히 고백한 후 필요한 돈을 빌려 달라고 요청할 수도 있지 않았느냐 말입니다. 관대한 마음씨를 가진 아가씨니까, 당신의 곤란한 형편을 안다면, 절대 거절하지는 않았을 겁니다. 무슨 증서 같은 걸 써 준다거나, 아니면 상인 삼소노프나 호흘라코바 부인한테 제공하려던 담보 같은 것을 제공한다거나 한다면 더욱 문제없었을 것입니다. 당신은 지금도 그 담보물이 가치 있는 것이라고 생각하고 있을 테지요?"

미챠는 갑자기 얼굴을 확 붉혔다.

"그럼, 당신은 나를 그렇게까지 비열한 놈으로 생각하는 겁니까? 설마 그런 소릴 진담으로 하는 건 아니겠죠?" 그는 검사의 눈을 뚫어지게 바라보며, 상대방의 말을 믿을 수 없다는 듯이 격분한 어조로 말했다.

"진담이고말고요……. 왜 내 말이 농담으로 들립니까?" 이번엔 오히려 검사가 깜짝 놀랐다.

"오, 그런 저열한 짓이 또 어디 있겠습니까! 여러분, 당신네들은 지금 나를 괴롭히고 있다는 걸 아셔야 합니다! 좋습니다, 죄다 말하겠어요. 할 수 없습니다. 이렇게 된 이상 극악무도한 내 마음속을 속속들이 털어 보이겠습니다. 그렇지만, 이것은 당신네들이 스스로 부끄러움을 느끼게 하기 위해서지요. 인간의 감정의 복잡한 콤비네이션Combination이 얼마나 비열한 데까지 떨어질 수 있는가를 알게 되면 당신네들도 아마 깜짝 놀랄 겁니다. 실은 말입니다, 검사님, 나도 방금 당신이 말한 그런 방법을 생각해 본 일이 있었어요! 그렇습니다. 여러분, 나도 지난 한 달 동안 줄곧 그런 생각을 하고 있었습니다. 그래서 카챠를 찾아가려고까지 거의 결심했지요. 그만큼 나는 비열한 인간이 되어 버렸던 겁니다! 그렇지만 그 여자를 찾아가서, 나의 변심을 고백한 후, 그 변심을 위해서, 그 변심을 실행에 옮기기 위해서, 그 변심을 실행에 옮기는 데 필요한 비용으로 그 여자한테, 카챠한테 돈을 구걸해 가지고 (구걸하는 겁니다, 알겠어요, 구걸하는 겁니다!) 딴 계집과 함께, 그 여자의 경쟁자와 함께, 그 여자를 미워하고 모욕한 바로 그 계집과 함께 달아나다니, 아무리 뭣한 놈이라도 그럴 수야 없을 게 아닙니까! 검사님, 아무래도 당신은 머리가 돈 것 같군요!"

"머리가 돌고 안 돈 건 별문제로 하고, 내가 잘 생각지도 않고 너무 급하게 지껄인 것만은 사실입니다……. 여자의 질투심 같은 걸 염두에 두지 않은 건 확실히 내 불찰이었습니다……. 당신이 말한 것처럼 거기에 정말로 질투심이 개재되어 있다면 말이죠……. 그렇군요, 거기에는 무언가 그와 비슷한 것이 있기는 있을 겁니다." 이렇게 말하고 검사는 히죽 웃었다.

"어쨌든 그것은 저열하기 짝이 없는 짓입니다" 하고 미챠는 테이블을 쾅 쳤다. "뭐라고 표현할 수조차 없을 만큼 추악한 짓입니다! 하기는 말입니다. 그 여자는 아마 나한테 그 돈을 주었을는지 모릅니다. 아니, 틀림없이 주었을 겁니다. 나에 대한 복수심 때문에 주었을 겁니다. 복수심을 만족시키기 위해서도, 나에 대한 경멸을 표시하기 위해서도 그 돈을 나한테 주었을 겁니다. 그 여자 역시 노여움에 가득 찬 흉악한 여자니까요! 나는 그 돈을 받았겠지요, 암, 받고말고요. 틀림없이 받았을 겁니다. 그 대신 평생토록…… 아아, 생각만 해도 몸서리가 쳐집니다. 용서하십시오, 여러분, 내가 이렇게 고함을 치는 것은 최근에, 바로 그저께부터 그런 생각을 품었었기 때문입니다. 그러니까, 내가 랴가브이를 상대로 등이 달아 날뛰던 바로 그날 저녁부터지요. 그리고 어제도 온종일 그런 생각을 머릿속에서 되씹고 있었습니다. 지금도 기억하고 있지만, 그 사건이 일어나기 직전까지……"

"무슨 사건 말입니까?" 니콜라이 파르페노비치는 호기심이 동해서 얼른 말을 건넸으나, 미챠는 그것을 들은 것 같지도 않았다.

"나는 당신들에게 무서운 고백을 했습니다." 미챠는 어두운 표정으로 이렇게 말을 맺었다. "그러니 그 고백을 평가해 주십시오. 아니, 그것만으론 부족합니다. 평가하는 것만으론 부족해요. 평가할 것이 아니라 그것을 존중해 주셔야 합니다. 만약에 그렇게 할 수 없다면, 그 고백조차도 당신네들의 마음을 움직이지 못한다면, 그것은 곧 당신네들이 나를 털끝만큼도 존경하지 않는 증거라고 나는 단언합니다. 그리고 나는 당신네들과 같은 사람에게 그것을 고백했다는 부끄러움 때문에 죽어 버릴 겁니다! 자살해 버릴 겁니다! 그렇지만 나는 벌써 다 압니다. 당신네들은 내 말을 믿지 않고 있어요! 아니, 이런 것까지 당신네들은 기록하려는 겁니까?" 그는 깜짝 놀라 소리쳤다.

"그렇지만 당신은 방금 이런 말을 하지 않았습니까." 니콜라이 파르페노비치는 이해할 수 없다는 얼굴로 그를 바라보았다. "즉, 당신은 마지막 순간까지 베르홉체바 양한테 가서 그 돈을 얻어 낼 생각을 하고 있었다고 말입니다……. 분명히 말해서 이건 우리들에겐 매우 중요한 진술입니다. 드미트리 표도로비치 사건 전체에 관해서뿐만 아니라, 특히 당신을 위해, 당신 자신을 위해 지극히 중요한 진술입니다."

"제발 그러지 좀 마십시오, 여러분" 하고 미챠는 펄쩍 뛰었다. "그것만은 적어 넣지 마십시오, 당신네들도 염치가 있어야 할 게 아닙니까! 난 당신네들 앞에서 내 가슴 한가운데를 둘로 갈라 보인 거나 다름없는데, 당신네들은 얼씨구나 하고 그 양쪽 상처를 손가락으로 후비적거리다니…… 세상에 어디 그럴 수가 있소!"

그는 절망에 싸여 두 손으로 얼굴을 가렸다.

"과히 걱정 마십시오, 드미트리 표도로비치" 하고 검사가 말했다. "지금 기록한 것은 후에 전부 당신한테 읽어 줄 테니까, 만일 불만이 있으면 당신의 말대로 그때 정정하겠습니다. 그보다도 이게 벌써 세 번째입니다만, 한 번만 더 물어보겠습니다. 다름 아니라, 당신이 그 돈을 주머니 속에 꿰매 넣었다는 얘기를 당신한테 들은 사람은 아무도 없습니까? 정말로 한 사람도 없어요? 솔직히 말해서 그건 거의 상상도 할 수 없는 일인 것 같군요."

"아무도 없습니다. 나는 아무한테도 얘기하지 않았다고 아까도 말하지 않았습니까! 그러고 보니 당신네들은 내가 하는 말을 전혀 알아듣지 못했군요! 더 이상 귀찮게 묻지 말아 주십시오."

"그렇다면 좋습니다. 그러나 이 문제는 반드시 밝혀야만 하겠습니다. 하긴 아직도 시간의 여유는 충분히 있습니다만, 그렇지만 생각해 보십시오. 그때 3천 루블을 썼다고 퍼뜨린 것은 당신 자신이 아닙니까. 뿐만 아니라 당신은 어디서나 그렇게 떠들고 다녔습니다. 여기 대한 증인은 몇십 명이나 될 겁니다. 당신이 말한 금액은 1천 5백 루블이 아니라 3천 루블입니다. 그리고 어제 갑자기 또 돈이 생기자, 이번에도 3천 루블을 가져왔노라고 여러 사람한테 떠들지 않았느냐 말입니다."

"몇십 명이 아니라 몇백 명이겠지요. 증인은 아마 2백 명은 될 겁니다. 그런 소릴 들은 사람은 2백 명, 아니, 1천 명은 될 거예요!" 하고 미챠는 외쳤다.

"보십시오, 모두들 그렇게 증언하고 있어요. 그렇다면 이 '모두들'이라는 말에는 어떤 의미가 포함되어 있다고 봐야 하지 않을까요?"

"아무런 의미도 없습니다. 내가 아무렇게나 허튼소리를 했더니 남들도 모두 그 허튼소리를 되풀이한 것뿐이죠."

"그렇지만 당신은 무엇 때문에, 당신의 표현을 빈다면, 그런 '허튼소리'를 해야 했습니까?"

"그건 나도 모릅니다. 어쩌면 자랑을 하기 위해서였는지도 모르죠……. 그러니까…… 나는 이렇게 많은 돈을 써 버렸다고 말입니다……. 아니면 따로 꿰매 넣은 돈에 대해서 잊어버리려고 그랬는지도 모르죠……. 네, 필시 그 때문이었을 겁니다……. 제기랄……. 당신네들은 대체 몇 번이나 그걸 묻는 겁니까? 나는 그저 허튼소리를 한 것뿐입니다. 한 번 허튼소리를 한 걸 새삼스레 정정하고 싶지가 않았던 것뿐이죠. 인간이란 어쩌다 간혹 거짓말을 하는 수가 있잖아요.

그 동기가 무엇이겠습니까?"

"드미트리 표도로비치, 어떤 동기에서 사람이 거짓말을 하는지 그걸 꼭 짚어 말하기란 어려운 일입니다" 하고 검사는 타이르는 것 같은 어조로 말했다. "그보다도 당신이 목에 걸고 다녔다는 그 돈주머니는 큰 것이었습니까?"

"아니오, 그리 크지는 않았습니다."

"어느 정도의 크기였지요, 예를 들면?"

"1백 루블짜리 지폐를 반으로 접은 정도의 크기였습니다."

"그럼 그 헝겊을 우리에게 보여 줄 수 없을까요? 어딘가 그걸 갖고 있을 게 아닙니까."

"첫…… 바보 같은 소리 그만하시오……. 그게 어디 있는지 내가 알 게 뭡니까."

"그렇지만 말입니다. 당신은 언제 어디서 그걸 목에서 끌렀지요? 당신의 진술에 의하면 하숙집에도 들르지 않았다고 하지 않았습니까."

"페냐네 집을 나와서 페르호친네 집으로 가는 도중에 그 주머니를 뜯어 돈을 꺼냈습니다."

"어두운 데에서요?"

"촛불 같은 게 무슨 소용입니까? 나는 손가락만으로 순식간에 해치웠습니다."

"가위도 없이, 한길에서요?"

"아마 광장에서였을 겁니다. 가위는 해서 뭘 합니까? 헝겊이 다 낡은 것이어서 이내 찢어지더군요."

"그다음 그 헝겊은 어떻게 했지요?"

"그 자리에 팽개쳐 버렸습니다."

"그게 바로 어느 지점입니까?"

"광장이에요, 아무튼 광장에 버렸습니다! 광장 어느 지점이었는지 그런 걸 어떻게 압니까! 도대체 당신네들은 그걸 알아서 뭣하려는 거죠?"

"그건 지극히 중대한 일입니다. 드미트리 표도로비치, 당신에게 유리한 물적 증거니까요. 당신이 왜 그 점을 이해하지 않는지 모르겠습니다. 한 달 전에 그걸 꿰맬 때 당신을 도와준 사람은 누굽니까?"

"도와준 사람은 아무도 없습니다. 내 손으로 꿰맸으니까요."

"당신은 바느질을 할 줄 압니까?"

"군인은 바느질을 할 줄 알아야 합니다. 그러나 그런 걸 꿰매는 데 바느질이고 뭐고 할 게 있습니까."

"그럼 그 재료, 즉 그 주머니를 만든 헝겊은 어디에서 났습니까?"

"설마 나를 놀리고 있는 것은 아니겠죠?"

"천만에. 지금 어디 누구를 놀리고 있을 여유가 있습니까, 드미트리 표도로비치."

"어디서 그 헝겊이 났는지 기억에 없군요. 아무튼 어디선가 구했겠죠."

"그런 것쯤은 기억할 수 있을 것 같은데요."

"정말로 생각이 안 납니다. 아마 내의 같은 데서 찢어 냈을 겁니다."

"거참, 흥미 있는 일입니다. 내일 당신 하숙집으로 가서 찾아보기로 합시다. 당신이 귀퉁이를 찢어 낸 셔츠 같은 게 나올지도 모르겠군요. 그런데 그 헝겊은 어떤 천이었습니까, 두꺼운 것이었나요? 얇은 것이었나요?"

"어떤 천이었는지 알 게 뭡니까. 아니, 가만 계십시오……. 헝겊을 어디서 찢어 낸 것 같지는 않군요. 그건 캘리코Calico였습니다……. 하숙집 안주인의 나이트캡Nightcap으로 꿰맸던 것 같습니다."

"안주인의 나이트캡이라뇨?"

"네, 안주인한테서 내가 훔쳐 온 겁니다."

"훔쳐 왔다고요?"

"사실은 언젠가 걸레를 만들려고 나이트캡을 한 개 훔쳐 온 일이 있었습니다. 슬쩍 집어 온 거지요. 그래서 아무 데도 쓸모없는 누더기가 내 방에 뒹굴고 있었는데, 때마침 그 1천 5백 루블을 건사하는 문제가 생겼기 때문에 거기다 꿰매 넣었던 것입니다……. 몇백 번이나 빨아서 낡을 대로 낡은 캘리코 조각이었어요."

"그럼 당신은 확실히 그렇게 기억하고 있단 말이죠?"

"확실한지 아닌지는 잘 모르겠습니다. 아무튼 나이트캡이었던 것 같습니다. 뭐 그까짓 건 아무래도 좋지 않습니까?"

"그렇다면 적어도 안주인은 그런 물건이 없어진 것을 기억하겠군요?"

"아니, 그렇지 않을 겁니다. 안주인은 그걸 찾는 것 같지도 않았으니까요. 지금도 말한 것처럼 그것은 한 푼의 가치도 없는 아주 낡아 빠진 누더기였거든요."

"그럼 바늘은 어디서 났습니까? 그리고 실은?"

"나는 그만두겠습니다. 더 이상 대답하고 싶지 않습니다. 제발 집어치우십시오!" 미챠는 마침내 화를 내고 말았다.

"그렇지만 당신이 광장 어느 지점에서 그…… 주머니를 버렸는지 전혀 기억이 없다는 건 아무래도 이상한데요."

"그럼 내일이라도 광장을 쓸게 해 보시죠, 혹시 그게 나타날는지 압니까." 미챠는 피식 웃었다. "이젠 그만해 두십시오. 여러분, 그만해 두세요" 하고 그는 기진맥진한 목소리로 잘라서 말했다. "당신네들이 내 말을 믿어 주지 않는다는 걸 이젠 똑똑히 알았습니다! 그야말로 털끝만큼도 믿어 주지 않는군요! 그렇지만 이건 내 잘못이지 당신네들의 잘못은 아닙니다. 공연히 지껄일 필요가 없었던 거예요. 무엇 때문에 나는 자기 비밀을 고백하여 나 자신을 더럽혔을까! 당신네들한테는 웃음거리에 지나지 않을 겁니다. 그 눈만 보아도 알 수 있어요. 검사님, 결국 나는 당신의 수에 넘어간 거예요! 어서 개가凱歌를 올리십시오. 만일 그렇게 할 수 있다면…… 당신네들은 저주 받을 고문자拷問者란 말이오!"

그는 고개를 수그리고 두 손으로 얼굴을 감쌌다. 검사와 판사는 침묵을 지키고 있었다. 얼마 후에 그는 고개를 쳐들고 그들을 멍청히 바라보았다. 그의 얼굴에는 이미 돌이킬 수 없는 극도의 절망이 나타나 있었다. 그는 입을 봉한 채 넋을 잃은 듯 멍하니 의자에 앉아 있었다. 그러나 일은 끝내야만 했다. 지체 없이 증인 신문을 시작해야 했다. 벌써 아침 여덟 시가 되어, 촛불도 오래전에 꺼 버렸다. 심문이 계속되는 동안 쉴 새 없이 드나들던 미하일 마카르이치와 칼가노프는 이때 다시 방에서 나갔다. 검사도 판사도 몹시 과로해 보였다. 음산한 아침이어서, 하늘은 온통 먹구름으로 덮이고 비는 억수로 퍼붓고 있었다. 미챠는 멍하니 창문을 바라보고 있었다.

"창밖을 좀 내다봐도 좋겠습니까?" 그는 니콜라이 파르페노비치에게 불쑥 물었다.

"네, 얼마든지 보십시오" 하고 판사는 대답했다.

미챠는 일어나서 창가로 다가갔다. 빗줄기는 푸른빛이 도는 조그만 유리 창문을 마구 후려치고 있었다. 창문 바로 밑으로는 질퍽거리는 길이 보이고, 더 멀리 저편으로는 뿌연 안개 속에 볼품없이 초라한 농가들이 늘어서 있었는데, 비 때문에 그것들은 더욱 초라하고 음침하게 보였다. 미챠는 '금발의 아폴로' 생각이, 그 첫 광선과 함께 자살해 버리려던 생각이 문득 떠올랐다. '하지만 이런 아침이 오히려 더 좋았을지 몰라' 하는 생각이 들어 그는 빙긋 웃었다. 그러고는 별안간 한 손을 척 휘두르더니 '고문자들'에게로 얼굴을 돌렸다.

"여러분!" 하고 그는 외쳤다. "내가 이미 파멸했다는 건 나 자신 잘 알고 있습니다. 그러나 그 여자는 어떻게 됩니까? 제발 좀 알려 주십시오. 그 여자도 나와 함께 파멸해야만 합니까? 그 여자에겐 아무 잘못도 없습니다. 간밤에 그 여자가 '모든 건 내 잘못이에요'라고 외친 건 제정신으로 한 말이 아닙니다. 그 여자에겐 정말 털끝만 한 죄도 없습니다! 나는 당신네들을 상대하고 있으면서도 밤새껏 그 여자 일만이 걱정되었습니다……. 앞으로 그 여자를 어떻게 할 작정인지, 그걸 나한테 말해 줄 수 없겠습니까? 말해 줄 수 없겠어요?"

"드미트리 표도로비치, 거기 대해서는 절대 안심하십시오." 검사는 몹시 서두르는 것 같은 어조로 얼른 대답했다. "당신이 그처럼 깊은 관심을 표시하는 그 부인에게까지 괴로움을 끼쳐야 할 중대한 이유를 아직은 발견하지 못했습니다. 앞으로 사건의 수사가 진전된대도 역시 매한가지라고 생각합니다……. 아니, 우리로서는 가능한 한, 그렇게 되도록 노력할 생각입니다. 그 점에 대해서는 아무 염려 마십시오."

"감사합니다, 여러분, 이러저러한 일이 있기는 했지만, 역시 당신네들이 결백하고 공정한 분들이라는 건 나도 잘 알고 있었습니다. 당신네들은 내 마음의 무거운 짐을 제거해 주었습니다……. 그럼 이젠 또 무엇을 합니까? 나는 무엇이든지 기꺼이 응할 용의가 있습니다만."

"글쎄요, 아무튼 급히 서둘러야겠습니다. 곧 증인 신문으로 넘어가야겠군요. 이건 반드시 당신이 있는 자리에서 집행해야 하는 것이니까."

"그보다도 우선 차를 한 잔 마시는 게 어떻겠습니까?" 하고 니콜라이 파르페노비치가 끼어들었다. "그만큼 일했으니 이제 좀 쉬어도 될 것 같군요."

만약에 아래층에 차가 준비되어 있으면 (미하일 마카르이치가 나간 것은 '차를 하러' 간 것이 분명하니까) 우선 차를 한 잔씩 마시고 나서 '계속 복무하기로' 결정했다. 그리고 본격적인 차와 '조반'은 좀 더 시간적 여유가 생길 때까지 미루기로 했다. 예상했던 대로 아래층에는 차가 준비되어 있었으므로 곧 위층으로 올려 왔다. 미챠는 니콜라이 파르페노비치가 친절하게 권하는 차를 처음엔 사양했으나, 조금 후에는 자청해서 굶주린 듯이 마셨다. 전체적으로 그는 이상할 정도로 기진맥진한 것같이 보였다. 옛 호걸다운 체력을 지니고 있는 그인지라, 아무리 강한 자극을 받았다 하더라도 하룻밤쯤 새우며 술을 마시는 정도로는 끄떡없을 것 같았지만, 그런데도 그는 이렇게 앉아 있는 것조차 힘에 겹다고 느꼈다. 그리고 이따금 눈앞에 있는 모든 것이 이리저리 움직이며 빙글빙글 돌기 시작하는 것 같은 착각을 일으키는 것이었다. '조금만 더 이러고 있다간 헛소리를 하게 될지 모르겠다'고 그는 속으로 생각했다.

8. 증인의 진술, 아귀餓鬼

증인 신문이 시작되었다. 그러나 이제부터는 여태까지처럼 그렇게 상세하게 이야기를 진행시키지는 말기로 하자. 따라서 소환당한 증인들에게 니콜라이 파르페노비치가, 진실과 양심에 따라 진술해야 한다느니, 후일에 증인 선서를 하고 다시 똑같은 진술을 되풀이해야 할 것이라느니, 하는 따위 주의를 주었다는 얘기는 생략하기로 한다. 그리고 끝에 가서 증인 한 사람, 한 사람이 자기의 진술서에 서명을 요구당한 일 등도 그냥 넘겨 버리기로 한다. 다만 한 가지, 심문관이 가장 주의를 기울인 요점은, 주로 그 3천 루블에 관한 문제였다는 것만은 특히 지적해 두어야겠다. 즉, 처음에, 그러니까 한 달 전에, 여기 모크로예에서 드미트리 표도로비치가 주연을 벌였을 때 쓴 돈은 3천 루블이었느냐, 1천 5백 루블이었느냐, 그리고 어제 두 번째 주연에서 쓴 돈은 3천 루블이었느냐, 아니면 1천 5백 루블이었느냐, 하는 문제였다. 그러나 슬프게도 모든 증언은 하나같이 미챠의 진술과는 다른 것이어서, 그에게 유리한 것은 한 가지도 없었다. 그중 몇 가지 증언은 그야말로 청천벽력과도 같은 새로운 사실을 제시하여 미챠의 진술을 송두리째 뒤엎는 것이었다.

제일 먼저 심문을 받은 것은 트리폰 보리스이치였다. 그는 심문관 앞에 나와서도 털끝만큼도 겁내는 기색이 없었을뿐더러, 오히려 피고에 대하여 준엄하고도 노골적인 분노의 빛을 표시하기까지 했다. 그렇게 함으로써 그는 자기 자신을 지극히 정직한 인간으로, 일종의 위엄조차 지닌 인간으로 보이게 했다. 그는 신중한 태도로 띄엄띄엄 말을 하였고, 심문관의 질문이 끝나기를 기다려, 잘 생각해서 정확하게 대답하였다. 드미트리 표도로비치가 한 달 전에 여기에서 뿌린 돈은 3천 루블보다 결코 적지 않을 것이다, 이 마을 농부들도 3천 루블이란 말을 본인한테서 직접 들었노라고, 모두 증언할 것이다, 라고 그는 주저하는 빛도 없이 확고한 어조로 증언했다. "집시 계집들한테 뿌린 돈만 해도 얼만지 몰라요. 그것들의 호주머니 속으로 굴러든 돈만 해도 아마 1천 루블은 될 겁니다."

"그들한테 준 돈은 5백 루블도 되지 않을걸" 하고 미챠는 침울하게 한마디 했다. "하긴 그때 취해 있었기 때문에 셈 같은 건 하지도 않았지만……. 그게 불찰이었어."

이때 미챠는 휘장을 등지고 비스듬히 앉아서 우울한 얼굴로 듣고만 있었다. '흥, 어서 멋대로 증언하라지, 어차피 이젠 매한가지니까!'라는 듯한, 지쳐 빠진 서글픈 표정이었다.

"그것들한테 준 것만도 1천 루블은 더 된다니까요, 드미트리 표도로비치" 하고 트리폰 보리스이치는 단호하게 반박하였다. "당신이 마구 뿌리시는 걸 그것들이 앞을 다투어 주워 갖지 않았습니까. 그놈들은 원래가 도둑놈에다가 사기꾼들이죠. 그놈들은 말 도둑놈들이에요. 이젠 쫓겨나고 없지만, 만일 그놈들이 있었더라면 당신한테서 얼마나 우려먹었는지를 증언했을 겁니다. 저도 그때 당신이 많은 돈을 손에 쥐고 있는 걸 보았습니다—하기야 세어 보진 못했지만요. 어디 세어 보게 했어야 말이죠. 하지만 언뜻 보기에도 1천 5백 루블보다는 훨씬 많았던 걸로 기억하고 있어요…… 1천 5백밖엔 안 된다니 말이 됩니까! 저도 액수가 많은 돈을 본 적이 여러 번 있기 때문에 그것쯤은 눈어림으로도 짐작할 수 있습니다."

전날 밤에 쓴 금액에 대해서도 트리폰 보리스이치는, 드미트리 표도로비치가 마차에서 내리자마자, 이번에도 3천 루블을 가져왔다고 자기한테 말하더라고 자신 있게 증언했다.

"작작 지껄이게, 트리폰 보리스이치. 내가 정말 그랬나?" 하고 미챠는 대꾸했다. "그래 내가 3천 루블 가져왔다고 분명하게 말했단 말이지?"

"말하고말고요, 드미트리 표도로비치. 안드레이가 있는 데서 그렇게 말하셨어요. 저기 안드레이가 있습니다. 아직 돌아가지 않고 있으니 이리 부르세요. 그리고 저기 홀에서 합창대한테 먹을 것을 권하면서도, 여기서 6천 루블 쓰고 간다고 큰 소리로 말하지 않았습니까. 6천 루블이라는 건 전번에 쓴 돈까지 합해서 말한 것으로 봐야 하겠죠. 스체판도 듣고, 세몬도 들었습니다. 그리고 표트르 포미치 칼가노프 씨도 그때 당신 옆에 서 계셨으니까 그 말을 기억하실 겁니다."

6천 루블이라는 증언은 특히 심문관들의 주의를 끌었다. 이 새로운 표현 방식이 그들의 마음에 들었던 것이다. 삼 더하기 삼은 육. 즉, 전번에 쓴 돈이 3천이고 이번에 쓴 돈이 3천이니까 양쪽을 합해서 6천 루블, 참으로 명백한 계산이 아닌가.

트리폰 보리스이치가 호명한 농부들, 즉 이 마을 농부인 스체판과 세묜, 마부 안드레이, 그리고 표트르 포미치 칼가노프까지 모두 심문을 받았다. 두 농부와 마부는 주저함이 없이 트리폰 보리스이치의 증언을 확인해 주었다. 안드레이의 증언 중에서, 그가 미챠와 함께 이리로 오는 도중에 주고받은 대화의 일부분, 즉, '도대체 나는, 이 드미트리 표도로비치는 어디로 가게 될까, 천당일까, 지옥일까? 저승에 가면 용서를 받을 수 있을까, 없을까?' 하는 대목은 조서에 특별히 기록되었다.

'심리학자'인 입폴리트 키릴로비치는 시종 미묘한 웃음을 띠고 귀를 기울이고 있다가, 마지막에 가서 드미트리 자신의 행방에 관한 이 증언도 '일건 서류에 첨가하도록' 권고했다.

표트르 포미치 칼가노프는, 자기가 심문을 받을 차례가 되자, 잔뜩 얼굴을 찌푸리고 못마땅해 하는 태도로 들어왔다. 그는 검사나 니콜라이 파르페노비치와는 구면일뿐더러, 날마다 만나다시피 하는 사이였는데도, 마치 생전 처음 만나는 사람에게 하는 것 같은 말투를 썼다. 그는 처음부터, "나는 이 사건에 관하여 아무것도 아는 것이 없습니다. 또 알고 싶지도 않습니다"라고 잘라 말했다. 그러나 6천 루블 운운하는 말은 자기도 들었노라고 했다. 그리고 그때 자기는 미챠 옆에 서 있었다는 것도 시인했다. 자기도 미챠의 손에 돈이 있는 것을 보긴 했지만, "얼마나 되는 돈이었는지는 모르겠습니다"라고 확언했다. 그다음, 몇 번이나 되풀이되는 질문에 대하여 그는, 폴란드 사람들이 쫓겨 나간 후 미챠와 아그라페나 알렉산드로브나와의 사이가 원만해졌고, 그녀도 자기 입으로 미챠를 사랑하고 있다는 말을 했다고 증언했다. 그는 아그라페나 알렉산드로브나에 관해 말할 때, 마치 상류 사회의 귀부인 얘기를 하는 것 같은 공손하고 조심스런 말투를 썼다. 단 한 번도 '그루셴카'라는 말로 그녀를 낮추어 부르지는 않았다. 젊은 칼가노프가 증언을 몹시 꺼려 하고 있다는 것을 잘 알면서도 입폴리트 키릴로비치는 오랫동안 그를 심문했다.

그리하여 그날 밤 드미트리 표도로비치가 겪은 이른바 '로맨스'라는 것이 어떤 내용의 것이었는가를 그의 입을 통해 처음으로 상세하게 알아낼 수 있었다. 드미트리 표도로비치는 한 번도 칼가노프의 말을 가로채거나 제지하거나 하지 않았다. 청년은 물러가도 좋다는 허락을 받고, 숨길 수 없는 분노를 나타내며 밖으로 나갔다.

폴란드 사람들도 심문을 받았다. 그들은 자기 방에서 잠자리에 들긴 했으나, 밤새껏 한잠도 자지 않았다. 법관들이 왔다는 말을 듣고, 자기들도 틀림없이 호출을 받게 될 것이라 생각하고, 급히 옷을 갈아입고서 대기하고 있었다. 그들은 약간 겁먹은 듯한 빛을 보이긴 했지만, 그래도 제법 의젓한 태도로 나타났다. 우두머리 격인 폴란드인, 즉 몸집이 작은 신사는, 휴직 중인 12등관으로 시베리아에서 수의獸醫 노릇을 하고 있었음이 밝혀졌다. 성姓은 무샤로비치라 했다. 브루블렙스키는 개인적으로 개업을 하고 있는 덴티스트, 즉 러시아 말로는 치과의사였다. 두 사람은 방에 들어오자, 심문을 하고 있는 니콜라이 파르페노비치한테는 외면을 한 채, 옆에 서 있는 미하일 마카르이치 쪽을 보고 답변을 하기 시작했다. 내막을 몰랐기 때문에 미하일 마카르이치를 일행 중에 제일 높은 상관으로 오인한 모양이었다. 그들은 말끝마다 그를 빤 폴코브니크(대령님)라고 불렀다. 그러다가 본인인 미하일 마카르이치의 주의를 몇 차례 듣고 나서야 니콜라이 파르페노비치 이외의 사람에겐 답변해서는 안 된다는 것을 깨달았다. 그들은 군데군데 발음이 정확치 않을 뿐 지극히 정확한 러시아어를 구사할 수 있음이 드러났다. 무샤로비치는 그루셴카와의 과거와 현재의 관계에 대해 거만하고도 열띤 어조로 얘기하기 시작했다. 그러자 미챠는 금세 흥분하여, 너 같은 '악당 놈'이 내가 있는 자리에서 감히 그따위 소리를 늘어놓을 수 있느냐고 호통을 쳤다. 무샤로비치는 '악당 놈'이란 말을 꼬집어 그것을 조서에 기입해 주기 바란다고 했다. 미챠는 분노를 참지 못하여 고함을 쳤다.

"그래 악당 놈이다, 악당 놈이야! 어서 이 말을 그대로 기입해 주시오. 조서에 기입하 건 안 하건 나는 끝까지 악당 놈이라 부를 테니까, 이것도 역시 기입하려거든 기입해 주시오!"

니콜라이 파르페노비치는 이 말을 조서에 기입했으나, 이같이 불쾌한 장면에 처해서도 역시 칭찬을 받을 만한 민완敏腕과 사무적 재능을 발휘했다. 그는 위엄 있게 미챠를 타이른 다음, 사건의 소설적인 방면에 관한 심문을 일체 중지하고, 곧 근본 문제로 방향을 돌렸다. 근본 문제 중에서도 폴란드 신사들의 어떤 증언이 심문자 측의 비상한 호기심을 불러일으켰다. 그것은 미챠가 구석방에서 무샤로비치를 매수하려고 3천 루블을 주겠다고 약속했다는 점이었다. 그때 미챠는 7백 루블은 지금 당장에 주겠지만, 나머지 2천 3백 루블은 '내일 아침' 읍내에 돌아가서 주마, 여기 모크로예에서는 그만한 큰돈은 가진 게 없지만 읍내에 돌아가면 줄 수 있다고 장담했다는 것이다. 미챠는 후끈 달아서, 내일 읍내에 가서 돈을 주마고 약속한 기억은 없다고 변명했지만, 브루블렙스키가 자기 친구의 증언을 확인했으므로, 미챠도 잠깐 생각해 보고 나서 이 사람들의 말이 옳은 것 같기도 하다, 사실 그때는 몹시 흥분해 있었기 때문에 혹시 그런 말을 했을지 모르겠다고, 미간을 찌푸리며 시인했다.

검사는 비상한 주의를 기울여 이 증언을 청취했다. 그리하여, 미챠가 손에 넣은 3천 루블의 반 또는 그 일부는, 정말로 읍내 모처에, 아니, 어쩌면 이 모크로예의 어딘가에 감춰져 있는지도 모른다, 라는 점이 법관들에게 명백해졌다. (그리고 나중에는 아주 그렇게 단정해 버렸다) 따라서 미챠가 8백 루블밖에는 갖고 있지 않았다는, 심리 진행상 어딘지 모호하던 사실도, 이것으로 해명된 셈이었다. 이 사실은 대수롭지 않은 증거이기는 했지만, 그래도 미챠에게 유리한 사실이라고는 여태까지 이것 한 가지밖엔 없었던 것이다. 그러나 그에게 유리한 유일한 증거도 이제는 파기되고 말았다. 자기 입으로 1천 5백 루블밖엔 없다고 하면서, 폴란드 신사에겐 내일 나머지 2천 3백 루블을 꼭 주겠다고 약속했다면, 그 1천 3백 루블은 대체 어디서 가져올 작정이었느냐, 이렇게 검사의 질문을 받았을 때, 미챠는 "내일 '폴란드 악당'에게 주려 한 것은 현금이 아니라 체르마쉬냐의 토지 소유권에 대한 증서였다"고 분명하게 말했다. 그것은 삼소노프와 호흘라코바 부인에게 제공하려던 것과 동일한 권리였다. 검사는 이 '순진하기 짝이 없는 변명'을 듣고 입가에 고소苦笑를 흘리기까지 했다.

"그래 당신은 상대방이 현금 2천 3백 루블 대신에 그 '권리'를 받을 것이라고 생각했습니까?"

"틀림없이 받을 겁니다." 미챠는 흥분하여 말을 가로챘다. "왜냐하면 그 권리로 얻을 수 있는 금액은 2천 루블 정도가 아니라 적어도 4천 루블은 될 테니까요! 저놈은 곧 자기가 아는 폴란드인들과 유대인들과 변호사들을 거둬 모아 가지고, 3천 루블 정도가 아니라, 체르마쉬냐의 땅 전부를 영감님의 손에서 고스란히 빼앗아 버리고 말 겁니다."

물론 무샤로비치의 진술은 지극히 상세하게 조서에 기록되었다. 이상으로 폴란드 신사들은 물러나도 좋다는 허락을 받았다. 그들이 트럼프 놀이에서 속임수를 썼다는 데 대해서는 거의 한마디도 질문을 당하지 않았다. 니콜라이 파르페노비치는 그들의 증언을 매우 고맙게 생각하고 있는 터였으므로, 대수롭지 않은 일로 그들을 괴롭히고 싶지 않았던 것이다. 더욱이 그것은 취중에 트럼프를 치다가 일어난 사소한 충돌에 지나지 않았을뿐더러, 그 밖에도 이날 저녁엔 모든 것이 난장판이었으니까……. 그래서 3백 루블이란 돈은 폴란드 신사들의 호주머니 속에 그대로 남게 되었다.

다음엔 막시모프 노인이 불려 들어왔다. 그는 몹시 침울한 표정으로 어정어정 다가왔다. 이때까지 그는 아래층에서 그루셴카 옆에 말없이 붙어 앉아 있었던 것이다. "금세 울음을 터뜨리기라도 할 것 같은 얼굴을 하고, 푸른 줄무늬 손수건으로 연방 눈언저리를 닦고 있더군" 하고, 나중에 미하일 마카르이치는 그때 얘기를 했다. 그래서 오히려 그루셴카 쪽에서 그를 위로하기도 하고 타이르기도 하는 형편이었다. 노인은 눈물 머금은 목소리로, 가난 때문에 10루블이라는 돈을 드미트리 표도로비치한테서 꾼 것은 어디까지나 자기의 잘못이었지만, 언제든지 그 돈은 꼭 갚을 생각이라고 말했다. 드미트리 표도로비치한테서 돈을 꿀 때, 그가 가지고 있는 돈을 누구보다도 가까이서 보았을 터인데, 그 손에 얼마만큼의 돈이 있었는지 모르겠느냐?라는 니콜라이 파르페노비치의 질문에 대하여 막시모프는 아주 자신 있는 어조로, 2만 루블가량 있었다고 대답했다.

"당신은 전에 2만 루블이나 되는 큰돈을 어디서 본 적이 있습니까?" 니콜라이 파르페노비치는 싱긋 웃으며 물었다.

"예, 있고말고요. 하지만 2만 루블은 아니고 7천 루블이었습니다. 우리 마누라가 내 소유인 영지領地를 저당 잡혔을 때의 일입니다만, 멀찌감치 떨어져서 나한테 자랑하는 것을 보았는데, 돈뭉치가 꽤 크고 죄다 무지갯빛이었습니다. 드미트리 표도로비치의 돈도 역시 무지갯빛이더군요."

얼마 안 있어 그는 물러나고, 마침내 그루셴카의 차례가 되었다. 법관들은 그녀가 나타남으로써 드미트리 표도로비치에게 심한 충격을 주지나 않을까 염려하는 눈치였다. 니콜라이 파르페노비치는 드미트리 표도로비치에게 몇 마디 주의를 주기까지도 했다. 그러나 미차는 대답 대신 말없이 머리를 숙여 보였다. 그것은 '소란을 피우지 않겠다'는 표시였다. 그루셴카를 연행해 온 것은 경찰서장 미하일 마카르이치였다. 그녀는 몹시 딱딱한 표정을 하고 들어왔으나, 겉보기엔 지극히 침착해 보였다. 그녀는 권하는 의자에, 니콜라이 파르페노비치를 향해 조용히 앉았다. 그녀의 얼굴은 몹시 창백했다. 추위를 느끼는지 검은빛 아름다운 숄로 목을 두르고 있었다. 사실 그녀는 이때 가벼운 오한을 느끼고 있었던 것이다. 그것은 이날 밤 이후 오랫동안 그녀를 괴롭힌 무서운 병의 최초의 징후였다. 그녀의 확고한 표정과 솔직하고 진지한 눈초리, 그리고 침착한 거동 등은 법관들에게 매우 좋은 인상을 주었다. 니콜라이 파르페노비치는 약간 '감동의 빛'조차 나타냈다. 후에 이러저러한 좌석에서 그 당시의 얘기가 나왔을 때, 그는 그 여자를 '정말 아름답구나' 하고 느낀 것은 그때가 처음이었노라고 고백했다. 그전에도 여러 번 그녀를 본 일은 있었지만, 언제나 '시골의 헤테라

Hetaira[24]'와 유사한 종류의 여자쯤으로 생각했던 것이다.

"그런데 그 여자의 태도나 거동은 상류 사회의 귀부인 못지않더라니까요." 언젠가 그는 부인네들이 모인 좌석에서 감격 어린 어조로 불쑥 이렇게 뇌까린 적이 있었다. 그러나 부인들은 몹시 못마땅한 표정으로 그의 말을 듣고 있다가, 거기 대해 벌을 주는 뜻으로 그에게 '개구쟁이'라는 별명을 붙여 주었다. 그렇지만 그는 도리어 그것에 만족하고 있었다.

방 안에 들어오는 길에 그루셴카는 흘끔 미챠 쪽을 훔쳐보았다. 그러자 미챠도 불안스러운 얼굴로 그녀에게 눈을 주었다. 그러나 그녀의 태도는 곧 그를 안심시켰다. 우선 필요한 질문과 훈계가 끝나자, 니콜라이 파르페노비치는 약간 말을 더듬으면서도 지극히 정중한 태도로, "퇴직 중위 드미트리 표도로비치 카라마조프와는 어떤 관계에 있었습니까?"라고 물었다. 이 물음에 대하여 그루셴카는 조용하면서도 명확한 어조로 이렇게 대답했다.

"저와는 친구지간이었습니다. 친구로서 지난달부터 교제해 왔습니다." 그다음, 반쯤 호기심에서 던져진 질문에 대하여 그녀는, '간혹' 그에게 호감을 느낀 적은 있지만 결코 그를 사랑한 것은 아니다, 그 당시 그를 유혹한 것은 다만 '짓궂은 생각'에서였을 뿐이다, 즉 그 영감님에 대한 태도와 마찬가지였다, 라고 대답했다. 그녀는, 미챠가 자기 때문에 표도르 파블로비치를 비롯하여 그 밖의 모든 사람을 질투한다는 것도 알고 있었지만, 자기는 오히려 그것을 재미있어 했노라고 솔직히 고백했다. 또한 표도르 파블로비치와 결혼하려는 생각은 꿈에도 없었고, 다만 그를 희롱했던 것뿐이라고도 했다. "지난달에는 그 두 사람을 염두에 두고 있을 겨를조차 없었으니까요. 실은 저한테 야속한 짓을 한 전혀 다른 남자를 기다리고 있었거든요……. 그러나 당신네들도 그런 걸 물어봐야 아무 소용도 없을 것이고, 저도 그런 문제에 대답할 필요는 없을 것 같군요. 그것은 어디까지나 저 한 사람만의 문제니까요" 하고 그녀는 말을 맺었다.

그래서 니콜라이 파르페노비치도 그녀의 말에 따르기로 했다. 그는 '소설적인'

24 고대 그리스의 탕녀蕩女.

점에 대해서는 더 이상 질문을 던지지 않고, 직접적인 중요한 문제, 즉 3천 루블에 관한 문제로 방향을 돌렸다. 그루셴카는, 미챠가 한 달 전에 모크로예에서 정말로 3천 루블을 소비했다, 자기가 직접 돈을 세어본 것은 아니지만, 미챠가 3천 루블을 썼다고 하는 말을 들어서 알고 있다, 라고 증언했다.

"당신한테만 그런 말을 하던가요? 아니면 누구 딴 사람이 있는 데서 그런 말을 하던가요? 그렇지 않으면 당신이 있는 앞에서 누구 딴 사람한테 그렇게 말하는 걸 들었나요?" 검사는 여전히 사무적인 어조로 물었다.

이 물음에 대하여 그루셴카는 딴 사람이 있는 데서도 들었고, 딴 사람한테 말하는 것도 들었고, 또 그와 단둘이 있을 때도 들었노라고 분명하게 대답했다.

"단둘이 있을 때 들은 것은 한 번이었습니까, 아니면 여러 번이었습니까?" 검사는 다시 이렇게 질문하여, 그루셴카한테서 여러 번이었다는 대답을 얻었다. 입폴리트 키릴로비치는 이 증언에 몹시 만족했다. 심문이 진행됨에 따라, 그루셴카가 그 돈의 출처를, 즉 미챠가 카체리나의 돈을 가로챘다는 사실을 알고 있었음이 판명되었다.

"그렇지만 한 달 전에 드미트리 표도로비치가 쓴 돈이 3천 루블보다는 훨씬 적었다거나, 그 돈의 반액을 만일의 경우를 위해서 어디다 감춰 두었다거나 하는 말을 한 번도 들은 적이 없습니까?"

"아뇨, 그런 말을 들은 적은 한 번도 없었습니다" 하고 그루셴카는 대답하였다.

그와는 반대로 미챠는 지난 한 달 동안 자기 수중엔 돈이 한 푼도 없다고 줄곧 말해 왔음이 판명되었다. "아버지한테서 돈을 받게 되길 초조하게 기다리고 있는 모양이었어요" 하고 그루셴카는 말했다.

"그럼, 언젠가 당신 앞에서…… 무슨 말끝에 우연히, 아니면 홧김에" 하고 니콜라이 파르페노비치는 성급하게 물었다. "자기 아버지를 없애 버려야겠다는 말을 입 밖엔 낸 적은 없습니까?"

"네, 있었습니다." 그루셴카는 한숨을 내쉬었다.

“한 번이었습니까, 여러 번이었습니까?”

“여러 번이었습니다. 언제나 화가 잔뜩 났을 때였지요.”

“그럼, 당신은 그 사람이 그것을 실행할 것으로 믿었습니까?”

“아니, 믿은 적은 한 번도 없습니다!”라고 그녀는 분명하게 대답했다. “저는 그이의 결백한 마음을 믿고 있었으니까요.”

“여러분” 하고 미챠가 갑자기 외쳤다. “제발 당신들 앞에서 아그라페나 알렉산드로브나한테 한마디만 말하게 해 주십시오.”

“말하십시오” 하고 니콜라이 파르페노비치는 승낙했다.

“아그라페나.” 미챠는 의자에서 일어났다. “하느님과 나를 믿어 줘! 간밤에 살해된 아버지의 피에 대하여 나는 아무런 죄도 없어.”

이렇게 말하더니 미챠는 다시 의자에 앉았다. 그루셴카는 일어서서 성상을 향해 경건하게 성호를 그었다. “하느님께 영광이 있어지이다!” 그녀는 듣는 사람의 가슴속을 파고드는 것 같은 열렬한 목소리로 이렇게 외고는, 의자에 다시 앉기 전에 니콜라이 파르페노비치를 보고 말하였다.

“방금 저 사람이 한 말을 믿어 주세요. 저는 저 사람을 잘 알고 있어요. 저 사람은 간혹 부질없는 소리를 할 때가 있지만, 그것은 농담 삼아 하는 말이거나 아니면 공연히 고집을 부리느라고 그러는 것입니다. 그렇다고 양심에 가책을 받을 거짓말은 절대 하지 않는 사람이에요. 지금 저 사람은 사실을 사실대로 말하고 있으니까, 그 말을 믿어 주세요!”

“고마워, 그루셴카, 덕택에 나도 힘을 얻은 것 같아.” 미챠는 떨리는 목소리로 말했다.

어제 가져온 돈에 관한 질문에 대하여 그녀는, 정확히 얼마였는지는 모르겠지만, 엊저녁에 딴 사람들한테 3천 루블 가져왔다고 하는 말은 여러 번 들었다고 대답했다. 그리고 돈의 출처에 대해서는 다음과 같이 설명했다. 미챠는 카체리나 이바노브나한테서 훔쳐 왔노라고 그녀에게만 고백했지만, 그녀는 이 말에 대하여, 아니, 절대로 훔쳐 온 것은 아니다, 내일 돈을 갚아 주면 되지 않느냐고 대답했다는 것이다. 카체리나 이바노브나한테서 훔쳐 왔다는 건 어느 돈을 말하는 것이냐, 어제 그 돈이냐, 아니면 한 달 전에 여기서 소비한 돈이냐, 라는 검사의 끈덕진 물음에 대하여, 그녀는, 한 달 전에 쓴 돈을 두고 하는 말이었다, 적어도 자기는 그렇게 들었다, 라고 단언했다.

드디어 그루셴카에 대한 심문도 끝났다. 니콜라이는 성의 있는 어조로 그녀에게 '지금 곧 읍내로 돌아가도 좋다, 만일 자기로서 그녀에게 도움이 될 수 있다면—예를 들어 마차를 제공한다든가, 또는 동행인이 필요하다면 알선한다든가, 무슨 일이든 하겠다'라고 말했다.

"감사합니다" 하고 그루셴카는 인사를 했다. "저는 저기 있는 지주 노인과 함께 가겠습니다. 그 노인을 모시고 가겠어요. 그렇지만 괜찮으시다면 드미트리 표도로비치의 문제가 결정될 때까지 아래층에서 기다리고 있겠습니다."

그녀는 방에서 나갔다. 미챠는 마음이 진정되었을 뿐만 아니라, 이제는 아주 원기를 회복한 것 같은 표정을 하고 있었다. 그러나 그것은 잠시 동안에 지나지 않았다. 시간이 경과됨에 따라 일종의 기묘한 생리적 쇠약이 그의 전신을 지배하기 시작했다. 피로 때문에 눈꺼풀이 자꾸만 밑으로 내려왔다. 마침내 증인 신문이 끝나고, 법관들은 조서의 정리에 착수했다. 미챠는 의자에서 일어나 한쪽 구석에 드리운 커튼 뒤로 들어가서, 양탄자를 씌워 놓은 커다란 궤짝 위에 누웠다. 그는 곧 잠이 들었다.

그는 이상한 꿈을 꾸었다. 그것은 때와 장소에 너무나 어울리지 않는 꿈이었다.

그는 어딘가 허허벌판을 여행하고 있는 것 같았다. 그곳은 오래전에 그가 근무한 일이 있는 지방이었다. 어떤 농부 한 사람이 그를 마차에 태우고 눈과 진눈깨비 속을 가고 있었다. 11월 초순이어서 미챠는 몹시 추위를 느꼈다. 목화송이 같은 함박눈이 펑펑 쏟아지고 있었으나, 땅에 떨어지자마자 녹아 버리는 것이었다. 농부는 능숙한 솜씨로 채찍을 휘두르며 힘차게 말을 몰았다. 굉장히 긴 아마 빛 턱수염을 기른 사내였는데, 나이는 50가량이나 되었을까, 그리 늙은

편은 아니었다. 몸에는 소매 없는 농부용 회색 외투를 걸치고 있었다. 바로 가까운 곳에 조그만 마을이 있는데, 시커먼 농가가 몇 채 보였다. 그러나 농가의 대부분은 불에 타 버려서, 타다 남은 기둥들만 비죽비죽 서 있었다. 마을에 들어가려 했더니 양쪽 길가에 아낙네들이 줄지어 늘어서 있었다. 꽤 많은 사람이 떼를 이루다시피 하고 있었지만, 모두가 하나같이 여위어 빠진 불그죽죽한 얼굴들을 하고 있었다. 그중에서도 맨 앞에 서 있는 여자는 키가 껑충 큰 마흔 살 안팎의 아낙네였는데, 어찌 보면 스무 살 정도밖엔 안 된 것같이 보이기도 했다. 쭈그러진 파리한 얼굴을 하고, 팔에는 우는 어린애를 안고 있었다. 젖통은 이미 말라 버려서 젖이라곤 한 방울도 안 나오는 모양이었다. 어린애는 추위에 얼어 거의 자줏빛이 되어 있었다. 아무것으로도 가리지 않은 조그만 주먹을 내두르며 아이는 악을 쓰고 울어 대는 것이었다.

"왜 저렇게 울고 있나? 왜 저렇게 울고 있어?" 그들의 옆을 쏜살같이 통과하며 미챠는 이렇게 물어보았다.

"아귀餓鬼예요" 하고 마부는 대답했다. "아귀가 울고 있어요."

마부가 어린애라고 하지 않고 농부들끼리 쓰는 말인 '아귀'라는 말을 쓴 것이, 미챠의 마음을 감동시켰다. 그리고 마부가 아귀라고 했기 때문에 한결 애처롭게 느껴지는 것 같아서 그 말에 호감이 갔다.

"그런데 아귀가 왜 울어?" 미챠는 바보처럼 똑같은 물음을 되풀이했다. "왜 손을 가려 주지 않지? 왜 옷으로 감싸 주지 않아?"

"아귀는 추워서 우는 겁니다. 옷이 얼어서 몸을 녹여 줄 수가 있어야죠."

"그렇지만 왜 그럴까? 무엇 때문일까?" 어리석게도 미챠는 질문을 계속했다.

"집이 불타 버려서 의지할 곳 없게 된 가난뱅이들이랍니다. 빵이 있어야죠. 집을 다시 짓겠다고 도움을 청하고 있는 겁니다."

"아니야, 모르겠어." 미챠는 여전히 이해가 가지 않는다는 표정으로 계속했다. "왜 집을 잃은 어머니들이 저렇게 서 있을까? 왜 인간은 가난하며, 왜 아귀는 불행할까? 왜 벌거숭이 같은 허허벌판이 있을까? 왜 저 여자들은 서로 포옹하고 입을 맞추지 않을까? 왜 환희의 노래를 부르지 않을까? 왜 시커먼 불행 때문에 모든 것이 저렇게 시꺼멓게 되었을까? 왜 아귀에게 젖을 먹이지 않을까?"

그는 마음속으로 이런 것을 느꼈다—나는 지금 미치광이 같은 어리석은 질문을 하고 있다. 그러나 나는 꼭 이런 식으로 묻고 싶다. 이런 식으로 묻지 않을 수 없는 것이다. 그는 여태까지 한 번도 경험한 적이 없는 감격이 마음속에 솟아오르는 것을 느끼며, 울고 싶은 심정이 되었다. 이제부터는 절대로 아귀가 우는 일이 없도록, 거무죽죽하게 쭈그러든 아귀의 어머니가 우는 일이 없도록 해 주고 싶다. 그리고 지금 이 순간부터 누구의 눈에서도 다시는 눈물이 흐르지 않도록 해 주고 싶다. 어떠한 장애가 가로막혀 있더라도, 1분도 지체함이 없이 카라마조프식인 만용蠻勇으로 지금 당장에 어떻게든 해 주고 싶다.

"내가 당신 곁에 붙어 있겠어요. 다시는 당신을 버리지 않고 평생토록 당신을 따라가겠어요." 그루셴카의 애정 어린 부드러운 말소리가 그의 귓전에서 울렸다. 그러자 갑자기 그의 심장은 불타오르며 무언가 새로운 광명을 향해 줄달음질치기 시작했다. 살고 싶다, 무슨 일이 있어도 살고 싶다, 그 어떤 길을 향해 줄달음질치고 싶다, 뭐가 자기를 손짓해 부르는 것 같은 새로운 광명을 향해 줄달음질치고 싶다, 한시바삐, 지금 당장에!

"왜 그래? 어딜 간다는 거야?" 문득 잠이 깨어 궤짝 위에 일어나 앉으며 그는 이렇게 소리쳤다. 흡사 기절이라도 했다가 다시 숨을 몰아쉬었을 때와 같은 기분이었지만, 그 얼굴에는 밝은 미소가 떠올라 있었다. 그의 옆에는 니콜라이 파르페노비치가 서 있었다. 조서를 낭독하는 걸 듣고 나서 서명을 해 달라는 것이었다. 미챠는 자기가 한 시간, 어쩌면 그 이상 잠을 잤다는 것을 알았다. 그러나 니콜라이 파르페노비치의 말 같은 건 이미 듣고 있지 않았다. 아까 지칠 대로 지쳐서 궤짝 위에 쓰러지듯 누웠을 때는 거기 없었던 베개가 뜻밖에도 지금 자기 머리맡에 놓여 있는 것을 발견하고 그는 깜짝 놀랐다.

"누가 나한테 이 베개를 베어 주었습니까? 누굴까요, 그 친절한 분은!" 마치 자기에게 굉장한 선이라도 베풀어진 것처럼 일종의 환희와 감사에 충만하게 되어 그는 울먹이는 목소리로 이렇게 외쳤다.

친절을 베푼 사람이 누구였는지는 끝내 알 수가 없었다. 증인들 중의 누구였던가 아니면 니콜라이 파르페노비치의 서기던가가 동정하는 마음에서 그에게 베개를 베어 주었을 테지만, 아무튼 그의 마음은 눈물로 떨고 있는 것 같았다. 그는 테이블로 다가가서 무엇이든 원하는 대로 서명하겠노라고 했다.

"여러분, 나는 참 좋은 꿈을 꾸었습니다." 그는 기쁨에 밝게 빛나는, 딴사람이 된 것 같은 얼굴을 하며 이상한 어조로 이렇게 말했다.

9. 미챠의 압송押送

예심 조서에 서명이 끝나자 니콜라이 파르페노비치는 엄숙하게 피고 쪽을 향해 다음과 같은 의미의 '판결문'을 낭독했다. 몇 년 몇 월 며칠, 모某 지방법원판사는 아무개를 (즉 미챠를) 여사여사한 사건에 관한 피고로서 (죄상은 빠짐없이 상세히 기입되어 있었다) 심문한 결과, 피고는 혐의 사실을 시인하지 않으면서도 자기변호를 위한 아무런 증거도 제시하지 않았음. 그러나 모든 증인(누구누구)이나 모든 (이러저러한) 사정은 완전히 피고의 범죄를 입증한다고 생각되므로, '형법' 제 몇 조 및 제 몇 조에 의거하여 다음과 같이 결정함. 즉, 피고가 사건심리事件審理와 재판을 기피할 우려가 없도록 그를 모 감옥에 구금하며, 동시에 이를 피고에게 고시하고, 또한 이 판결문의 사본을 부검사에게 통첩함, 운운.

간단히 말하자면, 미챠는 이 순간부터 죄수로서 곧 읍내로 압송되어 지극히 불쾌한 장소에 감금된다는 내용의 판결문이었다. 미챠는 주의 깊게 이 판결문의 낭독을 듣고 나서 양어깨를 흠칫해 보이며 말했다.

"할 수 없군요, 여러분. 나는 당신네들을 탓하지 않으렵니다. 나는 이미 각오가 돼 있어요……. 당신네들로서는 달리 방법이 없었으리라는 점도 나는 잘 압니다."

니콜라이 파르페노비치는 미챠에게, 마침 이 자리에 와 있는 마브리키 경사警査가 지금 곧 그를 호송할 것이라고 말했다.

"잠깐만 기다려 주십시오!" 하고 미챠는 갑자기 말을 막았다. 그리고 억제할 길 없는 감정에 휩싸여 방 안에 있는 모든 사람들을 향하여 입을 열었다.

"여러분, 우리는 모두가 잔인합니다. 우리는 모두가 악당입니다. 우리는 모든 사람들을, 갓난아기와 그 어머니들을 울려 주고 있습니다. 그러나 우리들 중에서도 내가—이제는 그렇다고 낙인을 찍어도 좋습니다만—우리들 중에서도 내가 가장 추악한 존재입니다! 그렇더라도 상관없습니다! 나는 이때까지 날마다 가슴을 치며 개전改悛을 맹세하면서도 여전히 비열한 행위를 되풀이해 왔습니다. 하지만 이제야 비로소 깨달았습니다. 나 같은 인간에겐 채찍이, 운명의 채찍이 필요한 것입니다. 나 같은 인간은 포승을 지워 외부의 힘으로 묶어 놓아야만 합니다. 나 자신만의 힘으로는 영영 사람 구실을 못 하였을 겁니다! 그러나 마침내 철퇴鐵槌가 내려졌습니다. 나는 당신네들의 힐책을, 그리고 일반 사회의 모멸의 고통을 달게 받겠습니다. 나는 괴로움을 맛보고 싶습니다. 괴로움으로 나 자신을 정화淨化하고 싶습니다! 어떻습니까, 여러분, 정말로 정화될 수 있을지 모르잖습니까? 하지만 마지막으로 다시 한번 말해 두겠는데, 나는 아버지의 피에 대해선 아무런 죄도 없습니다! 내가 형벌을 받는 것은 아버지를 살해했기 때문이 아니라 살해할 생각을 품었었기 때문입니다. 사실 말이지, 하마터면 살해하게 되었을지도 모르니까요……. 그렇지만 나는 당신네들하고 싸울 작정입니다. 미리 당신네들한테 선언해 둡니다만, 나는 끝까지 당신네들과 싸울 결심입니다. 그다음은 어찌 되든 하느님의 뜻에 달렸겠지요. 여러분, 용서하십시오. 내가 심문을 받을 때 당신네들한테 덤벼들었다 해서 너무 화를 내지는 마십시오. 사실 나는 그때만 해도 바보였으니까요. 1분 후엔 이미 죄수가 될 테니까, 지금 마지막으로 드미트리 카라마조프는 아직 자유로운 인간으로서 당신네들한테 악수를 청하겠습니다. 즉, 하나의 인간으로서 당신네들과 이별을 고하고 싶단 말입니다!"

그의 음성은 떨리기 시작했다. 그는 정말로 손을 내밀었으나, 제일 가까이 있던 니콜라이 파르페노비치는 갑자기 경련을 일으키기라도 한 것 같은 몸짓으로 자기 손을 등 뒤로 돌려 버렸다. 미챠는 재빨리 그것을 눈치채고 흠칫 몸을 떨었다. 그는 내밀었던 손을 얼른 밑으로 내려 버렸다.

"심리는 아직 끝나지 않았어요." 니콜라이 파르페노비치는 약간 당황한 어조로 중얼거리듯 말했다. "읍내에 돌아가서 또 계속해야 합니다. 나로서는 물론 당신의 성공을…… 즉, 당신에게 무죄가 선고되기를…… 바라고 있습니다……. 그보다도 드미트리 표도로비치, 나는 처음서부터 당신을 범인이라기보다는 오히려…… 뭐랄까, 불행한 사람이라고나 할까요……. 아무튼 그렇게 생각했습니다……. 우리 일동은…… 감히 일동을 대표해서 말하겠습니다만, 우리 일동은 당신을 근본적으론 고결한 청년으로 인정하기를 주저하지 않는 바입니다. 그러나 유감스럽게도 당신은 모종某種의 정욕에 지나치게 빠져든 것입니다……."

말이 끝나감에 따라 니콜라이 파르페노비치의 작달막한 몸집은 비상한 위엄을 나타내기 시작했다. 미챠의 머릿속에는 문득 이런 생각이 떠올랐다—이러다가 혹시 이 '애송이 녀석'이 내 팔을 끼고 저쪽 구석으로 끌고 가며, 바로 얼마 전에 나와 농담 삼아 얘기한 일이 있는 그 '아가씨들' 얘기를 끄집어내는 것이나 아닐까, 하고 그는 생각했다. 하기는 형장刑場으로 끌려가는 죄수의 머릿속에도 때로는 사건이나 그 장소의 상황과는 전혀 관계가 없는 엉뚱한 생각이 문득 떠오를 수가 있는 법이다.

"여러분, 당신들은 선량한 분들입니다. 당신들은 인정이라는 걸 이해하고 계십니다. 그러니 한 번만 더 그 여자를 만나서 마지막으로 작별 인사를 나누도록 해 주실 수는 없겠습니까?" 하고 미챠는 물었다.

"물론 무방합니다. 하지만 여럿이 있는 앞에서…… 아무도 없는 곳에선 좀……"

"그렇다면 옆에 계셔도 좋습니다!"

그루셴카가 불려 들어왔다. 그러나 주고받는 말도 별로 없는 짧은 이별이었다. 니콜라이 파르페노비치는 불만스런 표정이었다. 그루셴카는 미챠에게 공손히 머리를 숙여 인사를 했다.

"나는 당신 것이라고 한 번 말한 이상, 언제까지나 당신 것이에요. 당신이 어디로 가게 되든, 나는 죽는 한이 있더라도 당신과 함께 가겠어요. 그럼 안녕. 당신은 정말 억울한 누명을 쓰게 되었군요!"

"그루셴카, 내 사랑을 용서해 줘. 내가 나의 사랑 때문에 당신까지 파멸로 이끌게 된 걸 용서해 줘."

미챠는 좀 더 무슨 말을 하고 싶은 것 같은 눈치였으나, 갑자기 말을 끊고 밖으로 나가 버렸다. 그를 지켜보고 있던 사람들이 곧 그의 주위에 모여들었다. 어제 안드레이의 트로이카를 그처럼 신바람 나게 몰고 들어왔던 아래층 현관 옆에는, 어느새 출발 준비가 된 두 대의 마차가 기다리고 있었다. 얼굴이 부석부석하고 몸이 뚱뚱한 마브리키 경사는, 무엇 때문인지 몹시 화가 나서 연방 고함을 지르고 있었다. 그리고 굉장히 거드름스런 말투로 미챠에게 마차에 오르라고 말했다.

'저 녀석, 내가 전에 술집에서 술을 사 주었을 때와는 딴판인 얼굴을 하고 있군' 미챠는 마차에 오르며 이런 생각을 했다. 트리폰도 현관 층계 밑으로 내려왔다. 현관문 옆에는 많은 사람들—농부들과 아낙네들, 그리고 마부들이 늘어서서 미챠 쪽을 바라보고 있었다.

"모두들 나를 용서해 주시오!" 미챠는 갑자기 마차 위에서 그들을 향해 이렇게 외쳤다.

"저희들도 용서해 주십시오." 두서넛의 목소리가 대답했다.

"트리폰, 자네도 나를 용서해 주게!"

그러나 트리폰은 돌아다보려 하지도 않았다. 몹시 바빴기 때문인지도 모른다. 그는 허둥지둥하며 여전히 고함을 지르고 있었다. 마브리키를 수행할 마을 농부 두 사람이 타게 되어 있는 둘째 마차가 아직 채비가 안 된 모양이었다. 둘째 마차에 타게 되어 있는 농부는 외투를 잡아당기며, 읍내엔 내가 아니라 아킴이

가게 되어 있다고 고집을 부리고 있었다. 그러나 아킴은 보이지 않았다. 사람들이 그를 부르러 달려갔다. 농부는 끝까지 고집을 부리며 조금만 더 기다려 달라고 애원했다.

"마브리키 마브리키예비치, 이놈은 정말 주책바가지랍니다!" 하고 트리폰이 소리쳤다. "이봐, 자넨 그저께 아킴한테서 받은 25코페이카를 몽땅 마셔 버리지 않았나? 그런데 이제 와서 무슨 개수작이야! 이것 보십시오, 마브리키 마브리키예비치, 당신이 저런 거지 같은 녀석한테까지 친절히 대해 주신다는 데는 참으로 감복하지 않을 수 없습니다. 당신한테 말씀드리고 싶은 건 이것뿐이올시다!"

"마차는 뭣 때문에 두 대씩이나 필요하단 말인가?" 하고 미차가 끼어들었다. "마브리키 마브리키예비치, 한 대면 충분해. 자네들한테 절대 반항하거나 도망을 치거나 하지는 않을 테니까. 나를 호송할 필요는 없을 거야."

"이봐요, 우리한테 쓰는 말투를 좀 배워야겠군요. 나는 당신한테 '자네'라 불릴 까닭이 없단 말이오. 그리고 너무 그렇게 옆구리를 찌르지 말아 주시오. 당신의 충고 같은 건 나중에 듣기로 합시다." 가슴의 울분을 발산할 기회가 온 것이 몹시 반갑다는 듯이 마브리키는 미챠의 말을 퉁명스럽게 가로챘다.

미챠는 입을 다물었다. 그는 얼굴이 빨개졌다. 그러자 갑자기 그는 심한 추위를 느꼈다. 비는 그쳤으나, 뿌연 하늘에는 구름이 가득 퍼지고, 살을 에는 것 같은 바람이 정면으로 얼굴을 때렸다.

'혹시 내가 감기라도 든 게 아닐까' 미챠는 어깨를 움츠리며 생각했다. 마침내 마브리키도 마차에 올랐다. 그는 시치밀 떼고 미챠의 몸을 옆으로 밀어내며 넓게 자리를 잡고 앉았다. 사실 그는 자기의 임무가 죽도록 싫었기 때문에 기분이 몹시 상해 있었던 것이다.

"잘 있게, 트리폰!" 하고 미챠는 다시 한번 소리쳤으나, 이번에는 호의에서가 아니라 증오감에서 우러나온 외침이었다는 것을 미챠 자신도 느꼈다.

그러나 트리폰은 뒷짐을 지고 선 채 정면으로 미챠를 바라보며 무엇 때문인지 화가 난 것 같은 거만한 얼굴을 하고서, 미차에겐 아무 대꾸도 하지 않았다.

"안녕히 가십시오, 드미트리 표도로비치, 안녕히 가세요!" 갑자기 어디서 튀어 나왔는지 칼가노프의 목소리가 울려왔다. 그는 마차 옆으로 달려와서 미챠에게 손을 내밀었다. 그는 모자도 쓰지 않은 채로 달려 나왔던 것이다.

미챠는 그의 손을 꼭 쥐어 잡았다.

"잘 있소, 칼가노프, 당신의 관대한 마음씨를 나는 결코 잊지 않을 거요!" 그는 뜨거운 어조로 이렇게 외쳤다.

그러나 마차는 덜커덕거리며 움직이기 시작하고 두 사람의 손은 풀어졌다. 말 방울이 울리기 시작했다. 드디어 미챠는 호송되어 갔다.

칼가노프는 집으로 달려 들어가 한쪽 구석에 주저앉아서, 고개를 떨어뜨리고 두 손으로 얼굴을 가린 채 소리를 내어 울기 시작했다. 그는 한참 동안을 이렇게 앉아서 울고 있었다. 그것은 이미 스무 살이나 된 청년의 울음이 아니라, 마치 나이 어린 소년의 울음과도 같았다. 그는 미챠의 범죄를 거의 확신하고 있었던 것이다.

"아아, 세상에 그럴 수가 있을까! 그런 사람들이 그따위 짓을 한다면, 대체 진정한 인간을 어디서 찾아볼 수 있단 말인가!" 그는 괴로운 슬픔이라기보다는 오히려 절망적인 심정을 느끼면서, 두서도 없이 이렇게 외쳤다. 그는 이제 이 세상에 살고 있는 것조차 싫증이 날 지경이었다.

"살아 있어야 할 보람이 있을까! 그런 보람이 과연 있을까!" 청년은 슬프게 외치는 것이었다.

제 4 부

제10편 소년들

1. 콜랴 크라소트킨

11월 초순이었다. 영하 11도의 추위가 이 고장에 내습하여 살얼음이 얼었고, 밤에는 얼어붙은 지면에 싸락눈이 조금 내렸다. 그러자 '살을 에는 듯한' 바람이 그 눈가루를 불어 올리면서 이 조그만 도시의 쓸쓸한 거리들을 휘몰아쳤다. 장터로 되어 있는 광장은 특히 심했다. 아침이 되어서도 날씨는 우중충하였으나, 눈은 더 이상 내리지 않았다.

광장에서 멀지 않은 곳인, 플로트니코프네 상점 근처에, 안팎이 모두 깨끗한 자그마한 집 한 채가 있는데, 그것은 전에 관리였던 크라소트킨의 미망인이 사는 집이다. 현청縣廳 서기관이었던 크라소트킨은 벌써 꽤 오래전에, 그러니까, 거의 14년 전에 세상을 떠났으나, 그의 미망인은 이제 나이 서른남은 살밖엔 안 된, 아직도 미모가 가시지 않은 부인으로, 아담하고 깨끗한 자기 집에 살면서 '자기의 재산으로' 생계를 유지해 나가고 있었다. 성질이 원래 사근사근하면서도 꽤 쾌활한 편인 그녀는, 떠벌리는 일 없이 조심스럽게, 그리고 정직하게 살고 있었다. 남편과 함께 살아 본 것은 겨우 1년이나 되었을까, 나이 열여덟에 아들 하나를 낳고는 곧 남편은 잃었던 것이다. 그때부터, 즉 남편이 죽은 후부터 그녀는 자기의 귀중한 외아들 콜랴의 양육에 전심전력을 기울여 왔다. 그녀는 지난 14년 동안 그 아들을 눈 안에 넣어도 아프지 않을 만큼 사랑해 왔으나, 그러면서도 한편으로는, 혹시 무슨 병에 걸리지나 않을까, 감기가 들지나 않을까, 못된 장난을 하지나 않을까, 의자에 기어올라 갔다가 굴러떨어지지나 않을까, 하고 거의 날마다 전전긍긍하며 한시도 마음을 놓지 못하는 형편이었으므로, 기쁨보다는 오히려 고생 쪽이 훨씬 더 많았다. 콜랴는 소학교에 입학했고, 그다음 이 고장 중학교에 다니게 되자, 어머니는 곧 아들과 함께 모든 학과를 공부하며 예습과 복습을 도와주었고, 선생님들이나 그 사모님들과도 가까이 사귀었을뿐더러, 심지어는 콜랴의 동급생들에게까지 손을 써서, 자기 아들을 괴롭히거나 놀리거나 때리거나 하지 않도록 그들한테 아첨하기까지 하였다. 그래서 오히려 아이들은 그 어머니 때문에 콜랴를 놀리기 시작하였고, 저놈은 제 어미의 응석받이라고 흉을 보게 되었다.

그러나 콜랴는 굳건하게 자기 자신을 지키고 있었다. 그는 용감한 소년이었다. 얼마 후에는 '굉장히 센 놈이다'라는 소문이 학급 안에 퍼져서, 나중에는 아주 그렇게 인정을 받게 되었다. 그는 민첩하고 굳세고 대담하고 모험적인 성격이었다. 공부도 제법 잘하여, 수학과 세계사는 담당 선생인 다르다넬로프도 쩔쩔맬 정도라는 소문이 퍼지기까지 했다. 콜랴는 모든 동급생들을 눈 아래 내려다보고 있었지만, 친구로서는 지극히 원만한 편이어서, 결코 거드럭거리는 일은 없었다. 그는 자기가 동급생들의 존경을 받는 것을 당연하게 생각하고 있었으나, 그러면서도 누구에게나 친절하게 대했다. 특히 기특한 것은, 모든 일에 분수라는 것을 알고 있어서 경우에 따라 자기 자신을 억제할 줄 안다는 점이었다. 선생님들과의 관계에서는 사제지간으로서의 어떤 최후의 선을 절대로 넘어서는 법이 없었다. 그 선을 함부로 넘어선다면 그때는 조그만 과실도 이미 용서받을 수 없는 것이 되어 무질서와 반란과 불법으로 화해 버린다는 것을 잘 알고 있었기 때문이다. 그렇지만 그는 기회만 있으면 곧잘 장난을 치곤 했다. 학교에서 제일가는 망나니처럼 못된 짓을 할 때도 있었다. 그러나 그것은 단순한 장난이라기보다는, 되지도 않은 엉터리 이론을 내세우거나, 기발한 언동을 하여 우쭐거려 보거나 하는 일이 많았다. 특히 그는 자존심이 몹시 강했다. 어머니에게까지도 마치 폭군 같은 태도를 취하여 자기한테는 무조건 복종하게 만들었다. 하기는 어머니 쪽에서도 기꺼이 복종했다. 아니 '벌써 오래전부터 아들에게 복종하고 있었던 것이다. 다만, 아들이 '자기를 그다지 사랑하고 있지 않다'는 점만은 도저히 참을 수가 없었다. 그녀는 콜랴가 자기에게 냉정한 것같이 생각되었던 것이다. 그래서 가끔 발작을 일으킨 듯 눈물을 흘리면서 아들의 냉담을 탓하기도 했다. 소년은 그것이 싫어서, 어머니가 자기에게 애틋한 애정을 요구하면 할수록 더욱더 완고해지는 것이었다. 그러나 그것은 일부러 그러는 것이 아니라, 저도 모르게 그렇게 되는 것이었다. 원래가 그는 그런 성격이었던 것이다. 사실, 어머니는 잘못 생각하고 있었다. 그는 자기 어머니를 무척 사랑하고 있었으나, 다만 무의미한 맹목적인 애정이 싫었던 것뿐이다. 그의 중학생다운 표현에 의하면 그것은 '송아지 같은 애정'이라 했다.

아버지의 유물 중에 약간의 서적이 보관되어 있었다. 콜랴는 독서를 좋아하였으므로 벌써 그중의 몇 권을 남몰래 읽어 버렸다. 어머니는 여기에 대해 그다지 염려하지는 않았으나, 아직도 나이 어린놈이 밖에 나가서 놀 생각은 않고 몇 시간씩이나 책장 옆에 붙어 서서 무슨 책인지 열심히 읽고 있는 것을 보고는 간혹 이상하게 생각하곤 했다. 이렇게 콜랴는 자기 또래의 아이들에겐 아직 허용되지 않는 서적들까지도 읽어 버렸다.

그는 지나친 장난은 좋아하지 않는 편이었으나, 그래도 최근에 와서는 정말로 어머니의 간담을 서늘케 할 만한 짓을 하곤 했다. 그렇다고 부도덕한 짓을 하는 건 아니었지만, 그 대신 어처구니없을 만큼 대담한 장난을 하는 것이었다.

바로 지난 7월 여름 방학 때도 이런 일이 있었다. 어머니와 아들은 일주일 예정으로 70킬로가량 떨어진 이웃 군郡에 사는 먼 친척 집에 갔었다. 그 집 바깥주인은 그곳 정거장에 근무하고 있었다. (그것은 이 고장에서 가장 가까운 철도역으로, 한 달 후에 이반 표도로비치 카라마조프도 그 정거장에서 기차를 타고 모스크바로 떠났던 것이다) 거기서 콜랴는 우선 철도를 세밀하게 관찰하여 각종 장치를 연구하기 시작했다. 집에 돌아가면, 동급생들에게 자기의 새로운 지식을 자랑하려는 심산이었다. 그런데 바로 그때 몇 명의 아이들이 그곳에 있었으므로, 콜랴는 곧 그들과 어울려 놀게 되었다. 그들 중 몇 아이는 정거장에, 그리고 다른 몇 아이는 정거장 근처에 살고 있었다. 모두 비슷비슷하게 어린 나이여서, 열두어 살부터 열다섯 살가량 된 아이들이 육칠 명이나 모이게 되었는데 그중에는 이 고장에서 간 아이도 두 명 섞여 있었다. 아이들은 함께 모여 놀기도 하고 장난을 치기도 하면서 사오일 동안 정거장에서 지냈다. 그러다가 이 철부지 소년들 사이에서 그야말로 상상조차 할 수 없는 내기가, 그것도 2루블이나 건 내기가 이루어졌다. 그 내기란 다음과 같았다. 아이들 중에서 제일 나이가 어리다 해서 큰놈들한테 약간 멸시를 받고 있던 콜랴는, 자존심 때문이었는지 아니면 그 대담한 성질 때문이었는지, 아무튼 밤 열 시 차가 지나갈 때 레일 사이에 엎드려 기차가 그 위를 전속력으로 통과할 때까지 꼼짝 않고 견디어 낼 테니 두고 보라고 장담했다. 하기는 미리 연구한 바가 있었기 때문에, 레일 사이에 납작 엎드려 있으면 기차가 위를 지나가도 무사하리라는 걸 알고 있었다. 그렇긴 하지만 레일 사이에 엎드려 있을 때의 기분은 과연 어떨까! 아무튼 콜랴는 그렇게 할 수 있다고 우겼다. 처음엔 모두들 곧이들으려고도 않고 허풍선이니, 거짓말쟁이니 하고 그를 놀렸으나, 그것은 오히려 그의 모험심에 부채질을 하는 격이 되었다. 무엇보다도 중요한 이유는, 열다섯 살 난 아이들이 콜랴한테 몹시 거만스럽게 굴며 '코흘리개'라 하여 축에 끼어 주지도 않는 것이 참을 수 없이 분했던 것이다.

그래서 결국은 정거장에서 1킬로가량 떨어진 곳으로 저녁에 나가기로 했다. 거기까지 가면 정거장을 떠난 기차가 완전히 속력을 내기 시작하기 때문이었다. 아이들이 모였다. 그날 저녁은 달이 없었으므로 어둡다기보다는 차라리 까맣다고 하는 편이 적당할 지경이었다. 시간이 되자 콜랴는 레일 사이에 몸을 펴고 엎드렸다. 내기에 가담한 나머지 다섯 아이는 둑 밑으로 내려가서 철길 옆 수풀 속으로 들어갔다. 그들도 처음엔 스릴 같은 것을 느꼈으나, 결국은 후회와 공포에 휩싸인 채 기차가 오기를 기다리고 있었다. 마침내 정거장을 떠난 기차가 멀리서 요란한 소리를 내며 돌진해 왔다. 두 개의 빨간 불빛이 어둠 속에서 빛나기 시작하더니, 괴물은 우렁찬 음향과 함께 가까이 다가왔다. "내려와, 내려와, 레일에서 빨리 내려오라니까!" 하고 겁에 질린 아이들은 수풀 속에서 콜랴에게 소리쳤으나, 이미 때는 늦었었다. 앞으로 돌진해 온 기차는 눈 깜짝할 사이에 그들 옆을 통과해 버렸다. 아이들은 일제히 콜랴한테 달려 올라갔다. 콜랴는 꼼짝 않고 엎드려 있었다. 그들은 조심조심 콜랴의 몸을 더듬어 보고는 그를 일으키려 했다. 그러자 그는 벌떡 일어나더니 말없이 둑에서 내려갔다. 밑으로 내려와서 그는 아이들에게, 너희들을 놀라게 하려고 일부러 기절한 체했었다고 말하였지만, 후에 자기 어머니한테 솔직히 고백한 바에 의하면, 그는 정말로 의식을 잃었었다는 것이었다. 이리하여 '대담무쌍하다는' 평판은 확고부동한 것이 되고 말았다. 그는 백지장처럼 창백한 얼굴을 하고 정거장에서 집으로 돌아왔다. 이튿날 가벼운 신경성 발열이 있기는 했지만, 기분이 지극히 유쾌하고 흡족한 듯이 보였다. 이 사건은 얼마 후 이 고장에까지 소문이 퍼져서 학생들 사이에 화제가 되었고 선생들의 귀에도 들어갔다. 콜랴의 어머니는 아들에게 처벌이 내릴까 봐 학교로 달려가서 선생들을 붙잡고 눈물로 애원했다. 결국은 존경하는 다르다넬로프 선생님이 콜랴를 위해서 적극 변호하고 나서는 바람에, 이 사건은 없었던 것으로 그냥 눈감아 주기로 했다.

이 다르다넬로프로 말하면 아직 나이도 많지 않은 독신자였는데, 꽤 오래전부터 크라소트키나 부인을 열렬히 사모하고 있었다. 약 1년 전에 그는 소심한 성격과 두려움 때문에 거의 심장이 마비되는 것 같은 느낌을 느끼며 점잖은 태도로 결혼 신청을 한 일이 있었다. 그러나 그의 결혼 신청을 받아들이는 것은 아들에 대한 배신이라 생각하고 그녀는 딱 잘라 거절해 버렸다. 그렇지만 다르다넬로프로서는, 그 어떤 신비로운 징후로 보아서, 이 매혹적이면서도 정숙한 미망인이 자기를 아주 싫어하는 눈치는 아니라고 공상할 수 있는 권리를 보유하고 있었는지도 모른다. 콜랴의 지나치게 대담한 장난은 그에게 한 줄기 활로를 열어 준 것 같기도 했다. 콜랴를 위한 다르다넬로프의 노고에 대해, 분명하게 언질을 준 것은 아니지만, 아무튼 희망적인 암시가 주어졌던 것이다. 그러나 다르다넬로프로 말하면 고결한 신사였으므로, 우선 그 정도만으로도 능히 그의 행복을 충족시킬 수 있었다. 그는 콜랴를 사랑했지만, 너무 귀여워하는 것은 오히려 비굴한 짓이라 생각했으므로, 교실에서는 콜랴한테 엄격한 태도를 취하고 있었다. 또한 콜랴 쪽에서도 존경을 잃지 않을 만한 거리에서 그를 대했다. 공부도 잘하여 학급에서는 둘째를 차지하고 있었지만 다르다넬로프에게는 비교적 냉담한 태도를 취하고 있었다. 동급생들은 콜랴를, 세계사라면 다르다넬로프도 '쩔쩔맬' 정도의 실력이 있는 학생이라고 굳게 믿고 있었다. 아닌 게 아니라, 언젠가 콜랴는 그에게 트로이의 창건자는 누구냐고 질문한 적이 있었다. 이 질문에 대하여, 다르다넬로프는 다만 그 민족이 어떤 민족이었고 또 그들이 어떻게 이주하게 되었으며, 그것이 얼마나 먼 옛날의 일이었는가, 그리고 그 신화가 얼마나 황당무계한 것인가를 대충 답변했을 뿐, 누가, 즉 어떠한 인물이 트로이를 창건했는가 하는 것은 한마디도 말하지 못했을 뿐만 아니라, 무엇 때문인지 이 질문을 성실하지 못한 부질없는 것으로 인정하는 눈치였다. 그러나 학생들은 여전히 다르다넬로프는 트로이의 창건자가 누군지 모른다는 신념을 버리지 않았다. 그런데 콜랴는 아버지가 남겨 준 책장에 보존되어 있는 스마라그도프의 저서를 읽고, 트로이를 창건한 사람이 누군가를 알고 있었던 것이다. 그리하여 나중에 가서는 모든 학생들이 누가 트로이를 창건했는가 하는 문제에 흥미를 느끼게 되었으나, 콜랴는 자기의 비밀을 공개하지 않았다. 그래서 박식가로서의 그의 존재는 더욱 확고한 것으로 되었다.

철도 사건이 있은 후부터, 어머니에 대한 콜랴의 태도에는 약간의 변화가 일어났다. 안나 표도로브나(크라소트키나 부인)는 자기 아들이 그런 모험을 했다는 얘기를 듣고 아주 미쳐 버릴 지경으로 놀랐다. 그녀는 심한 히스테리의 발작을 일으켰다. 더욱이 그 발작이 연거푸 며칠 동안이나 계속되는 바람에, 콜랴도 이번엔 정말로 겁을 집어먹고, 앞으론 절대로 그런 장난은 하지 않겠노라고 굳게 맹세했다. 그는 어머니가 시키는 대로 성상 앞에 무릎을 꿇고 맹세했고, 다시 죽은 아버지의 사진 앞에서 그 맹세를 되풀이했다. 이때만은 '용감한' 콜랴도 깊이 감격하여, 대여섯 살 된 어린애처럼 엉엉 울었었다. 어머니와 아들은 그날 하루 동안 몇 번이나 서로 부둥켜안고 후들후들 몸을 떨면서 울고 또 울었다. 그러나 이튿날 아침잠이 깬 콜랴는 여전히 '냉정한' 아들로 되돌아가 있었다. 그래도 전보다는 말수도 적어졌고 행동도 훨씬 조심스러워졌다.

하기는 한 달 반가량 지나자 그는 또다시 어떤 못된 장난에 끼어들어 이 고장 치안 판사에게까지 이름이 알려지게 되었지만, 그 장난이란 전과는 전혀 성질이 다른, 어리석고도 우스꽝스런 것이었다. 뿐만 아니라, 그가 주동이 된 것이 아니라, 어쩌다 거기 끼어들었던 것뿐이라는 것이 판명되었다. 여기 대해서는 나중에 다시 얘기할 기회가 있을 것이다. 어머니는 여전히 전전긍긍하며 애를 태우고 있었다. 그녀의 걱정이 더하면 더할수록 다르다넬로프는 더욱더 희망을 품게 되었다. 여기서 지적해 두지만, 콜랴는 이런 면에서도 다르다넬로프의 심중을 이해하고 있었으므로, 그의 그런 '감정'을 깊이 경멸하고 있었던 것은 물론이다. 전에는 어머니 앞에서 이러한 경멸의 정을 거리낌 없이 표시하기도 했었다. 다르다넬로프의 속셈을 나는 다 알고 있어요, 라는 뜻을 은근히 암시하곤 했던 것이다. 그러나 철도 사건 후부터 그는 여기 대해 태도를 바꿨다. 이제는 여기 대해 암시 비슷한 빈정거리는 일을 철저히 삼가게 되었고, 어머니 앞에서 다르다넬로프 얘기가 나오면 공손한 말투로 말을 하게 되었다. 눈치 빠른 크라소트키나 부인은 곧 아들의 심정을 이해하고, 마음속으로 무한한 감사를 품고 있었다. 그러나 콜랴가 있는 자리에서 누가 다르다넬로프의 얘기를 꺼내면 그녀는 부끄러움 때문에 얼굴을 확 붉히곤 했다. 이런 때면 콜랴는 미간을 찌푸리며 창문 쪽을 바라보든가, 아니면 자기 구두가 '진수식進水式'을 하게 되었는가 어떤가를 자세히 검사해 보든가, 아니면 소리를 질러 '페레즈본'을 부르든가 했다. 그것은 한 달 전에 갑자기 어디서 끌어온 큼직한 털북숭이 개였다. 콜랴는 그 개를 집에 끌고 들어와서는 무엇 때문인지, 남몰래 방 안에서 기르기로 하고, 친구들이든 누구한테든 절대 보여 주지 않았다. 그는 마치 무서운 폭군과도 같은 엄격한 태도로 온갖 재주를 다 가르쳐 주었다. 그래서 마침내 이 가련한 개는 주인이 학교 가서 없을 때는 쿵쿵 울어 대고 있다가도, 그가 돌아오기만 하면 좋아서 어쩔 줄 모르며 마구 짖어 대는가 하면, 깡충깡충 뛰어오르기도 하고, 주인의 심부름을 하는가 하면, 죽은 것처럼 방바닥에 축 늘어져 있기도 하고, 아무튼 한마디로 말해서 주인의 명령이 있어서라기보다는, 오직 뜨거운 기쁨과 감사의 정을 억제할 수가 없어서 가르쳐 준 모든 재주를 자진해서 부려 보이게 되었다.

그런데 한 가지 미리 말해 둬야 할 것을 잊고 있었다. 다름 아니라 독자들이 이미 알고 있는 이등 대위 스네기료프의 아들 일류샤가 자기 아버지를 '수세미'라고 놀리는 데 격분하여 나이프로 친구의 넓적다리를 찌른 일이 있는데, 그 친구가 바로 콜랴 크라소트킨이었던 것이다.

2. 꼬마들

그건 그렇고, 바람 불고 추위가 휘몰아 닥친 11월 어느 날 아침에, 콜랴 크라소트킨은 집 안에 앉아 있었다. 일요일이어서 학교 공부는 없었다. 그러나 벌써 열한 시도 지났으므로, 그는 '어떤 지극히 중대한 용무' 때문에 꼭 밖에 나가야만 했다. 그런데 마침 이 집에 살고 있는 어른들은 어떤 긴급하고도 특별한 사정으로 해서 모두들 외출하고 없었으므로, 그는 혼자 남아서 집을 보게 되었던 것이다. 크라소트키나 부인네 집에는, 자기네가 쓰고 있는 방에서 현관을 사이에 두고 따로 떨어진 작은 방 두 개가 있었는데, 거기에는 어린애 둘을 거느린 어느 의사 부인이 세 들어 있었다. 이 의사 부인은 크라소트키나와 동년배의 여자여서, 안주인과는 무척 친하게 지내고 있었다. 남편인 의사는 벌써 1년 전에 어딘가 객지로 떠나고 없었다. 처음엔 오렌부르크로, 다음엔 타슈켄트로 갔다고 하더니 그 후 거의 반년 동안이나 아무런 소식도 전해 오지 않았다. 그래서 만일 크라소트키나 부인과의 친분이 조금이나마 이 버림받은 의사 부인의 슬픔을 위로해 주지 않았던들 그녀는 아마 울다 지쳐 쓰러져 버리고 말았을지도 모른다. 그런데 지금 설상가상으로, 바로 간밤에, 즉 토요일에서 일요일 사이에 의사 부인에겐 둘도 없는 하녀 카체리나가 느닷없이, 자기는 아무래도 아침녘엔 아이를 낳게 될 것 같다는 뜻밖의 사실을 알렸던 것이다. 어찌하여 아무도 미리 그것을 눈치채지 못했는지 그것은 거의 기적에 가까운 일이었다. 아무튼 대경실색한 의사 부인은 아직 시간의 여유가 있는 동안에, 읍내의 어떤 산파가 이런 경우를 위해서 설립한 산원産院으로 카체리나를 데려가야겠다고 생각했다. 그녀는 이 하녀를 무척 귀하게 여기고 있었으므로 즉시 자기 생각을 실행에 옮겨, 하녀를 산원에 데려갔을 뿐만 아니라, 거기 남아서 시중을 들어주기로 했다. 그런데 어쩐 일인지 아침이 되자 크라소트키나 부인까지도 발 벗고 나서서 거들어주어야 하게 되었다. 부인은 이런 경우 남에게 도움을 청하거나, 여러 가지로 친절히 돌봐 주거나 할 수 있는 사람이었다. 이런 일로 두 부인은 출타 중이었다.

게다가 크라소트키나네 하녀 아가피야까지도 시장에 나가고 없었다. 그래서 콜랴는 얼마 동안 '꼬마들', 즉 집에 남겨 둔 의사 부인의 아들과 딸을 보호하고 돌봐 주어야 했다. 콜랴는 집을 지키는 거라면 별로 무섭지 않았다. 게다가 페레즈본도 함께 있으니 문제없었다. 페레즈본은 문간방 걸상 밑에 꼼짝 말고 엎드려 있으라는 명령을 받기는 했지만 그래도 콜랴가 집 안을 돌아다니다가 문간방에 들어올 때마다 머리를 흔들며 눈치를 살피듯 꼬리로 마룻바닥을 툭툭 치곤 하는 것이었다. 그렇건만 슬프게도 주인을 따라오라는 휘파람 소리는 울리지 않았다. 콜랴가 위협하듯 눈살을 찌푸리고 노려보면, 이 가엾은 개는 또다시 얌전히 몸을 움츠려 버리고 만다. 콜랴에게 난처한 일이 있다면 그것은 단지 '꼬마들'뿐이었다. 물론 그는 카체리나에 관한 뜻밖의 사건을 깊은 경멸의 눈으로 보고 있었지만, 그래도 그는 의지할 곳 없는 아이들을 무척 귀여워하고 있었으므로, 그들에게 이미 어린이 책을 한 권 갖다 주기까지 했다. 아홉 살 난 누나 나스챠는 벌써 책을 읽을 줄 알았다. 그래서 그 동생인 '꼬마', 즉 일곱 살짜리 사내아이 코스챠는 나스챠가 책을 읽어 주는 걸 무척 좋아했다. 물론 크라소트킨은 두 아이를 좀 더 재미있게 해 줄 수도 있었다. 그들을 나란히 세워 놓고 군대놀이를 하거나, 집안을 뛰어 돌아다니며 숨바꼭질을 하거나 할 수도 있었던 것이다. 전에도 곧잘 그런 놀이를 했을뿐더러 그것을 별로 경원하는 기색도 없었다. 그래서 한 번은 학교에서, 크라소트킨은 자기 집에 셋방살이하는 꼬마들과 말타기 놀이를 한다느니, 말 흉내를 내어 머리를 내저으며 껑충껑충 뛴다느니 하는 소문이 퍼지기까지 했었다. 그러나 크라소트킨은 이런 비난을 자신 있게 반박하면서, 만약에 자기가 동년배의 친구들, 즉 열세 살이나 먹은 아이들과 말타기 놀이를 한다면 그것은 '현대에 있어' 참으로 수치스러운 일이겠지만, 자기는 어디까지나 '꼬마들'을 위해서 그런 짓을 하는 것이며, 그것은 자기가 그들을 그만큼 사랑하기 때문인데, 자기의 그러한 애정에 대해서는 누구도 감히 왈가왈부할 수 없는 것이다, 라고 말하는 것이었다. 그 대신 '꼬마들'도 둘이 다 그를 존경하고 있었다.

그러나 오늘은 그런 놀이를 하고 있을 계제가 아니었다. 그에게는 매우 중대한, 언뜻 보기엔 거의 비밀에 가까운 용건이 눈앞에 있었다. 게다가 시간은 사정없이 지나가기만 하는데, 아이들을 맡기리라 생각했던 아가피야조차도 시장에서 영 돌아오지를 않는다. 그는 벌써 몇 번이나 현관을 지나서 의사 부인네 방문을 열고는 근심스런 눈으로 '꼬마들'을 바라보곤 했다. '꼬마들'은 콜랴의 명령대로 책을 읽고 앉아 있었으나, 그가 문을 열 때마다 말없이 그쪽을 돌아보면서 입을 벙싯거리고 웃었다. 그것은 그가 곧 들어와서 자기들을 아주 재미있게 해 주리라 기대하기 때문이었다. 그러나 콜랴는 불안 속에 빠져 있었으므로 방안에는 들어가려 하지도 않았다.

마침내 시계가 열한 시를 쳤다. 그는 앞으로 10분이 지나도록 그 망할 놈의 아가피야가 돌아오지 않는다면 더 이상 기다리지 않고 나가 버리기로 단단히 결심했다. 물론 나가기 전에, 자기가 없다고 공연히 겁을 먹거나 장난을 치거나 울거나 하면 안 된다고 '꼬마들'한테 다짐을 받아야 할 것이다. 이렇게 생각하며 그는 고양이 털가죽으로 깃을 대고 솜을 넣어 누빈 겨울 외투를 입고 한쪽 어깨에 가방을 둘러메었다. 그러곤 '이렇게 추운 날엔' 반드시 덧신을 신고 외출하라는 어머니의 간절한 호소가 여러 번 있었음에도 불구하고, 문간방을 통과할 때 멸시하듯이 그 덧신에 흘끗 눈을 주었을 뿐 장화만을 신고 그냥 나와 버렸다. 페레즈본은 그가 외투를 입은 것을 보고는 온몸을 부르르 떨며 꼬리로 마룻바닥을 마구 치면서 애처롭게 신음 소리를 내기까지 했다. 그러나 콜랴는 자기 개가 잠시 동안이라도 그처럼 자기를 보고 날뛰려 드는 것은 규율을 문란케 하는 행위라 생각하고, 그대로 걸상 밑에 엎드려 있게 하였다. 그리고 현관으로 나오는 문을 열고 나서야 비로소 휘파람을 불었다. 개는 미친 듯이 튀어 일어나 좋아서 어쩔 줄 모르겠다는 듯이 앞장서서 달려 나갔다.

콜랴는 현관을 지날 때 '꼬마들'의 방문을 열었다. 두 아이는 아까처럼 책은 읽지 않고 무언가 서로 열띤 논쟁을 벌이고 있었다. 이 아이들은 여러 가지 세상일에 대해서 자주 논쟁을 벌이곤 하였는데, 그럴 때면 손위인 누나 나스챠가 으레 이기게 마련이었다. 그러나 코스챠는 누이의 주장에 동의할 수 없을 땐 거의 언제나 콜랴 크라소트킨한테 상소上訴하곤 했다. 그리고 콜랴의 판결은 양측에게 절대적인 선고가 되는 것이었다. '꼬마들'의 오늘의 논쟁은 크라소트킨에겐 약간 흥미 있는 것이었다. 그래서 그는 좀 들어 보려고 문 앞에 멈춰 섰다. 아이들은 그가 듣고 있는 것을 보고는 더욱 열을 내어 토론을 계속했다.

"난 그런 말 절대로 믿을 수 없어" 하고 나스챠가 열을 올리며 종알대었다. "산파 할머니가 갓난아기를 양배추 밭이랑 사이에서 주워 온다는 건 말이 안 돼. 지금은 겨울이니까 양배추도 없어. 그러니 어떻게 거기서 산파 할머니가 카체리나한테 딸을 갖다 줄 수 있겠느냐 말야."

"휘유!" 콜랴는 속으로 휘파람을 불었다.

"그러니까 아마 이럴 거야—산파 할머니는 어디서 아기를 가져오기는 하지만 말야, 결혼한 사람한테만 갖다 줄 거야."

코스챠는 나스챠를 응시한 채, 심각하게 귀를 기울이면서 무언가 생각하는 눈치였다.

"누나는 참 바보야." 드디어 그는 침착하고도 확고한 어조로 입을 열었다. "카체리나는 결혼도 하지 않았는데 어떻게 아기가 생겼지?"

나스챠는 발끈해서 대들었다.

"넌 아무것도 몰라." 소녀는 화를 내며 말을 막았다. "카체리나는 남편이 있었는데 지금은 감옥에 들어가 있는지도 몰라. 그래서 카체리나는 아기를 낳은 거야."

"그래, 정말로 카체리나의 남편이 감옥에 들어가 있단 말이지?" 뭐든지 따지고 들길 잘하는 코스챠가 거드름스레 물었다.

"그렇잖음 이런지도 몰라." 나스챠는 자기의 처음 가설을 벌써 잊어버린 듯이 포기하고 급히 말을 막았다. "네 말마따나, 카체리나한텐 남편이 없어. 그렇지만, 시집을 가고 싶어서 만날 결혼하는 생각만 했지. 자꾸 그런 생각만 하다 보니까 남편 대신 아기가 생겨난 거야."

"아마 그럴 거야." 코스챠는 완전히 설복당하여 동의했다. "누나가 처음부터 그렇게 말해 즈지 않으니 내가 알게 뭐야."

"얘, 꼬마들아." 콜랴는 방 안으로 들어서며 말했다. "너희들 참 위험한 인물인 것 같구나!"

"페레즈본도 데리고 왔어?" 코스챠는 히죽 웃더니, 손가락을 탁탁 튀기며 페레즈본을 부르기 시작했다.

"얘들아, 나 참 곤란한 일이 생겼다" 하고 콜랴는 점잖게 입을 열었다. "너희들이 좀 도와줘야겠어. 아무래도 아가피야는 다리가 부러진 모양이야. 여태 들어오지 않는 걸 보니 틀림없어. 그런데 나는 꼭 밖에 나가 봐야 할 일이 있어, 어떠냐, 내가 나가도 괜찮겠니?"

아이들은 걱정스러운 듯이 서로 얼굴을 쳐다보았다. 미소를 띤 얼굴에 불안의 빛이 떠오르기 시작했다. 그러나 그들은 콜랴가 자기들에게 무엇을 요구하려는 것인지 얼른 알아차릴 수가 없었다.

"내가 없대서 못된 장난을 치진 않겠지? 장롱에 기어올라 갔다가 발을 삐거나 하지는 않겠지? 아무도 없다고 무서워서 울거나 하진 않겠지?"

아이들의 얼굴엔 깊은 실망의 빛이 떠올랐다.

"그 대신 내가 좋은 걸 보여 줄게. 구리로 만든 대포야. 진짜 화약으로 쏠 수도 있지!"

아이들의 얼굴이 순식간에 환하게 밝아졌다. "그 대포 보여 줘, 응!" 희색이 만면해서 코스챠가 말했다.

크라소트킨은 자기 가방 속에 손을 넣더니 청동으로 만든 조그만 대포를 꺼내서 테이블 위에 놓았다.

"자, 여기 있다! 잘 봐라, 바퀴도 달렸어." 그는 장난감 대포를 테이블 위에 굴렸다. "그리고 쏠 수도 있다. 총알을 재고 쏠 수도 있어."

"그럼 사람을 죽일 수도 있나?"

"암, 겨누고 쏘기만 하면 누구든지 다 죽일 수 있지." 크라소트킨은 어디다 화약을 넣고 어디다 총알을 재는지를 설명하기도 하고, 점화구點火口처럼 생긴 구멍을 보여 주기도 하고, 발사 시에는 반동反動이 있다는 말도 했다.

아이들은 굉장한 호기심을 갖고 듣고 있었다. 특히 반동이 있다는 말에 그들은 몹시 놀랐다.

"그럼, 화약도 지금 가지고 있나?" 나스챠가 물었다.

"갖고 있고말고."

"화약도 좀 보여 줘요, 응." 나스챠는 애원하는 듯한 미소를 띠며 말끝을 길게 끌었다.

크라소트킨은 다시금 가방에 손을 넣어 진짜 화약이 조금 들어 있는 작은 병을 꺼냈다. 종이 봉지에서는 산탄散彈도 몇 알 나왔다. 그는 병마개를 열고 화약을 조금 손바닥에 꺼내 보이기까지 했다.

"자, 봐라. 그런데 불은 아무 데도 없겠지? 까딱 잘못하면 쾅 하고 폭발해서 우린 아주 몰살이다, 몰살이야" 하고 크라소트킨은 효과를 내기 위해 경고했다.

아이들은 엄숙한 공포의 빛을 나타내며 화약을 들여다보았다. 그러나 그 공포감은 오히려 그들의 흥미를 자극하는 것이었다. 코스챠는 화약보다도 산탄 쪽에 마음이 끌렸다.

"산탄은 불이 붙지 않나?" 하고 그는 물었다.

"산탄은 불붙지 않아."

"그럼, 조금만 줘요." 아이는 애원하는 목소리로 말했다.
"조금 줄게. 그러나 내가 돌아올 때까지 엄마한테 보이면 안 돼. 엄마가 보면 이걸 화약인 줄 알고 기절해 버릴 거야. 그리고 너희들은 되게 얻어맞을 테니 말야."
"엄마는 우릴 채찍으로 때린 적이 한 번도 없는걸." 나스챠가 이내 대꾸를 했다.
"그건 나도 알아. 그저 말의 앞뒤를 맞추기 위해 그렇게 말한 것뿐이야. 물론 엄마를 속인다는 건 절대 안 될 말이지. 하지만 이번만은—내가 돌아올 때까지만 말이야, 알겠니? 그럼 애들아, 내가 나가도 괜찮겠지, 응? 내가 없다고 무서워서 울지는 않겠지?"
"아니야, 울 거야……." 코스챠는 금방 울음을 터뜨릴 것같이 말끝을 끌었다.
"울 거야, 우린 무서워서 울 거야!" 나스챠도 겁에 질린 듯이 얼른 말을 받았다.
"이거 참 곤란한 아이들이군. 그야말로 위험한 연령이라니까, 할 수 없지, 아무래도 좀 더 너희들 옆에 붙어 있어야 하겠구나. 그렇지만 시간이, 시간이 자꾸 지나가는데 이를 어쩌지?"
"그보다도 페레즈본한테 죽은 체해 보라고 해 봐, 응." 코스챠가 간청했다.
"그렇군, 할 수 없다. 페레즈본한테 도움을 청해야지. 이리 와, 페레즈본!" 콜랴는 개한테 명령을 내리기 시작했다. 개는 배운 재주를 모조리 부려 보였다.
털이 복슬복슬한 보통 크기의 개였는데, 빛깔은 푸르스름한 잿빛이고, 오른쪽 눈은 애꾸인 데다가 왼쪽 귀는 무엇 때문인지 찢어져 있었다. 페레즈본은 멍멍 짖어 대기도 하고, 깡충깡충 뛰기도 하고, 심부름을 하기도 하고, 뒷걸음질을 치기도 하고, 네 발을 위로 하고 벌렁 자빠지기도 하고, 죽은 듯이 꼼짝 않고 엎드려 있기도 했다. 이 마지막 재주를 부리고 있을 때 방문이 열리며 크라소트키나 부인의 하녀 아가피야가 문지방에 나타났다. 마흔 살가량 된 뚱뚱한 곰보 여편네였는데, 식료품을 잔뜩 사 넣은 바구니를 들고 시장에서 돌아오는 길이었다. 그녀는 그 자리에 멈춰 서서 왼손에 장바구니를 든 채, 개를 구경하기 시작했다. 콜랴는 그처럼 목이 빠지게 아가피야를 기다리고 있었는데도, 도중에서 개의 재주 부리는 것을 중단시키지 않았다. 이윽고 일정한 시간만큼 페레즈본한테 죽은 시늉을 시키고 난 다음에야 비로소 개를 향해 휘파람을 불었다. 개는 벌떡 일어나더니 자기 의무를 완수했다는 기쁨에 깡충깡충 뛰며 돌아갔다.

"조놈의 개새끼 봤나!" 아가피야가 나무라듯 말했다.

"이봐, 여성, 왜 그렇게 늦었어?" 크라소트킨은 꾸짖듯이 물었다.

"여성이라니, 꼬마가 그게 무슨 소리야!"

"꼬마라고?"

"꼬마지 뭐야. 내가 늦건 말건 무슨 상관이야? 그럴 만한 이유가 있어서 늦었단 말이에요." 아가피야는 난로 옆을 왔다 갔다 하며 중얼거렸다. 그러나 그 음성은 조금도 못마땅하다거나 화가 났다거나 한 것 같지는 않고, 오히려 쾌활한 도련님과 수작을 건넬 기회를 얻은 것을 무척 기뻐하는 듯싶은 눈치였다.

"이봐, 주책바가지 할멈." 콜랴는 소파에서 일어나며 입을 열었다. "내가 없는 동안 이 꼬마들을 잘 봐 줄 수 있어? 이 세상의 모든 신성한 것의 이름으로, 아니, 그보다 더한 것의 이름으로 나한테 그걸 맹세할 수 있느냐 말야? 나는 밖에 나갈 일이 있어서 그러는데."

"내가 뭣 때문에 너한테 맹세를 하지?" 하며 아가피야는 웃어 댔다. "그렇게 하지 않아도 내 잘 봐 줄게."

"아니야, 당신 자신의 영혼의 영원한 구원을 걸고 맹세해야 돼, 그렇지 않으면 난 안 갈 테야."

"그럼, 가지 않음 되잖아. 나한텐 상관없는 일이야. 그보다도 밖은 추우니 집에 그냥 앉아 있어요."

"얘들아." 콜랴는 아이들한테 말했다. "내가 돌아오든지 너희 엄마가 돌아오든지 할 때까지 이 여성이 너희들을 돌봐 줄 거야. 하긴 엄만 벌써 돌아올 시간이 됐는데……. 아무튼 아가피야가 너희들한테 점심도 줄 거야. 이봐, 아가피야,

꼬마들한테 뭐 먹을 걸 좀 줄 수 있겠지?"
"그야 물론이죠."
"그럼, 병아리들아, 잘 있어. 난 안심하고 간다. 그런데 할멈." 그는 아가피야 옆을 지나가면서 귓속말로 거드름스럽게 말했다. "공연히 또 입을 나불거려서 카체리나에 대해서 부질없는 소리를 저 애들한테 하면 안 돼. 아이들의 나이를 생각해야지. 이리 와, 페레즈본!"
"어서 꺼져 버려!" 아가피야는 버럭 소리를 질렀다. "내 참, 이상한 애도 다 보았네! 그따위 소릴 하는 너부터 단단히 혼이 나 봐야 해."

3. 학교 아이들

그러나 이미 콜랴의 귀엔 그 말이 들리지 않았다. 그는 이제야 겨우 밖으로 나올 수가 있었다. 대문을 나서자 그는 좌우를 둘러보고 어깨를 움츠리며 "어이, 추워!" 하고 중얼거리고는 똑바로 한길을 걸어갔으나, 어느 모퉁이에서 오른쪽 골목길로 굽어들어, 장터로 되어 있는 광장 쪽으로 발길을 돌렸다. 광장 못 미쳐 어느 집 앞에까지 와서 그는 대문 앞에서 걸음을 멈추더니, 호주머니에서 호각을 꺼내 무슨 신호라도 하듯이 힘차게 한 번 불었다. 1분도 채 기다리기 전에 대문짝 사이로, 얼굴빛이 볼그레한 소년 하나가 튀어나왔다. 나이는 열한 살가량, 말쑥하고 따뜻해 보이는 거의 사치스러울 정도의 외투를 입고 있었다. 이 소년은 어느 부유한 관리의 아들로 예과豫科에 다니는, 그러니까 콜랴 크라소트킨보다는 두 반 아래인 스무로프였다. 그의 양친은 자기 아들이 장난꾸러기로 이름난 크라소트킨과 어울리는 것을 금하고 있는가 보았다. 그래서 지금도 스무로프는 몰래 빠져나온 것이 분명했다. 독자들도 기억하고 있겠지만, 이 스무로프는 두 달 전에 도랑을 사이에 두고 일류사에게 돌을 던지던 소년들 중의 하나로, 그때 알료샤에게 일류샤 얘기를 해 준 바로 그 아이였다.

"크라소트킨, 난 벌써 한 시간이나 기다렸어" 하고 스무로프는 항의하듯 말했다. 두 소년은 광장 쪽으로 걷기 시작했다.

"늦었어" 하고 크라소트킨은 대답했다. "피치 못할 사정이 있었거든. 그보다도 너 나하고 함께 다니다가 나중에 매 맞는 거나 아니니?"

"그런 소린 그만둬, 내가 왜 매를 맞아? 페레즈본도 데리고 오나?"

"데리고 왔어!"

"그럼, 그리로 데려가는 거지?"

"응, 그리로."

"아아, 쥬치카가 있었더라면!"

"쥬치카 얘긴 하나마나야. 쥬치카는 이미 존재하지 않아. 쥬치카는 미지未知의 어둠 속으로 사라져 버린 거야."

"그렇지만 이럭하면 안 될까" 하며 스무로프는 문득 멈춰 섰다. "일류샤의 말에 의하면 쥬치카 역시 털이 북슬북슬하고 푸르스름한 잿빛 개였다니까, 이 개가 바로 그 쥬치카라고 하면 안 될까. 어쩌면 곧이들을지 몰라."

"학생은 거짓말을 하면 안 돼. 이게 첫째 이유고, 둘째론, 비록 선善을 위해서라도 거짓말을 한다는 건 좋지 않아. 그보다도 너 거기서 내가 간다는 말은 절대 하지 않았겠지?"

"그런 소릴 왜 해. 나도 그만한 건 알고 있어. 그렇지만 페레즈본을 가지곤 그 앨 달랠 수 없을 거야." 스무로프는 한숨을 푹 쉬었다. "사실은 그 애 아버지가 그 '수세미' 대위가 우리들한테 이런 말을 했어—오늘 코끝이 까만 진짜 마스티프종種 강아지를 그 애한테 얻어다 주겠다고 말야. 그 사람은 그걸로 일류샤의 마음을 달랠 생각이지만, 아마 어려울 거야."

"그런데 그 애는 어때? 일류샤 말이야."

"아아, 아주 좋지 않아, 가망이 없어! 내 생각으론 폐병인 것 같아. 정신은 똑똑한데 숨 쉬는 게 이상해. 아무래도 그 숨소리가 좋지 않다니까. 요전에도 좀 걸어 보겠다기에 신을 신겨 주었더니 두 걸음도 옮기지 못하고 쓰러지고 말았어. 그러면서도 '이건 못쓰게 된 신발 아녜요. 이걸 신곤 제대로 걸을 수도 없다고 내가 전부터 말하지 않았어요'라는 거야. 그 애 자신은 신발이 나빠서 쓰러진 걸로 생각하지만, 실은 그만큼 몸이 쇠약했기 때문이야. 앞으로 일주일도 견딜 것 같지 않아. 게르첸슈투베가 왕진을 하고 있지. 이젠 그 집도 구차하진 않으니까. 돈이 꽤 많은가 봐."

"사기꾼들이야."

"누가?"

"의사라든가 의학을 팔아먹는 패들 말이야. 이건 일반적인 의미에서 하는 말이지만, 개별적으로 말한대도 역시 매한가지야. 나는 의학이라는 걸 인정하지 않아. 아무 소용없는 짓이지. 아무튼 나는 앞으로 이 점을 철저히 조사해 볼 생각이야. 그보다도 어쩌다 너희들은 그런 감상적인 일을 시작했지? 온 학급이 통틀어서 그 집에 다니고 있는 모양인데?"

"학급 전원이 다니는 건 아니지만, 열 명가량이 매일 다니고 있어. 그렇다고 뭐 나쁠 건 없잖아."

"그런데 여기서 이상한 건 알렉세이 카라마조프의 역할이야. 자기 형님이 그런 범죄 사건 때문에 내일모레면 재판을 받게 되어 있는데, 아이들과 어울려 그런 감상적인 짓을 할 여유가 어디 있겠느냐 말이야!"

"이건 절대 감상적인 짓이 아니야. 그렇게 말하는 너 자신도 지금 일류샤와 화해하러 가고 있잖아."

"화해? 우스운 표현이군. 하지만 나 자신의 행위를 남이 분석하는 걸 나는 용서할 수 없어."

"그렇지만 일류샤는 너를 보면 무척 반가워할 거야! 네가 찾아 주리라곤 꿈에도 생각 못 하고 있었으니까. 그런데 넌 왜, 무엇 때문에 그렇게 오랫동안 거기 가려 하지 않았지?" 스무로프는 갑자기 열띤 목소리로 외쳤다.

"이봐, 그건 내가 알 일이지 네가 알 일이 아니야. 나는 자진해서 자신의 의사에 따라서 가는 거야. 너희들은 모두 알렉세이 카라마조프한테 끌려서 갔겠지?

여기에 차이가 있어. 뿐만 아니라 내가 화해를 하러 가는 건지 아닌지, 네가 어떻게 알아? 화해니 뭐니 하는 건 덜 돼먹은 표현이야."

"아니, 우린 카라마조프한테 끌려간 건 아니야, 결코 그게 아니라니까. 우리는 그 애한테 가고 싶어서 가는 것뿐이야. 물론, 처음엔 카라마조프와 함께 갔었지만, 네가 말하는 것처럼 그렇게 된 건 절대 아니야. 처음엔 한 사람, 그다음엔 또 한 사람, 이런 식으로 다니게 된 거야. 그 애 아버지는 우릴 굉장히 반겨 주었어. 정말이지 일류샤가 죽어 버리면 그 사람은 미치고 말 거야. 하긴 그 사람도 일류샤가 죽을 거라 생각하고 있지만. 우리가 일류샤와 화해했을 때 그 사람은 얼마나 기뻐했는지 몰라. 일류사는 네 얘기를 몇 마디 묻고는 더 이상 아무 말도 하지 않았어. 묻고는 이내 입을 봉해 버리고 말았단 말이야. 어쨌든 걔 아버지는 틀림없이 미쳐 버리든가 목을 매어 자살해 버리든가 할 거야. 전에도 그 사람은 미친 사람 같은 짓을 한 일이 있으니까. 원래는 무척 결백한 사람인데, 그때는 어쩌다 잘못되어 그런 일이 일어났던 거야. 제 아비를 죽인 그 살인자가 그때 그 사람을 때린 게 전적으로 잘못이었어."

"하지만 어쨌든 카라마조프는 나한텐 수수께끼의 인물이야. 나는 이미 오래전에 그와 가까이 사귈 수도 있었어. 그러나 나는 어떤 경우엔 상당히 거만한 편이거든. 뿐만 아니라, 나는 그에 대해 어떤 의견을 갖고 있어. 그러나 그건 좀 더 연구한 후에 밝히는 게 옳겠지."

콜랴는 위엄 있게 입을 다물었고, 스무로프 역시 잠잠하였다. 물론 스무로프는 콜랴 크라소트킨을 숭배하고 있었으므로 감히 자기를 그와 동등한 위치에 놓을 생각은 꿈에도 못 했다. 지금도 그는 콜랴가 '자진해서' 간다고 한 말에 무척 흥미를 느꼈다. 콜랴가 오늘 갑자기 그리로 가려고 결심한 데는 반드시 무슨 까닭이 있을 것이라 생각했던 것이다. 두 소년은 장터를 걷고 있었다. 광장에는 시골에서 온 수많은 짐마차와 거위들이 몰려 있었다. 장터 여자들은 천막을 친 노점에서 꽈배기 모양의 빵이며 실 같은 것을 팔고 있었다. 이렇게 일요일에 서는 장을 이 고장에서는 좀 과장해서 '정기시定期市'라 부르고 있었는데, 이런 정기시는 한 해 동안에 여러 번 있었다.

페레즈본은 이쪽저쪽 냄새를 맡으면서, 아주 신이 나서 뛰어가고 있었다. 그러다가 다른 개와 만나면 개들의 예법에 따라 서로 열심히 냄새를 맡곤 했다.

"스무로프, 나는 리얼리즘을 관찰하길 좋아해" 콜랴가 불쑥 입을 열었다. "너도 개들이 서로 만나면 냄새를 맡는 걸 보았지? 거기엔 어떤 공통적인 자연의 법칙이 있어."

"그래, 좀 우스운 법칙이긴 하지만."

"조금도 우습지 않아. 그건 네가 잘못 봤어. 편견을 지닌 인간의 눈엔 어떻게 보이든 간에, 자연 속엔 우스운 것이라곤 하나도 없어. 만약에 개가 이성을 가지고 무엇을 비판할 수 있다면, 개 역시 자기의 명령자인 우리 인간의 사회적 관계에서 똑같이 우스운 점을, 아니 훨씬 더 많은 우스운 점을 발견할 거야. 암, 훨씬, 더 많고말고. 내가 이렇게 되풀이해서 말하는 건, 우리 인간 쪽에 어리석은 점이 훨씬 많다고 확신하기 때문이지. 이건 라키친의 견해지만, 정말 그럴듯한 사상이야. 스무로프, 나는 사회주의자다."

"사회주의자가 뭐니?"

"그건 모든 사람이 평등하고, 모두가 재산을 공동으로 소유하고, 결혼이라는 게 없고 자기가 좋아하는 종교와 법을 갖고…… 모든 게 다 이런 식이지. 하지만 그런 걸 알려면 넌 아직 어려? 헌데 이거 꽤 춥구나."

"응, 영하 12도야. 아까 아버지가 온도계를 보고 말했어."

"얘, 스무로프, 너 이런 거 못 느꼈니. 영하 12도, 18도의 한겨울보다도 요즘처럼 12도의 추위가 갑자기 몰아닥치는 초겨울, 아직 눈도 쌓이지 않은 초겨울이 오히려 더 춥다는 걸 말이야? 이건 사람들이 아직 추위에 익숙해지지 않은 까닭이야. 사람에겐 모든 면에서, 심지어는 국가적 · 정치적 면에서까지 습관이라는 게 있거든. 습관이야말로 원동력이라 할 수 있지. 그런데, 저기 저 농부의 꼴 좀 봐!"

콜랴는 호인답게 생긴 얼굴에 털가죽 외투를 입은 키 큰 농부를 가리켰다. 농부는 자기 짐마차 옆에서 추위를 막느라고 장갑 낀 손을 탁탁 치고 있었다. 기다란 아마 빛 턱수염은 온통 성에에 덮여 있었다.

"저 농부의 턱수염이 얼었네." 콜랴는 그 옆을 지나면서 큰 소리로 놀리듯이 외쳤다.

"내 수염만 얼었나, 다 얼었지." 농부는 나직한 목소리로 점잖게 대꾸했다.

"괜히 놀리지 마." 스무로프가 나무라듯 말했다.

"괜찮아. 좋은 사람이라 성을 내진 않을 거야. 잘 가시오, 마트베이!"

"잘 가게."

"아니, 그럼 당신 이름이 마트베이요?"

"마트베이지. 그것도 모르고 불렀었나?"

"몰랐어요. 무턱대고 그렇게 불러 본 거죠."

"허 참, 이상한 아이도 다 봤군. 학교에 다니나?"

"네."

"그럼, 선생님한테 매도 맞겠구먼?"

"뭐 대단치는 않지만, 그저 좀……"

"꽤 아프지?"

"아프지 않다곤 할 수 없죠."

"쯧쯧, 가엾게끔!" 농부는 사뭇 한숨까지 내쉬며 진심으로 동정했다.

"잘 다녀가시오, 마트베이."

"잘 가게. 거 참 똘똘한 아이도 있군."

두 소년은 다시 걷기 시작했다.

"저 사람은 참 좋은 농부야." 콜랴는 스무로프에게 말했다. "난 신분이 낮은 농부들과 얘기하길 좋아해. 그리고 언제나 기꺼이 그들의 장점을 인정해 주지."

"근데 왜 우리가 매를 맞는다고 그 사람한테 거짓말을 했니?" 스무로프가 물었다.

"그의 마음을 좀 위로해 줄 필요가 있거든."

"그건 또 무슨 말이야?"

"이봐, 스무로프, 나는 한마디로 알아듣질 못하고 되물어보는 게 질색이야. 어떤 놈은 아무리 내가 설명을 해도 말귀를 못 알아듣거든. 농부들의 생각으론, 학생이란, 늘 매를 맞고 있고 또 매를 맞아야만 한다는 거야. 만일 매를 맞지 않는다면 그게 무슨 학생이냐는 거지. 그런데 내가 매를 맞지 않는다고 한다면 그 사람은 얼마나 실망하겠니. 하지만 넌 이런 건 이해 못 해. 농부들을 상대할 땐 말하는 법을 알아야 하는 거야."

"너무 그렇게 사람을 놀리지 말란 말이지 뭐. 그때 거위를 가지고 그러던 것처럼 또 사고를 일으키면 어쩌려고."

"그게 넌 겁나니?"

"웃지 마, 콜랴, 난 정말 겁이 나. 아버지가 굉장히 성을 낼 테니까. 너하고 함께 다니는 걸 엄금嚴禁하고 있거든."

"겁낼 것 없어, 오늘은 아무 일도 일어나지 않을 테니. 오, 안녕하오, 나타샤." 그는 노점을 보는 장사꾼 여자한테 말을 건넸다.

"날 보고 나타샤라고? 내 이름은 마리야야." 아직 젊은 편인 장사꾼 여자는 고함을 지르듯 이렇게 대답했다.

"이름이 마리야라서 다행이군, 안녕히 계시오."

"아니, 조런 놈 봤나. 어디 있는지 눈에 잘 띄지도 않는 꼬마 녀석이 그게 무슨 말버릇이야?"

"난 지금 당신을 상대할 시간이 없어요. 할 말이 있거든 다음 일요일에 합시다." 마치 장사꾼 여자 쪽에서 먼저 지분거리기라도 한 것처럼 콜랴는 손을 내저었다.

"일요일에 너하고 무슨 말을 한단 말이냐? 수작은 자기가 먼저 걸어놓고 건방지게 무슨 소리야!" 하고 마리야는 악을 썼다. "매 좀 한번 맞아 보겠니, 요 망종 녀석 같으니!"

마리야와 나란히 목판을 놓고 장사하고 있는 다른 여자들 사이에서 웃음소리가 터졌다. 그러자 가까이 있는 상점에서 화가 잔뜩 난 사내 하나가 느닷없이 튀어나왔다. 점원 차림의 이 사내는 이 고장 사람이 아니고 떠돌이 상인이었다. 푸른 외투에 차양 달린 모자를 쓴 아직 젊은 사내인데, 짙은 아마 빛 고수머리에 마마 자국으로 얽은 얼굴은 길고 창백했다. 그는 어처구니없을 만큼 흥분해 가지고 주먹을 부르쥐고 콜랴에게 덤벼들었다.

"난 네놈을 안다." 그는 버럭 고함을 쳤다. "난 네놈을 안단 말이다!"

콜랴는 상대방을 찬찬히 바라보았다. 그러나 자기가 언제 그 사내와 싸웠었는지 잘 생각나지 않았다. 한길에서 싸운 일이 한두 번이 아니었으므로 그걸 일일이 기억할 수는 없었던 것이다.

"나를 안다고?" 콜랴는 비꼬는 투로 되물었다.

"난 네놈을 안다! 알고 있단 말이다!" 젊은 사내는 바보처럼 같은 소리만 되풀이했다.

"그렇다면 더욱 좋군요. 하지만 난 바빠서 이만 실례하겠소!"

"무엇 때문에 버릇없는 장난을 하는 거냐?" 하고 상인은 소리쳤다. "또 그따위 버릇없는 짓을 할 테냐? 난 너를 안다. 또 그따위 짓을 하겠어, 응?"

"여보시오, 내가 버릇없이 굴건 말건 그게 지금 당신한테 무슨 상관이오?" 콜랴는 여전히 그를 바라보면서 걸음을 멈추고 이렇게 대꾸했다.

"뭐, 나한테 상관이 없다고?"

"그래요, 당신과는 관계없는 일이오."

"그럼 누구와, 대체 누구와 관계있다는 거냐?"

"이건 말이오, 트리폰 니키치치의 일이지 당신 일은 아네요."

"트리폰 니키치치라는 건 누구야?" 청년은 여전히 성을 내고 있었으나, 바보처럼 몹시 놀란 얼굴로 콜랴를 바라보았다.

콜랴는 거드름스럽게 그를 아래위로 훑어보았다.

"예수 승천제昇天祭에 가 본 일 있소?" 콜랴는 갑자기 엄숙한 어조로 물었다.

"예수 승천제라니? 뭣 하러? 아니, 가 본 일 없다." 청년은 약간 기가 꺾인 모양이었다.
"그럼 사바네예프를 아시오?" 콜랴는 더욱 엄격하고 더욱 끈질긴 어조로 계속했다.
"사바네예프는 또 누구야? 그런 사람 난 몰라."
"흥, 그렇다면 상대할 수도 없군!" 콜랴는 갑자기 대화를 끊어 버리고, 오른쪽으로 홱 몸을 돌리더니, 사바네예프도 모르는 바보하고는 말하는 것조차 어리석다는 듯이 성큼성큼 걷기 시작했다.
"야, 거기 섯! 사바네예프라는 건 대체 누구냐?" 청년은 정신을 차리고 다시금 흥분하면서 말하였다. "저 녀석 무슨 소릴 하는 거요?" 그는 얼빠진 얼굴로 장사꾼 여자들을 돌아보며 물었다.
여자들은 깔깔 웃어 댔다.
"좀 이상한 아이야." 그중 한 여자가 뇌까렸다.
"누구요, 저놈이 사바네예프라고 한 건 대체 누구요?" 청년은 미친 듯이 오른손을 휘두르며 되풀이했다.
"그건 아마 쿠지미체프네 집에서 일하던 사바네예프를 두고 한 말일 거야. 그 사람이 틀림없어." 한 여자가 불쑥 이런 소리를 하였다.
청년은 험상궂은 눈을 하고 그 여자를 바라보았다.
"쿠지…… 미…… 체프네라고?" 다른 여자가 말을 받았다. "하지만 그 사람 이름이 어디 트리폰인가? 트리폰이 아니라 쿠지마였어. 그 애는 트리폰 니키치치라고 했으니까 그 사람은 아닐 거야."
"아니, 그 사람 이름은 트리폰도 사바네예프도 아니고 치조프야." 그때까지 심각한 얼굴로 말없이 듣고만 있던 다른 여자가 갑자기 가로챘다. "그 사람 이름은 알렉세이 이바니치야. 알렉세이 이바노비치 치조프였어."
"맞았어, 치조프였어." 또 딴 여자가 자신 있게 맞장구를 쳤다.
청년은 어리둥절해서 여자들의 얼굴을 둘러보았다.
"그럼, 왜 그놈이 그런 걸 물었을까, 무엇 때문에 물었을까!" 그는 거의 절망적으로 부르짖었다. "'사바네예프를 아시오?' 하고 말이야. 사바네예프라는 게 도대체 누군지 알 수가 있어야지!"

"참 당신도 답답하구려. 그건 사바네예프가 아니라 치조프라고, 알렉세이 이바노비치 치조프라고 하잖소!" 장사꾼 중의 한 여자가 타이르듯이 그에게 소리쳤다.

"치조프라는 건 누구요? 어떤 사람인지 알거든 말해 주소."

"여름에 장터에 앉아 있던, 그 키가 호리호리하게 큰 코 훌쭉이 사내 말이야."

"그런데 그 치조프가 나하고 무슨 상관이 있소?"

"치조프가 당신과 무슨 상관이 있는지 낸들 알 게 뭐요."

"무슨 상관이 있는지 누가 안담" 하고 또 다른 여자가 끼어들었다. "그렇게 떠들어 대는 당신이야말로 알고 있어야 할 게 아니오. 그 애는 당신한테 말한 거지 우리한테 말한 건 아니니까, 당신도 참 멍청이로군그래, 정말로 모른단 말이오?"

"누구를?"

"치조프를."

"치조프고 뭐고 귀신이나 물어 가라, 당신도 함께! 내 그놈을 두들겨 패 주어야지! 나를 웃음가마리로 만들다니!"

"치조프를 패 주겠다고? 당신 쪽이 오히려 당하지 말아요! 당신은 바보라도 이만저만한 바보가 아니야!"

"치조프가 아니야, 치조프가 아니래도, 짓궂은 여편네 같으니라고, 고놈의 꼬마 녀석을 패 주겠다는 거야! 고놈을 잡아 와요. 이리 잡아 오란 말이오! 고것이 감히 나를 놀리다니!"

여자들은 큰 소리로 웃어 댔다. 그러나 이때 콜랴는 벌써 멀리 떨어져서 의기양양하게 걸어가고 있었다. 스무로프는 멀리 뒤쪽에서 떠들고 있는 사람들을 돌아보며 그와 나란히 걸었다. 그는 콜랴와 함께 싸움에 말려들게 될까 봐 은근히 겁이 났으나, 그래도 역시 무척 유쾌한 기분이었다.

"네가 그 사람한테 말한 사바네예프는 어떤 사람이지?" 그는 대답이 어떠하리라는 것을 예견하면서 콜랴에게 물었다.

"어떤 사람인지 내가 알 게 뭐야! 저것들은 저렇게 저녁때까지 떠들어댈 거야. 나는 이렇게 각계각층의 바보 녀석들을 놀려 주는 게 재미있어. 저기 또 얼빠진 녀석이 하나 서 있군. 저기 저 농부 말이야. '못난 프랑스인보다 더 어리석은 자는 없다'라는 말이 있지만, 러시아인의 상판대기는 그야말로 그 본성을 나타내고 있거든. 봐라, 저 농부의 얼굴엔, 나는 바보올시다, 라고 쓰여 있지 않니?"

"가만 놔둬, 콜랴, 그냥 지나가."

"절대로 가만 놔둘 순 없지. 자, 시작한다. 야아! 안녕하시오, 농부님!"

옆을 지나가던 건장한 체구의 농부는 벌써 한 잔 들이킨 모양이었다. 둥글고 순박한 얼굴에 턱수염이 희끗희끗했다. 그는 고개를 쳐들고 소년을 바라보았다.

"어, 안녕한가! 농지거리를 하려는 건 아니렷다?" 그는 여유 있는 어조로 대답했다.

"농지거리를 하려는 거라면 어떡하죠?" 하며 콜라는 웃었다.

"뭐 제멋대로 실컷 하라지. 농지거리를 하건 말건 상관없어. 하고 싶으면 언제나 하는 거지, 뭐."

"미안해요, 실은 농담을 좀 해 본 거예요."

"으응, 하느님이 용서해 주실 게야."

"그럼 당신도 용서해 주시죠?"

"용서하고말고. 어서 가 봐라."

"당신은 참 영리한 농부인 것 같군요."

"너보다야 좀 영리하겠지." 뜻밖에도 농부는 한결같이 점잔을 빼며 이렇게 대답했다.

"설마." 콜라는 약간 기가 꺾였다.

"정말이다."

"하긴 그럴지도 모르겠군요."
"그렇다니까."
"잘 가시오, 농부님."
"잘 가거라."
"농부도 참 여러 종류가 있구나." 콜랴는 잠시 침묵하고 있다가 스무로프에게 말했다. "나도 저렇게 영리한 농부를 만날 줄은 천만뜻밖이었다. 나는 이렇게 언제나 서슴지 않고 농부들의 지혜를 인정해 주고 있거든."

멀리서 교회당 시계가 열한 시 반을 쳤다. 소년들은 걸음을 재촉했다. 그리고 스네기료프 이등 대위네 집까지 꽤 먼 길을 거의 아무 말 없이 걸어갔다. 그 집에서 20보步가량 되는 곳에서 콜랴는 걸음을 멈추고, 스무로프에게 먼저 들어가서 카라마조프를 자기한테 불러내 오도록 명령했다.

"우선 눈치를 좀 살필 필요가 있어" 하고 그는 스무로프에게 말했다.

"뭣 때문에 불러내지?" 스무로프는 반대하려 들었다. "그냥 들어가도 모두들 굉장히 반겨 줄 텐데, 더욱이 이렇게 추운 바깥에서 첫인사를 나눌 건 없잖아?"

"무엇 때문에 그를 이렇게 추운 데로 불러내야 하는지, 그건 내가 알고 있어." 콜랴는 고압적인 태도로 잘라 말했다. (이것은 그가 '조무래기들'을 상대할 때 곧잘 쓰는 버릇이었다) 스무로프는 명령을 이행하려고 달려갔다.

4. 쥬치카

콜랴는 거드름스런 얼굴을 하고 울타리에 기대어 서서, 알료샤가 나타나기를 기다렸다. 사실 말이지 그는 벌써 오래전부터 알료샤를 만나고 싶었던 것이다. 그는 여태까지 아이들한테서 알료샤에 관한 얘기를 많이 들었으나, 그때마다 언제나 냉담한 경멸의 빛을 나타냈을 뿐만 아니라, 얘기를 듣고 나서는 알료샤를 '비판'하기까지 했다. 그러면서도 내심으로는 알료샤와 사귀기를 무척 바랐던 것이다. 알료샤에 관해서 그가 들은 모든 이야기 속에는 뭔가 공감과 매력을 느끼게 하는 것이 있었다. 그래서 그에게는 바로 지금이 매우 중대한 순간이었다. 첫째로, 자기 얼굴에 흙칠을 하지 않도록, 자기가 독립된 대등한 인간이라는 것을 상대방에게 보여 주어야 한다. '그렇게 하지 않으면 나를 열세 살짜리 꼬마로 생각하여 저런 조무래기들과 똑같이 취급할 거다. 알료샤는 대체 저 아이들을 뭘로 생각하는 걸까? 이제 사귀게 되면 물어봐야지. 그런데 내 키가 이렇게 작은 게 유감천만이야. 투지코프는 나보다 어린데도 10센티쯤은 더 큰데 말이야. 그 대신 난 얼굴이 똑똑하게 생겼지. 물론 미남은 아니야. 추한 얼굴이라는 건 나도 알아. 하지만 영리해 보이는 얼굴이라는 것만은 틀림없거든. 그리고 또 조심해야 할 것은 너무 함부로 지껄이지 말아야 한다는 점이야. 그렇지 않으면 알료샤는 곧 나를 얼싸안으면서 어린애 취급을 하려 들 테니까……. 제기랄! 어린애 취급을 당했다가는 그게 무슨 창피냐 말이야.'

콜랴는 가장 독립적인 태도를 취해 보려고 안간힘을 쓰면서 점점 흥분 상태에 빠져들었다. 무엇보다도 그를 괴롭힌 것은 자기 키가 작다는 점이었다. '추한' 얼굴은 오히려 키보다는 덜 걱정되었다. 그의 집 벽 모퉁이에는 지난해부터 연필로 줄이 그어져 있었다. 그것은 그의 키를 표해 둔 것인데, 그 후로는 두 달마다 얼마나 자랐는지 보려고 가슴을 두근거리며 그 벽으로 가서는 키를 재보곤 했다. 그러나 슬프게도 그의 키는 별로 자라지가 않았다. 그래서 그는 가끔 절망에 빠지기까지 했다. 그의 얼굴로 말하면 결코 '추한' 편은 아니었다. 창백하리만큼 흰 살갗에 주근깨가 있는 제법 귀여운 생김새의 얼굴이었다. 그다지 크지 않은 잿빛 눈은 생기 있는 대담한 표정을 띠었고, 자주 뜨거운 감정으로 불타올랐다. 광대뼈는 좀 나온 편이었고, 입술은 작고 그리 두텁지도 않았지만, 빛깔은 아주 빨갰다. 조그만 코는 눈에 띄게 위를 향하고 있었다. '정말 이건 들창코야, 영락없는 들창코라니까!' 거울 앞에 설 때마다 콜랴는 이렇게 중얼거리고는 화가 나서 거울 앞을 떠나는 것이었다. '그러고 보니 얼굴도 별로 영리해 보이지 않는걸!' 그는 간혹 그것까지 의심하며, 이렇게 생각할 때도 있었다. 그렇다고 키나 얼굴 걱정에 그가 자기 마음을 송두리째 빼앗겼다고 생각해선 안 된다. 오히려 그와는 반대로, 거울 앞에 섰을 때 아무리 쓰디쓴 기분이 되더라도, 그는 곧 그것을 잊어버리고 (아주 오랫동안 잊고 있을 때도 있었다) 그가 스스로 자기의 활동을 표현한 것처럼 '사상思想 문제와 현실 생활에 완전히 몰두하고' 있었던 것이다.

알료샤는 얼마 안 있어 나타났다. 그는 급히 콜랴 쪽으로 다가왔다. 아직 가까이 오기도 전에 콜랴는 알료샤가 무척 반가운 얼굴을 하고 있는 것을 재빨리 눈치챘다. '나를 만나는 게 저토록 기쁠까?' 하고 콜랴는 만족하게 생각했다. 여기서 한 가지 말해 둘 것은, 우리가 알료샤의 이야기를 중단한 후 그의 외모가 몰라보게 변했다는 사실이다. 그는 수도복을 벗어 버리고, 지금은 멋진 프록코트를 맞춰 입고서 짧게 깎아 올린 머리에는 부드러운 둥근 모자를 쓰고 다녔다. 이것은 그의 풍채를 돋보이게 하여 멋진 미남자로 보이게 했다. 그의 붙임성 있는 얼굴은 언제나 쾌활한 빛을 띠고 있었으나, 그 쾌활함 속에는 조용하게 가라앉은 그림자 같은 것이 어려 있었다. 알료샤가 방 안에 있을 때처럼 외투도 걸치지 않고 나온 것을 보고 콜랴는 적이 놀랐다. 아마 급히 서둘렀기 때문일 것이다. 그는 다가오자마자 콜랴에게 손을 내밀었다.

"자네도 마침내 와 주었군. 모두들 얼마나 자네를 기다렸는지 몰라."

"사정이 좀 있었어요. 이제 곧 말하겠지만요. 아무튼 서로 사귈 수 있게 되어 기쁩니다. 벌써부터 기회를 기다리고 있었고, 또 당신 얘기도 많이 들었어요." 콜랴는 약간 숨을 허덕이듯이 하며 중얼거렸다.

"그렇잖아도 우린 벌써부터 알고 지냈어야 하는 건데, 나도 자네 얘긴 많이 들었지. 그렇지만 자네가 여기 오는 게 좀 늦었어."

"그런데 지금 여긴 어떻습니까, 말해 주세요."

"일류샤의 병세가 아주 좋지 않아. 아마 죽으려는가 봐."

"뭐라고요? 결국 의학이라는 건 아무 소용없군요? 그렇잖아요?" 콜랴는 열띤 어조로 외쳤다.

"일류샤는 줄곧 자네 얘길 하더군. 잠을 자면서도, 헛소리를 하면서도 자네 얘길 했어. 자네는 그 애한테 굉장히 귀중한 존재였었나 봐……. 그 일이…… 그 나이프 사건이 있기 전까진 말이야……. 저건 자네 갠가?"

"내 갭니다. 페레즈본이라 부르죠."

"쥬치카가 아니었군?" 알료샤는 유감스럽다는 듯이 콜랴의 얼굴을 바라보았다. "그럼, 그 개는 아주 없어져 버렸나?"

"모두들 쥬치카를 원하고 있다는 건 나도 알아요. 얘길 다 들었어요" 하며 콜랴는 모호하게 웃었다. "들어보세요, 카라마조프 씨, 당신한테 모든 사정을 설명하겠어요. 내가 여기 온 것도 주로 그것 때문이니까요. 안에 들어가기 전에, 당신한테 자초지종을 죄다 얘기하려고 당신을 불러낸 거예요." 그는 활기를 띠며 이야기를 시작했다. "실은 이렇습니다, 카라마조프 씨, 일류샤는 지난봄에 예과에 입학했는데, 예과 학생들은 아시다시피 아직 어린애들입니다. 그래서 모두들 일류샤를 놀려 주기 시작했어요. 나는 두 학년이나 위니까, 물론 멀찌감치 바라보고만 있었죠. 그랬더니 일류샤는 몸집도 조그맣고 약한 데도, 지려 하지 않고 그 애들과 맞붙어 싸우는 거예요. 아주 자존심이 강해요. 눈에는 불이 이는 것 같고요. 난 그런 애를 좋아합니다. 애들은 더욱더 일류샤를 괴롭혔어요. 특히 그때 일류샤는 초라한 외투를 입고, 바지는 너무 짧아서 발목 위에 올라오고, 구두는 구멍이 뚫어진 것을 신고 다녔거든요. 그래서 애들은 그걸 갖고 그 애를 모욕했어요. 나는 그런 걸 제일 싫어하기 때문에, 곧 사이에 끼어들어 그 애들을 혼내 주었지요. 나는 그 애들을 때려 주었어요. 그래도 그 애들은 나를 숭배한단 말이에요, 아시겠어요, 카라마조프 씨?" 콜랴는 의기양양해서 자랑했다. "하지만 나는 대체로 아이들을 좋아합니다. 요즘도 집에서 꼬마 둘을 돌봐 주고 있어요. 오늘도 그 꼬마들 땜에 여기 오는 게 좀 늦었지만요. 내가 나서는 바람에 모두들 일류샤를 때리지 않게 되었습니다. 내가 그 애를 보호해 준 셈이죠. 정말 그 애는 자부심이 강해요. 다시 말하지만 자부심이 굉장히 강한 아이예요. 그러나 결국 나한테만은 노예처럼 심복하여 내 명령이라면 뭐든지 다 복종하게 되었어요. 나를 마치 하느님처럼 생각하는지 나를 흉내 내려고 애쓰는 거예요. 공부 시간이 끝나기만 하면 곧 나한테 달려왔고, 그래서 나는 늘 그 애와 함께 다녔습니다. 일요일에도 그랬으니까요. 우리 학교에선 상급생이 어린 하급생하고 친하게 어울리면 모두들 그걸 비웃지만, 그건 편견이에요. 이것이 내 의견이니까 남들이 뭐라 해도 상관없습니다. 그렇잖아요? 나는 그 애를 가르치기도 하고 머리를 깨우쳐 주기도 했습니다. 내가 좋아하는 아이를 깨우쳐 주어서 안 된다는 법은 없지 않습니까, 그렇죠? 카라마조프 씨, 당신 역시 저런 병아리들과 친하게 지내고 있지만, 그것 역시 어린 세대에게 감화를 주어 그들에게 유익하도록 머리를 깨우쳐 주려는 게 아니겠어요? 솔직히 말해서, 당신에 관한 얘기를 들었을 때, 무엇보다도 그런 점에 나는 가장 마음이 끌렸습니다. 그건 그렇고 본론으로 들어갑시다. 사실 그 애의 내부에 일종의 유약성이, 감상적인 기분이 자라고 있다는 걸 나는 눈치챘습니다. 그렇지만 나는 어머니 뱃속에서부터 그따위 '송아지 같은 애정'은 질색이란 말입니다. 게다가 또 하나의 모순이 있습니다—그 애는 자존심이 강하면서도 나한테는 노예처럼 충성을 바쳤어요. 그야말로 노예와 같았습니다. 그러나 어떤 때는 갑자기 눈을 번득거리고 자기 의견을 고집하면서 덤벼든단 말입니다. 내가 이따금 여러 가지 사상을 얘기하면, 그 애는 그 사상에 동의하지 않는다기보다도 나에 대해 개인적인 반항심을 일으키는 거예요……. 그것은 나도 잘 압니다. 내가 그 애의 '송아지 같은 애정'에 지극히 냉담한 태도를 취하는 게 못마땅한 거죠. 그래서 나는 그 애를 단련시키려고, 그 애가 정답게 나올수록 나는 더한층 냉담하게 대합니다. 일부러 그렇게 하는 거죠. 그것이 내 신념이니까요. 얼룩진 데가 없도록 인격을 도야해서 인간을 만들어 주는 게 내 목적이었거든요……. 그리고 또……. 하기는 내가 다 말하지 않아도 당신은 내 심정을 이해할 거예요. 그런데 갑자기 그 애가 사흘이나 연달아 풀이 죽어 우울해하는 걸 나는 눈치챘습니다. 더욱이 그것은 '송아지 같은 애정' 때문이 아니라 무언가 다른 일, 더욱 강하고 더욱 고차적高次的인 일 때문인 것 같았어요. 도대체 무슨 비극일까, 하고 나는 생각했습니다. 나는 그 애를 붙잡고 사정을 알아냈습니다. 그 애는 어쩌다가 돌아가신 당신의 아버님의 (그때는 아직 살아 계셨지만) 하인인 스메르쟈코프와 알게 되었다는 거예요. 그러자 스메르쟈코프는 그 애한테 어리석은 장난을, 아니 야수적인 비열한 장난을 가르쳐 주었어요. 말랑말랑한 빵 조각에다 바늘을 넣어 뉘 집 개한테 던져 주면 굶주린 개는 씹지도 않고 삼켜 버릴 테니 그다음 어떻게 되는지 구경하자는 겁니다. 그래서 그들은 그런 빵 조각을 하나 만들어 가지고, 지금 문제가 되고 있는 바로 그 복슬개 쥬치카한테 던져 줬어요. 아무도 먹이를 주지 않아서 온종일 짖어 대기만 하던 개지요. (카라마조프 씨, 당신은 그 멍청이처럼 짖는 소리를 좋아하세요? 나는 도저히 그 소리를 참을 수가 없어요) 물론 그 개는 미친 듯이 달려와서 빵을 삼켜 버렸으니 어떻게 됐겠어요? 깽깽 비명을 지르며, 몸을 뒤틀며, 뱅글뱅글 돌다가 무턱대고 달아났습니다. 깽깽 울면서 달아나더니, 마침내 어디론지 사라져 버렸어요. 이건 일류샤가 한 얘기예요. 그 앤 나한테 그걸 고백하면서 훌쩍훌쩍 우는 거예요. 그러다가 나를 그러안고는 온몸을 후들후들 떨었어요. '깽깽 울면서 달아났어, 깽깽 울면서 달아났어' 하고 같은 말만 되풀이하지 않겠어요. 그 모양이 그 애한테 강한 충격을 준 거죠. 양심의 가책을 받고 있구나 생각했기 때문에, 나는 심각하게 그 얘기를 들었습니다. 실은 그전에 다른 일도 있고 해서 이 기회에 애한테 버릇을 가르쳐 주려고 나는 일부러 분개한 체하면서, '너는 비열한 짓을 했다. 너는 악당이야. 물론 나는 그 얘길 퍼뜨리지는 않겠지만, 앞으로 당분간 너하고는 관계를 끊어야겠다. 나는 이 문제를 잘 생각해 보고, 너와 다시 교제를 계속할 것인지, 아니면 너를 아주 악당으로 점찍어 영원히 버릴 것인지를 스무로프(방금 나하고 같이 온 앤데, 그 애도 언제나 나한텐 절대 복종입니다)를 통해서 알려 주마' 라고 말했어요. 이것이 일류샤한테는 굉장한 충격이었던가 봐요. 실은 나도 그때 너무하는 건 아닌지 느끼긴 했지만, 그게 그때의 내 신념이었으니 할 수 없는 일이죠. 다음 날 스무로프를 그 애한테 보내서, 앞으론 그 애와는 '말도 하지 않겠다'고 전하게 했습니다. 이건 우리들 사이에선 절교할 때 쓰는 말이죠. 그렇지만 나는 그 애를 며칠 동안만 골려 주어 뉘우치는 기색이 보이면 다시 손을 내밀어야겠다고 속으로 생각했던 거예요. 그게 나의 확고한 계획이었어요. 그런데 어떻게 되었는지 아세요? 그 애는 스무로프한테서 그 말을 전해 듣자 별안간 눈을 희번덕이며, '크라소트킨한테 전해라—나는 이제 개라는 개한텐 모조리 바늘 꽂은 빵 조각을 던져 주겠다고!' 하고 소리치더래요. 그래서 나도 '흥, 고것이 또 고집을 부리는군, 아주 따돌려 버려야지' 생각하고는 그 후부터 노골적으로 멸시하는 태도를 취하기 시작했어요. 그리고 마주칠 때마다 일부러 외면을 하든가 코웃음을 치든가 했습니다. 그런데 그때 갑자기 그 애 아버지의 사건이 일어났어요. 당신도 아시죠, 그 '수세미' 말이에요. 이런 일들이 그 애의 그 무서운 신경질의 원인이 되었다는 걸 알아야 해요. 아이들은 내가 그 애와 절교한 것을 알고는 '그 애한테 달려들어 수세미, 수세미!' 하고 놀려댔어요. 바로 그때부터 아이들 사이에 싸움이 벌어지곤 했는데, 그건 나도 무척 유감으로 생각하고 있어요. 아이들이 그때 한번 그 애를 지나치게 때려 준 모양이더군요. 그래서 어느 날 그 애는 교실서 나오자 아이들 전체를 상대로 달려들었습니다. 나는 얼마쯤 떨어진 데서 보고 있었죠. 이건 맹세할 수 있어요—나는 그때 결코 웃지는 않았을 겁니다. 오히려 나는 그 애가 너무나 가엽다고 생각했어요. 조금만 더 있었어도 그 애를 도와주려고 달려갔을 거예요. 그런데 그 애는 그 순간 나와 눈이 마주치자 무슨 생각에선지 갑자기 나이프를 꺼내 들고 나한테 달려들어 내 넓적다리를, 여기 이 오른쪽 다리를 찌르는 거예요. 나는 움직이지도 않았습니다. 사실 말이지 나는 제법 용감할 때가 있거든요. 나는 다만 경멸하는 눈으로 그 애를 바라보았을 뿐입니다. 마치 '너는 나의 모든 호의를 이렇게 갚고 싶으냐, 가만있을 테니 어서 실컷 해 봐'라고 말하듯이 말이에요. 그러자 그 애는 더 이상 찌르질 못했어요. 자기 자신을 지탱할 수 없었던 거예요. 스스로도 놀랐는지 칼을 내던지고는 울음을 터뜨리면서 달아나 버렸어요. 물론 나는 일러바치지도 않았고, 선생님 귀에 들어가지 않도록 아이들한테 입 밖에 내지 말라고 일러두었습니다. 어머니한테도 상처가 다 아문 다음에야 말씀드렸으니까요. 게다가 대수로운 상처도 아니었거든요. 그런데 나중에 들은 얘기지만, 바로 그날 그 애는 돌팔매질을 하며 싸우다가 당신의 손가락까지 깨물었다더군요. 그렇지만, 당신도 이해하실 거예요. 그때 그 애의 심정이 어떠했겠는지! 할 수 없죠, 내가 어리석었어요. 그 애가 병들었을 때, 왜 찾아가서 용서한다고 말하지 않았는지, 왜 화해를 하지 않았는지 지금 나는 그걸 후회하고 있어요. 그러나 거기에는 특별한 이유가 있었던 거예요. 이젠 내가 할 얘기는 다했어요……. 그저 내가 너무 어리석은 짓을 한 것만 같아서."

"아, 참으로 유감이군." 알료샤는 흥분한 어조로 외쳤다. "자네와 그 애와의 사이를 미리 알았더라면 얼마나 좋았을까! 내가 그걸 알았더라면, 벌써 오래전에 자네를 찾아가서 같이 그 애한테 가자고 했을 텐데. 정말이지 그 애는 열이 오를 땐 헛소리를 하면서도 자네 말을 했어. 나는 자네가 그 애한테 그처럼 소중한 존재라는 걸 몰랐었지. 그런데 자넨 그 쥬치카를 찾지 못했나, 정말 못 찾았어? 그 애 아버지도 아이들도 모두 나서서 시내를 샅샅이 찾아 돌아다녔지만 허사였네. 그 애는 앓아누운 다음 몇 번이나 '아버지, 내가 병든 건 그때 쥬치카를 죽였기 때문이에요. 그래서 하느님께서 나한테 벌을 내리신 거예요'라고 눈물을 흘리며 말하더군. 내가 있는 자리에서도 세 번이나 그런 말을 했으니까, 그 생각이 그 애 머릿속에서 한시도 떠나지 않는 거야! 지금이라도 쥬치카를 데려다가 죽지 않고 살아 있다는 걸 보여 주기만 한다면 그 애는 너무나 기뻐서 다시 살아날 수 있을 것만 같아. 우리는 모두 자네한테 기대를 걸고 있었다네."

"어째서 내가 쥬치카를 찾아낼 거라고 기대했죠? 왜 하필이면 나한테다 기대를 걸었느냐 말이에요?" 콜랴는 대단한 호기심을 갖고 이렇게 물었다. "다른 사람이 아니고 나한테 기대를 건 이유가 무엇일까요?"

"자네가 그 개를 찾고 있다느니, 찾으면 데려올 거라느니 하는 소문이 있었거든. 스무로프도 그와 비슷한 말을 했지. 아무튼 우리는 쥬치카를 어디서 본 사람이 있는 것처럼, 그 개가 살아 있는 것처럼 일류샤에게 믿게 하느라고 애쓰고 있다네. 요전엔 아이들이 어디서 토끼를 한 마리 사로잡았는데, 그 애는 토끼를 보고는 가냘프게 웃어 보이더니, 그걸 들판에다 놓아주라고 하더군. 그래서 우리는 그대로 했지. 방금 그 애 아버지가 어디서 마스티프종種 강아지를 얻어 가지고 돌아와서, 그걸로 그 애를 위로하려 했지만, 오히려 결과가 좋지 못한 것 같았어."

"카라마조프 씨, 한 가지만 더 묻겠는데요, 그 애 아버지란 대체 어떤 사람입니까? 나도 그 사람을 알고는 있지만 당신 생각으론 어떻습니까—어릿광댑니까, 뭡니까?"

"천만에, 세상엔 감수성이 무척 강하면서도, 어쩌다가 늘 억압을 받고 있는 사람들이 있는데, 그런 사람들의 어릿광대짓은 타인에 대한 증오에서 오는 일종의 풍자라고 할 수 있지. 오랫동안 억눌려 살아온 결과, 너무나 소심해져서 남 앞에서 맞대 놓고 바른 소릴 할 수가 없기 때문이야. 그러니까, 크라소트킨, 그런 종류의 어릿광대짓은 때로는 지극히 비극적인 걸세. 지금 그 아버지는 이 세상의 모든 희망을 일류샤 하나에게 걸고 있지. 그러니까 만일 일류샤가 죽어 버리면, 그 아버지는 비탄에 빠져 미치광이가 되든가, 아니면 자살을 하든지 할 거야. 요즘 그 사람을 보고 있으면 거의 확신에 가까울 정도로 그런 예감이 든다니까!"

"나도 당신의 심정을 알겠어요. 카라마조프 씨, 당신은 인간이라는 걸 잘 알고 있는 것 같아요" 하고 콜랴는 감동한 듯이 덧붙였다.

"나는 자네가 개를 데려온 걸 보고 바로 그 쥬치카인 줄로만 알았지."

"아니, 카라마조프 씨, 어쩌면 우린 쥬치카를 찾을 수 있을는지도 몰라요. 하지만 이건 페레즈본입니다. 나는 이 개를 그 애 방에 들여보낼 생각이에요. 아마 그 마스티프종 강아지보다는 이 개가 일류샤를 더 기쁘게 할 것입니다. 좀 더 기다려 보세요, 카라마조프 씨, 이제 곧 여러 가지를 아시게 될 테니까요. 아 참, 내가 이런 데서 당신을 너무 오래 붙잡고 있었군요!" 하고 콜랴는 갑자기 소리쳤다. "이런 추위에 외투도 안 입은 당신을 밖에서 오래 붙잡고 있다니, 나도 지독한 이기주의자입니다! 사실 우린 모두 이기주의자예요, 카라마조프 씨!"

"걱정할 것은 없어. 춥기는 춥지만 나는 좀처럼 감기가 들지는 않는 편이니까. 어쨌든 들어가세. 헌데 자네 이름이 뭐더라? 콜랴(니콜라이의 애칭)라는 건 알지만, 그다음은?"

"니콜라이입니다. 니콜라이 이바노비치 크라소트킨이지요. 관청식으로 하면 크라소트킨 2세라고 부르죠." 콜랴는 무엇 때문인지 소리를 내어 웃더니, 갑자기 이렇게 덧붙였다. "물론 나는 니콜라이라는 내 이름을 싫어합니다."

"그건 왜?"

"흔해 빠진 이름인 데다가, 관청식 냄새가 나서……"

"자네 나이는 열셋이던가?" 하고 알료샤는 물었다.

"세는 나이로는 열넷이죠. 이제 곧 두 주일만 있으면 만 14살이 됩니다. 카라마조프 씨, 당신한테 미리 내 약점을 하나 자백하겠는데요, 이건 우선 내 성질을 당신이 대번에 파악할 수 있도록 하기 위해서예요. 다름 아니라, 나는 내 나이를 묻는 걸 싫어해요. 아니, 싫어하는 정도가 아니죠……. 그리고 또…… 나에 대해 터무니없는 소문이 돌고 있어요. 예를 들면, 내가 지난 주일에 예과 아이들하고 도둑놀이를 하며 놀았다는 겁니다. 내가 그런 놀이를 한 건 사실이지만, 오직 나 자신을 위해서, 즉 나 혼자 재미를 보려고 그런 놀이를 했다는 건 그야말로 중상中傷입니다. 그 얘기는 이미 당신의 귀에도 들어갔으리라고 생각되지만, 나는 나 자신을 위해 그런 놀이를 한 건 절대 아니에요. 그건 아이들을 위해서였어요. 왜냐하면, 그 애들은 내가 없으면 아무것도 생각해 낼 수가 없으니까요. 이 고장에선 언제나 터무니없는 소문을 퍼뜨리고들 있습니다. 그야말로 중상의 고을이에요."

"하지만 자네 자신을 위해서 했다 한들 탓할 건 없지 않나?"

"나 자신을 위해서라고요……. 그렇지만 당신도 설마 말타기 놀이 같은 건 안 하겠죠?"

"그건 이렇게 생각해 보면 어떨까" 하고 알료샤는 미소를 지어 보였다. "예를 들면 어른들은 극장엘 가곤 하는데, 극장에서도 역시 가지각색 주인공들의 모험이 상연되지. 어떤 땐 강도질이나 전쟁 같은 장면도 나오거든. 이것 역시 일종의 놀이라고 봐야 하지 않을까? 그러니까 아이들이 노는 시간에 하는 전쟁놀이나 도둑놀이 역시 하나의 초보적인 예술이지. 어린 마음속에 자라나는 예술적 욕구의 표현이야. 뿐만 아니라, 때로는 그런 놀이가 극장에서 상연되는 연극 이상으로 짜일 수도 있거든. 다만 차이가 있다면, 어른들은 배우를 보러 극장에 가지만, 아이들은 그런 놀이에서 자기들 자신이 배우가 된다는 점이지. 그러나 이건 어디까지나 자연스러운 거야."

"당신은 그렇게 생각하세요? 그게 당신의 신념입니까?" 콜랴는 그를 응시하며 말했다. "당신은 참 흥미 있는 사상을 말해 주었어요. 나도 오늘 집에 돌아가서 이 문제에 대해 좀 생각해 보겠습니다. 솔직히 말하면, 나는 당신한테 무언가 배울 점이 있을 거라고 기대했어요. 카라마조프 씨, 나는 당신한테 배우려고 온 거예요." 콜랴는 감동 어린 목소리로 이렇게 말을 맺었다.

"나도 자네한테 배워야지." 알료샤는 그의 손을 잡고 부드럽게 웃었다.

콜랴는 알료샤가 무척 마음에 들었다. 무엇보다도 콜랴를 감동시킨 것은, 알료샤가 그를 동등한 사람으로 대해 줄 뿐만 아니라, 마치 '어른'끼리 말하듯 그에게 말을 한다는 점이었다.

"카라마조프 씨, 내가 곧 어떤 '재주'를 부려 보이겠습니다. 말하자면 이것 역시 하나의 연극이죠." 그는 신경질적으로 웃었다. "나는 그걸 보여 주려고 온 거예요."

"우선 왼쪽으로 돌아가서 집주인한테로 가세. 방이 좁고 무더워서 거기다 외투를 벗어 놓고 들어가야 하니까."

"아니, 난 외투를 입은 채로 들어가서 잠깐만 있다가 나오겠어요. 페레즈본은 여기 현관에 남아서 죽어 넘어져 있게 하죠. '이리 와, 페레즈본, 죽어라!' 보세요, 죽었죠? 그러고는 내가 먼저 들어가서 방 안의 동정을 살핀 후에, 적당하다고 생각될 때 휘파람을 붑니다—'이리 와, 페레즈본!' 그러면 저놈이 미친 듯이 달려들어 올 테니 두고 보세요. 스무로프가 그 순간에 얼른 문을 열어 주는 것만 잊지 않으면 됩니다. 아무튼 내가 적당히 손을 써서 '재주'를 부려 보이겠어요."

5. 일류샤의 침대 가에서

퇴역 이등 대위 스네기료프네 가족이 살고 있는 그 방은 독자들도 이미 알고 있을 것이다. 이때 방 안은 여러 방문객들로 꽉 차서 숨이 막힐 지경이었다. 몇 명의 소년이 일류샤 곁에 앉아 있었는데, 그들은 모두 알료샤한테 끌려와서 일류샤와 화해했던 것이지만, 그들 역시 알료샤와 마찬가지로, 그것을 부인하려 들 것이었다. 여기서 알료샤는 능란한 솜씨를 발휘했는데, 그것은 '송아지 같은 애정' 없이 전혀 우연한 일인 것같이 꾸미면서 아이들을 하나씩 일류샤한테 데려다가 지극히 자연스럽게 화해를 시켰다는 점이다. 이것은 일류샤의 고민을 덜어 주는 데 큰 효과가 있었다. 전에 자기의 적이었던 아이들이 모두들 깊은 우정과 동정을 표시하는 것을 보고, 일류샤는 크게 감격했다. 다만 크라소트킨만이 보이지 않는다는 것이 그의 마음엔 무거운 짐으로 남아 있었다. 일류샤의 쓰라린 추억 중에서도 가장 쓰라린 것이 있다면, 그것은 자기의 유일한 친구였고 보호자였던 크라소트킨에게 칼을 들고 덤벼들었던 사건이었다. 머리가 영리한 스무로프도 (그는 맨 먼저 일류샤와 화해하러 왔었다) 역시 그렇게 생각하고 있었다. 그러나 크라소트킨은 알료샤가 '어떤 일로' 자기를 찾아오고 싶어 한다는 말을 스무로프를 통해 들었을 때, 즉석에서 딱 잘라 거절하고, 자기가 취해야 할 행동은 자기 자신이 잘 알고 있으니까 아무의 충고도 받고 싶지 않으며, 만일 일류샤한테 갈 필요가 있다면 '자기대로의 생각'이 있으므로 언제 갈 것인가는 자기 자신이 결정하겠노라고 말하면서, 스무로프를 시켜 '카라마조프'에게 그렇게 전하도록 일렀던 것이다.

그것은 바로 두 주일 전의 일이었다. 그 때문에 알료샤는 자기 자신이 크라소트킨을 방문할 계획을 단념하고 말았지만, 그때도 다시 한번 스무로프를 크라소트킨한테 보냈었다. 이번에도 크라소트킨은 퉁명스럽고도 격렬한 말투로 그 요구를 거절하면서, 만일 알료샤가 자기를 찾아온다면, 일류샤한테는 절대로 가지 않을 테니 더 이상 귀찮게 굴지 말아 달라고 대답했다. 그래서 어제까지만 해도 스무로프는 콜랴가 이날 아침 일류샤를 방문할 예정이라는 것을 까맣게 모르고 있었다. 그런데 바로 엊저녁에야 스무로프와 헤어지면서 콜랴는 느닷없이, 내일 아침에 스네기료프네 집에 가겠으니 집에서 기다려 달라는 말을 했다. 그리고 자기는 예고 없이 가고 싶으니 아무에게도 말하지 말아 달라고 해서, 스무로프는 그대로 복종했다. 스무로프는 언젠가 크라소트킨이 '쥬치카가 살아 있는 데도 찾아내지 못한다면 놈들은 모두 바보다'라고 뇌까린 말을 근거삼아, 크라소트킨이 반드시 행방불명된 쥬치카를 데려올 것이라고 상상하고 있었다. 그러나 스무로프가 기회를 엿보아, 그 개에 대한 자기 추측을 넌지시 비쳤을 때, 크라소트킨은 무섭게 성을 냈다. "나한텐 페레즈본이 있어. 그런데도 내가 남의 개를 찾으려고 온 시내를 쏘다닐 바본 줄 알았니? 그리고 바늘을 삼킨 개가 아직도 살아 있다고 생각할 수가 있느냐 말이야! 그거야말로 '송아지 같은 애정'이라는 거야!"

한편 일류샤는 벌써 두 주일째나 성상聖像 옆 한구석에 있는 조그만 침대에 쭉 누워 있어야만 했다. 학교에는 알료샤를 만나서 손가락을 깨물어 준 다음 날부터 가지를 못했다. 그는 바로 그날부터 앓기 시작한 것이다. 하기는 처음 한 달 가량은 가끔 침대에서 일어나 방 안이나 현관을 거닐 수 있었다. 그러나 지금은 너무나 쇠약해져서 아버지의 도움 없이는 몸을 움직거리지도 못했다. 아버지는 아들 걱정 때문에 전전긍긍하고 있었다. 이제는 술도 아주 끊어 버렸고, 아들이 죽을까 봐 거의 미친 사람처럼 되어 있었다. 특히 아들의 팔을 잡고 방 안을 조금 거닐게 하고 침대에 누이고 난 다음에는 현관의 컴컴한 구석으로 달려가서 벽에 이마를 들이댄 채, 일류샤에게 들리지 않도록 소리를 죽여 가며 온몸을 떨면서 흐느껴 울곤 하는 것이었다.

방에 들어와서는 귀중한 아들을 즐겁게 해 주고 위로해 주느라고 옛날 얘기나 우스운 일화를 들려주기도 하고, 자기가 본 우스꽝스런 사람들의 흉내를 내기도 하고, 심지어는 짐승들의 울음소리를 우습게 흉내 내기도 했다. 그러나 일류샤는 아버지의 그런 어릿광대짓을 아주 싫어했다. 소년은 그 불쾌감을 나타내지 않으려고 애썼으나, 자기 아버지가 세상 사람한테 업신여김을 받고 있다는 것을 가슴 아프게 의식했다. 또한 '수세미'와 그 '무서운 날'의 기억이 자꾸만 머릿속에 되살아나는 것이었다.

일류샤의 얌전한 절름발이 누나 니노치카도 역시 아버지의 어릿광대짓을 싫어하였다. (바르바라 니콜라예브나는 벌써 오래전에 페테르부르크에 공부하러 가고 없었다) 그러나 반미치광이나 다름없는 어머니는 자기 남편이 무슨 흉내를 내거나 우스꽝스런 몸짓을 하거나 하면, 그것이 재미나서, 손뼉을 칠 듯이 웃곤 했다. 그녀에게 위안을 줄 수 있는 것은 오직 그것뿐이어서, 그 밖의 시간에는 이젠 모두가 자기를 잊어버렸다느니, 아무도 자기를 존경으로 대해 주지 않는다느니, 모두가 자기를 멸시한다느니 하며 줄곧 투덜거리면서 눈물을 짜고 있었다. 그러나 요즘은 그녀도 갑자기 변해 버린 것 같았다. 그녀는 한쪽 구석에 누워 있는 일류샤를 자주 바라보고는 무언가 깊은 생각에 잠기곤 했다. 보다 훨씬 말수가 적어지고, 울 때도 소리가 나지 않게 조용히 울었다. 이등 대위는 자기 아내의 이런 변화를 눈치채고 괴로움을 느꼈다. 그녀는 아이들이 찾아오는 것을 처음엔 못마땅하게 여겨서 화를 내기도 했으나, 얼마 후부터는 그들의 즐거운 고함 소리와 이야기 소리에 위안 같은 것을 느끼게 되었고, 마침내는 그들을 진심으로 환영하게 되었다. 만약 아이들이 갑자기 발길을 끊어 버렸다면 그녀는 몹시 쓸쓸했을 것이다. 아이들이 무슨 이야기를 하든가 무슨 놀이를 시작하면, 그녀는 깔깔 웃어 대면서 손뼉을 치는 것이었고, 때로는 그들을 가까이 불러서 키스를 하기까지 했다. 그녀는 특히 스무로프를 좋아했다.

이등 대위로 말하자면, 아이들이 일류샤를 위로하러 오는 것을 처음부터 만족과 기쁨으로 환영했다. 일류샤도 이제는 쓸쓸해하지 않을 것이고, 따라서 병도 곧 낫게 되겠거니 하는 희망조차 그는 품었던 것이다. 그는 일류샤의 병을 걱정하긴 했지만, 최후의 순간까지도 아들의 병이 갑자기 완쾌하리라는 것을 한시도 의심해 본 적이 없었다.

그래서 그는 어린 손님들을 공손히 맞아들여 그들 곁을 오락가락하며 정성껏 시중을 들었을 뿐만 아니라, 기꺼이 아이들의 말이 되어 잔등에다 태워 줄 수도 있을 정도였다. 한 번은 정말로 아이들을 잔등에 태우려고 했으나, 일류샤가 그 놀이를 좋아하지 않았기 때문에 그만두고 말았다. 그는 아이들을 대접하려고, 생강과자며 호두를 사오기도 하였고, 차를 끓이는가 하면 샌드위치를 만들기도 했다. 여기서 말해 두어야 할 것은 그즈음 그에겐 돈이 궁하지 않았다는 점이다. 알료샤의 예언대로, 그는 카체리나 이바노브나한테서 2백 루블을 받았던 것이다. 그 후에 카체리나 이바노브나는, 그의 집안 형편과 일류샤의 병에 관하여 좀 더 상세히 알게 되자, 그녀 자신이 그의 집을 방문하여 온 가족과 사귀게 되었고, 심지어는 반미치광이인 대위 부인까지 매혹하는 데 완전히 성공했다. 그 후로 그녀는 그들을 돕는 데 발 벗고 나섰다. 아들이 죽을지도 모른다는 무서운 생각에 질려 버린 대위는, 이전의 자존심을 잊고 겸손하게 그녀의 도움을 받아들였다.

그동안 카체리나의 부탁을 받고 게르첸슈투베 의사가 이틀에 한 번씩 규칙적으로 왕진을 왔으나 치료의 효과는 별로 있는 것 같지 않았다. 그는 환자에게 약만 무지무지하게 먹였다. 그러나 바로 이날, 즉 일요일 오전에 대위 집에는 모스크바에서 온 새 의사가 오기로 되어 있었다. 그는 모스크바에서도 이름을 떨치고 있는 의사인데, 카체리나가 많은 돈을 들여 일부러 초청해 온 사람이었다. 특별히 일류샤를 위해서는 아니고, 그 밖에 다른 목적이 있었던 것인데, 거기 대해선 다음에 적당한 대목에서 언급하겠지만, 아무튼 의사가 도착했으므로, 그녀는 일류샤의 진찰까지 부탁했다. 대위도 미리 통지를 받아 알고 있었다. 대위는 자기 아들 일류샤가 그토록 안타깝게 생각하는 콜랴 크라소트킨이

와 주기를 오래전부터 고대하고는 있었으나, 이처럼 불쑥 찾아오리라곤 꿈에도 생각지 못했었다.

콜랴가 문을 열고 방 안에 들어섰을 때, 대위와 아이들은 모두 환자의 침대 주위에 모여서, 방금 데려온 조그만 마스티프종 강아지를 보고 있었다. 그것은 바로 엊그제 난 하룻강아지였지만, 행방불명이 되어 이제는 물론 죽어 버렸을 쥬치카 때문에 줄곧 속을 태우고 있는 일류샤의 마음을 위로해 주려고 대위가 일주일 전부터 미리 부탁해 놓았던 강아지였다. 벌써 사흘 전에 조그만 강아지를, 그것도 흔해 빠진 보통 강아지가 아니라 순종 마스티프를 (물론 이것은 중요한 점이었지만) 자기를 위해 가져오리라는 것을 들어서 알고 있던 일류샤는, 그 섬세하고 선량한 마음씨 때문에 겉으로는 이 선물을 기뻐하는 체했지만, 이 새로운 강아지가 오히려 일류샤에게 그가 죽인 불행한 쥬치카에 대한 기억만을 더욱 선명하게 되살아나게 했으리라는 점은 아버지도 아이들도 모두 깨달았던 것이다. 강아지는 그의 곁에서 꼬물거리며 엎드려 있었다. 그는 병적인 미소를 띠며 바짝 여위어 가늘고 파리한 손으로 강아지를 쓰다듬어 주었다. 강아지는 그의 마음에 든 것 같기도 했다. 그러나…… 역시 쥬치카는 아니었다. 만약에 이 강아지와 함께 쥬치카도 있었더라면, 그는 그야말로 완전한 행복을 느꼈을 것이다.

"크라소트킨이 왔다!" 콜랴가 들어오는 것을 제일 먼저 본 아이가 이렇게 소리쳤다.

순간 방 안에는 눈에 띄게 동요가 일어났다. 아이들이 얼른 양쪽으로 갈라져서 침대 양쪽 가에 물러섰기 때문에 콜랴는 병상에 누워 있는 일류샤를 대번에 볼 수 있었다. 대위는 콜랴를 맞으려고 황급히 달려갔다.

"어서 오게, 어서 와……. 정말 귀한 손님이로군!" 그는 혀가 잘 돌지 않는 소리로 말했다. "일류샤야, 크라소트킨 군이 너를 보러 왔다!"

그러나 크라소트킨은 얼른 대위와 악수를 나누고는, 곧 사교상 예절에 관한 놀라운 지식을 나타내 보였다. 그는 우선 안락의자에 앉아 있는 대위 부인을 향해

(그녀는 이때 아이들이 일류샤의 침대를 가로막고 자기에게 강아지를 보여 주지 않는다고 기분이 상해서 투덜거리고 있었다) 지극히 정중하게 한쪽 발을 뒤로 물리며 인사를 하고 나서, 다음엔 니노치카를 향해 역시 귀부인에 대해서 하는 것과 같은 방식으로 인사를 했다. 그의 정중한 행동은 병든 대위 부인에게 더없이 좋은 인상을 주었다.

"훌륭한 교육을 받고 자란 젊은이라는 걸 금방 알 수 있어" 하고 그녀는 두 손을 벌려 보이며 큰 소리로 말했다. "그런데 여기 오는 다른 손님들은 서로 등을 타고 들어온다니까."

"이봐요, 엄마, 등을 타고 들어온다는 건 또 무슨 소리예요?" 대위는 상냥하게 말했으나, '엄마'가 약간 걱정되는 눈치였다.

"현관에서 서로 남의 등을 탈 듯이 하며 밀고 들어온다니까요. 점잖은 집안에 남의 등을 타고 들어오다니 그런 손님들이 어디 있어요!"

"아니, 누가 그렇게 들어왔다는 거요, 엄마? 대체 누가?"

"오늘도 저 애는 이 애의 등을 타고 들어왔고, 또 저기 저 애는 여기 이 애의 등을 타고……."

그러나 콜랴는 벌써 일류샤의 침대 가에 서 있었다. 환자는 눈에 띄게 얼굴이 해쓱해졌다. 그는 자리 위에 몸을 일으키고 눈이 뚫어지게 콜랴를 바라보았다. 콜랴는 두 달 만에 처음 보는 자기의 어린 친구 앞에서, 별안간 무엇에 되게 얻어맞기라도 한 듯이 멈칫 멈춰 섰다. 그는 이처럼 누렇게 여윈 얼굴을, 이처럼 열이 떠서 퀭해진 눈을, 이처럼 뼈만 앙상한 손을 보게 되리라고는 상상도 못했던 것이다. 그는 일류샤가 할딱이듯 괴롭게 숨 쉬는 모습을, 그리고 바싹 마른 그 입술을 비통한 놀라움으로 바라보았다. 그는 일류샤에게 한 걸음 다가서서 손을 내밀며 거의 망연자실한 모양으로 입을 열었다.

"그래…… 좀 어떠니?" 그러나 목소리가 자꾸 끊어지려 해서 좀처럼 태연한 어조를 유지할 수가 없었다. 그는 얼굴이 갑자기 일그러지고, 입술 언저리가 경련을 일으킨 듯 떨기 시작했다. 일류샤는 병적인 미소를 지어 보였으나, 한마디도 말을 할 수가 없었다. 콜랴는 무슨 생각에선지 손을 들어 일류샤의 머리를 한 번 쓰다듬어 주었다.

"뭐…… 괜찮을 거야!" 그는 나직이 일류샤에게 속삭였으나, 그 말을 했는지는 콜랴 자신도 알 수 없었다. 잠시 동안 그들은 다시 말이 없었다.

"이건 뭐니, 새 강아지냐?" 콜랴는 갑자기 무표정한 음성으로 물었다.

"으응…… 그래……." 일류샤는 숨 가쁜 소리로 속삭이듯 천천히 대답했다.

"코끝이 까만 걸 보니 성질이 사납겠다. 쇠줄로 매 둬야지." 마치 강아지와 그 까만 코만이 당면한 중대 문제인양 콜랴는 점잔을 빼고 딱딱하게 말했다. 그러나 그는 '어린애'처럼 울음이 터져 나올 것만 같아서, 내부에서 북받쳐 오르는 감정을 억제하려고 안간힘을 썼으나, 아무래도 태연할 수가 없었다. "크게 자라면 쇠줄로 매 둬야만 할 거야, 틀림없어."

"저 개는 아주 커질 거야!" 소년들 중의 하나가 소리쳤다.

"그야 물론이지. 커지고말고. 순종 마스티프인 걸. 송아지만큼 클 거야." 여러 목소리가 한꺼번에 호응했다.

"송아지만큼, 진짜 송아지만큼 크고말고" 하며 대위가 옆으로 달려왔다. "내가 일부러 저런 사나운 개를 구해 왔지. 저놈의 어미도 굉장히 사나운 데다가 키가 이 마룻바닥에서 이만큼이나 크거든……. 자, 어서 앉게, 여기 일류샤의 침대 귀퉁이나 저쪽 벤치에라도. 그처럼 학수고대하던 손님인데…… 그래, 알렉세이 표도로비치와 같이 왔나?"

크라소트킨은 일류샤의 발치에 앉았다. 그는 이리로 오는 도중에 극히 자연스럽게 허두를 꺼내려고 미리 준비해 두었었으나, 이제는 완전히 말의 실마리를 잃어버리고 말았다.

"아닙니다……. 난 페레즈본하고 같이 왔어요. 페레즈본이라는 개를 기르고 있거든요. 슬라브식 이름이죠. 저기서 기다리고 있어요……. 휘파람을 불기만 하면 곧 뛰어 들어옵니다. 나도 개를 데려왔다" 하며 그는 갑자기 일류샤를 돌아보았다. "너 쥬치카 생각나지?" 그가 불쑥 이렇게 묻는 바람에 일류샤는 흠칫 놀랐다.

일류샤의 작은 얼굴이 일그러졌다. 그는 괴로운 듯 콜랴를 쳐다보았다. 문 옆에 서 있던 알료샤는 얼굴을 찡그리며 쥬치카 얘기를 하지 말라고 콜랴에게 몰래 고개를 흔들어 보였으나, 콜랴는 알아채지 못했다. 아니, 알아채지 못한 체했는지도 모른다.

"어디 있니…… 쥬치카는?" 일류샤는 띄엄띄엄 물었다.

"너의 그 쥬치카 말이냐? 그놈은 아주 사라져 버렸잖니!"

일류샤는 입을 다물어 버렸으나, 다시 한번 콜랴를 뚫어지게 바라보았다. 알료샤는 콜랴와 시선이 마주칠 때마다 고개를 저으며 눈짓을 했지만, 콜랴는 여전히 모르는 체하고 외면을 해 버렸다.

"어디론가 달아나서 아주 없어져 버렸어. 그런 걸 먹었으니 아마 죽어 버렸을 거야." 콜랴는 무자비하게 잘라서 말하기는 했지만, 그래도 몹시 숨이 가쁜 모양이었다. "그 대신 나한테 페레즈본이라는 개가 있다……. 슬라브식 이름이야……. 너한테 보여 주려고 데려왔어."

"난 필요 없어!" 일류샤는 내뱉듯이 말했다.

"아냐, 필요 있어. 한번 봐……. 너도 아마 기뻐할 거야. 그래서 내가 일부러 데려왔지……. 그 개처럼 털이 북슬북슬해……. 그런데 부인, 저의 개를 이리 불러들여도 괜찮겠죠?" 그는 무엇 때문인지 몹시 흥분한 어조로 스네기료프 부인을 보고 이렇게 말하였다.

"필요 없어, 필요 없다니까!" 일류샤는 비통한 목소리로 띄엄띄엄 소리쳤다. 그의 눈에는 비난의 빛이 떠올랐다.

"여보게……." 대위는 벽 옆의 궤짝에 앉으려다가 벌떡 일어섰다. "여보게……. 그러지 말고 요담에……" 하고 그는 중얼거렸다. 그러나 콜랴는 급히 대위의 말을 가로막으며 스무로프에게 소리쳤다. "스무로프, 문을 열어라!" 스무로프가 문을 열자, 그는 휙 휘파람을 불었다. 페레즈본이 쏜살같이 방 안으로 달려들어 왔다.

"뛰어라, 페레즈본, 재주를 부려야지, 재주를!" 콜랴는 자리에서 벌떡 일어서며 소리쳤다. 개는 뒷다리로 일어서서 일류샤의 침대 앞에서 걸음발을 탔다. 그러자 뜻밖의 일이 일어났다. 일류샤는 부르르 몸을 떨더니 페레즈본 쪽으로 힘껏 상반신을 내밀며 넋을 잃은 듯 그 개를 바라보았다.

"이건…… 쥬치카다!" 그는 고통과 기쁨이 뒤섞인 소리로 고함을 질렀다.

"그럼, 넌 뭐라고 생각했었니?" 콜랴는 행복에 겨워 목청껏 소리쳤다. 그리고 몸을 구부려 개를 붙잡아 일류샤한테 번쩍 들어보였다.

"자, 봐! 한쪽 눈은 멀고, 왼쪽 귀는 찢어지고, 네가 나한테 얘기한 표적하고 똑같잖니. 나는 그 표적으로 이 개를 찾아냈다. 그때 곧 찾아냈어. 이 개는 돌봐 주는 사람이 없었거든. 이 개는 주인이 없었어." 그는 재빨리 대위와 대위 부인, 그리고 알료샤와 일류샤를 번갈아 보면서 빠른 소리로 설명했다. "이 개는 페도토프네 집 뒤뜰에 있었다. 거기서 자리 잡고 살려 했지만 아무도 먹이를 주지 않았어. 원래는 시골에서 도망쳐 온 개였거든……. 그래서 내가 이놈을 찾아서 데려다 길렀지……. 그런데 말이다, 이 개는 그때 네가 던져 준 빵 조각을 삼키지 않았던 거야. 정말 삼켜 버렸더라면 살아 있을 리가 있겠니. 물론 죽어 버렸을 테지! 이렇게 아직도 살고 있는 걸 보면 그때 아마 뱉어 버렸나 봐. 너는 그걸 보지 못했던 거야. 뱉어 버리긴 했지만, 혓바닥을 찔렸겠지. 그래서 비명을 지른 거야. 비명을 지르며 달아나는 걸 보고 너는 그걸 삼킨 줄로만 알았지. 개는 입안의 살결이 아주 연하니까 죽는 소리를 낼 만도 하거든……. 사람 살결보다 더 연해, 암 연하고말고!" 콜랴는 신이 나서 소리쳤다. 그의 얼굴은 기쁨에 불타오르는 듯 환하게 빛났다. 일류샤는 아무 말도 할 수 없었다. 그는 입을 벙긋이 벌리고, 얼굴이 백지장처럼 창백해진 채, 금세 튀어나올 것 같은 커다란 눈으로 콜랴를 응시하고 있었다. 이 같은 순간에 병든 소년의 건강에 미치는 영향이 얼마나 무섭고 치명적인가를 알고 있었다면, 크라소트킨도 결코 이렇게까지 심한 장난은 하지 않았을 것이다. 그러나 방 안에 있는 사람들 중에서 알료샤만은 그것을 알고 있었다. 대위로 말하면, 그는 아주 어린아이나 다름없이 되고 말았다.

"쥬치카! 그럼 이게 바로 쥬치카란 말이지?" 그는 환희에 넘쳐 외쳤다. "일류샤, 이게 쥬치카다, 네 쥬치카야! 엄마야, 이게 바로 쥬치카라는구려!" 그는 사뭇 울음을 터뜨릴 듯이 말했다.

"그런데도 난 그걸 몰랐으니!" 스무로프가 유감이라는 듯이 소리쳤다. "역시 크라소트킨은 그만이야! 난 저 애가 쥬치카를 찾아낼 거라고 말했어. 그런데 정말 찾아냈거든!"

"정말 찾아냈구나!" 하고 다른 아이가 기쁨에 찬 목소리로 응했다.

"크라소트킨이 최고다!" 또 다른 아이의 목소리가 울렸다.

"최고다, 최고야!" 모두들 환성을 올리며 손뼉을 치기 시작했다.

"가만있어, 가만!" 크라소트킨은 아이들의 환성을 누르려고 있는 힘을 다해 외쳤다. "내가 너희들한테 얘기를 할게. 다른 건 문제가 아니야, 어떻게 된 건지 그걸 얘기할게! 나는 이 개를 찾아 가지고 집으로 데려다가 이내 숨겨 버렸어. 그리고 집에다 가두고는 자물쇠로 잠가 놓고 최근까지 아무한테도 안 보여 줬다. 스무로프만이 두 주일 전부터 알았지만, 내가 이 개는 페레즈본이라고 속였기 때문에 전혀 눈치채지 못했어. 그동안 나는 이놈한테 여러 가지 재주를 가르쳤지. 이놈이 무슨 재주를 부리는지 다들 보란 말이야! 일류샤, 나는 너한테 훌륭히 훈련된, 길 잘든 개를 가져오고 싶었던 거야. 그래서 '자, 봐라, 네 쥬치카가 얼마나 좋은 개가 됐는지!' 하고 자랑을 하고 싶었지. 여기 혹시 고기 조각 같은 것 없을까요? 여러분의 배꼽을 떼게 할 재주를 부려 보이겠어요. 댁에 고기 조각 없습니까?"

대위는 현관을 지나서, 자기네들의 취사까지 맡아서 하는 안주인네 집으로 쏜살같이 달려갔다. 콜랴는 귀중한 시간을 허비하지 않으려고 몹시 서두르며 "죽어!" 하고 페레즈본에게 소리쳤다. 그러자 개는 몸을 비틀며 벌렁 나자빠지더니 네 발을 공중에 쳐들고는 죽은 듯이 꼼짝도 안 했다. 아이들은 웃어 댔고, 일류샤는 여전히 괴로운 미소를 짓고 바라보고 있었다. 그러나 페레즈본의 재주를 누구보다도 재미있어 한 것은 '엄마'였다. 그녀는 깔깔 웃어 대면서 손가락을 튀기며 개를 불렀다. "페레즈본, 페레즈본!"

"누가 뭐래도 절대 일어나지 않아요." 콜랴는 의기양양해서 자랑스럽게 (하기는 자랑스러울 만도 했지만) 외쳤다. "온 세상이 입을 모아 소리쳐도 꼼짝 않을 거예요. 그렇지만 내가 한마디 하면 금방 튀어 일어나죠! 이리 와, 페레즈본!" 개는 튀어 일어나더니 기쁜 듯이 쿵쿵거리며 껑충껑충 뛰기 시작했다. 대위가 요리한 쇠고기 조각을 들고 달려왔다.

"뜨겁지 않은가요." 콜랴는 고기 조각을 받아 들며 사무적인 빠른 어조로 물었다. "음, 뜨겁진 않군. 개는 뜨거운 걸 좋아하지 않거든요. 자, 그럼 여러분, 보십쇼……. 일류샤, 너도 봐라, 보라니까! 아니, 왜 안 보는 거냐? 내가 일부러 데려왔는데도 보려 하지 않다니!"

새로운 재주란 이런 것이었다—목을 길게 뽑고 가만히 서 있는 개의 코 위에다가 맛있는 쇠고기 조각을 올려놓으면 가엾게도 개는 30분이건 1시간이건 주인의 명령이 떨어질 때까지 꼼짝 않고 그대로 서 있어야 하는 것이다. 그러나 페레즈본은 그리 오래 기다리지 않아도 되었다.

"그만!" 콜랴가 소리치자마자 고기 조각은 번개처럼 페레즈본의 코에서 입으로 들어갔다. 구경꾼들은 물론 탄성을 올렸다.

"그럼, 자넨 개를 훈련시키느라고 여태까지 오지 않고 있었단 말인가?" 알료샤는 저도 모르게 비난 섞인 말투로 외쳤다.

"물론이죠!" 콜랴는 지극히 태연한 어조로 대꾸했다. "나는 이 개가 훌륭해진 걸 보여 주고 싶었거든요."

"페레즈본! 페레즈본!" 일류샤는 갑자기 그 가느다란 손가락을 튀기며 개를 불렀다.

"왜 그러니? 이놈을 네 침대 위에 뛰어오르게 할까? 이리 와 페레즈본!" 하며 콜랴는 손바닥으로 침대를 탁 쳤다. 그러자 페레즈본은 일류샤 옆으로 훌쩍 뛰어 올라갔다. 일류샤는 두 팔로 개의 목을 얼싸안았다. 개는 얼른 그의 뺨을 핥았다. 일류샤는 개를 꼭 껴안은 채 침대에 눕더니 그 북슬북슬한 털 속에 얼굴을 묻어 버렸다.

"아아, 고마워라, 고마워라!" 하고 대위는 소리쳤다. 콜랴는 다시 일류샤의 침대 귀퉁이에 앉았다.

"일류샤, 너한테 또 한 가지 보여 줄 게 있다. 너한테 조그만 대포를 하나 가져왔어. 너도 생각날 거야. 전에 내가 대포 얘길 했더니, 너는 '그걸 나한테도 좀 보여 주지 않을래?'라고 했었지. 그래서 오늘 그걸 가져온 거야."

이렇게 말하고는 콜랴는 급히 자기 가방 속에서 청동으로 만든 조그만 대포를 꺼내었다. 그는 더없는 행복을 느끼고 있었으므로 저도 모르게 급히 서둘러 댔던 것이다. 여느 때 같으면 그는 페레즈본으로 말미암아 야기된 극적 효과가 가라앉을 때까지 참고 기다렸을 것이지만, 지금은 그럴 수가 없었다. '그것만으로도 너는 기뻐하고 있지만 좀 더 기쁘게 해줄 게 있다!' 하는 기분으로, 그는 온갖 자제심을 동댕이쳐 버리고 전에 없이 서둘러 댔다. 그리하여 콜랴 자신도 완전히 도취된 상태에 있었다.

"나는 벌써 오래전부터 모로조프라는 관리가 갖고 있는 이 대포에 눈독을 들여왔었다. 너를 위해서, 너한테 주려고 말이야. 이건 모로조프가 자기 형한테서 얻은 것인데 그 사람한텐 아무 소용도 없는 물건이었어. 그래서 나는 우리 아버지 책꽂이에서 《마호메트의 한 친척—유익한 우행愚行 A Kinsman of Mahomet or Salutary Folly》이라는 책을 꺼내다가 이 대포와 바꿨지. 그 책은 백 년 전에, 아직 검열 제도가 없던 시대에 모스크바에서 출판된 건데, 아주 형편없는 물건이야. 모로조프는 그런 걸 수집하는 취미가 있어서, 오히려 나한테 고맙다는 말까지 하더라."

콜랴는 모두가 다 보고 즐길 수 있도록 대포를 손에 들고 사람들 앞에 내밀었다. 일류샤도 몸을 일으켰다. 오른팔로는 여전히 페레즈본을 껴안은 채 그는 감탄 어린 눈으로 장난감을 바라보았다. 콜랴가, 화약도 여기 있으니 '만일 부인들이 놀라지만 않는다면' 즉석에서 쏘아 보일 수도 있다고 말했을 때, 극적 효과는 절정에 달했다. '엄마'는 곧 그 장난감을 좀 더 가까이서 보자고 했다. 그녀의 청은 받아들여졌다. 그녀는 바퀴가 달린 청동 대포가 무척 마음에 들었는지 무릎 위에다 그것을 굴려 보았다. 그녀는 자기에게 무엇을 묻는지도 모르면서, 대포를 쏘아도 좋으냐는 물음에 기꺼이 응했다. 콜랴는 화약과 산탄散彈을 보여 주었다. 군인 출신인 대위는 화약을 조금만 장전하도록 직접 거들었으나, 산탄을 쏘는 것은 다음 기회로 미루자고 말했다. 대포는 사람이 없는 쪽으로 포구를 돌려 마룻바닥에 놓았다. 그다음 세 개의 도화선을 화구에 꽂고 성냥불을 붙였다. 뒤이어 멋진 발사음이 펑 하고 울리었다. '엄마'는 흠칫 몸을 떨었으나, 곧 유쾌하게 웃었다. 아이들은 엄숙한 표정으로 말없이 구경하고 있었다. 누구보다도 제일 기뻐한 것은 일류샤를 지켜보고 있던 대위였다. 콜랴는 대포를 집어서 총탄이며 화약과 함께 즉석에서 일류샤에게 건네주었다.

"이건 너를 위해서, 너한테 주려고 가져온 거야! 벌써 오래전에 구해 두었었지." 콜랴는 행복에 겨워 같은 말을 되풀이했다.

"아이, 그거 나 줘! 그 대포는 나한테 주는 게 좋을 거야!" 갑자기 '엄마'가 어린애처럼 조르기 시작했다. 그녀의 얼굴에는 그걸 자기가 갖지 못하면 어쩌나 하는 슬픈 불안의 빛이 떠올랐다. 콜랴는 당황했다. 대위는 아내가 걱정이 되어 수선을 떨기 시작했다.

"이봐요, 엄마!" 그는 아내 곁으로 달려갔다. "대포는 당신 거야, 암, 당신 거고말고. 하지만 일류샤더러 갖고 있으라 합시다. 일류샤가 받은 거니까. 그렇지만 이 대포는 역시 당신 거야. 일류샤는 언제든지 당신 맘대로 가지고 놀게 할 거요. 그러니까 둘이서 함께 갖기로 해요, 함께……."

"싫어요, 둘이서 함께 갖는 건 싫단 말이에요. 일류샤는 말고 나 혼자서 가져야 해요." '엄마'는 울먹이는 소리로 말했다.

"어머니, 이거 가지세요, 어서 가지세요!" 일류샤가 갑자기 소리쳤다. "크라소트킨, 이걸 우리 엄마한테 드려도 괜찮겠지?" 그는 모처럼의 선물을 다른 사람에게 넘겨준다고 콜랴가 화를 내지나 않을까 염려되는 듯이 애원하는 얼굴로 콜랴를 돌아보았다.

"괜찮고말고!" 크라소트킨은 두말없이 동의하고, 일류샤의 손에서 대포를 받아, 공손히 절을 하면서 그것을 직접 '엄마'에게 주었다. 그녀는 감격에 겨워 울음을 터뜨리기까지 했다.

"귀여운 일류샤야, 너처럼 엄마를 위해 주는 애가 또 어디 있겠니!" 그녀는 감동 어린 음성으로 말했다. 그러고는 곧 무릎에다 다시 대포를 굴리기 시작했다.

"엄마야, 당신 손에 키스 좀 합시다" 하고 남편은 아내한테 달려들어 얼른 입을 맞췄다.

"그리고 또 한 사람 아주 귀여운 아이는 누구냐 하면, 여기 이 착한 아이예요!" 부인은 크라소트킨을 가리키며 감사에 넘쳐서 말했다.

"그리고 일류샤, 화약은 앞으로 얼마든지 갖다 줄게. 이젠 우리 손으로 화약을 만들 수 있으니까. 보로비코프가 만드는 방법을 알아냈어. 초석硝石 24에 유황 10, 그리고 자작나무 숯 6, 이렇게 분량을 맞춰 한데 섞어 빻아서 물에 부드럽게 이겨 가지고 둥근 체로 걸러 내면 화약이 되거든."

"스무로프한테서 그 얘긴 들었지만, 우리 아버지 말을 들으면 그건 진짜 화약이 아니래" 하고 일류샤가 말했다.

"뭐, 진짜가 아니라고?" 콜랴는 얼굴을 붉혔다. "우리가 만든 것도 발화가 되는데? 하긴 나도 잘 몰라……."

"아니, 그런 게 아니고." 대위가 미안한 얼굴을 하며 황급히 끼어들었다. "진짜 화약은 그런 식으로 만드는 게 아니라고 말하긴 했지만, 뭐 상관없어. 그렇게 만들 수 없는 건 아니니까."

"나는 잘 몰라요. 아저씨가 더 잘 아시겠죠. 우리는 포마드 통에다 조금 넣어 불을 당겨봤더니 죄다 타 버리고 재라고는 아주 조금밖엔 남지 않았어요. 그러나 그건 물에 섞은 반죽이었으니까, 만일 그걸 체에 걸렀더라면……. 그렇지만 역시 아저씨가 더 잘 아실 테죠. 나는 잘 몰라요……. 그래도 불킨은 그 화약 때문에 아버지한테 매를 맞았다더군요. 너 그 얘기 들었니?" 그는 갑자기 일류샤를 돌아보며 물었다.

"나도 듣긴 들었어." 일류샤는 대답하였다. 그는 구한한 흥미와 기쁨을 느끼며 콜랴의 말을 듣고 있었다.

"여럿이서 병에 가득히 화약을 만들었는데, 불킨이 그걸 침대 밑에 감추어 둔 걸 아버지한테 들켰지 뭐야. 폭발하면 어떡하냐면서 당장에 그 애한테 매질을 했지. 그러고는 학교에다 나를 고해바치려고까지 했단 말이야. 불킨은 이젠 나하고 같이 놀지도 못하게 됐어. 다른 애들의 부모도 나하고 놀지 못하게 하고 있어. 스무로프도 나하고 어울리는 걸 부모가 알면 큰일 나지. 나는 모든 사람한테 이름이 알려져 있거든. 나더러 '망나니 녀석'이라는 거야." 콜랴는 경멸하듯 히죽 웃었다. "그때 그 철도 사건이 있은 후부터 그렇게 되었어."

"우리도 자네의 그 모험 얘기는 들었지!" 하고 대위가 소리쳤다. "그래, 거기 그렇게 누워 있으니 기분이 어떻던가? 기차가 위토 지나갈 때도 정말 아무렇지 않았나? 무섭지 않았어?"

대위는 콜랴의 비위를 맞추기에 바빴다.

"뭐, 별로……." 콜랴는 퉁명스럽게 대답했다. "그러나 여기서 무엇보다도 내 명성을 손상시킨 건 그 망할 놈의 거위 새끼였어!" 그는 다시 일류샤를 향해서 말했다. 그는 되도록 태연한 태도를 취하려 했지만, 아무래도 자기 자신을 억제할 수가 없어서 이따금 뜻하지 않은 어조로 바뀌곤 하는 것이었다.

"응, 나 그 거위 얘기도 들었어!" 일류샤는 환한 얼굴로 웃었다. "듣긴 했지만, 무슨 얘긴지 잘 몰랐어. 너 정말 판사한테 끌려가서 재판 받았니?"

"그야말로 하나도 문제될 게 없는 대수롭잖은 일이지. 그걸 가지고 여기 사람들은 언제나 그렇듯이 공연히 크게 떠들어댄 것뿐이야." 콜랴는 되는대로 지껄이듯 얘기를 시작했다. "어느 날 내가 저기 장터를 지나가고 있노라니까 마침 사람들이 거위를 몰고 왔어. 나는 멈춰 서서 거위를 바라보았지. 그러자 요즘 플로트니코프네 가게에서 점원 노릇하는 비쉬냐코프라는 청년이 나를 보고 하는 말이, '왜 거위는 그렇게 보고 있니?'라는 거야. 둥근 얼굴이 멍청해 보이는 스무 살쯤 된 친구였어. 나는 알다시피 결코 평민 계급의 민중을 업신여기지 않는 성미야. 나는 민중과 어울리기를 좋아하지……. 대체로 우리는 민중과 너무 격리되어 있어—이건 명백한 사실이야. 카라마조프 씨, 당신은 웃고 있군요?"

"천만에, 나는 열심히 듣고 있어." 알료샤는 더없이 솔직한 태도로 대답했다. 지나치게 민감한 콜랴도 이내 원기를 회복했다.

"카라마조프 씨, 내 이론은 명확하고도 단순합니다." 그는 다시 기쁜 얼굴로 말을 서둘렀다. "나는 민중을 믿어요. 그리고 언제나 기꺼이 그들의 장점을 인정해 줍니다. 그렇지만 절대로 그들을 버릇없이 내버려 두지는 않아요. 이것은 Sine Qua non(필수조건)이지요……. 그것은 그렇고, 내가 지금 거위 얘기를 하고 있었지. 그래서 나는 그 멍청이 녀석을 보고 대답하기를, '거위가 무엇을 생각하고 있을까, 그것을 생각하는 중이야'라고 했지. 그랬더니, 그 친구는 그야말로 밥통 같은 얼굴을 하고 나를 흘금흘금 보면서, '그래, 거위가 무엇을 생각하고 있는 것 같니?' 하고 묻는 거야. '저기 좀 봐, 저기 귀리를 가득 실은 마차가 있지? 포대에서 귀리가 새어 나오는데, 거위가 한 마리 바로 바퀴 밑에다 목을 처넣고 그걸 집어먹고 있잖느냐 말이야?' 하고 내가 말했더니 그 친구의 대답이 '그건 나도 알아' 그래서 내가 '그럼 지금 저 마차를 앞으로 조금 움직이면 거위 목이 바퀴에 잘려질까, 안 잘려질까?' 했더니, 그 친구는 '그야 틀림없이 잘려질 테지' 하고는 입을 쩍 벌리고 웃으며 여간 좋아하는 게 아니야. '그럼 우리 한번 시험해 볼까' 하니까, '해 보자'고 그 친구가 응했어. 뭐 준비하는데 시간이 걸릴 것도 없었지. 그 친구는 눈에 안 띄게 고삐 곁에 붙어서고, 나는 거위가 바퀴 밑에 들어가도록 하려고 옆으로 가서 섰어. 그러나 마침 이때 귀리 주인인 농부가 한눈을 팔며 누구와 말을 하고 있었기 때문에, 내가 구태여 거위를 바퀴 밑으로 몰아넣을 필요도 없었어. 거위란 놈이 귀리를 먹으려고 마차 아래로, 바로 바퀴 밑으로 제 모가지를 들이밀었거든. 내가 청년에게 눈짓을 하니까, 그 친구는 얼른 고삐를 잡아당겼지. 바지직 소리와 함께 거위의 모가지는 두 동강이 나 버렸지 뭐야! 그런데 공교롭게도 그 순간에 농부들이 우리를 발견하고는, 대번에 소동을 일으키고 말았어. '네가 일부러 그랬지?' '아뇨, 일부러 그러지 않았어요' '뭐, 일부러 그러고선!' 그러더니 '저놈을 치안 판사한테 끌고 가!' 하고 고함을 치는 거야. 결국 나까지 붙잡히고 말았지. '너도 거기 있었으니까 함께 거들었을 거다. 너는 온 시장 사람들이 다 아는 놈이야!' 하기는 무엇 때문인지 시장 일대에서 나를 모르는 사람이 없는 건 사실이야" 하고 콜랴는 자랑스럽게 덧붙였다. "그래서 모두들 판사한테 몰려갔지. 거위까지 들고서 말이야. 젊은 친구는 그만 겁에 질려 울음을 터뜨렸어. 마치 여자처럼 목을 놓아 우는 거야. 거위 장수는 '그따위 장난을 가만 놔뒀다간 살아남을 거위가 어디 있겠느냐!'면서 고래고래 고함을 지르더군. 물론 증인들도 있었지. 그런데 판사는 즉석에서 사건을 처리해 버렸어. 즉, 청년은 거위 값으로 1루블을 거위 장수에게 지불하고, 그 대신 죽은 거위를 가지라는 거야. 그리고 앞으로는 절대 그런 장난을 하지 말라고 일렀어. 청년은 여전히 여자처럼 울어 대면서 '저한텐 죄가 없어요, 저놈이 시켜서 한 거예요' 하며 나를 가리키는 거야. 나는 어디까지나 냉정한 태도로, 그건 절대 내가 시킨 게 아니다, 나는 단지 기본적인 아이디어를 말했을 뿐이며, 그것을 하나의 구상으로 발표했을 뿐이다, 라고 대답했지. 네페도프라는 그 판사는 히죽 웃었어. 그러나 곧 자기가 웃은 데 대해 스스로 화를 내면 '나는 네가 앞으로 그따위 구상을 집어치우고 얌전히 들어앉아 책을 읽든가 학과 공부를 하도록 당장에 학교 당국에 통지하겠다'라고 하지 않겠니. 하지만 학교에 통지하지는 않았어. 농담이었나 봐. 그러나 이 사건은 곧 소문이 퍼져서, 결국은 학교 선생들 귀에까지 들어가고 말았어. 선생들 귀는 굉장히 빠르거든! 라틴어 선생 콜바스니코프가 특히 이 일을 문제 삼고 들고 일어났지만, 이번에도 다르다넬로프 선생이 내 편을 들어줬지. 그런데 콜바스니코프는 요즘 새파란 노새 새끼처럼 아무한테나 모조리 짓궂게 굴고 있어. 참 일류샤, 너 그 얘기 들었니, 그 선생이 장가들었다는 거? 1천 루블의 지참금과 함께 미하일로프네 딸을 얻었는데, 색시라는 게 천하에 둘도 없는 추물이야. 그래서 삼 학년 애들이 이런 풍자시까지 지었지.

삼 학년 학생들 놀라 자빠졌네
걸레 같은 콜바스니코프가 장가들다니

이런 식으로 계속되는데 굉장히 우스워. 요담에 너한테 갖다 보여 줄게. 다르다넬로프 선생에 대해선 아무 말도 하지 않겠어. 유식한 사람이야. 그야말로 유식한 사람이지. 나는 그런 사람을 존경해. 내 편을 들어 주었다고 해서 그러는 건 절대 아니야……."

"그렇지만 넌 누가 트로이를 창건했는가 하는 걸로 그 선생을 납작하게 해 줬잖니!" 스무로프는 크라소트킨이 무척 자랑스럽다는 듯이 불쑥 끼어들었다. 그는 거위 얘기를 특히 대견스럽게 들었던 것이다.

"그래, 정말로 납작하게 해 줬나?" 대위가 아첨하듯 물었다. "트로이를 누가 창건했느냐 하는 걸로 말이지? 우리도 그 얘긴 들었어. 그때 일류샤가 나한테 얘기해 줘서……."

"아버지, 저 애는 뭐든지 다 알아요. 학생들 중의 누구보다도 제일 많이 알고 있어요!" 일류샤가 가로채듯 말했다. "겉으론 저런 체하고 있어도 저앤 무슨 학과나 우리 학교에서 일등이거든요……."

일류샤는 무한한 행복을 느끼며 콜랴를 바라보았다.

"트로이 얘기 같은 건 아무것도 아녜요. 자신 그런 건 문제 삼을 만한 것도 못된다고 생각해요." 콜랴는 겸손하면서도 자신 있게 대꾸했다. 그는 아직도 약간 불안을 느끼고는 있었으나, 그래도 이제는 완전히 자신만만한 어조로 말할 수 있게 되었다! 그는 자기가 너무나 흥분하여, 예를 들면 거위 얘기 같은 것도 지나치게 떠벌렸다고 느꼈던 것이다. 더욱이 알료샤가 줄곧 입을 다문 채 신중한 표정을 짓고 있었으므로, 자존심이 강한 이 소년은 '저 사람이 잠자코 있는 것은 나를 멸시하기 때문이나 아닐까? 내가 자기의 칭찬을 바라고 있다고 생각하기 때문이 아닐까? 만약에 저 사람이 감히 그런 생각을 한다면, 나는……' 이렇게 생각하니 점점 가슴이 죄여들기 시작했다.

"나는 그런 건 하나도 문제 삼을 게 못 된다고 생각합니다." 그는 다시 한번 자신 있게 단언했다.

"난 누가 트로이를 창건했는지 알아." 뜻밖에도 여태까지 거의 한마디도 말이 없었던 한 소년이 갑자기 입을 열었다. 평소에도 말이 없고 부끄럼을 잘 타는 아주 귀엽게 생긴 열한 살 먹은 소년인데, 성은 카르타쇼프라 했다. 그는 바로 문 옆에 앉아 있었다. 콜랴는 적이 놀란 듯이, 그러나 어디까지나 도도한 태도로 그를 돌아보았다.

그도 그럴 것이 '누가 트로이를 창건했느냐?' 하는 문제는 전체 학생에게 비밀로 돼 있었고, 그 해답을 얻으려면 스마라그도프의 역사책을 읽어야만 가능했던 것이다. 그러나 그 책을 가지고 있는 사람은 콜랴 한 사람밖엔 없었다. 그런데 어느 날 카르타쇼프는 콜랴가 한눈을 팔고 있는 사이에 다른 책들 사이에 끼여 있는 스마라그도프의 책을 슬쩍 들춰 보았다. 그러자, 마침 트로이의 창건자에 대해서 쓴 바로 그 대목이 나왔다. 이것은 꽤 오래된 일이었지만, 그는 어쩐지 겸연쩍었을뿐더러, 자기도 그것을 알고 있다고 공표하면 혹시 무슨 일이나 생기지 않을까, 그리고 크라소트킨한테 면박이나 당하지 않을까 염려되어, 그것을 입 밖에 낼 용기가 나지 않았다. 그러나 오늘은 더 이상 참을 수가 없어서, 그만 그것을 말해 버리고 말았다. 그는 벌써 아까부터 그 말을 하고 싶어서 견딜 수가 없었던 것이다.

"그래 누가 세웠다는 거냐?" 콜랴는 마치 높은 데서 바라보듯 교만한 태도로 그에게 물었다. 그리고 카르타쇼프의 얼굴빛으로 그가 정말로 알고 있다는 것을 재빨리 눈치채고는, 그 결과에 대한 대비책을 즉각적으로 강구했다. 좌중의 전체적인 분위기 속에 무언가 어색한 것이, 부조화라고도 할 수 있는 것이 생겼다.

"트로이를 세운 건 튜서, 다다너스, 일리아스, 그리고 트로스야." 소년은 단숨에 주워섬겼으나, 그 순간 얼굴을 확 붉혔다. 어찌나 얼굴을 붉히는지 옆에서 보기에도 민망할 지경이었다. 그러나 아이들은 모두 뚫어질 듯이 그를 응시했다. 거의 1분 동안이나 그렇게 응시하고 있던 그들의 시선이 이번엔 일제히 콜랴에게로 옮겨졌다. 콜랴는 경멸 어린 냉정한 빛을 띠고 이 대담한 소년을 빤히 지켜보고 있었다.

"그럼 그 사람들이 대체 어떻게 해서 그걸 세웠지?" 그는 마치 선심이라도 쓰는 듯이 마침내 입을 열었다. "그리고 도시나 국가를 창건한다는 것이 대체로 무엇을 뜻하는지 아니? 그들이 한 일이 뭐야……. 거기 와서 벽돌이라도 한 장씩 쌓았을까?"

웃음소리가 터졌다. 죄를 지은 소년의 얼굴은 장밋빛에서 진홍빛으로 변했다. 그는 금세 울음을 터트릴 것 같은 얼굴을 하고 아무 대꾸도 못 했다. 콜랴는 한참 동안 그를 그대로 붙잡고 있었다.

"한 국민의 기초가 되는 역사적 사건을 설명하려면 무엇보다도 먼저 그것이 무엇을 뜻하는가를 알아야 하는 거야" 하고 그는 엄격한 어조로 타이르듯 말했다. "하지만 나는 아낙네들이 듣기 좋아하는 그따위 옛날 얘기 같은 건 중요시하지 않아. 뿐만 아니라, 대체로 세계사 자체를 그다지 존중하지 않지." 그는 좌중을 향해 갑자기 퉁명스럽게 덧붙여 말했다.

"뭐, 세계사 자체를?" 대위가 몹시 놀란 듯이 물었다.

"네, 세계사 자체를요. 그것은 다만 인류의 계속적인 우행愚行에 관한 연구에 지나지 않으니까요. 내가 존중하는 것은 수학과 자연 과학뿐입니다." 콜랴는 이렇게 딱 잘라 말하고 나서 알료샤에게 흘끗 눈을 주었다. 그는 이 자리에서 오직 알료샤의 의견만이 두려웠던 것이다. 그러나 알료샤는 여전히 진지한 표정으로 침묵을 지키고 있었다. 만일 알료샤가 이때 무어라고 한마디만 했다면 그것으로 일은 끝나 버렸을 것이지만, 그는 아무 말도 하지 않았다. '그의 침묵은 경멸을 뜻하는 것인지도 모른다'는 생각이 콜랴를 극도로 초조하게 했다.

"우리 학교에선 요즘 또다시 고전어古典語를 시작했지만, 그건 미친 지랄에 지나지 않아요. 카라마조프 씨, 당신은 이 점에서도 내 의견에 반대신가요?"

"나는 동의할 수 없는걸." 알료샤는 조심스럽게 웃었다.

“만일 원하신다면 내 의견을 말하겠지만요, 고전이라는 건 치안 확보를 위한 수단에 불과합니다. 오직 그 때문에 교과목에 넣은 거예요.” 콜랴는 점점 숨 가쁜 소리를 냈다. “고전어를 넣은 건, 그것이 따분하기 때문이며 재능을 둔화시키기 때문이지요. 전부터 따분하긴 했지만, 더욱더 따분하게 하기 위해선 어떻게 하면 좋을까? 전부터도 우둔하긴 했지만 더욱더 우둔하게 하기 위해선 어떻게 하면 좋을까? 이래서 고전어라는 걸 생각해 낸 거예요. 이것이 고전에 관한 내 의견의 전부입니다. 그리고 나는 앞으로도 이 의견을 고치지 않을 생각이에요.” 콜랴는 싹 자르듯이 말을 맺었다. 그의 두 볼에는 붉은 점 같은 홍조가 떠올랐다.

“그건 옳은 말이야.” 열심히 귀를 기울이고 있던 스무로프가 쨍 울리는, 확신에 찬 목소리로 동의를 표명했다.

“그렇지만 콜랴는 라틴어에선 일등이에요.” 아이들 가운데 하나가 갑자기 소리쳤다.

“그래요, 아버지, 저런 소릴 하지만 저 애는 라틴어라면 전교에서 제일 잘하거든요” 하고 일류샤도 같은 말을 했다.

“그게 어쨌다는 거냐?” 콜랴는 그런 칭찬을 듣는 것이 무척 유쾌했지만, 그래도 변명할 필요가 있다고 생각했다. “하긴 나도 라틴어를 열심히 암기하곤 있어. 그렇게 해야 하기 때문이야. 어머니한테 시험에 무사히 합격하겠노라고 약속하였으니까. 그리고 뭐든지 일단 하기 시작한 일은 훌륭히 해내야 한다고 나는 생각해. 그러나 속으로는 고전주의니 뭐니 하는 저열한 것을 전적으로 경멸하고 있어……. 카라마조프 씨, 당신 생각은 어떻습니까?”

“그게 왜 ‘저열한 것’이지?” 알료샤는 다시 히죽 웃어 보였다.

“왜라뇨? 고전이란 고전은 남김없이 모든 언어로 번역되어 있으니까 고전 연구를 위해선 라틴어 같은 건 필요 없지 않으냐 말이에요. 다만 치안 확보의 수단으로서, 사람의 재능을 둔화시키기 위해서 필요한 겁니다. 그러니 어찌 저열한 것이 아니라고 할 수 있겠어요?”

"대체 누가 자네한테 그런 걸 모두 가르쳐 주었나?" 마침내 알료샤는 놀란 빛을 띠며 이렇게 소리쳤다.

"첫째로, 나는 누구한테 가르침을 받지 않아도 스스로 깨달을 수가 있어요. 그리고 둘째로, 고전은 모든 언어로 죄다 번역되어 있다, 하는 말은 콜바스니코프 선생 자신이 삼 학년 학생 전체에게 한 말입니다."

"의사 선생님이 오셨어요!" 처음부터 끝까지 잠자코만 있던 니노치카가 갑자기 소리쳤다.

정말 그때 호흘라코바 부인의 소유인 승용 마차가 대문 앞에 와서 멎었다. 고대하던 모스크바의 의사가 마침내 온 것이다. 대위는 의사를 맞으러 허겁지겁 대문으로 달려 나갔다. 알료샤는 일류샤한테로 가서 그와 베개를 고쳐 주기 시작했다. 니노치카는 의자에 앉은 채 그가 침대를 정돈하는 것을 걱정스럽게 지켜보고 있었다. 소년들은 황급히 인사를 하고 돌아가기 시작했다. 개중에는 저녁에 다시 들르겠노라고 약속하는 아이도 있었다. 콜랴는 페레즈본을 불렀다. 개는 얼른 침대에서 뛰어내렸다.

"난 가지 않아, 가지 않아!" 콜랴는 급히 일류샤에게 말했다. "현관에서 기다리고 있다가 의사가 돌아가면 다시 돌아올게, 페레즈본을 데리고 돌아올게."

그러나 의사는 이미 들어오고 있었다. 검은 구레나룻을 길게 기르고, 턱은 반들반들 면도를 하고서, 곰 가죽 외투를 걸친 그 모습은 자못 의젓해 보였다. 문지방을 넘어서자 그는 어리둥절해서 그 자리에 멈춰 섰다. 방을 잘못 찾아들어왔는가 생각한 모양이었다. "어떻게 된 거야? 여기가 어디지?" 그는 외투도 벗지 않고 물개 가죽 차양이 달린 모자도 그대로 쓴 채 중얼거렸다. 북적거리는 사람들, 방 안의 초라한 모양, 한쪽 구석 빨랫줄에 주렁주렁 걸려 있는 속옷가지들, 이런 것들이 그를 몹시 놀라게 한 모양이었다. 대위는 그의 앞에 코끝이 땅에 닿도록 공손히 절을 했다.

"여깁니다, 선생님, 여기예요." 그는 연방 굽실거리며 중얼거리듯 말했다. "여깁니다, 제대로 오셨어요. 선생님은 저희들한테 오시기로 되어 있습죠."

"스네…… 기…… 료프요?" 의사는 거드름스럽게 커다란 소리로 물었다. "스네기료프 씨라는 건 당신이오?"

"예, 바로 접니다!"

"허!"

의사는 다시 한번 꺼림칙한 듯이 방 안을 둘러보고 나서 외투를 벗어 던졌다. 목에 걸린 위엄 있는 훈장이 모든 사람의 눈에 번쩍 빛났다. 대위는 외투가 방바닥에 떨어지기 전에 받았다. 의사는 모자를 벗었다.

"환자는 어디 있소?" 그는 커다란 소리로 재촉하듯 물었다.

6. 조숙早熟

"의사가 어떻게 말할 것 같아요?" 콜랴가 빠른 소리로 물었다. "그보다 그 상판대기만 봐도 구역질이 날 것 같다니까요, 그렇잖아요? 나는 의사라는 게 지긋지긋해요!"

"일류샤는 가망 없어. 내 생각엔 아무래도 그럴 것만 같아." 알료샤는 침통하게 대답했다.

"사기꾼들 같으니! 의술이라는 건 사기행위예요! 그런데 카라마조프 씨, 나는 당신을 사귀게 된 것이 여간 기쁘지 않아요. 벌써 오래전부터 당신과 사귀고 싶었거든요. 단지 이렇게 슬픈 때 만났다는 게 유감스럽긴 하지만……."

콜랴는 무언가 좀 더 열렬한, 좀 더 극적인 말을 하고 싶었으나 어쩐지 쑥스럽게 여겨졌다. 알료샤는 그것을 눈치채고 미소를 지으며 그의 손을 잡았다.

"나는 오랫동안 당신을 희귀한 분으로 존경해 왔어요." 콜랴는 황급히 말을 더듬으며 다시 중얼거리듯 말했다. "나는 당신이 신비주의자이고, 수도원에 들어가 있었다는 말을 들었어요. 나는 당신이 신비주의자라는 걸 알고 있지만…… 그것이 당신과 사귀고 싶다는 나의 희망을 버리게 하지는 않았습니다. 현실 생활과의 접촉이 당신을 고쳐 줄 거예요……. 당신과 같은 성격의 사람은 그렇게 되는 게 당연하거든요."

"무엇 때문에 자넨 나를 신비주의자라고 부르지? 그리고 나의 무엇을 고쳐 준다는 건가?" 알료샤는 약간 놀랐다.

"그 신神이니 뭐니 하는 것에 열중하는 것 말입니다."

"아니, 자넨 그럼 하느님을 믿지 않나?"

"그런 건 아네요. 나도 신을 결코 반대하지는 않아요. 물론 신이란 하나의 가설에 불과하지만요……. 그러나…… 질서를 위해서…… 세계의 질서를 위해서 신이 필요하다는 건 인정합니다……. 그러니까 만일 신이 없다면 그걸 생각해 내기라도 해야 할 거예요." 콜랴는 얼굴이 차츰 빨개지며 이렇게 덧붙였다. 그는 문득 알료샤가 지금 '이 애는 자기 지식을 늘어놓아 자기가 어른이라는 걸 과시하려고 그러는구나' 하고 코웃음을 치겠지 하는 생각이 들었던 것이다. '하지만 나는 이 사람 앞에서 내 지식을 늘어놓을 생각은 추호도 없다' 하고 콜랴는 마음속으로 분개했다. 그러자 그는 갑자기 참을 수 없는 불쾌감을 느꼈다.

"솔직히 말해서 나는 이런 쓸데없는 논의는 질색이에요." 그는 딱 잘라 말했다. "신을 믿지 않더라도 인류를 사랑할 수는 있잖느냐 말입니다. 볼테르는 신을 믿지 않으면서도 인류를 사랑하지 않았습니까!" ('아차, 내가 또 이런 말을 꺼내는구나!' 하고 그는 속으로 생각했다)

"볼테르는 신을 믿었어. 다만 그 믿음이 깊지 않았던 것 같아. 따라서 인류에 대한 사랑도 그리 깊지는 못하지 않았을까?" 알료샤는 마치 자기 동년배나 또는 손윗사람을 대하듯 조용하고 겸손하게, 그리고 어디까지나 자연스런 어조로 말했다. 알료샤가 마치 볼테르에 관한 자기 견해에 확고한 자신이 없는 것처럼, 자기보다 어린 콜랴에게 이 문제의 해답을 구하는 듯한 태도로 나오는 데에 콜랴는 몹시 놀랐다.

"그런데 자네 볼테르를 읽었나?" 알료샤는 물었다.

"아뇨, 읽었다고 할 순 없지만…… 《캉디드Candide》[25*]를 러시아어 번역판으로 읽었어요……. 낡은 판이라 번역도 괴상하고 우스꽝스럽게 되어서……(아차, 또 이런 소릴!)"

"그래서 이해할 수 있었나?"

"그야 물론이죠, 완전히…… 다시 말해서…… 아니, 당신은 내가 그걸 이해하지 못했을 거라고 생각하는 건가요? 사실 그 책엔 저속한 대목이 많아요……. 하기는 나도 그 책이 하나의 사상을 표현하기 위해서 쓴 철학적 소설이라는 건 알 수 있지만요……." 콜랴는 이제 완전히 혼란 상태에 빠져 버렸다. "나는 사회주의자입니다, 카라마조프 씨. 나는 철두철미한 사회주의자예요." 그는 다짜고짜 영문 모를 소리를 하고는 입을 다물어 버렸다.

"사회주의자라고?" 알료샤는 웃었다. "아니, 어느새 벌써 그렇게 되었지? 자네는 아직 열세 살밖엔 안 됐다고 들었는데?"

콜랴는 기가 꺾였다.

"나는 13살이 아녜요, 14살입니다. 두 주일만 있으면 만 14살이 됩니다." 그는 얼굴이 새빨개졌다. "그리고 내 나이가 그것과 대체 무슨 상관이 있다는 건지 이해할 수 없군요. 문제는 내 신념이 무엇인가 하는 데 있는 것이지 내 나이가 얼만가 하는 데 있는 게 아닙니다. 그렇잖아요?"

"자네가 좀 더 나이를 먹으면, 그때에는 사람의 연령이 신념에 대해 어떤 의미를 지니는지를 스스로 알게 될 거야. 그리고 나는 자네가 하는 말이 아무래도 자네 자신의 말이 아닌 것같이 생각되는군." 알료샤는 겸손하고 침착한 어조로 대답했으나, 콜랴는 후끈 달아서 말을 가로챘다.

"천만에, 당신은 복종과 신비주의를 원하고 있는 거예요. 예를 들어, 그리스도교가 하층 계급을 노예로 만들기 위해 돈 많고 권세 있는 사람들에게만 봉사해 왔다는 점은 당신도 인정하실 테죠?"

25* 프랑스의 작가 볼테르Voltaire(1694-1778)(프랑수아마리 아루에François Marie Arouet의 필명)가 1759년에 쓴 철학적 풍자 소설.

"아, 그걸 자네가 어디서 읽었는지 알겠네. 필시 누가 자네한테 그런 걸 가르쳐 주었을 거야!" 하고 알료샤는 소리쳤다.

"아니, 내가 어디서 읽었을 거라고 단정하는 이유는 뭡니까? 아무도 나한테 그런 걸 가르쳐 주진 않았어요. 나는 스스로 알 수 있으니까요……. 그리고 만일 원하신다면 말하겠지만, 나는 그리스도를 반대하진 않아요. 그리스도는 가장 인도주의적인 인격자였거든요. 만약에 그 사람이 오늘날 살아 있다면, 반드시 혁명가의 대열에 끼여 뛰어난 역할을 했을 겁니다. 틀림없이 그랬을 거예요."

"대체 그런 소릴 어디서 주워들었나? 어떤 바보하고 사귀어?" 알료샤는 외쳤다.

"할 수 없군, 솔직히 말하죠. 내가 우연한 기회에 라키친 씨를 알게 되어서 자주 이야기를 한 것은 사실이지만요……. 벨린스키[26] 노인도 그렇게 말했다고 하더군요."

"벨린스키? 모르겠는걸. 그 사람은 아무 데서도 그런 걸 쓰지 않았는데."

"쓰지 않았다면 말로 했겠죠. 아무튼 그렇게들 말하더군요. 나는 그걸 어떤 사람한테서 들었어요……. 그렇지만 그까짓 건 아무래도 좋아요."

"그래, 자네 벨린스키를 읽었나?"

"그건 말입니다…… 아니…… 조금밖엔 읽지 못했습니다. 그러나 타치야나가 왜 오네긴[27]과 같이 가지 않았느냐 하는 대목은 읽었어요."

"왜 오네긴과 같이 가지 않았지? 자넨 그런 것까지…… 다 알 수 있나?"

"아니, 그럼 당신은 나를 스무로프 같은 조무래긴 줄 알았습니까?" 콜랴는 이 사이로 씹어 뱉듯 신경질적으로 말했다. "그렇다고 제발 나를 그런 과격한 혁명분자라고 생각하진 말아 주십시오. 나는 라키친 씨와 의견이 대립될 때가 많아요. 내가 타치야나 얘기를 꺼낸 건 절대 여성해방론을 옹호하기 위해서는 아니

26 비사리온 벨린스키Vissarion Belinsky(1811-1848). 17세기 러시아의 문예비평가.

27 알렉산드르 푸시킨Aleksandr Pushkin(1799~1837)의 서사시 《예브게니 오네긴Eugene Onegin》의 여주인공과 남주인공.

에요. 여성이란 종속적인 존재이므로, 마땅히 순종해야 한다는 점을 나는 시인합니다. Les femmes tricottent(여자는 뜨개질이나 하면 된다)라고 나폴레옹이 말한 것처럼 말이에요." 콜랴는 무엇 때문인지 히죽 웃었다. "적어도 나는 이 점에 있어서만은 그 가짜 위인의 의견에 전적으로 찬성입니다. 그리고 예를 들면, 나도 역시 조국을 버리고 아메리카로 떠나 버린다는 것은 비열한 짓이라고, 아니 비열한 짓이라기보다는 우매한 짓이라고 생각해요. 우리나라에서도 얼마든지 인류를 위해서 유익한 일을 할 수 있는데 아메리카엔 무엇 때문에 갑니까? 더욱이 오늘날 같은 시기에 말이에요. 유익한 활동 부문은 얼마든지 있지 않습니까, 나는 이렇게 대답했어요."

"뭐, 대답했다고? 누구한테? 누가 벌써 자네한테 아메리카에 가자는 말이라도 했나?"

"사실은 그런 유혹을 받았지만 거절해 버렸죠. 카라마조프 씨, 이것은 물론 여기서만 하는 말이에요. 그러니 아무한테도 말하지 말아 주세요. 당신한테만 하는 말이니까요. 나는 제삼과第三課[28]에 걸려들어 체프노이 다리(橋) 옆에서 교화를 받는 건 질색이거든요.

체프노이 다리 옆의
저 건물을 기억하리니!

생각나요? 참 멋있어요! 아니, 왜 웃죠? 설마 내가 허튼소릴 하고 있다고 생각하는 건 아니겠죠?" '그러나 만일 카라마조프가 우리 아버지 책장엔 〈경종警鐘〉[29]이 단 한 권밖에 없으며, 따라서 내가 그 이외의 것은 하나도 읽지 못했다는 걸 알면 어쩌나?' 문득 이런 생각이 들어 콜랴는 은근히 마음이 떨렸다.

28 제정帝政 러시아의 비밀경찰.

29 러시아의 혁명 사상가 알렉산드르 게르첸Aleksandr Gertsen(1812~1870)이 런던에 망명하여 발간한 잡지.

"천만에 나는 웃지 않아. 그리고 절대 자네가 허튼소릴 한다고도 생각지 않아. 이건 정말이야. 그렇게 생각지 않는 이유는, 자네가 있는 그대로의 진실들을 말하였기 때문이지. 그보다도 자네 푸시킨을 읽었나, 《오네긴》을?…… 자네 방금 타치야나 얘길 했지?"

"아니, 아직 읽지 못했지만, 읽고 싶다고 생각하고는 있어요. 카라마조프 씨, 나는 편견이 없으니까 쌍방의 말을 다 듣고 싶은 거예요. 그런데 그건 왜 묻죠?"

"그저 좀……"

"그런데요, 카라마조프 씨, 당신은 나를 굉장히 경멸하고 있지요?" 콜랴는 탁 던지듯 말하고서, 마치 방어 태세를 취하기라도 하듯이 알료샤 앞에 딱 버티고 섰다. "사양 말고, 얼마든지 솔직히 말해 주세요."

"자네를 경멸한다고?" 알료샤는 놀란 얼굴로 그를 바라보았다. "어째서 그런 소릴 하지? 나는 다만 자네의 아름다운 천성天性이, 아직 생활이라는 것을 시작하지도 않은 그런 천성이, 그따위 허무맹랑한 이론 때문에 비뚤어져 가는 게 슬플 뿐이야."

"내 천성 같은 건 걱정하지 않아도 좋습니다." 콜랴는 어느 정도의 자기만족을 느끼며 상대방의 말을 가로챘다. "그러나 내가 의심이 좀 많은 건 사실이에요. 어리석고도 무모할 만큼 의심이 많아요. 지금 당신이 또 웃는 걸 보니, 아무래도 당신은……"

"아니, 내가 웃은 건 전혀 다른 일 때문이야. 왜 웃었는지 말해 주지. 나는 얼마 전에 러시아에서 살던 어느 독일인이 현대 러시아의 학생층에 대하여 쓴 촌평寸評을 읽었는데, 거기에는 '만약에 천체天體라는 것을 전혀 모르는 러시아 학생에게, 처음으로 천체도를 보여 주면, 그 학생은 다음날엔 벌써 그 천체도를 정정訂正해서 가져올 것이다'라는 말이 있었어. 이 독일인은 러시아 학생들이 아무런 지식도 없으면서 터무니없는 자신만 갖고 있다는 걸 지적한 거야."

"네, 그래요, 그건 정말 옳은 말이에요." 콜랴는 갑자기 소리를 높여 웃어 댔다. "아주 꼭 들어맞는 말이라니까요! 그 독일 친구 말 한마디 잘했군! 그러나 그 친구는 좋은 면은 보지 못했군요, 어떻게 생각하세요? 자신—그건 얼마든지 좋지 않을까요? 젊음에서 오는 자신, 만약에 그걸 고칠 필요가 있다면, 나이를 먹으면서 자연히 고쳐질 겁니다. 그 대신 권위 앞에 맹종하는 소시지 족속(독일인을 가리킴)의 노예근성과는 다른 타고난 견인불발의 정신, 사상과 신념의 대담성이 있어요……. 하지만, 어쨌든 그 독일 친구, 그럴듯한 말을 했군요! 참으로 장합니다! 그래도 역시 독일 사람은 목을 졸라 버려야 해요. 비록 과학 방면엔 능통하지만, 역시 목을 졸라 없애 버려야 합니다."

"어째서 목을 졸라 없애야 한다는 건가?" 알료샤는 빙긋 웃었다.

"내가 허튼소릴 했는지 모르겠습니다. 아니라고 우기진 않겠어요. 난 간혹 형편없는 어린애가 될 때가 있거든요. 어쩌다 기분이 아주 좋을 때는 그만 참지를 못하고 터무니없는 소릴 늘어놓기가 일쑤예요. 그런데 우리는 여기서 이렇게 허튼소릴 지껄이고 있지만, 그 의사 양반은 안에서 꽤 오래 잡혀 있군요. 하긴 '엄마'랑 절름발이 니노치카랑 돌아가며 진찰하고 있는지도 모르지요. 나는 그 니노치카가 마음에 들었어요. 내가 나올 때 갑자기 나한테 '왜 진작 와 주지 않았어요?'라고 속삭이더군요. 나를 책망하는 것 같은 그런 목소리로 말이에요. 더 할 수 없이 착한, 가엾은 여자인 것 같아요."

"정말 그래! 자네도 앞으로 이 집엘 다니면, 니노치카가 어떤 여잔지 잘 알게 될 걸세. 그런 사람들을 알고, 또 그런 사람들과 사귐으로써 많은 가치 있는 점을 발견한다는 건 자네한테 매우 유익할 거야." 알료샤는 열띤 어조로 말했다. "다른 무엇보다도 그것이 자네를 훌륭히 개조해 줄 테니까."

"아아, 진작 찾아오지 못한 게 유감스럽군요. 참으로 후회막심합니다!" 콜랴는 비통하게 외쳤다.

"그래, 참으로 유감이야. 그 가엾은 애한테 자네가 얼마나 큰 기쁨을 안겨 주었는지는 자네 자신이 똑똑히 보았을 거야! 그 애는 자네를 얼마나 애타게 기다렸는지 몰라!"

"더 이상 말하지 말아 주세요! 그런 말을 들으면 괴로워요. 그러나 할 수 없죠.

내가 오지 않은 것은 자존심 때문이었으니까요. 이기적인 자존심과 저열한 고집 때문이었으니까요. 나는 한평생 고민해 봐도 도저히 이 자존심을 털어 버리지 못할 거예요. 이제야 그걸 알았습니다. 카라마조프 씨, 나는 여러 면에서 비열한 놈이에요!"

"아니, 자네의 천성은 아름답고 훌륭해. 비록 비뚤어져 있기는 하지만 말일세. 무엇으로 자네가 그 착하고 병적으로 민감한 소년에게 그만한 영향을 줄 수 있었는지 난 알고도 남음이 있네!" 알료샤는 뜨거운 어조로 대답했다.

"당신은 나한테 그렇게 말해 주는군요!" 콜랴는 외쳤다. "그런데도 나는 어떻게 생각했는지 아세요? 나는 벌써 몇 번이나, 지금 이 자리에서조차도, 당신이 나를 경멸하고 있다고만 생각했단 말이에요! 아아, 내가 얼마나 당신의 의견을 존중하는지 그걸 당신이 알아준다면!"

"아니, 자넨 그렇게까지 남의 마음을 의심하나? 아직 그 나이에? 솔직히 말해서 나는 아까 방 안에서 자네가 얘기하고 있는 걸 보면서, 저 학생은 무척 남을 의심하는 성격일 거라고 생각하긴 했지만."

"그렇게 생각했어요? 당신 눈은 정말 보통이 아니군요. 그건 틀림없이 내가 거위 얘기를 하고 있을 때였겠죠? 나도 그때, 내가 지나치게 잘난 체하려 들기 때문에, 당신이 나를 몹시 경멸할 것이라 생각했었죠. 그래서 갑자기 당신이 아니꼬워져서 허튼소릴 마구 지껄여 댔던 거예요. 그리고 또, (이건 지금 이리로 나온 다음이지만) '만일 신이 없다면 그걸 생각해 내기라도 해야 할 것이다'라는 말을 했을 때도, 내가 너무 성급하게 유식한 체하려 드는구나 싶었어요. 더욱이 그건 어떤 책에서 보고 외어 두었던 수작이거든요. 그러나 허영심 때문에 그런 소릴 지껄인 건 절대 아니라고 맹세할 수 있어요. 무엇 때문이었는지는 잘 모르겠지만, 아마 너무 기뻐서 그랬을 겁니다……. 하긴 자기가 기쁘다고 남한테까지 마구 덤벼든다는 건 수치스럽기 짝이 없는 일이지만요, 아무튼 기뻐서 그랬던 것 같아요. 이건 확실합니다. 그러나 지금은 그 대신에, 당신이 나를 경멸하지 않는다는 걸 확신해요. 그건 모두가 나의 망상이었어요. 아아, 카라마조프 씨, 나는 참으로 불행한 인간입니다. 나는 이따금 아무 까닭도 없이, 세상 사람들이 모두들 나를 비웃고 있구나 하는 생각이 들고는 해요. 그럴 때면 나는 당장에 이 세상의 모든 질서를 뚜드려 부숴 버리고 싶어집니다."

"뿐만 아니라, 주위 사람들까지 괴롭히겠지." 알료샤는 미소 지었다.

"네, 주위 사람들을, 특히 어머니를 괴롭히죠. 카라마조프 씨, 지금 내가 어지간히 우스꽝스럽죠?"

"그런 건 생각지 말게. 그런 건 염두에 두지 않는 게 좋아!" 알료샤가 소리쳤다. "그리고 우스꽝스럽다는 건 대체 뭔가? 사람이 우스꽝스럽게 되거나 또는 우스꽝스럽게 보이거나 하는 수는 얼마든지 있어. 요즘은 재능 있는 사람들이 거의 모두들 우스꽝스럽게 될까 봐 겁을 내고 있는데, 그 때문에 그들은 불행해지는 거야. 다만 내가 놀란 것은, 자네가 그처럼 일찍 거기 신경을 쓰기 시작했다는 점이야. 하기는 비단 자네한테서뿐만 아니라 다른 많은 사람한테서도 나는 오래전부터 그런 점을 발견해 왔어. 요즘은 아이들까지도 그것 때문에 괴로워하게 되었으니까. 이건 도저히 정상적인 현상이라고는 볼 수 없어. 그러한 자존심에 악마가 편승하여 전 세대 속에 기어들었어. 그건 순전히 악마야" 하고 알료샤는 덧붙였으나, 그를 뚫어지게 응시하고 있던 콜랴가 그에게서 예기했던 냉소는 그림자도 보이지 않았다. "자네도 다른 모든 사람들과 마찬가지야." 알료샤는 결론적으로 말했다. "즉 대다수의 사람들과 같다는 뜻이지. 그러나 다른 모든 사람들처럼 그렇게 되어서는 안 된다는 것, 그것뿐이야."

"모든 사람이 다 그렇더라도 말이죠?"

"그렇지, 모든 사람이 다 그렇더라도 자네만은 그렇게 되지 말아야 해. 사실 자네는 다른 모든 사람들과는 같지가 않아. 지금도 자넨 자기의 단점과 우스꽝스런 점을 자인하는 걸 부끄러워하지 않았어. 오늘날 누가 그런 걸 의식인들 하겠나? 아무도 없을 거야. 더욱이 사람들은 자기비판의 필요조차 느끼지 않게 되어 버렸어. 다른 사람들처럼 되어서는 안 돼. 비록 자네 혼자밖엔 없더라도, 절대 그런 사람이 되어서는 안 되지."

"정말 훌륭해요! 역시 내가 당신을 잘못 보진 않았군요. 당신에겐 사람의 마음을 위로하는 능력이 있어요. 아아, 나는 얼마나 당신한테 달려가고 싶어 했는지 모르겠어요, 카라마조프 씨! 그리고 얼마나 오랫동안 당신과 만날 기회를 기다렸는지 모릅니다! 당신도 역시 내 생각을 했었나요? 아까 그렇게 말했던 것 같은데…… 당신도 내 생각을 했었다고."

"그럼, 나도 자네 얘길 듣고, 역시 자네 생각을 했었지……. 지금 자네가 어느 정도 자존심 때문에 그걸 나한테 물었다 해도 상관없네."

"그런데 카라마조프 씨, 우리의 대화는 마치 사랑의 고백과 비슷하군요." 콜랴는 몹시 부드러워진 수줍은 목소리로 말했다. "이건 우스꽝스럽지 않을까요? 우스꽝스럽지 않아요?"

"우스꽝스러울 건 조금도 없어. 설사 우스꽝스럽더라도 상관없어. 이건 좋은 일이니까." 알료샤는 밝게 웃었다.

"그보다도 카라마조프 씨, 당신은 지금 나하고 이러고 있는 게 약간 부끄러운가 보군요……. 당신의 눈을 보면 알 수 있어요." 콜랴는 어딘가 능청스럽게, 그러나 어떤 행복을 느끼는 듯 미소 지었다.

"부끄럽기는 뭐가?"

"그럼 왜 얼굴을 붉혔죠?"

"그건 자네가 얼굴을 붉히게 만드니까 그렇지." 알료샤는 소리를 내어 웃었다. 정말로 그는 얼굴이 빨개졌다. "하긴 좀 부끄러운 것 같기도 해. 왜 그런지는 나도 모르겠지만……." 그는 거의 당황하다시피 하며 중얼거렸다.

"아, 내가 이 순간 얼마나 당신을 사랑하며 또 존중하고 있는지 아세요! 그건 당신이 나와 함께 있는 걸 부끄러워하기 때문이에요! 그건 당신이 나와 똑같기 때문이에요!" 콜랴는 환희에 싸여 이렇게 외쳤다. 그의 뺨은 뜨겁게 달아오르고 눈은 빛났다.

"그렇지만 콜랴, 자넨 앞으로 한평생 불행한 사람이 될 거야." 알료샤는 무엇 때문인지 갑자기 이런 소리를 했다.

"알아요, 나도 알아요. 당신은 참 모든 걸 미리 다 아는군요!" 콜랴는 즉시 시인했다.

"그러나 전체적으로 역시 인생을 예찬할걸세."

"그렇고말고요! 우라(만세)! 당신은 예언자예요! 카라마조프 씨, 우린 앞으로 완전히 의기상투하게 될 겁니다. 나는 무엇보다도 당신이 나를 동등하게 대해 주는 게 기뻐요. 그러나 나와 당신은 동등할 수 없어요. 암, 동등할 수 없고말고요. 당신 쪽이 훨씬 위예요! 그렇지만, 우린 마음이 맞을 거예요. 지난 한 달 동안 나는 줄곧 자기 자신에게 이렇게 말해 왔어요—'나와 카라마조프 씨와는 대번에 의기상투하여 영원히 친구가 되든가, 아니면 처음 만나는 날부터 무덤에 갈 때까지 영영 원수가 되어 버리든가 할 거다!'라고 말이에요."

"그런 말을 하면서 벌써 자네는 나를 사랑했던 거야!" 알료샤는 유쾌하게 웃었다.

"그랬어요, 굉장히 사랑했어요! 당신을 사랑했고, 또 당신에 대해 여러 가지로 공상했어요! 그런데 어떻게 당신은 모든 걸 그처럼 미리 알죠? 아, 의사가 나옵니다. 뭐라고 말할지 궁금하군요. 저 사람의 저 상판대기 좀 보세요!"

7. 일류샤

의사는 아까처럼 털가죽 외투로 몸을 감싸고 모자를 쓰고서 방에서 나왔다. 그는 잔뜩 화가 난 듯한, 흡사 무슨 더러운 물건에 닿을까 봐 겁을 내고 있는 것 같은 꺼림칙한 얼굴을 하고 있었다. 그는 흘끗 현관을 둘러보다가, 알료샤와 콜랴에게 엄한 시선을 던졌다. 알료샤는 현관문에서 마부를 손짓해 불렀다. 그러자 의사를 태워 온 마차가 현관문 쪽으로 다가왔다. 대위는 의사를 따라 달려 나와서, 마치 사죄라도 하듯이 그 앞에 허리를 구부리며, 최후의 선고를 들으려고 그를 멈춰 세웠다. 가엾은 대위의 얼굴은 완전히 사색이 되어 있었고, 그 시선은 겁에 질려 떨고 있었다.

"선생님, 고귀하신 선생님…… 그럼, 정말로……?" 그는 입을 열긴 했으나, 미처 말을 맺지도 못하고 절망에 싸여 두 손을 모아 쥐었다. 그러나 그는 지금이라도 의사가 뭐라고 한마디 하기만 하면, 불행한 아들의 운명이 정말로 고쳐질 수 있다고 생각하는 듯이, 마지막 애원을 담은 눈으로 의사를 쳐다보았다.

"어쩔 수 없소! 나는 하느님이 아니니까." 의사는 상대방을 타이르는 것 같은 습관화된 목소리로 대답했으나, 그 어조는 무척 퉁명스러웠다.

"의사 신생님, 고귀하신 선생님……. 그럼 얼마 남지 않았단 말씀인가요? 네?"

"그렇게 각오하고 있는 게 좋을 거요." 의사는 한마디 한마디에 힘을 주며 이렇게 말하고는, 시선을 떨구고 문지방을 넘어 마차 쪽으로 발을 내디디려 했다.

"고귀하신 선생님, 제발 좀!" 대위는 겁에 질려 다시금 의사를 붙잡았다. "선생님……. 그럼, 이젠 무엇으로도, 무엇으로도 그 애를 살릴 수 없단 말씀입니까?"

"이젠 내 힘으론 어쩔 수 없소." 의사는 성가신 듯이 대답했다. "하지만, 흐음……" 그는 갑자기 멈춰 섰다. "만일 당신이 지금 곧 일각도 지체 말고 (의사가 '지금 곧 일각도 지체 말고'란 말을 거의 노기를 띠고 너무나 엄하게 말했기 때문에, 대위는 흠칫 놀랐다) 환자를 시러큐스로 보낸다면…… 좋은 기후적 조건 때문에 혹시 효과가……"

"시러큐스로요!" 대위는 말뜻을 전혀 이해할 수 없다는 듯이 소리쳤다.

"시러큐스는 시실리 섬에 있어요." 콜랴가 갑자기 커다란 소리로 설명해 주었다.

"시실리 섬으로요! 아아, 고귀하신 선생님." 대위는 망연자실한 듯 소리쳤다. "보시다시피 우린 이 꼴입니다!" 그는 두 손을 벌려 자기네 가재도구를 가리켰다. "저 엄마와 가족은 어떡합니까?"

"아니, 가족은 시실리로 가는 게 아니라 카프카스(코카서스)로 가야 하오, 이른

봄에 말이오……. 당신 딸은 카프카스로 보내고, 당신 부인은……. 부인도 역시 류머티즘 치료를 위해 카프카스의 온천에서 요양을 하게 한 다음…… 곧 파리로 가서 정신병의 전문의인 레펠레티의 병원에 입원시켜야 하오. 내가 그 의사한테 소개장을 써 줄 수도 있소. 그렇게나 한다면 아마 효과가 있을 거요."

"선생님, 의사 선생님! 보시다시피 우린 이 모양 이 꼴입니다!" 대위는 또다시 절망적으로 두 손을 내젓고는, 통나무 조각으로 칸막이를 한 현관 벽을 가리켰다.

"아니, 그건 내가 알 바 아니오." 의사는 히죽 웃었다. "나는 다만 최후적으로 가능한 방법을 묻는 당신에게 과학이 제시할 수 있는 대답을 들려준 것뿐이오. 그러니까 그 밖의 문제는…… 유감스럽지만……."

"무서워하지 마십쇼, 의원醫員님, 이 개는 당신을 물지는 않을 테니까요." 콜랴는 의사가 문간에 서 있는 페레즈본에게 약간 불안한 시선을 보내고 있는 것을 눈치채고 큰 소리로 이렇게 말했다. 그러나 콜랴의 음성은 분노를 띠고 있었다. 그는 일부러 의사 선생님이라 부르지 않고 '의원님'이라 불렀다. 그것은, 나중에 그가 말한 바에 의하면, '모욕을 주기 위해서'였던 것이다.

"무어…… 라고?" 의사는 놀란 눈으로 콜랴를 쏘아보며, 턱을 번쩍 쳐들었다. "이…… 이건 누구요?" 그는 알료샤에게 따지고 들려는 듯이 그쪽으로 홱 얼굴을 돌렸다.

"나는 페레즈본의 주인입니다. 의원님, 나는 조금도 수상한 인물은 아네요." 콜랴는 또다시 분명한 어조로 대꾸했다.

"즈본이라니?" 의사는 페레즈본이 무엇을 가리키는지 몰라서 이렇게 되물었다.

"페레즈본이 어디 있는지도 모르는군. 잘 가시오, 의원님, 시러큐스에서 다시 만납시다."

"이…… 이놈은 누구야, 대체 뭣하는 놈이야?" 의사는 무섭게 화를 냈다.

"선생님 저 앤 학생입니다. 장난꾸러기죠. 모른 체하세요." 알료샤는 미간을 찌푸리며 급히 말했다. "콜랴, 잠자코 있지 못해!" 그는 크라소트킨을 보고 소리쳤다. "선생님, 모른 체하십시오." 그는 약간 초조한 어조로 되풀이했다.

"이런 놈은 매를 맞아야만 해! 너 이놈, 한번 단단히 맞아 볼 테냐?" 화가 머리끝까지 오른 의사는 발을 구르며 호통을 쳤다.

"그렇지만 의원님, 이 페레즈본이 정말로 당신을 물어뜯을는지도 모릅니다!" 콜랴는 얼굴빛이 파래져 가지고 눈을 번득이면서 떨리는 목소리로 말했다. "이리 와 페레즈본!"

"콜랴, 그런 소리 한마디만 더하면, 자네하곤 영영 절교다!" 알료샤는 위압적으로 외쳤다.

"의원님, 니콜라이 크라소트킨에게 명령을 할 수 있는 사람은 이 세상에 단 한 사람밖엔 없습니다. 그것은 바로 이 사람이에요." 콜랴는 알료샤를 가리켰다. "나는 이 사람 말에 복종합니다. 잘 가시오!"

그는 그 자리를 떠나 문을 열더니 얼른 방 안으로 들어가 버렸다. 페레즈본도 그의 뒤를 따라 달려갔다. 의사는 알료샤를 바라보면서 돌기둥처럼 사오 초가량 멍하니 서 있다가, 갑자기 침을 퉤 뱉고는 "대체 이게, 대체 이게, 대체 이게 뭐람!" 하고 되풀이하면서 급히 마차 쪽으로 걸어갔다. 대위는 그가 마차에 오르는 걸 도우려고 달려 나갔다. 알료샤는 콜랴를 뒤쫓아 방으로 들어갔다. 콜랴는 벌써 일류샤의 침대 옆에 서 있었다. 일류사는 콜랴의 손을 잡고 아버지를 불렀다. 잠시 후 대위도 안으로 들어갔다.

"아버지, 이리 오세요……. 우리는……" 일류샤는 극도로 흥분하여 중얼거렸으나, 다음 말을 계속할 수가 없었던지, 갑자기 여윈 두 팔을 앞으로 내밀어 그들 두 사람을, 콜랴와 아버지를 한꺼번에 와락 그러안고 그들에게 자기 몸을 밀착시켰다. 대위는 갑자기 온몸을 떨면서 소리 없이 흐느꼈다. 콜랴도 입술과 턱을 떨기 시작했다.

"아버지, 아버지! 난 아버지가 불쌍해 죽겠어요!" 일류샤는 신음하듯 비통한 소리로 말했다.

"일류샤야…… 의사가 말하길…… 네 병은 곧 낫는다고 했다……. 우린 행복해질 거야……. 의사가 그렇게……" 하고 대위는 말을 시작했다.

"아아, 아버지! 새로 온 의사가 아버지한테 뭐라고 말했는지 나도 알아요……. 나도 다 봤단 말이에요!" 이렇게 외치더니 일류샤는 아버지 어깨에 얼굴을 묻고 또다시 두 사람을 힘껏 껴안았다.

"아버지, 울지 말아요……. 내가 죽으면 다른 좋은 애를 고르세요……. 내 친구들 중에서 좋은 애를 하나 골라서, 그 애를 일류샤라고 부르며, 나 대신 귀여워해 주세요."

"그런 소리하지 마, 네 병은 이제 낫는다니까!" 크라소트킨은 화가 난 듯이 소리쳤다.

"그렇지만 아버지, 나를 아주 잊어버리진 마세요." 일류샤는 말을 이었다. "내 무덤에 자주 찾아와 주세요……. 아 참, 우리가 늘 산책하러 가던 그 큰 돌 옆에다 나를 묻어 주세요……. 그리고 저녁 때 크라소트킨하고 같이…… 페레즈본도 데리고…… 찾아와 주세요……. 내가 기다릴 테니까요……. 아버지, 아버지!"

그의 목소리는 갑자기 끊어졌다. 세 사람은 그대로 얼싸안은 채 더 이상 아무 말도 못 했다. 니노치카는 의자에 앉아서 소리를 죽여 가며 울고 있었다. '엄마'도 다른 사람이 모두 우는 것을 보고는 눈물을 줄줄 흘리기 시작했다.

"일류샤! 일류샤!" 하고 그녀는 울부짖었다.

크라소트킨은 갑자기 일류샤의 포옹에서 몸을 빼냈다.

"잘 있어, 일류샤, 식사 때가 됐으니까 어머니가 날 기다리고 계실 거야." 그는 빠른 소리로 말했다. "어머니한테 미리 말하고 왔더라면 좋았을 건데! 아마 몹시 걱정하고 계실 거야……. 그러나 밥 먹고 나서 곧 올 테야. 와서 온종일, 온 저녁 너와 함께 있을게. 그리고 이야기도 많이많이 해 줄게. 페레즈본도 데리고 오겠어. 지금은 내가 데리고 가야 해. 내가 없으면 귀찮게 짖어댈 테니까. 그럼, 다시 만나자!"

이렇게 말하고 그는 현관으로 달려 나갔다. 그는 울지 않으려 했지만, 현관에 나오자 그만 울음을 터뜨리고 말았다. 그러고 있는 것을 알료샤가 발견했다.

"콜랴, 약속대로 어김없이 와야 하네. 안 오면 일류샤가 몹시 실망할 테니까" 하고 알료샤는 다짐했다.

"옵니다, 와요! 아아, 내가 왜 진작 오지 못했을까" 콜랴는 울면서 중얼거렸다. 이제는 우는 것을 부끄러워하지도 않았다.

이때 갑자기 대위가 방에서 튀어나오더니 곧 방문을 닫았다. 그의 얼굴은 미친 사람 같았고 입술은 떨고 있었다. 그는 두 젊은이 앞에 서서 두 손을 번쩍 쳐들었다.

"아무리 좋은 애라도 나는 싫다! 다른 애는 소용없어!" 그는 이 사이로 내뱉듯 중얼거렸다. "예루살렘이여, 내가 만일 너를 잊을진대 나를 벌하라……." 그는 목이 메어 더 이상 말을 잇지 못하고 벤치 앞에 풀썩 주저앉더니, 두 주먹으로 머리를 감싸고는, 울음소리가 방 안에 들리지 않도록 억지로 소리를 죽여 가며 훌쩍훌쩍 울기 시작했다. 콜랴는 한길로 뛰어나왔다.

"잘 가세요, 카라마조프 씨! 당신도 다시 오실 테죠?" 그는 왠지 성난 목소리로 날카롭게 소리쳤다.

"저녁때 꼭 올게."

"저 사람이 예루살렘 운운한 건 뭐죠……. 무슨 뜻이에요?"

"그건 성경 속의 구절인데, '예루살렘이여, 내가 만일 너를 잊을진대.'[30*] 즉 내가 자기의 가장 귀중한 것을 잊거나 다른 것과 바꾼다면 내게 벌을 내리십시오, 라는 뜻이지."

"그만하면 알겠어요! 그럼 당신도 꼭 오세요! 이리 와 페레즈본!" 그는 개에게 버럭 고함을 지르고는, 성큼성큼 빠른 걸음으로 집을 향해 걷기 시작했다.

30* 《구약 성경》〈시편〉 137장 5절 참고.

제11편 이반 표도로비치

1. 그루셴카의 집에서

알료샤는 상인의 아내 모르조바네 집에 살고 있는 그루셴카를 만나려고, 중앙 광장 쪽을 향해서 걸어갔다. 그루셴카는 아침 일찍 그에게 페냐를 보내어 꼭 자기한테 들러 달라고 신신당부했던 것이다. 알료샤는 페냐한테서, 그루셴카가 어제부터 무엇 때문인지 몹시 안절부절못하고 있다는 것을 알아냈다. 미챠가 체포된 이후 두 달 동안, 알료샤는 자의에 의해서, 또는 미챠의 부탁을 받고서, 여러 차례 모로조바네 집을 찾아갔었다. 미챠가 체포된 지 사흘째 되는 날 그루셴카는 심한 병에 걸려 거의 다섯 주일이나 병석에 누워 있었고, 그 사이 일주일 동안은 혼수상태에 빠져 있었다. 이제는 바깥출입을 할 수 있게 된 지도 벌써 두 주일 가까이 되지만, 얼굴은 아직도 여위고 누렇게 핏기가 없어서, 전과는 딴사람이 된 것처럼 변해 버렸다. 그러나 알료샤의 눈에는 그것이 더욱 매력이 있어 보였다. 그래서 그는 그루셴카의 방에 들어갈 때면 자기를 맞아 주는 그녀의 눈길이 무엇보다 좋았다. 그 눈길 속에는 무언가 확고한 의지 같은 것이 분명히 나타나 보였다. 거기에는 그 어떤 정신적인 변화가 일어났다는 표적이 있었고, 겸손하면서도 굳건하고 훌륭한 결심의 빛이 떠올라 있었다. 양 미간 사이에는, 그리 크진 않지만 한 줄기 주름살까지 나타나서, 그 아름다운 용모에 깊은 우수憂愁의 빛을 곁들여 주고 있기 때문에, 언뜻 보아서는 거의 엄숙하게 느껴질 정도였다. 이전의 그 경박한 표정이나 언동은 흔적도 찾아볼 수 없었다.

그리고 또 한 가지 알료샤가 이상하게 여긴 것은, 이 가련한 여자가 그토록 큰 불행을 당했음에도 불구하고, 즉 약혼을 한 거의 그 순간에 상대방이 무서운 범죄 혐의로 체포되었으며, 자기는 자기대로 중병을 앓고 났을뿐더러, 앞으로 약혼자에게 내릴 거의 불가피한 유죄 판결이 그들을 위협하고 있음에도 불구하고, 여전히 젊은 여자다운 생기를 잃지 않고 있다는 점이었다. 전에 교만스럽던 그녀의 두 눈엔 이제는 조용한 부드러움이 빛나고 있었다. 하기는…… 하기는 그 눈에도 이따금 어떤 불길한 불꽃이 타오르는 수가 있었다. 그것은 여전히 변할 줄 모르는 하나의 불안감이 그녀를 엄습하여, 차차 사그라지기는커녕 더욱더 그녀의 가슴을 휘덮을 때일수록 한층 심했다. 이 불안의 원인은 언제나 카체리나 이바노브나였다. 그루셴카는 병들어 누워 있는 동안에도 카체리나에 대해 자주 헛소리까지 했던 것이다. 그녀가 미챠 때문에, 이제는 죄수가 된 미챠 때문에 카체리나를 무섭게 질투하고 있다는 것은 알료샤도 잘 알고 있었다. 그러나 카체리나는 언제든지 옥중의 미챠를 찾아가 볼 수 있었음에도 불구하고 아직 한 번도 면회하러 간 적이 없었다. 이런 모든 사정은 알료샤에겐 약간 난처한 문제가 아닐 수 없었다. 왜냐하면, 그루셴카가 자기 마음을 털어놓고 언제나 조언을 청하는 사람은 오직 알료샤밖에는 없었는데, 알료샤로서는 간혹 그녀에게 어떻게 말하면 좋을지 판단할 수 없는 경우가 있었기 때문이다.

그는 수심에 잠겨 그녀의 방으로 들어갔다. 그녀는 집에 있었다. 벌써 반 시간 전에 미챠와의 면회를 끝내고 돌아왔던 것이다. 테이블 앞의 안락의자에서 튀어 일어나 그를 맞아들이는 그녀의 민속한 동작으로 미루어 보아, 알료샤는 그녀가 자기를 초조하게 기다리고 있었음을 눈치챘다. 테이블 위에는 '바보'라는 패를 떼던 카드 장들이 흩어져 있었다. 테이블 한옆에 있는 가죽 소파에는 잠자리를 만들고, 그 위에 막시모프 노인이 잠옷에 무명 모자까지 쓰고 비스듬히 누워 있었다. 그는 유쾌하게 미소를 띠고 있었으나, 겉보기에도 병이 들어 몹시 쇠약해진 것이 분명했다. 이 집 없는 노인은, 두 달 전에 그루셴카와 함께 모크로예에서 돌아온 후부터 이 집에 그냥 눌러 앉아서, 한시도 그녀의 곁을 떠나려 하지 않는 것이었다. 그때 그는 그녀와 함께 진눈깨비 속을 흠뻑 젖어 이 집에 도착하자, 소파에 주저앉아서 겁먹은 듯 애원하는 미소를 띠며 그녀를 말없이 바라보고만 있었다. 그루셴카는 무서운 슬픔 속에 빠져, 열병의 처음 단계를 느끼고 있었을뿐더러, 그 밖에도 여러 가지 마음 써야 할 일들이 있었기 때문에 돌아와서 반 시간 이상이나 그의 존재를 거의 잊고 있었으나, 문득 생각난 듯이 뚫어지게 그를 바라보았다. 막시모프는 애처로운 표정으로 그녀의 눈을 마주보며, 바보처럼 히히 소리를 내어 웃었다. 그녀는 페냐를 불러 먹을 것을 좀 주라고 일렀다. 그는 그날 하루 동안 거의 꼼짝도 않고 한자리에 그냥 앉아 있었다. 날이 어두워져서 덧문까지 닫았을 때, 페냐는 주인아씨에게 물었다.

"아씨, 저분은 여기서 묵으시나요?"

"응, 소파에다 잠자리를 마련해 드려라" 하고 그루셴카는 대답했다.

그루셴카는 그에게 좀 더 자세히 물어본 결과, 그가 문자 그대로 아무 데도 갈 데가 없는 딱한 신세인 것을 알았다. "내 은인 칼가노프 씨도, 앞으론 더 이상 나를 돌봐 줄 수 없노라고 딱 잘라 말하고, 5루블을 주시더군요"라는 것이었다. "그렇다면 할 수 없군요, 여기 그냥 계세요." 그루셴카는 슬픔 속에서 연민 어린 미소를 지어 보이며 이렇게 결정했다. 그녀의 미소를 보고 노인은 가슴이 뭉클해서 감사의 눈물과 함께 입술을 떨었다. 이리하여 그때부터 이 정처 없는 방랑객은 그녀의 집에 식객으로 남게 된 것이다. 그녀가 앓고 있는 동안에도, 그는 이 집을 떠나려 하지 않았다. 페냐와 부엌일을 하는 페냐의 어머니도 그를 쫓아 내지 않고, 계속해서 먹을 것을 주고 소파에 잠자리를 마련해 주곤 했다. 그루셴카도 나중에는 그와 익숙해져서 미챠를 면회하고 돌아와서는, (그녀는 미처 건강을 회복하기도 전에 미챠를 면회하러 다니기 시작했었다) 울적한 기분을 풀어 보려고 '막시무쉬카'를 상대로 곧잘 여러 가지 부질없는 얘기를 하게 되었다. 이것은 단지 자신의 슬픔을 생각하지 않으려는 목적에서였다. 그러나 노인도 가끔 꽤 재미있는 얘기를 들려주곤 해서, 이제는 그녀에게 없어서는 안 될 존재가 되어 버렸다. 그루셴카는 알료샤 이외에는 거의 아무도 만나지 않았으나, 그는 날마다 들르는 것도 아니었고, 또 오래 머물러 있지도 않았다. 그녀의 상인 영감은 요즈음 중병으로 앓아눕고 있었는데, 읍내에 떠도는 소문대로, 이미 '숨이 끊어져 가고' 있었다. 사실 그는 미챠의 공판이 있은 지 일주일 만에 죽고 말았다. 죽기 3주일 전에, 그는 최후의 시각이 다가오고 있음을 느끼고, 아들들을 비롯하여 며느리들과 손자들을 위층 자기 방으로 불러, 한시도 자기 곁을 떠나지 말도록 분부했다. 그러나 그는 그 순간부터, 그루셴카는 절대 집에 들이지 말 것이며, 혹시 찾아오더라도 '나를 깨끗이 잊고 부디 오래오래 행복하게 살기를 빈다'고 전하도록 하인들에게 엄명을 내렸다. 그러나 그루셴카는 거의 매일같이 그 집에 사람을 보내어 문병을 하게 했다.

"이제야 오셨군요!" 그녀는 카드 장을 던지고 반갑게 알료샤를 맞았다. "막시무쉬카가 당신이 이젠 오시지 않을 거라고 해서 얼마나 걱정했는지 몰라요. 당신이 오시지 않으면 큰일 날 일이 있거든요. 자, 테이블 옆에 앉으세요. 무얼 드시겠어요, 커피?"

"예, 좋습니다." 알료샤는 테이블에 다가앉으며 말했다. "몹시 시장한 것 같군요."

"그러실 테지. 페냐, 페냐, 여기 커피!" 그루셴카는 소리쳤다. "벌써 아까부터 끓고 있어요. 당신을 기다리고 있었죠. 그리고 고기를 넣은 파이도 가져와, 뜨겁게 해서! 아 참, 그 파이 때문에 우리는 오늘 한바탕 소동을 벌였답니다. 내가 그 파이를 그이한테 드리려고 감옥으로 가져가지 않았겠어요. 그랬더니 글쎄, 그이는 먹어 보려고도 하지 않고 나한테 도로 집어던지는 거예요. 한 개는 땅바닥에 동댕이치고는 발로 짓이겨 버리기까지 했어요. 그래서 나는 이걸 간수한테 맡기고 가겠는데 '만일 저녁때까지도 먹지 않으면, 당신은 심술만 먹고 사는 사람인 줄 알겠어요!'라고 쏘아 주고는 그냥 돌아와 버렸어요. 결국 또 싸움을 하고 말았죠. 글쎄, 내가 가기만 하면, 언제나 우리는 이렇게 싸우게 된다니까요."

그루셴카는 흥분해 가지고 단숨에 지껄여 댔다. 막시모프는 기가 죽어서 눈을 내리깔고 열없게 웃고만 있었다.

"이번엔 무엇 때문에 싸웠나요?" 하고 알료샤는 물었다.

"정말로 엉뚱한 일 때문이었어요. 글쎄, 그이는 내 '옛사람'을 질투하지 않겠어요. '왜 그자를 돌봐 주는 거야, 당신은 그자를 먹여 살리기로 했지?'라는 거예요. 그이는 나 때문에 언제나 질투예요! 자면서도 먹으면서도 그냥 질투죠. 심지어 지난 주일엔 쿠지마 노인까지 질투를 하며 야단을 쳤다니까요."

"그렇지만 형님은 '옛사람'에 대해서 잘 알고 있잖습니까?"

"알고 있고 말고요. 시초부터 오늘에 이르기까지의 일을 다 알고 있죠. 그런데도 오늘 갑자기 밑도 끝도 없이 들고일어나서 욕설을 늘어놓으며 야단을 치는 거예요. 그이가 뭐라고 했는지 부끄러워서 차마 옮길 수도 없어요. 정말 바보예요, 그이는! 내가 나오다 보니까 라키친이 그이한테 들어가더군요. 혹시 라키친이 부채질을 하는 건 아닐까요? 당신 생각엔 어때요?" 그녀는 방심한 듯한 얼굴로 이렇게 덧붙였다.

"형님은 당신을 사랑하고 있습니다. 그것뿐이에요. 극진히 사랑하고 있어요. 그러나 오늘은 공교롭게도 신경이 곤두서 있었던가 보죠."

"하긴 내일 공판이 있으니 그것도 당연하겠죠. 내가 오늘 간 것도 실은 내일 일에 대해서 그이한테 해두고 싶은 말이 있었기 때문이에요. 하지만 알료샤, 내일은 어떻게 될까요? 나는 생각하기조차 무서워요! 당신은 그이의 신경이 곤두서 있을 거라고 말하지만, 나는 또 나대로 얼마나 마음이 초조한지 몰라요. 그런데 글쎄, 새삼스레 그 폴란드 사람 얘기는 왜 꺼내느냐 말이에요! 바보예요, 바보! 여기 이 막시무쉬카를 질투하지 않는 것만도 다행이랄까요."

"우리 마누라도 질투가 대단했답니다" 하고, 막시모프가 한마디 했다.

"아니, 당신 때문에요?" 그루셴카는 피식 웃었다. "그래 당신 때문에 누구를 질투했죠?"

"집에서 심부름하는 계집애들을요."

"그만두세요, 막시무쉬카, 어디 지금 그런 우스갯소리를 듣고 있게 됐어요. 남은 화가 나 죽겠는데! 그리고 파이에 너무 눈독을 들이지 마세요, 건드리지 않을 테니까, 당신한텐 해로워요. 보드카 술도 안 돼요. 이 양반 돌보는 데도 손이 많이 간답니다. 이건 마치 양로원이라니까요" 하고 그녀는 웃었다.

"나는 당신의 친절을 받을 자격이 없는 놈입니다. 그야말로 아무짝에도 못쓸 인간이니까요." 막시모프는 울먹이는 소리로 말했다. "그러니 나보다 좀 더 쓸모 있는 사람에게 친절을 베푸시는 것이 좋을 거예요."

"막시무쉬카, 그게 무슨 말씀이에요! 누구나 다 쓸모가 있는 거예요. 누가 누구보다 더 쓸모가 있는지 그걸 어떻게 알죠? 알료샤, 나는 그 폴란드 사람만이라도 없었으면 좋겠어요. 오늘은 그 사람까지도 앓아눕게 될 것 같다지 않겠어요. 나 오늘 그 사람한테도 들러 보았어요. 그래서 일부러 그 사람한테 파이를 좀 보내 줄까 해요. 나는 보내지도 않았는데, 미챠는 '그 사람한테 파이를 보냈지' 하고, 나를 몰아세우는 거예요. 그러니 이젠 일부러라도 정말 보내 줘야겠어요! 아, 페냐가 편지를 가져왔군! 아니나 다를까, 역시 그 폴란드 사람이 보낸 편지예요. 또 돈을 달라는군요!"

그녀의 말대로, 빤 무샤 로비치가 언제나 그렇듯 온갖 수식어를 늘어놓은 굉장히 긴 편지를 보내온 것이다. 편지의 목적은 물론 일금 3루블을 꿔 달라는 것으로, 앞으로 3개월 이내에 갚겠다는 차용 증서도 동봉했는데, 거기엔 빤 브루블렙스키의 연서連署까지 되어 있었다. 그루셴카는 이런 편지나 증서를 자기의 '옛사람'한테서 여러 번 받았었다. 이런 일이 시작된 것은, 그녀가 건강을 회복하기 약 두 주일 전부터였다. 하기는 앓고 있는 동안에 그들 두 폴란드인이 자기한테 문병을 왔었다는 것은 그녀도 알고 있었다. 그루셴카가 받은 최초의 편지는, 큼직한 편지지에다 가득 쓰고, 커다란 문장紋章이 들어 있는 도장으로 봉인까지 한 것이었는데, 꾸밈말투성이의 문장이 지루할 정도로 긴 데다가, 무슨 소린지 내용마저 알쏭달쏭해서, 그루셴카는 반쯤 읽다가 그만 던져 버리고 말았다. 더욱이 그때는 편지 따위에 신경을 쓸 겨를도 없었다. 첫 번 편지에 뒤이어 그 이튿날 두 번째 편지가 왔는데, 이 편지에서 빤 무샤로비치는 수일 내에 갚겠으니 3천 루블만 돌려 달라고 했다. 그루셴카는 이 편지에도 답장을 보내지 않았다. 그 후에도 편지는 하루에 한 통씩 연속적으로 왔는데, 모두가 하나같이 수식어투성이의 지루한 것이었으나, 차용을 요청하는 금액은 100루블, 25루블, 10루블로 점점 떨어지다가, 마지막에 가서는 단돈 1루블만이라도 돌려 달라면서 두 사람이 연서한 차용 증서까지 동봉해 왔다.

그루셴카는 갑자기 가엾은 생각이 들어서 저녁녘에 직접 그들의 숙소로 달려갔다. 가서 보니, 두 폴란드인은 무서운 빈궁 속에서 거의 거지 신세가 되어, 먹을 것도 땔감도 담배도 없이, 집주인 여자한테는 빚까지 잔뜩 지고 있었다. 모크로예에서 미챠한테 빼앗은 2백 루블은 어디론지 금세 달아나고 말았던 것이다. 그러나 두 폴란드인이 어디까지나 거드름을 피우며 거만한 태도로 그녀를 맞아들여, 최상급의 형용사를 써 가며 허풍을 떠는 데는, 그루셴카도 놀라지 않을 수 없었다. 그루셴카는 그저 웃어 버리고 '옛사람'에게 10루블을 주었다. 그때 그녀는 이 일을 웃음을 섞어 가며 미챠에게 얘기했으나, 미챠는 조금도 질투하는 것 같지 않았다. 그러나 그때부터 두 폴란드인은, 그루셴카에게 바싹 달라붙어서, 매일같이 돈을 달라는 편지로 그녀를 괴롭혔고, 그녀는 그럴 때마다 조금씩 보내 주었다. 그런데 오늘은 갑자기 무엇 때문인지 미챠가 맹렬히 질투하기 시작한 것이다.

"내가 바보죠. 미챠한테 가는 길에 잠깐 그 폴란드 사람한테 들렀었거든요. 그 사람도 지금 앓고 있으니까요." 그루셴카는 급히 서두르며 다시 수다를 늘어놓기 시작했다. "거기 들렀던 얘기를 웃으면서 미챠한테 하였죠. 그리고 그 폴란드 사람이 예전에 나한테 들려주던 노래를 기타 반주로 오래간만에 다시 들려주었는데, 아마 그렇게 하면 내가 감동이 되어 자기한테 되돌아갈까 생각했나 봐요, 라고 말하였죠. 그랬더니 글쎄, 미챠는 갑자기 펄펄 뛰면서 마구 욕설을 퍼붓지 않겠어요……. 그러니 나는 기어코 폴란드 사람들한테 파이를 보내겠단 말이에요! '페냐, 또 그 계집애를 시켜 보내 왔니? 그럼, 그 애한테 3루블을 주고, 파이를 여남은 게 종이에 싸서 갖다 주라고 해라.' 그러니까 알료샤, 내가 그 사람들한테 파이를 싸 보냈다고, 당신이 꼭 미챠한테 말하란 말이에요."

"나는 절대로 말하지 않겠습니다." 알료샤는 빙그레 웃으며 대답했다.

"어머, 당신은 그이가 괴로워하고 있는 줄 생각하는군요. 그이는 일부러 질투를 하고 있거든요. 그러니까 그이한텐 그런 말 해 봐야 아무렇지도 않을 거예요." 그루셴카는 비통한 목소리로 말했다.

"일부러라뇨?" 알료샤는 물었다.

"이봐요, 알료샤, 당신도 어지간히 둔하군요. 아무리 현명해도 이런 일은 하나도 이해하지 못하는가 보죠. 나는 그이가 나 같은 여자 때문에 질투를 일으킨다고 해서 화가 나는 게 아녜요. 만약에 그이가 전혀 질투를 하지 않는다면, 오히려 화가 날 거예요. 나는 그런 여자거든요. 나는 그이가 질투를 한다고 해서 화를 내는 건 아니란 말이에요. 나 자신도 성미가 몹시 사나워서 굉장히 질투를 하는 편이니까요. 난 다만 그이가 나를 조금도 사랑하고 있지 않으면서도, '일부러' 질투를 하는 체하는 게 분하단 말이에요. 내가 눈이 멀지 않은 이상 그걸 못 알아볼 줄 아세요? 그이는 오늘 나한테 불쑥 그 여자 얘기를, 그 카치카 얘기를 꺼냈어요. 그 여자는 이러저러한 사람인데, 자기의 재판을 위해서, 자기를 구하기 위해서 모스크바의 유명한 의사를 불러왔다느니, 굉장히 유식한 일류 변호사를 불러왔다느니 하며 늘어놓질 않겠어요. 내 눈앞에서 그 여자를 칭찬하는 걸 보면 그이는 분명히 그 여자를 사랑하고 있는 거예요. 뻔뻔스럽기도 하지! 자기야말로 나한테 죄를 짓고 있으면서, 오히려 나한테 트집을 잡아서 나를 나쁜 년으로 만들려는 거예요. '네가 먼저 폴란드인을 만나고 어쩌고 했으니 나도 카치카와 뭘해도 상관없을 게 아니냐'는 식으로 나한테만 모든 잘못을 뒤집어씌우려는 거란 말이에요! 나한테만 죄를 뒤집어씌우려고, 일부러 트집을 잡고 늘어지는 거죠. 그렇지만 나는……"

그루셴카는, 자기가 어떻게 하겠다는 건지 말끝을 맺지도 못한 채, 손수건으로 눈을 가리고 흑흑 흐느끼며 울기 시작했다.

"형님은 카체리나 이바노브나를 사랑하지 않습니다" 하고 알료샤는 단언했다.

"좋아요, 사랑하는지 안 하는지 내가 곧 밝혀내고야 말 테니까." 그루셴카는 눈에서 손수건을 떼며, 서슬이 퍼런 어조로 말했다. 그녀의 얼굴은 일그러져 있었다. 상냥하고 얌전하던 그 얼굴이, 별안간 음울하고 표독스런 얼굴로 변하는 것을 보고 알료샤는 서글픈 마음이 들었다.

"이런 바보 같은 얘긴 그만둡시다!" 그녀는 갑자기 잘라 버리듯 말했다. "이런 일 때문에 당신을 오라 한 건 아니니까요. 그보다도 알료샤, 내일은—정말 내일은 어떻게 될까요? 나는 그게 걱정이 되어 죽겠어요! 그걸 걱정하는 것도 나뿐이고요! 가만 보니 누구 한 사람 거기 대해 생각하거나 관심을 갖고 있는 것 같지가 않아요. 그래도 당신만은 생각하고 있겠지요, 네? 내일이 바로 그이의 공판 날이 아니냐 말이에요! 당신 생각엔 어떻게 판결이 내릴 것 같아요, 네? 말해 주세요. 그건 그 하인 놈이 바로 그 하인 놈이 죽인 게 분명하다니까요! 아아, 어쩌면 좋아! 그이는 그 하인 놈 대신에 억울하게 재판을 받는 거예요. 그이를 변호해 줄 사람은 아무도 없을까요? 당국에선 아직 그 하인 놈을 한 번도 조사하지 않았죠, 네?"

"그 사람도 엄격한 심문을 받았어요" 하고 알료샤는 침울하게 대답했다. "그러나 범인이 아니라는 결론이 내렸죠. 지금 그 사람은 중병으로 누워 있어요. 그때 발작을 일으키고 나서부터 그냥 앓고 있거든요. 정말로 앓고 있는 모양이에요" 하고 알료샤는 덧붙였다.

"어쩌면 좋아요! 그럼, 당신이 그 변호사한테 직접 찾아가서 사실대로 말해 줄 수 없을까요? 페테르부르크에서 3천 루블이나 주기로 하고 불러온 사람이라던데."

"그건 우리 셋이서, 나와 이반 형님과 카체리나 이바노브나와 이렇게 셋이서 3천 루블을 모아 준 거예요. 그러나 모스크바에서 2천 루블로 의사를 불러온 건 카체리나 이바노브나가 단독으로 한 일이죠. 변호사인 페츄코비치는 더 많은 변호료를 요구했을 것이지만, 이 사건이 러시아 전역에 알려져 물의를 일으키고 있기 때문에, 자연히 자기 이름이 모든 신문 잡지에 오르내리게 되리라는 생각에서, 돈보다는 오히려 명예를 위해서 여기까지 오기로 한 겁니다. 사실 이 사건은 너무나도 유명해졌거든요. 나도 어제 그 사람을 만나 봤어요."

"그래서요? 그 사람한테 말했나요?" 그루셴카는 성급하게 물었다.

"그 사람은 그저 듣기만 하고 아무 말도 않더군요. 자기로서는 이미 확고한 견해가 서 있다고 말했지만, 내가 한 말도 고려하겠노라고 약속했습니다."

"고려하겠다니, 그게 무슨 소리예요! 아아, 그자들은 모두 사기꾼들이야! 그자들은 결국 그이를 파멸시키고 말 거예요! 그런데 그 여자는 무엇 때문에 의사까지 불러왔을까요?"

"정신 감정을 위해서죠. 형님이 미친 사람이라는 것, 그리고 발작을 일으켜서 아무런 의식도 없이 살인을 했다는 걸 증명하려는 거예요." 알료샤는 조용히 미소 지었다. "하지만 형님은 그걸 동의하지 않아요."

"만약에 정말로 그이가 살인을 했다면 미쳤다는 말이 옳을 거예요!" 하고 그루셴카는 외쳤다. "그때 그인 미쳤었어요, 완전히 미쳤었다니까요! 그건 나 때문이에요, 이 몹쓸 년 때문이에요! 그렇지만 그이가 죽인 건 아녜요, 절대 그이가 죽인 건 아녜요! 그런데도 고을 사람 전부가 그이를 의심하고 있으니 어떡하느냐 말이에요. 심지어는 우리 집 페냐까지도 그이가 죽인 것을 증명하는 것밖엔 안 되는 증언을 했으니까요. 게다가 상점 사람이며 그 관리며 술집 사람까지 모두들, 전부터 그이가 그렇게 말하는 걸 들었다지 않겠어요! 모두가 하나같이 그이를 적대시하며, 그런 소리만 떠들어 댄다니까요."

"사실 증거가 너무나 많이 늘어났어요." 알료샤는 어두운 얼굴로 말했다.

"그리고 그리고리 말이에요. 그 그리고리 바실리예비치도, 방문은 틀림없이 열려 있었다고 주장하고 있거든요. 제 눈으로 분명히 보았다고 우기는 거예요. 내가 달려가서 직접 그 사람을 붙잡고 말해 봤지만, 오히려 욕설만 퍼붓더라니까요!"

"사실 그게 형님한텐 가장 불리한 증언일 겁니다" 하고 알료샤는 말했다.

"그리고, 미챠가 미쳤다고들 하는가 본데, 그러고 보면 그이는 지금 정말 그런 것도 같아요." 그루셴카는 무언가 특히 걱정이 되는 비밀스런 얘기라도 하는 것 같이 속삭였다. "알료샤, 나는 벌써 오래전부터 당신에게 그 얘길 하고 싶었어요. 날마다 그이한테 가지만, 언제나 이상한 생각이 든다니까요. 당신은 어떻게 생각하세요? 그이는 요즘 아주 이상한 소릴 하기 시작했어요. 무슨 소린지 자꾸 되뇌이곤 하는데, 난 하나도 알아들을 수가 없어요. 그이는 뭔가 매우 고상한 말을 하고 있지만, 내가 바보라서 알아들을 수 없겠거니, 이렇게도 생각해 보았죠. 그러나 그이는 난데없는 '아귀' 얘기를 꺼내면서, '어째서 아귀는 이토록 비참할까? 나는 바로 그 아귀를 위해서 시베리아로 가는 거야. 나는 아무도 죽이지 않았어. 그러나 역시 시베리아로 가야 해!' 이런 말을 하지 않겠어요. 대체 무슨 소릴까요? 그리고 '아귀'라는 건 또 뭘까요? 나는 하나도 알 수가 없어요. 그러나 나는 그이의 말을 들으면서 그저 울기만 했어요. 그이가 말하는 폼이 너무나 진지하고 너무나 훌륭해서, 그리고 그이 자신이 울면서 말을 했기 때문에, 나도 따라 울었죠. 그런 말을 하고 그이는 갑자기 나한테 키스를 하더니, 손을 들어 성호를 긋지 않겠어요. 대체 어찌 된 일일까요, 알료샤, 그 '아귀'란 또 뭘까요?"

"어쩐지 요즘 라키친이 형님한테 자주 찾아다닌다 했더니……."

알료샤는 싱긋 웃었다. "하지만…… 그건 라키친 탓은 아닐 거예요. 어제 나는 형님한테 못 갔었으니 오늘은 가보겠습니다."

"물론 라키친 탓은 아녜요. 그건 필시 이반 표도로비치가 그이의 마음을 혼란케 하고 있기 때문일 거예요. 이반 표도로비치가 그이를 찾아다니는 바람에……" 하고 말을 시작하다가 그루셴카는 갑자기 입을 다물어 버렸다. 알료샤는 깜짝 놀라 그녀의 얼굴을 응시했다.

"찾아다닌다고요? 정말로 이반 형이 큰형님을 보러 갔었나요? 큰형님은 이반이 한 번도 오지 않았다고 나한테 말하던데요."

"아이참…… 어쩌면 좋아! 공연한 소릴 내가 지껄여 버렸으니!" 그루셴카는 몹시 당황하여 얼굴을 확 붉히며 외쳤다. "할 수 없군요, 알료샤, 잠자코 들어 봐요. 이왕 입 밖에 내고 말았으니, 사실대로 죄다 얘기할게요. 이반 표도로비치는 그이한테 두 번 찾아갔었어요. 한 번은 모스크바에서 돌아오는 길로 곧장 달려갔었으니까, 내가 아직 병석에 눕기 전이었죠. 두 번째로 찾아간 건 바로 일주일 전의 일이었어요. 그분은 미챠한테, 자기가 왔었다는 말을 알료샤한테 하지 말라, 몰래 온 거니까 아무한테도 절대 말하지 말라고 단단히 일러두었거든요."

알료샤는 깊은 생각에 잠긴 채 가만히 앉아 있었다. 그는 무언가 열심히 궁리하고 있는 것 같았다. 그루셴카의 말이 그를 몹시 놀라게 했음이 분명했다.

"이반 형님은 미챠의 사건에 관해서 나한테 한 번도 말을 한 적이 없습니다." 그는 천천히 입을 열었다. "그리고 지난 두 달 동안은 대체로 나하고 말을 하려 들지 않더군요. 내가 찾아가면 언제나 귀찮아하는 눈치여서, 나는 벌써 3주일째나 이반 형님한테 가 보지 않았습니다. 흠…… 만일 일주일 전에 이반 형님이 거길 찾아갔었다면…… 그 후부터 미챠 형님도 어딘지 많이 변한 것 같기도 한데."

"네, 변했어요, 많이 변했어요!" 하고 그루셴카가 얼른 말을 받았다. "두 사람 사이에는 비밀이 있어요, 비밀이! 미챠도 언젠가 나한테, 비밀이 있다고 자기 입으로 말했으니까요. 그 비밀 때문에 미챠는 항상 불안에 빠져 있는 거예요. 전에는 그처럼 명랑한 사람이었는데…… 하긴 지금도 명랑한 편이긴 하지만요. 그러나 미챠가 그렇게 머리를 흔들면서 감방 안을 뚜벅뚜벅 걸어 다니고, 오른쪽 손가락으로 관자놀이의 머리털을 잡아당기고 하는 걸 보면 나는 다 알 수 있어요. 그이의 마음속엔 무슨 커다란 걱정거리가 있다는 걸…… 알 수 있고말고요……. 그렇잖으면 전에는 그렇게 명랑했던 사람이…… 하긴 오늘도 역시 명랑한 것 같았지만요."

"아까 당신은 형님이 공연히 초조한 것 같더라고 하시지 않았습니까?"

"초조한 것 같았지만, 역시 명랑했어요. 그이는 언제나 초조해 보이지만, 그건 잠깐 동안뿐이고, 이내 다시 명랑해지거든요. 그러다간 또 갑자기 화를 내기도 하죠. 알료샤, 나는 언제나 그이를 보고 놀라곤 한답니다. 자기 눈앞에 그처럼 무서운 일이 기다리고 있는데도, 그이는 아주 하찮은 일을 가지고도 깔깔거리며 웃곤 하거든요. 꼭 어린애 같다니까요."

"그런데, 이반이 왔었다는 말을 나한테 하지 말라고 미챠가 직접 당신에게 말했나요? 정말로 '말하지 말라'고 했어요?"

"정말로 그렇게 말했어요, 말하지 말라고요. 미챠는 누구보다도 당신을 두려워하고 있어요. 그걸 보면 무슨 비밀이 있는 게 분명해요. 자기 입으로도 비밀이 있다고 했으니까요……. 그러니 알료샤, 그들의 비밀이 도대체 어떤 비밀인지 제발 좀 알아 가지고 와서 나한테 말해 주세요, 네." 그루셴카는 갑자기 애걸조로 나왔다. "내 앞에 어떤 저주스런 운명이 기다리고 있는지, 그걸 나한테 알려 주세요! 오늘 당신을 부른 건 그 때문이었어요."

"당신은 그 비밀이라는 게 당신과 관련된 것이라고 생각하시는군요? 만약 그렇다면, 형님이 당신한테 비밀이 있다는 말을 할 리가 없잖습니까?"

"그럴까요? 그이는 어쩌면 나한테 그걸 말하고 싶었지만 용기가 나지 않았는지도 모르죠. 그래서 그저 비밀이 있다고만 암시를 주고, 그 내용은 말하지 않았을 거예요."

"그럼, 당신은 어떻게 생각하세요?"

"어떻게 생각하느냐고요? 나한테 최후가 왔다, 이렇게 생각하고 있어요. 그 사람들이 셋이서 나를 파멸로 몰아넣고 있는 거예요. 카치카도 거기 끼여 있으니까 셋이죠. 이건 모두 카치카의 수작이에요. 모두 그 여자한테서 나온 거예요. 미챠가 내 앞에서 카치카를 '이러저러한 사람'이라고 칭찬하는 건, 내가 그런 여자가 못 된다는 걸 비양하는 소리예요. 그런 소리로 그이는 자기가 나를 버리겠다는 걸 미리 암시하고 있는 거예요. 이것이 바로 그 비밀의 전부란 말이에요! 셋이서 한패가 되어 음모를 꾸미고 있어요—미챠와 카치카와 이반 표도로비치와 그보다도 알료샤, 벌써부터 당신한테 물어보고 싶었는데요. 일주일 전에 그이는 나한테 불쑥 이런 소릴 하는 거예요. 이반이 카치카한테 자주 다니는 걸 보니, 틀림없이 카치카를 사랑하는 모양이라고요. 그 말이 정말일까요? 속 시원히 바른대로 말해 주세요."

"나는 당신한테 거짓말은 안 합니다. 이반 형님은 카체리나 이바노브나를 사랑하지 않습니다. 나는 그렇게 생각해요."

"나도 그때 벌써 그렇게 생각했어요! 그이는 뻔뻔스럽게도 나를 속이고 있는 거예요! 그이가 지금 나 때문에 질투하는 건 나중에 나한테 트집을 잡으려는 속셈이죠. 머리만 감추고 꼬리를 감출 줄 모르는 바보 같으니! 하긴 그이는 원래가 제 속을 감출 줄 모르는 사람이니까……. 그렇지만 어디 두고 봐요, 두고 봐! 글쎄, 그이는 나한테 '당신은 내가 범인이라고 생각하고 있지?'라고 하지 않겠어요! 그따위 소릴 나한테 하다니, 그건 바로 나를 책망하는 거지 뭐예요! 맘대로 하라지, 그렇지만 어디 보자, 재판 때 내가 그 카치카한테 따끔한 맛을 보여주고야 말 테니! 거기서 꼭 한마디만 할 말이 있어……. 아니, 모든 걸 다 말해 버릴 테야!"

이렇게 말하고 그녀는 다시금 섧게 울기 시작했다.

"그루셴카, 나는 이것만은 확실히 말할 수 있습니다." 알료샤는 자리에서 일어서며 말했다. "첫째, 형님은 당신을 사랑하고 있다는 것, 이 세상에 누구보다도 당신을 제일 사랑하고 있으며, 또 당신만을 사랑한다는 것, 당신은 이걸 믿으십시오. 나는 압니다, 잘 알아요. 둘째로 말할 것은, 나로서는 형님의 그 비밀을 캐내고 싶지가 않습니다. 그러나 만일 형님 자신이 오늘 나한테 그걸 얘기해 준다면, 나는 당신한테 전하기로 약속했노라고 솔직히 형님한테 말하겠습니다. 그리고 오늘 안으로 당신한테 와서 얘기해 드리겠어요. 그렇지만 그 비밀이란 건…… 아무래도 카체리나 이바노브나와는 아무 상관도 없는 것 같군요. 그건 무언가 다른 일에 관한 비밀일 겁니다. 틀림없어요. 카체리나 이바노브나와는 전혀 관계가 없어요. 내 생각에는 그렇습니다. 그럼, 다녀오겠습니다!"

알료샤는 그녀와 악수를 하였다. 그루셴카는 여전히 울고 있었다. 알료샤가 보기에, 그녀는 그의 위로의 말을 별로 믿는 것 같지 않았다. 그러나 그녀는 자기의 슬픔을 털어놓고 얘기해 버린 것만으로도 기분이 한결 후련해진 듯싶었다. 그는 그녀를 그러한 심적 상태에 혼자 놔두고 떠나기가 마음에 안 되었지만, 그래도 급히 서둘러야 했다. 그에게는 아직도 많은 용무가 남아 있었던 것이다.

2. 병든 발

첫째 용무는 호흘라코바 부인네 집에서 기다리고 있었다. 알료샤는 되도록 빨리 그곳의 용무를 끝내고, 미챠를 만나는 데 늦지 않도록 발길을 재촉했다. 호흘라코바 부인은 벌써 3주일째나 시름시름 앓고 있었다. 무엇 때문인지 한쪽 발이 부어올랐던 것이다. 그녀는 병석에 아주 눕지는 않았지만, 그래도 낮에는 화려하면서도 야하지 않은 가운을 걸친 채, 자기 방 안락의자에 반쯤 비스듬히 누워 있었다. 알료샤도 언젠가 거기에 생각이 미쳐 싱긋 웃은 적이 있지만, 호흘라코바 부인은 병을 앓게 되면서 오히려 전보다도 모양을 내려 들었다. 여러 가지 실내모室內帽를 바꾸어 쓰는가 하면 나비 모양의 리본을 달기도 하고, 가슴이 드러나는 웃옷을 입기도 했다. 알료샤는 왜 그녀가 모양을 내는 건지 짐작이 가기는 하였지만, 부질없는 생각이라고 마음속에서 지워 버리기로 하고 있었다. 지난 두 달 동안 호흘라코바 부인의 방문객들 중에는 페르호친이라는 청년이 끼이게 되었던 것이다.

알료샤는 벌써 나흘 동안이나 들르지 않았기 때문에, 집에 들어서는 길로 곧장 리자한테 가려고 했다. 그는 리자한테 볼일이 있었기 때문이다. 그 전날 리자는 그에게 하녀를 보내어, '매우 중대한 일이 있으니' 즉시 자기한테 와 달라고 특별히 간청했던 것이다. 그녀의 초청은 어떤 이유로 알료샤의 흥미를 끌었다. 그러나 지금, 하녀가 리자에게 그의 내방을 알리려고 들어간 사이에, 호흘라코바 부인이 누구한테서 알료샤가 왔다는 말을 듣고 곧 사람을 시켜 '잠깐만' 자기한테 들러 달라고 청했다. 알료샤는 우선 어머니 쪽의 청을 들어주는 편이 낫겠다고 판단했다. 그렇게 하지 않으면, 그가 리자한테 가 있는 동안 부인은 1분이 멀다 하고 연거푸 사람을 보냈을 것이기 때문이다. 호흘라코바 부인은 전에 없이 화려한 차림을 하고 안락의자에 비스듬히 누워 있었으나, 겉보기에도 극도의 흥분 상태에 있음이 분명했다. 그녀는 환성을 지르며 알료샤를 맞았다.

"아유, 이게 얼마만입니까, 정말 오래간만이네요! 벌써 일주일은 되었을 거야……. 아니, 당신은 수요일에 왔었으니까 나흘밖엔 안 되었군요. 당신은 리즈를 보러 오셨죠? 나도 모르게 살금살금 그 애 방으로 직행하려 했겠지, 틀림없어요. 이봐요, 알렉세이 표도로비치, 내가 그 애 때문에 얼마나 걱정을 하고 있는지 당신은 아마 모를 거야! 하지만 그 얘긴 나중에 합시다. 실은 그게 가장 중요한 얘기지만, 이따가 하기로 하겠어요. 알렉세이 표도로비치, 나는 우리 리자를 전적으로 당신에게 맡기겠어요. 조시마 장로가 돌아가신 후로—망자亡者의 영혼에 길이 평안함이 있어지이다! (그녀는 성호를 그었다)—난 당신을 거룩한 수도사로 보고 있답니다, 새 양복이 아주 멋지게 어울리긴 하지만 말이에요. 대체 어디서 그런 솜씨 있는 재봉사를 구했죠? 그러나 이것 역시 중요한 문제가 아녜요. 나중에 얘기합시다. 그보다도 내가 가끔 당신을 알료샤라고 부르는 걸 용서해요. 이젠 나도 늙은이가 되었으니 그런다고 해서 흉이 되진 않을 거예요." 그녀는 교태를 지으며 웃었다. "하지만 이것도 나중에 말하기로 해요. 무엇보다 중요한 것은, 내가 중요한 문제를 잊어버리지나 않을까 하는 거예요. 그러니까, 내가 쓸데없는 소릴 지껄이기 시작하면 당신이 주의를 주세요. '그 중요한 문제란 뭡니까?' 하고 물으란 말이에요. 아아, 무엇이 지금 가장 중요한지 그걸 어떻게 내가 알 수 있나! 알렉세이 표도로비치, 리자가 당신과의 약속을—당신과 결혼하겠다는 어린애 같은 약속을 취소한 이후로, 당신은 물론 그것이 오랫동안 의자에만 앉아 있어야 했던 병든 소녀의 어린애 장난 같은 공상에 지나지 않았다는 것을 깨달았을 거예요. 하느님 덕분에 이젠 그 애도 걸을 수 있게 되었어요. 카챠가 당신의 그 불행한 형님을 위해 모스크바에서 불러온 의사 선생이—그런데 당신 형님은 내일…… 아니, 무엇 때문에 내가 내일 얘길 꺼낼까! 나는 내일 일을 생각만 해도 숨이 막혀 오는 것 같아요! 주로 어떻게 될 것인가 하는 호기심 때문이지만요……. 간단히 말해서, 바로 그 의사 선생이 어제 우리 집에 와서 리자를 진찰했어요……. 왕진료로 50루블을 드렸죠. 그러나 이것도 그게 아녜요. 이것 역시 중요한 문제가 아녜요……. 이렇게 되면 완전히 횡설수설이로군요. 내가 너무 덤비는가 보죠? 무엇 때문에 덤비는 것일까요? 나도 모르겠어요. 이젠 뭐가 뭔지 하나도 모르겠다니까요. 모든 게 뒤죽박죽이 되어 버린 것 같아요. 나는 당신이 나한테 얼굴만 잠깐 보이고는 너무 따분하다고 벌떡 일어나 달아나지나 않을까 걱정이 되어서 죽겠어요. 어머나, 내 정신 좀 봐! 커피도 없이 이러고 앉아 있다니! 율리야, 글라피라, 여기 커피 가져온!"

알료샤는 급히 그녀에게, 방금 커피를 마셨으니 사양하겠노라고 말했다.

"어디서?"

"아그라페나 알렉산드로보나네 집에서요."

"그러니까…… 바로 그 여자네 집에서? 아아, 그 여자야말로 모든 사람을 파멸로 이끈 장본인이에요. 하긴, 나는 잘 모르겠지만, 그 여자가 이젠 성인聖人처럼 되었다고들 하더군요. 진작 그렇게 되었으면 좋았을 건데, 이제 와서 그게 무슨 소용이겠어요? 가만있어요, 알렉세이 표도로비치, 잠자코 듣고만 있으라니까요. 당신한테 하고 싶은 말이 너무 많아서 결국 하나도 제대로 말할 수 없을 것만 같군요. 아아, 그 무서운 공판公判이…… 나도 거기 꼭 가겠어요. 지금 준비를 하는 중이에요. 안락의자에 앉은 채로 들려서 갈 거예요. 난 의자에 앉아 있을 수는 있으니까요. 거들어 줄 사람을 데리고 가면 문제없어요. 당신도 알고 있겠지만 나도 증인의 한 사람이거든요. 아아, 뭐라고 말하면 좋을까, 뭐라고 말하면 좋을까! 정말 뭐라고 말해야 할지 알 수가 없군요. 나도 역시 서약을 해야겠죠, 네, 해야겠죠?"

"그렇겠죠. 그렇지만 내 생각엔 부인께선 가실 수 있을 것 같지가 않군요."

"나는 의자에 앉아 있을 수는 있다니까요. 아아, 당신은 자꾸만 혼란을 일으키게 하는군요! 그 무서운 공판, 그 야만적인 범죄, 그다음에는 모두 시베리아로 유형의 길을 떠나고, 다른 사람들은 결혼을 하고, 그 모든 것이 유수流水처럼 흘러가서, 모든 것이 변해 버리고, 결국은 아무 일도 없었던 것처럼 모두들 노인이 되어 관 속으로 들어갈 날을 기다리게 되겠죠. 될 대로 되라지. 나는 이젠 피곤해요. 그 카챠 말이에요—cette charmante personne(그 어여쁜 아가씨)가

내 모든 희망을 송두리째 뒤엎어 버렸어요. 이제 그 아가씬 당신 형님을 따라서 시베리아로 가겠죠. 그러면 당신의 또 다른 형님이 그 아가씨의 뒤를 쫓아가서, 이웃 도시에 머무를 거예요. 그래서 세 사람이 서로서로 괴롭히며 살게 되겠죠. 나는 그걸 생각하면 미칠 것만 같아요. 그러나 무엇보다 곤란한 건, 세상 사람들 입에 떠들썩하게 오르내리는 일이죠. 페테르부르크와 모스크바의 모든 신문들이 벌써 1백만 번은 썼을 거예요. 아 참, 무슨 소릴 썼는지 아세요. 글쎄, 내가 당신 형님과 '극친한 사이'였다지 않겠어요! 너무나 야비한 소리여서 차마 입에 담을 수도 없군요. 글쎄 이럴 수가 있겠어요. 네, 이럴 수가 있겠어요!"

"도저히 있을 수 없는 일입니다! 어디에 무슨 기사가 났기에 그러세요?"

"곧 보여 줄게요. 어제 받아서, 받는 길로 읽어 봤어요. 여기 이 신문인데, 페테르부르크에서 나오는 〈슬루히(風聞)〉예요. 금년부터 나오기 시작한 신문이죠. 나는 풍문을 좋아하기 때문에, 이걸 신청하였더니, 글쎄, 이번엔 나 자신이 걸려들지 않았겠어요. 자, 어떤 풍문인지 여기 이 기사를 읽어 봐요."

그녀는 베개 밑에 들었던 신문을 알료샤에게 꺼내 주었다.

그녀는 정신이 혼란되어 있었다기보다는 무엇에 호되게 얻어맞은 것처럼 어리벙벙해 있었다. 사실 그녀의 머릿속은 온통 뒤죽박죽이 되어 있었을는지 모른다. 신문에 난 기사는 매우 특이한 성질의 것이어서, 물론 그녀에게 낯간지러운 인상을 주었어야 할 것이었지만, 다행하게도 이 순간 그녀는 한 가지 일에 정신을 집중시킬 수가 없었기 때문에, 1분 후에는 벌써 신문에 대한 것은 까맣게 잊어버리고, 전혀 다른 화제로 옮아갈 수도 있었다.

알료샤는 이번의 무서운 범죄 사건에 관한 소문이 이미 러시아 전역에 퍼졌다는 것을 잘 알고 있었다. 그는 지난 두 달 동안에 자기 형에 관하여, 카라마조프네 집안과 자기 자신에 관하여, 정확한 보도와 함께 얼토당토않은 보도를 얼마나 많이 읽었는지 모른다. 어떤 신문에는, 알료샤가, 형의 범죄 후 공포감에 사로잡혀 수도원으로 들어가서 수도승이 되었다고 쓰여 있었다. 또 다른 신문은 이 반대로, 그가 조시마 장로와 함께 수도원 금고를 털어 가지고 '수도원에서 도망쳐 버렸다'라고 했다. 〈슬루히〉에 나온 이번 기사는 '스코토프리고니엡스크[31] 읍으로부터 카라마조프 사건에 관하여'(슬프게도 이것이 우리 고을의 이름이다. 필자는 이 이름을 여태까지 감추어 왔던 것이다)라는 표제가 붙어 있었다. 그것은 짤막한 기사였는데, 호흘라코바 부인의 이름이 직접 언급된 대목은 하나도 없었고, 그 밖에도 대체로 사람의 이름은 익명으로 되어 있었다. 다만 현재 커다란 물의를 일으키고 있는 범죄 사건의 피고는 퇴역 대위이고, 뻔뻔스럽고 난폭한 건달인 데다가 농노제 지지자로서 항상 호색好色을 일삼고, 특히 '고독 속에 번민하는 미망인들' 사이에 인기가 있었다고 하는 정도였다. 그 '고독 속에 번민하는 미망인들' 중의 한 사람으로, 이미 다 큰 딸이 있는데도, 항상 젊게 보이려고 애쓰는 어느 귀부인은, 이 사내에게 어찌나 열을 올렸던지, 범행이 있기 바로 두 시간 전에, 자기와 함께 시베리아의 어떤 금광으로 즉시 도망친다는 조건 하에 그에게 3천 루블을 주겠노라고 제의했었다는 것이다. 그러나 이 악한은 마흔이 넘은 그 고민하는 요부妖婦와 시베리아까지 도망을 치느니보다는 차라리 자기 부친을 살해하고 3천 루블을 탈취한 후, 증거를 인멸함으로써 형벌을 모면하는 편이 낫겠다고 생각했다는 것이었다. 이 희롱조의 기사는, 이런 종류의 다른 기사가 으레 그렇듯, 친부 살해의 극악성과 농노제의 폐단에 대한 분노와 비난으로 결론을 맺고 있었다. 알료샤는 호기심을 가지고 그것을 읽고 나서, 신문을 접어 호흘라코바 부인에게 돌려주었다.

"그래 이게 내 얘기가 아니고 누구 얘기겠어요?" 그녀는 다시 지껄이기 시작했다. "이건 나를 두고 한 소리에요. 사실 나는 그 범행이 있기 불과 1시간 전에 그 사람한테 금광 얘길 했었거든요. 그런데 느닷없이 '마흔이 넘은 요부' 운운했으니, 내 참, 기가 차서! 설마하니 내가 그런 뜻으로 얘기했겠어요? 이건 고의적으로 쓴 게 분명하다니까요! 하느님, 마흔이 넘은 요부 운운한 자를 용서하시옵소서, 나도 용서하겠나이다……. 그러나 이게 누구 짓인지 알겠어요? 이건 당신 친구 라키친의 짓일 거예요."

31 가축을 몰아놓는 고을이라는 뜻.

"그럴지도 모르죠." 알료샤는 말했다. "거기 대해서 나는 아무것도 듣지 못했습니다만."

"그 사람이에요, 그럴지도 모르는 게 아니라, 바로 그 사람이에요! 내가 그 사람을 쫓아냈기 때문이죠……. 당신도 그 얘긴 알고 있죠?"

"부인께서 그에게, 앞으론 댁에 얼씬도 말라고 하셨다는 건 알지만, 무엇 때문에 그러셨는지, 그건 못 들었습니다……. 적어도 당신한테선 못 들었어요."

"그럼 그 사람한테선 들었단 말이군요! 그래, 그 사람이 뭐랍디까? 내 욕을 했겠죠, 내 욕을 마구 했겠죠?"

"예, 욕을 하더군요. 그렇지만 그는 아무나 닥치는 대로 욕을 하니까요. 어쨌든 왜 그의 방문을 거절하셨는지는 그에게서도 못 들었습니다. 더욱이 나는 요즘 그를 거의 만나지 못했습니다. 우린 친구지간이 아니니까요."

"그렇담, 내가 죄다 털어놓고 얘기하죠. 할 수 없군요. 나도 지금 후회하고 있어요. 어떤 점에선 나한테도 책임이 없다고 할 순 없으니까. 그렇지만 그건 지극히 사소한 것이어서, 구태여 말할 것까지도 없을 거예요. 그건 말이에요, 다름 아니라 (호흘라코바 부인은 갑자기 장난스런 얼굴을 하며 입가에 수수께끼 같은 야릇한 미소를 흘렸다) 나는 이런 생각이 들더란 말이에요……. 알료샤, 나를 용서해 줘요, 나는 당신한텐 어머니 같으니까……. 아니, 아니, 그게 아니라, 오히려 나는 지금 당신을 내 아버지처럼 생각하고 말하는 거예요……. 어머니라는 건 이 자리에선 전혀 어울리지가 않아요……. 마치 조시마 장로님 앞에서 참회를 하는 것과 똑같은 기분이거든요, 맞았어요, 이게 가장 적합한 표현이에요. 나는 아까 당신을 보고 거룩한 수도승이라고까지 말했으니까요. 그런데, 그 가엾은 젊은이, 당신 친구 라키친이 말이에요. (아아, 난 그 사람에게 무조건 성을 낼 수는 없어요! 밉기도 하고 화도 나지만 그리 대단한 건 아니에요) 한마디로 말해서, 그 경솔한 젊은이가 글쎄 갑자기 나한테 연정을 품기 시작한 것 같더란 말이에요. 나는 나중에 가서야 문득 그걸 눈치챘지 뭡니까. 우리는 전부터 잘 아는 사이였지만, 그 사람은 약 한 달 전부터 더욱 자주, 거의 매일같이 나를 만나러 오곤 했어요. 그래도 나는 아무것도 눈치채지 못하고 있었는데…… 갑자기 눈이 트인 것처럼 그걸 알아채고는 깜짝 놀랐어요. 당신도 알다시피 우리 집에는 두 달 전부터 겸손하고 매력 있는 훌륭한 청년 표트르 일리치 페르호친(이곳 관청에 근무하는 사람 말이에요)이 손님으로 드나들기 시작했거든요. 당신도 그 사람을 여러 번 보았을 거예요. 정말로 의젓하고 진지한 청년이죠. 그 사람은 매일 오는 것이 아니고 사흘에 한 번쯤 오지만, (매일 온대도 상관없어요) 언제나 말쑥한 옷차림이에요. 알료샤, 나는 당신처럼 재능 있는 겸손한 젊은이를 좋아해요. 그런데 그 사람은 거의 국사國事를 처리할 수 있을 만한 지능을 지니고 있는 데다가 아주 매력적으로 말을 하거든요. 나는 책임지고 그 사람의 승진을 위해 청탁을 할 작정이에요. 그 사람은 장차 외교관이 될 인재예요. 그 무시무시한 일이 있은 날 밤, 그 사람은 우리 집에 와서 거의 숨이 넘어가게 된 나를 구해 주었답니다. 그런데 당신 친구 라키친은 언제나 그따위 장화를 신고 와선 양탄자 위를 질질 끌고 나다닌단 말이에요.

아무튼 라키친은 나한테 무슨 암시 비슷한 걸 주려고 애쓰기 시작하더니, 한 번은 돌아갈 때 내 손을 그냥 꽉 쥐지 않겠어요. 그렇게 그 사람이, 내 손을 꽉 쥔 다음부터, 나는 갑자기 한쪽 발을 앓기 시작한 거예요. 그 사람은 전에도 우리 집에서 페르호친 씨와 만나곤 했는데, 글쎄 공연히 페르호친 씨한테 지분거리며 비양거리다가, 나중엔 고래고래 고함을 지르기까지 한다니까요. 나는 그저 두 사람이 하는 꼴을 보면서 속으로 웃고 있는 거예요. 그런데 한 번은 내가 혼자 앉아 있는데, 아니지, 그때 나는 누워 있었어—아무튼 내가 혼자 누워 있는데 라키친이 들어오더니, 글쎄 자기가 지은 시詩를 내놓지 않겠어요. 내 아픈 발을 두고 지은 짤막한 시였어요. 그러니까, 내 아픈 발을 운문韻文으로 묘사한 거죠. 가만있자, 어떻게 썼더라?

이 귀여운 발, 귀여운 발이
어쩌다 요렇게 병이 들었나……

이런 식으로 되어 있었던 것 같은데—나는 아무리 해도 시를 외울 수가 없어서—저기 놔뒀으니, 나중에 보여 줄게요. 아무튼 멋진 시예요. 그것도 발에 대한 것만이 아니고, 그 속엔 아주 그럴듯한 도덕적 교훈이 포함되어 있었는데, 그만 내가 그것을 잊었군요. 한마디로 말해서 앨범에라도 적어 넣어 두고 싶을 만큼 멋진 시라니까요. 물론 나는 감사하다는 말을 했죠. 그래서 그 사람은 몹시 우쭐해진 모양이었지만, 내가 감사의 말을 끝내기도 전에 갑자기 페르호친 씨가 들어오지 않았겠어요. 그러자 라키친의 얼굴빛이 금세 흐려지더군요. 아하, 페르호친 씨가 뭔가 방해가 되는 모양이로구나, 하고 나는 생각했죠. 왜냐하면, 라키친은 시를 다 읽고 나서 나한테 꼭 무슨 말을 하려 했었거든요. 나는 벌써 그걸 눈치채고 있었어요. 그런데 거기 페르호친 씨가 불쑥 들어왔단 말이에요. 나는 곧 페르호친 씨에게 그 시를 보여 주었죠. 그러나 누가 지은 시라는 건 말하지 않았어요. 지금도 페르호친 씨는 그 시를 누가 지었는지 그때는 전혀 짐작 못 했노라고 우기지만, 그건 일부러 그러는 거고, 나는 그 사람이 대번에 그걸 알아채었을 거라고 믿어요. 아무튼 페르호친 씨는 그 시를 보고 깔깔 웃어 대며 곧 비판을 하기 시작했죠. 이 시는 도대체 돼먹지가 않았다, 필시 어느 중학생 나부랭이가 쓴 것이겠지, 이런 식으로 사정없이 헐뜯는단 말이에요! 여기서 당신 친구는 그냥 웃어넘기면 좋을 것을 그럭하지를 못하고 아주 미친 듯이 성을 내는 거예요……. 나는 두 사람이 맞붙어 한바탕 싸우는 거나 아닌가 생각했죠. '그건 내가 썼다' 하고 라키친이 말했어요. '내가 장난삼아 쓴 거야. 나는 도대체 시를 쓴다는 걸 우습게 여기고 있으니까……. 그렇지만 내 시는 훌륭해. 당신네들은 푸시킨이 여자의 발을 두고 시를 썼다 해서 기념비를 세우고 싶어들 하지만, 적어도 내 시는 사상적 경향이 있다는 걸 알아야 해. 그러나 당신 같은 농노제 지지자에게서는 휴머니티라곤 눈곱만큼도 찾아볼 수 없어. 당신 따위는 현대의 개화된 감정을 조금도 느끼지 못해. 당신은 시대에 뒤떨어진 인간이야, 뇌물이나 먹으려 드는 관리란 말이야!' 이런 식으로 나오지 않겠어요. 나는 소리를 지르며 애걸하다시피 두 사람을 말렸죠. 그래도 페르호친 씨는 원래가 침착한 사람이라, 갑자기 점잖은 태도를 취하더니 조소하듯 상대방을 보면서 듣고 있다가 사과를 하기 시작하더군요. '나는 당신이 지은 줄 몰랐습니다. 그걸 알았더라면 그런 소릴 할 것이 아니라 칭찬을 했을 건데…… 시인이란 모두 그렇게 화를 잘 내니까요.' 결국 더없이 점잖은 태도를 취하면서, 실은 상대방을 조소한 셈이죠. 그건 모두 조롱 삼아 한 말이었다고 나중에 페르호친 씨가 설명해 주었지만, 나는 그때 그 사람이 정말로 사과하는 줄 알았어요. 나는 그때 지금 당신 앞에 이러고 있는 것처럼 여기 누워서 가만히 생각해 보았죠—내 집에서 내 손님한테 무례하게 고함을 쳤다는 이유로 라키친을 내쫓아 버리는 것이 옳은 일일까, 옳지 않은 일일까? 이렇게 누워서 눈을 감고, 옳은 일인지 옳지 않은 일인지 곰곰이 생각해 보았지만 좀처럼 결심을 할 수 없더군요. 어쩌면 좋을까, 호통을 쳐야 하나, 치지 말아야 하나…… 참으로 괴로운 문제였어요. 가슴이 두근거리기 시작했어요. 마음속 한쪽에서는 호통을 치라 하고, 다른 한쪽에서는 치지 말라고 하는 거예요. 그런데 호통을 치지 말라는 둘째 번 목소리가 들리자마자, 나는 버럭 고함을 지르고는 그만 기절해 버렸지 뭡니까. 물론 한바탕 소동이 벌어졌죠. 나는 벌떡 일어나서, 당신한테 이런 말 하기는 괴롭지만, 앞으론 내 집에 얼씬도 하지 말아 줬으면 좋겠어요, 라고 라키친에게 말했어요. 이렇게 그 사람을 내쫓은 거죠. 아아, 알렉세이 표도로비치! 내가 서툰 짓을 했다는 건 나도 잘 알아요. 공연히 마음에도 없는 짓을 한 거예요. 나는 조금도 그 사람한테 화를 내고 있지 않았거든요. 문득 그렇게 하는 게 좋을 거라는 생각이, 그렇게 해야 그 장면이 멋질 거라는 생각이 들었던 거죠……. 아무튼 그 장면은 아주 자연스러웠어요. 그러고 나서 나는 그만 울음을 터뜨렸거든요. 그 후 며칠 동안 계속해서 울었다니까요. 그러다가 갑자기 어느 날 점심을 먹고 나서 씻은 듯이 그 일을 잊고 말았죠. 그 사람이 발길을 끊은 지 벌써 두 주일이나 되었기 때문에, 이제는 영영 오지 않으려는가 보다고 나는 생각하였어요. 이건 어제 일인데, 저녁에 갑자기 이 〈슬루히〉가 오지 않았겠어요. 나는 그걸 보고 기가 막혔어요. 누가 그런 걸 썼겠어요? 그 사람이 쓴 게 틀림없어요. 아마 그때 집으로 돌아가자마자 당장에 그걸 써서 보냈겠죠. 그래서 이렇게 신문에 난 거예요. 그게 두 주일 전이었으니까요. 그러고 보니 알료샤, 정작 해야 할 얘긴 안 하고 쓸데없는 소리만 지껄여 대고 있군요! 저도 모르는 새 말이 그런 데로 흘러 버렸어요!"

"난 오늘, 시간 안에 꼭 형님한테 가 봐야 하는데요." 알료샤가 더듬거리며 말했다.

"아 참, 그거예요! 당신 말을 들으니 죄다 생각나는군요! 당신, 광기狂氣가 뭔지 아세요?"

"광기라뇨?" 알료샤는 놀랐다.

"법정 용어인 광기 말이에요. 무엇이든 용서받을 수 있는 광기죠. 무슨 짓을 해도 즉시 용서받을 수 있죠."

"무슨 말씀이신지?"

"무슨 말인고 하니, 그 카챠가 말이에요……. 아아, 그만큼 귀엽고 사랑스런 아가씨도 아마 없을 거예요. 다만 그 아가씨가 누구를 사랑하고 있는 건지 그걸 알 수가 없어요. 며칠 전에 우리 집에 왔었는데 나는 거기 대해 아무것도 알아낼 수 없었어요. 더욱이 그 여자는 요즘 나한테 서먹서먹한 태도를 취하게 되어 내 건강에 대해서만 말할 뿐, 다른 얘긴 통 하려 들지 않거든요. 말투까지 이상해졌다니까요. 그래서 나는, 흥, 맘대로 하라지, 난 상관없다, 하고 속으로 생각했죠……. 아 참, 그때 그 광기 얘기가 나왔어요—그 의사 선생님이 온 다음에 당신도 알죠, 의사가 온 걸? 정신 이상을 감정한다는 의사 말이에요. 하긴 모를 리가 없겠군요, 당신이 불렀으니까. 아니, 당신이 아니라, 카챠죠! 그건 모두 카챠가 한 일이에요! 그건 그렇고, 가령 여기 정신이 아주 멀쩡한 사람이 있다고 합시다. 그런데 그 사람이 갑자기 광기를 일으킨단 말이에요. 의식도 분명하고, 자기가 무슨 짓을 하고 있는지도 잘 알고 있으면서도 역시 광기를 일으킬 수가 있거든요. 드미트리 표도로비치도 역시 그렇게 광기를 일으켰을 거예요. 새로운 제도의 법정이 열리면서, 사람들은 곧 이 광기라는 걸 알게 되었다는 거예요. 이건 새로운 재판 제도의 덕분이죠. 그 의사는 여기 와서 나한테 그날 저녁 일을, 즉 그 금광 얘기를 자세히 묻더군요. 그때 그 사람 모양이 어떻습디까, 라고 말이에요. 그야 물론 광기를 일으켰던 게 분명하죠. 들어오기가 무섭게 돈, 돈, 3천 루블, 3천 루블만 주시오, 하고 소리소리 지르고는 휙 나가더니 그길로 가서 살인을 했지 뭡니까. 죽이고 싶진 않다, 죽이고 싶진 않다고 말하면서도, 그만 갑자기 죽여 버린 거죠. 즉, 죽이지 않겠다고 생각하면서도 어쩌다 그만 죽이게 되었다는 점에서, 그 사람은 용서를 받을 수 있는 거예요."

"하지만, 형님이 죽인 건 아니지 않습니까?" 알료샤는 좀 날카롭게 말을 가로챘다. 불안과 초조감이 점점 그를 지배하기 시작했다.

"그건 나도 알아요. 그분을 죽인 건 그리고리 영감이에요."

"그리고리가요?" 알료샤는 외쳤다.

"그 영감이에요, 그리고리 영감이라니까요. 드미트리 표도로비치한테 얻어맞고 쓰러져 있다가 그다음에 일어나서 문이 열린 걸 보고는 달려들어 가서 표도르 파블로비치를 죽인 거예요."

"아니, 왜요, 왜 죽여요?"

"광기를 일으켰기 때문이죠. 드미트리 표도로비치한테 머리를 얻어맞고 쓰러졌다가, 정신이 드는 순간 광기를 일으킨 거예요. 그래서 달려 들어가 살인을 저지르고 말았죠. 영감은 자기가 죽인 게 아니라고 우기지만, 그건 아마 기억하지 못하기 때문이겠죠. 그러나 만일 드미트리 표도로비치가 죽였다면, 그 편이 훨씬 잘된 일일 거예요, 암 잘된 일이고말고요! 나는 그리고리가 죽였다고 말하기는 하지만, 역시 드미트리 표도로비치가 죽인 게 틀림없어요. 그 편이 훨씬 좋으니까요! 그야 물론 아들이 아버지를 죽인 걸 가지고 잘한 짓이라고 하는 건 아녜요. 자식은 어디까지나 어버이를 공경해야죠. 그래도 역시 그 사람이 그 짓을 했다면, 그편이 더 좋을 거예요. 만일 그렇다면 당신도 너무 슬퍼하지 않아도 되니까요. 왜냐하면, 그 사람은 무의식중에, 아니, 의식은 있었더라도 자기가 무슨 짓을 하는지 전혀 분간하지 못하고 그 일을 저질렀다고 할 수 있거든요. 그렇다면 그 사람은요? 용서받을 수 있는 거예요. 그것이 인도적일 뿐만 아니라, 새로운 재판 제도의 장점을 사람들에게 보여 주기 위해서라도, 의당 그 사람을 용서해 줘야죠. 나는 거기 대해서 모르고 있었는데, 오래전부터 재판 제도가 그렇게 돼 있다고들 하더군요. 엊저녁에 나는 그걸 알고 어찌나 감격했던지, 곧 당신한테 사람을 보내려고까지 했다니까요. 만일 그 사람이 용서받고 석방된다면, 나는 법정에서 곧장 우리 집으로 오게 해서 만찬을 베풀 생각이에요. 그리고 친구들을 초대해서 새 재판 제도를 위해 축배를 들겠어요. 나는 그 사람이 위험성이 있다고는 생각지 않아요. 더욱이 나는 친구들을 많이 부를 테니까, 설사 그 사람이 무슨 일을 저지른대도 언제나 잘 이끌어 줄 수 있을 테니까요. 그렇게 되면, 그 사람은 어디든 다른 도시에 가서 치안 판사 같은 일을 맡아보면 좋을 거예요. 스스로 불행을 겪은 사람이 가장 훌륭한 판사가 될 수 있거든요. 그보다도 말이에요, 요즘 세상에 광기를 일으키지 않는 사람이 어디 있겠어요! 당신이나 나나 모두가 다 그런 증상이 있는 거예요. 예를 들려면 얼마든지 있죠. 누군가는 앉아서 노래를 부르고 있다가, 갑자기 뭔가 기분이 상해서 권총을 홱 빼 들고, 운수 나쁘게 옆에 있던 사람을 쏴 죽였다지 않겠어요. 그래도 나중에 그 사람은 관대한 처분을 받았다는 거예요. 거기 대해서 나는 최근에야 읽었는데, 의사들도 그 광기라는 것을 증명하고 있더군요. 요즘 의사들은 누구나가 다 그걸 시인하고 있어요. 그런데 우리 리자도 그런 광기를 일으키곤 하니 이 일을 어쩌죠! 그저께도 어제도 나는 그 애 때문에 울었답니다. 그런데 오늘 나는 그 애가 광기를 일으키고 있다는 걸 깨달았어요. 아, 리자 때문에 내가 얼마나 속을 태우는지! 그 애는 아주 머리가 돌아 버린 것 같다니까요. 그 애가 왜 당신을 불렀을까요? 그 애가 당신을 오라고 한 건가요, 당신이 스스로 그 애를 보러 온 건가요?"

"리자가 날 불렀어요. 이젠 리자한테 가 봐야겠습니다." 알료샤는 결단을 내리고 일어섰다.

"아니, 이거 봐요, 알렉세이 표도로비치, 바로 그게 가장 중요한 문제인 것 같아요." 호흘라코바 부인은 별안간 울음을 터뜨리며 소리쳤다. "내가 진심으로 당신을 믿고 우리 리자를 맡긴다는 건 하느님도 아시는 일이에요. 그 애가 어미 몰래 당신을 불렀더라도 그런 건 아무렇지도 않아요. 그러나 당신 형님 이반 표도로비치에겐 내 딸을 마음 놓고 맡길 수가 없어요. 나는 여전히 그 사람을 무척 신사다운 청년으로 생각하고 있긴 하지만 말이에요. 글쎄 그 사람이 나도 모르는 사이에 리자를 보러 왔었다지 않겠어요."

"예? 뭐라고요? 언제요?" 알료샤는 몹시 놀랐다. 그는 다시 자리에 앉으려 하지는 않고, 그냥 선 채로 듣고 있었다.

"내가 죄다 얘기하죠. 실은 그것 때문에 당신을 보자고 했는지 모르니까. 하지만 무엇 때문에 당신을 불러 들였는지, 지금은 잘 생각이 나지 않는군요. 얘기를 하면 이렇죠—이반 표도로비치는 모스크바에서 돌아온 후 나한테 두 번 왔었어요. 한 번은 친구로서 나를 방문했었고, 또 한 번은 바로 며칠 전인데, 그때 마침 카챠가 여기에 와 있었기 때문에 그걸 알고 찾아온 것 같더군요. 나는 물론 그 사람이 요즘 무척 바쁜 몸이라는 걸 Vous comprenez, cette affaire et la mort terrible de votre papa(당신도 아시죠, 그 사건과 당신 아버님의 무서운 죽음을) 알고 있기 때문에, 나한테 자주 찾아와 주었으면 하는 생각은 없었어요. 그런데 그 사람이 갑자기 또 우리 집에 왔었다는 걸 나는 알았어요. 그것도 나를 보러 온 게 아니라 리자를 보러 말이에요. 이건 벌써 엿새 전의 일인데, 와서 5분가량 앉았다가 돌아간 모양이지만, 나는 사흘이나 지나서야 글라피라한테서 그 얘길 들었기 때문에, 그야말로 커다란 충격을 받았어요. 즉시 리자를 불렀더니, 그 애는 웃으며 말하더군요—'그인 엄마가 주무시는 줄 알고 나한테 엄마의 건강이 어떠냐 물으려고 들렀던 거예요.' 물론 그랬겠죠. 하지만 리자는, 리자는…… 아아, 그 앤 내 속을 얼마나 태우는지 몰라요! 글쎄 어느 날 밤 갑자기—그건 나흘 전에 당신이 여기 왔다 돌아간 직후였는데, 그 애가 갑자기 밤중에 무서운 히스테리의 발작을 일으켜 가지고, 고함을 지르고 비명을 울리고 하며 소동을 일으키지 않았겠어요! 그 애는 그런데, 나는 왜 한 번도 히스테리를 일으키지 않을까요? 리자는 다음 날도 또 그다음 날도 계속해서 발작을 일으키더니, 사흘째 되는 날, 즉 어제는 바로 그 광기를 일으키고 말았어요. 밑도 끝도 없이 나한테 소리치기를, '난 이반 표도로비치가 미워요, 엄마, 제발 그 이를 다시는 집에 들이지 말아요!' 하지 않겠어요. 하도 뜻밖의 일이라 나는 그만 정신이 얼떨떨해져서 '무슨 이유로 내가 그처럼 학식 있는 청년 신사의 방문을 거절할 수 있겠니, 더욱이 그처럼 불행한 사람을?' 하고 말했죠. 불행하다는 건, 이번 사건이 어디까지나 불행이라고밖엔 할 수 없으니 말이죠, 안 그래요? 그 애는 내 말을 듣자 갑자기 깔깔 웃어 댔는데, 그것은 나를 아주 바보로 취급하는 것 같은 웃음이었어요. 그래도 나는 그 애를 웃겨 줘서 다행이다, 이젠 발작도 일으키지 않겠지, 생각하고 속으로 기뻐했죠. 그리고 이반 표도로비치한테는 내 허락도 없이 몰래 그 애를 방문한다는 이유로 해명을 요구하고 앞으로는 그 사람의 방문을 거절할 생각이었어요. 그런데 오늘 아침 리자는 자리에서 일어나기가 무섭게 율리야한테 발끈 성을 내면서, 글쎄 그 하녀의 뺨을 치지 않았겠어요! 이런 끔찍한 일이 어디 있겠어요. 나도 집의 하녀들을 함부로 다루질 않는데 말이에요. 그런데 한 시간쯤 지나자 그 애는 율리야의 발을 끌어안고 거기다 입을 맞추는 거예요. 그러고는 나한테 사람을 보내서, 앞으로는 절대 엄마를 보러 가지도 않으려니와 가고 싶지도 않다, 이런 소릴 전하지 않겠어요. 그러고서도 내가 억지로 몸을 이끌고 그 애 방엘 갔더니, 그 애는 나한테 달려들어 눈물을 흘리면서 키스를 퍼붓는 거예요. 그러고는 한마디 말도 없이 문밖으로 나를 밀어내 버리더라니까요. 도대체 무슨 까닭에 그러는지 알 수가 있어야죠. 사랑스런 알렉세이 표도로비치, 이제 나는 모든 희망을 당신에게 걸고 있어요. 그리고 내 전 생애의 운명도 물론 당신 손 안에 있어요. 그러니 지금 리자한테 가서, 그 애한테서 모든 걸 다 알아내 가지고 와서 나한테, 그 애 어미인 나한테 얘기해 줄 수 없겠어요? 그걸 할 수 있는 건 당신 한 사람뿐이에요. 만일 이런 상태가 그냥 계속된다면 나는 죽을 것만 같아요. 죽고 말든가 아니면 이 집에서 달아나 버리든가 할 거예요. 이젠 더 이상 참을 수가 없어요. 여태까지

어지간히 참아 왔지만, 참는 것도 한도가 있는 게 아니겠어요. 그렇게 되면…… 그때는 정말 무서운 일이 일어날 거예요. 아아, 이제야 오시는군, 표트르 일리치!" 호흘라코바 부인은 표트르 일리치 페르호친이 들어오는 것을 보고, 희색이 만면하여 외쳤다. "늦으셨군요. 늦으셨어! 자, 어서 앉으세요. 그리고 어서 말해 주세요. 내 운명을 풀어주세요. 그래 그 변호사가 뭐라고 해요? 아니, 어디로 가죠, 알렉세이 표도로비치?"

"리자한테 갑니다."

"아 참! 그럼 내가 부탁한 것 잊지 말아야 해요! 그것으로 내 운명이 결정되는 거니까!"

"물론 잊지 않겠습니다, 가능한 한…… 하지만 이거 너무 늦었는걸." 알료샤는 급히 물러나가며 중얼거렸다.

"아니, 돌아가는 길에 꼭 들러야 해요. '가능한 한'이 아니라니까. 내 부탁을 들어주지 않으면 난 정말 죽을 거예요!" 호흘라코바 부인은 알료샤의 등에다 대고 소리쳤으나, 그는 벌써 방에서 나가 버린 뒤였다.

3. 마귀 새끼

알료샤가 리자의 방에 들어가 보니, 그녀는 전에 쓰던 그 안락의자에 비스듬히 누워 있었다. 그것은 그녀가 아직 걸음을 걷지 못하던 때에 사용하던 바퀴 달린 환자용 의자였다. 그녀는 그가 들어오는 데도 꼼짝 않고 있었으나, 반짝거리는 날카로운 그 눈길은 그의 얼굴을 따갑게 파고들었다. 그녀의 두 눈은 약간 충혈된 듯했고, 얼굴빛은 핏기가 없어 누르스름해 보였다. 지난 사흘 동안에 그의 모습이 일변했을뿐더러 몹시 여위기까지 한 데에 알료샤는 적이 놀라지 않을 수 없었다. 그녀는 악수를 청하려 하지도 않았다. 그는 자기 쪽에서 가까이 다가가서, 옷 위에 움직이지 않고 놓여 있는 그녀의 가늘고 긴 손가락 끝을 건드리듯 잡아 주고는 말없이 그녀와 마주 앉았다.
"나는 당신이 지금 감옥으로 가려고 서두르고 있다는 걸 알아요." 리자가 뾰로통한 어조로 입을 열었다. "그런데도 엄마는 두 시간이나 당신을 붙들고 있었어요. 그러고는 방금 당신에게 나와 율리야 얘기까지 늘어놓았죠?"
"어떻게 그걸 알죠?" 알료샤는 물었다.
"엿들었죠 뭐. 왜 그렇게 날 노려보세요? 엿듣고 싶어서 엿들은 것뿐인데 나쁠 건 없잖아요. 난 사과하지 않겠어요."
"무슨 일 때문에, 마음이 산란한 모양이군요?"
"천만에, 오히려 난 기쁘기만 해요. 조금 전에도 서른 번 이상이나 되풀이해서 생각했지만요, 당신과의 약속을 취소하고 당신과 결혼하지 않게 된 게 얼마나 다행인지 모르겠어요. 당신은 남편으로선 적당치 않아요. 가령 내가 당신과 결혼을 해서 말이에요. 내가 결혼 후에 사랑하게 된 남자한테 편지를 전해 달라고 하면, 당신은 군소리 없이 그걸 갖다 전할 거예요. 게다가 그 남자의 답장까지 받아 갖고 오겠죠. 당신은 마흔 살이 되어도 역시 내 편지 심부름을 할 사람이에요."
그녀는 갑자기 웃어 댔다.
"당신은 짓궂으면서도 한편으론 솔직한 데가 있군요." 알료샤는 싱긋 웃어 보였다.
"당신한텐 부끄러움을 느끼지 않으니까 솔직할 수 있는 거죠. 부끄러움을 느끼지 않을 뿐만 아니라, 느끼려고도 하지 않아요, 당신한테는…… 당신한테만은 말이에요. 알료샤, 내가 당신을 존경하지 않는 건 무슨 까닭일까요? 당신을 무척 사랑하긴 하지만, 존경하지는 않거든요. 만일 내가 당신을 존경한다면, 어떻게 당신 앞에서 부끄럼도 없이 이런 식으로 말을 할 수 있겠어요? 그렇잖아요?"
"하긴 그렇군요."
"그럼, 내가 당신한테 부끄럼을 안 느낀다고 믿으세요?"

"아니, 그렇게는 믿지 않아요."

리자는 다시금 히스테릭하게 웃어 대더니, 빠른 소리로 급히 지껄였다.

"나 감옥에 계신 당신 형님 드미트리 표도로비치한테 과자를 좀 보내 드렸어요. 알료샤, 당신은 참 좋은 사람이에요! 내가 당신을 사랑하지 않아도 좋다는 허락을 그처럼 빨리 내려 주셨으니까. 그 때문에 오히려 난 당신을 지독히 사랑할 거예요."

"리자, 오늘은 무슨 일로 나를 불렀죠?"

"당신한테 내 소망을 알리고 싶어서요. 난 누구든 나를 짓밟아 주는 사람이 있었으면 해요. 나와 결혼해서 나를 죽도록 괴롭히다가, 나를 속이고 달아나 버리면 좋겠어요. 난 행복 따위는 바라지도 않아요!"

"당신은 혼돈을 좋아하게 됐나 보군?"

"그래요, 난 혼돈이 좋아요. 집에다 불이라도 지르고 싶을 지경이에요. 살그머니 기어가서, 몰래—반드시 몰래 해야 해요—집에다 불을 지르는 장면을 공상하곤 하죠. 모두들 불을 끄려 들겠지만 집은 그냥 타오르고, 나는 다 알고 있으면서 아무 소리 안 하고 있는 거예요. 아아, 모든 게 시들하고 따분하기만 해요!"

그녀는 혐오의 빛을 띠며 손을 내저었다.

"풍족한 생활을 하고 있으니까 그런 거예요." 알료샤는 나직이 말했다.

"그럼, 가난하게 사는 편이 더 좋단 말인가요?"

"그게 더 좋고말고요."

"그건 돌아가신 그 수도사가 당신한테 가르친 소리죠? 그건 거짓말이에요. 나는 부자고 다른 사람은 모두 가난뱅이라도 상관없어요. 난 혼자서 맛있는 과자와 크림을 먹고 아무한테도 안 줄 테야. 아니, 가만 계세요, 아무 말도 마세요." 알료샤가 입을 열려고도 않는데 그녀는 지레 손을 내저으며 막았다. "전에도 당신은 늘 나한테 그런 말을 했어요. 그래서 난 다 따로 외고 있어요. 이젠 진력이 나요. 설사 내가 가난하게 산대도 난 누구든 죽일 거예요. 그리고 부자로 살더라도 역시 죽일지 몰라요—가만 앉아 있을 수만은 없잖아요! 그러니까 말이에요. 난 곡식을 거둬들이고 싶어요, 귀리를 거둬들이고 싶어요. 난 당신하고 결혼할 테니까, 당신은 농부가 되세요, 진짜 농부가. 그리고 우리 망아지를 하나 길러요, 네! 당신 칼가노프라는 사람 아세요?"

"압니다."

"그 사람은 늘 걸어 다니면서 공상만 하고 있어요. 그 사람 말을 들어보면, 사람은 무엇 때문에 현실에 얽매여 사느냐, 공상이나 하고 있는 편이 훨씬 좋다, 공상 속에선 더 없이 유쾌할 수 있지만 현실 생활은 따분하기만 하지 않으냐는 거예요. 그렇지만 그 사람도 곧 결혼을 할 거예요. 나한테 벌써 사랑을 고백했거든요. 당신, 팽이 돌릴 줄 아세요?"

"알아요."

"그 사람은 꼭 팽이 같은 사람이죠. 돌돌 감아서 책 던지고 채찍으로 찰싹찰싹 갈겨 줘야 해요. 난 그 사람하고 결혼해서 한평생 팽이처럼 돌려 줄 테요. 당신, 나하고 같이 앉아 있기가 부끄럽죠?"

"아뇨."

"당신은 내가 거룩하고 고상한 얘길 하지 않아서 몹시 화가 났을 거예요. 하지만 난 성인이 되고 싶진 않아요. 가장 큰 죄를 범한 사람은 저승에서 어떻게 될까요? 당신은 그걸 잘 아실 거예요."

"하느님의 시중을 들을 겁니다." 알료샤는 뚫어질 듯 그녀를 응시했다.

"나도 그렇게 되길 바라고 있어요. 내가 저승에 가면 모두들 나를 꾸짖겠죠. 그러면 나는 모든 사람의 얼굴에다 대고 한바탕 웃어 줄 테야. 알료샤, 난 집에 불을 지르고 싶어 죽겠어요, 우리 집을 말이에요. 왜 내 말이 곧이들리지 않나요?"

"불은 왜 지른다는 겁니까? 열 두어 살 먹은 아이들 중엔 무엇이든 자꾸만 불 지르고 싶어서 자주 불장난을 하는 아이가 있어요. 그건 일종의 병이죠."

"그런 게 아녜요, 그런 게 아니야. 그런 애들도 있는지 모르지만, 내가 하는 말은 그게 아니란 말이에요."

"당신은 악을 선으로 잘못 생각하고 있어요. 그건 시적인 위기이지만, 아마 당신이 앓은 병 때문일지 모르겠습니다."

"당신은 나를 경멸하고 있군요! 나는 단지 선을 행하기 싫고, 악을 행하고 싶을 뿐이에요. 병과는 아무런 관계도 없어요."

"왜 악을 행하죠?"

"이 세상의 모든 걸 죄다 없애 버리려고요. 아아, 무엇 하나 남기지 않고 싹 없어져 버리면 얼마나 좋을까! 나는 말이에요, 알료샤. 이따금 닥치는 대로 모든 악한 짓을 다 해 봐야겠다고 생각하곤 한답니다. 오랫동안 남들 몰래 나쁜 짓을 하다가, 나중에 그것이 발각되면, 모두들 둘러서서 나를 손가락질하며 욕하겠죠. 그때 나는 태연한 얼굴로 사람들을 바라보는 거예요. 생각만 해도 통쾌해요. 알료샤, 왜 그게 그렇게 통쾌할까요?"

"글쎄요. 그건 뭐든지 좋은 것을 짓뭉개고 싶다든가, 당신 말대로 불을 지르고 싶다든가 하는 것과 비슷한 욕구겠죠. 그것도 흔히 있는 일입니다."

"난 입으로만 말하는 게 아녜요, 정말 그렇게 할 테니까요."

"그럴 겁니다."

"당신이 내 말을 시인했기 때문에 난 당신이 더욱 좋아졌어요. 당신은 정말 거짓말이라곤 조금도 할 줄 모르는군요. 그렇지만, 당신은 어쩌면 내가 당신을 놀리느라고 일부러 그런 소릴 한다고 생각하는지도 모르죠."

"아니, 그렇게 생각하진 않아요……. 하긴 그런 의도가 조금은 섞여 있는지도 모르지만."

"네, 조금 있어요. 난 절대 당신한테는 거짓말 안 해요" 하고 말했으나, 그녀의 눈에는 이상한 불꽃이 튀고 있었다.

알료샤는 무엇보다도 그녀의 진지한 태도에 놀랐다. 전에는 가장 '진지한' 순간에도 쾌활함과 장난기를 잃지 않았던 그녀의 얼굴에서는, 지금 장난기나 익살스러움 같은 것은 그림자도 찾아볼 수 없었다.

“사람은 간혹 죄악을 좋아하는 순간이 있는 법이에요.” 알료샤가 생각에 잠기는 어조로 말했다.

“네, 그래요! 내 생각을 그대로 말하셨어요. 사람은 죄악을 좋아해요, 누구나가 다 좋아해요, 어떤 ‘순간’만이 아니고, 언제나 좋아해요! 사람들은 마치 여기 대해 거짓말을 하기로 약속을 하고, 그 후부터 쭉 거짓말만 하고 있는 것 같아요. 사람들은 누구나 악을 미워한다고 입으로는 말하지만, 속으론 모두들 그걸 좋아하고 있는 거예요.”

“당신은 여전히 좋지 않은 책들을 읽는가 보군?”

“읽고 있어요. 엄마가 읽고 나서는 늘 베개 밑에 감춰 두곤 해서, 난 그걸 훔쳐다가 읽죠.”

“그렇게 자기 자신을 망치는 짓을 하면서도 당신은 양심에 부끄럽지 않아요?”

“난 자기 자신을 망치고 싶어요. 어떤 소년 하나는 자기 몸 위로 기차가 통과하는 동안, 레일 사이에 엎드려 있었다고 하잖아요. 참 운수가 좋은 애죠! 그리고 지금 당신 형님은 아버지를 살해했다고 해서 재판을 받게 되었지만, 사람들은 모두 그이가 아버지를 죽인 걸 좋아하고 있거든요.”

“아버지를 죽인 걸 좋아한다고요?”

“좋아해요, 모두들 좋아하고 있어요! 모든 사람이 무서운 일이라고 말하면서도 속으론 여간 좋아하는 게 아녜요. 나 자신이 누구보다도 그걸 좋아하는걸요.”

“당신이 모든 사람이라고 한 말에는 어느 정도의 진리가 포함되어 있어요.” 알료샤는 조용히 말했다.

“아아, 어쩌면 당신은 그런 데까지 생각이 미칠까!” 리자는 날뛸 듯이 기뻐하며 이렇게 소리쳤다. “더구나 보통 사람 아닌 수도사가 그러니! 알료샤, 당신은 믿지 않겠지만, 나는 당신이 절대 거짓말을 하지 않기 때문에 당신을 존경하는 거예요. 아 참, 내가 꾼 우스운 꿈 얘길 해 드릴까요? 나는 이따금 마귀를 꿈에 보곤 한답니다. 밤이었나 봐요. 내가 촛불을 켜 놓고 방 안에 앉아 있노라니까,

갑자기 여기저기서 마귀 새끼들이 나타나는 거예요. 구석구석에서 나오는가 하면, 테이블 밑에서도 기웃거리고, 한쪽에선 방문을 열려고 하는데, 문밖에서 우글우글 떼 지어 있는 놈들이 방에 들어와서 나를 붙들고 싶어 하는 거예요. 그러다가 슬금슬금 다가와서 막 붙잡으려 들기에 내가 얼른 성호를 그었더니 마귀 새끼들은 모두 질겁하며 뒤로 물러났지만, 아주 달아나지는 않고 문짝 뒤라든가 구석진 곳에 서서 기다리고들 있어요. 나는 갑자기 하느님 욕을 하고 싶어 지지가 않겠어요. 그래서 소리를 내어 욕을 하기 시작했더니, 마귀 새끼들은 기뻐서 어쩔 줄 모르며 다시 나한테 몰려와서는 나를 붙잡으려고 들어요. 그러면 나는 또 급히 성호를 긋고, 그놈들은 또 모두 뒤로 물러나고…… 그게 어찌나 재미있던지 나는 숨이 막힐 지경이었어요."

"나도 가끔 똑같은 꿈을 꾸는 수가 있습니다." 알료샤가 불쑥 말했다.

"정말이에요?" 리자는 깜짝 놀라 외쳤다. "알료샤, 웃지 마세요. 이건 아주 중대한 일이니까. 각각 다른 두 사람이 과연 똑같은 꿈을 꿀 수 있을까요?"

"있고말고요."

"그렇다면 알료샤, 이건 정말 중대한 일이에요." 리자는 몹시 놀란 얼굴로 말을 이었다. "중대하다는 건 꿈 자체가 아니라 당신이 나와 똑같은 꿈을 꾸었다는 사실이에요. 당신은 나한테 절대 거짓말 안 하죠? 그러니까 지금도 거짓말 않기로 해요, 네. 그래 방금 한 말은 정말인가요? 우스갯소린 아니겠죠?"

"정말입니다."

리자는 무언가 몹시 감동된 듯 잠시 말이 없었다.

"알료샤, 나한테 또 와 주세요. 좀 더 자주 와 주세요, 네." 그녀는 갑자기 애원하는 목소리로 말했다.

"나는 언제나, 일생 동안 당신을 찾아올 겁니다." 알료샤는 확고한 어조로 대답했다.

"내가 마음속에 있는 말을 할 수 있는 건 당신 한 사람뿐이에요." 리자가 다시 말하기 시작했다. "나 자신과, 그리고 당신뿐이죠. 그러니까 이 세상에 당신 한 사람밖엔 없는 거예요. 나 자신에게 말하기보다도 오히려 당신한테 말하는 편이 더 쉽거든요. 당신한테는 조금도 부끄러움을 느끼지 않으니까요. 알료샤, 나는 왜 당신한텐 조금도 부끄러움을 느끼지 않을까요? 그보다도 알료샤, 유대인들이 부활절에 아이들을 훔쳐다가 칼로 잘라 죽인다는 게 정말인가요?"

"모르겠는데요."

"나는 책에서 어떤 재판 얘기를 읽은 적이 있는데요, 한 유대인이 네 살 먹은 아이를 잡아다가 양쪽 손가락을 모조리 잘라 버린 후 담벼락에다 못질을 해서 달아매어 죽였다는군요. 나중에 재판을 받을 때 그 유대인은, 아이는 금방 죽었다. 네 시간 후에 죽었다, 라고 말했다지 않아요. 네 시간이나 걸렸는데 금방이 뭐예요! 아이는 줄곧 신음 소리를 내는데 자기는 옆에 서서 그걸 감상했다는 거예요. 참 멋있어요!"

"멋있다고?"

"멋있고말고요. 나는 이따금 그 애를 못 박아 죽인 게 나 자신인 것처럼 생각할 때가 있어요. 아이가 매달려 죽어 가는 소릴 내고 있는데 나는 그 앞에 앉아서 파인애플 조림을 먹고 있는 거죠. 난 파인애플을 무척 좋아하거든요. 당신도 좋아하세요?"

알료샤는 말없이 그녀를 바라보고만 있었다. 누르스름한 핏기 없는 그녀의 얼굴이 갑자기 일그러지며 두 눈이 불타오르기 시작했다.

"하지만 나는 그 유대인 얘기를 읽고 밤새도록 온몸을 떨며 울었어요. 그리고 아이가 울며 신음하는 광경을 상상했죠. (네 살이나 먹었으니까 다 알 수 있지 않겠어요) 그러면서도 한편으로는 파인애플 생각이 머리에서 떠나지 않는 거예요. 이튿날 아침에 나는 어떤 사람한테 꼭 와 달라는 편지를 써 보냈죠. 그 사람이 오자마자 나는 그 아이 얘기와 파인애플 얘기를 했어요. 하나도 남김없이 죄다 얘기했죠. 그러고는 '참 멋있죠'라고 말했어요. 그러자 그 사람은 껄껄 웃으면서 '그건 정말 멋있군' 하더니, 그냥 일어나서 돌아가 버리지 않겠어요. 기껏해야 5분 정도밖엔 앉아 있지 않았을 거예요. 그 사람은 나를 경멸했겠죠, 네,

경멸했겠죠? 말해 주어요, 알료샤, 그 사람이 나를 경멸했겠는지 안 했겠는지!" 그녀는 눈을 번쩍이면서, 환자용 의자 위에 똑바로 일어나 앉았다.

"그럼, 당신이" 하고 알료샤는 흥분해서 물었다. "당신 자신이 그 사람을 불렀나요?"

"네, 그랬어요."

"편지를 보내서?"

"네."

"그 아이 얘기를 물으려고 일부러?"

"아니, 순전히 그것만은 아녜요. 하지만 그 사람이 들어오자마자 나는 그것부터 물었었죠. 그랬더니 그 사람은 웃으면서 대답하고는 곧 일어나서 돌아가 버렸어요."

"그 사람은 당신한테 점잖은 태도를 취했군요." 알료샤는 나직이 말했다.

"그렇지만 그 사람은 나를 경멸하지 않았을까요? 속으로 비웃진 않았을까요?"

"그렇진 않을 겁니다. 그 사람 자신도 아마 그렇게 파인애플 조림을 먹는 걸 좋아할 테니까요. 리자, 그 사람 역시 지금 중병에 걸려 있는 거예요."

"그래요, 그 사람도 그걸 좋아할 거예요!" 리자는 눈을 번쩍이며 말했다.

"그 사람은 아무도 경멸하지 않습니다." 알료샤는 말을 계속했다. "다만 아무도 믿지 않는다는 것뿐이죠. 하긴 믿지 않는다면 당연히 사람을 경멸하게 마련이지만."

"그럼 나도, 나도 경멸하겠군요?"

"그렇겠죠."

"좋아요." 리자는 이 사이로 밀어내듯 말했다. "그 사람이 껄껄 웃고 나가 버렸을 때, 나는 경멸을 당하는 것도 좋구나 싶었어요. 손가락 잘린 아이도 좋고, 남에게 경멸당하는 것도 좋은 일이죠."

이렇게 말하고서, 리자는 알료샤를 향해 독기를 품은 것 같은 열띤 소리로 웃어 댔다.

"아아, 알료샤, 나는 말이에요…… 알료샤, 나를 구해 주세요!" 갑자기 그녀는 의자에서 튀어 일어나 알료샤에게 몸을 던지며 두 손으로 그를 꼭 잡았다. "나를 구해 주세요, 네!" 그녀의 목소리는 거의 신음에 가까웠다. "지금 내가 당신한테 한 것 같은 얘기를 이 세상에서 또 누구한테 할 수 있겠어요? 나는 사실대로, 어디까지나 사실대로 말한 거예요! 난 죽어 버리고 말 테야. 모든 게 다 싫은 것뿐인데 어떻게 살지? 난 모든 게 다 싫고, 모든 게 다 더럽게만 여겨져요! 알료샤, 당신은 왜 나를 조금도 사랑해 주지 않죠?" 그녀는 미친 듯한 흥분 속에서 말을 마쳤다.

"아닙니다, 나는 사랑하고 있어요." 알료샤도 열띤 목소리로 대답했다.

"그럼, 나를 위해 울어 주시겠어요?"

"그야 물론이죠."

"내가 당신 아내가 안 되겠다고 해서가 아니라, 순전히 나를 위해서 울어 주시는 거죠?"

"그럼요."

"고마워요! 내게 필요한 건 당신의 눈물뿐이에요. 다른 사람들은 모두 나를 괴롭히더라도, 모두가, '한 사람도 빠짐없이' 모두가 나를 짓밟는대도 상관없어요! 난 아무도 사랑하지 않으니까. 아시겠어요, 난 아무도 사랑하지 않는단 말이에요! 사랑하기는커녕 도리어 미워해요! 그럼 가 보세요! 알료샤, 형님한테 갈 시간이 됐어요!" 그녀는 갑자기 그에게서 몸을 떼며 말했다.

"당신을 이대로 두고 어떻게 갑니까?" 알료샤는 거의 위험을 느끼며 말했다.

"어서 형님한테 가 보세요. 감옥 문이 곧 닫힐 거예요. 가세요. 자, 여기, 모자! 미챠 형님한테 나 대신 키스를 전해 주세요. 가세요, 어서!"

그러고는 거의 강제로 알료샤를 문밖으로 밀어내는 것이었다. 알료샤는 서글픈 의혹이 담긴 눈으로 그녀를 바라보았으나, 그 순간 자기의 오른손에 편지가 쥐여 있음을 깨달았다. 그것은 꼭꼭 접어서 봉인을 한 조그만 편지였다. 그는 그것을 흘끗 보고, '이반 표도로비치 카라마조프님에게'라고 쓰인 수신인의 이름을 재빨리 읽을 수 있었다. 그는 후딱 리자의 얼굴을 보았다. 그 얼굴은 거의 위협적인 표정을 띠고 있었다.

"전하세요, 꼭 전하세요!" 그녀는 온몸을 후들후들 떨며 미친 듯이 명령조로 말했다. "오늘 중으로, 즉시 전하세요! 그렇잖으면 난 독약을 먹어 버릴 테야! 내가 당신을 부른 건 그것 때문이에요!"

이렇게 말하자마자, 그녀는 쾅 하고 문을 닫아 버렸다. 빗장이 딸가닥 걸렸다. 알료샤는 편지를 호주머니에 넣고, 호흘라코바 부인에게도 들르지 않고 곧장 계단 쪽으로 갔다. 사실 그는 부인에 대해서는 까맣게 잊고 있었던 것이다. 리자는 알료샤가 떠나가자마자 빗장을 벗기고 문을 방긋이 열더니, 그 문틈에다가 손가락을 넣고 힘껏 문을 닫아 자기 손가락을 짓찧었다. 10초가량 지나서 그녀는 손을 빼내어 조용히, 느릿느릿 자기 의자로 돌아가더니 허리를 꼿꼿이 펴고 거기 앉았다. 그리고 검게 멍이 든 손가락과 손톱 밑에서 배어나온 피를 가만히 바라보기 시작했다. 그녀의 입술은 파들파들 떨고 있었다. 그녀는 빠른 소리로 혼자 속삭이는 것이었다.

"난 몹쓸 년이야, 몹쓸 년, 몹쓸 년, 몹쓸 년……!"

4. 송가頌歌와 비밀

알료샤가 감옥 문의 벨을 울렸을 때는 이미 해가 저물어서 (동짓달 해가 길면 얼마나 길겠는가) 어두워 가고 있었다. 그러나 알료샤는 미챠를 만나러 들어가는 데 아무 지장이 없으리란 걸 알고 있었다. 이런 면에서는 이 고장도 다른 모든 도읍들과 다를 것이 없었다. 물론 예심 종결 직후에는 친척이나 그 밖의 사람들의 면회도 불가피한 소정의 형식과 절차로 제한을 받았었다. 그러나 그 후로는 점점 관대해졌다고 할 수는 없지마는 적어도 미챠한테 오는 몇몇 사람들에게는 자연히 어떤 예의가 성립되었던 것이다. 그래서 심지어는, 수감자와의 면회가, 지정된 방에서 단 두 사람 사이에, 즉 아무런 입회인도 없이 이루어지기가 예사였다.

하지만, 그런 예외적 대우를 받는 사람은 불과 몇 사람밖엔 안 되었다. 그루셴카와 알료샤, 그리고 라키친 정도였다. 그런데 경찰서장 미하일 마카르이치는 그루셴카에게 대단한 호의를 가지고 있었다. 모크로예에서 자기가 그루셴카에게 호통을 쳤던 일이 오래도록 이 노인의 가슴에 가책이 되었던 것이다. 그 후 그는 전후의 사정을 상세하게 알게 되면서, 그녀에 대한 자기 생각을 완전히 바꾸어 버렸다. 그는 미챠의 범행을 확신하고 있었음에도 불구하고, 미챠가 일단 구속된 후로는 '이 친구도 원래는 지극히 선량한 인간이었던가 본데, 음주와 방탕 때문에 마침내는 스웨덴인처럼 몸을 망치고 말았을 거야'라는 생각에서, 점점 미챠를 부드러운 눈으로 보게 되었다. 이것은 참으로 이상한 일이었다. 처음에 그의 마음속에 일어났던 공포감은 일종의 연민으로 바뀌었다. 알료샤로 말하자면, 서장은 그를 무척 좋아했고, 벌써 오래전부터 서로 잘 아는 사이였다. 한편, 최근에 뻔찔나게 수감자를 찾아오곤 하는 라키친으로 말하면, 이른바 '서장 댁 아가씨들'(그는 늘 이렇게 불렀다)의 가장 가까운 친구 중의 한 사람이어서 날마다 그 집에 드나드는 처지였다. 또한 그는 고지식한 관리이긴 하지만 마음씨 착한 노인인 간수장네 집에서 가정교사 노릇을 하고 있었던 것이다. 알료샤 역시 간수장과는 오랫동안 친밀하게 사귀어 온 사이였는데, 간수장은 대체로 '최고의 예지叡智'와 같은 문제를 가지고 그와 이야기하기를 좋아하였다. 간수장은 이반 표도로비치를 존경한다기보다는 두려워했는데, 그것은 주로 이반의 특출한 판단력 때문이었다. 하기는 간수장 자신도 대단한 철학자였다. 물론 '자신의 두뇌로 도달한' 독학자이기는 했지만. 그는 알료샤에 대하여 어떤 억제할 수 없는 호감을 느끼고 있었다. 금년 들어 마침 그는 경외복음서經外福音書를 연구하고 있었기 때문에 자주 자기의 감상感想을 이 젊은 친구한테 얘기했다. 전에는 곧잘 수도원에까지 찾아가서는, 알료샤를 비롯하여 여러 수도사들과 몇 시간씩 담론하곤 했었다. 그래서 알료샤는 시간이 좀 늦더라도 간수장한테 가기만 하면 언제나 수월하게 면회를 할 수가 있었다. 게다가 감옥 안에서는 말단의 간수에 이르기까지, 모두가 알료샤와는 구면이 되어 있었다. 물론 감시병도 상관의 허가가 있는 한 그에게 군소리를 하지는 않았다.

미챠는 호출이 있을 때면, 늘 자기 감방에서 아래층 면회 장소로 내려오게 되어 있었다. 알료샤는 면회실로 들어가다가, 방금 미챠와 만나고 돌아가려던 라키친과 마주쳤다. 미챠와 라키친은 뭔가 큰 소리로 말을 하고 있었다. 미챠는 라키친을 배웅하며 무엇 때문인지 한바탕 웃어 댔으나, 라키친은 투덜거리고 있는 것 같았다. 라키친은 요즘에 와서 특히 알료샤와 만나는 걸 좋아하지 않았고, 간혹 만나더라도, 뻣뻣이 고개를 끄떡할 뿐, 말을 건네는 일은 거의 없었다. 지금도 알료샤가 들어오는 것을 보자, 그는 마치, 모피 깃이 달린 크고 따뜻한 외투에 단추를 채우는 데 정신이 팔리기라도 한 듯이, 미간을 잔뜩 찌푸리며 외면을 했다. 그러고는 곧 우산을 찾기 시작했다.

"제 물건은 잊지 않도록 해야지." 그는 그저 무슨 말이든 안 할 수가 없어서 이렇게 중얼거렸다.

"남의 물건도 잊지 않도록 하게나!" 미챠는 익살스럽게 말했다. 그러고는 곧 자기의 익살이 재미있어서 큰 소리로 웃어 댔다. 라키친은 대번에 화를 냈다.

"그런 충고는 카라마조프네 사람들한테나 하시오, 라키친한텐 필요 없소! 당신네들은 농노제 시대의 사생아란 말이요." 그는 성이 나서 후들후들 떨며 버럭 소리를 질렀다.

"왜 그러나? 난 농담으로 한 말이야!" 하고 미챠는 외쳤다. "제기랄, 저것들은 모두 저렇다니까." 급히 물러나가는 라키친을 턱으로 가리키며 그는 알료샤에게 말했다. "여태까지 앉아서 유쾌하게 웃던 녀석이 금세 저렇게 화를 내거든! 너한테 고개도 끄덕여 보이지 않던데, 어찌 된 거냐, 아주 절교해 버렸니? 그보다도 넌 왜 이렇게 늦었어? 난 아침부터 그야말로 목이 빠지게 널 기다렸는데. 하지만 괜찮아! 이제라도 봉창을 하면 되니까."

"저 친구는 왜 그렇게 자주 형님을 찾아오곤 하죠? 서로 절친한 친구가 되기라도 했나요?" 알료샤 역시 라키친이 나간 문 쪽을 턱으로 가리키며 이렇게 물었다.

"라키친하고 친구가 되었느냐고? 그런 건 아니야……. 저건 돼지 새끼야! 저 녀석은 나를…… 망나니로 생각하고 있어. 게다가 농담도 받아들일 줄을 몰라. 그게 저 녀석들의 제일 큰 결점이지. 말라 있어. 판판한 데다가 바짝 말라붙었단 말이야. 내가 여기 처음 끌려와서 본 감방의 벽과 똑같은 느낌이야. 하지만 똑똑하긴 꽤 똑똑한 친구야. 그보다도 알렉세이, 내 대갈통도 이젠 달아났다!"

그는 벤치에 앉더니 알료샤도 자기 옆에 앉혔다.

"네. 내일이 공판이군요. 그럼, 형님은 전혀 가망이 없다고 생각하시나요?" 알료샤는 조심스럽게 말했다.

"너 무슨 소릴 하는 거냐?" 미챠는 막연한 표정으로 알료샤를 바라보았다. "옳아, 넌 공판 얘길 하는가 보구나! 흥, 제기랄! 여태까지 우린 언제나 시시한 얘기만, 내 공판 얘기만 했어. 그러나 가장 중요한 얘기는 너한테 하지 않고 있었다. 네 말마따나 내일은 공판이야. 하지만, 내 대갈통이 달아났다고 한 건 공판을 두고 한 말이 아니야. 대갈통 자체가 달아나 버린 건 아니지만, 그 속에 들어 있던 것이 없어져 버렸다는 뜻이지. 한데 너 왜 그런 비판적인 눈으로 날 보고 있니!"

"무슨 말이에요, 미챠?"

"사상思想이야, 사상 말이다! 다시 말해서 윤리를 두고 하는 말이지. 윤리란 대체 뭐냐?"

"윤리라고요?" 알료샤는 어리둥절했다.

"응, 그것도 학문이냐?"

"그런 학문도 있어요……. 하지만…… 솔직히 말해서 그게 어떤 학문인지 형님한테 설명해 드릴 순 없어요."

"라키친은 알고 있어, 그 녀석은 많은 걸 알고 있단 말이야, 망할 놈의 자식 같으니! 녀석은 수도사가 되진 않는다. 페테르부르크에 갈 궁리를 하고 있어. 거기 가서 고상한 경향을 띤 평론 분야에 들어가겠다는 거야. 누가 아나, 제법 유용한 인물이 돼서 크게 출세할 수 있을지도 모르지. 녀석들은 출세하는 덴 재주가 비상하거든! 윤리고 뭐고 그런 건 아무래도 좋다! 난 이젠 다 틀렸어, 알렉세이, 난 그만이야! 넌 하나님의 사랑을 받는 사람이다. 난 이 세상의 누구보다도 너를 사랑한다. 너를 대하기만 하면 내 심장은 마구 뛰기 시작한단 말이다. 근데 너 카를 베르나르가 누군지 아니?"

"카를 베르나르라뇨?" 알료샤는 또 다시 어리둥절했다.

"아니, 카를이 아니고, 가만있자, 내가 잘못 말했어, 클로드 베르나르[32]야. 근데 뭣하는 사람이지? 화학을 하는 사람이냐?"

"그 사람 아마 학자였을 겁니다." 알료샤는 대답했다. "그러나 나도 실은 그 사람에 대해서 별로 아는 게 없어요. 그저 학자라는 말만 들었지, 무엇을 하는 학자인지는 모르겠어요."

"뭐 까짓 놈은 아무래도 좋다, 나도 몰라." 미챠는 욕지거리를 했다. "어차피 쓸모없는 악당이겠지, 틀림없을 거야. 그런 놈들은 모두 악당이니까. 하지만 라키친은 출세 구멍을 뚫을 거야. 조그만 틈새만 있어도 뚫고 나갈 놈이지. 그 녀석도 베르나르야. 망할 놈의 베르나르 족속들! 그놈의 종자도 어지간히 많이 퍼졌군!"

"그런데 형님, 어쩐 일이세요?" 알료샤는 추궁하듯 물었다.

"그 녀석은 나에 관해서, 내 사건에 관해서 논문을 써 가지고, 그걸로 문필 생활을 시작하려는 거야. 그래서 나를 찾아오는 거라고 제 입으로 말했다. 뭔가 경향적인 글을 쓰겠다는 거지. '그는 죽이지 않을 수 없었다, 그는 주위 환경에 의하여 희생된 것이다' 하는 식으로 말이야. 나한테 그렇게 설명하더라. 사회주의적 색채를 가미하겠다는 거야. 제기랄, 그따위 색채를 가미하건 말건 난 아무래도 좋아. 녀석은 이반을 좋아하지 않아, 아니, 미워하지. 그리고 너도 별로 좋게 생각하진 않는 모양이더라. 그래도 난 녀석을 쫓아 버리지 않아, 제법 똑

32 클로드 베르나르Claude Bernard(1813~1878). 19세기 프랑스의 생리학자.

똑한 놈이니까. 하긴 지나치게 우쭐대는 면도 있지. 그래서 나는 방금 이렇게 말해 줬다. '카라마조프네 집안은 망나니들이 아니라 철학자들이다. 진짜 러시아인은 모두가 철학자니까. 너 같은 건 공부는 했지만 철학자는 못 돼. 너는 거지발싸개다'라고 말이야. 그랬더니 녀석은 벌레를 씹은 듯한 얼굴을 하며 웃기만 하더라. 그래서 나는 녀석한테 말했지. 'de ideabus non est disputandum(사상의 상이는 부득이한 것)'이라고. 어떠냐, 그럴듯하지? 나도 최소한 고전주의를 끌어댈 수 있단 말이다." 미챠는 갑자기 웃음을 터뜨렸다.

"그보다도 왜 이젠 다 틀렸다는 겁니까, 방금 그렇게 말씀하셨죠?" 알료샤가 말을 가로챘다.

"왜 다 틀렸느냐고? 흠! 사실은 말이다……. 한마디로 줄여 말한다면, 난 요즘 하나님이 가엾어졌다—그게 그 이유야!"

"하나님이 가엾어졌다는 건 무슨 뜻입니까?"

"자, 그럼 들어봐. 여기 머릿속에, 즉 뇌 속에 신경이 있어……. (이런 빌어먹을 것!) 아무튼 요렇게 생긴 꼬리들이 있단 말이야. 그러니까 그 신경에 조그만 꼬리들이 달려 있다는 거야. 그래서 그 꼬리들이 떨기 시작하자마자…… 다시 말해서, 사람이 무얼 보면 곧 그것들이, 그 꼬리들이 떨기 시작한다 그 말이지……. 그렇게 떨기 시작하면 영상이 떠오르는 거야. 대번에 떠오르는 게 아니고, 잠시 후에, 1초쯤 지나서 말이야. 그러면 일종의 찰나가 나타나지. 아니, 찰나가 아냐(이런 빌어먹을 것!)—어떤 영상이, 즉 어떤 물체라든가 사건이라든가 나타나는 거야. 제기랄 것!…… 이리하여 사람은 보고 또 생각한다 그 말이야. 그건 그 꼬리들이 떨기 때문이지, 사람에게 영혼이 있어서 그런 것도 아니고 사람 자체가 어떤 영감이나 모상模像이어서 그런 것도 아니야. 그런 건 다 엉터리라는 거지. 이건 모두 어제 라키친이 나한테 설명해 준 말인데, 난 그걸 듣고 갑자기 무엇에 화상을 입기라도 한 것 같은 느낌이 들더라. 정말 그럴듯해, 알료샤, 그놈의 과학이라는 건 말이야! 새로운 인간이 자꾸만 출현하고 있어, 그건 나도 이해하지……. 그래도 역시 난 하느님이 가엾게 여겨지거든!"

"아니, 그건 좋은 일이에요." 알료샤가 말했다.

"하느님이 가엾게 여겨져서 말이냐? 하지만 얘야, 화학化學이란 게 있잖니, 화학! 그건 어쩔 수 없는 거다—수도사님, 옆으로 비켜나세요, 화학님이 나갑니다, 찌르르르릉! 그런데 라키친은 하느님을 좋아하지 않거든, 아니, 미워하고 있어! 그게 녀석들의 공통된 급소야! 그러나 그들은 그걸 감추고 있어. 거짓말을 하고 있는 거야. 그렇지 않은 체하고 있단 말이야. '그래서 자넨 앞으로 그런 식으로 평론을 쓸 텐가?' 하고 내가 물었더니, 그 녀석은 '아니, 너무 노골적으로 썼다간 가만 놔두지들 않을 거요' 하며 웃더군. 나는 또 물었지—'그렇다면 인간은 대체 어떻게 될까? 하느님도 내세도 없다면 말이야? 그렇게 되면 인간은 무슨 짓을 해도 상관없다는 말이 될 텐데?' 그랬더니 녀석은 '그럼 당신은 그것도 몰랐소? 현명한 사람은 무슨 짓이든 다 할 수 있어요. 현명한 사람은 세상을 요령껏 살 줄 알지만, 당신 같은 사람은 살인을 했다 해서 대번에 걸려들어 가지고 감옥에서 이렇게 썩는단 말요!' 하고 나한테 맞대놓고 말하고는 껄껄 웃지 않겠니. 영락없는 돼지 새끼야, 그 녀석은! 저 같으면 그런 놈은 당장 집어서 내던져 버렸겠지만, 지금은 잠자코 듣고 있지. 녀석은 그럴듯한 소리도 많이 하고 글도 제법 잘 쓰거든. 일주일 전엔가 나한테 무슨 논문을 읽어 주었는데, 나는 그때 거기서 서너 줄 베껴 둔 게 있어. 잠깐 기다려. 아, 여기 있군."

미챠는 급히 조끼 호주머니에서 종잇조각을 꺼내서 읽었다.

"'이 문제를 해결하려면 무엇보다도 먼저 자기의 개성과 자기의 현실이 직각直角을 이루도록 X 자로 놓고서 고찰할 필요가 있다.' 알겠니, 무슨 말인지?"

"모르겠는데요." 알료샤가 말했다. 그는 호기심을 가지고 미챠를 바라보면서 귀를 기울이고 있었다.

"나도 모르겠어. 너무나 모호한 표현이어서 말이야. 그 대신 유식한 수작인 것만은 틀림없어. '요즘은 모두들 이런 식으로 글을 쓰죠. 주위 환경이 그렇게 되어 있으니까'라고 그 녀석은 말하더라. 남들의 입이 무섭다는 거지. 글쎄 그 못된 녀석이 시까지 쓰고 있다니까. 호흘라코바 부인의 발을 두고 시를 쓰지 않았겠니, 하, 하, 하!"

"그 얘긴 나도 들었습니다." 알료샤가 말했다.

"들었어? 그럼, 그 시도 들었니?"

"아뇨."

"그건 내가 지금 갖고 있다. 너한테 읽어 줄게. 아직 내가 얘길 하지 않아서 너는 모를 테지만, 이 시와 관련해서 얘깃거리가 하나 있단다. 그 녀석은 지독한 악당이야! 3주일 전이던가, 그 녀석이 내 약을 올려 주려고 이런 소릴 하지 않겠니. '당신은 불과 3천 루블 때문에 꼼짝없이 걸려들었지만, 나는 15만 루블쯤 문제없이 슬쩍해 버릴 테니 두고 보시오. 그 과부하고 결혼해서 페테르부르크에다가 석조 건물을 살 작정이오.' 그러고는 자기가 지금 호흘라코바 부인을 유혹하고 있는 중이라고 말하더라. 그 여자는 젊을 때도 별로 똑똑하지 못하더니, 나이 사십이 되니까, 아주 바보가 되어 버렸다는 거야. '하지만 매우 감상적인 여자죠. 그 점을 이용해서 난 그 여자를 손아귀에 넣고 말 테요. 그리고 페테르부르크로 데리고 가서 신문을 하나 발간할 작정이오.' 이따위 소리를 하면서 침을 질질 흘리고 있지 않겠니. 실은 호흘라코바가 탐나서가 아니라, 그 15만 루블이라는 돈이 탐나서 침을 흘리고 있는 거야. 녀석은 날마다 나한테 와서는, 문제없다, 문제없이 손아귀에 넣고 말 테니 두고 보라고, 큰소리를 탕탕 치며 싱글벙글 야단이었어. 그런데 갑자기 그 녀석이 그 집에서 쫓겨나지 않았겠니. 표트르 일리치 페르호친이 선수를 쳤거든. 페르호친도 만만한 친구가 아니야! 라키친 녀석, 마치 자기를 쫓아내려고 그 늙은 바보 여편네한테 키스를 한 셈이 됐지 뭐냐! 그 녀석이 나한테 뻔질나게 찾아다닐 때 바로 이 시를 썼는데 말이다. '생전 처음으로 시라는 걸 써서 이 손을 더럽혔소. 여잘 녹이기 위해서요. 그건 즉 유익한 일을 하기 위해서죠. 그 바보 여편네한테 자본을 끌어내면 사회에 크게 공헌할 수가 있으니까'라고 하더라. 그 녀석들은 온갖 추악한 짓을 다 하더라도, 사회에 공헌하는 것으로 정당화할 수 있다고 생각하거든! '아무튼 당신네 푸시킨보다는 더 잘 쓴 시요. 나는 이 익살스런 시에다가 시민적인 비애를 교묘하게 가미하기까지 했으니까'라는 거야. 왜 그 녀석이 푸시킨을 들먹였는지는 나도 알 만해. 그렇지만 정말로 재능이 있는 사람이 기껏 여자의 발에 관해서만 썼다 하더라도, 그걸 탓할 건 없지 않겠니! 헌데 그 녀석은 자기의 그 엉터리 시를 이만저만 자랑하는 게 아니야! 녀석들의 자만심이란 어처구니없을 정도라니까! '내 그리운 임의 병든 발의 쾌유를 빌며'—이게 그 녀석이 생각해 낸 제목이지. 참 익살맞은 놈이야!

이 귀여운 발, 귀여운 발이
어쩌다 요렇게 부어올랐나!
의사를 불러다 치료시키면,
붕대나 둘둘 감고 병신 만드네

나는 그 발을 슬퍼하지 않노라—
그건 푸시킨이 맡아서 할 일
내가 슬퍼하는 건 그 머리,
사상을 깨닫지 못하는 그 머리

조금은 깨닫는구나 싶을 때
이 발이 그걸 방해하였네!
어서 나아라, 귀여운 발아,
그녀의 머리가 깨달을 수 있도록

돼지 새끼야, 녀석은 영락없는 돼지 새끼야. 하지만 그 악당 놈이 제법 재미있게 썼거든! 사실 '시민적인 비애'가 가미된 것도 같아. 그러니 그 여자한테 쫓겨났을 땐 얼마나 약이 올랐겠니. 아마 이를 부득부득 갈았을 거야!"

"그 친구는 벌써 그 앙갚음을 했어요." 알료샤가 말했다. "호흘라코바 부인에 대한 기사를 써 보냈거든요." 알료샤는 〈슬루히〉 지상에 난 기사 얘기를 간추려서 미챠한테 했다.

"그건 그 녀석의 짓이야!" 미챠는 상을 찌푸리며 동의했다. "그 녀석의 짓이 틀림없어! 그 기사는…… 내가 알아……. 그루셴카에 관해서도 온갖 잡소릴 다 썼어……. 그리고 그 여자, 카챠에 관해서도 쓰고…… 흠!"

그는 마음이 산란한 듯이 방 안을 거닐기 시작했다.

"형님, 난 여기 오래 머물러 있을 수가 없어요" 잠시 말이 없던 알료샤가 이렇게 입을 열었다. "내일은 형님에겐 무섭고도 중대한 날입니다. 하느님의 심판이 이루어지는 날이 아닙니까……. 그런데도 형님은 쓸데없는 얘기만 하며 왔다 갔다 하고 있으니, 정말 놀라지 않을 수 없군요."

"뭐 놀랄 건 없다." 미챠는 열띤 음성으로 말을 막았다. "그래, 넌 나더러 그 구역질나는 개새끼 얘길 하라는 거냐? 그 살인자 얘길? 그놈 얘기는 너하고도 충분히 하지 않았니. 그 썩은 냄새 나는 스메르쟈시차야(고린내 나는 여자)의 아들놈 얘긴 더 이상 하기 싫다! 그놈은 하느님이 벌을 내리실 거다, 두고 봐라. 넌 잠자코 있어!"

미챠는 몹시 흥분해서 알료샤한테 다가가더니 느닷없이 동생에게 키스를 했다. 그의 두 눈은 타오르듯 번쩍이고 있었다.

"라키친은 이걸 이해하지 못해." 그는 온통 환희에 휩싸인 얼굴로 말을 시작했다. "그러나 너는, 너만은 무엇이든지 다 이해해 줄 거다. 그래서 나는 너를 목마르게 기다렸던 거야. 실은 벌써 오래전부터 이 살벌한 벽 속에서 너한테 하고 싶은 얘기가 많았는데 가장 중요한 걸 한마디도 안 했구나. 아직 그 시기가 온 것 같지 않아서 말이야. 그러나 이젠 때가 왔으니까, 너한테 내 마음속을 죄다 털어놔야겠다. 얘야, 난 지난 두 달 동안에 내 내부에서 새로운 인간을 느끼게 되었다. 내 내부에서 새로운 인간이 소생한 거야! 그 인간은 여태까지 내 내부에 갇혀 있긴 했지만, 만일 이번의 타격만 없었더라면 끝내 나타나지 않았을는지 몰라. 난 무서워! 내가 시베리아 광산으로 유형이 되어, 20년 동안 곡괭이로 광석을 캐내며 살아야 하게 된대도, 그런 건 하나도 무섭지 않다. 지금 내가 무서워하는 건 그게 아니야. 새로 소생한 그 인간이 나한테서 떠나가 버리지 않을까, 그게 무섭다는 거야! 나는 거기서도, 광산의 땅굴 속에서도, 나와 같은 유형수나 살인범 속에서 인간다운 마음을 발견할 수도 있을 것이고 그들과 친하게 지낼 수도 있을 거야. 거기서도 사람은 살고 사랑하고 또 괴로워할 수 있으니까. 그들 죄수 속에서 얼어붙은 마음을 소생시키고, 몇 년이고 그들을 보살펴 주어, 그 땅굴 속에서 고귀한 영혼과 헌신적인 정신을 세상에 내보낼 수도 있는 거야. 천사를 만들어 내고 영웅을 소생시킬 수도 있지! 그런 사람은 얼마든지 있어. 수천수만일 거야. 우리는 모두 그들에 대하여 책임을 져야 해! 왜 나는 그때 그 순간에 그 '아귀'의 꿈을 꾸었을까? '왜 아귀는, 저렇게 불쌍할까?' 하는 물음은 그 순간 내게는 하나의 예언이었어! 나는 그 '아귀'를 위해서 가는 거야. 우린 모든 사람, 모든 '아귀'에 대해 책임이 있어. 조그만 어린애도 있고 다 큰 어린애도 있으니까. 결국 모두가 다 '아귀'지. 난 모든 사람을 위해 가는 거야. 누구든 한 사람쯤은 모든 사람을 위해 가야 하지 않겠니. 난 아버지를 죽이지는 않았지만 그래도 가야 해. 난 그걸 감수할 생각이야! 이것이 내가 여기 이 살벌한 벽 속에서 얻은 결론이다……. 거기엔 수많은 사람이, 수천수만의 사람이 손에 곡괭이를 들고 땅속에서 일하고 있어. 물론 우린 사슬에 묶여 자유 없는 몸이 되겠지. 그러나 그때 우리는 크나큰 슬픔 속에서도 다시 환희를 향해 소생하는 거야. 이 환희 없이 인간은 살 수 없어. 하느님은 그래서 있는 거야. 왜냐하면 우리에게 환희를 주는 건 하느님이니까. 그건 하느님의 특권이야, 위대한 특권이지……. 오오, 하느님, 우리의 기구祈求를 들어주시옵소서! 거기 땅 밑에서 하느님 없이 나가 어떻게 살 수 있겠니? 라키친이 하는 소린 죄다 거짓말이야. 만약 그들이 하느님을 지상에서 몰아낸다면 우린 지하에서 하느님을 만나겠다. 유형수는 하느님 없이는 살 수 없어. 유형수가 아닌 사람보다도 더욱 불가능해. 그래서 우리 지하의 인간들은 지심地心으로부터 환희의 소유자인 하느님께 바치는 비창한 송가頌歌를 부를 테다! 하느님과 그 환희에 영광 있으라! 나는 사랑한다, 하느님을!"

미챠는 거의 숨을 헐떡이다시피 하며, 이 거칠고 괴이한 말들을 토해냈다. 그의 안색은 창백해지고, 입술은 떨리고, 두 눈에서는 눈물이 하염없이 흘러내렸다.

"그렇다, 삶은 충만 되어 있다. 땅 속에서도 삶은 있다!" 그는 다시 시작하였다. "알렉세이, 내가 지금 얼마나 삶을 바라고 있는지, 그리고 이 거친 벽 속에서, 존재와 의식에 대한 갈망이 얼마나 절실하게 내 마음속에 용솟음 치고 있는지, 너는 아마 믿지 못할 거다. 라키친은 이런 걸 이해하지 못해. 녀석은 큼직한 집을 지어 세를 놓아 먹는 것 이외에는 관심이 없으니까. 그래서 난 너를 기다린 거야. 그런데 고난이란 대체 뭐냐? 나는 아무리 커다란 고난이 수없이 밀어닥치더라도 무섭지 않다. 전에는 무서웠지만 지금은 하나도 무섭지가 않아. 그래서 말이다, 나는 공판정에 나가서도 일체 답변을 하지 않을지도 몰라……. 지금 내 내부에는 굉장히 큰 힘이 있어서, 나는 모든 것을, 모든 고난을 극복할 수 있을 것 같다. 그리고 여하한 순간에라도 '나는 존재한다!'고 쉴 새 없이 마음속으로 외칠 수만 있으면 되는 거야! 온갖 고뇌 속에서도—나는 존재한다! 가혹한 고문을 받더라도—나는 존재한다! 형틀에 매달려도—나는 역시 존재한다! 그리고 나는 태양을 본다. 비록 내 눈에 보이지 않더라도 나는 태양이 있다는 걸 안다. 태양이 있다는 걸 안다는 자체가, 즉 완전한 생명인 것이다. 알료샤, 나의 천사야, 그 모든 잡다한 철학들이 나를 죽도록 괴롭혀 왔다는 걸 아니? 그따위 철학은 마귀한테 물려 가라지! 그런데 이반은 말이다……."

"이반 형님이 어쨌어요?" 하고 알료샤는 말을 막으려 했으나, 미챠는 들은 체만 체했다.

"난 전에는 그런 걸 한 번도 생각해 본 적이 없었어. 하지만, 그것들은 내 내부에 잠재해 있었던 거야. 즉 내 내부에서 나도 모르는 사상들이 고개를 쳐들고 올라오기 때문에, 나는 술을 마구 마시고 싸움을 하고 난동을 부리고 했는지도 몰라. 내가 싸움을 한 건, 내 내부의 사상들을 달래기 위해서, 그것들을 진압하기 위해서였던 거야. 이반은 라키친과는 달라. 이반은 사상을 감추고 있거든. 이반은 스핑크스야, 말이 없어, 언제나 침묵을 지키고 있어. 그런데 나는 어떤고 하니, 언제나 하느님 때문에 괴로워하지. 내가 괴로워하는 건 오직 하느님에 관한 것뿐이야. 만일 하느님이 없다면 어떻게 될까? 만일 라키친의 말처럼, 하느님은 인류가 만들어 낸 하나의 관념에 지나지 않는다는 게 사실이라면 어떻게 될까? 그렇다면—만약에 하느님이라는 것이 없다면, 인간은 지상의, 아니, 우주의 우두머리가 아닌가. 대단하지! 하지만 하느님 없이 과연 인간은 선을 행할 수 있을까? 이게 문제야! 난 언제나 이걸 생각하게 되지. 그렇게 되면 인간은 대체 누구를 사랑할 것인가? 누구에게 감사해야 할 것인가? 그리고, 누구를 위해 송가를 부를 것인가? 라키친은 웃으면서, 하느님이 없어도 인류를 사랑할 수 있다고 말했지만, 그건 그따위 건방진 코흘리개의 주장일 뿐, 나로서는 도저히 납득이 안 가는 소리야. 라키친은 인생이라는 걸 아주 쉽게 생각하고 있어. '당신은 무엇보다도 민권民權의 확장을 위해 노력하던가, 하다못해 고깃값의 앙등昂騰을 막는 데 앞장 서는 것이 훨씬 나을 거요. 인류를 사랑하는 데는 그것이 철학보다 더 단순하고도 가까운 길이니까' 하고 오늘도 그 녀석은 나한테 말했어. 그래서 나는 '하느님이 없으면 자네 같은 친구는 자기 이익을 위해서 오히려 고깃값을 올리는 것도 불사할 걸세. 1코페이카짜리를 1루블로 올려 받을 거야' 하고 꼬집어 주었지. 그랬더니만 무섭게 성을 내더군. 도대체 선善이란 무엇일까? 알렉세이, 네가 좀 말해 봐라. 나한테는 하나의 선이 있다. 그러나 중국 사람에게는 또 다른 선이 있어. 그러니까 선이란 상대적인 것이지. 어떠냐, 그렇잖니? 상대적인 것이 아닐까? 상당히 까다로운 문제야! 너는 웃을지 모르지만, 난 이 문제 때문에 이틀 밤이나 잠도 못 잤다. 나는 세상 사람들이 이 문제는 조금도 생각하려 들지 않고 그냥 살고 있는 데 새삼 놀라지 않을 수 없어. 공허한 일에만 정신들을 빼앗기고 있는 거야. 이반에겐 하느님이 없어. 그 대신 사상이 있지. 나하고는 격이 다르지. 그러나 그 애는 말이 없어. 내 생각엔 그 애가 비밀공제조합원秘密共濟組合員이 아닌가 싶어. 내가 뭘 물어도 아무 소리

안 하거든. 그 애의 지혜의 샘물을 한 모금 얻어 마시고 싶었는데 영 말을 하려 들지 않는단 말이야. 그러나 단 한 번, 한마디 입을 놀린 적이 있지."

"뭐라고 했는데요?" 알료샤가 얼른 물었다.

"내가 그 애한테 '만일 그렇다면 무슨 짓이든지 다 허용되는 게 아니냐?'고 물었더니, 그 애는 상을 찌푸리면서 '우리 아버지 표도르 파블로비치는 돼지만도 못한 사람이었지만, 생각만은 정확했어요'라고 응수하더라. 겨우 이 말밖에 하지 않았어. 그래도, 라키친보다는 좀 나은 편이야."

"그래요." 알료샤는 슬픈 어조로 말했다. "그런데 이반 형님은 언제 여기 왔었나요?"

"그건 나중에 말하기로 하고, 지금은 다른 얘길 하자. 난 여태까지 너한테 이반 얘기를 하지 않았어. 언제나 뒤로 미루어 왔으니까. 내 문제가 다 끝나고 언도가 내리면, 그때는 너한테 얘기하마. 죄다 얘기해 줄게. 한 가지 엄청난 일이 있어……. 너는 그 일에 관해서 내 재판관 구실을 해 줘야겠다. 그러나 지금은 그 얘긴 접어 두고 아무 말 마라. 그건 그렇고, 너는 내일 공판에 대해 말하지만, 실은 난 거기에 대해선 아무것도 모른다."

"변호사와 만나서 얘기해 보았나요?"

"변호사가 무슨 소용이냐! 난 그자한테 죄다 얘기했어. 그자는 도시에서 굴러먹은 간사한 사기꾼이야, 역시 베르나르야. 내 말을 하나도 곧이들으려고 하지 않지 뭐냐. 아예 내가 죽인 것으로 믿고 있으니 기가 막히지. 난 다 알고 있단 말이다. '그렇다면 무엇 때문에 나를 변호하러 왔소?'라고 물었지. 그런 놈들한텐 침이나 탁 뱉어 주면 돼. 게다가 의사까지 불러다가 내가 미친놈이라는 걸 증명하려 하고 있어. 그걸 내가 허용할 줄 아니! 카체리나 이바노브나는, 끝까지 '자기의 의무'를 수행하고 싶어 하지만, 그건 억지야!" 미챠는 쓰디쓴 웃음을 흘렸다. "고양이 같은 여자, 냉혹한 여자야! 그 여자는 내가 그때 모크로예에서 자기를 '위대한 분노의 여자'라고 말한 걸 알고 있더라니까! 누가 지껄인 모양이야. 한데 내게 불리한 증거는 바닷가의 모래처럼 많아지지 않았니. 게다가 그리고리는 끝까지 자기주장을 고집하고 있어. 그 영감은 정직하긴 하지만 바보야. 세상엔 바보이기 때문에 정직한 인간이 많지. 이건 라키친의 견해지만. 아무튼 그리고리는 나한테 적이야. 그런데, 경우에 따라서는 친구로서가 아니라, 적으로 대하는 편이 유리한 사람도 있거든. 이건 카체리나 이바노브나를 두고 하는 말이지만 말이야. 참 걱정이다, 혹시 그 여자가 그때 나한테서 4천 5백 루블을 받고, 코가 땅에 닿도록 절을 했다는 얘길 공판정에서 하지나 않을까, 나는 그게 몹시 걱정이야. 그 여잔 끝까지 빚을 다 갚아야만 직성이 풀릴 테지. 그러나 난 그 여자의 희생 같은 건 바라지 않아. 그 여잔 공판정에서 나한테 창피를 줄 거야! 어떻게 그걸 견디지? 알료샤, 너 그 여자한테 가서, 공판 때 제발 그 얘기만은 말아 달라고 당부해 주렴. 안 될 말일까? 쳇, 할 수 없지, 견디어 낼 수밖에! 하지만 난 그 여잘 가엾다고 생각진 않아. 그 여자 자신이 원해서 하는 일이니까. 자업자득이랄 수밖에. 그보다도 알료샤, 난 이걸 말하고 싶다.” 그는 다시 씁쓸히 웃었다. “내가 말하고 싶은 건 단지⋯⋯ 단지, 그루샤야, 그루샤! 아아, 그 여잔 지금 무엇 때문에 스스로 그런 고뇌를 짊어지려는 걸까?” 그는 갑자기 목멘 소리로 부르짖었다. “그루샤 때문에 난 가슴이 찢어지는 듯싶어. 그 여자 생각을 하면 난 정말이지 죽을 것만 같아! 아까도 나한테 왔었지만⋯⋯.”

“아까 얘긴 나도 들었습니다. 그 여자는 오늘 형님 때문에 무척 마음이 아픈 모양이더군요.”

“나도 알아. 너 이 고약한 성질을 어쩌면 좋지? 난 한바탕 질투를 했어. 그러나 미안해서, 돌아갈 때는 키스를 해 줬지. 하지만 용서를 빌지는 않았다.”

“왜 용서를 빌지 않았죠?” 알료샤는 소리쳤다.

미챠는 별안간 유쾌한 얼굴로 웃었다.

“얘, 이 녀석아, 사랑하는 여자한텐, 자기 잘못에 대해 절대 용서를 빌어서는 안 되는 법이다! 네가 아무리 잘못을 저질렀대도 특히 네가 사랑하는 여자한텐 말이다! 여자란 건, 얘야, 여자란 건 참으로 이상야릇한 거다. 나도 여자에 대해서라면 조금은 알고 있지만 말이야. 한번 시험 삼아 여자 앞에서 자기 잘못을 시인하고 '내가 잘못했으니 용서해 주시오'라고 해 봐라. 당장에 우박처럼 꾸중이 쏟아져 내릴 테니! 솔직한 태도로 간단하게 너를 용서해 줄 리는 만무하단 말이다. 오히려 고개를 쳐들지 못하게 욕설을 퍼붓고, 있지도 않았던 일까지 주워섬기고, 모든 걸 하나도 잊지 않고 다시 생각해 내 가지고는, 거기다 자기 넋두리까지 덧붙여 가며, 실컷 늘어놓고 나서야 겨우 용서해 주게 마련이지. 그 중 제일 낫다는 여자가 이 정도라니까! 있는 것 없는 것 모든 걸 박박 긁어서 사내의 머리에다 뒤집어씌우기가 일쑤야. 너한테 말해 두겠는데, 여자들한텐 산 사람의 껍질이라도 벗길 수 있을 만한 잔인성이 숨어 있단 말이다. 우리가 사는 데 없어서는 안 될 그 천사 같은 여자들은, 하나도 빠짐없이 그런 잔인성을 지니고 있는 거다! 얘, 알겠니. 솔직하게 노골적으로 말하면, 아무리 의젓하고 훌륭한 남자라도 결국은 여자의 궁둥이 밑에 깔려서 살게 마련이다. 이건 내 신념이야, 신념이라기보다는 체험이지. 남자란 모름지기 관대해야 해. 여자한테 관대하다는 건 남자에게 불명예가 아니야. 영웅에게도, 시저에게도 불명예는 아니야! 하지만 무슨 일이 있어도 잘못했노라고 용서를 빌어서는 안 된다. 여자 때문에 파멸에 이른 너의 형 미챠가 너한테 전수하는 것이니 이 법칙만은 잘 기억해라. 사실 나는 용서를 받지 못한 채 어떻게 해서든 그루샤를 위해 주는 편이 나을 거야. 난 그 여자를 숭배한다, 알렉세이, 숭배한단 말이다! 그러나 그 여잔 그걸 몰라. 아직도 내 사랑이 부족하다는 거야. 그래서 그 여잔 날 괴롭히고 있어. 사랑은 괴롭히는 거지. 그전엔 어땠는지 아니? 전에 나를 괴롭힌 건 단지 지옥의 요부 같은 육체의 곡선뿐이었는데, 지금은 그 여자의 영혼을 모두 내 영혼 속에 받아들임으로써, 그 여자 덕분에 나는 참된 인간이 되었어! 우리에게 결혼이 허용될까? 허가해 주지 않는다면 난 질투 때문에 죽고 말 거야. 난 날마다 그런 꿈만 꾸고 있어……. 그런데, 그 여잔 너한테 나에 대해서 무슨 말을 했니?"

알료샤는 아까 그루셴카가 한 말을 그대로 옮겼다. 미챠는 도중에 몇 번이나 되물으며 자세히 듣고 나더니, 결국 만족한 모양이었다.

"그럼, 내가 질투를 한다 해서 화를 내는 건 아니로군" 하고 그는 외쳤다. "어디까지나 여자야! '난 성질이 사나운 여자니까요.' 아아, 난 그렇게 사나운 여자가 좋아. 하긴 너무 질투를 하면 참을 수 없지만. 난 정말이지 참지 못해! 그래서 우리는 싸우는 거야. 그래도 난 그 여잘 사랑해, 끝없이 사랑해. 우린 결혼을 할 수 있을까? 죄수들에게도 결혼을 허가하나? 그게 문제야. 어쨌든 난 그 여자 없이는 못 살아."

미챠는 미간을 잔뜩 찌푸리고 감방 안을 왔다 갔다 했다. 방 안은 벌써 어둑어둑해졌다. 그는 갑자기 초조한 빛을 나타내기 시작했다.

"비밀이라고? 그 여자가 그러더냐, 비밀이 있다고? 우리 셋이서 그루샤한테 음모를 꾸미고 있는데, '카치카'도 거기 끼였다 그 말이지? 천만에, 그루셴카, 그게 아니야. 당신은 잘못 생각했어. 그건 여자의 어리석은 추측에 불과해! 알료샤, 이젠 할 수 없다! 너한테 우리의 비밀을 알려 주마!"

그는 주위를 둘러보고, 자기 앞에 서 있는 알료샤에게로 바싹 다가가더니, 비밀스러운 태도로 소곤소곤 말하기 시작했다. 그러나 사실상 아무도 그들의 대화를 들을 수는 없었다. 늙은 간수는 한구석 벤치에 앉아 졸고 있었고, 감시병의 귀에는 한마디도 들어갈 수 없는 거리에 있었다.

"그럼 우리의 비밀을 너한테 죄다 말하겠다." 미챠는 몹시 서두르며 속삭였다. "실은 나중에라도 말하려 했던 거야. 너를 빼놓고 무슨 일이든 내가 결정을 내릴 수 있겠니? 너는 나의 전부가 아니냐. 나는 이반이 우리보다는 높은 위치에 있다고 말하지만, 그래도 넌 내 천사야. 너의 판단만이 모든 걸 결정할 수 있어. 보다 높은 곳에 있는 건 이반이 아니라 넌지도 몰라. 내가 지금 말하려는 것은 양심에 관한 문제야. 고상한 양심에 관한 문제지. 나 혼자서는 해결할 수 없을 만큼 중대한 비밀이야. 그래서 너의 판단을 구해야 할 때까지 미루어 왔어. 하지만 지금도 결정을 내리기엔 아직 일러. 역시 언도言渡가 내릴 때까지 기다려야지. 언도가 내리면 그때는 내 운명을 네가 결정해 줘야 한다. 지금은 결정하지 마. 그럼 내가 말할 테니 잘 들어 다오. 그러나 결정을 내리지는 마라. 가만히 듣고만 있어. 난 너한테 죄다 말하지는 않겠다. 자세한 얘기는 빼고 간단히 골자만 얘기할 테니, 너는 아무 말도 하지 말고, 물어보지도 말고, 움직이지도 마라. 알겠니? 하지만, 아아, 네 눈을 어떻게 피하면 좋으냐? 비록 네가 아무 말 안 한대도, 너의 눈이 결정을 말해 줄 것 같아서 무섭구나. 정말 난 그게 무서워! 알료샤, 들어라, 이반은 나한테 탈출을 권유하고 있다. 자세한 건 얘기하지 않겠지만, 모든 준비는 다 돼 있다. 일은 계획대로 될 거야. 가만 있거라, 결정을 내리진 마라. 그루셴카를 데리고 미국으로 가라는 거야. 난 그루셴카 없이는 살 수 없는 놈 아니냐! 만일 나와 함께 그루셴카를 시베리아로 보내 주지 않으면 어떡하지? 죄수에게 결혼이 허용될까, 안 될까? 이반은 안 될 거라고 하더라. 그럼, 그루셴카 없이 어떻게 내가 거기 땅굴 속에서 곡괭이를 휘두를 수 있겠니. 난 그 곡괭이로 내 머리통이나 부수어 버릴 수밖엔 없을 거야! 그렇다고 미국으로 도망친다면—내 양심은 어찌 되지? 고난을 피해서 달아난 것이 되지 않겠니. 모처럼 하느님의 계시가 있었는데 그걸 거부하는 게 될 것이고, 자기 정화淨化의 길이 열렸는데도 거기다 등을 돌려 대는 결과가 될 게 아니냐. 이반은 미국에서도 '좋은 경향'만 지니고 있으면 땅굴 속에서 보다 더 많이 뭇사람을 위하여 이바지할 수 있을 거라고 하더라. 그렇지만 지하로부터의 우리의 송가는 어찌 되느냐 말이다! 미국이 뭐야, 미국 역시 속되고 시시한 세상일 거다! 내 생각으론 미국에도 역시 간사한 사기꾼이 우글거릴 것만 같다. 결국 나는 형틀을 피해 도망치는 것밖엔 안 되는 거야! 알렉세이, 내가 너한테 이런 얘길 하는 것은, 너밖엔 이걸 이해해 줄 사람이 없기 때문이야. 너 말고는 아무도 없어. 다른 사람들에겐 바보 같은 소리로만 들릴 테니까. 내가 지금 말한 지하로부터의 송가니 뭐니 하는 얘기는, 어리석은 잠꼬대 정도로밖엔 안 들릴 테니 말이야. 사람들은 나더러 미친놈 아니면 바보라고 말하겠지. 하지만 난 미치지도 않았거니와 바보도 아니야. 이반도 송가 얘기는 알고 있어, 암, 알고 있고말고. 그러나 거기 대해서는 입을 다물고 아무 소리 안 한단 말이야. 그 애는 송가를 믿지 않는 거야. 얘, 아무 말도 하지 마라. 네 눈만 봐도 난 다 알 수 있다. 넌 이미 결정을 내렸어! 하지만, 아직은 그걸 말하지 마라. 날 용서해 다오, 난 그루샤 없이는 살 수 없다. 공판이 끝날 때까지만 기다려 다오!"

미챠는 극도의 흥분 속에서 말을 맺었다. 그는 알료샤의 어깨를 두 손으로 움켜쥔 채, 벌겋게 충혈된 눈으로 뚫어지게 동생의 눈을 들여다보았다.

"죄수들에게도 결혼을 허가할까?" 그는 애원하는 목소리로 세 번째나 되풀이했다.

알료샤는 몹시 놀란 얼굴을 하고 듣고 있었다. 그는 형의 얘기에 깊은 충격을 받은 모양이었다.

"한 가지만 묻겠는데요" 하고 그는 입을 열었다. "이반 형님은 그걸 강요하고 있나요? 그리고 제일 먼저 그걸 생각해 낸 건 누굽니까?"

"그 애가 생각해 낸 거야. 그 앤 나한테 그걸 강력히 권유하고 있어. 그 앤 발길이 뜸했었는데, 일주일 전에 갑자기 나를 찾아와서는 느닷없이 그런 소릴 꺼냈어. 그러면서 무섭게 권하더라. 아니, 권유가 아니라 그건 명령이었어. 난 이반한테도 너한테 한 것처럼 마음속을 죄다 털어놓고 송가 얘기까지 했지. 그런데도 그 애는 내가 결국은 자기 명령에 순종할 것이라고 굳게 믿고 있어. 그리고 모든 정보를 수집해 가지고 사전 준비를 하고 있는 중이라는 말까지 하더라. 그러나 이건 나중에 얘기하기로 하자. 아무튼 그 애는 지금 히스테리를 일으킬 정도로 그 일에 열심이지. 중요한 건 돈 문젠데, 탈주 비용으로 1만 루블을 마련하고, 미국까지 가는 데 2만 루블을 마련해 주겠다고 하더라. 아무튼 1만 루블이면 탈주는 문제없다는 거야."

"나한텐 절대로 말하지 말라고 했나요?" 알료샤가 다시 물었다.

"아무한테도, 특히 너한텐 절대로 말하지 말라고 하더라. 아마 네가 내 양심이 되어, 내 앞에 막아설까 봐 염려되는 모양이야. 그러니 내가 너한테 얘기했다는 건 이반한테 말하지 마라. 말했다간 큰일 난다."

"형님 생각이 옳아요." 알료샤는 결론적으로 말했다. "언도가 내리기 전엔 결정할 수 없는 문제예요. 내린 다음엔 형님 자신이 결정할 수 있을 거예요. 그때 형님은 자기 내부에 새 사람을 발견할 것이고, 그 새 사람이 결정을 내려 줄 겁니다."

"그게 새 사람이든 베르나르이든, 필시 베르나르식式인 결정을 내릴 거야! 괜히 나 자신도 그 몹쓸 놈의 베르나르인 것만 같이 생각되거든!" 미챠는 쓴웃음을 지었다.

"그렇지만 형님, 형님은 무죄 석방될 가망이 전혀 없다고 생각하는 겁니까, 정말로 가망 없다고 생각하세요?"

미챠는 경련을 일으킨 듯 어깨를 흠칫해 보이고는, 고개를 가로저었다. "얘야, 너 이젠 가야 할 시간이다!" 갑자기 그는 서둘러댔다. "밖에서 간수장이 고함치는 소리가 들렸으니, 곧 이리로 올 거야. 너무 늦었어. 규칙 위반이 되면 곤란하다. 어서 나를 안고 키스를 해 다오. 그리고 내게 성호를 그어 다오. 알료샤, 내가 내일 짊어질 십자가를 위해 성호를 그어 다오."

그들은 서로 포옹하고 키스를 나누었다.

"이반은 말이다." 미챠는 불쑥 입을 열었다. "나한테 탈주를 권하곤 있지만, 역시 내가 죽였다고 믿고 있다!"

서글픈 미소가 그의 입가에 떠올랐다.

"형님이 그걸 물어봤나요—믿느냐, 안 믿느냐고?" 알료샤가 물었다.

"아니, 물어보진 않았어. 묻고 싶었지만 그럴 용기가 나지 않았다. 그렇지만 난 그의 눈만 봐도 다 안다. 그럼 잘 가거라!"

그들은 또 한 번 급히 키스를 했다. 알료샤가 막 나가려는데 미챠가 다시 그를 불러 세웠다.

"내 앞에 좀 섰거라, 옳지, 그렇게!" 그러더니 그는 다시금 두 손으로 알료샤의 어깨를 꽉 잡았다. 그의 얼굴은 어둠 속에서도 알아볼 수 있을 만큼 갑자기 창백해졌다. 입술은 흉하게 일그러지고 눈은 뚫어질 듯 알료샤를 응시했다.

"알료샤, 하느님 앞에서처럼 나한테 곧이곧대로 말해 다오. 넌 내가 죽였다고 믿니, 안 믿니? 속으로 그렇게 믿어, 안 믿어? 거짓말은 말고 솔직히 말해 다오!" 그는 미친 듯이 부르짖었다.

알료샤는 무엇에 호되게 얻어맞은 느낌이었다. 이 말을 들었을 때 그는 무언가 예리한 것이 자기 가슴을 푹 찌르는 것 같은 아픔을 느꼈다.

"그게 무슨 말씀이세요, 형님." 그는 어리둥절해서 중얼거렸다.

"솔직히 말하라니까, 거짓말은 말고!" 미챠는 다시 되풀이했다.

"난 형님이 범인이라고는 단 1분도 생각해 본 적이 없습니다!" 알료샤는 가슴 속으로부터 떨려 나오는 목소리로 이렇게 외쳤다. 그는 자기 말의 증인으로 하느님을 부르는 것처럼 오른손을 높이 쳐들었다. 순간 미챠의 얼굴은 온통 환희에 싸이는 듯했다.

"고맙다!" 기절한 다음에 다시 숨을 몰아쉴 때처럼, 그는 말끝을 길게 끌며 말했다. "지금 너는 나를 되살려 주었어……. 사실 난 여태까지 너한테 그걸 묻는 게 두려웠었다, 너한테, 너한테 말이다! 자, 그럼 가 봐라. 너는 나한테 내일에 대비할 힘을 주었어. 하느님의 축복이 있기를 빈다! 그럼 어서 가거라. 그리고 이반을 사랑해라!" 이것이 미챠의 입에서 나온 마지막 말이었다.

알료샤는 눈물이 글썽해서 밖으로 나왔다. 미챠가 알료샤 자기한테까지 그런 의심을 품고 그처럼 동생을 불신하고 있었다는 것—이 모든 것은 불행한 형의 영혼 속에 있는, 구할 길 없는 비애와 절망의 심연을 갑자기 알료샤의 눈앞에 펼쳐 보인 것이었다. 전에는 형이 그렇게까지 되어 있으리라고는 생각지 못했었다. 끝없이 깊은 동정이 순식간에 그를 사로잡아서 괴롭히기 시작했다. 가슴이 찢긴 듯이 무섭게 쑤셔 왔다. '이반을 사랑해라!'고 한 미챠의 말이 문득 생각났다. 하긴 지금 그는 이반한테로 가는 길이었다. 아침부터 그는 이반을 꼭 만나야겠다고 생각했던 것이다. 그는 미챠의 일 못지않게 이반의 일이 염려되었으나, 방금 미챠를 만나고 나서는 어느 때보다도 더욱 이반이 염려되는 것이었다.

5. 형님이 아녜요, 형님이 아녜요!

이반에게로 가는 도중에 그는 카체리나 이바노브나가 사는 집 앞을 지나가야 했다. 창문에는 불빛이 보였다. 그는 문득 걸음을 멈추고, 잠깐 들렀다 가기로 결심했다. 그는 벌써 일주일 이상이나 카체리나 이바노브나를 만나지 못했었다. 그런데 이때 그의 머릿속에, 어쩌면 지금 이반이 그녀한테 와 있을지도 모른다. 특히 공판을 앞둔 전날 저녁이니까, 하는 생각이 갑자기 떠올랐던 것이다. 초인종을 울리고, 중국식 초롱 불빛이 희미한 층계를 올라가는데, 누군가 아래로 내려오는 사람이 있었다. 옆으로 지나칠 때 보니 그것은 이반이었다. 이반은 벌써 카체리나 이바노브나를 만나보고 돌아가는 길인 모양이었다.

"아, 너였구나." 이반 표도로비치는 냉담하게 말했다. "난 간다. 카체리나를 만나러 왔니?"

"예."

"만나지 않는 게 좋을걸. 그 여잔 지금 '흥분 상태'에 있으니까, 네가 가면 더욱 더 흥분할 거다."

"아녜요, 아녜요!" 위층의 조금 열린 문 안에서 갑자기 이렇게 외치는 소리가 들렸다. "알렉세이 표도로비치, 지금 그이한테 다녀오는 길이죠?"

"예, 거기 갔다 오는 길입니다."

"나한테 무슨 전하는 말 없었나요? 어서 들어오세요, 알료샤. 그리고 이반 표도로비치, 당신도 다시 돌아오세요, 꼭 돌아오셔야 해요!"

카챠의 목소리에는 명령적인 어조가 섞여 있었다. 이반은 한순간 망설이는 듯했으나, 결국 알료샤와 함께 다시 올라가기로 결심했다.

"엿듣고 있었군!" 그는 화난 듯이 입 속으로 중얼거렸다. 그러나 알료샤의 귀에도 똑똑히 들렸다.

"용서하시오, 난 외투를 그냥 입고 있겠습니다." 응접실로 들어가면서 이반은 이렇게 말했다. "앉을 것까지도 없어요, 난 1분 이상 머물러 있지 않을 테니까."

"앉으세요, 알렉세이 표도로비치" 하고 카체리나 이바노브나는 말했으나, 자기는 그냥 서 있었다. 그동안 그녀는 별로 변한 것 같진 않았지만, 그 검은 눈은 이상하게 번쩍이고 있었다. 나중에 가서 생각난 일이지만, 알료샤의 눈에는 그때 그녀가 유달리 아름답게 보였다.

"그이는 나한테 무슨 말을 전하랬죠?"

"한 가지밖엔 없었어요." 알료샤는 그녀의 얼굴을 똑바로 보면서 말했다. "아무쪼록 당신 자신을 아끼셔서, 공판정에선 그 얘기를…… (그는 약간 더듬거렸다) 미챠와 당신 사이에 있었던 일을…… 즉 그 도시에서 두 분이 처음으로 사귀게 되었을 때의 얘기를…… 하지 말아 달라고……"

"아아, 그 돈 때문에 내가 코가 땅에 닿도록 절을 한 얘기 말이군요!" 그녀는 씁쓸하게 웃으며 말했다. "그이가 그걸 두려워하는 건 자기 자신을 위해선가요, 나를 위해선가요? 그리고 아끼라니 누굴 아끼라는 건가요? 그이를? 아니면 나 자신을? 말해 주세요, 알렉세이 표도로비치."

알료샤는 그녀의 말뜻을 알아채려고 열심히 상대방을 바라보았다.

"당신과 형님 두 분 다겠죠." 그는 조용히 대꾸했다.

"그야 그럴 테죠." 그녀는 악의를 품은 말투로 내던지듯 말하고는, 갑자기 얼굴을 확 붉혔다.

"당신은 아직 나를 잘 몰라요, 알렉세이 표도로비치" 하고 그녀는 고압적으로 말했다. "하긴 나도 아직 나 자신을 모르지만요. 내일 공판정에서 내 증인 신문이 끝나면 당신은 아마 나를 짓밟아 주고 싶을 거예요."

"당신은 정직하게 진술하시겠죠." 알료샤가 말했다. "그것만으로 족합니다."

"여자란 정직하지 못할 때가 많으니까요." 그녀는 이 사이로 밀어내듯이 말했다. "1시간 전만 해도 나는 그 짐승 같은 사람을 건드리기가 무서웠어요……. 무슨 징그러운 벌레처럼 말이에요……. 그러나 그건 잘못이었어요. 그이는 역시 나한텐 하나의 인간이에요! 그런데 정말로 그이가 범인일까요? 정말로 그이가 죽였을까요?" 그녀는 갑자기 이반 쪽으로 얼굴을 홱 돌리며 히스테릭하게 외쳤다.

알료샤는 자기가 오기 1분 전까지 그녀가 한두 번이 아니고 몇십 번이나 이반에게 이와 똑같은 물음을 되풀이했고, 그래서 결국은 서로 말다툼까지 벌였다는 걸 대번에 눈치챘다.

"난 스메르쟈코프를 만나러 갔었어요……. 당신은 나한테 우기셨죠, 그이가 아버지를 죽였다고. 내가 당신 말을 안 믿고 누구 말을 믿겠어요!" 그녀는 여전히 이반을 향한 채 말을 계속했다. 이반은 자못 괴로운 듯이 억지웃음을 웃었다. 알료샤는 그녀의 너무나도 허물없는 말투에 흠칫 놀랐다. 그는 두 사람이 그처럼 친밀한 사이가 되리라고는 상상도 못 했던 것이다.

"아무튼 그만둡시다." 이반은 딱 잘라 말했다. "난 가겠소. 내일 또 오죠." 그는 곧 몸을 돌려 방에서 나가더니 곧장 층계를 내려갔다.

카체리나는 갑자기 명령적인 동작으로 알료샤의 두 손을 덥석 잡았다.

"얼른 저이를 쫓아가세요! 쫓아가서 잡으세요! 잠시도 혼자 있게 하지 말아야 해요." 그녀는 황급히 속삭였다. "저인 미쳤어요. 저이가 미쳤다는 걸 당신은 모르세요? 저인 열병을 앓고 있어요, 신경성 열병을 말이에요! 의사가 그렇게 말했어요. 자, 어서 저일 쫓아가세요."

알료샤는 벌떡 튀어 일어나서 이반의 뒤를 쫓아 달려갔다. 이반은 아직 50보 정도밖엔 앞서지 않고 있었다.

"왜 그래?" 그는 알료샤가 자기를 쫓아온 것을 알고 갑자기 동생을 돌아보며 물었다. "내가 미쳤으니 쫓아가 보라고 했겠지. 다 알고 있다." 그는 신경질적으로 덧붙였다.

"물론 그 여자가 잘못 생각했겠죠. 하지만 형님이 병에 걸렸다는 말은 옳아요." 알료샤는 대답했다. "난 지금 그 집에서 형님 얼굴을 찬찬히 보았는데요, 형님 안색이 아무래도 좋지 않아요. 꼭 무슨 병을 앓고 있는 것 같아요!"

이반은 걸음을 멈추지 않고 그냥 걷고 있었다. 알료샤도 그를 따라갔다.

"이봐, 알렉세이 표도로비치, 사람이 어떻게 해서 미쳐 버리는지 너 아니?" 뜻밖에도 이반은 더할 수 없이 침착하고 조용한 목소리로 말했다. 그 말투 속에는 지극히 단순한 호기심이 엿보였다.

"아뇨, 모르겠습니다. 정신 이상에도 여러 가지 종류가 있겠죠."

"그럼, 자기가 정신 이상이라는 걸 스스로 알아챌 수 있을까?"

"그런 경우엔 자기 자신을 똑똑히 관찰할 수는 없을 것 같은데요" 하고 알료샤는 놀란 기색을 보이며 대답했다.

이반은 잠시 말이 없었다.

"나하고 말을 하고 싶거든 화제를 바꿔 줬으면 좋겠다" 하고 그는 불쑥 뇌까렸다.

"아 참, 잊기 전에 이 편지를 전하겠습니다." 알료샤는 눈치를 살펴 가며 이렇게 말하고, 호주머니에서 리자의 편지를 꺼내서 이반에게 내주었다. 마침 그들은 가로등 가까이 와 있었으므로, 이반은 편지의 필적을 이내 알아보았다.

"아, 그 조그만 마귀 새끼가 보낸 거로구나!" 그는 독기 품은 웃음을 터뜨리더니, 겉봉도 뜯지 않고 편지를 박박 찢어 바람에 흩날려 버렸다.

"아직 열여섯 살도 채 안 됐을 텐데, 벌써부터 프러포즈를 하고!" 그는 다시 보도를 걷기 시작하며 경멸하듯 말했다.

"프러포즈를 하다뇨?" 알료샤는 외쳤다.

"뻔하지. 음탕한 여자들이 하는 그런 프러포즈 말이다."

"아니, 형님, 그게 무슨 소리예요?" 알료샤는 비통한 목소리로 열을 올리며 따지고 들었다. "그 여잔 아직 어린애예요, 그렇게 어린애를 모욕하는 게 아닙니다! 그 여잔 앓고 있어요. 아주 중태에 빠져 있단 말이에요. 그 여자도 어쩌면 정신 이상인지 모릅니다……. 난 그 편지를 형님한테 전하지 않을 수 없었어요……. 난 오히려 어떻게 하면 그 여잘 구할 수 있을지…… 그걸 형님한테서 듣고 싶었는데……."

"나한테서 들을 건 아무것도 없다. 설사 그 여자가 어린애라 하더라도 난 유모가 아니니까. 알렉세이, 더 이상 아무 말 마라. 난 그런 건 생각조차 않는다."

다시금 짧은 침묵이 흘렀다.

"그 여잔 내일 공판정에서 자기가 어떤 태도를 취하면 좋을지 가르쳐 달라고 성모님께 밤새껏 기도를 드릴 거야." 이반은 다시금 노기 띤 음성으로 날카롭게 말했다.

"그건…… 그건 카체리나 이바노브나 말인가요?"

"그래, 그 여잔 미챠를 구할 수도 있고 파멸시킬 수도 있거든! 그래서 자기 영혼을 비추어 주십사고 기도를 올리는 거지. 자기 자신의 힘으론 어찌하면 좋을지 모르니까. 하긴 마음을 정할 시간적 여유도 없었지만 말이야. 그 여자 역시 나한테 유모가 되어 자장가를 불러 주길 바라고 있는 거야."

"형님, 카체리나 이바노브나는 형님을 사랑하고 있어요." 알료샤는 일종의 비애를 느끼며 말했다.

"그럴지도 모르지. 하지만 난 그 여잘 별로 좋아하지 않아."

"그 여잔 고민하고 있어요. 왜 형님은…… 이따금…… 그 여자한테 희망을 주는 듯한 말을 하시죠?" 알료샤는 조심스럽게 책망하듯 말을 이었다. "형님이 그 여자한테 희망을 주는 말을 한 걸 난 알고 있어요. 형님한테 이런 말 하는 게 실례가 될 줄은 알지만" 하고 그는 덧붙였다.

"난 아직 그 여자한테 마땅히 취할 태도를 취할 수가 없어—그 여자와 절교하자고 사실대로 솔직히 말할 수가 없단 말이야!" 이반은 신경질적으로 말했다. "살인범에게 언도가 내려질 때까진 기다려야 해. 만일 내가 지금 그 여자와 갈라서면, 그 여잔 나에 대한 복수로서 내일 공판정에서 그 악당을 파멸시켜 버릴 거다. 그렇잖아도 그 여잔 미챠를 미워하고 있을뿐더러, 자기 자신도 그걸 의식하고 있으니까. 지금은 모든 게 허위야. 허위 위에다 허위를 거듭하는 거야! 내가 그 여자와 손을 끊지 않는 한, 그 여자는 나한테 계속 희망을 걸고 그 짐승 같은 악당을 파멸시키지는 않겠지. 내가 그를 구출하려고 애쓴다는 걸 그 여잔 알고 있거든. 아무튼 그 저주할 놈의 언도가 어서 내렸으면 좋겠다!"

'살인범'이니 '짐승 같은'이니 하는 말이, 알료샤의 가슴을 아프게 찔렀다.

"하지만 어떻게 그 여자가 미챠 형님을 파멸시킬 수 있다는 겁니까?" 알료샤는 이반의 말을 심각한 표정으로 듣고 나서 이렇게 물었다. "그 여자가 미챠 형님을 대번에 파멸시킬 수 있는 무슨 증거라도 제시할 수 있단 말인가요?"

"넌 아직 모르겠지만, 그 여잔 미챠의 자필로 된 문서를 하나 갖고 있는데, 그 문서는 미챠가 표도르 파블로비치를 살해했다는 걸 수학적으로 증명하고 있어."

"그건 있을 수 없어요!" 알료샤는 외쳤다.

"왜 있을 수 없어? 내 눈으로 그걸 읽어 보았는데도?"

"그따위 문서는 있을 리가 없어요!" 알료샤는 열을 올리며 되풀이했다. "있을 리가 없어요, 왜냐하면, 미챠는 살인범이 아니니까. 미챠가 아버질 죽인 게 아네요, 미챠가 아네요!"

이반은 갑자기 멈춰 섰다.

"그럼 넌 누가 범인이라고 생각하니?" 그는 얼른 듣기엔 지극히 냉정하고 교만한 어조로 물었다.

"누가 범인인지는 형님도 아실 텐데요." 알료샤는 상대방의 가슴을 파고드는 듯한 낮은 음성으로 말했다.

"누구야? 그놈의 미친 백치 얘길 또 되풀이하려는 거냐? 그 간질병자 스메르쟈코프 말이지?"

알료샤는 갑자기 온몸이 떨려 오는 것을 느꼈다.

"누군지는 형님도 아시지 않습니까." 이런 말이 힘없이 그의 입에서 흘러나왔다. 그는 사뭇 숨을 헐떡이다시피 했다.

"그래 누구냐, 누구?" 이반은 버럭 고함을 질렀다. 그는 모든 자제력을 일시에 상실한 것 같았다.

"난 이것만은 알고 있어요." 알료샤는 거의 속삭이듯이 말했다. "아버지를 죽인 건 '형님이 아네요'."

"'형님이 아네요'라니! 내가 아니라는 건 무슨 소리야?" 이반은 얼어붙은 듯이 그 자리에 섰다.

"아버지를 죽인 건 형님이 아녜요, 형님이 아녜요!" 알료샤는 확고한 어조로 되풀이했다.

삼십 초가량 침묵이 계속되었다.

"내가 죽이지 않았다는 건 누구보다도 내가 잘 알 게 아니냐? 무슨 잠꼬대 같은 소리냐!" 창백하게 일그러진 미소를 띠우며 이반은 말했다. 그의 눈은 알료샤의 얼굴을 뚫어질 듯이 노려보고 있었다. 그들은 다시금 가로등 밑에 서 있었다.

"그게 아닙니다, 형님은 자기가 살인범이라고 몇 번이나 자신에게 말했어요."

"언제 내가 말했어? 난 그때 모스크바에 있었는데…… 언제 내가 그런 말을 했어?" 이반은 망연자실하여 소곤거리듯 말했다.

"형님은 지난 두 달 동안 혼자 있을 때 자기 자신에게 여러 번 그런 말을 했어요." 알료샤는 여전히 조용한 목소리로 띄엄띄엄 말을 계속했다. 그러나 그는 이미 자기 자신의 뜻에서가 아니라, 무슨 불가항력의 명령에 따라 정신없이 말하고 있는 것같이 보였다. "형님은 자기 자신을 책하면서 살인범은 바로 자기 자신이라고 자인했어요. 그러나 범인은 형님이 아녜요. 형님은 뭔가 잘못 생각하고 있어요, 형님이 죽인 건 아닙니다, 아시겠어요, 형님이 아니란 말이에요! 이 말을 형님한테 하게 하려고 하느님께서 나를 보내신 겁니다."

둘이 다 입을 다물어 버렸다. 이번의 침묵은 꽤 오래 계속되었다. 그들은 서로의 눈을 응시하며 꼼짝 않고 서 있었다. 둘 다 얼굴이 창백했다. 갑자기 이반은 온몸을 부르르 떨더니, 알료샤의 어깨를 꽉 움켜잡았다.

"너, 내 방에 왔었구나!" 그는 이를 갈면서 속삭였다. "넌 그자가 왔던 날 밤에 거기 왔었지? 바른대로 말해……. 넌 그자를 봤구나, 그자를 봤어?"

"형님은 누구 얘길 하는 겁니까……. 미챠 말인가요?" 알료샤는 의아스런 얼굴로 물었다.

"미챠가 아냐, 그 짐승만도 못한 악당 얘기가 아니란 말이야!" 이반은 무서운 형상이 되어 소리 질렀다. "그자가 나한테 찾아오는 걸 넌 알고 있었구나! 어떻게 알았니? 말해 봐!"

"'그자'가 누굽니까? 누구 얘긴지 난 모르겠는데요." 알료샤는 겁먹은 소리로 이렇게 말했다.

"아냐, 넌 알고 있어……. 모른다면, 어떻게 네가……. 모른다는 건 말도 안 돼."

그러나 갑자기 그는 자기 자신을 억제하려는 듯이 말을 끊었다. 그는 무언가 열심히 생각하며 그 자리에 서 있었다. 야릇한 미소가 그의 입술을 일그러뜨렸다.

"형님." 알료샤는 떨리는 음성으로 다시 입을 열었다. "내가 지금 그렇게 말한 건 형님이 내 말을 믿으실 줄 알았기 때문이죠. '형님이 아녜요'라는 말을 나는 일생을 걸고 한 말입니다! 아시겠어요, 형님, 그건 내 일생을 걸고 한 말이에요. 하느님께서 그 말을 내 영혼 속에 불어 넣어 형님한테 말하게 한 거죠. 그 때문에 형님이 영원히 나를 미워한대도……"

그러나 이제는 이반도 분명히 자제력을 회복한 모양이었다.

"알렉세이 표도로비치." 그는 냉정한 미소를 띠며 말했다. "나는 도대체 예언자나 간질병자 따위는, 특히 하느님의 사자使者니 뭐니 하는 건 그야말로 질색이다. 그건 너도 잘 알 거야. 이 시각부터 나는 너와 완전히 인연을 끊겠다. 아마 이게 영원한 이별이 될 거다. 그럼, 이 네거리에서 즉시 헤어지기로 하자. 자, 이쪽 골목길이 너의 집으로 가는 길이다. 특히 오늘 나한테 찾아오는 건 절대 안 된다. 알겠지?"

그는 홱 몸을 돌리더니 뒤도 돌아보지 않고 뚜벅뚜벅 걸어갔다.

"형님." 알료샤는 그의 등에 대고 소리쳤다. "만일 오늘 형님한테 무슨 일이 생기거든 누구보다도 먼저 나를 생각해 주세요!"

그러나 이반은 대답이 없었다. 알료샤는 이반의 모습이 어둠 속으로 완전히 사라질 때까지, 네거리 가로등 밑에 서 있었다. 그러고 나서 그는 몸을 돌려 자기 집을 향해 천천히 골목길로 접어들었다. 알료샤도 이반도 제각기 하숙 생활을 하고 있었다. 두 사람 다 표도르 파블로비치의 텅 빈 집에서 살고 싶지가 않았던 것이다. 알료샤는 어느 영세 상인네 집에서 가구를 갖춘 방 하나를 빌려 쓰고 있었고, 이반은 거기서 꽤 멀리 떨어진 곳에 살았는데, 그는 돈푼이나 있는 어느 관리의 미망인의 소유인, 훌륭한 저택에 딸려 있는 널찍하고 제법 산뜻한 별채에 세 들어 있었다. 그러나 이 별채에서 그의 시중을 드는 하녀라고는, 매일 저녁 여섯 시면 자리에 눕고 아침 여섯 시면 일어나는 귀먹고 관절염 앓는 할멈 하나뿐이었다. 이반은 지난 두 달 동안 이상할 만큼 할멈의 시중드는 것을 멀리했고 혼자 있기를 좋아했다. 심지어 자기 거실의 정리 정돈 같은 것은 제 손으로 했고, 다른 방은 별로 들여다보지도 않았다.

그는 자기 집 대문 앞에 이르자, 초인종에 손을 댄 채 갑자기 멈춰 섰다. 그는 자기가 분노를 이기지 못해 온몸을 후들후들 떨고 있음을 느꼈다. 그는 급히 초인종에서 손을 떼고는, 침을 퉤 뱉고 발길을 돌려 반대 방향으로 급히 걷기 시작했다. 자기 집에서 2킬로 가까이 떨어진 변두리에 있는, 기울어져 가는 조그만 통나무집을 찾아갈 생각이었다. 그 집에는 전에 표도르 파블로비치네 이웃에 살면서, 곧잘 수프를 얻으러 오곤 하던 마리야 콘드라치예브나가 살고 있었다. 그 당시 스메르쟈코프는 이 여자에게 노래를 불러 주기도 하였었고 기타를 쳐 주기도 했었다. 그녀는 전에 살던 조그만 집을 팔아 버리고, 지금은 거의 오막살이나 다름없는 이 집에서 어머니와 함께 살고 있었던 것이다. 그런데 표도르가 죽은 후부터 병들어 거의 죽어 가고 있는 스메르쟈코프가 이들 모녀의 집에 함께 동거하고 있었던 것이다. 지금 이반은 갑자기 억제할 길 없는 어떤 신념에 사로잡혀서, 그를 찾아가 보기로 결심했던 것이다.

6. 스메르쟈코프와의 첫 면담

이반 표도로비치가 모스크바에서 돌아온 후, 스메르쟈코프를 만나러 가기는 이번이 세 번째였다. 그 비극적 사건이 일어난 후에 그가 처음으로 스메르쟈코프를 만나 이야기한 것은, 바로 모스크바에서 돌아온 그날이었다. 그 후 두 주일이 지나서 또 한 번 스메르자코프를 찾아갔었다. 이 두 번째 방문 후로는 발길을 끊었었기 때문에, 벌써 한 달 남짓한 동안 스메르쟈코프를 만나지도 못했거니와 소식도 듣지 못하고 있었다.

이반은 아버지가 죽은 지 닷새 후에야 모스크바에서 돌아왔기 때문에 아버지의 관조차도 보지 못했다. 장례식은 그가 도착하기 바로 전날에 거행되었던 것이다. 이반이 늦게 돌아온 데는 그럴 만한 이유가 있었다. 즉, 알료샤는 이반의 모스크바 주소를 몰랐으므로, 카체리나 이바노브나한테로 달려가서, 형에게 전보를 쳐 달라고 부탁했으나, 카체리나 역시 그 주소를 몰라서 자기 동생과 아주머니 앞으로 전보를 쳤었다. 그것은, 이반이 모스크바에 도착하면 곧 그들을 만나러 갈 것이라고 생각했기 때문이다. 그러나 이반은 모스크바에 도착한 후 나흘째 되는 날에야 비로소 그들을 방문했던 것이다. 물론 그는 전보를 읽기가 무섭게 허둥지둥 우리 도시로 떠나왔다. 이리로 돌아와서 맨 처음 만난 것은 알료샤였는데, 그는 알료샤가 이 고장 사람들의 일반적인 의견과는 정반대로, 미챠를 조금도 의심하려 들지 않을뿐더러, 범인으로 스메르쟈코프를 거리낌 없이 지목하는 데 몹시 놀랐다. 그 후 경찰서장과 검사를 만나서 체포와 혐의 내용을 상세히 알게 되었을 때, 그는 알료샤의 의견에 더한층 놀라지 않을 수가 없었다. 그래서 그는 알료샤의 그런 의견을, 미챠에 대한 지나친 형제애와 동정의 결과라고 해석했다. 알료샤가 미챠를 열렬히 사랑하고 있다는 것은 그도 잘 알고 있었던 것이다.

말이 나온 김에 드미트리 표도로비치에 대한 이반의 감정에 대해 한두 마디만 말해 두겠는데, 그는 미챠를 아주 싫어했다. 기껏해야 이따금 연민의 정을 느낄 정도였지만, 그것조차도 혐오에 가까운 경멸이 섞인 것이었다. 미챠의 모든 점이, 심지어는 그 외모조차도 이반에게는 밉살스럽게만 보였다. 미챠에 대한 카체리나의 사랑을 이반은 지극히 못마땅하게 바라보고 있었다. 이반이 피고인으로서의 미챠를 처음 만난 것은 역시 이곳에 돌아온 당일이었는데, 이 면회는 미챠의 범죄에 대한 그의 신념을 약화시키기는커녕 더욱 강화시켰던 것이다. 그때 그는 자기 형이 불안과 병적 흥분 상태에 있는 것을 보았다. 미챠는 말이 많았지만, 뭔가 얼빠진 사람처럼 도무지 침착한 데가 없었다. 열렬한 어조로 스메르쟈코프가 진범이라고 우겨댔으나, 그의 말에는 전혀 조리가 없었다. 미챠가 가장 많이 언급한 것은 죽은 아버지가 자기한테서 '훔친' 3천 루블에 관해서였다.

"그건 내 돈이야, 그건 내 돈이었어"라고 미챠는 되풀이했다. "그러니 설사 내가 그 돈을 훔쳤더라도 그건 어디까지나 정당한 행위라 할 수 있는 거야." 그는 자기에게 불리한 모든 증거를 거의 반박하려 들지 않았다. 그리고 자기에게 유리한 사실을 설명할 때도 역시 횡설수설이 되기가 일쑤였다. 대체로 그는 이반 앞에서나 또는 누구 앞에서도 자기 자신을 별로 변호하고 싶어 하는 것 같지 않았다. 다만 자기에 대한 혐의에 성을 내며, 오만하게 멸시하거나, 고래고래 고함을 지르며 욕설을 퍼붓거나 했다. 문이 열려 있었다는 그리고리의 증언에 대해, 그는 경멸적으로 비웃으면서 '그렇다면, 아마 악마 놈이 열었겠지'라고 말했을 뿐, 이 사실에 대한 조리 있는 설명은 한마디도 못 했다. 그뿐더러, '무슨 짓을 해도 허용된다'고 공언하는 자들이 감히 자기를 의심하거나 심문할 수는 없지 않으냐고 한바탕 폭언을 토하여 첫 번 면회 때부터 이반한테 되게 모욕을 주기까지 했다. 대체로 그는 그때 이반에게 그다지 친밀한 태도를 보이지 않았었다. 이반은 미챠를 면회하고 나자, 곧 그길로 스메르쟈코프를 찾아갔던 것이다.

이반은 모스크바에서 돌아오는 도중에 기차간에서 줄곧 스메르쟈코프에 대해서, 그리고 출발 전야에 스메르쟈코프와 주고받은 마지막 대화에 대해서 생각해 보았었다. 여러 가지 일들이 그의 마음을 혼란시켰고, 많은 일들이 의심쩍게 여겨졌다. 그러나 예심 판사의 증인 신문을 받았을 때, 그는 당분간 적어도 스메르쟈코프를 만날 때까지는 그 대화에 대해선 입 밖에 내지 않기로 했던 것이다. 스메르쟈코프는 그때 시립 병원에 수용되어 있었다.

게르첸슈투베 의사와 병원에서 그가 만난 바르빈스키 의사는, 이반의 집요한 질문에 대하여, 스메르쟈코프의 간질병 발작은 의심할 여지가 없다고 확답했고 '혹시 그놈이 사건 당일에 일부러 발작을 일으킨 체한 건 아닐까요?'라는 이반의 물음에 오히려 놀라기까지 했다. 의사들의 설명에 의하면, 이번의 그의 발작은 보통이 아니어서 며칠 동안이나 되풀이해서 계속되었기 때문에 환자의 생명이 극히 위독할 지경이었지만, 적절한 조치를 취한 결과, 이제는 생명의 위험은 없다고 자신 있게 말할 수 있다는 것이었다. 그러나 환자의 정신 상태에는 부분적으로 이상異常을 나타낼 가능성이 충분히 있다, '일생 동안은 아니더라도 상당히 오랫동안 계속되겠지요'라고 게르첸슈투베는 덧붙였다. '그럼, 그놈은 지금 발광 상태에 있다는 뜻입니까?' 하는, 이반의 성급한 질문에 대하여 두 의사는 '완전히 그렇다는 것은 아니지만 어느 정도 비정상적인 점도 발견됩니다'라고 대답했다. 이반은 그 '비정상'이 어떤 것인지 자기가 직접 알아보기로 결심했다.

병원에서는 곧 환자의 면회를 허가했다. 스메르쟈코프는 격리 병실에 수용되어 환자용 침대에 누워 있었다. 그 옆의 또 하나의 침대엔 온몸이 수종水腫으로 퉁퉁 부어, 내일이나 모레면 죽을 것 같은 이 고장 상인이 누워 있었으나, 이 환자 때문에 대화에 지장을 느낄 필요는 없었다. 스메르쟈코프는 이반을 보자, 의심쩍은 얼굴로 히죽 웃었는데, 처음 순간엔 약간 겁을 내고 있는 것 같았다. 적어도 이반에겐 그렇게 보였다. 그러나 그것은 한순간에 불과했고, 그다음부터는 오히려 지나칠 만큼 침착한 태도를 취하여 이반을 놀라게 했다. 이반은 첫눈에 벌써 그가 극도의 병적 상태에 있음을 확인했다. 그는 몹시 쇠약하여, 가까스로 혀를 움직이는 것처럼 띄엄띄엄 말했고, 홀쭉히 여윈 얼굴빛은 누렇게 되어 있었다. 20분가량 계속된 이 면담에서, 그는 골이 쑤신다느니 팔다리가 빠져나가는 것 같다느니 하며 쉴 새 없이 우는 소리를 했다. 거세승去勢僧처럼 비쩍 마른 얼굴 주먹만큼이나 작게 보였고, 귀 위의 머리털은 헝클어져 붙고, 숱이 적은 앞머리 털은 빳빳이 일어서 있었다. 그러나 무언가를 암시하는 듯 가늘게 뜬 왼쪽 눈은 변함없는 스메르쟈코프의 눈 그것이었다. '현명한 사람하곤 얘기하기가 재미있다'라고 한 말을 이반은 곧 상기했다. 이반은 스메르쟈코프의 발치께에 있는 의자에 앉았다. 스메르쟈코프는 괴로운 듯이 침대 위에서 몸을 좀 움직거렸을 뿐 먼저 입을 열지는 않았다. 그는 아무 말 않고, 별로 흥미도 없다는 얼굴로 멀거니 바라보고만 있었다.

"말을 할 수 있겠나?" 이반이 물었다. "과히 피곤하게 하지는 않을 테니."

"할 수 있고말고요." 스메르쟈코프는 가느다란 목소리로 중얼거리듯 말했다. "돌아오신 지 오래되셨나요?" 그는 소심한 방문객의 용기를 북돋우어 주려는 듯이 은근한 어조로 덧붙였다.

"오늘 막 돌아오는 길이야……. 여기 자네들이 벌여놓은 난장판을 수습하려고."

스메르쟈코프는 푸우 한숨을 쉬었다.

"한숨은 왜 쉬지, 자넨 다 알고 있었지 않나." 이반은 단도직입적으로 들이댔다.

스메르쟈코프는 잠시 거드름스럽게 입을 다물고 있었다.

"그걸 모를 리가 있었겠습니까! 미리부터 훤히 알고 있었죠. 하지만 그렇게까지 되리라고는 정말 몰랐습니다."

"뭐가 그렇게 돼? 공연히 얼버무리지 마라! 자넨 지하실 광 속으로 내려갈 때 발작을 일으킬 거라고 미리 말하지 않았나? 광 속이라고 틀림없이 말했지?"

"그래서 당신은 증인 신문 때 그걸 말하셨나요?" 스메르쟈코프는 태연하게 물었다.

이반은 갑자기 화가 났다.

"아직 말하진 않았지만 꼭 말할 작정이다. 이봐, 자넨 지금 나한테 해명해야 할 일이 한두 가지가 아니야. 나한테 농지거리를 하면 가만 안 놔둘 테다!"

"내가 왜 당신한테 농지거리를 하겠습니까, 나는 당신만을 하느님처럼 믿고 의지하는 터인데!" 스메르쟈코프는 잠깐 눈을 감았다 뜨며, 여전히 침착하게 말했다.

"첫째로," 이반은 말을 시작했다. "간질병의 발작은 사전에 예언할 수 없다는 걸 나는 알고 있다. 내가 다 알아봤으니까 날 속일 수는 없어. 날짜와 시각을 예언할 수는 없는 법이야. 그런데 자네, 어떻게 그때 날짜와 시각뿐 아니라, 광 속이라는 장소까지 예언할 수 있었지? 자네가 일부러 발작을 일으킨 체하지 않는 이상, 바로 그 광 속에서 발작을 일으키리라는 걸 어떻게 미리 말할 수 있느냐 말이다."

"그렇잖아도 광에는 하루에 몇 번씩이나 내려가야 합니다." 스메르쟈코프는 말끝을 끌면서 천천히 말했다. "1년 전에도 나는 다락방에서 그렇게 떨어진 적이 있었죠. 발작을 일으킬 날짜와 시각을 예언할 순 없지만, 그런 예감은 언제나 느낄 수 있거든요."

"하지만 자넨 날짜와 시간까지 말하지 않았나!"

"내 병에 관해선 여기 의사 선생들한테 문의하시는 게 좋을 겁니다. 내 발작이 진짜였는지 가짜였는지 이내 아실 수 있을 테니까요. 나로선 거기 대해서 더 이상 말씀드릴 게 없습니다."

"그렇지만 광은? 어떻게 자넨 광 속이라는 걸 미리 알았느냐, 말이야?"

"당신은 그 광이 어지간히 마음에 걸리시는가 보군요! 나는 그때 광으로 들어가자 심한 공포와 불안에 싸여 버렸죠. 특히 당신마저 떠나가 버리셨으니, 이제는 이 세상에서 아무도 내 편을 들어줄 사람이 없구나 생각했기 때문에, 더욱 무서웠던 거요. 그래서 나는 광으로 내려가면서 '이제 곧 일어나는 거나 아닐까, 그것이 나를 후려쳐서 밑으로 떨어뜨리는 건 아닐까?' 하고 걱정했는데, 바로 이 걱정 때문에 별안간 목구멍에 강한 경련을 일으켜서 거꾸로 떨어져 버렸던 겁니다. 나는 이런 모든 상황과, 그리고 그 전날 저녁 대문 옆에서 당신과 얘기할 때 나의 공포와 광 얘기를 당신한테 말씀드렸다는 것까지 게르첸슈투베 의사와 예심 판사인 니콜라이 파르페노비치에게 상세히 진술했습니다. 그 사람들은 예심조서에 모두 기록했어요. 이 병원 의사인 바르빈스키 씨는 특히 그 사람들 앞에서, 그건 바로 그런 생각을 했기 때문에 일어난 것이다, '혹시 발작을 일으켜 넘어지는 거나 아닐까?' 하고 걱정했기 때문에 일어난 것이다, 라고 주장했습니다. 그래서 그 사람들도, 그 말이 틀림없을 것이다, 즉 미리 걱정을 했기 때문에 정말로 발작을 일으켰음이 틀림없다고 조서에 기록했죠."

이렇게 말을 마치자 스메르쟈코프는 아주 맥이 빠진 듯이 깊은 한숨을 몰아쉬었다.

"그래 자넨 벌써 그런 것까지 진술했단 말인가?" 이반은 어안이 벙벙하여 이렇게 물었다. 그는 그때 그들이 주고받은 대화를 그대로 공개하겠다는 말로 스메르쟈코프의 기를 죽이려 했던 것인데, 오히려 스메르쟈코프 쪽에서 선수를 친 격이 되었다.

"난 하나도 두려울 게 없으니까요! 뭐든지 사실 그대로 기록하라는 거죠 뭐." 스메르쟈코프는 자신 있게 말했다.

"그래, 대문 옆에서 우리가 주고받은 얘기를 한마디도 빼지 않고 다 말했나?"

"아닙니다, 한마디도 빼지 않고 다 말한 건 아니죠."

"일부러 발작을 일으킨 시늉을 할 수 있노라고 나한테 자랑했다는 얘긴 했나?"

"아뇨, 그 얘긴 안 했습니다."

"그럼, 한 가지 묻겠는데, 자넨 그때 왜 나더러 체르마쉬냐에 가라고 했지?"

"모스크바로 가 버리실까 봐 겁이 나서 그랬죠. 그래도 체르마쉬냐는 가까우니까요."

"거짓말 마라. 자넨 나더러 멀리 떠나가 버리라고 권하지 않았나, 죄악에서 몸을 피해 버리는 게 상책이라고."

"그때 그렇게 말씀드린 건, 당신에 대한 충성심에서 그랬던 거죠. 집안에 불행이 일어날 것만 같았기 때문에 당신을 아끼는 마음에서 그랬던 거예요. 그러나 실은 당신보다도 나 자신이 더 불쌍했어요. 그래서 죄악에서 몸을 피해 버리라고 말씀드린 것은, 집안에 곧 불행이 일어날 테니 아버님을 보호해 드려야 한다는 걸 당신이 깨달으시도록 하려는 뜻에서였습니다."

"그러면 그렇다고 직접적으로 말할 수 있잖았나, 바보 같으니!" 이반은 버럭 성을 냈다.

"어떻게 그때 더 직접적으로 말씀드릴 수 있었겠어요? 나는 다만 혹시나 하고 염려한 데 지나지 않았으니까요. 게다가 당신한테 그런 말씀을 드렸다가는 화를 내실 게 분명하지 않습니까. 나도 물론 드미트리 표도로비치가 무슨 소동을 일으키시는 건 아닐까, 그 돈도 자기 거나 다름없다고 생각하시니까, 혹시 가져가 버리시는 건 아닐까 하고 걱정은 되었지만, 설마하니 그런 살인 사건으로 끝장이 날 줄이야 누가 알았겠어요? 나는 다만 드미트리 표도로비치가 주인어른의 요 밑에 봉투로 싸서 넣어 둔 3천 루블을 가져가 버릴 줄로만 생각했었는데, 기어이 그런 일까지 저지르고 말았군요. 아마 당신도 거기까진 미처 생각지 못하셨겠죠?"

"자네도 미처 생각지 못한 걸 내가 어떻게 미리 짐작하고 집에 남아 있을 수 있었겠나? 왜 그런 앞뒤가 맞지 않는 소릴 하지?" 무언가 생각에 잠기면서 이반은 말했다.

"그렇지만 내가 당신한테 모스크바보다도 체르마쉬냐로 가시도록 권한 것으로도 어느 정도 짐작이 가셨을 텐데요."

"내가 어떻게 그것으로 짐작할 수 있어?"

스메르쟈코프는 몹시 지친 듯이 보였다. 그는 다시 얼마 동안 말이 없었다.

"내가 당신한테 모스크바보다도 체르마쉬냐로 가시기를 권한 건, 당신을 되도록 여기서 가까운 곳에 계시게 하고 싶었기 때문입니다. 모스크바는 멀리 떨어져 있으니까요. 그리고 드미트리 표도로비치도 당신이 가까운 곳에 계시다는 걸 알면 지나치게 엉뚱한 짓은 못 하실 게 아닙니까. 이 정도면 당신도 짐작이 가셨을 겁니다. 뿐만 아니라, 나한테도 무슨 일이 생겨나면 당신이 얼른 달려오셔서 보호해 주실 수 있을 게 아닙니까. 그리고고리 바실리예비치가 앓고 있다는 것과, 나 자신 발작을 일으킬까 봐 염려된다는 말을 직접 당신한테 말씀드렸으니까요. 그리고 주인어른 방에 들어갈 수 있는 그 신호법을 드미트리 표도로비치가 나를 통해서 알고 있다고 당신한테 말씀드린 건, 그분이 반드시 무슨 일을 저지르리라는 걸 당신이 미리 짐작하시고, 체르마쉬냐에도 가시지 않고 그냥 여기 남아 계시도록 하기 위해서였습니다."

'말소리는 시원찮지만, 제법 조리 있게 말하는군.' 이반은 생각했다. '게르첸슈투베는 정신 상태에 이상이 있다고 했는데, 그건 무슨 근거에서 한 말일까?'

"자넨 나를 희롱하는 거지, 망할 녀석 같으니!" 그는 노기 띤 음성으로 소리쳤다.

"하지만 난 그때 당신이 다 짐작하신 줄로만 알았는데요." 스메르쟈코프는 지극히 태연한 어조로 받아넘겼다.

"그걸 내가 짐작했다면 떠나지 않았을 게 아니냐!" 이반은 또다시 후끈 달아서 고함쳤다.

"그래요? 그래도 나는 당신이 모든 걸 다 알아채시고, 어디로든지 빨리 재난을 피해 달아나셔서 자기 자신을 공포로부터 구하시라고 하시는 줄 알았죠."

"자넨 누구나가 다 자네 같은 겁쟁인 줄 알았나?"

"용서하십시오. 난 당신도 나와 같으려니 생각했어요."

"물론 미리 짐작을 했어야 하는 건데." 이반은 흥분하며 말했다. "하긴, 난 자네가 무슨 더러운 짓을 하리라는 걸 짐작했었어……. 아무튼 자네가 하는 말은 거짓말이야, 모든 게 거짓말이야." 그는 갑자기 생각난 듯이 소리쳤다. "자넨 그때 마차 옆으로 다가와서 나한테, '현명한 사람하곤 얘기하기가 재미있다'고 말한 걸 기억하겠지? 그런 말로 날 칭찬한 걸 기억하겠지? 그런 말로 날 칭찬한 걸 보면, 자넨 내가 떠나는 걸 기뻐한 게 아닌가?"

스메르쟈코프는 또 한 번 한숨을 내쉬었다. 그 얼굴에는 핏기가 떠오른 것같이 보였다.

"내가 기뻐했다면" 하고 그는 약간 숨 가쁜 소리로 대꾸했다. "그건 다만, 당신이 모스크바가 아니라 체르마쉬냐로 가시기로 하셨기 때문입니다. 어쨌든 거리가 가까운 곳이니까요. 하지만 내가 그렇게 말한 건 당신을 칭찬하는 뜻에서가 아니라 원망하는 뜻에서였습니다. 그걸 당신은 이해하지 못하신 거죠."

"뭘 원망해?"

"그런 불행을 예감하면서도 자기 아버님을 버리고 떠나기로 작정하시고, 우리를 보호해 주려 하시지 않기 때문이죠. 왜냐하면, 그 3천 루블을 훔쳤다는 혐의를 내가 언제 뒤집어쓰게 될지 모르는 형편이었으니까요."

"귀신이 물어갈 놈 같으니라고!" 이반은 또 욕을 했다. "아니, 가만있어, 자넨 예심 판사나 검사한테 그 신호법에 관해서, 노크하는 법에 관해서 진술했나?"

"사실대로 죄다 얘기했습니다."

이반은 다시금 속으로 놀랐다.

"만약에 내가 그때 무얼 생각했다면" 하고 그는 다시 말하기 시작했다. "그건 자네가 무슨 더러운 짓을 할지 모른다는 것뿐이었어. 드미트리는 아버지를 죽일 수는 있을망정 도둑질 같은 짓을 하지 않을 거라고 그때 나는 믿고 있었지……. 그러나 자네로 말하면 무슨 비열한 짓이든지 능히 할 수 있을 거라고 나는 생각했어. 자넨 그때 나한테 일부러 발작을 일으킨 시늉을 할 수 있다고 말하지 않았나. 뭣 때문에 그런 소릴 나한테 했지?"

"그건 다만 어리석고 단순한 마음에서 그랬던 거죠. 나는 평생에 한 번도 일부러 발작의 흉내를 내 본 일은 없습니다. 그저 공연히 당신한테 자랑삼아 말한 것뿐예요. 어리석기 짝이 없는 짓이었죠. 나는 그 당시 당신을 무척 따랐기 때문에 그야말로 허물없이 대했던 겁니다."

"하지만 형님은 자네가 죽이고 자네가 돈을 훔쳤다고 우기고 있던걸."

"그분이야 그렇게 말할 수밖에 없겠죠." 스메르쟈코프는 씁쓸하게 웃었다. "하지만, 그처럼 많은 증거가 있는데 누가 그분의 말을 믿겠어요? 그리고리 바실리예비치도 문이 열려 있는 걸 분명히 보았다고 하니, 그 이상 어쩔 수 없는 게 아닙니까. 그분이 무슨 말을 하든 상관없습니다! 자기 자신을 구해 보려고 발버둥치고 있는 거니까요."

그는 조용히 입을 다물었으나, 갑자기 무슨 생각나는 일이 있는 듯이 덧붙였다.

"그리고 결국 그게 그 말이긴 하지만요, 그분이 내가 한 짓이라고 모든 죄를 나한테 뒤집어씌우고 싶어 한다는 건 나도 이미 들어서 압니다. 그러나 설사 내가 교묘히 발작을 흉내 낼 수 있다 하더라도, 내가 그때 정말로 당신 아버님한테 살의를 품고 있었다면, 당신한테 미리 그런 소릴 할 리는 만무하지 않습니까? 만약에 내가 그렇게 살인을 할 생각이 있었다면 친아들인 당신한테 나 자신에게 불리한 증거가 될 일을 미리 말할 만큼 바보일 수가 있겠느냐 말입니다! 그럴 수 있으리라고는 도저히 생각할 수 없어요. 지금도 우리 두 사람의 대화는 하느님 이외엔 아무도 듣고 있지 않습니다. 그러나 만일 당신이 검사나 예심 판사한테 가서 지금 우리가 한 말을 옮긴대도, 결국 그것은 나를 변호하는 것밖엔 안 됩니다. 왜냐하면, 그처럼 어리석게 증거가 될 말을 미리 털어놓는 바보를 악한으로 생각할 사람은 없을 테니까요. 그것은 지극히 당연한 일이 아닙니까."

"이봐, 내 말 좀 들어 봐." 스메르쟈코프의 마지막 결론에 되게 얻어맞은 격이 된 이반은 대화를 중단하려고 자리에서 일어났다.

"난 조금도 자넬 의심하지 않아. 의심한다는 것 자체가 우스꽝스런 일이라고 생각하지……. 도리어 자네가 나를 안심시켜 주어 고맙게 생각할 지경이야. 오늘은 이만 돌아가겠지만 또 오겠네. 그때까지 잘 있게. 빨리 완쾌하길 바라네. 뭐 불편한 건 없나?"

"여러 가지로 감사합니다. 마르파 이그나치예브나가 나를 잊지 않고 전처럼 친절하게 무엇이든지 불편 없도록 해 주고 있습니다. 그리고 친절한 분들이 날마다 나를 찾아 주십니다."

"잘 있게. 하지만 난 자네가 발작을 일으킨 시늉을 할 수 있다는 걸 아무한테도 말하지 않을 테니……. 자네도 그 말을 하지 않는 게 좋을 걸세." 무슨 생각에선지 이반은 갑자기 이렇게 말했다.

"잘 알았습니다. 당신이 그걸 말하지 않으시겠다면, 나도 그때 대문 옆에서 당신과 주고받은 대화에 대해선 하나도 입 밖에 내지 않도록 하겠습니다."

이반은 급히 병실에서 나왔으나, 복도를 여남은 걸음쯤 통과하였을 때에야 비로소 스메르쟈코프의 마지막 말 속에 그 어떤 모순적인 의미가 내포되어 있음을 느꼈다. 그는 되돌아가려고 생각했으나, 그 생각도 순간적으로 떠올랐을 뿐 이내 사라져 버렸다. '어리석은 짓이야!' 하고 중얼거리며 그는 급히 병원을 나섰다.

그는 범인이 스메르쟈코프가 아니고 자기 형 미챠라는 것을 알고, 실제로는 안심이 된 것같이 느꼈다. (하기는 그와 정반대의 것을 느꼈어야 옳았을 것이다) 어째서 그렇게 느껴졌는지에 대해서 그는 그때 분석하고 싶지도 않았거니와, 자기의 감각을 캐고 드는 데에 혐오를 느끼기까지 했다. 그는 무언가를 한시바삐 잊고 싶었던 것이다. 그 후 며칠 동안에, 미챠를 압도할 만한 여러 가지 증거를 좀 더 자세히 근본적으로 알게 됨에 따라, 그는 미챠가 범인이라는 것을 확신하기에 이르렀다. 지극히 하찮은 사람들—예를 들면 페냐와 그 어머니 같은 사람들의 증언은 거의 충격적인 것이었다. 그 밖에도 페르호친, 술집 사람들, 플로트니코프네 상점 사람들, 그리고 모크로예의 증인들의 증언에 대해서는 새삼스레 말할 것까지도 없었다. 특히 세세한 사항에 이르기까지 모든 증거가 일치하는 데는 모두들 놀라지 않을 수 없었다. 비밀 '신호법'에 관한 증언은 문이 열려 있었다는 그리고리의 증언만큼이나 판사와 검사에게 충격을 주었다. 그리고리의 아내 마르파 이그나치예브나는 이반의 물음에 대해, 스메르쟈코프는 자기들과 칸막이 하나를 사이에 두고 밤새껏 누워 있었다, '우리 침대에서 서너 걸음도 안 되는 곳이어서' 자기는 깊이 잠들었었지만, 몇 번이나 깨어나서 그가 거기서 신음하고 있는 걸 들었다, '밤새껏 한시도 쉬지 않고 앓는 소릴 내고 있었어요'라고 거침없이 선언했다.

이반은 다시 게르첸슈투베를 만나서, 스메르쟈코프는 몸이 쇠약했을 뿐 정신 이상인 것 같지는 않다는 의견을 말했으나, 그것은 단지 그 늙은 의사의 입가에 미묘한 웃음을 띠게 했을 뿐이었다.

"그럼 당신은 그가 요즘 무엇에 열중하고 있는지 아시오?" 하고 의사는 이반에게 말했다. "프랑스어 단어를 따로 외고 있답니다. 누가 써 주었는지 러시아어 글자로 쓴 프랑스어 단어장을 베개 밑에 넣어 두고 있더군요, 헤헤!" 마침내 이반은 그에 대한 모든 혐의를 포기하고 말았다. 그 대신 드미트리 형에 대해서는 혐오감 없이는 생각할 수가 없었다. 단 한 가지 이상한 것은, 알료샤가 드미트리를 범인으로 보지 않고, '틀림없이' 스메르쟈코프가 범인이라고 계속 우기고 있는 점이었다. 이반은 늘 알료샤의 의견이 자기한테 소중하다는 걸 느껴 왔기 때문에, 요즘은 알료샤에 대해 의혹을 품게 되었다. 또 한 가지 이상한 것은, 알료샤가 이반과는 좀처럼 미챠 얘기를 하려 들지 않을뿐더러, 그 문제에 대해선 절대로 먼저 입을 열지 않고, 이반이 질문했을 때에만 대답한다는 사실이었다. 이것은 이반도 똑똑히 느낄 수 있었다.

그러나 그와 동시에 이반은 전혀 다른 일에 정신을 쓰고 있었다. 모스크바에서 돌아오자, 그는 곧 카체리나 이바노브나에 대한 불타는 듯한 광적인 열정에 몰두했던 것이다. 하지만, 그 후 이반의 전 생애에 오래도록 흔적을 남긴 이 새로운 열정에 관해, 여기서 자세히 언급할 수는 없는 일이다. 이것은 또 하나의 다른 소설의 주제를 이룰 수도 있는 것이지만, 과연 언제나 그 소설에 착수할 수 있을지의 여부는 필자 자신도 알 수가 없다. 그렇더라도 여기서 반드시 언급하고 넘어가야만 할 일이 있다. 즉, 필자가 이미 위에서 말한 대로, 이반은 그날 밤 알료샤와 함께 카체리나의 집에서 돌아오는 길에, 자기는 그 여잘 별로 좋아하지 않노라고 말했지마는, 그것은 터무니없는 거짓말이었다. 어떤 때는 죽이고 싶도록 그녀를 미워한 것도 사실이지만, 어쨌든 그는 그녀를 미칠 듯이 사랑하고 있었던 것이다. 그가 이따금 그녀를 미워한 데는 여러 가지 원인이 겹쳐 있었다. 미챠의 사건 때문에 격심한 심적 타격을 입은 카체리나는 다시 자기한테로 돌아온 이반을 마치 구세주인 양 반갑게 맞았다. 분노와 모멸과 굴욕을 느끼며 몸부림치던 그녀에게, 전에 자기를 그토록 열렬히 사랑하던 (그렇다, 그녀는 그것을 너무나도 잘 알고 있었다) 사람이, 그 지혜와 심정을 자기가 항상 존경하던 그 사람이 다시 나타난 것이다. 그러나 이 근엄한 처녀는, 그의 카라마조프식式인 맹렬한 정열과 깊은 사모의 정에도 불구하고, 좀처럼 그에게 자기 자신을 내맡기려 하지 않았다. 그와 동시에 그녀는 자기가 미챠를 배반한 것을 언제나 후회하면서, 이반과 몹시 말다툼을 할 때면, (그들 사이엔 싸움이 잦았다) 그것을 노골적으로 이반에게 말하곤 했다. 이반은 알료샤와의 대화에서 이것을 가리켜 '허위 위에다 허위를 거듭하는 것'이라고 했다. 물론 여기에는 많은 허위가 있었다. 이것이 무엇보다도 이반을 격분케 했던 것이다……. 하지만 이 얘기도 뒤로 미루기로 하자.

요컨대, 그는 한때 스메르쟈코프를 거의 잊다시피 하고 있었던 것이다. 그러나 스메르쟈코프를 처음으로 방문한 후 3주일가량이 지나자, 다시금 그 괴이한 상념이 이반을 괴롭히기 시작했다. 그는 쉴 새 없이 자기 자신에게 물었다—왜 자기는 그때, 즉 출발 전야에, 아버지 집에서 마치 도둑놈처럼 발자국 소리를 죽여 가며 몰래 층계 위로 나와서 아버지가 무엇을 하고 있는가를 엿들으려고 했던가? 왜 나중에 그때 일을 상기할 때 스스로 혐오를 느꼈던가? 왜 다음날 아침 여행 중에 그처럼 갑자기 우울감에 사로잡혔던가? 그리고 왜 모스크바에 도착했을 때 '나는 비열한 놈이다!'라고 자기 자신에게 말했던가? 이렇게 혼자서 자꾸 반문했다는 것만 말하면 이반의 고민이 충분히 이해될 것이다. 이제 그는 이 고통스러운 상념 때문에 카체리나까지도 잊어버리게 될 것만 같았다. 그렇게까지 그는 다시금 이 상념에 사로잡히고 말았던 것이다. 이런 상념에 빠져 한길을 걷고 있을 때, 그는 마침 알료샤를 만났다. 그는 곧 동생을 불러 세우고 느닷없이 질문을 던졌다.

"너 생각나니, 드미트리가 식사 후에 집에 달려 들어와서 아버질 때렸을 때 일을? 그다음에 내가 마당에서 너한테, 나는 '희망의 권리'를 보유한다고 말했지? 그때 말이다, 넌 내가 아버지의 죽음을 희망한다고 생각했니, 그렇지 않다고 생각했니? 어서 말해 봐."

"희망한다고 생각했어요." 알료샤는 나직이 대답했다.

"사실 그랬다, 추측이고 뭐고 필요 없어. 하지만 너는 그때, '독충들이 서로 잡아먹는 것'을, 즉 드미트리가 아버지를 한시바삐 죽이기를 내가 바라고 있다고 생각되진 않았니?…… 나 자신도 경우에 따라선 그것을 거들어 줄 용의가 있는 것같이 생각되지 않았느냐 말이다.”

알료샤는 약간 얼굴이 해쓱해져서, 말없이 형의 눈을 바라보았다.

“어서 말해 보라니까!” 이반은 소리쳤다. “난 네가 그때 어떻게 생각했는지 그걸 꼭 듣고 싶다. 난 거짓 없는 사실을 알고 싶어!”

그는 알료샤의 대답을 듣기도 전에 미리부터 노기 띤 눈으로 동생을 바라보며 숨을 가쁘게 몰아쉬었다.

“용서하세요. 난 그때, 난 그렇게 생각했어요.” 알료샤는 소곤거리듯 말하고, ‘부드러운 표현’의 말은 한마디도 보태지 않고서 입을 다물어 버렸다.

“고맙다!” 이반은 짤막하게 말하고는, 알료샤를 버려둔 채 자기 갈 길을 급히 가 버렸다. 이런 일이 있은 후부터 알료샤는 이반 형이, 분명히 자기를 피하려 들 뿐만 아니라, 자기를 사랑하지 않게 된 것을 알아챘다. 그래서 알료샤 쪽에서도 이반을 만나러 가는 것을 포기하고 말았다. 그런데 그때 이반은 노상에서 알료샤를 만나고 나서, 자기 숙소로 돌아가지를 않고, 다시금 스메르쟈코프를 만나러 곧장 그리로 갔던 것이다.

7. 두 번째 스메르쟈코프 방문

그 무렵에 스메르쟈코프는 이미 병원에서 나와 있었다. 이반 표도로비치는 그의 새 거처를 알고 있었다. 그것은 바로 그 기울어진 작은 통나무집이었는데, 한가운데로 복도가 있어서 두 부분으로 나뉜 집이었다. 한쪽에는 마리야 콘드라치예브나가 자기 어머니와 함께 살고 있었고, 다른 한쪽은 스메르쟈코프가 차지하고 있었다. 그가 어떤 조건 하에 한집에 살고 있는지—공짜로 신세를 지고 있는지, 아니면 돈을 내고 있는지, 그것은 아무도 몰랐다. 나중에 추측되기로는, 아마도 마리야의 약혼자의 자격으로 당분간 그 집에서 그냥 신세를 지고 있었으리라는 것이다. 모녀가 다 그를 무척 존경하며 마치 자기네들보다는 훨씬 격이 높은 사람처럼 생각하고 있었다.

이반은 노크를 하고 현관에 들어서자, 곧 마리야 콘드라치예브나의 안내를 받아 스메르쟈코프가 차지하고 있는 왼쪽의 '깨끗한 방'으로 들어갔다. 방 안에는 벽돌로 된 페치카가 있어서 공기가 후끈했다. 사방 벽에 바른 푸른 벽지가 여기저기 찢어져서 그 사이로 바퀴가 떼를 지어 기어 다니며, 쉴 새 없이 부스럭거리고 있었다. 가구도 초라했다. 양쪽 벽 밑에 벤치가 두 개, 그리고 탁자 옆에 의자 두 개가 놓여 있었다. 탁자는 나무로 된 소박한 것이었으나, 그래도 장밋빛 무늬가 든 상보가 씌워져 있었다. 조그마한 두 개의 창문에는, 제라늄 화분이 한 개씩 놓여 있고, 방 한구석에는 성상을 모셔 놓은 함이 있었다. 탁자 위에는 우글쭈글한 동제銅製 사모바르와 찻잔 두 개를 담은 쟁반이 놓여 있었다. 그러나 스메르쟈코프는 이미 차를 마셨는지 사모바르의 불은 꺼져 있었다……. 스메르쟈코프는 탁자 옆 벤치에 앉아서 공책을 들여다보며 펜으로 무언가 쓰고 있었다. 그의 옆에는 잉크병과 스테아르산 양초가 꽂힌 나지막한 쇠 촛대가 놓여 있었다. 이반은 스메르쟈코프의 얼굴을 보자마자, '이제는 병이 완쾌됐구나' 생각했다. 그의 얼굴은 전보다 살이 올라 훨씬 생기가 도는 것 같았고, 앞머리는 기름을 발라 위로 빗어 올려서 양쪽으로 갈라붙이고 있었다. 그는 알록달록한 무명 가운을 걸치고 앉아 있었는데, 그 가운은 상당히 낡은 것이어서 여기저기 해져 있었다. 콧잔등에는 안경이 걸려 있었다. 이반은 전에 그가 안경을 낀 것을 본 일이 없었다. 이 대수롭잖은 사실이 이반의 비위를 몇 배나 더 강하게 건드렸다. '안경까지 걸치고, 건방진 녀석 같으니!' 하고 이반은 속으로 생각했다.

스메르쟈코프는 천천히 고개를 쳐들고 안경 너머로 방문객을 뚫어지게 바라보고 나서, 조용히 안경을 벗고 벤치에서 일어났으나, 공손한 데라곤 조금도 없고, 자못 귀찮다는 듯이, 접객에 필요한 최소한의 예의를 지키는 것뿐이라는 태도였다. 이반은 대번에 이 모든 것을 알아채고, 가슴속에 죄다 접어 넣었다. 그러나 무엇보다 못마땅한 것은 스메르쟈코프의 악의에 찬, 무뚝뚝하고 거만하기까지 한 시선이었다. '무엇 때문에 건들거리고 나타났어? 그때 얘기는 다 끝났을 텐데, 또 뭣하러 왔어?' 하는 눈치였다. 이반은 간신히 자기 자신을 억제했다.

"이 방은 덥군그래." 그는 선 채로 이렇게 말하고 외투 단추를 끌렀다.

"벗으십시오." 스메르쟈코프가 허락했다.

이반은 외투를 벗어 벤치 위에다 던지고, 떨리는 손으로 의자를 집어 탁자 옆으로 옮겨 놓고서 거기 앉았다. 스메르쟈코프는 이반보다도 먼저 벤치에 걸터앉았다.

"미리 묻겠는데, 우리 둘이서만 얘기할 수 있겠지?" 이반은 엄격한 어조로 물었다. "저쪽에서 누가 듣지는 않을까?"

"아무도 듣지 못합니다. 보시다시피 사이에 복도가 있으니까요."

"그럼 내 말을 들어. 전번에 병원에서 내가 나오려고 할 때 자넨 뭐라고 했지? 자네가 일부러 발작을 일으킨 체할 수 있다는 걸 내가 말하지 않는다면, 자네도 그때 나와 대문 옆에서 주고받은 대화에 대해선 하나도 예심 판사에게 말하지 않겠노라고 하지 않았나? '하나도'라는 건 뭐야? 도대체 무슨 뜻에서 그때 그따위 소릴 했어? 날 위협한 건가 뭔가? 내가 자네와 무슨 결탁이라도 했단 말인가? 내가 자넬 무서워할 줄 아나, 응?"

이반은 자기가 일체의 모호한 표현이나 속임수를 버리고 노골적으로 따지고 든다는 것을 일부러 상대방에게 알리려는 듯이 맹렬한 기세로 을러멨다. 순간 스메르쟈코프의 두 눈은 독기를 내뿜듯 번쩍 빛났다. 뒤이어 왼쪽 눈이 깜박거리면서, 습관적인 침착과 태연으로 이렇게 대꾸하는 것 같았다—'모든 걸 분명히 따지고 싶어 하는군. 좋아, 그렇게 해 줄 테니.'

"나는 그때 이런 뜻에서 말씀드렸던 겁니다. 즉, 당신이 그 당시 아버님한테 그런 불행이 있으리라는 걸 미리 아시면서도 그냥 내버려 두고 떠나셨으므로, 혹시 그것 때문에 사람들이 당신의 감정에 대해서, 또 그 밖에 다른 일에 대해서 무슨 흉측스런 억측을 하게 될까 염려되었기 때문이죠. 그래서 수사 당국에 말하지 않겠노라고 약속했던 겁니다."

스메르쟈코프는 자기 자신을 억제하며 천천히 말했지만, 그의 음성에는 단호하고, 끈질기고 아니꼬운 도전적인 억양이 섞여 있었다. 그는 뻔뻔스럽기 짝이 없는 눈으로 이반을 응시하고 있었다. 그래서 이반은 처음 한순간 눈 안이 간질간질할 지경이었다.

"뭐가 어째? 자네 지금 정신이 똑똑한가?"

"난 완전히 제정신으로 말씀드리는 겁니다."

"그럼 넌 내가 그때 살인이 있으리라는 걸 알고 있었다, 그 말이지?" 이반은 마침내 이렇게 외치며 주먹으로 탁자를 쾅 내리쳤다. "'그 밖에 다른 일에 대해서'라는 건 또 무슨 소리야? 말해 봐, 악당 놈 같으니!"

스메르쟈코프는 아무 말 없이 여전히 그 뻔뻔스런 눈으로 이반을 물끄러미 바라보고 있었다.

"어서 말해, 고린내 나는 악당 놈아! '그 밖에 다른 일'이라는 건 뭐냐 말이다!"

"내가 지금 '그 밖에 다른 일'이라고 한 건, 당신 자신도 그때 아버님의 죽음을 몹시 바라고 계셨을 거라는 뜻입니다."

이반은 느닷없이 튀어 일어나, 있는 힘을 다해서 그의 어깨를 내리쳤다. 그는 비틀비틀 벽 쪽으로 나가 떨어졌다. 그의 얼굴엔 금세 눈물이 흘러내렸다. 그는 "이렇게 약한 자를 치다니 당신은 부끄럽지도 않습니까?"라고 뇌까리며, 때 묻은 푸른 줄무늬 손수건으로 눈을 가리곤 훌쩍훌쩍 울어댔다. 1분가량 지났다.

"그만해 둬! 그치라니까!" 이반은 다시 자리에 앉으며 명령조로 말했다. "더 이상 내 울화통을 터뜨리지 말란 말이야!"

스메르쟈코프는 그 걸레 조각 같은 손수건을 눈에서 뗐다. 그의 우글쭈글한 얼굴은 주름살마다 방금 당한 모욕을 그대로 나타내고 있었다.

"악당 놈 같으니, 그럼 너는 그때 내가 드미트리와 한패가 되어 아버질 죽이려는 줄로 생각했단 말이지?"

"나는 그때 당신의 마음속을 알 수 없었습니다." 스메르쟈코프는 잔뜩 화가 나서 말했다. "그래서 그때 나는 그 점을 떠보려고 대문간에서 당신을 제지했던 겁니다."

"뭘 떠봐, 뭘?"

"아버님이 한시바삐 살해당하길 바라시는지 어떤지 그걸 알고 싶었던 거죠."

무엇보다 이반을 격분케 한 것은 스메르쟈코프가 그 건방진 어조를 끝내 버리려 하지 않는 점이었다.

"그러고 보니, 네가 아버질 죽였구나." 이반이 버럭 고함쳤다.

스메르쟈코프는 경멸하는 듯이 히죽 웃었다.

"내가 죽인 게 아니라는 건 당신도 잘 아실 게 아닙니까. 현명한 사람이라면 더 이상 그런 얘긴 할 필요가 없을 것 같은데요."

"하지만, 어째서 넌 그때 나한테 그런 의심을 품었지?"

"당신도 아시다시피, 그건 단순히 공포 때문이었죠. 나는 그때 줄곧 공포에 떨고 있는 형편이었으니까 아무나 다 의심하게 되었던 겁니다. 그래서 당신을 좀 떠보기로 했던 거죠. 만일 당신이 드미트리 형님과 똑같은 것을 바라고 계신다면, 모든 일은 끝장이 난 거나 다름없고, 나 자신도 파리 새끼처럼 함께 깔려 죽을 것이라고 생각했던 겁니다."

"이봐, 넌 두 주일 전에 그렇게 말하지 않았어!"

"병원에서 당신과 얘기할 때도 역시 그런 뜻으로 말씀드렸던 겁니다. 쓸데없는 말은 하지 않아도 다 알아들으시려니 생각했던 것뿐이죠. 당신은 아주 현명한 분이시니까 너무 노골적인 대화는 좋아하시지 않을 거라는 생각에서……"

"저런 놈 봤나! 하지만 대답을 해, 대답을! 난 너의 대답을 들어야겠다. 무슨 이유로 너는 그때 나한테 그런 비열하고도 엉뚱한 의심을 품었느냐 말이다!"

"살인을 한다는 건 당신으로선 도저히 불가능한 일이고 또 그런 생각조차도 못 하셨을 겁니다. 그러나 딴 사람이 죽여 줬으면 하는 생각은 하셨을 테니까요."

"아주 태연하게 그런 소릴 하는구나! 하지만 내가 왜 그렇게 되길 바랐다는 거냐? 내가 그걸 바라는 이유가 뭐야?"

"이유가 뭐냐고요? 유산 문제 때문이라면 어쩌죠?" 스메르쟈코프는 독기 품은 어조로, 마치 무슨 앙갚음이라도 하듯이 말을 받았다.

"아버님이 돌아가시면 형제분들 앞으로 각각 4만 루블 이상씩 돌아가게 되어 있었습니다. 하지만, 주인어른께서 그 아가씨와—아그라페나 알렉산드로브나와 결혼해 보십시오. 그 아가씨는 결혼식이 끝나기가 무섭게 그 재산 전부를 자기 명의로 바꿔 버릴 겁니다. 그야말로 빈틈없는 아가씨니까요. 그렇게 되면 당신네 삼 형제한테는 아버님이 돌아가신 후에 단돈 2루블씩도 차례가 안 갈 겁니다. 한데 그때 그 결혼이 과연 실현성이 희박한 것이었습니까? 거의 다 된 이야기였죠. 그 아가씨가 새끼손가락만 하나 움직여 보이면 주인어른께선 싱긋벙긋 그 아가씨를 따라 교회당으로 달려가셨을 게 아닙니까."

이반은 자신을 억제하기에 고통을 느낄 지경이었다.

"좋아." 마침내 그는 입을 열었다. "보다시피 난 튀어 일어나지도 않고, 널 때려누이지도 않고, 죽이지도 않는다. 그러니 어서 그다음을 잘해 봐. 그러니까 네놈 생각엔, 드미트리 형이 아버지를 죽일 것으로 내가 예상하고 기대를 걸고 있었단 말이지?"

"어찌 그걸 기대하지 않겠습니까. 그분이 아버님을 죽여 보십시오. 그때는 귀족의 권리와 지위와 재산을 모두 박탈당하고 시베리아로 유형을 당할 게 아닙니까. 그렇게 되면 아버님의 유산 중 그분 몫은 당연히 당신과 알렉세이 표도로비치한테 반씩 돌아가게 되니까, 결국 두 분은 4만 루블씩이 아니라 6만 루블씩 상속받게 될 테니까요. 그래서 당신이 그때, 드미트리 표도로비치한테 기대를 걸었다는 건 의심할 여지도 없단 말입니다!"

"내 꾹 참는다! 그렇지만 들어 봐, 악당 놈아! 만약에 내가 그때 누구한테 기대를 걸었다면, 그건 드미트리한테가 아니라 오히려 네놈한테다! 난 정말로 네가 무슨 추악한 일을 저지를 것만 같은 느낌이 들었어……. 그때…… 내가 받은 인상을 난 지금도 기억하고 있단 말이다!"

"아닌 게 아니라, 나도 그때 잠깐 그렇게 생각했죠. 당신이 나한테도 그런 기대를 걸고 계신 것 같다고 말이죠." 스메르자코프는 비꼬듯이 히죽 웃었다. "하지만 그럴수록 당신은 그때 내 앞에서 자기 속셈을 더욱 분명히 드러내 보인 게 됩니다. 만약에 당신이 내가 무슨 추악한 일을 저지를지 모른다고 생각하시면서도 그냥 떠나 버리셨다면, 그것은 나더러 '넌 우리 아버질 죽여도 괜찮다, 난 막지 않겠다'라고 하신 거나 다름없으니까요."

"죽일 놈 같으니! 그래 넌 그렇게 해석했단 말이지?"

"그렇게 해석하게 된 것도 역시 그 체르마쉬냐 때문입니다. 글쎄, 좀 생각해 보세요! 당신은 모스크바에 가시려고 체르마쉬냐로 가라는 아버님의 간청을 거절하시지 않았습니까! 그런데 나 같은 어리석은 놈의 말 한마디에 곧 동의하셨단 말입니다! 당신이 그때 체르마쉬냐행에 동의해야 할 이유가 어디 있겠습니까? 당신이 내 말 한마디에 아무 이유도 없이 모스크바행을 단념하고 체르마쉬냐로 가신 걸 보면, 나한테 무엇을 기대하신 게 틀림없습니다."

"아니야, 절대 그렇지 않아!" 이반은 이를 갈며 소리쳤다.

"뭐가 그렇잖단 말입니까? 사실은 정반대의 행동을 취하셨어야만 하는 겁니다. 당신은 그 어른의 아드님으로서, 그때 그따위 소리를 한 나를 당장에 경찰서로 끌고 가서 혼을 내시든지, 아니면…… 적어도 그 자리에서 내 따귀를 갈겨 주셨어야 하는 건데 실제로는 성을 내시기는커녕, 오히려 내 어리석은 권유를 기꺼이 받아들여서 곧 피하시지 않았느냐 말입니다. 그건 도대체 이치에 닿지 않는 짓이었죠. 왜냐하면, 당신은 마땅히 아버님의 생명을 보호하기 위해 그냥 머물러 계셔야 했거든요……. 그러니 나로서는 그렇게 해석할 수밖엔 없잖습니까!"

이반은 눈살을 잔뜩 찌푸린 채, 후들후들 떨리는 두 주먹으로 무릎을 꽉 짚고서 앉아 있었다.

"사실이지, 네놈의 따귀를 갈겨 주지 못한 게 유감이다." 그는 씁쓸하게 웃었다. "그때 너를 경찰에 끌고 갈 수는 없는 일이었어—아무도 내 말을 곧이듣지 않았을 것이고, 또 나 자신 아무런 증거도 제시할 수 없었을 테니까. 그러나 따귈 갈겨 주는 건…… 음, 그걸 미처 생각 못 했으니 참 분하구나. 요즘은 구타가 금지되어 있기는 하지만, 내가 네놈의 상통을 아주 묵사발을 만들어 주는 건데."

스메르자코프는 재미난다는 표정으로 이반을 바라보고 있었다.
"인생의 보통의 경우에 있어서는" 하고 그는 스스로 만족한 듯 교훈적인 어조로 말했다. 그것은 언젠가 표도르 파블로비치의 식탁 옆에 서서, 그리고리와 신앙 문제에 관해 토론하면서 그를 조롱했을 때와 똑같은 어조였다. "인생의 보통의 경우에 있어서는, 구타는 요즘 법률로 금지되어 있습니다. 사람들은 그것을 포기했습니다. 그러나 인생의 특별한 경우에 있어서는, 비단 우리나라뿐만 아니라 세계 어느 곳에서도, 심지어는 가장 완전하다는 프랑스 공화국에서까지도, 아담과 이브 시대처럼, 여전히 구타가 존속되고 있습니다. 앞으로도 절대 없어지지 않을 겁니다. 그렇지만 당신은 그런 특별한 경우에도 감히 그러질 못하셨습니다."
"뭐야 저건, 프랑스어를 배우고 있나?" 이반은 탁자 위에 놓인 공책을 턱으로 가리켰다.
"나라고 해서, 프랑스어쯤 배워서 교양을 높여서는 안 된다는 법은 없지 않습니까. 언제든지 나도 유럽의 그런 행복한 곳에 가볼 기회가 있을지 모르니까요."
"들어 봐, 악당 놈아." 이반은 온몸을 떨며 눈을 번쩍였다. "난 네놈의 고발 같은 건 무섭지 않아. 무슨 소리든 네 맘대로 진술하란 말이다. 내가 지금 너를 때려죽이지 않는 건 너를 범인으로 생각하는 때문이고, 너를 법정에 끌어낼 작정이기 때문이야. 난 기어코 네놈의 탈을 벗기고야 말 테다!"
"그렇지만 내 생각으론 잠자코 계시는 게 상책일 것 같습니다. 아무 죄도 없는 날 괜히 끌어내면 뭘 합니까? 그러신다고 누가 당신 말을 믿겠어요? 꼭 당신이 그러시겠다면 나도 모든 걸 다 말하겠습니다. 나도 자기 자신을 변호할 필요가 있으니까요."
"그렇다고, 내가 지금 널 무서워할 줄 아니?"
"내가 지금 당신한테 말씀드린 것을 법정에서는 믿지 않더라도 그 대신 항간巷間에선 믿을 겁니다. 그렇게 되면 당신도 체면이 말이 아닐 겁니다."

"그것도 역시 '현명한 사람하곤 얘기하기가 재미있다'는 뜻인가, 응?" 이반은 이를 부드득 갈았다.

"바로 말씀하셨습니다. 그러니 당신도 현명한 사람이 되십시오."

이반은 분노에 전신을 떨며 일어나서 외투를 입었다. 그리고 스메르쟈코프에겐 한마디 대꾸도 없이, 거들떠보지도 않고 급히 그 집을 나섰다. 선뜩한 밤공기가 그의 가슴을 시원하게 해 주었다. 하늘에는 달이 환하게 떠 있었다. 사상과 감각의 무서운 악몽이 그의 마음속에서 소용돌이치고 있었다. '지금 당장 가서 스메르쟈코프를 고발해 버릴까? 그러나 뭘 고발한단 말인가? 어쨌든 그놈에겐 죄가 없지 않은가. 오히려 그놈이 나를 고발할 거다. 사실 말이지, 나는 그때 무엇 때문에 체르마쉬냐로 떠났을까? 무엇 때문에? 무엇 때문에?' 하고 이반은 자신에게 물었다. '그렇다. 나는 물론 무엇인가를 예기하고 있었던 거야. 그놈 말이 옳아.' 그러자 다시금 그의 머릿속에 떠오른 것은, 아버지 집에서 마지막 날 밤에 자기가 층계 위에 나와 밑의 동정을 엿듣던 일이었다. 그러나 지금 그 일을 생각하니 말할 수 없는 고통에 사로잡혀서, 그는 마치 무엇에 푹 찔리기라도 한 것처럼, 그 자리에 우뚝 멈춰서고 말았다. '사실 나는 그때 그걸 바라고 있었던 거야. 틀림없어. 나는 그걸 바라고 있었어. 아버지가 살해되기를 바라고 있었어. 하지만 정말로 내가 그걸 바랐을까, 바랐을까? 스메르쟈코프 놈을 죽여 버려야겠다! 지금 스메르쟈코프를 죽여 버리지 못하면, 난 살아 있을 가치조차 없다!'

이반은 자기 집으로 돌아가지 않고, 곧장 그길로 카체리나 이바노브나한테로 갔다. 그가 그런 모습으로 나타난 것을 보고, 그녀는 깜짝 놀랐다. 그는 미친 사람과 조금도 다름없는 꼴을 하고 있었던 것이다. 이반은 스메르쟈코프와의 대화를 하나도 빼놓지 않고 죄다 그녀에게 털어놓았다. 그리고 그녀가 아무리 타일러도 좀처럼 마음을 진정시키지 못하고, 방 안을 왔다 갔다 하며, 앞뒤가 맞지 않는 이상한 소리만 지껄였다. 마침내 그는 의자에 주저앉더니, 탁자에 팔꿈치를 세우고 두 손으로 머리를 움켜쥐고서 괴이한 말을 뇌까렸다.

"만약에 살인범이 드미트리가 아니고 스메르쟈코프라면, 나도 공범이라 할 수 있어. 내가 그놈을 부추겼으니까. 하긴 내가 정말 부추겼는지 어떤지는 아직 모르겠지만. 아무튼 살인범이 드미트리가 아니고 그놈이라면, 물론 나도 살인범이야."

이 말을 듣고 카체리나는 말없이 자리에서 일어나더니, 자기 책상으로 가서 그 위에 놓인 상자를 열고 종이 한 장을 꺼내 이반 앞에 갖다 놓았다. 이것은 그 후 이반이 알료샤한테 드미트리 형이 진범이라는 것을 '수학적으로 증명하는' 문서가 있다고 말한, 바로 그 증거 문서였다. 그것은 미챠가 취중에 카체리나에게 써 보낸 편지인데, 그가 이 편지를 쓴 것은, 수도원으로 돌아가는 알료샤와 들판에서 만났던 바로 그날 저녁, 그러니까 그루셴카가 카체리나네 집에서 그녀에게 모욕을 주던 날 저녁이었다. 그때 미챠는 알료샤와 헤어진 후 곧장 그루셴카한테로 달려갔었다. 그루셴카를 만났는지 어떤지는 모르지만, 아무튼 그는 그날 밤에 '서울집'에 나타나서, 언제나처럼 잔뜩 취하도록 술을 마셨다. 그러고는 취한 김에 펜과 종이를 달래서, 자기에게 중대한 결과를 초래할 이 편지를 갈겨썼던 것이다. 그것은 앞뒤가 맞지 않는 장황하고도 난폭한 편지여서, 누가 보아도 '취한 김에 쓴 편지'임이 분명했다. 그것은 마치 술 취한 사람이 집에 돌아와서, 자기는 방금 모욕을 당했는데, 자기를 모욕한 그놈은 형편없는 악당이지만, 자기는 그와는 비교될 수 없을 만큼 훌륭한 인간이다. 그래서 반드시 그 악당 놈에게 앙갚음을 하고야 말 테다, 라고 주먹으로 테이블을 내리치며 눈물을 섞어 가면서 마누라나 집안 식구들에게 이치에 닿지도 않는 말을 장황하게 늘어놓으며 열을 올리는 바로 그런 종류의 넋두리와 같은 것이었다. 그가 술집에서 얻어 쓴 종이는 흔해 빠진 값싼 편지지였다. 꺼멓게 때 묻은 종잇조각 뒷면에는 무슨 계산을 한 것 같은 난잡한 글씨 자국까지 남아 있었다. 취한 사람이 넋두리를 늘어놓기엔 지면이 모자랐던 모양이었다. 그래서 미챠는 가장자리까지 가득 채웠을 뿐만 아니라, 마지막 몇 줄은 먼저 써넣은 위에다가 다시 가로질러 쓰기까지 했다. 편지 내용은 다음과 같았다.

숙명적인 카챠! 나는 내일 돈을 구해서 당신의 3천 루블을 갚을 작정이오. 영원히 안녕, 위대한 분노의 여인이여, 그리고 나의 사랑도 안녕! 그것으로 끝을 맺읍시다! 나는 내일 여기저기 쫓아다니며 부탁을 하여 그 돈을 구할 생각이오. 당신한테 맹세하거니와, 만일 끝내 구할 수가 없으면, 이반이 떠나자마자 아버지한테 가서 골통을 부수고라도 베개 밑에 둔 돈을 뺏어 오겠소. 나는 시베리아로 유형을 당하겠지만, 당신 돈 3천 루블만은 반드시 갚고야 말겠소. 그러니 당신도 나를 용서해 주시오. 난 땅에 이마를 대고 절을 하오. 나는 당신한텐 말 못 할 악당이었으니까. 나를 용서하시오. 아니, 차라리 용서하지 않는 편이 좋을 거요. 그래야 나도 당신도 마음이 편할 테니까! 당신의 사랑보다는 시베리아가 오히려 좋소. 나는 다른 여자를 사랑하고 있으니까, 오늘 당신은 그 여자가 어떤 여잔지 잘 알았을 거요. 그러니 어떻게 당신이 용서할 수 있겠소? 아무튼 나는 내 돈을 훔친 도둑놈을 죽일 작정이오! 그리고 당신네들을 떠나 동쪽으로 가겠소. 그리고 모든 사람을 다 잊어버리겠소. '그 여자' 역시 잊어버리겠소. 나를 괴롭히는 당신이나 그 여자나 마찬가지니까. 안녕!

추신—나는 이런 저주하는 말을 쓰고는 있지만, 그래도 역시 당신을 존경하고 있소! 나는 내 가슴속에서 울려오는 소리를 듣고 있소. 한 가닥 현弦은 아직도 남아서 울리고 있는 거요. 차라리 심장을 두 조각으로 잘라 버리는 편이 나을 것 같소. 나는 스스로 목숨을 끊은 거요. 그러나 우선 그 수캐부터 죽여 없애겠소. 그 수캐한테서 3천 루블을 빼앗아다가 당신한테 던져 줄 작정이오. 나는 비록 당신한테는 악당이지만 결코 도둑놈은 아니오! 3천 루블을 가져갈 테니 기다리시오. 그 수캐는 자기 잠자리 밑에 장밋빛 리본으로 그 돈을 묶어 두었소. 난 도둑놈이 아니오. 내 돈을 훔친 도둑놈을 내 손으로 죽이는 거요. 카챠, 나를 너무 멸시하지 마시오. 드미트리는 도둑놈이 아니오, 살인자일 뿐이오! 나는 당신의 거만한 자존심 앞에 굴복

하느니 차라리 아버지를 죽이고 나 자신을 파멸시킬 것이오. 당신을 사랑하지 않기 위해서도.

재再추신—당신 발에 키스를 보내면서, 안녕!

재삼再三 추신—카챠, 누가 나한테 돈을 주도록 하느님께 기도해 주시오. 그러면 나는 피를 보지 않아도 될 거요. 만일 아무도 주지 않으면, 결국 나는 피투성이가 되고 말 거요! 나를 죽이시오!

당신의 노예이며 원수인
D. 카라마조프

이반은 이 '증거 문서'를 읽고 나서, 다시금 확신을 얻고 자리에서 일어났다. 그렇다면 범인은 스메르쟈코프가 아니고 형이었구나. 스메르쟈코프가 아니라면, 이반 자기도 아니다. 이 편지는 갑자기 그의 눈에 수학적인 의미를 띤 것으로 보이기 시작했다. 이제는 더 이상 미챠가 범인임을 의심할 여지가 없게 되었다. 여기서 한 가지 덧붙여 말해 둘 것은, 미챠가 혹시 스메르쟈코프와 공모해서 살인을 한 건 아닐까, 하는 의심은 이반의 마음속에 한 번도 일어난 적이 없었다는 점이다. 게다가 그것은 사실과 부합되지도 않았다. 그래서 다음 날 아침에는, 스메르쟈코프와의 면담과 그의 조롱을 상기했을 때도 그저 코웃음을 쳐 버리고 말았다. 그리고 며칠 후에는, 스메르쟈코프가 자기를 의심한다 해서 그처럼 화를 내고 고민한 자기 자신이 어이가 없을 지경이었다. 그는 스메르쟈코프를 멸시해 버리고 그 일을 아주 잊어버리기로 결심했다. 그렇게 한 달이 지났다. 그는 누구한테도 스메르쟈코프에 관해서 더 이상 물어보지 않았다. 그러나 그가 몹시 앓고 있으며 이제는 정신이 분명치 못하다는 말을 우연히 한두 번 들었다.

"결국 미쳐서 죽고 말겠지요." 한 번은 젊은 의사 바르빈스키가 이렇게 말하였다. 이반은 이 말을 기억해 두었다. 이달 마지막 주간에 이반도 자기 몸에 이상이 있음을 느끼기 시작하였다. 공판이 있기 얼마 전에 그는 카체리나가 모스크바에서 초빙해 온 의사한테 진찰을 받으러 갔었다. 이 무렵 그와 카체리나와의 관계는 극도로 긴장되어 있었다. 두 사람은 서로 사랑하는 원수지간과 같았다. 비록 순간적인 것이기는 했지만, 카체리나의 마음이 갑자기 미챠에게로 복귀復歸함으로써 이반을 광적인 격분에 사로잡히게 했다. 무엇보다도 이상한 것은, 앞에서 이미 기술한 최후의 장면까지, 즉 알료샤가 미챠를 면회한 후 카체리나네 집에 왔을 때까지, 이반은 한 달 동안에 그녀의 입에서, 미챠가 진범임을 의심하는 것 같은 말을 한 번도 듣지 못했다는 사실이다. 그러면서도 그녀는 몇 번이나 미챠한테 '복귀'하여 이반의 증오를 불러일으키곤 했다. 그리고 또 한 가지 주목할 만한 것은, 미챠에 대한 증오가 날이 갈수록 더욱더 심해지는 것을 그 자신이 느끼면서도 한편으로는 자기의 그 증오가 카체리나의 '복귀' 때문이 아니라, 미챠가 아버지의 살해자이기 때문이라고 생각했다는 점이다. 그는 이것을 느끼고 있었고, 또 충분히 의식하고 있었다.

그럼에도 불구하고, 그는 공판이 있기 열흘 전에 미챠를 찾아가서 형에게 탈주 계획을 제시했다. 이 계획은 그가 오랫동안 연구해서 만들어 낸 것임이 분명했다. 여기에는 그로 하여금 그런 행동을 취하게 한 중요한 원인 이외에도, 그의 마음속에 숨겨진, 좀처럼 아물 줄 모르는 어떤 상처가 있었던 것이다. 그것은, 미챠가 유죄 판결을 받으면 아버지의 유산을 알료샤와 둘이서 4만 루블이 아니라 6만 루블씩 분배받을 수 있으므로, 그렇게 되는 편이 이반에게 유리할 것이라고 스메르자코프가 한마디 뇌까린 데서 생긴 상처였다. 그래서 그는 미챠의 탈주 비용으로 2만 루블을 스스로 희생하기로 결심했다. 그는 미챠를 면회하고 돌아왔을 때, 참을 수 없는 비애와 고민을 느꼈다. 자기가 미챠의 탈주를 바라는 것은, 다만 3만 루블을 희생해서 마음의 상처를 낫게 하기 위해서뿐만 아니라, 그밖에도 또 다른 이유가 있는 것같이 느껴졌던 것이다. '마음속으로는 나도 똑같은 살인자이기 때문이 아닐까?' 하고 그는 자신에게 물어보았다. 무언가 종잡을 수 없는 것이 부젓가락처럼 그의 마음을 쿡쿡 쑤셨다. 특히 지난 한 달 동안 그의 자존심은 무서운 고뇌를 겪어야 했다. 그러나 그 이야기는 나중에 가서 하기로 하자.

이반은 알료샤와 말을 주고받은 후 자기 집까지 가서 초인종에 손을 댔다가, 갑자기 스메르쟈코프한테 가기로 결심했는데, 그것은 그의 가슴속에 솟아오른 급격하고도 특별한 분노의 발작 때문이었다. 다름 아니라, 아까 알료샤가 있는 앞에서 카체리나가 자기를 보고, '당신은 그이가 (즉 미챠가) 아버지를 죽였다고 나한테 우기셨죠!'라고 한 말이 문득 생각났던 것이다. 순간 그는 얼어붙은 듯 그 자리에 섰다. 그는 미챠가 범인이란 말을 그녀 앞에서 한 적은 한 번도 없었다. 오히려 전번에 스메르쟈코프를 만나고 나서 그녀한테 갔을 때엔, 그녀 앞에서 자기 자신에게 혐의를 품기까지 했었다. 그리고 그때는 도리어 그녀 쪽에서 그 '증거 문서'를 제시하여 미챠가 범인임을 증명하지 않았던가. 그런데 이제 와서 갑자기 '난 스메르쟈코프를 만나러 갔었어요'라고 소리치는 것이다. 대체 언제 갔었다는 걸까? 이반은 조금도 모르는 일이었다. 그렇다면, 그녀는 미챠가 범인임을 확신하고 있지 않는 것이다! 스메르쟈코프는 그녀에게 뭐라고 했을까? 무서운 분노가 이반의 가슴속에서 불타기 시작했다. 어째서 자기가 반 시간 전엔 그녀의 이 말을 아무렇지 않게 들어 넘겼는지, 그리고 당장 호통을 치지 않고 그냥 넘겨 버렸는지 그는 알 수가 없었다. 그는 자기 집 초인종을 버려두고 곧장 스메르쟈코프에게로 달려갔다. '이번엔 내가 그놈을 죽여 버릴지도 모른다!' 하고 그는 도중에 생각했다.

8. 스메르쟈코프와의 세 번째 마지막 면담

목적지까지 반도 채 가기 전에, 그날 새벽에 불던 것 같은 매섭고 건조한 바람이 일기 시작하더니, 보슬보슬한 싸락눈이 쏟아져 내렸다. 눈은 땅에 떨어졌으나 미처 쌓일 사이도 없이 바람에 날려 올랐다. 그러자 곧 본격적인 눈보라가 휘몰아쳤다. 스메르쟈코프가 살고 있는 변두리 지구에는 가로등이라곤 거의 없었다. 이반은 어둠 속에서 눈보라도 의식하지 못하고 본능적으로 길을 골라 짚으며 걸어갔다. 머리가 빠개질 듯이 아프고 관자놀이께가 쿡쿡 쑤셔 왔다. 그는 자기 손이 경련이 일어 떨고 있음을 느꼈다. 마리야 콘드라치예브나네 집에 거의 이르렀을 때, 이반은 술 취한 작달막한 농부를 만났다. 농부는 누덕누덕 기운 외투를 걸치고 비틀비틀 갈지자걸음으로 걸으며 혼자 투덜거리며 욕질을 하고 있었다. 그러다가 갑자기 욕질을 그치더니, 이번엔 혀 꼬부라진 목쉰 소리로 노래를 부르기 시작했다.

아아, 반카(이반의 비칭)[33]는 페테르[34]로 떠나 버렸네,
난 그깟 놈 기다리지 않을 테야!

그러나 농부는 번번이 둘째 구절에서 노래를 끊고는 다시 욕지거리를 시작하다가 갑자기 같은 노래를 다시 되풀이하곤 하였다. 이반은 그 농부에 대해서 생각해 보지도 않고 대번에 증오부터 느꼈다. 문득 그는 자기 눈앞에 농부가 있음을 의식하자, 주먹을 휘둘러 농부를 때려누이고 싶은, 억제할 수 없는 충동을 느꼈다. 바로 그 순간, 그들은 서로 지나치게 되었다. 농부는 몹시 비틀대면서 이반에게 힘껏 부딪혔다. 이반은 홱 밀어 제쳤다. 농부는 얼어붙은 땅 위에 통나무처럼 나가떨어졌으나, '어이쿠!' 하고 단 한 번 신음 소리를 내고는, 그냥 잠잠해지고 말았다. 이반이 한 걸음 다가가 보니, 농부는 꼼짝 않고 의식을 잃은 채 자빠져 있었다. '얼어 죽겠군!' 하고 이반은 생각했으나, 다시 스메르쟈코프의 집을 향해 걷기 시작했다.

손에 촛불을 들고 문을 열어 주려고 달려 나온 마리야 콘드라치예브나는, 이반

33 러시아의 가장 흔한 인명人名.

34 상트페테르부르크Saint Petersburg의 속칭.

이 현관에 들어서자마자, 파벨 표도로비치가 (즉, 스메르쟈코프가) 병이 중하다고 귓속말로 알려 주었다. 그렇다고 자리에 누워 있는 건 아니지만, 거의 제 정신이 아닌 것 같고, 차를 준비하라 해 놓고는, 그걸 마시려 하지도 않는다는 것이었다.

"그래, 난폭하게 굴기라도 한단 말인가?" 이반은 무뚝뚝하게 물었다.

"웬걸요, 오히려 너무 조용할 지경이에요. 그렇지만 그 사람하고 너무 오래 이야기하지 말아 주셨으면 좋겠어요." 마리야 콘드라치예브나는 그에게 이렇게 간청했다.

이반은 문을 열고 방 안으로 들어섰다.

전번에 왔을 때처럼 방 안은 후끈하도록 데워져 있었으나, 가구 등속은 약간 바뀌어져 있었다. 벽 옆에 있던 벤치 하나를 들어내고, 그 자리에 마호가니로 만든 큼직하긴 하지만 무척 낡은 가죽 소파를 들여놓았는데, 그 위에 잠자리가 펴져 있고, 새하얀 베개가 놓여 있었다. 스메르쟈코프는 전과 같은 가운 차림으로 소파에 앉아 있었다. 테이블을 소파 앞으로 옮겨 놓아서 방 안이 몹시 비좁아진 것 같았다. 테이블 위에는 노란 표지의 두툼한 책이 한 권 놓여 있었지만, 스메르쟈코프는 그것을 읽고 있지는 않았다. 그저 아무것도 하지 않고 멍청히 앉아 있는 것 같았다. 그는 말없이 느린 시선으로 이반을 맞았다. 이반의 내방에 조금도 놀라지 않은 게 분명했다. 그는 그사이에 몰라 볼 만큼 변하여, 얼굴은 비쩍 여위고 안색은 누렇게 되어 있었다. 눈은 움푹 들어가고, 눈언저리는 푸른빛을 띠고 있었다.

"자네 정말로 앓고 있는 건가?" 이반은 멈춰 섰다. "뭐 오래 있지는 않을 테니까 외투도 벗지 않겠네. 어디 앉을까?"

그는 테이블 한쪽 끝으로 돌아가서, 의자를 끌어다 놓고 앉았다.

"왜 아무 말 않고 바라보고만 있나? 자네한테 한 가지만 물어볼 게 있어. 미리 말해 두지만 그 대답을 듣기 전엔 절대 돌아가지 않겠네. 자네한테 카체리나 이바노브나 아가씨가 왔었지?"

스메르자코프는 여전히 조용한 눈으로 이반을 바라보면서 한참 동안 입을 다물고 있다가, 갑자기 손을 내젓고는 얼굴을 돌려 버렸다.

"왜 그래?" 이반은 소리쳤다.

"아무것도 아닙니다."

"아무것도 아니라니?"

"예, 오기는 왔었죠. 그렇지만 당신한텐 아무 상관없어요. 그만 돌아가 주십시오."

"아니, 안 돌아간다! 말해, 그 여자가 언제 왔었지?"

"글쎄요, 난 그 여자에 대해선 다 잊어버렸습니다." 스메르자코프는 경멸하듯이 히죽 웃었으나, 다시 이반에게로 얼굴을 홱 돌리더니, 증오에 가득 찬 시선으로 그를 응시했다. 그것은 한 달 전에 만났을 때 그를 응시하던 것과 똑같은 시선이었다.

"당신도 어디가 편치 않으신가 보군요. 몹시 여위시고, 얼굴이 말이 아니십니다" 하고 그는 이반에게 말했다.

"내 건강은 염려할 것 없어. 묻는 말에나 대답해."

"그런데, 왜 눈빛이 그렇게 누렇죠? 흰자위가 아주 누렇게 되었어요. 몹시 괴로우신 모양이군요?" 그는 멸시하듯 피식 웃고는, 갑자기 큰 소리로 웃어 댔다.

"이봐, 난 너의 대답을 듣기 전엔 절대 안 갈 테니까 그리 알아!" 이반은 벌컥 성을 내며 고함을 쳤다.

"왜 당신은 나를 이렇게 들볶습니까? 무엇 때문에 나를 괴롭혀요?" 스메르자코프는 자못 괴로운 듯이 말했다.

"제기랄! 난 너 같은 놈한텐 아무 용무도 없어. 묻는 것만 대답해, 곧 갈 테니까!"

"뭐 대답할 말도 없습니다!" 스메르자코프는 다시 눈을 내리깔았다.

"난 네 대답을 꼭 듣고야 말 테니까 그리 알아!"

"대체 뭐가 걱정이 돼서 그럽니까?" 스메르자코프는 흘끗 이반을 쳐다보았다.

그의 얼굴에는 경멸이라기보다는 일종의 혐오가 나타나 있었다. "내일 공판이 열리기 때문인가요? 그렇다면, 걱정할 것 없습니다, 당신한텐 아무 일 없을 테니까! 어서 집에 돌아가 누워서 편안히 쉬십시오. 하나도 무서워할 것 없어요."

"난 네 말을 못 알아듣겠다……. 내가 왜 내일을 무서워한다는 거냐?" 이반은 눈이 휘둥그레져서 물었다. 그러자, 갑자기 차가운 공포가 바람처럼 그의 마음을 핵 스쳐갔다. 스메르쟈코프는 찬찬히 그를 지켜보고 있었다.

"못 알아듣겠다고요?" 그는 따지고 들듯이 말끝을 끌었다. "현명한 사람이 그따위 어릿광대짓을 하려 들다니 참 알 수 없는 일이군!"

이반은 잠자코 그를 바라보았다. 전에 자기의 노복奴僕이던 자가 이처럼 건방진 말투로 자기한테 말을 건네리라고는 정말 뜻밖이었던 것이다. 지난 번 면담 때만 해도, 그런 말투는 쓰지 않았었다.

"무서워할 건 하나도 없대도요. 난 당신에 대해선 아무 말도 안 할 테니까요. 증거가 있어야 말이죠. 아니, 손을 떨고 있군요. 왜 손가락을 그렇게 떨지요? 어서 집으로 돌아가십시오. '당신이 죽인 건 아녜요.'"

이반은 움찔했다. 그는 알료샤의 말이 생각났던 것이다.

"내가 아니라는 건 나도 알아……." 그는 중얼거리듯 말했다.

"안다고요?" 하고 스메르쟈코프는 말을 받았다.

이반은 벌떡 일어나서 스메르쟈코프의 어깨를 움켜잡았다.

"죄다 말해라, 독사 같은 놈아! 죄다 말하지 못하겠니!"

스메르쟈코프는 겁을 먹은 기색조차 없었다. 단지 광적인 증오를 담은 눈으로 이반을 뚫어지게 응시할 뿐이었다.

"그럼 말하겠는데요, 아버님을 죽인 건 바로 당신입니다." 그는 독기를 품은 어조로 이반에게 속삭였다.

이반은 무언가 마음에 짚이는 데가 있는 듯이 의자에 털썩 주저앉았다. 그는 심술궂은 미소를 흘렸다.

"넌 또 지난번처럼 그 당시의 일을 끄집어내는 거냐?"

"당신은 지난번에 나한테 왔을 때도 모든 걸 다 이해하지 않았습니까. 그러니까 지금도 이해할 수 있을 텐데요."
"네가 미쳐 버렸다는 것만은 나도 이해하겠다."
"이젠 싫증이 날 만도 한데요! 서로 얼굴을 맞대고 앉아서 언제까지나 속임술 쓰며 연극을 연출할 필요가 어디 있습니까? 아니면 나한테만 모든 죄를 뒤집어 씌우려는 겁니까? 주인어른을 죽인 건 당신이에요, 당신이 장본인이란 말이에요. 나는 단지 당신의 도구였고, 충실한 하인 리챠드였습니다. 당신의 말대로 그 일을 수행한 것뿐이니까요."
"그 일을 수행하다니? 그럼, 네가 죽였단 말이구나?" 이반은 등골이 오싹했다.
무언가가 머릿속을 확 휘저어 놓기라도 한 듯이 그는 온몸을 덜덜 떨기 시작했다.
이때야 비로소 스메르쟈코프도 의아스런 눈으로 이반을 바라보았다. 아마도 이반의 거짓 없는 경악이 마침내 그를 놀라게 한 모양이었다.
"그럼 당신은 정말 아무것도 몰랐단 말입니까?" 스메르쟈코프는 이반의 눈을 들여다보며 일그러진 미소를 띠고 못 믿겠다는 듯이 말했다.
이반은 마치 혀를 뽑히기라도 한 듯이 언제까지나 스메르쟈코프를 바라보고만 있었다.

아아, 반카는 페테르로 떠나 버렸네,
난 그깟 놈 기다리지 않을 테야!

갑자기 이 노래 구절이 그의 머릿속에 울려왔다.
"나는 말이다, 나는 네놈이 꿈일까 봐, 내 앞에 앉아 있는 허깨비일까 봐 겁이 난다" 하고 그는 중얼거렸다.
"여긴 허깨비 같은 건 없습니다. 우리 두 사람과, 그리고 또 한 사람이 있을 뿐이죠. 그 또 한 사람이, 즉 그 제삼자가 지금 우리들 사이에 있다는 건 틀림없습니다."

"그게 누구야? 누가 여기 있어? 제삼자란 누구야?" 이반은 황급히 주위를 둘러보며 누가 없는지 구석구석 살피면서 겁먹은 목소리로 말했다.

"제삼자란 하느님, 즉 신神이죠. 그분은 지금 우리 곁에 계십니다. 그러나 찾지는 마십시오. 당신 눈엔 안 보일 테니까."

"네가 죽였다는 것은 거짓말이다!" 이반은 미친 듯이 고함쳤다. "너는 미쳤어. 그렇지 않으면 전번처럼 나를 우롱하려는 거야!"

스메르쟈코프는 여전히 놀라는 기색도 없이 찬찬히 이반을 지켜보고 있었다. 그는 아직도 잘 믿어지지가 않았다. 아무래도 이반이 '모든 걸 다 알고 있으면서도 자기한테만 죄를 뒤집어씌우려' 하는 것같이 생각되었던 것이다.

"그렇다면 잠깐만 기다려 주십쇼." 마침내 그는 가느다란 목소리로 이렇게 말하더니, 갑자기 테이블 밑에서 자기의 왼쪽 발을 빼내어 바짓가랑이를 걷어 올리기 시작했다. 그는 기다란 하얀 양말에 슬리퍼를 신고 있었다. 그는 천천히 양말대님을 풀고 양말 안으로 손가락을 쑤셔 넣었다. 그것을 바라보고 있던 이반은 갑자기 경련이 일어 공포의 발작이라도 일으킨 듯이, 부르르 온몸을 떨었다.

"미치광이!" 하고 그는 소리를 지르며 펄쩍 튀어 일어나 비칠비칠 뒤로 물러서다가, 벽에 잔등을 부딪치고, 그 자리에 뻣뻣이 서 버렸다. 그는 미칠 듯한 공포 속에서 스메르쟈코프를 응시했다. 스메르쟈코프는 이반의 경악에는 조금도 당황하는 기색도 없이, 양말 속에서 무언가를 손가락으로 잡아서 꺼내려고 열심히 더듬고 있었다. 마침내 그는 그것을 잡아서 끄집어내기 시작했다. 이반이 보기엔, 그것은 무슨 서류이거나 아니면 종이 뭉치인 것 같았다. 스메르쟈코프는 그것을 끄집어내어 테이블 위에다 올려놓았다.

"자, 이겁니다!" 그는 조용히 말했다.

"그게 뭐야?" 이반은 덜덜 떨면서 물었다.

"뭔가 좀 보십쇼." 여전히 조용한 음성으로 스메르쟈코프는 말했다.

이반은 테이블로 한 걸음 다가서서 그 종이 뭉치를 손에 잡고 펼쳐보려 했으나, 갑자기 무슨 징그러운 독충이라도 만진 듯 손가락을 움츠려 버렸다.

"손가락이 아직도 경련을 일으킨 것처럼 떨고 있군요." 스메르쟈코프가 한마디 하고는 제 손으로 천천히 종이 뭉치를 펼쳤다. 포장지 안에서 무지갯빛 1백 루블짜리 지폐 세 묶음이 나왔다.

"여기 고스란히 있습니다. 세어 보나 마나 3천 루블 그대로예요. 받아 넣으십시오." 그는 턱으로 돈을 가리키며 이반에게 말했다. 이반은 의자에 털썩 주저앉았다. 그의 얼굴은 백지장처럼 창백했다.

"난 정말 놀랐다……. 그 양말 속에서 이런 게 나오다니……." 그는 이상한 웃음을 지으며 말했다.

"그럼 정말로, 정말로 당신은 여태까지 몰랐단 말입니까?" 스메르쟈코프는 또 한 번 물었다.

"정말 몰랐다. 나는 드미트리인 줄로만 생각했어. 아아, 형님! 형님!" 그는 갑자기 두 손으로 머리를 움켜쥐었다.

"그런데, 넌 혼자서 죽였니? 형님의 도움을 받아서 했어, 아니면 단독으로 했어?"

"난 단지 당신의 도움을 받았을 뿐입니다. 당신과 함께 죽인 거예요. 드미트리 표도로비치는 아무 죄도 없습니다."

"그만, 그만…… 내 얘긴 나중에 해. 제기랄, 왜 이렇게 자꾸 떨릴까……. 입을 놀릴 수도 없군."

"그땐 아주 용감했었는데요. '무슨 짓을 해도 허용된다'고 큰소리를 치셨는데, 이제 와서 그렇게 질겁하다니 어찌 된 일입니까!" 스메르쟈코프는 어이없다는 듯이 중얼거렸다. "레몬수라도 드시겠어요? 곧 가져오라고 하죠. 기분이 좀 상쾌해질 겁니다. 하지만 우선 이것부터 감춰야지."

이렇게 말하며 그는 다시 턱으로 돈뭉치를 가리켰다. 그는 자리에서 일어나 방문 쪽으로 가서 레몬수를 만들어 가져오라고 마리야한테 소리를 치려다가, 우선 돈부터 감춰야겠다 생각하고 손수건을 꺼냈으나, 그것이 너무 더러웠으므로 이반이 들어올 때 책상 위에 놓여 있는 것을 본 바로 그 황색 표지의 두툼한 책을 집어서 지폐 위에다가 얹어 놓았다. 그 책은《성인 이사아크 시린의 언행록 The sayings of the Holy father Isaac the Syrian》이었다. 이반은 기계적으로 책의 제목을 읽었다.

"레몬수 같은 건 먹고 싶지 않다" 하고 이반은 말했다. "내 얘긴 나중에 하고, 어서 앉아서 얘기해라, 어떻게 그 짓을 했는지 죄다 얘기하란 말이다."

"외투라도 벗으시죠. 땀이 흠뻑 밸 텐데요." 이반은 이제야 생각난 듯이 외투를 벗어서 의자에 앉은 채 모든 것을 벤치 위에 던졌다.

"자, 얘기해, 어서 얘기해 봐!"

그는 조금 진정된 듯했다. 그리고 스메르쟈코프가 이제 곧 그 '모든 것'을 얘기해 줄 것이라는 확신을 품고 기다렸다.

"어떻게 그 짓을 했냐고요?" 스메르쟈코프는 한숨을 푹 내쉬었다. "당신이 말한 그대로, 아주 자연스러운 방법으로 해치웠죠."

"내 말은 나중에 하라니까!" 하고 이반은 다시 말을 막았으나, 이제는 완전히 자기 자신을 억제한 듯, 아까처럼 고함을 치지 않고 착실한 어조로 말했다. "어떻게 그 짓을 했는지 상세하게 말해 주게. 처음부터 차근차근 얘기해 보란 말이야, 하나도 빼놓지 말고. 세세한 것까지 아주 자세히 얘기해 주게."

"그때 당신이 출발한 후에 나는 지하실 광에 굴러떨어졌죠."

"발작이 일어나서 그랬나, 아니면 일부러 그랬나?"

"그야 물론 일부러 그랬죠. 모든 게 다 연극이었어요. 천천히 층층대를 내려가서 조용히 누웠습니다. 그러고는 갑자기 꽥꽥 소리를 지르기 시작했죠. 사람들이 와서 들어내 갈 때까지 온몸을 뒤틀며 죽는 시늉을 했습니다."

"잠깐! 그럼 그 후에도, 병원에서도 계속 꾀병을 앓았단 말인가?"

"아뇨, 그건 아닙니다. 다음 날 아침, 병원으로 가기 전에 진짜 발작이 일어났죠. 그렇게 심한 발작은 여러 해 만에 처음이었어요. 이틀 동안이나 전혀 의식이 없었으니까요."

"좋아, 좋아. 계속해."

"사람들이 나를 잠자리에 누였는데, 나는 그것이 마르파 이그나치예브나네 방 칸막이 뒤에 있는 침대라는 걸 알고 있었습니다. 내가 발작을 일으킬 때마다 마르파 이그나치예브나는 언제나 자기 방 칸막이 뒤에 밤새도록 나를 누여두곤 했으니까요. 그 여잔 내가 태어날 적부터 나한테 언제나 친절했죠. 밤에 나는 신음 소리를 냈습니다. 하지만 너무 큰 소리를 내지는 않았어요. 나는 드미트리 표도로비치가 오시기를 이제나저제나 하고 기다렸습니다."

"기다렸다니, 자네한테 오기를?"

"뭣하러 나한테 오시겠습니까? 주인어른한테 오시길 기다렸단 말이죠. 나는 그분이 틀림없이 그날 밤에 오시리라 믿고 있었습니다. 그분은 내가 누워 버렸으니까 아무런 소식도 들을 수 없게 될 것이고, 그러면 애가 타서 울타리를 넘어 집 안으로 들어오실 테니까요. 그런 일쯤은 얼마든지 하실 수 있는 분이니까 틀림없이 그렇게 하실 거란 말이죠."

"하지만, 만일 드미트리가 오지 않았다면?"

"그랬다면 아무 일도 일어나지 않았겠죠. 그분이 오시지 않으면 나로서는 감히 그런 결심을 내릴 수는 없었을 테니까요."

"좋아, 좋아…… 좀 더 알아듣기 쉽게 얘기해 주게. 너무 서두르지 말고, 하나도 빼놓지 말고 말이야!"

"난 그분이 주인어른을 죽이길 기다렸습니다……. 그건 틀림없을 거라고 생각했죠. 그분이 그렇게 하지 않을 수 없도록 내가 미리 일을 꾸며 놓았으니까요……. 이삼일 전부터 말이에요……. 첫째, 그분은 그 '신호법'을 알고 있었습니다. 그분의 마음속엔 그때 질투와 의심이 쌓이고 또 쌓여 있었기 때문에, 그 신호법을 써서 집 안으로 들어갈 것은 뻔한 일이었죠. 이건 틀림없는 일이었어요. 그래서 나는 그분이 오시길 기다리고 있었던 거죠."

"잠깐만!" 이반이 말을 중단시켰다. "만약에 드미트리가 죽였다면 그 돈을 가져가 버렸을 거 아닌가? 자네 자신도 그렇게 판단되었을 텐데? 그렇다면 나중에 자네 수중엔 아무것도 들어가는 게 없을 게 아닌가? 아무래도 알 수 없는 걸.”

“하지만 그분은 절대로 그 돈을 찾아낼 수 없게 되어 있었거든요. 돈이 요 밑에 들어 있다고 내가 그분한테 말한 건 새빨간 거짓말이었으니까요. 전에는 상자 속에 들어 있었죠. 그런데 주인어른이 신용하는 것은 이 세상에서 나밖엔 없었기 때문에, 나중에 내가 그 돈이 든 꾸러미를 성상 뒤쪽 구석에다가 감춰두라고 권했더니 그대로 하셨어요. 거기라면 아무도—특히 급하게 들어온 사람은 아무도 짐작 못할 테니까요. 그래서 그 돈 꾸러미는 주인어른 방, 한쪽 구석 성상 뒤에 있었단 말입니다. 요 밑에 넣어 두다니 말도 안 되는 소리죠. 그럴 바엔 차라리 상자에 넣고 쇠를 채워 두는 편이 나을 겁니다. 그런데도 모두들 그것이 그때 요 밑에 들어 있었던 것으로 믿고 있군요. 어리석은 판단입니다. 설사 드미트리 표도로비치가 아버님을 죽였다 하더라도, 살인범이란 으레 그렇듯, 무슨 조그만 소리에도 금방 겁을 집어먹고 아무것도 찾지 못한 채 허둥지둥 뺑소니를 치든가, 아니면 당장에 체포되고 말았을 겁니다. 그렇게 되면 나는 그날 밤이든가 이튿날이든가 언제든지 성상 뒤에서 돈을 꺼내 올 수 있을 것이고, 모든 죄는 드미트리 표도로비치 혼자서 뒤집어쓰게 될 거란 말입니다. 그러니까, 나는 언제든지 그 돈에 기대를 걸 수 있었던 거죠.”

“음, 그렇지만 만일 드미트리 형이 아버질 죽이지 않고 단지 때려누이기만 했다면?”

“만일 그분이 죽이지 않는다면, 물론 나는 돈을 가질 엄두도 못 낼 것이고, 따라서 그것은 그대로 남아 있었겠죠. 그러나 나는 이런 속셈도 있었습니다. 만일 그분이 주인어른을 때려서 기절을 시키면, 나는 얼른 돈을 훔치고, 나중에 주인어른한테는 당신을 때려누이고 돈을 가져간 것은 바로 드미트리 표도로비치라고 고해바칠 작정이었죠.”

“가만있어…… 난 자꾸 혼동을 일으키게 되는데…… 그럼 역시 아버질 죽인 건 드미트리이고, 자넨 돈만 훔쳤다는 건가?"

"아니죠. 그분이 죽인 건 아닙니다. 하긴 지금이라도 난 당신한테, 그분이 죽였다고 할 수는 있지만…… 그래도 지금은 당신한테 거짓말을 하고 싶진 않습니다. 왜냐하면…… 설사 당신이 여태까지 전혀 모르고 있었다 하더라도, (내가 보기에도 그렇습니다만) 그리고 내 앞에서 당신이 일부러 시치밀 떼고, 자기 죄를 나한테만 뒤집어씌우려는 것은 절대 아니라 하더라도, 역시 전체적으로는 당신한테 책임이 있으니까요. 그도 그럴 것이, 당신은 살인이 벌어지리라는 걸 알면서도, 그리고 나한테 그 일을 맡기고서도, 모른 체하고 떠나 버렸으니 말입니다. 그래서 나는 오늘 저녁에, 당신만이 이 사건의 장본인이고, 나는 비록 죽이긴 했어도 결코 장본인이 될 수는 없다는 걸 당신 앞에서 증명하고 싶단 말입니다. 당신이야말로 진짜 살인범이니까요!"

"뭐, 어째서 내가 살인범이라는 거냐? 아아!" 이반은 자기 얘긴 뒤로 미루기로 한 것을 잊고 버럭 고함을 치고 말았다. "아직도 넌 체르마쉬냐 얘길 가지고 그러는 거냐? 그렇지만 이걸 말해 봐. 내가 체르마쉬냐로 가기로 한 걸 네가 동의의 뜻으로 받아들였다 치더라도 말이다. 도대체 무엇 때문에 너는 내 동의가 필요했지? 그걸 너는 지금 어떻게 설명할 셈이냐?"

"당신의 동의를 얻어 놓으면, 당신이 돌아오시더라도 없어진, 돈 3천 루블 때문에 말썽을 일으키지도 않으려니와, 또 어쩌다가 내가 드미트리 표도로비치 대신에 혐의를 받거나 그분과 공모한 것같이 오해를 받거나 하더라도, 당신이 나서서 나를 변호해 주시리라는 것을 계산에 넣었기 때문이죠. 그리고 유산을 받으시고 나면, 그 후 언제까지나 평생토록 나를 잘 돌봐 주실 게 아닙니까. 그만한 유산을 상속받으신 건 뭐니 뭐니 해도 내 덕택이니까요. 만약 아버님이 아그라페나 알렉산드로브나와 결혼해 보십시오. 당신은 한 푼도 못 받으실 게 아닙니까."

"아아! 그러니까 너는 평생토록 나를 괴롭힐 작정이었구나!" 이반은 이를 갈았다. "그러나 만일 그때 내가 떠나지 않고 너를 고발했다면 어쩔 셈이었지?"

"그때 당신이 뭘 고발할 수 있었겠어요? 내가 체르마쉬냐로 가도록 권했다고요? 그건 말도 되지 않는 소리죠. 뿐만 아니라, 우리가 그런 말을 주고받은 뒤에, 당신은 떠나시든 안 떠나시든 맘대로 하셨을 게 아닙니까. 만일 그대로 남아 계셨다면 아무 일도 일어나지 않았을 겁니다. 나는 당신이 그걸 원치 않으신다는 걸 알고 아무 짓도 하려 들지 않았을 거예요. 그러나 당신이 떠나셨으니까, 그건 당신이 나를 고발하지도 않으려니와, 이 돈 3천 루블은 내가 가져도 좋다고 허락하신 거나 마찬가지였단 말입니다. 그리고 나중에 가서 당신은 나를 추궁하거나 할 수도 없을 겁니다. 그렇게 되면 내가 법정에서 모든 걸 다 털어놓을 테니까요. 그렇다고 나는, 내가 죽이고 돈을 훔쳤다, 이렇게는 말하지 않습니다……. 그렇게 말할 리가 없죠……. 당신이 나더러 죽이고 돈을 훔치라고 교사했지만 나는 응하지 않았다, 이렇게 말한단 말입니다. 그러니까 나로서는 그때 당신의 동의를 얻어 두어, 나중에 당신한테서 추궁을 받지 않도록 해둘 필요가 있었던 거죠. 당신은 아무런 증거도 쥐고 있지 않지만, 반면에 나는, 당신이 아버님의 죽음을 열망하고 있었노라고 폭로해서 언제든지 당신을 꼼짝 못하게 만들 수 있으니까요. 내가 한마디만 말하면 세상 사람들은 모두 그 말을 믿을 것이고, 그렇게 되면, 당신은 한평생 얼굴을 쳐들고 다니지도 못하게 될 게 아닙니까."

"뭐, 내가 그래 그걸 열망하고 있었다고?" 이반은 다시 이를 갈았다.

"그야 의심할 여지도 없죠. 당신은 내 제의에 동의함으로써 내가 그것을 하도록 묵인한 거예요." 스메르쟈코프는 이반을 정면으로 바라보았다. 그는 무척 쇠약해서 작은 소리로 천천히 입을 놀렸으나, 무엇인가 마음속에 숨겨진 힘이 그를 부추겨 주고 있었다. 그에게는 분명히 무슨 속셈이 있는 모양이었다. 이반도 그것을 짐작했다.

"그다음을 계속해." 이반이 그에게 말하였다. "그래서 그날 밤 어떻게 됐지?"

"그다음이라야 별것 아녜요! 내가 누워 있노라니까 주인어른의 고함 소리 같은 것이 들렸습니다. 그러나 그전에 그리고리 바실리예비치가 벌떡 일어나서 밖으로 나갔었는데, 갑자기 외마디 소리를 지르고는 그다음엔 잠잠하더란 말입니다. 밖은 캄캄했어요. 나는 가만히 누워 기다렸지만, 가슴이 자꾸 두근거려서 끝내 참지를 못하고 일어나서 밖으로 나갔습니다. 왼쪽을 보니, 정원 쪽으로 난 주인어른 방의 창문이 열려 있더군요. 나는 주인어른이 아직 살아 계신지 어떤가 엿들으려고 왼쪽으로 한 걸음 다가갔습니다. 그랬더니 주인어른이 왔다 갔다 하시며 한숨을 내쉬는 소리가 들렸습니다. 쳇, 아직 살아 있구나, 하고 나는 생각했죠. 창문으로 다가가서 '나예요, 나' 하고 소리쳤더니, 주인어른은 '그놈이 왔었다, 왔다가 도망쳤다!'라고 하시는 거예요. 즉, 드미트리 표도로비치가 왔었단 말이죠. '그리고리를 죽이고 달아났다!' '어디서요?' 하고 내가 작은 소리로 물었더니, '저기, 저쪽 구석에서' 하고 손가락으로 가리키며 역시 소곤거리듯이 대답하셨습니다. '가만 계십시오'라고 말하고, 나는 정원 구석으로 달려가 보았습니다. 그랬더니 거기 담장 밑에 그리고리 바실리예비치가 온통 피투성이가 되어 기절해 쓰러져 있지 않겠습니까. 그러고 보니 드미트리 표도로비치가 왔었던 건 사실이로구나, 하는 생각이 퍼뜩 머리에 떠올랐습니다. 나는 그 자리에서 대번에 결말을 지어 버리기로 결심했습니다. 설사 그리고리가 살았더라도 지금은 저렇게 기절하고 있으니까 아무것도 볼 수 없을 게 아닌가 하고 생각하였기 때문이죠. 단 한 가지 걱정되는 것은 마르파 이그나치예브나가 갑자기 잠을 깨지나 않을까 하는 것이었습니다. 나는 그 순간에도 이런 위험을 느끼긴 했지만, 그 일을 해치우고 싶은 욕망이 거의 숨도 쉴 수 없을 만큼 완전히 나를 압도해 버렸기 때문에 어쩔 도리가 없었습니다. 나는 다시 창 밑으로 돌아가서 '그 아가씨께서 여기 오셨습니다. 아그라페나 알렉산드로브나 아가씨께서 오셔서 들어가고 싶어 하십니다'라고 주인어른께 말했습니다. 그랬더니 주인어른은 어린애처럼 몸을 부르르 떠시더군요. '여기가 어디야? 어디 있어?' 하고, 숨을 헐떡이다시피 말하셨지만, 아직 곧이들리지가 않는 모양이었습니다. '저기 서 계십니다, 어서 문을 열어 드리십시오!' 하고 내가 말했더니, 주인어른은 문을 열기가 무서운지 반신반의하는 듯이 창문으로 나를 내다보시지 않겠습니까. 아하, 나를 무서워하는구나 하고 나는 생각했죠. 그런데 참 우스운 일도 다 있더군요—그때 나는 문득 창문을 두드려 그루셴카가 왔다는 신호를 해야겠다는 생각이 들어서 톡톡 두드렸더니, 글쎄 말로 해서는 믿지 않으시던 주인어른이 그 신호를 듣기가 무섭게 달려와서 문을 열어 주시지 않겠습니까! 그래서 내가 안으로 들어가려 하니까, 주인어른은 내 앞을 막아서더니 '어디 있어? 어디 있어?' 하고 후들후들 떨면서 나를 바라보셨습니다. 아마, 이렇게 나를 무서워하는 걸 보니 가망이 없겠구나! 하고 나는 생각했죠. 이러다간 방에 나를 들여보내지 않는 것이나 아닐까, 주인어른이 고함을 치지나 않을까, 마르파 이그나치예브나가 달려오지나 않을까, 그리고 또 무슨 다른 일이 일어나지나 않을까 하는 걱정 때문에 나는 다리에 맥이 쑥 빠져 버리는 것 같았습니다. 그때 일은 기억할 수도 없습니다만, 아마 나는 주인어른 앞에 새파랗게 질려 가지고 서 있었을 겁니다. '저깁니다, 저기 창 밑에 계십니다. 저기 보이지 않으십니까?' 하고, 내가 속삭였더니, '그럼 네가 가서 데려오너라, 네가 데려와!' 하시기에, '하지만 아가씨가 무서워하고 계십니다. 큰 소리에 놀라서 저 덤불 속으로 숨으셨으니 주인어른께서 밖으로 나오셔서 직접 부르십시오'라고 내가 말했습니다. 그랬더니 주인어른은 창가로 달려가서 촛대를 창틀 위에 놓고 '그루셴카, 그루셴카, 너 거기 있니?' 하고 소리치셨습니다. 그렇게 소리치면서도 창밖으로 몸을 내밀려 하시지 않습니다. 나한테서 떨어지려 하시지 않는단 말입니다. 내가 무서웠기 때문이죠. 그래서 내 곁을 떠나려 하시지 않았던 겁니다. '아닙니다, 아가씨는 (하고 나는 창문으로 다가가서 창밖으로 몸을 내밀고) 저쪽 덤불 속에 계십니다. 주인어른을 보고 웃고 계시는군요. 저게 안 보이십니까?'라고 말했죠. 그러자 주인어른은 갑자기 온몸을 떨기 시작했습니다. 그 여자한테 이만저만 미치셨어야지요. 주인어른은 창문으로 몸을 내밀었습니다. 그때 나는 주인어른 책상 위에 있던 무쇠 서진書鎭을 얼른 집어 들었습니다. 당신도 기억하시죠, 그 서진은, 3파운드는 실히 되는 물건입니다. 나는 그것을 휙 쳐들어 곧장 뒤통수를 후려갈겼습니다. 비명조차 지르지 못하고 푹 주저앉은 것을 두 번, 세 번 연거푸 내리쳤습니다. 세 번째에 머리통이 부서진 것 같은 느낌이 왔습니다. 그분은 얼굴을 위로 향하고 온통 피투성이가 되어 벌렁 나자빠졌습니다. 내 몸을 살펴보았더니 다행히 피가 한 방울도 튀지 않았더군요. 나는 서진을 닦아서 다시 제자리에 놓고, 성상 뒤로 가서 봉투에서 돈을 꺼냈습니다. 그리고 봉투를 방바닥에 버리고 장밋빛 리본도 그 옆에 버렸습니다. 덜덜 떨면서 정원으로 나온 나는 곧장 그 사과나무 쪽으로 갔습니다. 당신도 기억하시겠죠, 줄기에 텅 빈 구멍이 생긴 그 사과나무 말입니다. 나는 벌써 오래전부터 그걸 봐 두고 그 구멍에다가 종이와 헝겊을 준비해 두었었습니다. 그래서 돈을 죄다 종이에 싸고 다시 헝겊에 싸서 구멍 속에 깊숙이 넣어 두었습니다. 그 돈은 그렇게 두 주일 이상이나 거기 들어 있었죠. 그 후 병원에서 나온 다음에야 그걸 꺼내 왔으니까요. 돈을 감춘 다음 나는 다시 침대에 돌아와 누워서 생각했습니다. '만일 그리고리 바실리예비치가 죽어 버리면 매우 재미없는 결과가 나타날지 모르지만, 죽지 않고 깨어나기만 하면, 일은 제대로 되는 것이다. 그렇게 되면, 드미트리 표도로비치가, 여기 와서 주인어른을 죽이고 돈을 훔쳐 갔다고 증언할 테니까' 나는 마르파 이그나치예브나가 빨리 잠이 깨도록 열심히 신음 소리를 냈습니다. 한참 만에 그 여자는 잠자리에서 일어나 나한테로 달려오려다가, 그리고리 바실리예비치가 없는 것을 보자, 그냥 밖으로 뛰어나갔는데, 곧 정원에서 그 여자의 비명 소리가 들려왔습니다. 이렇게 해서 밤새도록 그 소동이 벌어졌고, 나는 완전히 마음을 놓게 되었습니다."

그는 여기서 말을 그쳤다. 이반은 꼼짝도 않고, 그에게서 눈을 떼지 않은 채, 죽은 듯한 침묵을 지키며 끝까지 귀를 기울이고 있었다. 스메르쟈코프는 이야기 도중에 이따금 이반을 흘끔흘끔 바라보았으나, 대체로 딴 곳에 시선을 주고 있었다. 이야기를 마치자 그는 몹시 흥분을 느끼는지 괴롭게 숨을 몰아쉬었다. 얼굴에는 땀이 배어 나와 있었다. 그러나 그가 과연 지금 회오를 느끼고 있는지 어떤지는 짐작할 수가 없었다.

"잠깐만." 이반은 뭔가 생각나는 일이 있는지 갑자기 말을 가로챘다. "그럼 방문은 어떻게 된 거야? 아버지가 너한테만 문을 열어 주었다면, 그리고리가 그 전에 문이 열린 걸 보았을 리 없지 않나? 그리고리는 자네보다 먼저 보았을 테니까.”

이상하게도 이반은 조금도 노기를 띠지 않은, 아까와는 판이한 부드러운 어조로 이렇게 물었다. 그래서 만일 이때 누가 문을 열고 안을 들여다보았다면, 그들 두 사람이 무언가 재미있으면서도 평범한 화제를 가지고 화기애애한 분위기 속에서 얘기하고 있다고 생각했을 것이다.

“그 문이 열려 있었다고 그리고리 바실리예비치가 말한 건 단지 그 사람의 상상에 지나지 않는 겁니다.” 스메르쟈코프는 입술을 일그러뜨리며 히죽 웃었다. “도대체 그 사람은 인간이 아닙니다. 고집불통의 노새예요. 제 눈으로 본 게 아니고 본 것같이 생각한 것뿐인데, 한번 그렇다고 우기기 시작하면 그야말로 요지부동입니다. 그 사람이 그렇게 생각했다는 건 나한테는 참으로 요행스런 일이죠. 결국 드미트리 표도로비치가 죄를 뒤집어쓰는 수밖엔 없으니까요.”

“가만있어.” 이반은 다시 혼란을 일으킨 듯 무엇인가를 생각해 내려고 애쓰면서 이렇게 말했다. “내 말 좀 들어 봐……. 자네한테 묻고 싶은 것이 아직도 많았는데 그만 잊어버렸어……. 머릿속이 뒤죽박죽이 되어 자꾸만 잊어버리는군……. 아, 그렇지! 이것만이라도 얘기해 주게—왜 자넨 그 봉투를, 방바닥에 내버려 두었지? 왜 봉투째로 그냥 가지고 나오지 않았어?…… 자네가 그 얘길 할 땐, 나도 그렇게 하는 게 당연했던 것같이 생각됐지만…… 왜 자네가 그렇게 해야 했었는지…… 난 알 수가 없어.”

“그렇게 해야 할 까닭이 있었던 거예요. 전부터 그 봉투에 돈이 들어 있는 걸 잘 알고 있는 사람은—예를 들면 나같이 그 돈을 넣는 거며 봉인을 하여 받을 사람의 이름을 쓴 것이며 제 눈으로 직접 본 사람은, 설사 주인어른을 죽였다 해도, 죽인 다음에 그 봉투를 뜯어볼 리가 만무하지 않습니까. 더구나 그런 위급한 지경에 처해서 말입니다. 그런 짓을 하지 않아도 돈이 확실히 봉투 속에 들어 있다는 건 잘 아니까요. 범인이 나 같은 놈이었다면, 봉투째로 호주머니에 쑤셔 넣기가 바쁘게 얼른 줄행랑을 쳐 버렸을 겁니다. 하지만 드미트리 표도로비치의 경우는 전혀 다르죠. 그분은 봉투 얘기를 말로만 들었을 뿐, 직접 본 적은 없거든요. 그러니까 만일 그분이 요 밑에서고 어디서고 봉투를 끄집어냈다면 곧 그걸 뜯어서 돈이 들어 있는가를 확인하려 들었을 겁니다. 그리고 나중에 증거물이 될 것이라는 생각은 미처 못 하고 그냥 봉투를 집어 던졌을 겁니다. 그분은 상습범이 아니잖습니까. 여태까지 남의 물건을 한 번도 훔쳐보지 못한 귀족이란 말입니다. 더욱이 그분이, 그분이 그걸 훔치려 들었다 하더라도 그것은 보통 도둑질과는 달라서, 자기 것을 되찾는 것뿐이니까요. 그분은 그전부터 모든 사람 앞에서, 나는 아버지한테 가서 내 돈을 되찾고야 말겠노라고 큰소릴 치며 다녔거든요. 나는 심문을 받을 때 검사한테 이 점을 노골적으로 말하지는 않고, 나 자신도 모르는 사실인 것처럼 슬쩍 힌트만 주었죠. 그랬더니 검사는 마치 자기 자신이 그걸 생각해 낸 것처럼 좋아서 어쩔 줄 모르더군요."

"그래 자넨 그때 즉석에서 그런 것까지 생각했단 말인가?" 이반은 너무나 놀라워서 저도 모르게 큰 소리로 외쳤다. 그는 다시금 경이의 눈으로 스메르쟈코프를 바라보았다.

"그처럼 다급한 처지에 어떻게 그런 데까지 생각이 미치겠습니까? 전부터 미리 생각해 두었던 거죠."

"으음…… 그렇다면 악마란 놈이 자넬 도와주었구나!" 하고 이반은 또 소리쳤다. "그래, 자넨 결코 어리석은 놈이 아니야. 내가 생각했던 것보다 훨씬 영리해."

그는 일어섰다. 방 안을 좀 거닐 생각인 모양이었다. 그는 무서운 번민 속에 빠져들었던 것이다. 그러나 테이블이 앞을 가로막고, 테이블과 벽 사이는 겨우 기어 나갈 수 있을 정도의 여유밖엔 없었으므로, 그는 그 자리에서 한 바퀴 빙 돌고는 다시 의자에 앉아 버렸다. 그는 방 안을 거닐 수도 없게 된 때 별안간 울화통이 터졌는지 다시 아까처럼 미친 듯이 고함을 지르기 시작했다.

"야, 이 벌레만도 못한 더러운 놈아, 잘 듣거라! 네놈은 모를 테지만, 내가 아직 네놈을 죽이지 않는 건 단지 내일 법정에서 답변을 시키려고 살려 두는 것뿐이야. 하느님도 보고 계시다." 이반은 한 손을 위로 쳐들었다. "하긴 나한테도 죄가 있는지 몰라. 난 정말로 아버지가…… 죽어 주었으면 하고 속으로 그걸 바랐는지 몰라. 그렇지만 말이다, 난 네가 생각하는 것처럼 그렇게 악인은 아니다. 난 너를 전혀 교사하지 않았을 거야. 그렇고말고, 난 그따위 짓은 안 했어! 그러나 어쨌든 난 내일 법정에서 자백하기로 결심했다! 모든 걸 다 말할 작정이야. 하지만 너도 나하고 같이 법정에 나가야 한다! 네가 법정에서 내 얘길 어떻게 하든, 무슨 증거를 제시하든, 나는 그걸 죄다 받아들이겠다. 난 네깟 놈은 무섭지 않아. 나 자신이 모든 걸 확증해 줄 테니까! 그 대신에 너도 법정에서 자백해야 한다! 반드시 자백해야 해! 둘이 함께 가자! 꼭 그렇게 해야 한다, 알겠지!"

이반은 엄숙하고도 단호한 태도로 이렇게 말했다. 그의 번쩍이는 눈만 보아도 그렇게 결심한 게 분명했다.

"어디가 몹시 편치 않으신가 보군요. 병색이 완연해요. 눈빛이 아주 노랗습니다." 스메르쟈코프는 조금도 비꼬는 투가 아닌, 오히려 동정하는 듯한 어조로 말했다.

"우리 함께 가자!" 이반은 되풀이했다. "하긴 네가 안 간대도 마찬가지야. 나 혼자서 다 자백할 테니까."

스메르쟈코프는 무엇을 생각하는지 잠시 말이 없었다.

"그렇게 되진 않을 겁니다. 당신은 아마 가시지 않을 거예요." 마침내 그는 단언하듯 명확히 말했다.

"넌 나를 이해 못 해!" 이반은 힐책하듯 소리쳤다.

"당신이 모든 걸 자백한다면, 첫째 세상이 창피해서 못 견딜걸요. 하지만 그보다도 당신이 그렇게 해 봤자 아무 소용도 없을 겁니다. 나는 당신한테 그런 말을 한 일이 절대 없다고 딱 잡아뗄 테니까요. 그리고 당신은 무슨 병을 앓고 있든지 (정말 그런 것 같기도 합니다만) 아니면 자기 형을 동정하는 나머지 자기 자신을 희생하려는 거라고, 그래서 항상 나를 파리 새끼만도 못하게 생각해 왔으므로 이번에도 나한테 뒤집어씌우려는 거라고 난 말할 테니까요. 그러면 누가 당신 말을 믿겠습니까? 게다가 증거가 될 만한 게 하나도 없지 않습니까?"

"이봐, 네가 방금 나한테 그 돈을 보여 준 건 나를 납득시키기 위해서였지?"

스메르쟈코프는 돈 위에 덮었던 이사아크 시린의 책을 옆으로 옮겨 놓았다.

"이 돈은 당신한테 드릴 테니 가져가십시오." 스메르쟈코프는 한숨을 쉬었다.

"물론 가져갈 테다! 하지만 네가 그 돈 때문에 살인을 했다면 왜 나한테 그걸 주지?" 이반은 몹시 놀라서 그의 얼굴을 바라보았다.

"나한텐 전혀 필요가 없습니다." 스메르쟈코프는 한 손을 내저으며 떨리는 소리로 말했다. "하기는, 나도 그 돈을 가지고 모스크바나 혹은 외국으로 가서 새 생활을 시작할 생각이었죠. '무슨 짓을 해도 허용된다'고 했기 때문에, 그런 꿈도 꾸었던 겁니다. 이건 당신이 나한테 가르쳐 준 거예요. 그때 당신은 나한테 몇 번이나 말씀해 주었거든요—만일 영원한 하느님이 없다면 선행 같은 건 없을 것이고 또 필요도 없을 거라고. 그건 당신 말이 맞아요. 그래서 나도 그렇게 해석했죠."

"자기 자신의 머리로 도달한 결론이겠지?" 이반은 씁쓰레하게 웃었다.

"당신의 지도를 받아서죠."

"그런데 돈을 돌려주는 걸 보니, 지금은 하느님을 믿는 모양이군?"

"아뇨, 믿지 않습니다." 스메르쟈코프는 작은 소리로 말했다.

"그럼, 왜 돌려주는 거야?"

"그만둡시다……. 말해 봤자 쓸데없어요!" 스메르쟈코프는 다시 손을 내저었다. "당신 자신이 그때는 무슨 짓을 해도 허용된다고 입버릇처럼 말하지 않았습니까! 그러던 당신이, 이제 와선 왜 그렇게 전전긍긍하느냐 말이에요? 더욱이 자백을 하러 가겠다고까지 하시니…… 그렇지만 절대 그렇게 되진 않을 겁니다! 당신은 결코 자백하러 가지는 않을 테니까요! 스메르쟈코프는 다시금 확신하는 듯이 단언했다.

"두고 보라니까!" 하고 이반은 말했다.

"그럴 리가 없어요. 당신은 매우 현명하니까요. 당신은 돈을 좋아합니다, 나는 그걸 알아요. 당신은 자존심이 강해서 존경받기를 좋아합니다. 또한 여자를 몹시 좋아하고, 또 무엇보다 남한테 머리 숙이지 않고, 흡족한 가운데 평온하게 살기를 원하고 계십니다. 그러니까 법정에서 그런 수치를 자초해서 일생을 망쳐 버리고 싶진 않을 겁니다. 당신은 형제분들 중에서 누구보다도 표도르 파블로비치를 가장 많이 닮으셨어요. 그분과 똑같은 정신을 지니고 계십니다."

"넌 바보가 아니야." 이반은 무엇에 한 대 얻어맞은 듯이 말했다. 그는 얼굴을 확 붉혔다. "난 여태까지 너를 바보로만 생각했는데, 이제 보니 넌 굉장히 심각한 인간이구나!" 갑자기 그는 새로운 눈으로 스메르자코프를 바라보며 이렇게 말했다.

"나를 바보라고 생각한 건, 그만큼 당신의 자존심이 강했기 때문이겠죠. 자, 어서 돈을 집어넣으십시오."

이반은 지폐 세 묶음을 집어서 아무렇게나 호주머니에 쑤셔 넣었다.

"이 돈은 내일 법정에서 제시할 테다" 하고 그는 말했다.

"법정에선 아무도 당신 말을 곧이듣지 않을 겁니다. 마침 당신은 지금 당신 자신의 돈을 많이 가지고 계시니까, 자기 금고에서 꺼내 가지고 왔다고밖엔 생각지 않을 거예요."

이반은 자리에서 일어났다.

"거듭 말하거니와, 내가 네놈을 죽이지 않은 건, 내일 내가 너를 필요로 하기 때문이다. 이걸 기억해 둬. 잊지 마라!"

"차라리 죽이십쇼. 지금 죽여 주세요!" 스메르자코프는 야릇한 눈초리로 이반을 바라보며 이상한 어조로 불쑥 뇌까렸다. "당신은 그렇게 할 용기조차 없어요." 그는 비통한 미소를 짓고 덧붙였다. "전에는 그처럼 용감했던 사람이 이제는 아무것도 하실 용기가 없단 말입니다!"

"내일 보자!" 이반은 소리치고 밖으로 나가려 했다.

“잠깐만…… 그 돈을 다시 나한테 보여 주십시오.”

이반은 지폐를 꺼내서 그에게 보여 주었다. 스메르쟈코프는 십 초가량 물끄러미 그것을 바라보았다.

“자, 돌아가십시오.” 그는 손을 내저으며 말했다. “이반 표도로비치!” 갑자기 그는 이반의 등에다 대고 또 소리쳤다.

“왜 그래?” 이반은 걸어 나가며 뒤를 돌아보았다.

“부디 안녕히!”

“내일 보자!” 이반은 또 한 번 소리치고 그 집을 나왔다.

여전히 눈보라가 휘몰아치고 있었다. 그는 처음 몇 걸음을 힘차게 옮겼으나, 갑자기 다리가 후들거리기 시작했다. ‘이건 육체적인 현상일 뿐이다.’ 그는 히죽 웃으며 생각했다. 그러자 일종의 환희와 같은 것이 마음속에 솟구쳐 올랐다. 그는 자기 내부에 무한한 결단력을 느꼈다. 최근에 그를 그처럼 가혹하게 괴롭히던 마음의 동요도 마침내 끝장이 나고 만 것이다! 결심은 이뤄졌다. ‘이 결심은 절대 변하지 않는다’고 그는 행복을 느끼며 생각했다.

그 순간 그는 무엇에 발이 걸려 하마터면 넘어질 뻔했다. 멈춰 서서 발밑을 보니, 아까 그가 뿌리쳐 버렸던 그 농부가 아직도 정신을 잃은 채 그 자리에 꼼짝 않고 자빠져 있었다. 바람에 날려 온 눈이 벌써 그의 얼굴을 거의 덮고 있었다. 이반은 급히 그를 잡아 일으켜 등에 들쳐 업었다. 오른쪽에 있는 작은 집에 불빛이 있는 것을 보고 그는 그리로 가서 덧문을 쾅쾅 두드렸다. 문을 열고 나온 집주인에게 3루블의 사례금을 주기로 약속하고 농부를 경찰관 파출소까지 데려가는 걸 도와 달라고 했다. 주인은 채비를 하고 나왔다. 그다음 이반이 그 농부를 파출소까지 데리고 가서, 곧 의사의 진찰을 받게 하였을 뿐만 아니라, 아낌없이 ‘여러 가지 비용’을 지불한 이야기는 여기서 상세하게 기술하지 않기로 하자. 단 한 가지만 말해 둘 것은, 그가 이 일을 치르는 데 1시간 이상이나 걸렸다는 점이다. 하지만, 이반은 마음이 흡족했다. 그의 사고력은 점점 활동 범위를 넓혀 갔다.

'만약에 내가 내일에 대비하여 그처럼 굳은 결심을 얻지 못했다면' 하고 그는 일종의 쾌감을 느끼며 생각했다. '그 농부를 돌보느라고 1시간씩이나 지체하진 않았을 것이다. 십중팔구는, 그 옆을 그냥 지나치며 그가 얼어 죽게 된 걸 비웃었겠지. 하지만, 이제 나는 자신을 성찰할 힘을 지니고 있는 것이다' 하고 그 순간 그는 더욱 큰 만족을 느끼며 생각하였다. '그런데도 그들은 내 머리가 이상해져 간다고 단정하다니!'

자기 집 앞에까지 왔을 때, 그는 갑작스런 의문에 부닥쳐서 우뚝 멈춰 섰다. '지금 곧 검사한테 가서 모든 걸 이야기하는 게 좋지 않을까?' 그러나 다시 집 쪽으로 몸을 돌리며 그 의문에 해답을 내렸다. '내일 모든 걸 한꺼번에 말하자!' 하고 그는 혼자 속삭였다. 그러자 이상스럽게도, 그의 모든 기쁨과 만족이 순식간에 저절로 사라져 버리는 것이었다.

그리고 자기 방에 발을 들여놓았을 때, 그는 무언가 얼음 덩어리 같은 것이 자기 심장에 선득 와 닿는 것같이 느꼈다. 그것은 일종의 추억보다 정확히 말해서, 이 방 안에 전에도 있었으며 지금도 계속 존재하고 있는, 괴롭고도 몸서리나는 그 무엇에 대한 기억이었다. 그는 지친 듯이 소파에 주저앉았다. 할멈이 사모바르를 가지고 왔다. 그는 차를 따라 놓았으나 입에 대려고도 하지 않고, 내일 아침까진 부르지 않겠노라고 할멈을 내보냈다. 소파에 앉아 있으려니까 현기증을 느꼈다. 아무래도 무슨 병에 걸려 몸이 몹시 쇠약해진 것 같았다. 그는 졸음이 왔으나, 뭔가 불안스러운 듯이 소파에서 일어나 졸음을 떨어 버리려고 방 안을 거닐기 시작했다. 이따금 그는 자기가 섬망증譫妄症에 걸리지나 않았나 하는 생각이 들기도 했지만, 무엇보다도 그의 마음에 걸리는 것은 자기의 병이 아니었다. 그는 다시 소파에 앉아서 무엇을 찾는 것처럼 주위를 두리번거리곤 했다. 그것이 몇 번이나 되풀이되었다. 마침내 그의 시선은 어느 한 점點에 고착되었다. 이반은 싱긋 웃었으나, 그의 얼굴은 분노로 붉게 물들어졌다. 그는 언제까지나 두 손으로 턱을 받친 채 그 자리에 앉아서 곁눈으로 여전히 어느 한 점을—맞은편 벽 옆에 놓인 소파를 노려보고 있었다. 거기에는 분명히 그의 분노를 돋우고 그를 불안케 하고 괴롭히는 그 무엇이, 어떤 대상이 있는 모양이었다.

9. 악마, 이반의 악몽

필자는 의사가 아니다. 그러나 이반의 병의 성질에 관하여 독자에게 약간의 설명이나마 반드시 해야 할 때가 왔다고 생각한다. 우선 앞질러 한마디 해 둘 것은, 그가 이날 저녁에 진짜 섬망증에 걸리기 직전의 상태에 있었다는 점이다. 이미 오래전부터 이 병에 침해를 당하고 있으면서도 완강히 저항을 계속해 온 그의 육체 조직이 이제는 완전히 정복을 당하고 만 것이다. 의학에는 전혀 문외한인 필자의 의견을 감히 말한다면, 그는 자기 의지를 극도로 긴장시킴으로써, 얼마 동안 발병을 지연시켜 온 것 같았다. 물론 그는 자기 병을 완전히 극복할 수 있을 것으로 생각했던 것이다. 그는 자기 몸이 건강치 못하다는 걸 알고는 있었지만, 하필이면 자기 생애에 있어서의 운명적인 순간을 눈앞에 둔 이런 때에, 즉 나갈 자리에 나가서 용감하고도 단호하게 할 말을 함으로써 '스스로 자기의 떳떳함을 증명해야 할' 이때에 병을 앓는다는 것이 죽도록 싫었던 것이다.

하지만, 그는 모스크바에서 새로 온 의사한테 한 번 찾아 갔었다. 이미 앞에서도 언급한 바 있지만, 카체리나 이바노브나의 공상 때문에 이곳에 초빙되어 온 이 의사는, 이반의 말을 듣고 그를 자세히 진찰하고 나서, 그가 일종의 뇌병腦病을 앓고 있다는 진단을 내렸다. 그리고 이반이 마지못해 털어놓은 어떤 증상을 듣고도, 전혀 놀라는 기색이 없었다. "당신 같은 상태에 있는 사람은, 흔히 그런 환각에 빠질 수 있는 법입니다" 하고 의사는 단정했다. "하기는 그걸 자세히 확인해 볼 필요는 있지만…… 아무튼 시기를 잃지 않도록 곧 본격적인 치료를 받아야만 합니다. 그렇잖으면 좋지 않을 겁니다." 그러나 이반은 의사의 현명한 권고를 받아들이지 않았었고, 치료를 받기 위해 자리에 누우려고도 하지 않았다. '걸어 다닐 수 있는 걸 보면 아직도 기력이 있는 거야. 쓰러져 버린다면야 문제가 다르지만, 그땐 누구건 와서 치료해 주겠지.' 그는 손을 내젓고 이렇게 결정해 버렸던 것이다.

그래서 이미 앞에서 말한 것처럼, 지금도 그는 자기가 섬망증에 걸리려 한다는 것을 거의 의식하면서도, 맞은편 벽 옆에 놓인 소파 위의 어떤 대상을 열심히 응시하고 있었다. 거기에는 어떻게 해서 들어왔는지, 누군가가 앉아 있는 것이 문득 눈에 들어왔다. 이반이 스메르쟈코프한테서 돌아왔을 때는, 방 안에 아무도 없었던 것이다. 그것은 어떤 신사였다, 라기보다는 특유한 부류의 러시아 신사로서, 이미 젊은 나이는 아닌, 이른바 'qui frisait la cinquantaine(오십 가까운 사람)'이었다. 약간 길게 기른, 아직도 숱이 많은 검은 머리며 뾰족하게 다듬은 턱수염에는 백발이 그리 많이 섞이어 있지는 않았다. 솜씨 있는 재단사가 만든 것이 분명한 갈색 양복을 입고 있었으나, 많이 입어서 이미 허름한 꼴이 되었을 뿐만 아니라, 그 스타일은 적어도 3년 전에 유행하던 것으로, 사교계의 의젓한 신사라면 벌써 3년 전에 벗어 버린 옷이었다. 셔츠며 숄처럼 기다란 넥타이며 모두 멋을 아는 신사들이 착용하는 것이긴 했으나, 셔츠는 가까이서 보면 그리 깨끗하진 못했고, 폭넓은 넥타이 역시 많이 닳아 빠진 것이었다. 체크무늬 바지도 재단은 잘된 것이지만, 현재의 유행에 비하면 너무 빛이 연한 편이고 가랑이가 좁아서 요즈음은 별로 볼 수 없는 물건이었다. 털이 부스스한 흰 중절모 역시 계절에 뒤진 것이었다.

한마디로 말해서, 호주머니 사정이 그리 시원치 못한 사람이 신사 체면을 지키기 위해 단정히 차려입었다고 하면 족할 것이었다. 그러니까 이 신사는 농노제 시대에는 흥청거렸으나 지금은 영락한 옛 지주 계급에 속하는 사람인 것 같았다. 틀림없이 그는 한때 의젓한 상류 사회에서 훌륭한 인사들과 교분이 있었고, 현재도 그 관계를 유지하고 있는지는 모르지만, 젊을 때의 즐거운 생활은 끝나고 그 후 농노제 철폐로 영락하게 됨에 따라서 이제는 선량한 옛 친구들 사이에 일종의 식객으로 전전하는 신세가 되었을 것이다. 옛 친구들이 그런 사람을 자기 집에 받아들이는 것은, 그의 둥글둥글한 사교성 있는 성격을 알고 있기 때문이며, 또 그처럼 외모가 단정한 사람은 비록 말석이기는 하지만, 누구 앞에서나 한자리에 앉힐 수 있기 때문이다. 그러한 식객, 즉 사교성 있는 신사는, 이야기를 재미있게 할 줄 알고 트럼프도 곧 잘 치지만, 혹시 누군가 무슨 일을 부탁이라도 하면, 그런 일은 죽어라고 싫어하는 성미인 것이다. 그런 신사들은 대개가 고독한 사람들로 미혼자이거나 혹은 홀아비이다. 간혹 어린애를 가진 사람도 있지만, 그 아이들은 으레 멀리 있는 무슨 아주머니 집에서 양육 받고 있는데, 그 신사는 그런 친척이 있는 것을 부끄러워하는 듯이, 점잖은 좌석에서는 그 아주머니 얘긴 일체 입 밖에 내지 않는다. 간혹 자기 아이들한테서 생일 편지나 크리스마스 편지 같은 것을 받기도 하고 또 답장을 보내는 수도 있긴 하지만, 그러다가 차츰 그 아이들에게 대해서도 까맣게 잊어버리고 마는 것이다.

이 뜻하지 않은 방문객의 외모는 선량하다기보다는 역시 둥글둥글 잘생긴 편이어서, 필요한 경우엔 언제든지 상냥하고 애교 있는 표정을 지을 수 있을 것 같은 얼굴이었다. 시계는 가지고 있지 않았으나, 검은 리본에 달아 맨 대모테 안경은 지니고 있었다. 오른손 가운데 손가락에는 값싼 단백석蛋白石이 박힌 큼직한 금반지가 끼여 있었다.

이반은 잔뜩 화난 얼굴로 입을 다문 채 좀처럼 말을 건네려 하지 않았다. 신사는 마치 주인을 상대하여 차를 함께 마시려고 위층 자기 방에서 내려온 식객이, 주인이 낯을 찌푸리고 무슨 생각에 잠겨 있는 것을 보고 얌전히 기다리고 있을 때처럼 그렇게 말없이 앉아 있었다. 그러나 주인이 말을 걸기만 하면 언제든지 곧 상냥하게 무슨 얘기건 시작할 수 있을 것 같은 표정이었다. 갑자기 그의 얼굴에 무슨 근심의 빛이 떠올랐다.

"여보게" 하고 그는 이반에게 말을 걸었다. "용서하게. 난 단지 자네한테 이걸 상기시키려고 말하는 건데, 자넨 카체리나 이바노브나에 관해서 알아보려고 스메르쟈코프한테 갔다가, 그 여자에 관해선 아무것도 알아보지 못하고 그냥 돌아오지 않았나. 아마 깜박 잊었던 모양이네만……"

"아 참!" 이반은 갑자기 입을 열었다. 그의 얼굴은 금세 수심에 싸였다. "그렇군, 난 그걸 잊었어……. 하지만, 어차피 이젠 매한가지야. 내일이면 모든 게 드러날 테니까." 그는 혼잣소리처럼 중얼거렸다. "그렇지만 여보게" 하고 그는 신경질적인 어조로 방문객을 보고 말했다. "그걸 자네가 말해 주지 않아도 나 자신이 곧 생각해 냈을 걸세. 나는 바로 그것 때문에 지금 골치를 앓고 있었으니 말이야! 왜 쓸데없이 남의 일에 참견하는 건가? 마치 나 자신은 미처 생각이 미치지 못한 걸 자네가 귀띔을 해 준 것처럼 믿게 되지 않나?"

"그럼 그렇게 믿지 않으면 그만 아닌가." 신사는 상냥하게 웃었다. "믿음을 강요할 수는 없으니까. 뿐만 아니라 믿고 안 믿는 데는 증거 같은 건, 특히 물적 증거 같은 건 아무 소용도 없거든. 도마는 부활한 그리스도를 제 눈으로 보았기 때문이 아니라 그전부터 믿기를 원했기 때문에 믿은 거야. 예를 들면 강신술자降神術者들은 달이야……. 난 그들을 무척 좋아하지만…… 글쎄 그들은 악마가 저승에서 자기들에게 뿔을 보여 준다고 해서 그것을 가지고 강신술은 신앙을 위해 유익하다고 생각하고 있거든. '이건 내가 존재한다는 물적 증거가 아니고 뭐냐'는 거야. 내세와 물적 증거라, 참 어처구니없는 수작이지! 그건 그렇다 치고, 악마의 존재가 증명된다고 하느님의 존재도 증명된단 말인가? 나는 이상주의자들의 모임에 들어가고 싶네. 그러면 거기서 반대론을 내세우겠네—'나는 현실주의자이긴 하지만 유물론자는 아니오. 헤헤!'"

"여보게." 이반은 테이블 앞에서 벌떡 일어났다. "난 지금 섬망증에 걸린 것만 같네……. 틀림없이 섬망증일 거야……. 나한텐 상관없으니 어서 실컷 지껄이게! 지난번처럼 내 울화통을 터뜨릴 수는 없을 걸세. 하지만, 난 왜 그런지 좀 부끄러운 것 같군……. 난 방 안을 거닐 테야……. 요전처럼 이따금 자네 얼굴이 보이지 않는 수도 있고 자네 목소리까지도 들리지 않는 수가 있긴 하지만, 자네가 지껄이는 말은 죄다 알아들을 수 있네. 왜냐하면, '그건 나니까', 지껄이고 있는 건 '자네가 아니라 나 자신'이니까! 단지 지난번에 자네를 만났을 때는 내가 자고 있었는지, 아니면 내 눈으로 정말 자네를 보았는지, 그걸 모르겠어.

수건을 냉수에 적셔서 머리에 얹어야겠군. 그러면 아마 자넨 사라져 버릴 테지."

이반은 구석으로 가서 수건을 갖다가 제 말대로 물에 적시어서 머리에 얹고는 방 안을 오락가락하기 시작했다.

"난 자네가 허물없이 솔직하게 대해 주는 게 마음에 들었네" 하고 손님이 입을 열었다.

"바보 같으니." 이반은 소리를 내어 웃었다. "그럼 내가 자네한테 존댓말이라도 쓸 줄 알았나? 난 지금 기분이 좋아. 관자놀이께가 좀 쑤시고…… 이마도 아프긴 하지만……. 그러니 제발 지난번처럼 철학 냄새 나는 얘긴 말아 주게. 물러가지 못하겠거든 무슨 재미있는 얘기라도 하게나. 식객이면 식객답게 항간에 떠도는 소문이나 지껄이란 말일세. 내가 어쩌다 이런 귀찮은 친구한테 걸려들었을까! 그렇지만 난 자네가 무섭지 않아. 난 기어코 자넬 극복하고야 말 테니까. 정신병원에 끌려가지는 않을걸!"

"식객이란 c'est charmant(재미있는 거)야. 사실 난 그런 꼴을 하고 있으니까. 이 지상에서 내가 식객이 아니면 대체 무엇이겠나. 그보다도 난 자네 말을 듣고 약간 놀랐네. 요전처럼 자넨 나를 자기의 환상이라고 생각하지를 않고, 차츰 실재實在하는 것으로 인정하기 시작한 것 같으니 말이야."

"난 잠시 동안이라도 자넬 실재하는 것으로 생각하지는 않아." 이반은 거의 악을 쓰다시피 외쳤다. "자넨 허위야, 자넨 내 병이야. 허깨비야. 다만 어떻게 하면 자넬 없애 버릴 수 있는지 그걸 모를 뿐이야. 아마 얼마 동안은 고통을 받는 수밖엔 없겠지. 자넨 내 환각幻覺이야. 자넨 나 자신의 분신分身이야. 그러나 단지 나의 일면의 분신……. 어리석은 내 사상과 감정의 분신일 뿐이야. 이런 견지에서 볼 때, 만약 나한테 자넬 상대할 시간적 여유만 있다면, 자넨 분명히 나한테 흥밋거리가 될 수도 있겠지."

"미안하지만 자네의 모순된 점을 지적하겠네. 자넨 아까 가로등 밑에서 알료샤한테 대들며 '넌 '그자'한테서 들었구나! '그자'가 나한테 오는 걸 어떻게 알았니?' 하고 소리치지 않았나. 그건 나를 두고 한 말이었어. 그렇다면 자넨 잠시 동안이나마 믿었던 거야, 내가 실재한다는 걸 믿었던 거야."

"응, 그건 인간 본성의 약점이었어……. 하지만 난 자넬 믿을 수가 없었네. 난 전번에 내가 자고 있었는지, 깨어 있었는지조차 기억하지 못할 정도야. 아마 그때 나는 자넬 정말로 본 게 아니고 꿈속에서 본 건지도 몰라."

"그런데 자넨 아까 왜 알료샤한테 그렇게 딱딱거렸나? 참 사랑스런 청년이야. 난 조시마 장로의 일로 알료샤한테 죄를 진 일이 있지만."

"알료샤 얘긴 하지도 말게……. 자네 같은 속물이 어떻게 감히 그 애 얘길 하나!" 이반은 다시 웃었다.

"자넨 욕을 하면서도 웃고 있군—그건 좋은 징조야. 오늘은 요전보다 기분이 훨씬 좋은가 보군. 왜 그런지 난 알지. 위대한 결심을 했기 때문일 거야."

"결심 얘긴 집어치워!" 이반은 버럭 고함을 질렀다.

"알겠네, 알겠어. c'est noble, c'est charmant(그건 고상한 일이야, 그건 훌륭한 일이야). 자넨 내일 형을 변호하고 자네 자신을 희생하러 가려는 거지……. c'est chevaleresque(그건 의협적인 일이야)."

"닥쳐, 발길로 차 버릴 테다!"

"그건 약간 반갑겠는걸. 발길로 채이면 나의 목적이 달성되는 셈이니까. 발길질을 한다는 건 자네가 내 실재를 믿는다는 증거가 아닌가. 허깨비에게 발길질을 할 사람은 없거든. 농담은 그만두고, 자네가 아무리 욕을 해도 난 상관없지만 말이야. 그래도 조금은 더 정중한 말을 쓰는 게 좋지 않을까? 바보니 속물이니 하는 건 아무래도 좀 심한 것 같군!"

"자넬 욕하는 건—나 자신을 욕하는 거야!" 이반은 또 웃었다. "자넨 나야. 얼굴만이 다를 뿐 자넨 나 자신이야. 자넨 내가 생각하는 것을 그대로 말하고 있을 뿐이지……. 자넨 새로운 건 한마디도 나한테 말해 주지 못하거든!"

"만약 내 사상이 자네 사상과 일치한다면, 그건 나한텐 명예가 될 뿐일세." 신사는 상냥하면서도 위엄 있는 어조로 말했다.

"자넨 나의 더러운 사상만을, 특히 어리석은 사상만을 취하고 있어. 자넨 어리석고 비열해. 천치 바보야! 난 자네가 죽도록 싫어! 어떡하면 좋을까, 아아, 어떡하면 좋을까!" 이반은 부드득 이를 갈았다.

"여보게, 친구, 나는 역시 신사답게 처신하고, 신사로서 대접받고 싶네." 손님은 남의 신세를 지고 있는 식객답게 처음부터 양보적인 태도로 일종의 무난한 야심 같은 것을 보이며 말을 시작했다. "나는 가난해. 그렇다고…… 나 자신 매우 고결한 인간이라고 말하진 않겠네. 그렇지만…… 세상 사람들 사이에서는 일반적으로 내가 타락한 천사라는 게 정평定評으로 되어 있지. 도대체 내가 언제 어떻게 해서 천사가 되었는지 난 기억에 없네. 설사 그런 시절이 있었더라도, 너무 오래전의 일이라 이젠 잊어버려도 무방하겠지. 그래서 지금 나는 점잖은 신사라는 평만을 존중하여, 되도록 유쾌하게 보이도록 노력하면서 그저 살아갈 수 있는 대로 살고 있을 뿐일세. 난 진정으로 인간을 좋아해—그런데도 난 얼마나 많은 중상中傷을 당했는지 몰라! 내가 이따금 이 지상에 나타날 때면, 내 생활은 마치 일종의 현실처럼 이루어지곤 하는데, 난 그게 무엇보다도 좋아. 나는 이 지상의 현실을 좋아해. 왜냐하면 나 자신도 자네처럼 늘 환상적인 것으로 인해 고통을 받고 있기 때문이지. 이 지상에서는 모든 것이 뚜렷한 윤곽을 지니고 있고, 모든 것이 공식화되어 있으며, 모든 것이 기하학적이야. 그런데 우리네 거기는 막연한 방정식方程式 이외엔 아무것도 없거든! 난 여기서 공상을 하며 돌아다니지. 난 공상하길 좋아해. 게다가 난 이 지상에서 미신을 믿게 됐어. 제발 웃지 말게. 난 미신을 믿는 게 좋거든. 난 여기서 자네네 습관에 전적으로 따르고 있지. 특히 목욕탕에 다니길 좋아한다네. 자네는 곧이듣지 않겠지만, 난 장사치들이나 수도사들과 함께 한증하길 아주 좋아하지. 내가 꿈꾸는 것은 무엇인고 하니, 체중이 삼십 관쯤 되는 뚱뚱한 상인의 마누라로 영영 변신해 버리는 걸세. 그리고 그런 여자가 믿는 걸 모두 그대로 믿고 싶어. 내 이상은 교회당에 들어가서 순진한 마음으로 촛불을 하나 켜 바치는 것일세. 이건 정말이야. 그때는 나의 모든 고뇌도 종막을 고하게 될 테니까. 나는 또 자네들처럼 의사한테 치료를 받는 것도 좋아하지. 지난봄에 천연두가 유행했을 때 양육원에 가서 우두를 맞았는데, 그날 내 기분이 얼마나 흡족했는지 아마 자넨 짐작도 못 할 걸세. 그래서 난 불우한 슬라브 동포들을 위해 10루블을 쾌히 희사했다네!…… 헌데 자넨 듣고 있지 않는군그래. 여보게, 아무래도 자넨 오늘 마음이 몹시 들떠 있는 것 같네." 신사는 잠시 말을 중단했다. "난 자네가 어제 그 의사한테 다녀온 걸 알고 있네……. 어떤가, 자네 건강은? 의사가 뭐라고 하던가?"

"바보 같으니!" 이반은 버럭 소리쳤다.

"그 대신 자넨 똑똑하군. 또 욕을 하긴가? 난 동정하는 뜻에서 물은 건 아니니까, 대답하기 싫거든 그만두게나. 요즘은 류머티즘이 재발해서……"

"바보 같으니." 이반은 다시 되풀이했다.

"같은 소리만 자꾸 하는군. 아무튼 난 작년에도 류머티즘에 걸렸었는데, 어찌나 심했던지 아직도 기억에 생생할 지경이야."

"악마도 류머티즘에 걸리나?"

"가끔 인간의 모습으로 변하다 보면 인간처럼 류머티즘에 걸릴 수도 있을 게 아닌가. 인간의 모습을 취하는 이상, 거기서 오는 결과도 받아들일 수밖에. Satan sum et nihil humanum a mealienum puto(나는 악마니까 일체의 인간적인 것이 너게는 인연이 있는 거야)."

"뭐, 뭐? Satan sum et nihil humanum이라니……. 그건 악마로선 그럴듯한 소리군!"

"이제야 겨우 자네 마음에 드는 말을 한 것 같아 기쁘군."

"하지만 그 말은 나한테서 취한 건 아닐 걸세." 이반은 몹시 놀란 얼굴로 말했다. "그런 건 내 머릿속에 한 번도 떠오른 적이 없어. 참 이상한데……"

"C'est du nouveau, n'est-ce pas(이건 새로운 거야. 그렇지 않나)? 이렇게 된 이상 자네한테 정직하게 설명해 주지. 들어 보게. 소화불량이라든가 혹은 그 밖의 이유 때문에 꿈을 꾸거나 특히 악몽을 꿀 때, 인간은 간혹 예술적인 환상이나 지극히 복잡한 현실, 사건, 또는 하나의 완전한 스토리를 놀라우리만큼 상세하게—가장 고상한 현상으로부터 조끼에 달린 단추에 이르기까지 세세하게 볼 수 있단 말일세. 아마 레프 톨스토이[35*]도 그렇게까지 상세하게는 묘사하지 못하리라 생각될 지경이지. 더욱이 그런 꿈은 작가니 문인이니 하는 사람들보다는, 오히려 평범하기 짝이 없는 사람들—관리라든가 삼류 잡지 기자라든가 하급 성직자라든가 하는 사람들이 꾸는 수가 많거든. 이건 상당히 중요한 문제랄 수도 있지. 어느 대신이 나한테 고백한 바에 의하면, 자기의 훌륭한 아이디어는 모두 잠잘 때 생각난 것들이라는 걸세. 지금도 역시 마찬가지야. 나는 비록 자네의 환각이긴 하지만, 마치 악몽 속에서처럼, 내가 말하는 것은 상당히 독창적인 것들이야. 이건 아마 여태까지 자네 머리엔 한 번도 떠오르지 않았을 걸세. 그러니까, 난 결코 자네의 사상을 되풀이하는 건 아니야. 그렇지만 난 역시 자네의 악몽에 지나지 않아."

"거짓말 마라. 자네의 목적은, 자네가 결코 내 악몽이 아니라 어디까지나 독립된 존재라는 걸 나한테 확신시키려는 데에 있어. 그래서 자넨 지금 자기가 꿈이라고 주장하는 거야."

"여보게, 난 오늘 특별한 방법을 사용키로 했네. 나중에 그걸 자네한테 설명해 주지. 가만 있자, 내가 어디까지 얘기했더라? 참 그렇지, 나는 그때 감기에 걸렸었네. 여기 지상에서가 아니라 거기서 말이야……."

"거기가 어디야? 자네 나한테 오래 붙어 있을 셈인가? 돌아가 줄 수 없겠어?" 이반은 거의 절망적으로 외쳤다. 그는 걸음을 멈추고 소파에 앉아서, 다시 테이블에 팔꿈치를 괴고 두 손으로 머리를 받쳤다. 그는 머리에서 물수건을 떼어 화난 듯이 확 던져 버렸다. 물수건도 별 효과가 없었던 모양이다.

"자넨 신경이 엉망이 되었어." 신사는 무뚝뚝하면서도 매우 친밀한 태도로 말했다. "내가 감기에 걸린 적이 있다고 하니까 자넨 나한테 성을 내지만, 사실 그 감기는 아주 자연스럽게 걸렸던 걸세. 나는 그때 페테르부르크의 어떤 귀부인이 마련한 외교관들의 야회에 달려가고 있었네. 그 여자는 늘 대신 부인이 되기

35* 레프 톨스토이Leo Tolstoy(1828~1910). 러시아의 소설이자 시인, 개혁가, 사상가.

를 꿈꾸고 있었지. 아무튼 나는 야회복에다가 흰 넥타이에 흰 장갑으로 단장하고 나섰는데 그땐 아직 까마득한 곳에 있었기 때문에 이 지상에까지 오려면 넓은 공간을 날아야 했단 말일세……. 하기야 눈 깜짝할 사이면 날아올 수 있긴 하지만, 태양 광선의 속도로도 8분 이상 걸리는 거리였으니, 생각해 보게, 야회복에 가슴을 터놓은 조끼만을 입은 내가 어떻게 됐겠나……. 정령精靈들은 추위를 모르는 법이지만, 인간의 모습으로 변한 이상 어쩔 수 있어야지……. 요컨대 나는 너무 경솔하게 떠났던 거야. 그런데 저 공간의 에테르, 즉 저 창공에 차 있는 물은 굉장히 추워……. 아니, 그건 춥다는 말로는 표현할 수조차 없을 지경이지. 생각해 보게, 영하 150도야! 자넨 시골 계집애들이 곧잘 이런 장난을 한다는 걸 알 거야—영하 30도쯤 되는 추위에 풋내기 총각 녀석더러 도끼날을 핥아 보라고 하거든. 바보 녀석의 혓바닥은 대번에 도끼에 얼어붙어서 그걸 떼어내자면 가죽이 벗겨져 피가 철철 흐르지. 이건 불과 30도의 추위에서야. 하지만 150도쯤 되어 보게, 도끼에 손가락 끝만 닿아도 손가락 하나는 잃어버리고 말걸……. 만약에 거기 도끼가 있다면 말일세."

"거기 도끼가 있을 수 있을까?" 이반은 혐오를 느끼듯 좀 멍청한 어조로 갑자기 말을 막았다. 그는 이 악몽을 믿지 않으려고, 그리고 정신 착란 속에 빠져들지 않으려고 안간힘을 쓰고 있었다.

"도끼가?" 손님은 놀란 듯이 반문했다.

"응, 그런 곳에 도끼가 있으면 대체 어떻게 되겠느냐 말이야?" 이반은 사나우리만큼 고집스럽게 들이댔다.

"공간에 도끼가 있으면 어떻게 되겠느냐고? Quelle idéé(희한한 생각이군)! 만일 그게 좀 더 멀리 떨어지면, 위성처럼 공연히 지구 주위를 돌기 시작할 걸세. 천문학자들은 도끼의 출몰을 계산할 것이고, 가트추크Gatzuk[36]는 그걸 일력에 기입하겠지. 그저 그뿐이야."

"자넨 바보야, 지독한 바보야!" 이반은 심술궂게 말했다. "허튼소릴 하려거든

36 19세기 후반에 모스크바에서 일력日曆을 발행하던 사람.

좀 더 그럴듯하게 하게. 그렇지 않으면 난 듣지 않겠어. 자넨 실재론實在論으로 날 이기려는 속셈이야. 그래 가지고 자네의 실재를 나한테 믿게 하려는 거야. 하지만 난 자네의 존재를 믿고 싶지 않아! 난 그걸 안 믿을 테야!"

"난 허튼소릴 하는 게 아니야. 모든 게 진실이야. 유감스럽게도 진실은 언제나 시시하고 평범한 법이거든. 자넨 나한테 무슨 위대한 것, 아주 멋진 것을 기대하고 있는 것 같은데, 참 안됐네. 난 내 힘으로 가능한 것밖엔 자네한테 줄 수 없으니까."

"철학 냄샌 피우지 말라니까, 바보 같으니!"

"철학 냄새가 다 뭔가, 내 몸의 오른쪽 반이 마비가 되어 끙끙 신음 소릴 내고 있는 처지에. 의사라는 의사는 모조리 찾아봤는데, 진찰만은 썩 잘하더군. 모든 증상을 손바닥 들여다보듯 자세히 설명해 주기는 하지만, 그걸 고칠 줄을 모른단 말일세. 마침 거기 감격파 의대생이 하나 있었는데, 그 친구 말이, '당신은 죽더라도 자기가 무슨 병으로 죽었는지는 완전히 알게 될 테니까요!'라는 걸세. 그리고 그 친구들이 환자를 전문 의사한테로 보내는 방법이 또 기가 막히지. '우리는 진찰만 하니까 이러이러한 전문 의사한테 가 보십시오. 거기서 고쳐 드릴 겁니다'라는 거야. 요즘은 무슨 병이든 다 고쳐 주는 그런 구식 의사는 없어져 버리고, 전문의들만이 신문에다 광고를 내고 있는 형편이니까. 만일 콧병에 걸려서 의사를 찾아가면, 파리로 가서 유럽의 전문의한테 치료를 부탁하라고 하지. 그래서 파리에 가면 그 전문의라는 친구는 코를 진찰해 보고는, 자기는 오른쪽 콧구멍밖엔 못 고치겠다, 왼쪽 콧구멍은 내 전문이 아니니 비엔나의 왼쪽 콧구멍 전문의한테 가서 고치시오, 이렇게 나온단 말일세. 이런 형편이니 어쩔 수 있어야지! 결국 나는 자가 치료를 해 보기로 했지. 어느 독일인 의사가, 한증탕에 가서 꿀과 소금을 몸에 문지르면 낫는다고 하기에, 일부러 한증탕엘 가서 그대로 해 봤지만 별 무효과였네. 실망 끝에 밀란의 맛테이 백작伯爵에게 편지를 내 보았더니, 책 한 권과 물약을 조금 보내왔는데 역시 효과가 없었네. 그런데 그게 어찌 됐는지 아나. 호프의 맥아정麥芽精을 먹었더니 대번에 병이 나아 버리더라니까! 우연히 사온 걸 한 병 반쯤 마셨더니만 아주 병이 싹 가셔 버렸단 말일세. 어찌나 고마운지 신문에다 '감사문'을 꼭 실어야겠다고 결심했네. 그랬더니 글쎄 또 까다로운 문제가 생기지 않겠나. 어느 신문에서도 받아 주려 하지 않는 거야. '이건 너무 보수적이군요. 아무도 이걸 곧이듣지 않을 겁니다. le diable n'existe point(악마가 존재할 리 있습니까) 차라리 익명으로 하는 게 좋을 것 같은데요'라고 권하더군. 하지만 익명으로 한다면 그게 어디 '감사문'이 될 수 있느냐 말일세. 그래서 난 신문사 사람들에게 이렇게 말하며 웃어 주었지—'요즘 세상에 하느님을 믿는다는 건 보수적이겠죠. 하지만 난 악마 아닙니까. 악마니까 난 믿을 수 있어요.' '우린 그걸 이해합니다. 악마를 믿지 않는 사람이 어디 있겠어요. 그렇긴 하지만 역시 안 되겠는데요. 근본 방침에 어긋나니까요. 농담의 형식으로 하신다면 또 모르겠습니다만'—이렇게 나오더군. 그러나 농담치고는 재치가 부족하다고 나는 생각했지. 그래서 결국 신문엔 싣지 못하고 말았네. 자넨 믿지 않을지 모르지만, 난 그 일을 생각하면 아직도 가슴이 쓰릴 지경이야. 나의 가장 훌륭한 감정, 예컨대, 감사의 정까지도 나의 사회적 위치 때문에 공식적으로 거부당해야 하니 말일세."

"또 철학적인 소릴 지껄이는군!" 이반은 증오를 못 이기듯 이를 갈았다.

"나 자신 그렇게 되지 않기를 바라네만은, 그래도 가끔 불평을 않을 수 없거든. 난 이유 없이 중상을 당한 인간이야. 자네까지도 연방 나더러 바보, 바보 하고 있잖나. 자네가 아직 젊다는 걸 이내 알 수 있어. 여보게, 무슨 일이든 지혜만 가지고 되는 건 아닐세. 난 원래가 친절하고 명랑한 성격의 소유자지. '나도 역시 여러 가지 희극을 씁니다요.'[37] 자네는 나를 마치 늙은 헬레스타코프쯤으로 생각하는 모양이네만, 내 운명은 훨씬 더 심각한 거야. 나는 자신도 알 수 없는 일종의 섭리에 의해서 '부정否定'을 일삼도록 운명 지어졌지만, 원래가 호인이기 때문에, 부정하는 데는 전혀 소질이 없어. '안 된다, 너는 부정해야 한다. 부정 없이는 비평도 없고, '비평란' 없이는 잡지도 존재할 수 없다. 비평이 없으

37 니콜라이 고골의 희극 〈검찰관Revizor〉의 주인공 헬레스타코프의 성사聖事.

면 '호산나'밖엔 없게 될 것이고, 호산나만 가지고는 인생은 충분하지 못하다. 호산나는 회의懷疑의 도가니 속을 거쳐야만 하는 것이다' 하는 식으로 나가라는 거야. 하지만 난 그런 것과는 상관이 없어. 내가 만든 것도 아니고, 나한테 책임이 있는 것도 아니니까. 속죄贖罪의 제단에 오를 산양山羊을 끌어다가, 산양한테 비평란을 쓰게 하면, 거기서 인생이 얻어진단 말일세. 우린 이 희극을 이해하지. 예컨대 나로 말하자면, 차라리 나 자신의 멸망을 요구하는 바이지만, 그들은 나한테 '아니, 넌 살아야 해, 네가 없으면 아무 일도 없을 테니까. 만일 세상만사가 다 원만하고 순조롭기만 하면 아무 일도 일어나지 않을 게 아니냐. 네가 없으면 아무런 사건도 일어나지 않을 테니, 그렇게 되면 매우 곤란하다'라고 몰아세운단 말일세. 그래서 나는 마지못해 이를 악물면서 사건을 만들어 내기 위해 명령대로 불합리한 일을 저지르고 다니는 거야. 그런데 인간들은 그처럼 뛰어난 지성을 지니고 있음에도 불구하고, 이 희극을 마치 무슨 심각하고 중대한 일인 양 생각하고 있거든. 바로 여기에 인간의 비극이 있는 거야. 물론 그들은 고통을 겪고 있지……. 그 대신 그들은 살고 있어. 환상적으로가 아니라 현실적으로 살고 있어. 고통은 곧 생활이니까. 고통이 없는 인생엔 아무런 쾌락도 있을 수 없지—그렇게 되면 모든 것이 끝없는 기도로 변해 버릴 걸세. 그것은 거룩하긴 하겠지만 따분한 일이야. 그런데 나는 어떤가? 나는 고통을 받고는 있지만, 생활은 없어. 나는 부정방정식不定方程式의 X(엑스)야. 나는 모든 시초와 종말을 상실한 환영幻影, 인생의 환영의 일종이지. 이젠 제 이름이 무엇이었는지조차도 잊어버리고 말았어. 자넨 웃고 있구먼……. 아니, 웃고 있는 게 아니라, 또 성을 내고 있는가 보군. 자넨 언제나 성을 내곤 하니까. 자네의 관심사는 오직 지혜뿐이야. 그러나 거듭 말하거니와, 나는 차라리 별 위의 모든 생활, 모든 지위, 모든 명예를 포기하고, 삼십 관 나가는 뚱뚱보 여편네의 영혼으로 변형되어 하느님 앞에 촛불을 바치고 싶단 말일세."

"그럼, 자네도 하느님을 믿나?" 이반은 증오에 찬 냉소를 흘렸다.

"어떻게 말하면 좋을까—자네가 그걸 진정으로 묻는다면 말일세."

“하느님은 있어, 없어?” 이반은 다시금 집요하게 대들었다.

“그럼, 자넨 진정으로 묻는군? 여보게, 정직하게 말해서, 난 그걸 몰라!”

“모르면서도 하느님을 본단 말인가? 그렇지, 자넨 실재하는 존재가 아니야. 자넨 나 자신이야, 자넨 나야, 그 이상의 아무것도 아니란 말이야! 자넨 쓰레기야, 내 공상이야!”

“흠, 자네가 원한다면 난 자네와 동일한 철학을 신봉할 수도 있어. 그게 공평하겠지. Je pense, donc je suis(나는 생각한다, 그러므로 나는 존재한다). 이건 나도 알아. 그렇지만, 내 주위에 있는 그 밖의 모든 것, 즉 이 모든 세계, 하느님, 그리고 사탄—이러한 모든 것이 과연 실재하는 것이냐, 아니면 나 자신의 발산물發散物, 즉 무한한 과거로부터 홀로 존재하고 있는 나(자아)의 일관된 발전에 지나지 않느냐 하는 것은 나한테 아직 증명되지 않았네……. 그러나 이젠 말을 그쳐 버려야겠군. 자네가 곧 튀어 일어나 나를 칠 것 같으니 말이야.”

“차라리 무슨 우스운 일화 같은 거라도 들려주면 좋겠네.” 이반은 병적인 어조로 말했다.

“바로 우리 화제에 적합한 일화가 있지. 일화라기보다는 전설이라는 편이 옳겠군. 자넨 ‘보면서도 믿지 않는다’고 나의 불신不信을 책하지만, 그러나 여보게, 나만이 그런 것은 아니야. 우리 동료들은 지금 모두들 괴로워하고 있는데, 그건 모두가 자네네 과학 때문이지. 아톰(原子)과 오관五官과 사대 등이 있던 시대만 해도 별일 없이 지낼 수 있었네. 고대에도 아톰은 있었으니까. 그런데 자네들이 ‘화학적 분자’니 ‘원형질原形質’이니 하는 야릇한 것들을 발견했다는 걸 알게 되었을 때 우리는 기가 죽어 버리고 말았지. 그러자 말할 수 없는 혼란이 일어났어. 무엇보다 곤란한 것은, 근거 없는 미신, 터무니없는 낭설이 횡행하기 시작했다는 사실이야. 그런 낭설은 우리 사이에도 자네네 세계만큼이나 떠돌고 있으니까. 아니, 좀 더 심할 정도지. 그리고 밀고 역시 매한가지여서, 우리네 거기엔 모종의 ‘정보’를 접수하는 기관까지 있단 말일세. 그런데 이 어이없는 전설은 우리 중세기中世紀에 속하는 것으로—자네네 중세기가 아니라 우리네 중세기 말일세—삼십 관 나가는 뚱뚱보 여편네 외엔 아무도 믿으려 들지 않거든. 물론 이것도 인간 세계의 여편네가 아니라 우리네 세계의 여편네지만. 아무튼 자네의 세계에 있는 건 우리네 세계에도 모두 있다네. 이건 금지된 사항이지만, 친구인 자네한테만 우리 비밀을 공개하는 걸세. 그 전설이란 천국에 관한 거야. 언젠가 이 지상에 심오한 사상을 지닌 철학자가 하나 있었다더군. 그는 '법률도 양심도 신앙도 모두 부정했지만' 무엇보다도 내세來世를 부정했다는 거야. 그런데 그에게도 죽음이 찾아왔지. 그는 곧장 암흑과 죽음으로 갈 줄 알았는데, 웬걸, 눈앞에 내세가 나타났단 말일세. 그는 한편 놀라고 한편 분개했지. '이건 내 신념에 모순된다'라고 뇌까렸어. 그 때문에 그는 재판을 받았지……. 하지만 여보게, 날 탓하지 말게. 난 내가 들은 대로 전하는 것뿐이니까. 결국 전설에 지나지 않는 얘기지……. 그런데 재판 결과, 그는 암흑 속을 천조千兆 킬로미터 (우리네 세계에서도 이젠 미터법을 쓰고 있다네) 걸어서 가라는 선고를 받았네. 천조 킬로미터의 암흑 속을 통과하면 비로소 천국의 문이 열리고, 모든 죄를 용서받는다는 거야."

"그런데 자네네 저승에서는 천조 킬로미터의 암흑 이외에 또 무슨 형벌이 있나?" 이반은 이상스레 활기 띤 어조로 말을 막았다.

"무슨 형벌이 있느냐고? 아아, 그건 묻지 말게. 전에는 이것저것 있었지만, 요즘은 주로 도덕적인 것, 이를테면 '양심의 가책'이니 하는 싱거운 형벌을 택하게 되었다네. 이것 역시 자네들 때문이지. 즉, '인간 세계의 풍습의 연화軟化'에 기인하는 거야. 그래서 덕을 본 건 양심 없는 자들뿐이지. 양심이 전혀 없으니 '양심의 가책' 따위가 문제될 게 있겠느냔 말일세. 반면에 양심과 명예를 존중하는 어엿한 인간들이 고통을 받을 수밖에……. 사실 말이지, 아직 기반이 잡히지도 않은 곳에다가 남의 제도를 그대로 베껴 온 개혁을 실시한다는 건 백해무익한 짓이거든! 옛날 화형火刑 쪽이 오히려 나을지도 모르지. 그건 그렇고, 천조 킬로미터의 암흑을 선고 받았던 그 사상가는 그 자리에 서서 잠시 주위를 둘러보더니, 길바닥에 가로누워 버렸네. '난 걷기 싫다, 내 주의主義상 가지 않겠다!'라고 버티었지. 러시아의 교양 있는 무신론자의 영혼과 고래 뱃속에서 사흘 낮 사흘 밤을 견디어 낸 선지자 요나[38*]의 영혼을 한데 섞으면, 아마 길바닥에 가로누운 이 사상가의 성격과 같은 것이 나타날 걸세."

"대체 무얼 깔고 누웠을까?"

"아마 깔고 누울 만한 것이 거기 있었겠지. 자네, 우스갯소릴 하자는 건 아닌가?"

"참 굉장한 친구로군!" 이반은 여전히 이상한 활기를 띤 채 소리쳤다. 그는 지금 어떤 뜻밖의 호기심을 느끼며 듣고 있었던 것이다. "그럼, 지금도 그렇게 누워 있나?"

"그렇잖아. 천 년 가까이 누워 있더니 일어나서 걷기 시작했거든."

"저런 바보!" 이반은 히스테릭하게 웃고 나서 이렇게 외쳤으나, 한편으로는 무언가 열심히 생각하는 눈치였다. "영원히 그렇게 누워 있는 거나 천조 킬로미터를 걸어가는 거나 어차피 매한가지가 아닌가? 아마 십억 년쯤은 걸어야 할걸?"

"아니, 그보다 훨씬 더 걸릴 걸세. 여기 연필과 종이가 없어서 곤란하지만, 계산을 해 보면 알 수 있어. 그렇지만 그 친구는 벌써 오래전에 도달했네. 도달하고 난 후에 그 일화가 시작되는 거야."

"뭐, 도달했다고? 하지만 거기까지 도달하는 데 걸린 십억 년을 대체 어디서 구해 왔을까?"

"자넨 자꾸 이 지구 생각만 하는군! 그러나, 이 지구 역시 십억 번쯤 되풀이해서 생겨났는지도 모르잖나. 지구는 연한이 차면 얼어서 갈라지고, 산산조각으로 부서져 미세한 구성 요소로 분해되고, 그다음 어두운 창공의 물이 되고, 다시 거기서 혜성이 생기고, 태양이 생기고, 태양에서 지구가 생기고…… 이런 순서가 이미 끝없이 되풀이되고 있는지도 몰라. 게다가 모든 점이 세부에 이르기까지 이전과 똑같은 모양으로 말일세. 따분하기 짝이 없는 시시한 얘기지."

"좋아, 좋아. 그보다도 그 사람이 거기 도달하자 무슨 일이 생겼나?"

38* 《구약 성경》〈요나서〉 참고.

"천국 문이 열려 안으로 발을 들여놓자마자, 불과 2초도 지나기 전에—이건 시계로 따져서 하는 말일세—(하긴 내 생각으로 그의 시계는 여행 중에 호주머니 속에서 이미 원소로 해체되어 버렸겠지만) 아무튼 2초도 지나기 전에, 그는 이 2초 동안을 위해서라면 천조 킬로미터는 고사하고, 천조 킬로미터를 천조 배 한 것을 다시 천조 배 한 것만큼 걸을 수 있다고 소리쳤단 말일세. 한마디로 말해서, 그는 '호산나'를 불렀는데, 그것도 정도가 지나칠 지경이었지. 그래서 거기 있던 고상한 사상의 소유자들은 처음엔 그와 악수하기를 꺼리기까지 했다네. 너무도 급격히 보수주의자로 변신했다고 해서 말이야. 그야말로 러시아 기질이지. 거듭 말하거니와, 이건 어디까지나 전설이야. 난 들은 것을 그대로 전하는 것뿐일세. 우리네 세계에서는 아직도 이런 사고방식이 통용되고 있다네."

"난 이제야 자네 정체를 파악했네!" 마침내 무언가를 분명히 생각해 냈는지 이반은 어린애같이 기쁨에 찬 소리로 외쳤다. "천조 킬로에 관한 그 일화는 바로 내가 만들어 낸 거야! 그때 나는 열일곱 살이었는데 고등학교에 다니고 있었어……. 나는 그때 그 일화를 만들어 코롭킨이라는 학교 친구한테 얘기해 주었지. 모스크바에서 있었던 일이야……. 그 일화는 너무나도 특징적인 것이어서, 내가 그 힌트를 딴 데서 얻었을 리는 없어. 난 그걸 까맣게 잊어버렸었는데…… 지금 무의식중에 머리에 떠올랐어……. 자네가 이야기를 해 줘서가 아니라, 내가 스스로 그걸 상기해 냈단 말이야! 인간은 이따금—심지어는 사형장에 끌려가고 있을 때에도 수많은 일들을 무의식중에 상기하는 수가 있거든……. 꿈속에서 상기하는 수도 있지. 자넨 바로 그 꿈이야! 자넨 실재하지 않는 꿈이란 말이야!"

"자네가 그처럼 기를 쓰며 나를 부정하는 걸 보니" 하며 신사는 웃었다. "자넨 여전히 나를 믿고 있음이 틀림없군."

"천만에! 백 분의 일도 믿지 않아!"

"천 분의 일쯤은 믿고 있어. 약도 극소량이면 되는 약이 가장 강하다네. 솔직히 말하게, 자넨 믿고 있지? 만 분의 일이라도 말이야."

"난 단 1분간도 믿지 않아!" 이반은 맹렬한 기세로 외쳤다.

"하지만 자넬 믿고 싶다고 생각하고는 있지." 갑자기 그는 이상스레 덧붙였다.

"흥! 드디어 자백하는군! 그러나 난 마음이 좋으니까 이번에도 자넬 도와주겠어. 들어 보게, 이건 자네가 내 정체를 잡은 게 아니고 내가 자네 정체를 잡은 거란 말일세! 난 일부러 자네가 만든 일화를, 즉 자네가 잊어버렸던 일화를 자네한테 이야기한 거야. 자네가 철저하게 나를 불신하도록 하려고 말이야."

"그건 거짓말이야! 자네가 내 앞에 나타난 목적은 자네의 실재를 나한테 확신시키려는 데 있는 거야."

"맞았어. 그렇지만, 주저, 불안, 믿음과 불신의 갈등—이런 것은 때로 양심 있는 인간에겐, 예컨대 자네 같은 인간에겐, 차라리 목을 매어 죽는 편이 낫다고 생각될 만큼 고통을 주는 법이야. 난 자네가 조금이나마 날 믿고 있다는 걸 알았기 때문에, 그 일화를 얘기해서 자네를 불신 쪽으로 이끌어 본 거야. 자네로 하여금 믿음과 불신 사이를 오락가락하게 하는 데 내 목적이 있으니까. 새로운 방법이지. 자넨 날 완전히 불신하는가 하면, 금세 다시 내가 꿈이 아닌 실재라고 믿기 시작할걸세. 난 자넬 잘 알거든. 아무튼 그렇게 되면 내 목적은 달성되는 셈이지. 하지만 내 목적은 고상한 거야. 난 자네 마음속에 조그만 믿음의 씨를 던지지. 그 씨에서 참나무가 자라나는데, 그 참나무는 어찌나 큰지, 자네가 그 위에 앉아 있노라면 '황야荒野에서 고행하는 은자隱者들과 거룩한 수녀들'의 대열에 끼어들고 싶어질 걸세. 그도 그럴 것이, 자넨 마음속으론 황야에 은둔하여 메뚜기로 양식을 삼는 생활을 열망하고 있으니까!"

"악당 같으니, 그래 자넨 내 영혼을 구하려고 애쓰는 건가?"

"때로는 좋은 일도 좀 해야 할 게 아닌가? 자넨 화가 난 모양이군! 내가 보기엔 아무래도 또 화가 난 것 같은데?"

"어릿광대 같은 소리 마라! 헌데 자넨 메뚜기만 먹으면서 몸에 이끼가 끼도록 17년이나 황야에서 기도한 그 은자들을 유혹해 본 적이 있나?"

"여보게, 그게 바로 내 본업이었다네. 이 우주의 모든 것을 다 잊고 오직 그런

성자聖者 한 사람한테만 들러붙는 걸세. 성자란 매우 값비싼 다이아몬드나 마찬가지니까. 그런 인간 하나는 경우에 따라선 하나의 성좌星座와 맞먹을 만한 가치가 있지—우리네 세계에는 독특한 환산법이 있거든. 아무튼 그런 승리는 값비싼 법이야! 그런데 개중에는, 자넨 믿지 않겠지만, 발달 정도가 자네보다 못하지 않은 자들도 있거든. 그들은 믿음과 불신의 심연深淵을 동시에 들여다볼 수 있지. 때로는 배우 고르부노프가 말하듯이 '곤두박질쳐서' 뛰어드는 심경에까지 거의 도달한 것같이 보일 지경이야."

"그래서 어떻게 됐어, 자넨 코를 매달고[39] 돌아왔나?"

"여보게." 손님은 점잔을 빼며 말했다. "코를 떼고 물러서는 것보다는 코를 매달고 물러서는 편이 그래도 나은 법일세. 이건 바로 얼마 전에 무슨 병에 걸린(물론 이것도 전문의의 치료를 받아야 할 것이었지만) 젊은 후작侯爵이 자기의 영적 아버지인 제스이트Jesuit[40*]파 신부한테 참회할 때 말한 그대로야. 나도 마침 그 자리에 있었는데 참 재미있더군. '제발 내 코를 돌려주십쇼!' 하며 후작이 자기 가슴을 두드리는 거야. 그러니까 신부는 '사랑하는 아들이여, 세상만사는 불가해한 섭리에 따라 이루어지는 것이므로, 때로는 눈에 보이는 불행도, 비록 눈에는 분명히 보이지 않을망정, 오히려 커다란 이익을 초래하게 되는 수도 있는 법이오. 설사 가혹한 운명이 당신의 코를 떼어 갔다 하더라도, 이제는 한평생 아무도 당신을 보고 코를 매달고 물러났다는 소리는 못 할 테니, 오히려 그 점이 당신에겐 이롭게 되었다고 할 수 있을 것이오' 하고 교묘히 꽁무니를 빼더군. '신부님, 그건 하나도 위안이 되지 않습니다!' 하고 후작은 절망적으로 외치는 거야. '나는 코가 제자리에 붙어 있기만 한다면, 평생토록 매일같이 코를 매달고 물러나게 된대도 기꺼이 그쪽을 택하겠습니다.' 그러자 '사랑하는 아들이여, 모든 행복을 한꺼번에 바랄 수는 없는 법이오. 그건 이런 경우에도 당신을

39 실패하여 기가 죽어서라는 뜻.

40* 예수회. 로마 가톨릭교회의 엄밀한 학문과 사도적 열성으로 알려진 수도회. 1539년 이냐시오 데 로욜라Ignatius de Loyola(1491~1556)에 의해 창립되어 1540년 교황 바오로 3세로부터 정식 승인을 받음.

잊지 않으시는 하느님을 원망하는 것과 매한가지요. 만약에 방금 당신이 말한 것처럼, 코가 제자리에 붙어 있는 한, 한평생 기꺼이 코를 매달고 물러나기를 되풀이할 각오라면, 당신의 소망은 이미 간접적으로 이루어졌다고 할 수 있으니 말이오. 즉, 당신은 코를 잃어버림으로써 평생토록 코를 매달고 물러나는 것과 마찬가지 결과가 된 거요' 하고 신부는 한숨을 쉬더란 말일세."

"흥! 엉터리 같은 얘기로군!"

"여보게, 이건 단지 자넬 웃기려고 한 얘기야. 그야말로 제스이트파의 궤변이지. 자네한테 맹세하거니와, 난 그때 실지로 있었던 일을 한마디도 틀리지 않게 그대로 얘기했을 뿐일세. 그건 바로 최근의 일이었는데, 그것 때문에 나도 꽤 많이 애를 먹었다네. 그 불행한 청년은 집에 돌아와서 그날 밤에 권총 자살을 해 버렸지. 난 마지막 순간까지 그 옆에 붙어 있었어……. 그 제스이트파의 참회실은 심심풀이로는 아주 그만인 곳이야. 바로 이삼일 전에 일어난 일이 또 하나 있지. 스무 살 난 귀여운 금발의 노르만 처녀 하나가 늙은 신부를 찾아왔네. 용모로 보나 몸매로 보나 마음씨로 보나, 정말 군침이 돌 만한 여자였네. 여자는 상체를 굽히고 창살 너머로 신부에게 자기 죄를 소곤소곤 고백했어. '사랑하는 딸이여, 그대는 다시금 그 죄를 거듭했단 말인가?' 하고 신부는 탄식조로 말했네. '오오, 성모 마리아님이시여, 이번엔 전의 그 남자가 아니옵니다.' '그렇지만 대체 언제까지나 그런 짓을 되풀이하다니 양심에 부끄럽지도 않은가!' 'Ah, mon péres(아아, 신부님)' 하고 죄 많은 여인은 참회의 눈물을 흘리며 대답하기를 'ça lui fait tant de plaisir et à moi si peu de peine(그 일은 그이를 무척 즐겁게 해 주었고 저도 괴롭지는 않았답니다)!'라는 거야. 생각해 보게, 참으로 놀라운 대답이 아닌가! 나도 그만 물러나지 않을 수 없었네. 이건 바로 인간의 천성의 외침이야. 이건 완전한 순결성보다 낫다고 할 수도 있어. 나는 즉석에서 그 여자의 죄를 용서하고 그 자리를 떠나려 했지. 그러나 다시 돌아설 수밖에 없었네. 그때 신부가 창살 너머로 여자와 그날 저녁에 몰래 만나자고 약속하는 걸 들었기 때문이야. 정말이지 부싯돌처럼 딱딱한 노인이었는데 이렇게 대번에 빠져들고 말더라니까! 천성이, 천성의 진리가, 마침내 자기 권리를 주장한 거야! 아니, 자네 또 화가 나서 외면을 하고 있나? 도대체 어떡하면 자네 비위를 맞출 수 있을지 모르겠군."

"나를 가만 내버려 두게. 자넨 짓궂은 악몽처럼 내 머리 속에서 방망이질을 하고 있어." 이반은 자기의 환영 앞에 맥을 못 추고 애처롭게 신음 소리를 내고 있었다. "난 자넬 상대하기가 따분해. 참을 수 없이 괴로워! 자넬 쫓아 버릴 수만 있다면 무슨 짓이든지 다 하겠어!"

"거듭 말하거니와, 자넨 너무 많은 걸 요구해서는 안 되네. 나한테서 무슨 '위대하고 멋진 것'을 기대해선 안 된단 말일세. 하지만 우린 서로 다정하게 살아갈 수 있을 테니 두고 보게나." 신사는 타이르듯 말했다. "자넨 내가 불길 같은 날개를 달고 '우뢰같이 퍼덕이며 태양처럼 붉게 빛나면서' 자네 앞에 나타나지를 않고, 이렇게 겸손한 모습으로 나타났다고 해서 화를 내는 게 분명해. 첫째로는 자네의 심미감審美感이 모욕을 받았고, 둘째로는 자네의 자존심이 상처를 입었을 거야—자기 같은 위대한 인간한테 어찌 이처럼 초라한 악마가 찾아들 수 있느냐, 그 말일 테지. 옳아, 자네의 내부에는 일찍이 벨린스키가 조소한 바 있는 그 로맨틱한 기질이 흐르고 있어. 하긴 젊은 사람이니 그것도 당연할 테지. 사실은 아까 자네한테로 올 채비를 하면서, 장난삼아 카프카스의 퇴역 사등관四等官처럼 연미복을 걸치고 사자獅子와 태양의 훈장(페르시아의 훈장)을 달고서 나타나 볼까 하는 생각도 했었네마는, 하다못해 북극성장北極星章이나 시리우스 훈장이면 몰라도, 사자와 태양의 훈장 같은 걸 연미복에 달고 나타났다가는 자네한테 얻어맞지나 않을까 해서 단념해 버렸다네. 자넨 나 보고 입버릇처럼 바보, 바보 하지만, 나는 지적인 면에서 감히 자네와 동등하다고 주장하진 않아. 메피스토펠레스Mephistopheles[41*]는 파우스트 앞에 나타나서, 자기는 악을 원하지만 실지로는 선만 행하고 있노라고 언명했다더군. 하지만 그놈이야 뭐라 하든, 나의 경우는 전혀 반대야. 아마 이 세상에서 참으로 진리를 사랑하고 진심으로 선을 원

41* 파우스트 전설에 등장하는 악마. 낭만주의적 악마의 대표격.

하고 있는 건 나 하나밖엔 없을 거야. 나는 십자가 위에서 죽은 하느님의 '말씀'인 그 사람이, 오른쪽에서 함께 못 박혀 죽은 도둑의 영혼을 자기 가슴에 안고 하늘로 올라갔을 때 '호산나'를 부르는 소천사들의 기쁜 외침 소리와, 천지를 진동하는 대천사들의 환성을 들었네. 모든 신성한 것 앞에 맹세하거니와, 나는 정말 그때 그 찬미자들 속에 끼어들어 그들과 함께 소리 높이 '호산나'를 부르고 싶었어! 하마터면 내 가슴속에서 찬미의 노래가 터져 나올 지경이었지……. 자네도 알다시피 나는 무척 감수성이 강해서 예술적으로 민감하거든. 그런데 그놈의 상식이—내 성격 중에서 가장 저주할 특성인 그놈의 상식이, 나를 의무의 한계 속에 가두어 넣고 나가질 못하게 하는 거야. 그래서 나는 그만 그 순간을 놓치고 말았네! 그때 나는 이렇게 생각했지—'내가 '호산나'를 부른다면 무슨 일이 일어날 것인가? 세상의 모든 것은 순식간에 소멸해 버리고, 더 이상 아무런 사건도 일어나지 않을 것이 아닌가.' 결국 나는 자기의 의무와 사회적 위치 때문에 자기 마음속에 생긴 그 좋은 순간을 짓눌러 버리고, 자기의 더러운 책임을 계속 수행할 수밖엔 없었던 걸세. 그 누군가가 선의 명예를 죄다 독점해 버려서, 나한테 남겨진 건 더러운 일밖엔 없단 말일세. 하지만 나는 사기적詐欺的인 생활의 명예를 부러워하진 않네. 난 허영을 좋아하지 않으니까. 어째서 이 우주의 모든 피조물 가운데서 유독 나만이 모든 점잖은 인사들의 저주를 받아야 하며, 그들의 발길에 채여야 하도록 운명 지어졌을까? 내가 사람의 몸으로 변신할 때면 가끔 그런 모욕을 당해야 하니 말이야. 물론 거기엔 무슨 비밀이 있다는 걸 나도 알지만, 그 비밀을 나한테 알려 주려 하지 않는단 말일세. 만약에 내가 그 비밀의 진상을 깨닫고 느닷없이 '호산나'를 부르기 시작했다가는, 필요불가결한 마이너스가 대번에 사라져 버리고, 전 우주에 예지叡智가 가득 차게 되어, 그와 동시에 모든 것은 종말을 고하고, 심지어는 신문·잡지까지도 없어져 버릴 걸세. 아무도 신문·잡지를 구독하지 않을 테니까 말이야. 결국 나는 단념하고, 나의 천조 킬로미터를 걸어가서 그 비밀을 아는 수밖엔 없을 거야. 하지만 그때까지는 나도 세상을 백안시하며 이를 악물고 자기의 책임을 수행하겠네. 즉 한 사람을 구하기 위해 수천수만의 사람을 파멸시킬 작정이야. 전에 단 한 사람의 의인義人 욥[42*]을 얻기 위해 얼마나 많은 사람을 파멸시키고, 얼마나 많은 고결한 명예들을 짓뭉개야 했던가! 그 때문에 나도 상당히 악용을 당했지. 사실 말이지 그 비밀이 밝혀질 때까지는, 나한텐 두 가지 진리가 있어. 하나는 아직 내가 전혀 모르고 있는 저쪽 세계의 진리이고, 또 하나는 나 자신의 진리지. 그러나 어느 쪽이 더 순수한 것이 될지는 아직 알 수 없네……. 자네 잠들었었나?"

"잠들만도 하지 않나." 이반은 으르렁거리듯 말했다. "내 천성 속의 모든 어리석은 것, 이미 오래전에 생명을 잃은 것, 내 지혜로 씹고 되씹어, 썩은 고기 조각처럼 내뱉어진 것, 그런 것들을 자넨 무슨 신기한 것인 양, 새삼스레 나한테 맛보라고 권하고 있으니 말이야!"

"이번에도 자네를 만족시킬 수가 없었나 보군! 실은 문학적인 표현으로 자넬 구슬리려 했던 건데. 하지만 천상天上의 '호산나' 운운하는 대목은 제법 그럴듯하지 않나? 그리고 나의 그 하이네식인 풍자적인 말씨도 그리 나쁘진 않았을 거고? 그렇잖나, 응?"

"아니야, 난 한 번도 그따위 천한 인간이 되어 본 적은 없어! 어떻게 내 영혼에서 자네처럼 비루한 녀석이 태어날 수 있겠나!"

"여보게, 난 지극히 매력적이고 사랑스러운 젊은 러시아 귀족을 한 사람 알고 있다네. 젊은 사상가이며, 문학·예술의 대애호가이며, 〈대심문관The grand inquisitor〉이란 훌륭한 장편시의 작자이기도 하지……. 나는 오직 그 사람만을 염두에 두고 있었던 걸세!"

"〈대심문관〉 얘기는 입 밖에 내지도 말게." 이반은 부끄러워 얼굴을 빨갛게 붉히며 소리쳤다.

"그럼, 〈지질학상의 대변동The geological cataclysm〉은 어떤가? 생각나겠지? 그것도 참 근사한 시였어!"

42* 《구약 성경》〈욥기〉 참고.

"닥쳐, 닥치지 않으면 죽일 테다!"

"나를 죽이겠다고? 그러지 말고 끝까지 내 말을 들어 주게나. 나는 그것으로 기쁨을 맛보려고 온 거니까. 참말이지, 나는 삶에 대한 갈망에 몸부림치고 있는 열렬한 젊은 친구들의 공상을 무엇보다 좋아하거든! 자넨 지난봄에 이 고장에 올 생각을 하면서 이렇게 결론을 내렸었지—'세상에는 새로운 사람들이 있다. 그들은 모든 것을 파괴하고, 식인주의食人主義의 야만으로 되돌아가, 거기서 다시 시작하려고 생각하고 있다. 어리석은 녀석들, 나한테 조언을 청하지도 않고! 내 생각으로는 아무것도 파괴할 필요가 없고, 다만 인류 속에 존재하는 신神의 관념만을 파괴하면 되는 것이다. 우선 여기서부터 일에 착수해야 한다! 우선 우리가 해야 할 일은 이것이다. 오오, 아무것도 이해하지 못하는 청맹과니들! 아무튼 인류가 한 사람도 빠짐없이 모두 신을 부정해 버린다면 (그 시기가 지질학적인 시기와 병행해서 오리라는 것을 나는 믿는다) 그때는 종전의 세계관—특히 종전의 도덕률은 식인주의의 야만 없이도 저절로 없어지고, 그 대신에 새로운 것이 나타날 것이다. 사람들은 인생이 줄 수 있는 모든 것을 인생으로부터 얻기 위해 결합할 것이다. 그러나 그것은 오직 현세現世에 있어서의 행복과 기쁨을 얻기 위한 것뿐이다. 인간은 신성한 거인적巨人的 자부심으로 하여 위대해질 것이고, 그리하여 인신人神이 출현할 것이다. 인간은 자기의 의지와 과학으로 한 걸음, 한 걸음, 끝없이 자연을 정복함으로써 천국의 기쁨을 대신할 수 있을 만큼 고귀한 기쁨을 시시각각으로 느끼게 될 것이다. 모든 인간은 자기가 일단 죽으면 부활하지 않는다는 것을 알 것이지만, 그래도 역시 신처럼 자존심을 가지고 태연히 죽음을 받아들일 것이다. 또한 인간은 그 자존심으로 하여, 인생이 일순간에 불과하다고 불평할 게 아니라는 것을 깨닫고, 아무런 보상도 기대함이 없이 자기 동포를 사랑할 것이다. 그 사랑은 인생의 짧은 순간에 만족을 줄 뿐이지만, 사랑의 순간성을 인식함으로써 오히려 사랑의 불길은 더욱 강렬해질 것이다. 그것은 사후의 영원한 사랑을 기대하던 시절에 넓게 번지며 타오르던 사랑의 불길보다 결코 못하지 않을 것이다…… 운운' 이런 식으로 말일세.

참 그럴듯한 소리야!"

이반은 두 손으로 귀를 틀어막고 고개를 숙인 채 앉아 있다가, 별안간 온몸을 떨기 시작했다. 신사는 말을 계속했다.

"그런데 거기서 자넨 다시 이렇게 생각했지—여기서 문제 되는 것은, 과연 그러한 시대가 도래할 것이냐 하는 점이다. 만일 도래한다면, 그것으로 모든 것이 해결되고, 인류는 영원히 확고한 토대를 얻게 될 것이다. 그러나 인류의 뿌리 깊은 어리석음으로 말미암아 어쩌면 천 년이 걸려도 제대로 되지 않을는지 모른다. 그러니까 지금이라도 이미 이 진리를 터득한 사람은 누구나 자기 마음대로 그 새로운 원리 위에 자기의 생활 토대를 잡아도 무방할 것이다. 이런 의미에서 인간은 '무슨 짓을 해도 허용될 것이다.' 뿐만 아니라, 설사 그 시대가 영영 오지 않더라도, 어차피 신도 없고 영생永生도 없는 것이니까, 새로운 인간은 자기 혼자만이라도 인신人神이 될 수가 있을 것이다. 그리고 인신이라는 새로운 지위로 승격된 이상, 필요한 경우엔 이전의 노예인들의 낡은 도덕률의 한계를 거리낌 없이 뛰어넘어도 무방할 것이다. 신을 위한 법률은 없다! 신이 서는 곳이 곧 신의 자리인 것이다! 내가 서는 곳은 곧 나의 첫째 자리가 될 것이다…….'무슨 짓을 해도 허용된다.' 이 한마디로 충분하다!…… 운운. 참 그럴듯한 소리야. 하지만, 사기詐欺를 치려고 생각한다면, 그 짓을 위해 진리의 허가를 얻을 필요가 어디 있겠나? 하긴 그것이 우리 러시아의 현대인이지. 러시아의 현대인은 진리의 허가 없이는 사기를 할 용기조차 없으니까. 그만큼 그들은 진리라는 걸 사랑한단 말일세."

손님은 자기 웅변에 도취된 듯, 더욱더 언성을 높이면서 조소하듯 주인을 바라보며 말을 계속했다. 그러나 그의 웅변이 채 끝나기도 전에, 이반은 테이블 위의 유리컵을 집어 느닷없이 연사에게 던졌다.

"Ah, mais c'est béte enfin(아아, 하지만 그건 결국 어리석은 짓이야)!" 손님은 소파에서 튀어 일어나서 찻물 방울을 손가락으로 털어 버리며 소리쳤다. "루터의 잉크병[43] 생각이 난 모양이군그래! 제 입으로 나를 꿈이라고 우기면서 꿈에게 컵을 던지다니! 그건 아낙네들이나 하는 짓이야! 난 자네가 귀를 틀어막은 체하면서도 다 듣고 있다고 생각했는데 과연 내 추측이 틀림없었군."

이때 갑자기 밖에서 창문을 쾅쾅 두드리는 소리가 들렸다. 이반은 소파에서 벌떡 일어났다.

"저 소리 들리나? 어서 열어 주게!" 하고 손님은 소리쳤다. "자네 동생 알료샤가 대단히 흥미 있고 놀라운 소식을 갖고 온 모양이야, 내 말이 틀림없다니까!"

"닥쳐, 사기꾼 같으니! 알료샤가 왔다는 건 내가 자네보다 먼저 알았어. 그런 예감이 들었거든. 물론 그 애가 빈손으로 올 리는 없지. '소식'을 갖고 온 건 틀림없어!" 이반은 미친 듯이 소리쳤다.

"열어 주게, 어서 열어 주라니까. 밖은 눈보라가 치고 있어, 그 앤 자네 동생이 아닌가. Monsieur, sait-il le temps qu'il fait? C'est à ne pas mettre un chien dehors(자네, 날씨가 이 모양 아닌가, 이런 날씨엔 개도 밖에 내놓지 않는 법이야)……."

노크 소리는 계속되었다. 이반은 창가로 달려가려 했으나, 무엇에 갑자기 팔다리가 묶여진 것같이 느꼈다. 그는 그것을 끊어 버리려고 있는 힘을 다해 버둥거렸으나 소용없었다. 창문의 노크 소리는 점점 더 커졌다. 마침내 이반은 팔다리의 자유를 되찾았다. 그는 소파 위에 뛰어 올라가서 거친 눈길로 주위를 둘러보았다. 두 개의 촛불은 거의 다 타 버렸고, 방금 손님한테 던져졌어야 할 컵은 테이블 위에 그대로 놓여 있었다. 그리고 맞은편 소파에는 아무도 없었다. 창문을 노크하는 소리는 여전히 그치지 않았으나, 방금 꿈속에서 들은 것처럼 그렇게 세차지는 않았다. 오히려 아주 조심스럽게 두드리는 것 같았다.

"이건 꿈이 아니었어! 정말이야, 절대로 꿈이 아니야! 모두가 지금 실제로 일어난 일이었어!" 이반은 이렇게 소리치고 창문으로 달려가서 조그만 환기창을 열었다.

43 루터가 자기 앞에 나타난 악마에게 잉크병을 던졌다는 에피소드.

"알료샤, 나한텐 오지 말라고 했는데, 어쩐 일이냐?" 그는 동생에게 호통을 쳤다. "한마디로 말해라, 뭣하러 왔어? 한마디로 말하란 말이다!"

"한 시간 전에 스메르쟈코프가 목을 매어 죽었어요." 알료샤가 밖에서 대답했다.

"현관 쪽으로 돌아오너라. 곧 열어 줄 테니" 이반은 말하고, 알료샤에게 문을 열어 주러 갔다.

10. '그건 그가 말했다'

알료샤는 들어오자마자, 약 한 시간쯤 전에 마리야 콘드라치예브나가 자기 숙소로 달려와서 스메르쟈코프가 자살한 것을 알리더라고 이반에게 보고했다. "내가 사모바르를 치우려고 그이 방에 들어갔더니, 글쎄 그이가 벽에 박힌 못에 매달려 있지 않겠어요" 하고 마리야가 말하더라면서 알료샤는 다음과 같이 전했다—"경찰에 신고했습니까?"라는 알료샤의 물음에, 그녀는 "아직 아무한테도 알리지 않았어요. 곧장 당신한테로 줄달음쳐 왔어요"라고 대답했다. 그녀는 마치 미친 사람처럼 온몸을 후들후들 떨고 있었다. 알료샤가 그녀와 함께 현장으로 달려가 보니, 스메르쟈코프는 아직도 그냥 매달린 채로 있었다. 탁자 위에는 유서가 놓여 있었는데, 거기에는 '나는 아무에게로 죄를 돌리지 않기 위해 나 자신의 의지에 따라 기꺼이 나의 목숨을 끊는 바이다'라고 쓰여 있었다. 알료샤는 그 유서를 그대로 탁자 위에 놓아둔 채 곧 경찰서장을 찾아가서 사건의 전말을 보고했다. "그러고 나서 곧장 형님한테로 달려왔어요" 하고 알료샤는 이반의 얼굴을 열심히 살펴보며 말을 맺었다. 그는 이반의 얼굴 표정에 몹시 놀란 듯이, 얘기하는 동안 줄곧 형의 얼굴에서 시선을 떼지 않았다.

"형님." 그는 갑자기 외쳤다. "어디가 몹시 편찮으신가 보군요! 형님은 나를 보고는 있지만 내 말을 통 못 알아들으시는 것 같은데요."

"너 참 잘 왔다." 이반은 알료샤의 외침 소리가 하나도 귀에 들리지 않는 듯이, 무언가 생각에 잠긴 어조로 말했다. "하지만, 난 그 녀석이 목을 맨 걸 알고 있었어."

"누구한테서 들었습니까?"

"누구한테선지는 모르지만 아무튼 알고 있었어. 아니, 정말로, 내가 알고 있었던가? 그렇지, 그건 그자가 말했다. 그자가 방금 나한테 말해 줬어."

이반은 방 한가운데 서서 여전히 생각에 잠기듯 발밑을 내려다보며 말하고 있었다.

"그자가 누굽니까?" 알료샤는 무의식중에 주위를 둘러보면서 물었다.

"그자는 슬쩍 빠져 달아나 버렸다." 이반은 고개를 쳐들고 조용히 미소를 지어 보였다. "그자는 너를, 비둘기처럼 깨끗한 너를 무서워한 거야. 너는 '순결한 소천사'다. 드미트리 형은 너를 소천사라고 부르지. 소천사……. 대천사들의 우레 같은 환호성! 대체 대천사라는 건 뭘까? 하나의 성좌星座인지도 모르지. 하지만, 성좌라는 것은 어떤 화학적 분자에 불과할 거야……. 사자獅子와 태양의 성좌라는 것도 있지. 너 그거 모르니?"

"형님, 앉으세요!" 알료샤는 놀란 음성으로 말했다. "제발 소파에 좀 앉으세요! 형님은 헛소릴 하고 있어요. 자, 베개를 베고 어서 누우세요, 예, 그렇게. 물수건을 머리에 얹어 드릴까요? 기분이 좀 나아질 거예요."

"수건을 다오. 저기 걸상 위에 있다. 아까 거기다 던져 놨었으니까."

"거긴 없는데요. 염려 마세요, 어디 있는지 내가 아니까. 여기 있군요." 방 한쪽 구석 세면대 옆에서 아직 한 번도 쓰지 않고 접어 둔 깨끗한 수건을 꺼내며 알료샤는 이렇게 말했다. 이반은 이상한 얼굴을 하고 수건을 바라보았다. 그 순간 기억이 그의 머릿속에 되살아난 듯싶었다.

"가만 있자." 그는 소파에서 몸을 일으켰다. "나는 아까 한 시간 전에 이 수건을 거기서 꺼내서, 물에 적셔 머리에 얹었다가 다시 저기다 던졌었는데 물기가 없으니 웬일일까? 다른 수건은 없었는데."

"형님이 이 수건을 머리에 얹었었다고요?" 하고 알료샤가 물었다.

"응, 그렇게 하고 방 안을 오락가락했어, 한 시간 전이지……. 그런데 초는 왜 저렇게 다 타 버렸을까? 지금 몇 시냐?"

"곧 열두 시예요."

"아니야, 아니야, 아니야!" 이반은 갑자기 소리쳤다. "그건 꿈이 아니야! 그자는 분명히 왔었어. 와서 저기 저 소파에 걸터앉아 있었어. 네가 창문을 두드릴 때 나는 그자에게다 컵을 던졌거든……. 이 컵이야……. 가만 있자, 그전에도 내가 잠들었었나? 아무튼 이번 꿈은 꿈이 아니야. 전에도 이런 일이 있었지. 알료샤, 나는 요즘 꿈을 꾸곤 한다……. 그러나 그건 꿈이 아니라 현실이야. 나는 걷기도 하고, 말도 하고, 보기도 해……. 잠을 자면서도 말이야. 어쨌든 그자는 여기 와서 저 소파에 앉아 있었어……. 그자는 지독한 바보야, 알료샤. 아주 지독한 바보라니까." 이반은 소리를 내어 웃고는 방 안을 오락가락하기 시작했다.

"누가 바보란 말입니까? 형님은 누구 얘길 하는 거예요?" 알료샤는 다시 걱정스레 물었다.

"악마야! 그놈이 나를 찾아오기 시작했어. 두 번 왔었지. 아니, 세 번이던가? 그놈은 이런 소릴 하며 나를 놀리는 거야—'자넨 내가 불길 같은 날개를 달고, 우레같이 퍼덕이며 태양처럼 붉게 빛나면서 나타나는 사탄(악마의 대왕)이 아니고 평범한 악마여서 화를 내는가 보군' 하고 말이야. 아무튼 그놈은 사람이 아니야. 그놈은 거짓말쟁이야. 자칭 사탄이란 말이야. 그놈은 보잘것없는 평범한 악마지. 조무래기 악마에 지나지 않아. 그놈은 목욕탕에도 다닌다더라. 그놈의 옷을 벗기면 틀림없이 기다란 꼬리가 나타날 거야. 덴마크 개처럼, 석 자쯤 되는 길고 매끄러운 갈색 꼬리가 말이야……. 알료샤, 너 춥겠구나, 눈보라 속을 걸어왔으니. 차라도 들지 않겠니? 뭐? 식었다고? 그럼, 사모바르를 가져오랄까? C'est à ne pas mettre un chien dehors……(이런 날씨엔 개도 밖에 내놓지 않는 법인데)."

알료샤는 얼른 세면대로 달려가 수건을 적셔 가지고 와서, 이반을 억지로 앉히고는 그의 머리에 물수건을 얹어 주었다. 그러고는, 자기도 그 옆에 앉았다.

"너 아까 리자 얘길 나한테 했지?" 이반은 다시 말을 시작했다. (그는 몹시 수다스러워졌다) "나는 리자를 좋아해. 아까 그 아가씨에 대해서 너한테 점잖지 못한 소릴 했지만, 그건 거짓말이었어. 나는 그 아가씨가 좋아……. 그보다도 내일 카챠 때문에 걱정이다. 그게 제일 걱정이야. 앞으로의 일이 걱정이란 말이다. 그 여자는 내일 나를 걷어차 버리고 발로 짓밟을 거야. 그 여자는 내가 질투심 때문에 미챠의 파멸을 원하는 줄로 생각하거든! 암, 그렇게 생각하고말고! 그렇지만 그게 아니야! 내일은 십자가야, 교수대가 아냐. 나는 절대 목을 매진 않을 테야. 알로샤, 넌 내가 절대로 자살할 수 없다는 걸 아니? 그건 내가 비굴하기 때문일까? 나는 겁쟁이가 아니야. 그건 삶에 대한 갈망 때문이야! 헌데 스메르쟈코프가 목을 맸다는 걸 내가 어떻게 알았을까? 그렇군, 그건 '그자'가 나한테 말해 주었지."

"그럼, 형님은 누가 여기 와 앉아 있었다고 확신하나요?" 알료샤가 물었다.

"저 구석에 있는 소파에 앉아 있었다. 네가 와서 쫓아 주면 좋았으련만. 아니, 사실은 네가 쫓아 버린 거야. 그자는 네가 오자마자 사라져 버렸으니까. 알료샤, 난 네 얼굴이 좋아. 내가 네 얼굴을 좋아한다는 걸 넌 알고 있었니? 그런데 '그자'는 바로 나야, 알료샤, 나 자신이야. 나의 내부의 온갖 저열한 것, 비굴하고 천박한 것들의 표현에 지나지 않아! 옳아, 나는 '낭만파'야. 그자도 그런 뜻의 말을 하더군…… 물론 터무니없는 중상中傷이긴 하지만. 그자는 지독한 바보지만, 그것이 또한 그자의 강점이기도 하지. 그자는 교활해, 동물적으로 교활해. 그자는 어떡하면 나의 울화통을 터뜨릴 수가 있는지를 알고 있거든. 그자는 내가 자기를 믿는다고 나를 놀림으로써 나로 하여금 자기 말에 귀를 기울이게 했어. 나를 마치 어린애 놀리듯 놀린단 말이야. 어쨌든 그자가 나에 대해서 지껄인 말 중에는 거짓말 아닌 사실도 많이 포함되어 있었지. 난 좀처럼 나 자신에게 그런 말을 할 수 없을 거야. 얘, 알료샤" 이반은 자못 진지한 표정을 하고 무엇을 하소연하는 것 같은 어조로 덧붙였다. "그것이 나 자신이 아니고 정말로

'그자'였으면 난 얼마나 좋을지 모르겠다!"

"그자는 형님을 몹시 괴롭혔군요." 알료샤는 동정 어린 눈으로 형을 바라보며 말했다.

"나를 이만저만 놀리는 게 아니야! 게다가 능청스럽기 짝이 없거든. '양심이라! 양심이란 뭔가? 그건 나 자신이 만들어 내는 거야. 내가 그것 때문에 괴로워 할 이유가 어디 있어? 습관 때문이지. 7천 년 동안 흘러내려 온 인류의 공통적인 습관 때문이야. 그걸 내동댕이치면 우린 신이 되는 거야'—이건 그자가 한 말이야, 그자가 한 말이야!"

"그럼, 형님은 아니로군요. 형님은 아니로군요?" 알료샤는 맑은 눈으로 형을 바라보면서 저도 모르게 이렇게 소리쳤다. "그런 놈이 무슨 소릴 하건 내버려 두세요. 그런 놈과는 손을 끊고 잊어버리세요! 형님이 지금 저주하시는 걸 죄다 그놈더러 가져가 버리라고 하세요! 그리고 다시는 얼씬도 못 하게 하세요!"

"응, 그렇지만 그자는 짓궂은 놈이야. 그자는 나를 비웃었어. 알료샤 그자는 건방지기 짝이 없는 놈이야." 이반은 분하다는 듯이 떨리는 목소리로 말하였다. "그자는 공연히 나한테 시비를 걸며, 맞대놓고 나를 비방하는 거야. '아하, 자넨 한번 멋지게 선행을 하려는 거로군. 아버질 죽인 건 나요, 하인이 내 사주를 받아서 죽인 거요, 하고 자백하러 가겠단 말이지,' 글쎄 이따위 소릴 하지 않겠니."

"형님." 알료샤는 말을 막았다. "진정하세요. 형님이 죽인 것은 아녜요. 그건 당치도 않은 말이에요!"

"그자가 그렇게 말한다니까, 그자가! 그자는 그걸 잘 알고 있거든. '자넨 멋지게 선행을 해 보려고 하면서도, 선이라는 걸 믿지 않아. 그래서 자넨 걸핏하면 화를 내기도 하고 괴로워하기도 하지. 그래서 자넨 그처럼 남을 원망하게 되는 거야'라고 나한테 맞대놓고 뇌까리지 않겠니. 그자는 자기가 무슨 말을 할지 잘 알고 있거든."

"그건 형님이 하는 말이지, 그자가 말하는 게 아녜요!" 알료샤는 비통하게 외쳤다. "형님은 지금 병 때문에 헛소리를 하면서 자기 자신을 괴롭히고 있는 거예요!"

"아니야, 그자는 자기가 하는 말을 잘 알고 있어. 그자는 이런 소리를 했거든—'자네가 자백하러 가는 건 자존심 때문이야. 자넨 분명히 일어나서 이렇게 말할 테지—아버지를 죽인 건 나요. 왜 당신네들은 질겁하는 거요? 당신네들의 말은 허위요! 난 당신네들의 의견을 경멸하오, 당신네들의 공포를 경멸하오!—라고 말일세,' 그자는 나한테다 이렇게 말하더라니까! 그러고는 또 느닷없이 '그렇지만 여보게, 자넨 결국 그들한테서 칭찬을 받고 싶어서 그러는 거야—저 사람은 살인범이지만, 얼마나 도량이 넓은 사람인가! 자기 형을 구하기 위해 자백을 하고 나섰으니!—라는 말을 듣고 싶은 거지' 하고 지껄이지 않겠니. 하지만 알료샤, 이거야말로 진짜 거짓말이다!" 이반은 번들거리는 눈으로 갑자기 소리쳤다. "난 시시한 녀석들의 칭찬 같은 건 받고 싶지 않다! 그러니까 그자의 말은 거짓말이야, 알료샤, 그건 거짓말이야! 그래서 난 그자한테 유리컵을 던졌지. 그랬더니 그자의 상판대기에 맞아 박살이 나 버리더라."

"형님, 진정하세요. 이젠 그만 말하세요!" 알료샤는 애원하듯 말했다.

"흠, 그자는 사람을 괴롭힐 줄을 알아. 잔인한 놈이야." 이반은 들은 체 만 체 자기 말을 계속했다. "난 그자가 무엇하러 오는지 언제나 미리 짐작이 가곤 했지. '자네가 자존심 때문에 자백을 하러 가는 건 좋지만, 역시 마음속으로는, 스메르쟈코프만이 유죄가 되어 유형을 당하고, 미챠는 무죄 석방되고, 자네 자신은 단지 '정신적으로' 책임을 질 뿐 (얘, 알료샤, 그자는 이 말을 하면서 한바탕 웃더구나) 오히려 그들의 칭찬을 받게 되길 은근히 바라고 있잖았나. 그렇지만 스메르쟈코프는 목을 매어 죽어 버렸네. 그러니 내일 법정에서 자네 혼자서 아무리 말해 봤자 누가 그걸 곧이듣겠느냐 말일세! 그런데도 자넨 가려 하고 있어. 틀림없이 갈 거야, 그렇게 단단히 결심했으니까. 이렇게 된 이상 도대체 뭣하러 가겠다는 건가?' 하고 그자는 말하더라. 알료샤, 이런 무서운 질문을 받고 내가 그냥 참을 수 있겠니! 나한테 감히 그따위 질문을 하다니!"

"형님." 알료샤는 급히 말을 막았다. 그는 공포 때문에 숨이 끊어질 것 같았으나, 아직도 이반을 제정신으로 돌아오게 할 수 있을 것으로 생각하는 모양이었다. "스메르쟈코프가 죽은 건 아직 아무도 모르고 또 알 만한 시간적 여유도 없었는데, 어떻게 그자는 내가 여기 오기도 전에 그걸 형님한테 말할 수 있었을까요?"

"분명히 그자가 말했어." 이반은 의심할 여지도 없을 만큼 단호하게 말했다. "그자는 줄곧 얘기하고 있었다고 해도 과언이 아닐 거야. '만일 자네가 선행이라는 걸 믿고 있다면, 그래서 아무도 자네 말을 곧이듣지 않더라도 자기의 신념을 위해 가겠다는 거라면, 물론 나쁘지 않겠지. 그러나 자넨 표도르 파블로비치와 똑같은 돼지 새끼 아닌가. 자네한테 선행 따위가 무슨 소용인가? 자네의 희생이 아무 보람도 없을 것이 뻔한데, 무엇 때문에 법정엔 나가느냐 말일세? 그 이유를 자네 자신도 모르기 때문에 가는 거야! 그리고 자넨 정말 그렇게 결심했나? 아직 완전히 결심을 내리진 못하지 않았나. 자넨 밤새도록 앉아서 갈까 말까 궁리할 거야. 그러나 결국은 가게 되겠지. 자넨 자기가 가게 되리라는 걸 알고 있어. 자네가 어떻게 결심하든 그 결심이 자기 자신에 의해 이루어지지 않는다는 건 자네 자신이 알고 있을 걸세. 자네는 가지 않고 배겨 낼 수 있는 용기가 없기 때문에 가는 거야. 왜 용기가 없는가—그건 자네 자신이 알아내야 하네. 그건 자네한테 주어진 수수께끼지!' 그러고는 훌쩍 일어나서 가 버렸어. 네가 오니까 가 버린 거야. 알료샤, 그자가 글쎄, 나더러 겁쟁이라고 하지 않겠니! Le mot de l'enigme(그 수수께끼)란 말은, 즉 내가 겁쟁이라는 뜻이야. '그 따위 솔개는 하늘 높이 솟아오르지 못하는 법이야' 하고 그자는 덧붙여서 말했어! 스메르쟈코프도 그런 소릴 했었지. 그 녀석은 죽여 버려야 해! 카챠는 날 경멸하고 있어. 난 그걸 벌써 한 달 전부터 눈치챘지만 말이야. 게다가 이젠 리자까지도 날 경멸하기 시작했거든! '칭찬을 받고 싶어서' 간다는 건 야만적인 중상이야! 알료샤, 너도 날 경멸하겠지. 난 또 네가 미워질 것만 같구나! 난 그 악당 놈도 미워해, 그 악당 놈 역시 밉단 말이다! 그따위 악당은 살려 주고 싶지도 않아! 유형지에서 썩어 버리라지! 그자는 송가頌歌를 부르기 시작했어! 아, 내일 난 가겠다. 그들 앞에 나가서 그들의 얼굴에다 침을 뱉어 줄 테다!"

그는 흥분한 나머지, 미친 듯이 튀어 일어나 머리의 수건을 집어 던지고 다시 방 안을 거닐기 시작했다. 알료샤는 조금 전에 이반이 한 말을, '나는 눈을 뜨고 자는 것 같다……. 걷기도 하고, 말도 하고, 보기도 해. 잠을 자면서도 말이야' 하던 말을 상기했다. 지금도 이반은 꼭 그런 상태에 있는 것 같았다. 알료샤는 형의 곁을 떠나지 않았다. 얼른 달려가서 의사를 불러올까 하는 생각이 떠오르기는 했으나, 형을 혼자 두고 가기가 불안했다. 그렇다고 형의 간호를 부탁할 만한 사람도 없었다. 드디어 이반은 의식을 완전히 잃어 갔다. 그는 여전히 쉴 새 없이 지껄였으나, 그 말은 전혀 두서가 없을 뿐만 아니라, 혀조차 제대로 돌지가 않았다. 갑자기 그는 비틀거리며 쓰러지려 했으나, 알료샤가 재빨리 그를 부축하여 침대로 데리고 갔다. 이반은 별로 반항하려는 기색도 없었다. 알료샤는 이럭저럭 그의 옷을 벗기고 자리에 누웠다. 그러고 나서 두 시간 동안이나 형의 곁에 앉아 있었다. 환자는 꼼짝 않고 누워서, 조용히 고르게 숨을 쉬며 깊이 잠들었다. 알료샤는 베개를 소파에 갖다 놓고, 옷도 벗지 않은 채 그대로 누웠다.

그는 잠들기 전에 미챠와 이반을 위해 기도를 드렸다. 알료샤는 이반의 병을 이해할 수 있을 것 같았다. '거만한 결심에서 오는 고민이며, 깊은 양심의 가책이다!' 이반이 믿지 않았던 신과 신의 진리가, 여전히 복종하기를 거부하는 그의 마음을 정복해 가고 있었던 것이다. '그렇다'—베개를 베고 누운 알료샤의 머리에 이런 생각이 떠올랐다. '그렇다, 스메르쟈코프가 죽어 버렸으니 이젠 아무도 이반의 증언을 믿지 않을 테지만, 그래도 이반은 법정에 나서서 증언할 것이다!' 알료샤는 조용히 미소 지었다. '하느님께서 반드시 승리하실 것이다!' 하고 그는 생각했다. '이제 이반은 진리의 광명 속에서 재생하든가, 아니면…… 자기도 믿지 않는 것에 봉사한 데 대한 분풀이를 자기 자신과 모든 사람에게 하면서, 증오 속에서 멸망해 버리든가 할 것이다.' 알료샤는 비통한 심정으로 이렇게 덧붙이고는 다시 이반을 위해 기도를 드렸다.

제12편 오판誤判

1. 운명의 날

앞에서 기술한 사건들이 있었던 다음 날 아침 열 시에, 이 고장 지방 법원에서 드미트리 카라마조프에 대한 공판이 열렸다.

미리 말해 두거니와, 공판정에서 일어난 일들을 남김없이 상세하게 전한다는 것은 필자로선 불가능한 일일뿐만 아니라, 적당히 순서를 잡아 가며 전할 수조차 없을 지경이다. 만약에 모든 일을 하나하나 상기하여 적절한 설명을 가한다면, 그것만으로도 한 권의 책이, 굉장히 큰 한 권의 책이 이루어지리라 생각된다. 그러므로 필자인 내가 매우 감명 깊게 느낀 점만을, 그리고 지금 특히 생각나는 점만을 독자에게 전한다고 해서 나를 너무 탓하지 말아 주기 바란다. 나는 그다지 대수롭잖은 일을 가장 중요한 일로 잘못 생각할 수도 있을 것이며, 반드시 언급해야만 할 두드러진 일을 아주 빼 버리고 마는 수도 있을 것이다. 그러나 이런 변명은 더 이상 하지 않는 게 좋을 듯하다. 나는 최선을 다할 것이다. 내 힘이 자라는 데까지 노력을 아끼지 않았다는 것만은 독자들도 이해해 주리라 믿는다.

그러면 법정 안으로 독자를 안내하기 전에, 우선 그날 나를 특히 놀라게 한 일부터 말하기로 하겠다. 하기는 나만이 놀란 것은 아니었다. 후에 알고 보니, 누구나가 다 놀랐다는 것이다. 이야기를 하면 다음과 같다. 이 사건이 굉장히 많은 사람들의 흥미를 끌었으며, 그래서 모두들 공판이 열리기를 초조하게 기다렸다는 것, 그리고 이 사건이 이 고장에서는 지난 두 달 동안 공통적인 화제가 되었으며, 추측과 규탄과 공상의 대상이 되었다는 것은 주지의 사실이었다. 또한 이 사건이 러시아 도처에서 물의를 일으켰다는 것도 모두들 알고 있었지만, 그래도 이 사건이 이 고장뿐만 아니라, 전국적으로 남녀노소의 구별 없이 그처럼 모든 사람을 흥분과 열광과 충격의 도가니로 몰아넣으리라고는 꿈에도 생각지 못했었다. 이것은 공판 당일에야 비로소 알려지게 되었다.

공판을 앞두고 이 고장에는 현청縣廳 소재지에서뿐만 아니라 그 밖의 여러 도시에서, 심지어는 모스크바나 페테르부르크에서까지 방청객들이 몰려왔다. 그 중에는 법률가들도 있었고, 몇몇 저명인사들도 있었으며, 지체 높은 귀부인들도 섞여 있었다. 방청권은 한 장도 남지 않고 죄다 나가 버렸다. 남자 방청객 중 특히 저명한 인사들을 위해서는 법관석 바로 뒤에다가 특별석을 마련했다. 안락의자를 한 줄로 늘어놓은 이 좌석들은 여러 귀빈들에 의해 점령되었다. 이러한 일은 여태까지 한 번도 없었던 일이다. 부인 방청객들도 유달리 많이 몰려와서, 이 고장과 다른 고장의 부인들을 합하면 전체 방청객의 반이 넘을 것 같았다. 각지에서 은 법률가들만 해도 엄청나게 많아서 그들을 어디다 앉혀야 할지 모를 지경이었다. 그도 그럴 것이, 방청권이 사람들의 열렬한 청탁과 애원에 의해서, 이미 오래전에 죄다 분배되고 말았기 때문이다. 법정의 강단講壇 뒤쪽 한 구석에 임시변통으로 칸막이를 세워 놓고, 거기다 타지방 법률가들을 몰아넣었는데, 자리를 넓히기 위해 의자를 모조리 들어냈으므로, 그들은 서 있을 수밖엔 없었으나, 그나마도 모두들 다행으로 여기고 있었다. 그래서 콩나물시루처럼 빽빽이 들어선 청중은, 재판이 끝날 때까지 서로 어깨를 비비대며 내내 서 있어야만 했다.

부인네들, 특히 타지방에서 온 부인들 중에는 굉장히 멋을 부리고 방청석에 나타난 사람들도 있었으나, 대부분의 부인들은 모양을 내는 것조차 잊고 있는 듯싶었다. 그녀들의 얼굴에는 거의 탐욕스러울 만큼 히스테릭한 병적인 호기심이 나타나 있었다. 법정에 모인 모든 방청객의 특징 중의 하나로서 반드시 말해 두어야 할 것은, 거의 모든 부인들이, 적어도 대다수의 부인들이 미챠 편을 들어, 그의 무죄를 믿고 있었다는 점이다. 이것은 후에 여러 사람들의 관찰에 의해 실증된 사실이다. 아마도 그 주요한 이유는, 미챠가 여성의 마음의 정복자인 것같이 생각되었기 때문이었으리라. 라이벌 관계에 있는 두 여인이 법정에 나오리라는 것은 누구나가 다 알고들 있었다. 두 여인 중에서도 특히 카체리나 이바노브나에게 모든 사람들은 흥미를 느끼고 있었다. 그녀에 대해서는 별별 터무니없는 소문이 다 떠돌았다. 미챠의 흉악한 범죄에도 불구하고 그녀가 여전히 정열을 바치고 있다는 데 대해 놀랄 만한 에피소드가 퍼지고 있었다. 특히 그녀의 오만한 성격과 (사실 그녀는 이 고장에서 남의 집을 방문한 적이 한 번도 없었다) '귀족 사회에 연줄을 가지고 있다'는 것이 화제에 오르곤 했다. 그녀는 미챠를 따라 유형지까지 가서, 어느 광산 굴 속에서 결혼식을 올릴 수 있도록 정부의 허가를 얻으려 하고 있다는 말도 사람들의 입에 오르내렸다. 사람들은 카체리나의 경쟁자인 그루셴카가 법정에 나타나기를 그보다 못지않은 흥분을 느끼며 기다리고 있었다. 두 사람의 경쟁자—콧대 높은 귀족 아가씨와 '고등 매춘부'가 법정에서 대면하는 것을 애타는 호기심을 품고 기다리는 것이었다. 그러나 그루셴카는 이 고장 부인네들에겐 카체리나보다도 더 잘 알려져 있었다. 그녀들은 '표도르 파블로비치와 그 불행한 아들을 파멸시킨' 그루셴카를 전부터 잘 알고 있었으므로, 거의 모두가 이구동성으로 '그처럼 평범하기 짝이 없는, 별로 예쁘지도 않은 러시아식 평민 계집'한테 어떻게 부자가 다 같이 그렇게까지 반할 수 있었는지 도무지 알 수 없는 일이라고 말하였다.

아무튼 온갖 소문이 다 떠돌았던 것이다. 특히 이 고장에서는 미챠의 일로 심한 가정불화까지 일으킨 예가 몇 건이나 있었다는 것을 필자는 확실히 알았다. 꽤 많은 수의 부인들이 이 무서운 사건에 대한 견해 차이 때문에 자기 남편과 대판 싸움을 벌이기 시작했다. 그래서 이런 부인들의 남편 되는 사람들이 모두들 피고에 대해 동정하기는커녕 오히려 일종의 증오심까지 품고 법정에 나타난 것은 지극히 당연한 일이었다. 요컨대 남자 방청객들이 여자 방청객들과는 반대로 피고에 대해 반감을 품고 있었던 것만은 틀림없는 사실이었다. 그래서 남자 방청석에는 시큰둥한 표정의 얼굴들과 잔뜩 찌푸린 얼굴들, 그리고 심지어는 독기를 품은 얼굴까지도 많이 보였다. 하기는, 미챠가 이 고장에 돌아와 있는 동안, 그들 중의 많은 사람을 개인적으로 모욕한 것도 사실이었다. 물론 방청객 중에는 거의 유쾌한 얼굴을 하고서, 미챠의 운명엔 극히 무관심한 것 같은 사람들도 있었지만은, 그래도 역시 이 공판의 결과에는 모두들 흥미를 느꼈다. 그리하여 남자 방청객의 대부분은 미챠에게 형벌이 내려지기를 마음속으로 바라고 있었다. 그러나 법률가들만은 예외여서, 그들은 이 사건의 도덕적인 면보다도 이른바 현대적인 법률 면에 더욱 큰 관심을 가지고 있었다.

유명한 변호사 페츄코비치가 이 사건 때문에 이곳에 왔다는 사실은, 모든 사람을 열광케 하기에 충분했다. 그의 뛰어난 재능은 이미 전국적으로 알려져 있었는데, 그가 지방에까지 내려가서 굵직한 형사 사건의 변호를 담당한 것은 이번이 처음은 아니었다. 그가 변호한 사건은 예외 없이 러시아 전국에 유명해져서 오래도록 사람들의 기억에 남아 있었다. 이 지방의 검사와 재판장에 대해서도 몇 가지 에피소드가 있었다. 검사인 입폴리트 키릴로비치는 페츄코비치와 맞서는 것이 두려워서 떨고 있다느니, 그들 두 사람은 페테르부르크에서 법조계에 처음 투신하였을 때부터 서로 적수였다느니, 자존심이 강한 입폴리트 키릴로비치는 자기 재능을 인정받지 못했기 때문에 페테르부르크에 있을 때부터 늘 사람들한테 모욕을 받고 있는 것같이 생각해 왔으므로, 이번의 카라마조프 사건으로 실력을 발휘하여 기세를 올리려고 잔뜩 벼르고 있었는데, 다만 그가 염려하는 것은 페츄코비치뿐이라느니 하는 소문이 떠돌았던 것이다. 그러나 그가 페츄코비치를 겁내고 있다는 소문은 정확한 것이 아니었다. 이 지방 검사는 위험에 처하여 기가 죽어 버리는 그런 인간은 아니었다. 그와는 반대로, 위험이 증대하면 할수록 자부심이 점점 강해져서 더욱 용기를 내는 성미였다. 아무튼 이 지방 검사가 무척 열정적이며 병적으로 감수성이 강한 인간이었다는 점은 인정해야 할 것이다. 그는 어떤 사건이건 자기의 전 심령을 기울였고, 그 사건의 결과 여하에 따라 자기의 운명과 자기의 가치가 결정되기라도 하는 듯이 행동했다. 법조계에서는 이것을 약간 조소하는 자도 있었다. 그러한 성질 때문에 그는, 비록 전국적으로 명성을 떨치지는 못했어도, 이런 시골 재판소의 대단치 않은 직위에 있는 사람치고는 비교적 널리 이름이 알려져 있었던 것이다. 사람들은 특히 그의 심리학적 경향을 비웃었지만, 필자의 생각으로는 그것은 잘못인 것 같다. 우리 지방 검사는 여러 사람들이 생각하고 있는 것보다는 훨씬 진지한 성격을 지닌 사람이었다고 나는 믿는다. 다만 그는 건강이 좋지 못했었기 때문에 법조계에 첫발을 들여놓을 때부터 자기 지위를 확립하지 못했고, 그 후에도 한평생 마찬가지였던 것이다.

이 지방 재판장에 관해서, 그가 실제적으로 자기 직무에 통달하고 있으며, 가장 현대적 견해를 지닌 인도주의적인 교양인이라는 것밖엔 할 말이 없을 것 같다. 이 사람도 상당히 자부심이 강한 편이었지만, 그렇다고 자기 출세에 대해서는 별로 신경을 쓰지 않았다. 시대의 선각자先覺者가 되는 것, 이것이 그의 생애의 주요한 목적이었다. 게다가 좋은 가문과 물려받은 재산도 있었다. 이것은 나중에 안 일이지만, 그도 역시 카라마조프 사건에 상당한 열의를 가지고 있었다. 그러나 그것은 일반적인 의미의 열의에 지나지 않았다. 그의 관심은, 하나의 사회적 현상으로서, 그리고 우리나라의 사회 조직의 산물로서, 러시아적 특성의 설명으로서 이 사건을 다루는 데 있었다. 그는 사건의 개인적 성질이나 그 비극적 의의, 그리고 피고를 비롯한 모든 관련자들에 대해서는 무관심하고 막연한 태도를 취하고 있었다. 하기는 마땅히 그래야 하는지도 모를 일이다.

법정은 재판관이 출정하기 오래전부터 방청객들로 꽉 차서 입추의 여지도 없었다. 이 지방 재판소는 읍내에서 제일 훌륭한, 넓고 높고 말소리가 잘 울리는 건물이었다. 조금 높은 단 위에 자리 잡은 재판관석 오른쪽에는 배심원들을 위하여 긴 테이블 뒤에 안락의자가 두 줄로 놓여 있었다. 왼쪽에는 피고와 변호사석이 마련되고, 법정 중앙, 재판관석 가까이 '증거물'을 늘어놓은 테이블이 있었다. 거기에는 피투성이가 된 표도르 파블로비치의 흰 비단 가운과, 범행에 쓰인 것으로 추측되는 그 숙명적인 놋공이, 소매에 피가 밴 미챠의 셔츠와, 피 묻은 손수건을 넣었기 때문에 호주머니 언저리에 핏자국이 생긴 그의 프록코트, 그리고 피 때문에 뻣뻣해져서 이제는 누렇게 변색된 바로 그 손수건과, 미챠가 페르호친의 집에서 자살할 목적으로 탄약을 재어 놓았지만, 모크로예에서 트리폰 보리스이치한테 슬쩍 도둑맞은 권총, 그루셴카에게 주려고 3천 루블을 넣어 두었던 봉투와, 그 봉투를 묶어 두었던 가느다란 분홍빛 리본, 그 밖에 일일이 기억할 수 없을 만큼 많은 물건들이 놓여 있었다. 거기서 좀 떨어진 넓은 홀은 일반 방청석으로 되어 있고, 난간 앞에는 증언을 한 후 계속 법정에 남아 있어야 할 증인들을 위해 따로 의자가 몇 개 놓여 있었다.

열 시에 세 사람의 재판관이 출정했다. 재판장과 배석 판사陪席判事와 명예 치안 판사였다. 물론 검사도 곧 출정했다. 재판장은 중키보다 좀 작은 단단한 체격의 오십 세쯤 된 사람이었으나, 안색은 치질을 앓는 것같이 누렇고, 짧게 깎은 검은 머리엔 백발이 좀 섞여 있었다. 그는 붉은 리본을 목에 걸고 있었으나, 그것이 무슨 훈장이었는지는 지금 생각이 나지를 않는다. 필자가 보기에는, 아니 필자인 나뿐만 아니라 딴 사람들도 마찬가지였겠지만, 검사는 창백하다 못해 거의 푸르스름한 얼굴빛을 하고 있었다. 무엇 때문인지 하룻밤 사이에 얼굴이 몰라보게 수척한 것 같았다. 내가 이삼일 전에 그를 만났을 때만 해도 평상시와 조금도 다름이 없었던 것이다.

재판장은 우선 법정 서기에게 배심원이 모두 참석했느냐고 물었다. 그러나 필자는 처음부터 이런 식으로 기술해 나갈 수는 없을 것 같다. 분명히 듣지 못한 것도 있고, 의미를 파악하지 못한 말도 있고, 잊어버린 대목도 있을 테니 말이다. 하지만, 무엇보다도, 앞에서도 말한 것처럼 공판정에서 오고 간 말들과 일어난 일들을 일일이 다 기술하자면, 그야말로 시간과 종이가 모자랄 것이기 때문이다. 필자가 알고 있는 것은, 양측의, 즉 변호인 측과 검사 측의 배심원 수가 그리 많지 않았다는 것뿐이다. 그러나 열두 사람의 배심원이 어떤 사람들이었는지는 기억하고 있다. 즉 그중 네 사람은 이 지방 관리이고, 두 사람은 상인이고, 나머지 여섯 사람은 농부와 장인匠人 사이였다. 필자는 이 고장 사람들, 특히 부인네들이 공판이 시작되기 전부터 의아스런 표정으로 '이처럼 복잡하고 미묘한 심리적 사건을 그런 관리 나부랭이나 심지어는 그따위 농부들의 결정에 맡길 수 있을까요? 그따위 관리나 농사꾼들이 어떻게 이런 사건을 이해할 수 있겠어요?'라고 묻던 일을 기억하고 있다. 사실 배심원으로 위촉된 그 네 명의 관리는 모두가 하잘것없는 하급 관리였다. 그중 한 사람만은 좀 젊은 편이었지만, 아무튼 이 고장 사교계에서는 이름도 들은 적이 없는, 쥐꼬리만 한 봉급에 매달려 사는 늙은이들이었다. 이제는 아무데도 데리고 다닐 수 없을 만큼 늙어빠진 마누라와, 아마도 맨발로 싸돌아다닐 많은 자식들을 거느리고서, 한가할 때는 고작해야 어디서 카드놀이나 할까, 책이라곤 손에 들어보지도 못한 위인들이었다. 상인 두 사람은 제법 의젓하게는 보였지만, 왜 그런지 잔뜩 굳어 버려서 시종 말이 없었다. 그중 하나는 턱수염을 박박 깎고 독일 사람 같은 옷차림을 하고 있었고, 다른 하나는 흰 턱수염을 기르고, 목에는 붉은 리본에 달린 무슨 훈장 같은 것을 걸고 있었다. 장인들과 농부들에 관해선 새삼스레 말할 나위도 없다. 도대체가 이 스코토프리고넵스크의 장인들이란 거의 농부나 마찬가지여서, 심지어는 밭일을 하기까지 했다. 그들 중의 두 사람은 역시 독일식 옷차림을 하고 있었는데, 그 때문에 오히려 나머지 네 사람보다도 더욱 지저분하고 너절하게 보였는지도 모른다. 형편이 이러했으므로 필자들 역시 그들을 보았을 때, '저런 인간들이 이런 사건에 대해 과연 무엇을 이해할 수 있을까?' 하는 생각이 들었지만, 아마 누구나가 다 그런 생각이 들었을 것이다. 그래도 그들은 하나같이 얼굴을 찌푸리고 근엄한 표정을 지어서, 보는 사람을 위협하고 압박하는 듯한 인상을 풍기는 것이었다.

이윽고 재판장은 퇴직 9등관 표도르 파블로비치 카라마조프 살해 사건의 심리를 개시한다고 선언했다. 이때 재판장이 어떤 식으로 말했는지, 필자도 정확히 기억하진 못한다. 피고를 입장시키라는 명령이 간수에게 내려지자, 곧 미챠가 법정에 나타났다. 순간 법정 안은 쥐 죽은 듯 고요해져서, 파리가 날아다니는 소리까지도 들을 수 있을 지경이었다. 다른 사람들은 어떠했는지 알 수 없으나, 필자는 미챠의 모습을 보고 매우 불쾌한 인상을 받았다. 첫째, 그는 새로 맞춘 것 같은 연미복을 쏙 빼입고 지나치게 모양을 내고 있었다. 후에 들은 얘기지만, 그는 이날을 위해서 자기 몸 치수를 알고 있는 모스크바의 단골 양복점에다 그 연미복을 일부러 주문했다는 것이다. 그는 멋진 셔츠에다가 검은 양피羊皮

장갑까지 끼고 있었다. 똑바로 앞을 바라보며 성큼성큼 걸어 들어오더니, 사뭇 여유 있는 태도로 자기 자리에 앉는 것이었다.

뒤이어 담당 변호인인 그 유명한 페츄코비치가 나타났다. 그러자 법정 안에는 억눌린 것 같은 웅성거림이 일어났다. 그는 호리호리한 몸집에다가 길고 가느다란 다리, 더욱 가늘고 기다란 핏기 없는 손가락, 반들반들하게 면도질한 얼굴, 얌전히 빗어 넘긴 짤따란 머리털, 이따금 조소인지 미소인지 분간할 수 없는 미소를 띠는 얇은 입술—이런 외모를 지닌 마흔 전후의 사람이었다. 만약에 그 눈만 아니었어도 그의 얼굴은 유쾌한 인상을 주었을 것이다. 그의 눈 자체는 조그맣고 무표정했지만, 두 눈 사이가 지나치게 좁아서, 가느다란 콧마루가 간신히 비집고 들어앉은 것 같은 느낌이었다. 한마디로 말하자면, 누가 보아도 그의 얼굴은 흡사 조류鳥類의 얼굴과 똑같은 모습을 하고 있었다. 그는 연미복에 흰 타이를 매고 있었다.

재판장은 우선 미챠에게 성명과 신분 등을 물었다고 필자는 기억한다. 미챠는 간단명료하게 대답했으나, 왜 그런지 어처구니없을 만큼 큰 목소리여서, 재판장은 움찔하고 놀란 듯이 미챠를 바라보았다. 그다음엔 심문을 받게 될 사람들, 즉 증인들과 감정인鑑定人들의 명단이 낭독되었는데, 그 명단은 상당히 길었다. 증인들 중 네 사람은 출정하지 않았다. 즉, 예심 때에는 증언을 했으나, 지금은 파리에 가 있는 미우소프, 신병으로 나오지 못한 호흘라코바 부인과 막시모프, 그리고 갑자기 죽어 버린 스메르쟈코프, 이렇게 네 사람이었다. 스메르쟈코프의 자살에 관해서는 경찰 당국의 증명서가 제출되었는데, 이 보고는 법정 안에 심한 동요와 수군거림을 불러일으켰다. 물론 대다수의 방청객들은 그 돌발적인 자살 사건을 모르고 있었던 것이다. 그러나 무엇보다도 사람들을 놀라게 한 것은 미챠의 괴이한 언동이었다. 그는 스메르쟈코프가 죽었다는 보고를 듣자, 별안간 자기 자리에서 법정 전체에 울려 퍼질 만큼 커다란 소리로 외쳤다.

"개 같은 놈은 개처럼 뒈지는 겁니다!"

변호사가 그를 제지하러 달려가고, 재판장이 그에게 또다시 그런 언동을 자행하면 엄중한 조처를 취하겠노라고 위협한 것을 필자는 기억하고 있다. 미챠는 연방 고개를 끄덕이면서, 그러나 후회하는 빛은 조금도 없이, 변호사한테 몇 번 되풀이해서 중얼거렸다.

"안 그러겠습니다, 안 그러겠어요! 저도 모르게 그만…… 다시는 안 그러겠습니다!"

물론 이 짤막한 에피소드는 배심원이나 방청객들에게 좋지 못한 인상을 주었다. 그는 자기 성격을 드러냄으로써 자기 자신을 사람들에게 소개한 셈이었다. 이렇게 좋지 못한 인상을 준 직후에 그에 대한 기소장이 낭독되었다. 기소장은 간결하면서도 빈틈없는 것이었다. 피고가 왜 구속되어 재판에 회부됐나 하는 주요한 이유가 기술되었을 뿐이었지만, 그럼에도 불구하고 필자는 강한 인상을 받았다. 서기는 잘 울리는 목소리로 똑똑히 듣기 쉽게 읽어 내려갔다. 그리하여 모든 비극이 숙명적이고도 무자비한 빛을 받아 사람들 앞에 새로이 부조浮彫처럼 뚜렷이 드러나게 되었다. 기소장이 낭독되자 재판장은 미챠에게 위엄 있는 커다란 목소리로 물었다.

"피고는 자기 죄를 인정하는가?"

미챠는 자리에서 벌떡 일어났다. "나는 지나친 음주와 방탕에 대해선 스스로 죄를 인정합니다." 그는 다시금 터무니없이 큰 소리로 거의 미친 듯이 부르짖었다. "나태와 방종에 대해서는 죄를 인정합니다. 나는 영원히 고결한 인간이 되어 보려 했습니다. 그런데 바로 그 순간에 나는 운명의 호된 채찍을 받았던 겁니다! 그러나 나는 내 원수이며 아버지인 그 노인의 죽음에 대해선 아무런 죄도 없습니다! 또한 아버지의 돈을 훔친 데 대해서도 나한텐 죄가 없습니다. 없고말고요! 도대체 나는 그런 죄를 지을 수가 없는 놈입니다. 드미트리 카라마조프는 비열한 놈이긴 하지만 결코 도둑놈은 아닙니다!"

이렇게 외치고 그는 자리에 앉았으나, 분명히 온몸을 후들후들 떨고 있는 것 같았다. 재판장은 다시금 피고를 향하여, 쓸데없는 소리를 지껄이거나 고함을 치거나 하지 말고 질문에만 대답하라고, 타이르는 어조로 간단히 주의를 주었다. 그러고 나서 그는 심문을 시작하라고 명령했다. 모든 증인들이 선서를 하기 위해 출정하였다. 이때 필자는 증인들을 전부 볼 수 있었는데, 피고의 동생들만은 선서하지 않고 증언할 수 있는 허락을 받았다. 신부神父와 재판장의 훈계가 끝나자, 증인들은 물러나 되도록 서로 멀리 떨어져 앉도록 자리를 지정받았다. 그다음에 그들은 한 사람씩 증인 신문을 받기 시작했다.

2. 위험한 증인

필자는 검사 측 증인과 변호인 측 증인을 재판장이 따로 구분해 놓았었는지 어떤지, 그리고 어떤 순서로 그들을 불러냈는지, 그런 건 알 수 없다. 필시 그러한 구분과 일정한 순서는 있었을 것이다. 다만 필자인 내가 알고 있는 것은, 검사 측 증인들이 먼저 불리어 나갔다는 점뿐이다. 거듭 말하거니와, 나는 모든 심문 내용을 차례대로 죄다 기술할 생각은 없다. 더욱이 나의 기술은 어느 면에선 사족이 될 수도 있을 것이다. 왜냐하면, 검사의 논고와 변호사의 변론 속에 모든 증언의 경로가 한 점으로 귀결되어 명확하게 드러났기 때문이다. 나는 두 사람의 뛰어난 변론을, 적어도 몇 군데만은 상세하게 적어 두었으므로, 적당한 시기에 독자에게 전하기로 하겠다. 또한 변론으로 들어가기 전에 갑자기 법정 안에서 돌발한 기상천외의 에피소드도 앞으로 기술할 생각이다.

이 에피소드가 재판의 결말에 운명적인 무서운 영향을 끼쳤다는 것은 의심할 여지도 없었다. 아무튼 여기서는, 공판이 시작되던 순간부터 이 '사건'의 한 가지 특성을 모든 사람들이 명확히 인정할 수 있었다는 것만을 말해 두겠다. 그것은 다름 아니라, 변호인 측이 쥐고 있는 재료보다도, 피고의 유죄를 뒷받침하는 재료가 훨씬 우세했다는 점이었다. 이 엄숙한 법정에 모든 사실들이 집중되면서 피비린내 나는 무서운 범죄의 전모가 드러나기 시작하자마자, 모두들 이 점을 깨달았던 것이다. 그래서 사람들은 처음부터 이 사건을 왈가왈부할 여지나

의심할 근거도 없는 사건으로 보고, 실제에 있어 변론 같은 건 필요도 없는 형식상의 것에 불과하며, 피고가 유죄라는 것은 너무나도 명백한 결정적인 사실이라고 생각하고 있는 모양이었다. 내가 보기엔, 자기들의 흥미의 대상인 피고의 무죄 석방을 그처럼 열망하던 부인네들조차도 그의 유죄를 하나같이 확신하고 있었던 것 같다. 뿐만 아니라, 만약에 그의 범죄가 충분히 확인되지 않았더라면 그 부인네들은 오히려 실망하였으리라고 나는 생각한다. 그렇게 되면, 피고가 무죄를 선고받는 마지막 장면의 극적인 효과가 감소될 것이기 때문이다. 이상하게도 부인네들은 거의 최후의 순간까지 피고의 무죄 석방을 확신하고 있었다. '그는 죄를 짓기는 지었지만, 요즘 유행하는 인도주의적 새로운 사상과 새로운 감각에 의해 무죄 선고를 받을 것이다'라고 생각했던 것이다. 그들이 그처럼 조바심하며 성급히 법정에 몰려든 것도 결국은 이 때문이었다. 남자들은 그보다도, 검사와 유명한 변호사 페츄코비치와의 논쟁에 더 많은 관심을 갖고 있었다. 아무리 페츄코비치가 천재라 하더라도 이처럼 명백한 절망적인 사건을 어찌할 수 있으랴, 하고 모두들 의아해하면서, 그의 언동에 주의를 기울여 지켜보고 있었다.

그러나 페츄코비치는 최후의 순간까지, 즉 그가 변론을 개시할 때까지 여전히 수수께끼 같은 존재였다. 안목 있는 사람들은 그에겐 독특한 수법이 있으니까 이미 어떤 목표를 향해서 치밀한 계획을 짜고 있으리라 예상했다. 그러나 그 목표가 어떤 것인지는 거의 추측할 수가 없었다. 어쨌든 그가 확고한 신념과 자신을 가지고 있다는 것만은 첫눈에 알 수 있었다. 뿐만 아니라, 그는 이 지방에 온 지 얼마 되지도 않았는데, 그러니까 불과 사흘밖엔 안 되었는데, 그사이에 사건의 진상을 놀랄 만큼 정확히 파악하고, 이미 '세밀한 연구'를 끝낸 모양이었다. 사람들은 그것을 눈치채고 모두 만족하게 여겼다. 예를 들면, 나중에 모두들 유쾌하게 화제로 삼곤 한 일이지만, 그는 재빨리 검사 측 증인들을 모조리 '야코를 죽여' 되도록 그들을 당황케 하였을 뿐만 아니라, 특히 그들의 품행에 관한 세평世評에 흙칠을 함으로써 그들의 증언이 빛을 잃게 만들었다. 그러나 사람들이 보기에는, 그가 이와 같은 일을 하는 것은 다만 하나의 유희에 지나지 않으며, 말하자면 법조계의 명예를 위해서, 즉 변호사로서의 상투 수단을 잊지 않고 적용하기 위해서 그러는 것이라고밖에는 보이지 않았다. 왜냐하면, 그런 '흙칠' 정도로는 아무런 결정적인 이익도 얻을 수 없다는 것을 모두들 잘 알고 있었기 때문이다. 또한 그는 따로 어떤 속셈이 있었을 테니까—즉 따로 어떤 변론의 무기를 감춰 가지고 있다가, 때가 이르면 느닷없이 그것을 들이댈 작정이었을 테니까, 그런 점은 누구보다도 더 잘 알고 있었을 것이다. 하지만 그때까지는 자기의 실력을 의식하면서 그저 심심풀이로 노닥거리고 있는 성싶었다.

예를 들자면, 표도르 파블로비치의 노복으로서, '정원 쪽으로 난 문이 열려 있었다'는 지극히 중요한 증언을 한 그리고리를 심문할 때만 하더라도, 변호사인 그는 자기가 질문할 차례가 되자, 그리고리를 꽉 붙들고 사정없이 파고들었던 것이다. 여기서 그리고리에 대해 몇 마디 해 두어야겠다. 그는 법정의 장엄한 분위기나 수많은 방청객쯤엔 조금도 당황한 빛을 나타내지 않고 지극히 태연한 태도로 위엄까지 보이면서 법정에 나타났다. 그러고는 마치 자기 아내 마르파와 단둘이서 얘기할 때처럼 자신 있는 어조로 증언을 했다. 다만 여느 때보다 말투가 좀 정중했을 뿐이다. 그의 증언에서 무슨 꼬투리를 잡는다는 것은 불가능한 일이었다. 우선 검사가 그에게 카라마조프네 가정생활에 대해 상세하게 질문을 계속했다. 그리하여 그 가정의 내막이 선명하게 드러났다. 말하는 태도로 보아, 이 증인은 솔직하고 공평해 보였다. 그는 죽은 자기 주인에 대해 깊은 존경심을 가지고 말했지만, 미챠에 대한 주인의 태도는 불공평했고, 자녀 양육에 무성의했다고 증언했다. 그는 미챠의 유년 시절을 말하면서, '제가 없었더라면 그분은 어렸을 적에 이한테 파 먹혀 죽었을 것입니다'라고 덧붙였다. 그리고 '아버지로서 아들의 몫으로 되어 있는 그 어머니의 재산을 가로챈 것 역시 옳지 못한 일입니다'라는 말도 했다.

그러나 아들의 재산을 표도르 파블로비치가 횡령했다고 단언하는 근거는 무엇인가, 라는 검사의 물음에 그리고리가 아무런 증거도 제시하지 못하는 데는 누구나 의아하게 여기지 않을 수가 없었다. 그래도 그리고리는 아들에 대한 주인의 처사는 '옳지 못했다'느니, 적어도 '몇천 루블은 더 주었어야 했다'느니 하고 끝까지 우겼다. 얘기가 나왔으니 말이지만, 검사는 특히 이 문제에 중점을 두고, 표도르 파블로비치가 정말로 미챠에게 줄 돈을 다 주지 않았는가를 알 만한 증인들에게 모조리 물어보았다. 물론 알료샤와 이반 표도로비치에게도 물어보았지만, 아무한테서도 정확한 답변은 얻을 수 없었다. 모두들 그게 사실일 것이라고 주장했으나, 확실한 증거를 제시한 사람은 아무도 없었던 것이다. 그다음에 드미트리 표도로비치가 식사할 때 달려 들어와서 자기 아버지를 구타하고는, 아예 죽여 버리겠노라고 을러메며 돌아가던 때의 장면을 그리고리가 진술하자, 법정에는 금세 음산한 공기가 떠돌았다. 더욱이 이 늙은 하인이 쓸데없는 말은 빼고 자기의 독특한 말투로 차근차근 침착하게 이야기 한 것이, 무슨 웅변 이상으로 효과를 자아냈던 모양이다. 그는 미챠가 자기의 안면을 구타하여 쓰러뜨린 일에 대해서 조금도 분하게 여기지 않을뿐더러 이미 오래전에 다 용서했노라고 말하였다. 죽은 스메르쟈코프에 대해서는 성호를 그으며 답변했다. 즉 그는 재주가 좀 있는 젊은이였으나 어리석은 데다가 불치의 병을 앓고 있었고, 무엇보다도 하느님을 믿지 않은 것이 좋지 않았다는 것이었다. 그리고 그를 불신자로 만든 것은 표도르 파블로비치와 그의 맏아들의 가르침 때문이라고 했다. 그러나 그리고리는 스메르쟈코프가 정직했다는 점만은 열렬히 주장하면서, 그가 한 번은 주인이 떨어뜨린 돈을 주웠지만 그걸 감추려고 하지 않고 주인한테 갖다 바쳤기 때문에 주인은 그를 가상히 여겨 '금화金貨'를 상으로 주고, 그 후부터는 그를 신임하게 되었다는 얘기를 했다. 그리고리는 정원으로 향한 문이 열려 있었다고 끝까지 완강하게 주장했다. 그러나 그는 하도 많이 질문을 받았기 때문에, 필자로서는 그것을 일일이 상기할 수 없을 지경이다.

마침내 변호사가 심문할 차례가 되었다. 변호사는 우선 표도르 파블로비치가 '어떤 여성'을 위해서 3천 루블을 '넣어 두었다는' 그 봉투에 대해서 묻기 시작하였다. "당신은 여러 해 동안 그 주인을 가까이 모시고 있었다는데, 그 봉투를 직접 본 일이 있습니까, 없습니까?" 하는 질문에 대해 그리고리는, 그런 건 본 일도 없거니와, 요즘 와서 남들이 그 얘기를 하기 전까지는 그런 돈에 관해선 들어 본 적도 없었노라고 답변했다. 그러자 페츄코비치는 그 봉투에 대해서 알 만한 증인들에게 모조리 돌아가며 똑같은 질문을 했다. 그것은 검사가 드미트리의 유산에 관해서 심문하였을 때만큼이나 끈질기게 추궁했다. 그러나 증인들은 그런 말을 들은 적은 있어도 그 봉투를 직접 보지는 못했다고 모두들 이구동성으로 대답했다. 페츄코비치가 이 점을 특히 집요하게 물고 늘어지려 한다는 것은 누구나가 다 대번에 알아챌 수 있었다.

"그러면 이번엔 이런 걸 물어보겠는데 괜찮을지요" 하고 페츄코비치는 느닷없이 뜻밖의 질문을 던졌다. "예심 때도 진술한 모양이지만, 당신은 그날 저녁 자기 전에 요통腰痛을 치료할 목적으로 발삼Balsam[44*]—즉 전약前藥을 사용했다는데, 그것은 무엇으로 만든 약입니까?"

그리고리는 잠시 말을 못 하고 심문자를 멍하니 바라보고 있다가, 드디어 중얼거리듯 대답했다. "샐비어를 넣어 만든 겁니다."

"샐비어뿐인가요? 그 밖에 또 무엇을 넣었는지 기억 못 하겠습니까?"

"질경이도 넣었습니다."

"후추도 넣지 않았던가요?" 페츄코비치는 질문을 계속했다.

"후추도 넣었습니다."

"그런 것들을 모두 보드카에 담갔습니까?"

"주정酒精에다 담갔습니다."

방청석에서 킥킥 웃는 소리가 일어나는 것 같았다.

"아, 주정이었군요. 당신은 그걸 등허리에 바르고 나서, 당신 부인밖엔 모르는 무슨 경건한 기도를 외면서 병에 남은 약을 마셨다고요? 그렇지 않습니까?"

"예, 마셨습니다."

"많이 마셨습니까? 얼마만큼이나? 보드카 잔으로 한 잔쯤, 혹은 두 잔쯤 되나

44* 침엽수에서 분비되는 끈끈한 액체. 송진 따위가 여기에 속함.

요?"

"컵으로 하나쯤 될 겁니다."

"컵으로 하나쯤이라고요? 한 컵 반쯤 되었었는지도 모르잖아요?"

그리고리는 입을 다물어 버렸다. 그는 그런 걸 묻는 의도를 알아챈 모양이었다.

"독한 주정을 한 컵 반쯤 마셨다면 아주 좋았겠습니다, 그렇잖아요? 그쯤 되면 정원 쪽 문은 고사하고 '천국 문이 열린 것'도 볼 수 있었을 텐데요?"

그리고리는 여전히 말이 없었다. 방청석에서는 또 웃음소리가 일어났다. 재판장은 몸을 좀 들먹였다.

"그러니까 당신 자신 분명히 기억하지 못하는 게 아닙니까?" 페츄코비치는 한층 더 끈질기게 파고들었다. "정원 쪽 문이 열린 걸 보았다는 바로 그때 당신이 과연 잠에서 완전히 깨어 있었는지 어떤지 말입니다."

"두 다리로 서 있었던걸요."

"그렇다고 당신이 깨어 있었다는 증거는 못 되죠. (또다시 방청석에서 킥킥거리는 소리가 일어났다) 바로 그때 누가 당신에게 어떤 질문을 했다면—예컨대, 올해가 서기西紀 몇 년이냐고 물었다면, 당신은 제대로 대답할 수 있었을까요?"

"그건 모르겠습니다."

"아니, 그럼 당신은 올해가 서기 몇 년인지 모른단 말인가요?"

그리고리는 어리둥절한 꼴이 되어, 자기를 괴롭히는 자를 뚫어지게 바라보고만 있었다. 이상하게도 그는 올해가 서기 몇 년인지 정말로 모르는 성싶었다.

"하지만 사람의 손에 손가락이 몇 개씩 있는지는 알겠죠?"

"전 원래가 비천한 놈이올시다." 그리고리는 갑자기 커다란 소리로 또박또박 분명히 말했다. "높은 어른께서 절 놀려 주고 싶으시다면 전 그냥 참아야 하겠죠."

페츄코비치는 좀 주춤하는 기색이었으나, 이때 재판장이 말을 가로막고, 변호사로서 좀 더 타당한 질문을 하라고 주의를 주었다. 페츄코비치는 재판장의 말을 듣고 나서 위엄 있는 태도로 고개를 숙여 보이고는, 이 증인에 대한 심문은 끝났노라고 말했다. 물론 방청객들이나 배심원들은, 무슨 치료약을 먹어서 '천국 문을 볼 수도 있는' 상태에 있었을 뿐만 아니라, 올해가 서기 몇 년인지도 모르는 사람의 증언에 대해 한 가닥 의심을 품지 않을 수 없었다. 따라서 변호사는 자기의 목적을 달성한 셈이었다. 그런데 그리고리가 퇴정하기 전에 또 하나의 에피소드가 발생했다. 재판장이 피고인을 향해 그리고리의 증언에 대하여 무슨 할 말이 없느냐고 물었을 때였다.

"문에 대한 증언 말고는 모두 다 사실대로입니다" 하고 미챠가 큰 소리로 외쳤다. "나의 이를 잡아 준 데 대해서는 저 노인에게 감사를 드립니다. 내가 구타한 것을 용서해 준다니, 그것도 감사합니다. 저 노인은 평생토록 정직했고, 아버지한테는 7백 마리의 삽살개만큼이나 충성스러웠습니다."

"피고인은 말을 삼가시오." 재판장이 엄격히 주의를 주었다.

"난 삽살개가 아니오." 그리고리도 중얼거렸다.

"그렇다면 내가 삽살갭니다, 내가!" 미챠는 외쳤다. "그게 모욕적이라면 내가 그 명칭을 받겠습니다. 그리고 저 노인에게 용서를 빌겠습니다. 나는 짐승처럼 그에게 잔인하였으니까요. 하긴 이솝에게도 나는 잔인했습니다."

"이솝이라는 건 뭐요?" 재판장이 또 근엄한 어조로 물었다.

"피에로 말입니다…… 우리 아버지, 표도르 파블로비치 말이에요."

재판장은 미챠에게 거듭 주의를 주면서, 좀 더 말을 삼가라고 엄격히 타일렀다.

"그런 언동은 스스로 불리한 인상을 법관들에게 줄 뿐이오."

변호사는 라키친을 증인으로 심문할 때도 역시 지극히 민첩한 솜씨를 발휘했다. 라키친으로 말하면 가장 유력한 증인 중의 하나로, 검사도 그를 특히 중요시했다는 점을 여기서 말해 두어야겠다. 그는 모든 걸 알고 있었다. 놀랄 만큼 여러 가지 일을 많이 알고 있었다. 그는 뉘 집에나 드나들며 모든 것을 보았고, 누구하고나 다 얘기해 봤으며, 그리하여 표도르 파블로비치를 비롯하여 카라마조프네 집안 내력을 환히 알고 있었다. 하기는 3천 루블이 들었다는 봉투 얘기는 미챠한테서 들어 알고 있을 뿐이었지만, 그 대신 '서울집'이라는 술집에서의 미챠의 행동, 즉 미챠 자신을 불리한 입장에 빠지게 할 언행을 상세하게 진술하고 나서, 스네기료프 대위의 '수세미' 사건에 대해서도 얘기하였다. 그러나 유산 문제, 즉 표도르가 미챠에게 줄 돈이 얼마였는가 하는 중요한 점에 대해서는 라키친 역시 하나도 확실한 증언을 하지 못했고, 다만 경멸하는 듯한 말투로 '그야말로 엉망진창인 카라마조프네 집안일을 정확히 이해할 수 있는 사람이 어디 있겠어요? 누가 잘못했는지, 누가 누구한테 빚이 있는지, 그런 것은 도저히 가려낼 도리가 없습니다'라고 누구나 다 아는 소리를 뇌까렸을 뿐이었다.

그는 또한 이러한 모든 비극은 오직 농노 제도로 말미암아, 즉 적절한 제도의 결핍으로 말미암아, 깊은 혼돈 속에 빠져 버린 러시아 사회의 온갖 구습舊習에서 비롯된 것이라고 주장했다. 요컨대 그는 자기 의견을 피력할 기회를 얻었던 것이다. 그리하여 라키친 씨는 이때 처음으로 자기 자신을 세상에 소개하여 많은 사람들의 인정을 받게 되었다. 검사는 라키친이 이 범죄 사건에 관한 논문을 잡지에 발표하려 하고 있다는 것을 알고 있었다. 앞으로 다시 언급하겠거니와, 검사는 논고論告를 할 때 그 논문 중의 한 구절을 인용하기까지 했다. 그러니까 그는 그 논문을 미리 읽어 본 모양이었다. 라키친이 묘사한, 음침하고 절망적인 광경은 유죄를 확고하게 증명할 만한 것이었다. 전체적으로 보아, 라키친의 진술은 그 사상이 독창적이면서도 더할 수 없이 고매하다는 점에서 방청객들을 매혹했던 것이다. 그가 농노 제도와 혼돈에 빠진 러시아 사회에 대해 말했을 때에는, 두서너 곳에서 박수가 터져 나오기까지 했다.

그러나 라키친도 아직 젊은 나이인지라, 그만 한마디 실언을 하고 말았다. 그래서 변호사한테 즉각적인 반격을 받았다. 다름 아니라, 그루셴카에 관한 심문에 답변을 할 때, 라키친은 자기 답변의 성공과 (물론 그는 그것을 의식하고 있었다) 고답적인 감정에 스스로 도취된 나머지, 어느 정도 그녀를 경멸하듯이, '상인 삼소노프의 첩'이라고 말하였던 것이다. 그러고 나서 그는 이 말 한마디를 취소하기 위해 얼마나 비싼 대가를 지불했는지 모른다. 아무리 날쌘 페츄코비치라 하더라도 그처럼 짧은 시일 내에 그렇게까지 사건의 내막을 샅샅이 파고들었으리라고는 라키친도 미처 생각지 못했던 것이다.

"한 가지 묻겠는데요" 하고 변호사는 자기가 심문할 차례가 되자, 자못 상냥하면서도 은근한 미소를 띠워 보이며 입을 열었다. "물론 당신은 지방 교구청教區廳에서 발간한《고故 조시마 장로의 생애The life of the deceased elder, Father Zossima》의 저자인 바로 그 라키친 씨이겠죠? 심오한 종교적 사상이 충만되어 있으며 장로님에 대한 경건한 감정에 넘쳐 있는 당신의 그 저서를 나는 최근에 더 없는 만족감을 가지고 읽어 보았습니다."

"그건 출판하려고 쓴 건 아니었는데…… 어쩌다 그만 책으로 되어 나왔더군요." 무엇 때문인지 갑자기 기가 꺾인 듯 부끄럼조차 나타내면서 라키친은 중얼거렸다.

"아니, 아주 훌륭한 책입니다! 당신과 같은 사상가는 사회의 온갖 현상을 광범하게 다룰 수 있고, 또한 다루어야만 합니다. 당신의 그 유익한 책자는 장로님 덕분에 널리 읽혀졌고, 상당히 좋은 영향을 끼쳤으리라 믿습니다……. 그보다도 한 가지 묻고 싶은 것은, 방금 당신은 스베틀로바 부인과 잘 아는 사이라고 하셨죠?" (그루셴카의 성姓이 스베틀로바라는 것이 드러났다. 필자는 이날 공판정에서 비로소 그것을 알게 되었던 것이다)

"나로서는 아는 사이라 해서 모두 책임을 질 수는 없습니다……. 나는 아직 젊은 사람입니다……. 자기와 만난 일이 있는 사람에 대해 일일이 책임을 질 수는 없는 일 아닙니까!" 라키친은 얼굴을 확 붉히며 기를 썼다.

"알고 있습니다, 잘 알고 있어요!" 페츄코비치는 도리어 자기 쪽에서 어색해하면서 급히 사과하려는 듯이 외쳤다. "그 여인은, 이 고장의 대표적인 청년들을 늘 환대해 왔으니까, 당신도 다른 사람들처럼, 그 미모의 젊은 여성과 가까이 사귀는 데 흥미를 느끼셨다 해서 이상할 건 하나도 없지 않습니까. 그러나…… 한 가지만 알아보고 싶은 것이 있습니다. 우리에게 알려진 바에 의하면, 스베틀로바 부인은 2개월 전에 카라마조프네 막냇동생인 알렉세이 표도로비치와 사귀기를 열망한 나머지, 그 당시 아직 수도복을 입고 있던 그를 그대로 자기 집에 데려와 주면 25루블을 사례금으로 주겠노라고 당신한테 약속했다죠? 그리고 또 우리가 알기로는 그 약속이 이행된 날이 바로 이 사건의 기초가 된 비극이 발생한 날 저녁이었다는데, 당신은 정말로 알렉세이 카라마조프를 스베틀로바 부인한테 데려다 주고, 그 사례금 조로 25루블을 받았습니까? 내가 알고 싶은 건 그 점입니다."

"그건 농담이었어요……. 무엇 때문에 그런 것에 당신이 흥미를 느끼시는지 알 수가 없군요……. 나는 장난삼아 그 돈을 받았습니다……. 후에 돌려줄 생각으로 말이에요."

"그럼 받긴 받았군요. 그렇지만 아직 돌려주진 않았겠죠……. 돌려줬습니까?"

"그건 아무것도 아닌 일입니다……." 라키친은 중얼거렸다. "그런 질문에는 대답할 수 없어요……. 물론 그 돈은 돌려주렵니다."

재판장이 말을 막았으나, 이때 변호사는 라키친 씨에 대한 증인 신문은 끝났노라고 말했다. 라키친은 약간 풀이 죽어 증인석에서 물러났다. 그의 고매한 연설의 효과는 적지 않게 손상을 입었던 것이다. 페츄코비치는 퇴정하는 그의 뒷모습을 바라보며 방청석을 향하여 '피고를 비난하는, 소위 고결한 증인들의 꼬락서니가 어떻습니까!'라는 듯한 표정을 짓고 있었다. 이번에도 미챠는 한바탕 소란을 피우고야 말았다. 이것은 필자도 기억에 남아 있다. 라키친이 그루셴카에 대해 멸시하는 투로 말하는 데 격분한 미챠는, 느닷없이 제자리에서 '베르나르!'라고 외쳤다. 라키친에 대한 심문이 끝나고, 재판장이 피고에게 할 말은 없느냐고 묻자, 미챠는 다음과 같이 소리쳤다.

"저놈은 내가 구금되어 있는데도 돈을 꾸러 왔었소! 더러운 '베르나르' 놈 같으니! 저놈은 교활한 출세주의자입니다, 하느님도 믿지 않아요. 저놈은 장로님을 속였어요!"

물론 미챠는 언사가 난폭하다 해서 또 주의를 받았다. 그러나 라키친의 체면은 아주 납작해지고 말았다. 스네기료프 대위의 증언도 실패로 돌아갔지만, 그것은 전혀 다른 이유에 기인한 것이었다. 그는 다 떨어진 더러운 옷을 걸치고 진흙투성이의 구드를 신고 법정에 나타났다. 게다가 미리부터 주의와 경고를 단단히 받았음에도 불구하고, 곤드레만드레 취해 있었다. 미챠한테서 받은 모욕에 관해 질문을 받자, 그는 갑자기 답변을 거부했다.

"저런 사람은 아무래도 좋아요. 우리 일류샤가 그런 말은 하지 말라고 해서요. 천당에 가면 하느님께서 다 보상해 주시겠죠."

"누가 말하지 달라고 했습니까? 도대체 누구 얘깁니까?"

"일류샤 말입니다, 내 아들놈이죠. '아빠, 아빠는 그 사람한테 모욕을 당했죠!' 라고 바윗돌 옆에서 말했답니다. 그런데 그 애는 지금 죽어 가고 있어요……."

대위는 별안간 흑흑 느껴 울기 시작하더니, 재판장 앞에 넙죽 엎드렸다. 그는 방청인들의 웃음을 받으며 즉석에서 퇴장당하고 말았다. 그래서 검사가 노렸던 효과는 전혀 나타나지 않았다.

한편, 변호사는 여전히 갖가지 방법을 이용했고, 사건 내막 속속들이 알고 있다는 점에서, 방청인들을 더욱더 놀라게 했다. 트리폰 보리스이치의 증언은 사람들에게 강한 인상을 주었는데, 이것은 물론 미챠에겐 불리한 것이었다. 그는 미챠가 범행 1개월 전에 모크로예에 처음 와서 쓴 돈이 3천 루블은 족히 된다면서 손가락을 꼽아 보이기라도 할 것 같은 기세였다. "설사 3천 루블이 채 못 된다 하더라도, 그 차이는 아주 적을 겁니다. 집시 계집들한테 뿌린 돈만 해도 얼마나 되는지 모릅니다! 이가 득실거리는 마을 농부들에게도 '반 루블짜리 은전을 한길에 던져 주는' 정도가 아니라, 아무리 적게 잡아도 2루블 정도씩은 집어 주었으니까요. 게다가 그때 마을 놈들이 저 사람한테서 얼마나 많은 돈을 쌔볐는지 압니까. 한번 맛을 들인 놈은 가만있을 수가 없는 법이죠. 저 사람 자신이 마구 뿌리고 다니는 판에 쌔빈 놈을 어떻게 잡을 수 있겠어요! 마을 놈들은 정말 도둑놈들입니다. 양심이고 뭐고 없어요. 그리고 마을 처녀애들에겐 또 얼마나 많이 뿌렸는지 아십니까! 전엔 지독한 가난뱅이던 것이 그 일이 있은 후로는 모두들 부자가 되었답니다." 그는 이런 식으로 미챠가 쓴 돈을 일일이 꼽아 대면서 계산했기 때문에, 그때 미챠가 1천 5백 루블만을 쓰고, 나머지는 주머니 속에 넣어 두었다는 주장은 도저히 성립될 수가 없었다.

"전 이 눈으로 보았습니다. 저 사람이 3천 루블을 손에 쥐고 있는 걸 이 눈으로 똑똑히 보았단 말씀예요. 그만한 액수는 눈짐작으로도 틀림없이 알아맞힐 수 있으니까요!" 트리폰 보리스이치는 '높은 사람'의 비위를 맞추려고 애쓰면서 이렇게 외쳤다.

그런데 변호사는 자기가 이 증인을 심문할 차례가 되자, 트리폰의 진술을 논박하려 하지는 않고, 갑자기 화제를 돌려, 마부인 치모페이와 아킴이라는 농부가, 미챠의 첫 번째 유흥 때, 즉 체포되기 한 달쯤 전에 모크로예에서 미챠가 취중에 현관 마룻바닥에 떨어뜨린 1백 루블짜리 지폐를 주워서 트리폰에게 바쳤더니, 트리폰은 두 사람에게 각각 1루블씩 쥐여 주었다는 사실을 끄집어냈다. 그러고는 "당신은 그때 그 1백 루블을 카라마조프 씨에게 돌려주었나요, 돌려주지 않았나요?"라고 물었다. 트리폰은 처음엔 극구 부인했으나, 치모페이와 아킴이 심문을 받자, 그때 1백 루블을 주운 건 사실이라고 자백했다. "그러나, 그때 양심적으로 드미트리 표도로비치에게 돌려주었는데, 저 사람은 워낙 취해 있었기 때문에 혹시 기억 못할지도 모르겠습니다"라고 덧붙였다. 그렇지만 그는, 두 농부가 심문을 받기 전까지는 1백 루블을 주웠다는 사실조차 부인했으므로, 미챠에게 그 돈을 돌려주었다는 증언은 자연히 신빙성이 희박한 것으로 되었다. 이리하여 검사 측에서 내세웠던 가장 위험한 증인 중 한 사람은 다시금 의심스러운 인물이란 인상을 남기고 기가 꺾여 물러나게 되었던 것이다.

두 폴란드인 역시 매한가지였다. 그들은 위세도 당당하게 공판정에 나타났다. 우선 그들은, 자기네들이 '국왕을 모셨던' 몸이라는 것, '빤 미챠'가 자기들의 명예를 사려고 3천 루블을 제의했었다는 것, 그리고 미챠가 거액의 돈을 손에 쥐고 있는 걸 직접 보았다는 것 등을 큰 소리로 증언하였다. 빤 무샤로비치는 말하는 가운데 자주 폴란드 말을 섞었는데, 그것이 오히려 재판장이나 검사에게 자기를 훌륭한 인간으로 보이게 하는 것같이 느껴지자, 나중엔 용기를 얻어 아예 폴란드 말로만 지껄여 댔다. 그러나 그들 역시 페츄코비치의 올가미에 걸려들고야 말았다. 재차 심문을 받게 된 트리폰 보리스이치는, 이리저리 말을 얼버무리려 했으나, 결국은 빤 브루블렙스키가 트럼프 장을 슬쩍 바꿔 쳤고, 빤 무샤로비치도 도박을 하며 속임수를 썼다는 것을 실토하지 않을 수 없었다. 그것은 칼가노프도 증언 중에 확인했기 때문에 두 빤은 사람들에게 톡톡히 창피만 당하고 사람들의 조소를 받으며 물러나고 말았다.

그다음에도 모든 위험한 증인만이 거의 이런 봉변을 하였다. 페츄코비치는 그들 하나하나의 콧대를 꺾는 데 성공하여 그들로 하여금 도망치듯 퇴정하게 만들었다. 법률가들과 전문가들은 탄복해 마지않으면서도, 거의 확정적이라 할 수 있는 이런 큰 죄상에 대해서 그런 게 무슨 소용이 될 것인가 하고 의아스럽게 생각했다. 그도 그럴 것이, 거듭 말하거니와, 사람들은 더욱더 절망적으로 증명되어 가는 범죄의 절대성을 한결같이 느끼고 있었던 것이다. 그러나 그들은 '이 위대한 마술사'의 자신만만한 태도에서 그가 침착하게 무엇인가를 기대하고 있음을 눈치챘었다. '이만한 인물'이 일부러 페테르부르크에서 여기까지 온 이상, 결코 빈손으로 돌아갈 리는 없을 것이기 때문이다.

3. 의학 감정鑑定과 한 푼트Funt의 호두

의학 감정도 피고에게 그다지 유리한 것은 못 되었다. 그리고 이것은 후에야 알게 된 일이지만, 페츄코비치 자신도 의학 감정에 별로 기대를 걸지 않은 듯싶었다. 애초에 이 의학 감정은 카체리나 이바노브나가 우겨서 모스크바로부터 일부러 명의名醫라는 사람을 초청해 왔기 때문에 비로소 이루어졌던 것이다. 그야 물론 이 감정 때문에 피고의 변호에 불리하게 될 일은 조금도 없었고, 경우에 따라서는 어느 정도 유리하게 될 수도 있는 것이었다. 그러나 한편으로는,

의사들의 의견 차이로 약간 희극적인 일이 벌어지기도 했다. 모스크바에서 온 그 명의와 이 지방 의사인 게르첸슈투베, 그리고 젊은 의사 바르빈스키가 의학 감정을 맡았다. 그러나 이 지방의 두 의사는 단순히 증인으로서 검사의 소환을 받아 출두하였다.

감정가로서 맨 처음에 심문을 받은 사람은 게르첸슈투베였다. 이 의사는 머리가 벗겨지고, 중키에 건장한 체격을 가진 70세 전후의 백발노인이었다. 그는 이 고장에서 평판이 퍽 좋았으며, 누구에게나 존경을 받고 있었다. 마음씨 좋고 착한 성질에다가, 신앙심이 깊은 사람이어서, 확실히는 모르지만, '보헤미아의 형제'인가 '모라비아의 형제'[45]인가에 속한 사람이었기 때문이다. 그는 이 고장에서 오래 살아왔고, 항상 위엄 있게 처신하여 왔다. 원래가 선량하고 인정 많은 성질을 지니고 있어서, 가난한 환자들과 농민들을 무료로 치료하여 주기도 하고, 직접 그들의 오막살이집이나, 움막집을 찾아가서는 약값을 놔두고 오기도 했다. 그러나 그는 노새만큼이나 고집이 세어, 일단 마음으로 작정하기만 하면 그야말로 요지부동이었다. 말이 나왔으니 말이지만, 모스크바에서 온 의사가 이곳에 도착한 지 이삼일도 지나기 전에 게르첸슈투베의 의사 자격에 대해 지극히 모욕적인 비평을 가했다는 소문은 거의 온 읍내에 퍼져 있었다. 모스크바에서 온 의사는 왕진료를 25루블 이상이나 받았는데도 읍내의 일부 사람들은 돈을 아끼지 않고 앞을 다투어 그의 진찰을 받았다. 그들 환자는, 그가 오기 전에는 모두 게르첸슈투베한테 치료를 받아 온 사람들인데, 모스크바의 의사는 가는 곳마다에서 게르첸슈투베의 치료법을 사정없이 비평했던 것이다. 나중에는 환자 집에 가기가 무섭게 아주 노골적으로 "누가 당신을 이 지경으로 만들었소? 게르첸슈투베인가요? 허 참!" 하고 묻곤 했다. 물론 게르첸슈투베도 이런 사실을 다 알고 있었다. 이와 같은 상태에서 세 사람의 의사가 번갈아 심문대에 나섰던 것이다.

게르첸슈투베는 '피고의 정신 기능이 비정상적이란 것은 자명한 일입니다'라

45 청교도와 비슷한 분리파 중의 하나.

고 솔직히 언명했다. 그러고 나서 자기 의견을 말한 다음, (여기선 그것을 생략하겠지만) 첫째 그 비정상성은 피고의 과거의 행동으로 증명될 뿐만 아니라, 지금 이 순간에도 그것은 분명히 나타나고 있다고 덧붙였다. 지금 이 순간에도라는 건 무슨 뜻인가를 설명하라는 요청을 받자, 늙은 의사는 원래가 단순한 성격인지라 다음과 같이 솔직하게 말했다. "피고는 아까 법정에 들어올 때, 경우에 어울리지 않는 괴상한 태도를 보였습니다. 그는 앞을 똑바로 응시하며 군대식 걸음걸이로 걸어 들어왔습니다. 사실은 부인들이 앉아 있는 좌측 방청석을 보아야만 했을 겁니다. 왜냐하면 그는 여성 숭배자이므로, 부인들이 자기를 어떻게 보고 있는가에 깊은 관심을 가지는 게 당연할 것이기 때문입니다." 노인은 독특한 어조로 이렇게 결론을 내렸다.

여기서 한 가지 더 말해 둘 것은, 그가 자진해서 러시아어로 말을 하긴 했지만, 왜 그런지 그 한마디, 한마디가 자꾸만 독일어식으로 되어 버리고 말았다는 사실이다. 그렇다고 그것 때문에 신경을 쓰거나 할 사람은 아니었다. 그는 한평생 자기의 러시아어가 가장 모범적인 것이며 '어느 러시아 사람보다도 훌륭하게' 말할 수가 있다고 생각하고 싶어 하는 약점을 가지고 있었기 때문이다. 그는 러시아 속담을 즐겨 인용했고, 그럴 때마다 러시아 속담이야말로 세계에서 가장 훌륭하고 가장 표현력이 풍부한 속담이라고 주장하는 것이었다. 한마디만 더 말해 두어야겠다. 그는 대화 중에도 곧잘 어리둥절해 가지고 아주 흔한 낱말조차 잊어버리는 수가 많았다. 잘 아는 말이지만 때로는 얼른 생각이 안 나는 모양이었다. 하기는 독일어로 말할 때도 그런 일은 자주 있었다. 그럴 때면 마치 잊어버린 낱말을 붙잡으려는 듯이 얼굴 앞에다 손을 내젓곤 했다. 이런 땐, 그가 잊어버린 말을 생각해 낼 때까지는 아무도 그의 말을 계속 시킬 수 없었다. 피고가 법정에 들어올 때 의당 부인들 쪽을 보아야만 했을 것이라고 그가 진술하자, 방청석에서는 재미있다는 듯이 수군거리는 소리가 일어났다. 이 지방 부인들은 모두 이 늙은 의사를 좋아하였고, 그가 근엄하고도 결백한 독신자일뿐더러, 여성을 한층 고상한 이상적 존재로 생각하고 있다는 걸 알고 있었으므로,

이 뜻밖의 진술을 몹시 기이하게 생각한 모양이었다.

모스크바에서 온 의사는 자기가 심문받을 차례가 되자, 피고의 정신 상태는 '극도로' 비정상적이라고 단언했다. 그리고 그는 '정신적 발작'이라든가 '광란증狂亂症'이라든가 하는 것에 대해 여러 가지로 그럴듯한 설명을 하였다. 그러고 나서, 수집된 여러 자료에 의할 것 같으면, 피고는 체포되기 며칠 전부터 이미 정신 착란증에 빠져 있었음이 분명하므로, 피고가 만약 정말로 범행을 했다면, 비록 그것을 스스로 의식했다 하더라도 거의 불가항력적으로 한 것이며, 다시 말해서 피고는 자신을 지배하고 있는 병적인 정신 충동을 억제할 만한 힘이 전혀 없었던 것이라고 논단했다.

그러나 그는 정신적 발작 외에 광란증도 인정했다. 그의 말에 의하면, 그 광란증이란 곧 완전한 정신병으로 이끌어 가는 증세라는 것이다. (나는 여기서 나대로의 평범한 말로 기술하고 있지만, 실제에 있어 그 의사는 학술적인 전문 술어를 써 가며 설명했던 것이다) "그의 모든 행동은 상식과 논리에 어긋난 것이었습니다" 하고 그는 말을 계속했다. "나는 나 자신이 목격하지 못한 사실, 즉 범행 자체, 그 불상사 자체에 대해서는 말하지 않겠습니다만, 그저께 나와 얘기하고 있을 때만 해도, 피고의 눈길은 어디 한군데에 고정된 채, 뭐라 말할 수 없는 이상한 표정을 띠고 있었습니다. 그는 웃을 만한 일도 없는데 갑자기 웃어 대는가 하면, '베르나르'니, '윤리'니 하는 얼토당토않은 소리를 뇌까리기도 하면서 줄곧 알 수 없는 흥분 상태에 빠져 있었습니다." 그러나 의사는 피고의 광란증을 인정하는 주요한 이유로 다음과 같은 점을 들었다. 즉, 피고는 자기가 사취詐取당했다고 생각하는 3천 루블에 대해서 말할 때는 언제나 이상할 만큼 흥분하곤 했지만, 그 밖의 자기의 실패라든가 치욕에 대해선 지극히 가벼운 기분으로 말하더라는 것이다. 전에도 그는 그 3천 루블 얘기만 나오면 언제나 미친 듯이 흥분하곤 했지만, 그래도 사람들은 그가 욕심이 없고 담백한 인간이란 것을 증언하고 있다는 것이다.

"나와 전공이 같은 유식한 선배의 의견에 의하면" 하고 모스크바의 의사는 끝에 가서 냉소적으로 말했다. "피고가 법정에 들어올 때 부인석 쪽을 보았어야 함에도 불구하고, 정면을 보고 있었다고 했지만, 거기 대해서 나는 다음 한 가지만 말하고자 합니다—그런 주장은 농담같이 들릴 뿐만 아니라, 근본적으로 틀린 것입니다. 하기는 피고가 자기 운명이 결정되는 법정에 들어올 때 그처럼 정면만을 바라볼 리가 없으며, 그것은 그 순간 그의 정신 상태가 비정상적이었다는 징후라는 설에 대해서는 나도 전적으로 동의하는 바입니다만, 그러나 나로서는 그때 피고가 왼쪽 부인석보다는 오른쪽 변호인석으로 시선을 돌려야 할 것이라고 단정합니다. 왜냐하면, 그는 지금 무엇보다도 변호사의 도움에 모든 희망을 걸고 있기 때문입니다. 이런 경우 피고의 운명은 전적으로 변호사의 역량에 달려 있는 것이니까요." 모스크바의 의사는 자기 의견을 적극적으로 강조했다.

그러나 마지막으로 심문을 받은 젊은 의사 바르빈스키의 뜻밖의 결론은, 유식한 두 전문가의 상이相異한 의견에다가 독특한 희극성을 가미해 주었다. 바르빈스키의 의견에 의하면 피고는 전이나 지금이나 한결같이 정상적인 정신 상태라는 것이다. 물론 체포되기 직전에는 신경이 극도로 예민해져서 틀림없이 흥분 상태에 빠져 있었을 것이지만, 그것은 너무나도 명백한 여러 원인들, 즉 질투와 분노와 부단한 취기 등에 기인한다고 할 수 있다는 것이다. 그러나 이러한 흥분 상태에는 방금 말한 것과 같은 광란증은 조금도 포함되어 있지 않다고 했다. 또한 피고가 법정에 들어올 때 왼쪽을 보아야 하느니, 오른쪽을 보아야 하느니 하는 문제는, 그의 '변변치 않은 의견'에 의하면, 피고는 이러한 경우, 그가 실제로 그러했듯이, 정면을 바라보는 것이 당연하다는 것이다. 왜냐하면 그의 운명을 전적으로 좌우할 수 있는 재판장과 재판관들이 정면에 앉아 있었기 때문이다. "그러니까 피고가 법정에 들어오며 정면을 바라본 것은, 그 순간 그의 정신 상태가 지극히 정상적이었음을 증명하는 것입니다." 젊은 의사는 약간 열띤 어조로 자기의 '변변치 않은' 의견을 이렇게 피력했다.

"브라보, 닥터!" 미챠가 자기 자리에서 외쳤다. "바로 그렇습니다!"

미챠는 물론 제지를 당했지만, 젊은 의사의 의견은 재판관들과 방청인들에게 결정적인 영향을 주었다. 후에 안 일이었지만, 누구나가 그의 의견에 동의했던 것이다. 그런데 이번엔 증인으로서 심문을 받은 게르첸슈투베가 천만뜻밖에도 미챠에게 유리한 발언을 했다. 이 고장에 오래 살아온 사람으로, 예전부터 카라마조프네 집안을 잘 알고 있던 그는 검찰 측에게 매우 흥미 있는 몇 가지 증언을 한 후, 다음과 같이 덧붙여 말했던 것이다.

"그렇지만 저 가엾은 청년도 훨씬 좋은 운명을 향유할 수 있었을 것입니다. 왜냐하면, 저 사람은 어릴 때나 성인이 된 후에나, 한결같이 훌륭한 마음씨를 지니고 있었으니 말입니다. 나는 그걸 알고 있습니다. 그러나 러시아 속담에 '지혜 있는 사람이 하나 있으면 좋다, 그러나 지혜 있는 사람이 하나 더 찾아오면 더욱 좋다, 지혜가 하나뿐 아니라 둘이 되니까'란 말이 있습니다."

"한 사람의 지혜도 좋지만 두 사람의 지혜는 더욱 좋겠죠" 하고 검사는 지루하다는 듯이 말을 받았다. 느릿느릿 천천히 말을 하면서 상대방이 지루해하는 것쯤은 아랑곳없이, 무미건조한 독일식 경구警句를 지나치게 존중하는 이 노인의 습관을 검사는 전부터 잘 알고 있었다. 노인은 그런 경구를 즐겨 쓰곤 했다.

"예, 그렇습니다, 내 말이 바로 그겁니다." 그는 고집스럽게 말을 계속했다. "한 사람의 지혜도 좋지만, 두 사람의 지혜라면 훨씬 좋습니다. 그렇지만, 저 사람한테는 다른 지혜가 찾아가지 않았기 때문에, 저 사람은 자기 지혜만을 그냥 써 버린 겁니다……. 저 사람은 대체 자기 지혜를 어디다 써 버렸을까요? 어디다 써 버렸느냐—그 말이 얼른 생각나지 않는군요." 그는 자기 눈앞에다 손을 내저으며 이렇게 말을 이었다. "아 참, Spazieren입니다."

"방탕이란 뜻인가요?"

"예, 방탕입니다. 내 말이 바로 그겁니다. 저 사람은 자기 지혜를 방탕에다 탕진했습니다. 그리하여 그만 깊은 구렁텅이에 빠져 이성을 잃고만 것입니다. 하지만 저 사람은 남의 은혜를 아는, 인정 많은 청년이었습니다. 아아, 나는 저 사람이 어렸을 적의 일을 잘 기억하고 있습니다만, 아버지가 전혀 돌봐 주질 않아서, 신발도 못 신은 채 단추가 하나밖엔 안 달린 바지를 입고 맨발로 이리저리 뛰어다니고 있었습니다."

이 결백한 노인의 음성에는 갑자기 측은한 감정이 깃들이기 시작했다. 폐츄코비치는 무언가를 예감한 듯 부르르 몸을 떨더니, 곧 노인의 말에 끌려들어갔다.

"예, 그렇습니다. 나도 그땐 아직 젊었었죠……. 나는…… 그렇습니다. 나는 그때 45살이었는데, 이 고장에 온 지 얼마 안 되는 때였습니다. 나는 그때 그 아이가 하도 가엾어서 한 푼트Funt[46]쯤 사줘도 무방하지 않을까 생각했죠……. 그런데 무엇을 한 푼트 사줬더라? 그걸 뭐라고 하는지 그만 잊어버렸군요……. 아이들이 무척 좋아하는 것인데…… 그걸 뭐라더라…… 뭐라더라……" 의사는 다시 손을 내젓기 시작했다. "나무에 열리는 것인데, 그걸 모아다가 아이들한테 주죠."

"능금입니까?"

"아, 아닙니다. 능금은 열 개 스무 개로 세지 푼트로 세지는 않습니다. 아주 많이 있어요……. 조그만 건데 입 안에 넣고 빠지직 까는 거예요."

"호두 말입니까?"

"예, 예, 호두입니다. 내 말이 바로 그거죠." 의사는 낱말을 잊고 쩔쩔맨 일 같은 건 처음부터 없었던 것처럼, 태연하고 침착하게 말했다. "그래서 나는 호두 한 푼트를 그 애한테 사다 주었습니다. 아무도 그 애한테 호두를 사 주는 사람이 없었으니까요. 내가 손가락 하나를 세워 보이며, '얘야! Gott der Vater(아버지이신 하느님)'라고 하니까 그 애도 웃으며 'Gott der Vater'라고 했습니다. 내가 'Gott der Sohn(아들이신 하느님)'이라고 하니까 이번에도 웃으며 잘 돌지 않는 혀로 'Gott der Sohn'이라고 했습니다. 내가 다시 'Gott der heilige Geist(성령이신 하느님)'라고 하니까 역시 웃으면서 간신히 'Gott der heilige Geist'라고 받아 외더군요. 그리고 나는 집으로 돌아왔습니다. 이틀 후에 내가 그곳을 지나려니까, 그 애가 날 보고 커다란 소리로 '아저씨, Gott der Vater,

46 구러시아의 중량 단위. 약 4백 그램.

Gott der Sohn'이라고 외치더군요. Gott der heilige Geist는 잊어버린 모양이에요. 그래서 나는 다시 가르쳐 주었습니다. 나는 그 애가 무척 가여웠습니다. 그러나 얼마 후 그 애는 어디론가 떠나가 버리고 다시는 볼 수가 없었습니다. 그 후 23년이란 세월이 흘렀습니다. 어느 날 아침, 이미 백발이 다 된 내가 서재에 앉아 있으려니까 갑자기 어떤 혈기왕성한 청년이 들어오지 않겠습니까. 나는 그게 누군지 알아볼 수 없었는데, 그 청년은 손가락을 쳐들고 웃으면서 'Gott der Vater, Gott der Sohn und Gott der heilige. 지금 여기 도착하는 길로 호두 한 푼트에 대한 사례를 드리려고 찾아왔습니다. 그때 누구 한 사람 나한테 그런 걸 사 주지 않았는데, 당신만이 호두를 한 푼트나 사 주셨으니까요' 라고 말하더군요. 그제야 나는 나의 행복하던 젊은 시절과, 신발도 못 신고 쫓아다니던 불행한 어린애를 상기했습니다. 그러자 가슴이 뻐근해 왔습니다. '자넨 은혜를 잊지 않는 청년이로군. 그래 어릴 때 내가 사준 한 푼트의 호두를 한평생 잊지 않고 있었단 말인가' 하고 나는 말했습니다. 그러고는 저 사람을 포옹하고 축복해 주었습니다. 나는 눈물을 흘렸습니다. 저 사람은 웃었지만 그래도 눈물을 흘렸습니다……. 러시아 사람은 울어야 할 때 곧잘 웃곤 하지요. 그러나 저 사람은 울었습니다. 내 눈으로 보았으니까요. 그런데 지금은, 아아……"

"지금도 울고 있습니다, 독일 어른, 지금도 난 울고 있어요. 당신은 참으로 하느님 같은 분입니다!" 하고 미챠가 갑자기 제자리에서 소리쳤다.

어쨌든 이 에피소드는 방청객들에겐 좋은 인상을 주었다. 그러나 미챠에게 가장 유리한 효과를 나타낸 것은, 카체리나 이바노브나의 증언이었다. 하지만 그 얘기는 조금 후에 하기로 하겠다. 그리고 대체로 à décharge(피고에게 유리한 증인), 즉 변호인이 신청한 증인이 피고에게 유리한 심문을 받게 되면서부터, 형세는 갑자기 미챠에게 유리하게 되어 가는 듯이 느껴졌다. 이것은 변호사조차도 예기치 못한 일이었다. 카체리나 이바노브나에 앞서 알료샤가 심문을 받았다. 그런데 알료샤는 문득 어떤 사실을 상기하고, 미챠의 유죄를 인정케 하는 중대한 점에 대하여 유력한 반증을 제시했던 것이다.

4. 행운이 미챠에게 미소를 던지다

그것은 알료샤 자신에게도 전혀 뜻밖의 일이었다. 그는 선서宣誓를 하지 않아도 무방하다는 조건으로 출정하였다. 필자가 기억하기로는 검사 측에서나 변호인 측에서나 처음부터 그에게는 매우 동정적으로 부드럽게 대해 주는 것 같았다. 전부터 그가 좋은 평판을 받고 있었다는 것은 분명했다. 그는 어디까지나 겸손하게 자기감정을 억제해 가며 증언했는데, 그 증언 속에는 불행한 자기 형에 대한 뜨거운 동정심이 역력히 나타나 있었다. 그는 어떤 질문에 대답하면서 미챠의 성격을 묘사하기를, 미챠는 난폭하고 열정에 휩싸이기 쉬운 사람인지는 모르지만, 동시에 고결하고, 자부심이 강하며, 관대하고, 남이 요구할 때는 자기희생도 불사할 성질의 사람이라고 했다. 그러나 미챠가 최근에 그루셴카에 대한 열정과 아버지와의 경쟁 때문에, 더 이상 참을 수 없는 상태에 빠져 있었다는 점은 그도 역시 시인했다. 그러면서도 자기 형이 돈을 탈취할 목적으로 아버지를 살해했으리라는 가정만은 분연히 부정했다. 그러나 그 3천 루블이라는 돈 때문에 미챠가 거의 미칠 지경이었다는 것과, 형이 그 돈을 아버지한테 사취당한 자기 유산의 일부라고 생각하고 있었다는 것, 그리고 대체로 금전 문제에 담백한 형이었으나 그 3천 루블 얘기를 할 때는 무섭게 흥분하곤 했었다는 것 등은 알료샤도 시인하지 않을 수 없었다. 검사가 두 '여성'이라고 부른 그루셴카와 카챠의 경쟁에 대해서는 그는 되도록 답변을 회피했을뿐더러, 한두 가지 질문에 대해서는 아예 입을 열려고도 하지 않았다.

"적어도 당신 형님은 아버지를 죽일 작정이란 말을 당신한테 한 적이 있었겠죠?" 검사가 물었다. "대답할 필요가 없다고 생각한다면 답변 안 하셔도 무방합니다만" 하고 그는 덧붙였다.

"직접적으로 말한 적은 없습니다" 하고 알료샤는 대답했다.

"그럼 어떻게 말했습니까? 간접적으로는 그런 말을 했나요?"

"형님은 한 번 나한테, 자기는 아버지를 증오한다고 말한 적이 있습니다. 그리고 증오심이 극도에 달하면…… 아버지를 죽일지도 모른다고 하면서 그걸 두려워하고 있었습니다."

"그래, 당신은 그 말을 듣고 그대로 믿었습니까?"

"믿었다고 단언할 수는 없습니다. 그렇지만 나는 설사 그런 위기가 닥치더라도 어떤 고상한 감정이 형님을 구해 줄 거라고 믿고 있었습니다. 그리고 사실이 그러했습니다. 우리 아버지를 살해한 것은 '형님이 아니니까요'." 알료사는 온 법정에 다 들릴 만큼 큰 소리로 확언했다.

검사는 나팔 소리를 들은 군마軍馬처럼 몸을 부르르 떨었다.

"분명히 말해 두거니와, 나는 당신의 신념이 진정에서 우러나온 것이라는 점을 전적으로 믿습니다. 나는 당신의 신념을 헐뜯거나, 그것을 불행한 형에 대한 애정과 혼동하지도 않겠습니다. 당신네 집안에서 일어난 이 비극에 대해서 당신이 독특한 견해를 갖고 있다는 것은 이미 예심을 통해서 잘 알고 있습니다. 솔직히 말하자면, 당신의 견해는 너무나 특이해서 검찰 측에서 수집한 다른 모든 증언과는 전혀 모순되는 것입니다. 그래서 대체 어떠한 근거로, 당신 형님이 무죄일 뿐만 아니라, 범인은 다른 사람, 즉 당신이 예심 때 지명한 그 사람이라는 확신을 얻게 되었는지, 그 점을 꼭 설명해 주어야 하겠습니다."

"예심 때는 그저 질문에 대답했을 뿐입니다." 알료샤는 낮은 목소리로 침착하게 대답하였다. "나 자신이 스메르쟈코프를 고발한 것은 아닙니다."

"하지만, 그를 범인이라고 지명하지 않았습니까?"

"나는 드미트리 형님의 말을 그대로 옮겼을 뿐입니다. 예심을 받기 전에 나는 형님이 체포되던 때의 이야기며, 형님 자신이 그때 스메르쟈코프를 지목했다는 말을 들었습니다. 나는 형님이 무죄라는 걸 전적으로 믿습니다. 따라서 만약 형님이 범인이 아니라면……"

"그렇다면 스메르쟈코프란 말이군요? 왜 스메르쟈코프입니까? 그리고 어째서 당신은 형님의 무죄를 그렇게까지 확신하고 있습니까?"

"나는 형님을 믿을 수밖엔 없습니다. 형님은 절대 나한테 거짓말을 하지 않는다는 걸 알고 있으니까요. 나는 형님의 얼굴을 보고 거짓말이 아니란 것을 믿었습니다."

"얼굴만 보고 말입니까? 당신의 증거는 그것뿐인가요?"

"그 이상의 증거는 없습니다."

"그럼, 스메르쟈코프가 범인이란 것도 당신 형님의 말과 그 얼굴 표정 이외엔 다른 아무런 증거도 없습니까?"

"예, 다른 증거는 없습니다."

이것으로 검사는 심문을 그쳤다. 알료샤의 답변은 청중에게 환멸적인 인상을 주었다. 공판이 시작되기 전부터 이 고장에서는 스메르쟈코프에 대해서 구구한 풍문이 돌았었다. 누구누구가 어떤 말을 들었다느니, 누구누구가 어떤 증거를 제시했다느니, 알료샤가 자기 형의 무죄와 하인의 유죄를 밝힐 만한 유력한 증거를 쥐고 있다느니 하는 따위의 소문이었다. 그런데, 뜻밖에도 피고의 친동생으로서의 당연한 정신적 신념 이외엔 아무런 증거도 갖고 있지 않았던 것이다.

이윽고 페츄코비치가 심문을 개시했다. 피고가 알료샤에게 아버지를 증오한다느니, 아버지를 죽일지 모르겠다느니 하는 말을 한 것은 대체 언제인가? 알료샤가 그런 말을 들은 것은 사건이 일어나기 전에 마지막으로 피고를 만났을 때였는가? 변호사로부터 이런 질문을 받고, 알료샤는 문득 무엇인가를 생각한 듯이 몸을 움찔했다.

"나는 지금 한 가지 생각나는 점이 있습니다. 그 당시엔 분명치가 못해서 금세 잊어버렸었는데 지금 문득 생각이 나는군요."

알료샤는 정말로 지금 갑자기 어떤 생각이 떠오른 모양이었다. 그는 어느 날 저녁 수도원으로 돌아가는 길에, 길가 나무 옆에서 미챠와 만났던 때의 얘기를 열심히 하기 시작했다. 그때 미챠는 자기의 가슴을, '가슴 위쪽'을 몇 번이나 두드리면서, 자기는 명예를 회복할 수 있는 방법이 있다. 그 방법은 여기 이 앞가슴에 있다고 알료샤에게 거듭 강조하더라는 것이다. "그때 나는 형님이 자기 가슴을 두드린 것은, 필시 자기의 심장을 가리키는 것이라고 생각했습니다" 하고 알료샤는 말을 계속했다. "형님은 나한테조차도 차마 말할 수 없는 무슨 절박한 불명예를 피할 수 있는 힘이 자기 마음속에 있다고 하는가 보다, 하고 나는 생각했던 겁니다. 솔직히 말해서, 나는 그때 형님이 아버지 얘기를 하고 있는가 보다, 아버지한테 가서 폭행을 가하고 싶은 충동이 일어나는 것을 무서운 치욕으로 생각하며 두려워하고 있는가 보다, 하고 생각했었습니다. 그러나 형님은 그때 자기 앞가슴에 있는 무슨 물건을 가리키는 것 같은 몸짓이었습니다. 이제야 생각납니다만, 나는 그때, 심장은 거기가 아니라 좀 더 밑에 있을 텐데, 하는 생각이 언뜻 떠올랐습니다. 그러나 형님은 더 위쪽을, 바로 목 밑을 자꾸 가리켜 보였습니다. 그때는 그러한 나 자신의 생각이 아주 어리석어 보였습니다만, 어쩌면 그때 형님은 1천 5백 루블을 꿰매 넣었다는 그 주머니를 가리키고 있었는지도 모르겠습니다."

"그렇다!" 갑자기 미챠가 제자리에서 외쳤다. "바로 그렇다, 알료샤, 네 말이 맞아! 난 그때 그 주머니를 주먹으로 두드렸던 거야!"

페츄코비치는 황급히 미챠한테 달려가서, 제발 좀 조용히 하라고 타이르고는, 알료샤한테 꼬치꼬치 캐어묻기 시작하였다. 알료샤는 그 당시의 일을 열심히 회상하면서, 자기가 생각하는 바를 말했다. 형이 그때 불명예로 생각한 것은, 아마도 카체리나에 대한 부채의 반액인 1천 5백 루블을 그녀에게 돌려주지 않고, 그 돈을 딴 데다가, 즉 그루셴카의 동의를 얻어 함께 어디로든지 가 버릴 비용에 충당하려고 작정한, 바로 그 일을 가리키는 것일 거라고 주장했다.

"그렇습니다, 틀림없이 그럴 거예요." 알료샤는 갑자기 흥분에 사로잡혀 부르짖었다. "형님은 그때 불명예의 절반을, (형님은 '절반'이란 말을 여러 번 되풀이 했습니다!) 지금 당장에라도 면할 수 있지만, 불행하게도 자기는 의지가 박약해서 그럴 수가 없다고 외쳤습니다……. 자기는 그것을 실행할 능력이 없다는 걸 미리부터 알고 있다고 말했습니다!"

"그럼 당신은 형님이 자기 가슴의 바로 그 부분을 두드린 것을 명확하게 기억합니까?" 페츄코비치는 성급히 물었다.

"명확하게 기억합니다. 나는 그때 심장은 더 아래쪽인데 왜 저렇게 위쪽을 두드리나 하고 이상하게 생각했었으니까요. 그리고 그때 나 자신 어리석은 생각을 하고 있다고 느꼈습니다……. 그렇게 느꼈다는 건 지금도 기억에 생생합니다……. 그렇습니다, 그런 생각이 문득 떠오르더군요. 그래서 지금 나는 그때의 일을 상기할 수 있었던 겁니다. 왜 여태까지 그걸 까맣게 잊고 있었는지 모르겠습니다. 형님이 그 주머니를 두드려 보인 것은, 자기의 불명예를 씻을 방법이 있긴 하지만, 그 1천 5백 루블을 자기는 돌려주지 않겠다는 뜻이었음이 분명합니다! 그리고 형님은 모크로예에서 체포됐을 때, 다음과 같이 말했다는 걸 나는 들어서 알고 있습니다. 즉, 자기는 부채의 절반을 (절반이라고 했습니다!) 카체리나 이바노브나한테 갚아 주고 도둑놈이라는 오명을 씻을 수도 있었는데, 그 돈을 갚기는커녕, 차라리 그런 오명을 쓰더라도 돈을 내놓지 않기로 작정한 것은 자기의 인생 중에 가장 불명예스런 일이었다고 얼마나 괴로워했는지, 그 부채 때문에 얼마나 괴로워했는지 모릅니다!" 이렇게 외치고 알료샤는 말을 맺었다.

물론 검사도 가만있지는 않았다. 그는 알료샤에게 그때의 일을 다시 한번 얘기하라고 요청했다. 그리고 피고가 정말로 무엇을 가리키듯 자기 가슴을 두드렸는지, 아니면 그저 주먹으로 자기 가슴을 친 데 지나지 않았는지를 몇 번이나 되풀이해 물었다.

"아니, 주먹이 아닙니다!" 하고 알료샤는 외쳤다. "손가락으로 여기를, 이렇게 위쪽을 가리켰습니다……. 아아, 내가 어째서 지금 이 순간까지 그걸 잊고 있었을까!"

재판장은 미챠에게, 방금 진술한 증언에 대해 무슨 할 말은 없느냐고 물었다. 미챠는, 그 증언은 모두 사실 그대로이며, 자기는 가슴 위 바로 목 아래 달고 다니던 1천 5백 루블을 가리킨 것이었는데, 그건 물론 치욕이었다고 말했다. "그것이 치욕이었다는 건 부정하지 않습니다. 내 생애 중에서 가장 수치스런 행위였어요!" 하고 미챠는 외쳤다. "갚을 수 있었는데도 갚지 않은 것입니다. 도둑놈

소릴 들어도 좋으니, 돈은 돌려주지 않겠다고 그때 나는 마음먹었지만, 무엇보다 수치스러운 것은, 필시 그 돈을 갚지 않으리라는 걸 나 자신 미리부터 알고 있었다는 점입니다! 알료샤가 말한 그대로입니다! 알료샤, 고맙다."

이것으로 알료샤의 심문은 끝났다. 그러나 비록 한 가지만이라도 이런 사실이 드러났다는 것은 지극히 중요한 일이었다. 사소한 것이기는 하나, 어쨌든 하나의 증거가 발견된 셈이었다. 하기야 증거에 대한 암시에 지나지 않을지는 모르지만, 그 돈주머니란 것이 실제로 있었고 그 속에 1천 5백 루블이 들어 있었다는 것, 그리고 피고가 모크로예에서 예심을 받을 때, 그 1천 5백 루블은 자기 것이었다고 주장한 것이 거짓이 아니었음을 증명하는 데에 어느 정도 도움을 준 것만은 사실이었다. 알료샤는 기뻤다. 그는 얼굴을 빨갛게 붉힌 채 지정된 좌석으로 물러났다. 그는 한참 동안 입속으로 되풀이해서 중얼거렸다. "왜 내가 그걸 잊었을까! 어떻게 내가 그걸 잊을 수 있었을까! 그리고 왜 이제야 갑자기 생각이 났을까!"

카체리나 이바노브나에 대한 심문이 시작됐다. 그녀가 증인석에 나타나자 법정 안의 분위기가 일변했다. 부인들은 로르네트Lorgnette[47]와 쌍안경을 꺼냈다. 남자들 사이에서도 동요가 일어났다. 개중에는 좀 더 똑똑히 보려고 일어서는 사람도 있었다. 후에 사람들이 말하는 바로는, 그녀가 나타나자마자 미챠의 얼굴이 '손수건'처럼 창백해지더라는 것이다. 그녀는 온통 검은 옷으로 몸을 감싸고, 겸손하고도 거의 겁먹은 듯한 걸음걸이로 지정된 좌석으로 걸어 나왔다. 안색만으로는 그녀가 흥분하고 있다는 것을 알아챌 수 없었으나, 그 우울한 검은 눈에는 결심의 빛이 번쩍이고 있었다. 후에 많은 사람들이 단언한 바이지만, 이 순간에 그녀는 특히 아름다워 보였다고 한다. 그녀는 조용한 어조로, 그러나 법정 안에 다 들릴 만큼 명확한 목소리로 진술을 시작했다. 그녀는 무척 침착하게 말을 했다. 적어도 침착하려고 애쓰고 있는 것 같았다. 재판장은 신중한 태도로, 그녀의 '어떤 마음의 금선琴線'을 건드리게 될까 몹시 염려하는 듯이, 그리

47 손잡이가 달린 안경.

고 이 커다란 불행에 충분한 경의를 표하면서 정중하게 심문을 시작했다. 그러나 카체리나 이바노브나는 맨 처음에 던져진 질문에 대하여, 자기는 피고와 정식으로 약혼한 사이였노라고 확언했다. 그러고는 작은 소리로 "저분 자신이 나를 버리기 전까지는"이라고 덧붙였다. 그녀가 자기 친척에게 우송해 달라고 미챠에게 맡겼던 3천 루블에 대해서는 "나는 그 돈을 꼭 송금해 줄 것을 바라고 저분한테 맡겼던 건 아닙니다. 그때…… 저분은 몹시 돈이 필요한 것같이 생각되었기 때문에, 형편에 따라서는 한 달쯤 후에 가서 송금해 주셔도 무방하다는 생각에서 그 돈을 맡겼던 것이니까, 후에 그 돈 때문에 그렇게까지 괴로워하실 필요는 없었던 것입니다"라고 그녀는 단언했다.

필자는 여기서 모든 질문과 거기 대한 모든 답변을 하나하나 자세히 적지는 않겠다. 다만 그녀가 진술한 증언의 요점만을 적는 데 그치기로 하겠다.

"나는 저분이 아버지한테서 돈을 받기만 하면 즉시 송금해 주시리라 확신하고 있었습니다" 하고 그녀는 답변을 계속했다. "나는 저분의 결백과 정직을 의심해 본 적이 없습니다……. 금전 문제에 대해서는 더할 수 없이 고지식한 분이었으니까요. 저분은 아버지한테서 3천 루블을 받게 되리라고 확신하고 있었고, 나한테도 몇 번이나 그런 말을 했습니다. 저분이 아버지와 사이가 나쁘다는 것도 나는 잘 알고 있었습니다. 그리고 저분이 아버지한테 부당한 대접을 받고 있다고 늘 믿어 왔습니다. 나는 저분이 아버지를 협박하는 것 같은 말을 하는 걸 들어 본 적이 없습니다. 적어도 내 앞에서는 그런 말은 한 번도 한 적이 없으니까요. 만약에 그때 저분이 나한테 와 주기만 했어도 그 3천 루블 때문에 괴로워할 필요가 없도록 안심시켜 드렸을 텐데, 저분은 그 후로는 나한테 들러주지 않았습니다……. 그리고 나도…… 저분을 부르지 못할 입장에 놓여 있었으니까요……. 게다가 나한테는 저분더러 돈을 갚아 달라고 요구할 권리조차 없었습니다." 그녀는 갑자기 이렇게 덧붙였는데, 그 음성에는 단호한 결심의 빛이 어려 있었다. "나는 언젠가 저분한테 3천 루블보다도 더 많은 빚을 진 일이 있습니다. 내가 그만한 돈을 갚을 형편이 못 되었는데도 저분은 나한테 돌려주었던 것입니다."

그녀의 어조에는 일종의 도전적인 느낌이 섞여 있었다. 이때 페츄코비치가 심문할 차례가 되었다.

"그건 여기서 있었던 일이 아니고, 두 분이 처음으로 사귀게 된 때의 일이죠?" 페츄코비치는 대번에 무슨 유리한 일이 있음을 알아채고 조심조심 더듬어 들어가듯 이렇게 물었다. (여기서 괄호를 치고 말해 둘 것은, 페츄코비치는 특히 카챠 자신의 주선으로 페테르부르크에서 초빙되어 오기는 했으나, 미챠가 전에 그녀한테 5천 루블을 준 사실이나, '땅바닥에 이마가 닿도록 절을 한 일' 같은 것은 조금도 몰랐던 것이다. 그녀는 그것을 변호사에게 숨기고 있었다. 이것은 참으로 놀랄 만한 일이었다. 그녀는 최후의 순간까지 법정에서 그 얘기를 할 것인가 안 할 것인가 결단을 못 내린 채, 그 어떤 영감靈感을 기다리고 있었다고 상상하는 편이 아마 옳을 것이다)

"네, 나는 한평생, 그때 일을 잊을 수가 없습니다!" 그녀는 입을 열었다. 그리고 '모든 것을 죄다' 이야기했다. 전에 미챠가 알료샤한테 들려 준 일이 있는 그 에피소드로부터, '땅바닥에 이마가 닿도록 절을 한' 얘기, 그리고 그 원인과 자기 아버지 얘기, 자기가 미챠를 찾아갔던 얘기까지 죄다 털어놓았다. 그러나 미챠가 카체리나의 언니를 통해 '카체리나 이바노브나가 직접 돈을 받으러 오도록' 요청했다는 말은 입 밖에 내지 않았다. 그녀는 너그럽게도 이 일만은 숨겼던 것이다. 자기는 그때 그 어떤 충동으로 무언가를 기대하면서…… 돈을 얻으러 젊은 장교한테 달려갔었노라고, 그녀는 조금도 부끄러워하는 기색을 보이지 않고 말했다. 이것은 참으로 충격적인 일이었다. 필자도 이때 그녀의 말을 들으며 온몸이 오싹해짐을 느꼈다. 사람들은 한마디도 놓치지 않으려고 숨을 죽인 채 바싹 귀를 기울였다. 법정은 쥐 죽은 듯 조용했다. 이것은 도저히 있을 수 없는 일이었다. 그녀처럼 콧대가 세고 남을 멸시할 만큼 자존심이 강한 여자가 이처럼 솔직한 고백을 하고, 이렇듯 큰 희생을 할 수 있으리라고는 도저히 상상도 할 수 없는 일이었던 것이다. 그런데 그것은 무엇을 위해서일까? 누구를 위해서일까?

그것은 자기를 배반하고 모욕한 사람을 구하기 위해서였다. 다소나마 그에게 유리한 인상을 사람들한테 줌으로써 그를 구해 내는 데 도움이 되게 하기 위해서였던 것이다. 사실 자기 수중의 남은 돈 5천 루블을 서슴지 않고 몽땅 털어 주고 순진무구한 처녀 앞에 공손히 머리를 숙인 젊은 장교의 영상은 확실히 동정을 받기에 족할 뿐만 아니라, 매력적이기도 하였다……. 그러나 필자는 이때 가슴이 죄어드는 것을 느꼈다. 나중에 반드시 숙덕공론이 일어나리라는 것을 예감했기 때문이다. (사실 나중에 별별 뒷공론이 다 일어났던 것이다!) 나중에 읍내 사람들은 모두들 밉살스런 웃음을 흘리며, 그 장교가 '공손히 절을 하고' 처녀를 그냥 고스란히 돌려보냈다는 것은 도저히 믿을 수 없는 일이라고 수군거렸다. 사람들은 그 이야기에 반드시 '생략된 부분'이 있다는 것을 암시하고 있었다.

"설사 생략된 부분이 없고 그 얘기가 사실이라 해도" 하고, 이 고장에서 가장 존경받는 귀부인이라는 사람들조차도 이렇게 말했다. "아버지를 구한답시고 젊은 처녀가 그런 행동을 취한다는 건 그리 훌륭하다고 할 순 없잖아요."

그처럼 총명하고 거의 병적으로 민감한 카체리나 이바노브나가 이런 소문이 떠돌 것이라는 것을 몰랐을까? 필시 알고는 있었을 것이다. 그럼에도 불구하고 그녀는 모든 걸 죄다 말하기로 이미 결심하였던 것이다! 물론 카체리나의 얘기에 대한 이 같은 더러운 의혹은 나중에 가서 일어난 일이고, 재판정에서 처음 들었을 때엔 모두들 깊은 감명을 받았을 뿐이었다. 재판관들로 말하자면, 그들은 경건한 빛을 띠고 그녀를 위해 거의 수치감까지 느끼면서 잠자코 듣고 있었다. 검사도 이 문제에 대해서는 감히 한마디도 질문을 던지지 않았다. 페츄코비치는 그녀한테 정중하게 절까지 했다. 사실 그는 거의 승리한 것 같은 기분이었던 것이다! 그는 많은 수확을 얻었다. 고결한 감정의 충동에서 5천 루블이란 돈을 몽땅 털어서 남에게 준 그 사람이, 후에 3천 루블을 강탈할 목적으로 아버지를 살해했다는 것은 아무래도 모순되는 일이었다. 페츄코비치로서는 적어도 피고가 돈을 강탈했다는 사실만은 부정할 수가 있었다. '사건'은 갑자기 전혀 새로운 빛을 받게 되었다. 미차에 대한 동정의 물결이 일어났다. 그는…… 그는 카체리나가 증언하는 동안, 한두 번 자리에서 벌떡 일어섰으나 다시 벤치에 주저앉아 두 손으로 얼굴을 가려 버리더라고 후에 사람들은 말했다. 그러나 그녀가 증언을 끝냈을 때 그는 갑자기 그녀 쪽으로 두 손을 내밀며 흐느끼는 목소리로 외쳤다.

"카챠, 왜 나를 파멸시키는 거요?" 그러고는 온 법정에 다 들릴 만큼 큰 소리로 통곡했다. 하지만 그는 곧 자신을 억제하고 이렇게 소리쳤다.

"나는 이미 선고를 받은 거야!"

그는 이를 악물고 팔짱을 낀 채 얼어붙은 듯 앉아 있었다. 카체리나는 법정에 그냥 남아서 지정된 좌석으로 가 앉았다. 그녀는 창백한 얼굴로 눈을 내리깔고서 앉아 있었다. 옆에 있던 사람의 말에 의하면, 그녀는 마치 열병에 걸리기라도 한 것처럼 오랫동안 떨고 있었다고 한다. 다음엔 그루셴카가 심문을 받으러 나왔다.

필자의 이야기는, 미챠를 궁극적으로 파멸시켰다고도 할 수 있는 그 돌발적인 파국으로 가까이 다가온 것 같다. 필자가 믿기로는, 아니 법률가들조차도 나중에 그렇게 말했지만, 만약에 그와 같은 비극적인 에피소드만 없었던들, 피고는 적어도 관대한 처분을 받았을지 모른다. 그러나 거기 대해서는 나중에 말하기로 하고, 우선 그루셴카에 대해 몇 마디 해야겠다.

그루셴카도 역시 아래위 검은 옷을 입고 그 멋진 검은 숄을 어깨에 걸치고서 법정에 나타났다. 몸집이 뚱뚱한 여자가 흔히 그렇듯이, 그녀는 가볍게 몸을 좌우로 흔들며, 마치 공중에 뜬 것처럼 발소리도 내지 않고 증인석으로 걸어 나왔다. 그녀는 왼편에도 오른편에도 일체 눈을 주지 않고 재판장만을 바라보았다. 그 순간 필자의 눈에는 그녀가 몹시 아름답게 보였다. 그리고 후에 부인네들이 말한 것처럼 그렇게 창백해 보이지는 않았다. 부인들은 그녀가 잔뜩 긴장해 가지고 표독스런 얼굴을 하고 있었다고 말하지만, 필자가 보기에는, 다만 그녀가 추악한 소동을 기대하는 방청객들의 호기심 어린 경멸의 눈길을 온몸에 고통스럽게 느낀 나머지, 몹시 초조해하고 있었을 뿐이라고 생각한다. 그녀는 자존심이 강하여서 멸시를 참지 못하는 성미였다. 누구한테 멸시를 받는 게 아닌가 생각만 해도 벌써 불길처럼 격분하는 그런 종류의 여자였다. 그러나 물론, 한편으로는 겁도 많은 편이었고, 속으로는 그것을 부끄럽게 생각하기도 했다. 따라서 그녀가 하는 말에 일관성이 없는 것은 당연한 일이었다. 때로는 왈칵 화를 내는가 하면, 경멸 어린 거친 말투가 나오기도 하고, 그런가 하면, 갑자기 자기 잘못을 진심으로 뉘우치는 것 같은 어조가 되기도 했다. 그리고 또 어떤 때는 '될 대로 되라지, 할 말은 다해 버리는 거야'라는 듯이 자포자기적인 말투가 되기도 했다. 표도르 파블로비치와 사귀게 된 데 대해서는, "그런 건 다 쓸데없는 말이에요. 그쪽에서 추근추근 따라다닌 것뿐인데 내 잘못이 어디 있어요?"라고 딱 잘라 말했다가도, 다음 순간에는 "모두가 내 잘못이에요. 난 양쪽을 다—그 노인과 저분을 다 놀려 주고 있었던 거예요. 그래서 두 분을 이 지경으로 만들었어요. 나 때문에 다 이렇게 된 거예요" 하고 덧붙여 말하기도 했다.

어쩌다 삼소노프의 이름이 올랐다. "그건 문제도 되지 않아요" 하고 그녀는 곧 뻔뻔스러울 만큼 도전적인 어조로 대들었다. "그분은 내 은인이에요. 내가 집에서 쫓겨났을 때, 신발도 신지 못한 나를 그분이 맡아 주었으니까요." 그러나 재판장은 무척 점잖은 말로 쓸데없는 딴 얘기는 할 것 없고 질문에 직접 답변하라고 타일렀다. 그루센카는 얼굴을 붉혔으나, 그 눈은 번들거리고 있었다.

돈이 들었다는 봉투는 그녀도 본 적이 없고, 표도르가 3천 루블을 넣은 무슨 봉투를 갖고 있다는 말을 그 '악당'한테서 들었을 뿐이라고 했다. "하지만 그건 다 어리석은 수작이에요. 난 웃어 버리고 말았어요. 내가 뭣 하러 거길 갑니까!"

"지금 '악당'이라고 한 건 누구를 가리키는 말입니까?" 검사가 물었다.

"그 집 하인 말입니다. 자기 주인을 죽이고서 어제 목을 맨 스메르자코프 말이에요."

물론 그녀는 곧 무슨 근거에서 그렇게 단정적으로 말하느냐고 질문을 받았지만, 그녀 역시 뚜렷한 아무런 근거도 갖고 있지 못했다.

"드미트리 표도로비치가 그렇게 말하더군요. 여러분들도 저분의 말을 믿어 주세요. 저기 그 훼방꾼 여자가 저분을 파멸시킨 거예요. 모든 게 다 그 여자 때문이에요, 그 여자 때문이란 말이에요." 증오에 몸부림이라도 칠 듯이 그루셴카는 이렇게 덧붙였다. 그 목소리에는 독기가 서려 있었다.

그녀는 '또 누구를 가리키는가' 라는 질문을 받았다.

"저기 저 아가씨죠, 카체리나 이바노브나 말이에요. 저 여자는 그때 나를 불러다가 초콜릿을 대접하며 나를 구워삶으려고 했어요. 정말 염치고 뭐고 없는 여자라니까요, 정말이에요."

이번에는 재판장도 사뭇 엄격하게 그녀를 제지하고, 말을 삼가도록 타일렀으나, 그녀의 마음속엔 이미 질투의 불길이 타오르고 있어서, 무슨 말이든 못할 말이 없을 만큼 되어 있었다.

"모크로예 마을에서 피고가 체포되었을 때" 하고 검사는 그때 일을 끄집어내어 물었다. "당신이 옆방에서 달려 나오면서 '모든 건 다 내 탓입니다. 나도 함께 징역을 가겠습니다'라고 외친 걸 모두들 보고 들었습니다. 그렇다면 당신은 그때 피고가 자기 아버지를 살해했다고 믿었던 게 아닙니까?"

"그때의 기분은 잘 기억하고 있지 못합니다." 그루셴카는 대답했다. "그때는 모두들 저분이 아버지를 죽였다고 떠들어대는 바람에, 이렇게 된 것이 모두 내 탓이다, 나 때문에 저분이 아버지를 죽였구나, 하는 생각이 들었습니다. 그러나 저분한테서 자기는 무죄라는 말을 듣고는 곧 그 말을 믿었습니다. 지금도 믿습니다. 그리고 언제까지라도 믿겠습니다. 저분은 결코 거짓말을 할 사람이 아니니까요."

페츄코비치가 심문을 시작했다. 필자가 기억하기에, 그는 라키친에 관해서, 그리고 그 25루블의 사례금에 관해서도 몇 가지 물어보았다. "당신은 알렉세이 표도로비치 카라마조프를 데려온 사례금 조로 라키친씨에게 25루블을 주었다고 하던데?"

"그가 돈을 받았다고 해서 이상할 건 하나도 없잖아요?" 그루셴카는 경멸 섞인 쓴웃음을 지었다. "그는 늘 나한테 돈을 얻으러 오곤 했으니까요. 한 달에 30루블씩은 가져갔을 거예요. 주로 유흥비에 쓰려고요. 내가 돕지 않아도 그는 먹고 살 만한 여유는 있었거든요."

"무엇 때문에 당신은 라키친씨에게 그처럼 관대했나요?" 재판장이 불안하게 몸을 들먹이는 데도 불구하고, 페츄코비치는 이렇게 파고들었다.

"내 사촌 동생이니까요. 그의 어머니와 우리 어머니와는 친형제지간이거든요. 그렇지만 라키친은 그걸 아무한테도 말하지 말아 달라고 나한테 늘 당부했답니다. 나와 사촌 간이라는 걸 몹시 수치스럽게 생각했으니까요."

이것은 누구에게나 뜻밖의 사실이 아닐 수 없었다. 읍내에서는 물론이고, 수도원에서도 그것을 아는 사람은 아무도 없었다. 미챠조차도 모르고 있었다. 라키친은 이때 자기 자리에 앉은 채 너무나 창피해서 안색이 보랏빛으로 변해 버리더라는 것이었다. 그루셴카는 증인대에 나서기 전에, 라키친이 미챠에게 불리한 증언을 했다는 것을 알고 몹시 화가 나 있었다. 이리하여 라키친이 조금 전에 한 연설도, 그 고매한 정신도, 농노 제도와 러시아의 정치적 무질서에 대한 그의 공격도, 이로써 그 효과를 완전히 상실해 버리고 말았다. 페츄코비치는 만족했다. 신神은 또다시 그에게 도움을 준 것이다. 그루셴카에 대한 심문은 그리 오래 끌지는 않았다. 그녀는 물론 특별히 새로운 사실을 제시할 수는 없었다. 또한 그녀는 방청객들에게 매우 불쾌한 인상을 주었다. 증언을 끝내고 카체리나 이바노브나한테서 멀리 떨어진 자리에 앉았을 때, 무수한 경멸의 눈초리가 그녀에게 쏠렸다. 그녀가 심문을 받는 동안, 미챠는 줄곧 화석이 된 것처럼 꼼짝 않고 앉아서 눈을 내리깐 채 잠자코 있었다.

다음에는 이반 표도로비치가 증인으로 출정했다.

5. 갑작스런 파국

이반은 알료샤보다 먼저 출두 요청을 받았었다는 것을 미리 말해 두어야겠다. 그러나 그때 법원 서기는 재판장에게, 증인이 갑자기 발병을 해서라기보다는 일종의 발작을 일으켜서 당장에는 출두하지 못하겠으나, 회복되는 대로 곧 출정하여 증언을 할 것이라고 보고했다. 하지만 그때는 아무도 그 말을 듣지 못했기 때문에 나중에 가서야 모두들 알게 되었단 것이다.

그의 출정은 처음엔 거의 사람들의 주의를 끌지 못했다. 이미 중요한 증인들, 특히 두 라이벌의 심문이 끝난 다음이었으므로, 방청인들의 호기심은 벌써 충족되어서, 약간 피로감조차 느끼고 있었던 것이다. 아직도 몇 사람의 증인 신문이 남아 있긴 했으나, 그들도 무슨 색다른 증언을 할 것 같지 않았다. 게다가 시간은 자꾸 지나갔다. 이반 표도로비치는 이상할 만큼 느릿느릿 걸어 나왔다. 아무도 보지 않고 고개를 푹 숙인 모양은 마치 무슨 우울한 상념에 사로잡힌 듯이 보였다. 그는 흠잡을 데 없을 만큼 단정한 옷차림을 하고 있었으나, 그 얼굴은 적어도 필자에게는 병적인 인상을 주었다. 흡사 죽어 가는 사람의 얼굴처럼 흙빛을 띠고, 눈은 희뿌옇게 광채를 잃고 있었다. 그 눈을 들어 그는 조용히 법정 안을 둘러보았다. 이때 알료샤는 자리에서 벌떡 일어서며 "아아!" 하고 신음 소리를 냈다. 필자는 그것을 기억하고 있다. 그러나 그것을 눈여겨본 사람은 별로 없었다.

재판장은 우선 그에게, 선서를 하지 않아도 좋다는 것과, 진술을 하건 안 하건 그것은 그의 자유라는 것, 그러나 진술을 할 경우엔 어디까지나 양심적으로 해야 한다는 것 등을 설명해 주었다. 이반은 멍하니 재판장을 바라보며 듣고 있었으나, 그의 얼굴은 점점 미소로 변하더니, 놀란 듯이 그를 바라보고 있는 재판장이 말을 마치자마자 별안간 웃음을 터뜨렸다.

"그리고 또 뭐 할 말은 없습니까?" 하고 그는 커다란 소리로 물었다.

모두들 무언가를 예감한 것처럼 법정 안은 쥐 죽은 듯 조용해졌다. 재판장은 아무래도 꺼림칙한 모양이었다.

"당신은…… 아직 건강이 완전히 회복되지 않은 모양이군요?" 그는 간수가 어디 있나 둘러보며 이렇게 말했다.

"각하, 염려 마십시오. 완전히 건강하니까요. 나는 흥미 있는 얘기를 할 수 있을 겁니다." 이반은 갑자기 침착한 어조로 공손하게 대답했다.
"그럼 무슨 특별한 증언이라도 할 게 있습니까?" 재판장은 여전히 의심스럽다는 표정으로 말했다.
이반 표도로비치는 눈을 내리깔고 잠시 주저하는 듯하다가 이윽고 얼굴을 쳐들고 더듬거리는 말투로 대답했다.
"아니오……. 없습니다. 특별히 증언할 일은 아무것도 없습니다."
심문이 시작되었다. 이반은 마지못해 하듯이 짤막짤막하게 대답했다. 마음속에 무슨 혐오의 감정이 점점 고개를 쳐드는 것을 느끼는 것 같았으나, 그래도 답변은 조리가 있었다. 대부분의 질문에 대해서는 그저 모른다고 회피했다. 아버지와 드미트리와의 금전 문제에 대해서는 아무것도 모르겠노라고 하면서, "그런 것엔 관심도 없었습니다"라고 대답했다. 아버지를 죽이겠다고 위협하는 말은 피고한테서 들은 일이 있고, 봉투에 돈을 넣어 두었다는 얘기는 스메르쟈코프한테서 듣고 알았노라고 했다.
"몇 번 되풀이해서 물어도 마찬가집니다." 그는 지친 듯한 표정으로 갑자기 이렇게 말을 막았다. "나는 법정에서 특별히 진술할 만한 일은 하나도 없으니까요."
"보아하니 건강이 좋지 않으신가 보군요. 당신의 기분도 잘 이해하겠습니다" 하고 재판장은 말했다.
그는 검사와 변호사 쪽을 향하여, 혹시 필요하다면 심문을 하라고 일렀다. 그러자 갑자기 이반은 가느다란 목소리로 간청했다.
"각하, 나를 퇴정시켜 주십시오. 몸이 몹시 거북합니다."
그는 이렇게 말하고는 허락도 기다리지 않고 몸을 돌려 밖으로 나가려 했다. 그러나 너덧 걸음쯤 발을 옮기다가 무슨 생각이 떠올랐는지 갑자기 멈춰서더니, 희죽 웃고 나서 다시 제자리로 되돌아갔다.
"각하, 나는 꼭 시골 색시 같습니다……. 정말 그래요. '마음 내키면 일어서고, 안 내키면 안 설 테요'라던가요. 그러면 모두들 색시의 저고리와 치마를 들고 그 뒤를 쫓아다니지요. 색시를 일으켜 세우려는 거죠. 즉 색시를 잡아끌고 혼례식장으로 가려는 겁니다. 하지만 색시는 '마음 내키면 일어서고, 안 내키면 안 설 테요'라고 버팁니다……. 이건 우리나라의 국민성이라고도 할 수 있습니다."

"그건 대체 무슨 뜻입니까?" 재판장이 엄격하게 물었다.

"자, 이걸 보십시오." 이반은 느닷없이 지폐 뭉치를 꺼냈다. "돈입니다……. 이건 저 (그는 증거 물품이 놓여 있는 탁자를 턱으로 가리켰다) 봉투 속에 들어 있던 돈입니다. 이것 때문에 우리 아버지가 살해당한 겁니다. 어디다 놓을까요? 간수장님, 이걸 받아 전해 주십시오."

간수장이 돈뭉치를 받아 재판장에게 갖다 바쳤다.

"이게 바로 그 돈이라면…… 어떻게 이게 당신 손에 들어갔습니까?" 재판장은 깜짝 놀라 물었다.

"어제 스메르쟈코프한테서, 그 살인범한테서 받았습니다……. 나는 그놈이 목을 매기 전에 거기에 갔었습니다. 아버지를 죽인 건 그놈입니다, 형님이 아니에요. 그놈이 죽였습니다. 그리고 내가 그놈을 교사했습니다……. 제 아버지가 죽길 원하지 않는 놈이 어디 있겠어요."

"대체 당신은 제정신입니까?" 재판장의 입에서 무의식중에 이런 말이 새어 나왔다.

"제정신이고말고요……. 여러분들과 똑같이, 여기 있는 모든…… 도깨비 같은 인간들과 똑같이, 비열한 제정신을 갖고 있습니다!" 이반은 갑자기 방청석으로 몸을 돌렸다. "모두들 제 아비를 죽이고서도 깜짝 놀란 시늉들을 하고 있군요." 그는 악의에 넘친 경멸을 표시하며 부드득 이를 갈았다. "서로들 가면극을 연출하고 있는 거예요. 거짓말쟁이들 같으니! 모두들 제 아비가 죽기를 바라고 있어요. 독사가 독사를 잡아먹으려는 거나 마찬가지죠……. 만약에 친부 살해 사건이 없다면, 모두들 화가 나서 투덜거리며 집으로 돌아갈 겁니다. 구경거리에 굶주린 인간들이거든요! '빵과 구경거리!'라고들 하지 않았습니까. 하긴 나도 나을 게 없는 놈이죠! 그보다도 물 좀 없습니까? 제발 한 모금만 마시게 해 주십쇼!" 그는 갑자기 자기 머리를 움켜쥐었다.

간수가 곧 그에게로 다가갔다. 알료샤는 벌떡 일어나서 "형님은 병을 앓고 있어요. 형님의 말을 믿지 마십시오. 섬망증에 걸려 있어요!" 하고 외쳤다. 카체리나 이바노브나는 충동적으로 자리에서 일어나, 공포에 질려 꼼짝도 못하고 이반을 응시했다. 미챠도 일어나서 일그러진 것 같은 야릇한 미소를 띠운 채 이반을 쏘아보며 그의 말을 듣고 있었다.

"염려 마십시오. 나는 미치광이가 아닙니다. 나는 살인자일 뿐입니다!" 이반은 다시 말을 시작했다. "살인자한테서 웅변을 기대할 수는 없는 일 아닙니까." 그는 무엇 때문인지 이렇게 덧붙이고는 갑자기 씁쓸하게 웃었다.

검사는 무척 난처한 표정을 지으며 재판장한테로 몸을 돌렸다. 재판관들도 당황한 태도로 서로 무엇인가 소곤거렸다. 페츄코비치는 귀를 바싹 기울이고 듣고 있었다. 법정 안은 무엇인가를 예기하듯 고요했다. 재판장은 문득 제정신으로 돌아온 양 입을 열었다.

"증인, 당신의 말은 도무지 이해할 수가 없을뿐더러, 그것은 법정에선 있을 수도 없는 언사입니다. 좀 침착해 주십시오. 그러고 나서 말을 하십시오……. 꼭 해야 할 무슨 말이 있다면 말입니다. 당신은 대체 무엇으로 그런 진술을 증명할 셈입니까……. 당신의 말이 헛소리가 아니라면 말입니다만."

"바로 그겁니다. 증인이라곤 한 사람도 없단 말입니다. 그 개 같은 스메르쟈코프 놈이 저승에서 여러분께 증언을 보내오지는 않을 테니까요……. 봉투에다 넣어서 말입니다……. 여러분한텐 봉투가 필요할 테지만, 봉투는 하나면 족합니다. 나한텐 증인이 없습니다……. 그놈 하나밖엔 없단 말입니다." 그는 의미 있게 히죽 웃었다.

"당신의 증인이라는 건 누굽니까?"

"각하, 그 증인은 꼬리를 갖고 있습니다. 그건 규칙에 위반되나요? Le diable n'existe point!(악마는 존재하지 않는다)란 말인가요? 뭐 염려할 건 없습니다. 보잘것없는 조그만 악마예요." 그는 무슨 비밀 얘기나 하는 듯이 갑자기 웃음을 거두며 덧붙였다. "그놈은 틀림없이 여기 어디에 있을 겁니다. 저 증거 물품이 놓인 탁자 밑에 있을지도 모릅니다. 거기 말고는 있을 만한 데가 없으니까요. 내 말을 들어 보십쇼. 나는 그놈한테 말해 줬단 말입니다. 입을 다물고 있을 수가 있어야죠. 그런데 그놈은 지질학상地質學上의 대변동에 대해 말하더군요……. 바보 같으니! 그보다도 그 악마를 용서해 주십쇼……. 그놈은 찬송가를 부르기 시작했답니다. 마음이 가벼워지니까 그렇겠죠. 술주정뱅이가 '반카는 페테르로 떠나갔네' 하고 고래고래 고함지르는 것과 마찬가지예요. 그러나 나는 환희의 2초 동안을 위해서라면 천조 킬로미터의 천조 배라도 기꺼이 내던질 생각입니다. 당신네들은 나를 몰라요! 아아, 이 모든 일이 얼마나 어리석은지 아십니까! 자, 그놈 대신에 나를 구속하십쇼! 나도 여기에 공연히 온 건 아닙니다……. 어째서, 어째서 만사가 다 이 모양 이 꼴일까?"

그러고 나서 그는 다시 생각에 잠긴 얼굴로 천천히 법정 안을 둘러보기 시작했다. 그러나 법정은 이미 술렁대고 있었다. 알료샤는 형의 곁으로 달려갔다. 그러나 간수가 벌써 이반의 팔을 붙잡고 있었다.

"왜 이래?" 이반은 간수의 얼굴을 쏘아보다가 이렇게 외치더니 갑자기 어깨를 붙잡고 간수를 마룻바닥에 세차게 내던졌다. 곧 경관들이 달려와서 그를 붙잡았다. 그는 맹렬하게 고함을 쳤다. 법정에서 끌려 나가면서도 꽥꽥 소리를 지르며 알아듣지 못할 소리를 뇌까렸다.

일대 혼란이 일어났다. 그때의 일을 순서 있게 죄다 기억할 수는 없다. 필자 자신도 흥분한 탓으로 잘 관찰할 수가 없었기 때문이다. 다만 필자가 알고 있는 것은, 얼마 후에 혼란이 수습되고 모든 사람이 사태의 진상을 파악했을 때 간수가 몹시 책망을 받은 일뿐이다. 물론 간수로서는, 증인이 한 시간 전에 좀 기분이 언짢은 것 같아서 의사의 진찰을 받았지만, 그때는 건강해 보였고, 법정에 출두하기 전까지는 제법 조리 있는 말만 했기 때문에, 이런 일이 일어나리라고는 전혀 예기치 못했을뿐더러, 증인 자신이 꼭 진술할 것이 있다고 우기는 바람에 어쩔 수 없었노라고, 충분히 근거 있는 해명을 했다. 그러나 사람들이 미처

평정을 회복하기도 전에, 또 다른 소동이 벌어지고 말았다. 카체리나 이바노브나가 히스테리를 일으켰던 것이다. 그녀는 큰 소리로 비명을 지르면서 통곡하기 시작했다. 그러면서도 법정에서 나가려고는 하지 않고, 밖에 나가지 않으려고 몸부림치며 재판장을 향해 부르짖었다.

"지금 곧 한 가지만 더 말씀드릴 일이 있습니다……. 여기 증거 서류가 있습니다…… 편지가 있어요……. 이걸 받아 읽어 보세요, 어서 빨리……. 이건 저 악당이…… 저기 저 사람이 쓴 편지입니다" 하며 그녀는 미챠를 가리켰다. "살인범은 틀림없이 저 사람입니다. 지금 곧 알게 될 거예요. 저 사람이 아버질 죽이겠다고 나한테 써 보냈어요! 그렇지만 방금 끌려 나간 사람은 환자입니다. 섬망증에 걸려 있으니까요! 그 사람이 섬망증에 걸렸다는 걸 나는 벌써 사흘 전부터 알고 있었습니다."

그녀는 미친 듯이 이렇게 부르짖었다. 간수가 그녀에게서 증거 서류를 받았다. 카체리나는 자기 자리에 털썩 주저앉더니, 두 손으로 얼굴을 가리고 경련을 일으킨 듯 몸을 떨면서 소리를 죽여 가며 흐느끼기 시작했다. 그녀는 연방 어깨를 들먹이면서도 법정에서 끌려 나갈까 두려워서 울음소리를 내지 않으려고 애쓰고 있었다. 그녀가 제출한 증거 서류는, 미챠가 '서울집'에서 쓴 편지로, 이반이 '수학적 증거'라고 부른 바로 그것이었다. 사실 재판관들도 이 편지의 수학적 가치를 인정했다. 이 편지만 없었어도 미챠는 파멸을 면했을지 모른다. 적어도 그렇게까지 무서운 파멸을 당하지는 않았을 것이다. 거듭 말하거니와, 필자는 세밀하게 관찰할 수가 없었다. 지금도 그때의 모든 일이 뒤죽박죽 머릿속에 남아 있을 뿐이다. 재판장은 필시 이 새로운 증거품을 재판관들과 검사, 변호사, 배심원들에게 즉석에서 보여 주었을 것이다. 필자는 또다시 카체리나에 대한 심문이 시작되었다는 것만을 기억하고 있을 뿐이다. 이제는 마음이 진정됐느냐고 묻는 재판장의 상냥한 질문에, 카체리나는 얼른 큰 소리로 대답했다.

"네, 괜찮습니다, 괜찮아요! 얼마든지 분명하게 답변할 수 있습니다." 그녀는 자기 증언을 재판관들이 잘못 듣지나 않을까 하는 조바심을 보이며 덧붙였다.

재판장은 그녀에게, 도대체 이것은 무슨 편지이며 언제 받았는지 자세히 설명해 달라고 요청했다.

"내가 그 편지를 받은 건 바로 범행이 일어나기 전날이었어요. 그러나 저 사람이 그걸 쓴 건 그보다 하루 전이었습니다. 범행 이틀 전에 술집에서 쓴 거예요. 보십시오, 무슨 계산서 용지 같은 데다 쓰지 않았습니까!" 그녀는 숨을 헐떡이다시피 하며 외쳤다.

"그때 저 사람은 나를 몹시 미워하고 있었습니다. 자기가 비열한 짓을 하고는 그 계집을 좇아다니고 있었으니까요……. 그리고 나한테 3천 루블을 빚지고 있었으니까 더했겠죠……. 그래요, 저 사람은 스스로 비열한 짓을 함으로써 그 3천 루블 때문에 원한을 품게 된 거예요. 그 3천 루블은 어떤 돈인가 하면……. 제발 내가 하는 말을 잘 들어 주세요……. 저 사람은 자기 아버지를 죽이기 삼 주일 전인 어느 날 아침에 나를 찾아왔었어요. 그때 나는 저 사람한테 돈이 필요하다는 것도, 또 무엇에 필요한지도 죄다 알고 있었습니다—그 더러운 계집을 꾀어 가지고 함께 도망치는 데 필요했던 거죠. 나는 그때 저 사람이 마음이 변하여 나를 버리려 하고 있다는 걸 알고 있었기 때문에, 일부러 그 돈을 내주었던 거예요. 모스크바에 있는 언니한테 송금해 달라는 구실을 붙여 돈을 내주었죠. 돈을 주면서 나는 찬찬히 저 사람의 얼굴을 들여다보았습니다. 그리고 '한 달 후에 보내도 무방하니' 언제든지 마음이 내킬 때 송금하면 된다고 말했어요. 그래요, 나는 저 사람한테다 맞대놓고, '당신은 저 대신 그 계집을 꾀는 데 돈이 필요한 거죠? 그러니 이 돈을 받으세요. 내 손으로 당신한테 드리는 거니까? 만약에 이 돈을 받을 만큼 염치가 없다면 어서 받으란 말이에요!'라고 말한 것이나 다름없어요. 그걸 저 사람이 모를 리가 있겠어요? 나는 저 사람의 낯가죽을 벗겨 버리려 했던 거죠. 그런데 어찌 됐는지 아세요? 저 사람은 그 돈을 받았답니다. 받아 가지고 가서 하룻밤 사이에 그 계집하고 다 써 버리고 말았어요……. 하지만 저 사람은 잘 알고 있었습니다. 내가 다 알고 있다는 걸 알고 있었어요. 내가 돈을 준 것은, 저 사람이 그걸 받을 만큼 염치가 없는 사람인지 어떤지 시험하기 위해서라는 것도 다 알고 있었던 거예요. 내가 저 사람의 눈을 들여다보았더니, 저 사람도 내 눈을 들여다보더군요. 그래서 저 사람은 모든 걸 다 알았던 겁니다. 그러면서도 그 돈을 받아 가지고 가 버렸던 거예요!"

"그건 옳은 말이야, 카챠!" 미챠가 갑자기 부르짖기 시작했다. "난 당신 눈을 들여다보고, 당신이 나에게 수치를 주려고 그런다는 걸 알아챘어. 그런데도 난 당신 돈을 받았지! 여러분, 이 비열한 인간을 멸시하십시오! 나는 멸시를 받아 마땅한 놈입니다!"

"피고!" 하고 재판장이 외쳤다. "한마디만 더하면 퇴장시킬 테요!"

"그 돈이 저 사람을 괴롭힌 겁니다." 카챠는 무엇에 쫓기듯 급히 말을 계속했다. "그래서 저 사람은 나한테 돈을 갚으려 했습니다. 갚으려 한 건 사실입니다. 그러나 그 계집 때문에 역시 돈이 필요했던 거예요. 그래서 저 사람은 자기 아버지를 죽였습니다. 그러고서도 돈은 나한테 갚지 않고 그 계집과 함께 그 마을로 갔다가 결국 붙잡히고 말았습니다. 아버지를 죽이고 빼앗은 돈도 그 마을에서 다 써 버리고요. 그런데 저 사람은 아버지를 죽이기 전날, 나한테 그 편지를 써 보냈습니다. 취중에 썼을 테죠. 나는 그때 저 사람이 나한테 원한을 품고 그런 편지를 썼다는 걸 대번에 알았습니다. 자기가 아버지를 죽이더라도 내가 그 편지를 아무한테도 보이지 않으리라는 걸 잘 알고 쓴 거예요. 그렇지 않고서야 그런 편지를 쓸 리가 있겠어요! 저 사람은 내가 복수를 하거나 자기의 파멸을 원하거나 하지는 않으리라는 걸 알고 있었던 겁니다. 그렇지만 읽어 보세요. 찬찬히 읽어 보세요—좀 더 주의해서 읽어 보세요. 저 사람이 어떻게 아버지를 죽일까 생각했다는 거며, 어디 돈이 있는지 알고 있었다는 거며, 죄다 그 편지 속에 쓰여 있다는 걸 아시게 될 겁니다. 잘 읽어 보세요, '이반이 떠나면 곧 아버지를 죽여 버릴 테다'라는 구절이 있을 테니까요. 그건 저 사람이 어떻게 아버지를 죽일까 하고 미리 곰곰 생각했다는 증거가 아니겠어요." 카체리나 이바노브나는 악의에 넘치는 쾌감을 느끼는 듯한 어조로 재판관들에게 설명했다. 아아, 그녀는 이 숙명적인 편지를 면밀히 검토하여 한 줄 한 줄에 내포된 뜻을 남김없이 분석했음이 분명하였다. "저 사람도 술에 취하지 않았더라면 아마 나한테 그런 편지를 쓰지는 않았겠죠. 그렇지만 보십시오, 거기에는 모든 것이 다 적혀 있습니다. 모든 것이 그 편지 그대로입니다. 나중에 그대로 아버지를 죽인 거예요. 모든 게 다 계획적입니다!"

그녀는 미친 듯이 이렇게 외쳤다. 물론 그녀는 자기에게 무슨 결과가 떨어져도 좋다고 각오하고 있었다. 하기는 그 결과를 이미 한 달 전부터 내다보고 있었는지도 모른다. 왜냐하면 그녀는 벌써 그때부터 분노에 몸을 떨며, 그 편지를 법정에서 공개할까 말까 하고 생각해 왔을 테니 말이다. 그러나 지금 그녀는 눈 딱 감고 벼랑에서 뛰어내린 격이었다. 지금도 필자는 기억하고 있지만, 서기가 곧 그 편지를 큰 소리로 낭독했고, 그리하여 모든 사람에게 커다란 충격을 주었다. 미챠는 "이 편지는 정말로 당신이 쓴 것입니까?"라는 질문을 받았다.

"내가 쓴 겁니다. 내가 썼어요!" 하고 미챠는 외쳤다. "술에 취하지 않았으면 그런 건 쓰지 않았을 건데……. 카챠, 우린 여러 가지 일로 서로 미워했어. 그러나 난 맹세해, 정말로 맹세해, 난 당신을 미워하면서도 사랑했어. 하지만 당신은 날 사랑하지 않았지!"

그는 절망적으로 손을 맞비비면서 털썩 자리에 주저앉았다. 검사와 변호사가 번갈아 질문을 던졌다. 그것은 주로 "왜 당신은 아까 그런 중대한 증거를 숨기고 전혀 다른 어조와 태도로 증언을 했습니까?"라는 뜻의 질문이었다.

"네, 그래요, 아까는 거짓말을 했습니다. 명예와 양심을 저버리고 거짓말만 했습니다. 저 사람을 구해 주고 싶었어요. 저 사람은 그토록 나를 미워했고 그토록 나를 경멸했으니까요!" 카챠는 미친 여자처럼 부르짖었다. "그래요, 저 사람은 나를 말할 수 없이 경멸했어요. 언제나 나를 멸시했습니다. 그리고 그건 말이에요—내가 돈 때문에 저 사람의 발밑에 엎드렸던 바로 그 순간부터 나를 멸시하기 시작했던 거예요. 나는 그걸 잘 알고 있었어요……. 나는 그때 이내 그걸 느꼈지만, 그래도 오랫동안 그걸 믿으려 하지는 않았습니다. 나는 저 사람의 눈빛 속에서 '어쨌든 너는 그때 네 발로 날 찾아오지 않았었느냐' 하는 뜻을 읽은 적이 한두 번이 아니에요. 그래요, 저 사람은 깨닫지 못했던 거예요—그 때 내가 무엇 때문에 저 사람한테 달려갔었는지 조금도 이해하지 못했단 말입니다. 단순히 저열한 동기에서 나온 행동이라고밖엔 생각지 못했죠. 저 사람은 자기 식으로 남을 판단하고, 다 자기 같은 인간인 줄로만 알았던 거예요!" 카챠는 완전히 제정신이 아닌 듯 이를 바득바득 갈았다. "그리고 저 사람이 나와 결혼하려 한 건 내가 딴 데서 재산을 상속받게 되었기 때문이었습니다. 틀림없이 그것 때문이었어요! 나는 그럴 거라고 늘 생각했었죠. 그래요, 저 사람은 짐승이에요! 저 사람은 내가 그때 돈을 얻으러 갔던 일을 부끄럽게 여겨 한평생 자기한테 꼼짝 못 할 것이라 믿고, 높은 위치에서 나를 영원히 경멸할 수 있을 것으로 생각했던 거예요! 그래서 나와 결혼하려 한 게 틀림없습니다! 그렇고말고요, 틀림없어요! 나는 나의 사랑으로, 끝없는 사랑으로, 저 사람을 이기려 했습니다. 심지어는 저 사람의 배신까지도 참고 견디려 했습니다. 그러나 저 사람은 아무것도, 아무것도 깨닫질 못했습니다. 하긴 그런 걸 깨달을 수도 없는 사람이지만요. 저 사람은 악당이에요! 나는 그 편지를 그 이튿날 저녁에야 받았습니다. 그 술집에서 사람을 시켜 보내왔더군요. 그런데 나는 그날 아침까지만 해도, 모든 걸 다—저 사람의 배신까지도 다 용서해 주려 했단 말입니다!"

물론 재판장과 검사는 그녀를 진정시키려 했다. 그녀의 히스테리를 이용하여 그런 증언을 청취한다는 것이 그들에게도 무척 떳떳치 못하게 여겨졌던 모양이었다. 지금도 기억하고 있지만, "당신의 마음이 얼마나 괴로운지는 우리도 이해합니다. 우리도 감정을 가진 인간이라는 걸 믿어 주십시오"라고 말하는 것을 필자도 들었다. 하지만 역시 그들은 이 히스테리를 일으킨 여자한테서 중요한 증언을 청취할 수 있었던 것이다. 끝에 가서 그녀는 이반 표도로비치가 '극악무도한 살인자'인 자기 형을 구하려고 지난 두 달 동안 너무나 애를 쓴 나머지 거의 발광할 지경에 이르렀다고 극히 명확하게 진술했다. 그러한 명확성은 이처럼 긴장된 정신 상태에서도 비록 순간적인 것이기는 하지만 자주 나타나곤 하는 현상인 것이다.

"그분은 무척 고민했습니다" 하고 그녀는 외쳤다. "그분은 나한테, 자기도 아버지를 사랑한 일이 없으니, 어쩌면 아버지가 죽기를 원했는지도 모른다고 고민하면서, 줄곧 형의 죄를 가볍게 하려고 애썼습니다. 아아, 이 얼마나 깊고 깊은 양심이겠습니까! 그 양심 때문에 그분은 고통을 받고 있었던 거예요! 그분은 무엇이든지 죄다 나한테 얘기해 주었습니다. 늘 나를 찾아와서는 유일한 친구로서 날마다 나와 얘기를 했습니다. 나는 그 부인의 유일한 친구 됨을 영광으로 생각합니다!" 그녀는 갑자기 도전하듯 눈을 번쩍이며 이렇게 외쳤다. "그분은 스메르자코프를 두 번 찾아갔었는데, 어느 날 나한테 와서 말하길, 만약에 형이 죽인 게 아니라 스메르자코프가 죽였다면, (읍내에서는 스메르자코프가 범인이라는 터무니없는 소문도 떠돌고 있었으니까요) 자기한테도 죄가 있는지 모르겠다고 하더군요. 왜냐하면, 스메르자코프는 자기가 아버지를 좋아하지 않는다는 걸 알고 있었고 또 자기가 아버지의 죽음을 원하고 있는 것같이 생각했을지도 모르기 때문이라는 겁니다. 그때 나는 그 편지를 그분에게 보여 주었어요. 그러자 그분은 틀림없이 자기 형이 범인이라고 확신하게 됐는데, 이게 그분에게 무서운 타격을 주었던 겁니다. 자기 친형이 아버지를 죽인 살인범이이라는 걸 생각하니 도저히 견딜 수가 없었던 모양이에요. 이미 일주일 전부터 나는 그분이 그것 때문에 병에 걸렸다는 걸 알 수 있었습니다. 최근에는 나를 찾아와서 헛소리를 하고는 했습니다. 나는 그분이 정신 이상을 일으키고 있다는 걸 알았습니다. 한길에서 그분을 만난 사람은 다 알고 있지만, 그분은 길을 가면서도 헛소리를 했습니다. 내가 초빙해 온 모스크바의 의사는, 그저께 그분을 진찰하고 나서 섬망증의 증세가 있는 것 같다고 말했습니다. 모든 게 저 사람 때문입니다. 저 악한 때문입니다! 그런데 어제 스메르자코프가 죽었다는 소식을 듣고 그분은 어찌나 충격을 받았던지 그만 정신이 돌아 버리고 말았습니다……. 모든 것이 저 악당 때문입니다……. 저 악당을 구하려다가 그렇게 된 겁니다!"

오오, 물론 이런 말이나 이런 고백은 일생에 단 한 번 죽음을 앞두고—예컨대 단두대에 오르는 순간 같은 때가 아니면 도저히 할 수 없는 일이다! 그러나 카챠는 그런 일을 능히 할 수 있는 성격이었고, 또 지금이 바로 그런 순간이기도 하였다. 그만큼 적극적인 성격이기에 아버지를 구하기 위해서는 젊은 방탕자 앞에 자기 몸을 내던질 수도 있었던 것이다. 그리고 조금 전에 수많은 청중 앞에서 떳떳하고도 정숙한 태도로 미챠의 운명을 조금이라도 호전시켜 보려고 '미챠의 고결한 행위'를 이야기함으로써 처녀로서의 수치를 희생한 것도 바로 그러한 성격 때문이었다. 그래서 그녀는 지금 또다시 자기 자신을 희생했다. 그러나 이번엔 딴 남자를 위해서였다. 아마도 그녀는 이제야 비로소—바로 이 순간에야 비로소, 그 남자가 자기에게 얼마나 귀중한 존재인지를 느꼈고 또 깨달은 모양이었다. 그녀는 남자의 신상을 염려한 나머지 그를 위해 자기 자신을 희생한 것이다. 그가 느닷없이 '살인범은 형이 아니라 바로 자기'라고 고백하여 스스로를 파멸의 길로 끌어들이고 있다고 생각하자, 그녀는 그의 명예와 체면을 구하기 위해 자기 자신을 희생했던 것이다!

그런데 여기에 한 가지 무서운 의문이 순간적으로 떠오를 수도 있었다. 혹시 그녀는 미챠와의 옛 관계를 말할 때 거짓말을 한 것은 아닐까—이것이 문제였다. 아니, 그녀는 자기가 땅에 이마가 닿도록 부복했기 때문에 미챠가 자기를 멸시했다고 말했지만, 그것은 결코 고의적인 중상은 아니었다. 그녀는 그렇게 믿고 있었던 것이다. 자기가 땅에 부복한 순간부터, 그때까지는 자기를 존경해 온 순박한 미챠가 갑자기 자기를 멸시하고 비웃기 시작했다고 확신하고 있었다. 그래서 그녀는 오직 자기의 자존심 때문에, 발작적인 억지 사랑을 미챠에게 바쳤던 것이다. 그 사랑은 진정한 사랑이라기보다는 일종의 복수와도 같은 것이었다. 아아, 어쩌면 이 억지 사랑도 참된 사랑으로 성장할 수 있었을지 모른다. 아마 카챠 자신이 무엇보다도 그렇게 되기를 원했으리라. 그러나 미챠의 배신은 그녀의 영혼 밑바닥까지 철저하게 모욕했기 때문에 그 영혼이 그를 용서하기를 거부했던 것이다. 그러던 중에 갑자기 복수의 기회가 닥쳐왔다. 모욕당한 여자의 가슴속에 오랫동안 쌓이고 쌓여 온 모든 억울한 감정이 별안간 한꺼번에 폭발해 나왔다. 그리하여 그녀는 미챠를 배반했지만, 동시에 자기 자신도 배반했던 것이다. 물론 그녀는 할 말을 속 시원히 모두 해 버리자, 갑자기 마음의 긴장이 탁 풀리며 수치심에 사로잡히고 말았다. 또다시 히스테리가 일어났다. 그녀는 울며불며 땅바닥에 쓰러졌다. 그래서 그녀는 밖으로 끌려 나갔다. 그녀가 끌려 나가자마자 이번엔 그루셴카가 울음을 터뜨리며 미챠에게로 달려갔다. 누구 하나 제지할 사이도 없었다.

"미챠!" 그녀는 울부짖기 시작했다. "그 독사 같은 년이 기어이 당신을 파멸시켰군요! 그년은 당신들 앞에 본색을 드러내고 말았어요!" 그녀는 분을 이기지 못하여 온몸을 떨면서 재판관들을 향해 이렇게 외쳤다. 재판장의 손짓에 따라 사람들은 그녀를 붙잡아 법정 밖으로 끌어내려 했으나, 그녀는 완강히 뿌리치면서 미챠에게 되돌아가려고 몸부림쳤다. 미챠도 소리를 지르며 그녀에게로 달려가려 했으나 결국 두 사람 다 제지당하고 말았다.

사실, 이 광경을 본 부인네들은 필시 만족했으리라 생각한다. 참으로 보기 드문 구경거리였을 테니 말이다. 그다음에는 모스크바에서 온 의사가 나타난 것으로 기억한다. 이 일이 벌어지기 전에 재판장이 이반의 응급조치를 위해 사람을 시켜 그를 불렀던 모양이다. 의사는 재판장에게 말하기를, 환자는 매우 위험한 섬망증의 발작을 일으키고 있으므로 즉시 병원으로 데려가야 한다고 했다. 그리고 그는 검사와 변호사의 질문에 대하여, 환자가 그저께 자기한테 진찰을 받으러 왔을 때, 머지않아 이런 발작이 일어날 것이라고 미리 경고했으나, 환자 자신이 치료를 원하지 않았었노라고 진술했다. "환자는 확실히 건전한 정신 상태는 아니었습니다. 환자 자신이 나한테 한 말이지만, 그는 깨어 있으면서 환상을 보기도 하고, 한길에서 이미 고인이 된 사람들을 만나기도 하고, 밤마다 악마의 방문을 받기도 한다는 것이었습니다"라고 의사는 말을 맺었다. 이 유명한 의사는 증언을 마치자 곧 퇴정했다. 카체리나 이바노브나가 제시한 편지는 증거품으로 첨가되었다. 재판부는 증인 신문을 계속하기로 결정하고, 이 두 사람(카체리나와 이반)의 뜻밖의 증언을 조서에 기록하기로 했다.

그러나 필자는 그다음의 증인 신문에 대해선 더 이상 여기 기술하지 않겠다.

그 밖의 증인들의 증언은 각기 독특한 성질을 띠고 있기는 했으나, 결국은 앞서 진술한 증언을 되풀이하고 확인하는 데 지나지 않았기 때문이다. 하지만 거듭 말하거니와, 모든 증언은 검사의 논고 속에 집약되어 있으므로 이제부터는 그 논고에 언급하기로 하겠다. 사람들은 모두 흥분을 느끼고 있었다. 그리고 방금 말한 돌발 사건으로 얼빠진 것 같은 상태에서 초조하게 대단원을, 검사의 논고와 변호인의 변론을, 그리고 재판장의 선고를 기다리고 있었다. 페츄코비치는 카체리나의 증언 때문에 몹시 타격을 입은 모양이었으나, 반면에 검사는 의기양양했다. 증인 신문이 끝나자, 한 시간가량의 휴정이 선언되었다. 이윽고 재판장이 변론 개시를 선언하여, 검사인 입폴리트 키릴로비치의 논고가 시작된 것은 오후 여덟 시 정각이었다고 생각된다.

6. 검사의 논고, 성격 묘사

입폴리트 키릴로비치가 논고를 시작하였다. 이것은 후에 그 자신이 한 말이지만은, 그는 이마와 관자놀이께에 병적인 식은땀을 흘리며, 온몸에 오한과 신열을 번갈아 느끼면서, 경련을 일으킨 듯 가늘게 몸을 떨고 있었다. 그는 이 논고를 자기의 chef d'oeuvre(걸작)—자기의 필생의 걸작이라고, 즉 '백조의 노래'라고 생각하고 있었다. 사실 그는 이로부터 아홉 달 후에 악성 폐병으로 죽고 말았으므로, 만약에 그가 죽음을 예감하고 있었다면 자기 자신을, 최후의 노래를 부르는 백조에 비길 수 있는 충분한 권리를 가졌었다고 할 수 있을 것이다. 그는 이 논고에 온갖 지혜와 온갖 열성을 다 기울였다. 그렇게 함으로써 그는 뜻하지 않게도 자기 마음속에 시민으로서의 감정과, '영원히 풀 수 없는' 의문(적어도 그의 영혼이 품을 수 있는 정도의)이 잠재해 있음을 스스로 드러냈던 것이다. 아무튼 그의 논고는 어디까지나 성실한 것이었다. 그는 피고의 죄를 정말로 믿고 있었기 때문에, 누구의 요구나 직무상의 필요에 의해서뿐만 아니라,

'사회 안전'을 희구하는 마음에서 범죄에 대한 '복수'를 기를 쓰고 주장하였던 것이다. 그래서 입폴리트 키릴로비치에게 반감을 품고 있던 부인네들까지도 깊은 감명을 받았음을 시인하지 않을 수 없었다. 그는 약간 떨리는 음성으로 띄엄띄엄 말하기 시작했지마는, 이윽고 그 목소리는 점점 생기를 띠어, 논고가 끝날 때까지 법정 가득히 울려 퍼졌다. 그러나 논고를 마치자마자, 그는 하마터면 졸도해 버릴 뻔했다.

"배심원 여러분" 하고 검사는 입을 열었다. "이 사건은 전全 러시아에 크게 파문을 일으켰습니다. 그러나 이 사건을 가지고 그렇게까지 놀랄 것은 무엇이며 특별히 두려움을 느낄 것은 무엇이냐는 생각이 들기도 합니다—우리들한테는 특히 그런 느낌이 들 수 있을 게 아닙니까? 우리는 이런 사건엔 너무나 익숙해진 인간들이니까요! 그러나 우리가 공포를 느끼는 것은 이처럼 암담한 사건조차도 이미 사람들을 놀라게 할 수 없게 되었다는 점입니다! 따라서 우리는 어떤 개인의 죄악보다는 우리 자신의 그러한 습성을 두려워해야 할 것입니다. 이런 사건, 즉 달갑지 않은 미래를 우리에게 예언해 주는 이 시대의 특징에 대해서, 우리가 미온적인 무관심한 태도를 취하게 되는 근본 원인은 대체 어디 있겠습니까? 우리들의 냉소적인 생활 태도에 있겠습니까, 아니면 아직 청년기에 있으면서도 너무 일찍 노쇠해 버린 우리 사회의 이성과 상상의 위축에 있겠습니까? 혹은 우리나라에 있어서의 도덕의 근본이 뒤흔들렸기 때문이겠습니까, 또는 우리나라 사람들이 도대체 그런 근본을 가지고 있지 않기 때문입니까? 나도 감히 이 의문에 해답을 제시할 수는 없습니다. 더욱이 이 의문은 지극히 고통스러운 것이어서, 모든 시민은 이 의문 때문에 괴로워하지 않을 수 없으며, 또 괴로워해야 할 의무가 있는 것입니다. 하기는 아직 연륜이 적고 겁 많은 우리나라 언론계도 사회에 대하여 어느 정도 공헌하는 바가 있었다고 봅니다. 왜 그러냐 하면, 만약에 그런 것이 없다면 우리는 방종한 의지와 도덕적 퇴폐로 말미암아 생겨나는 공포를 어느 정도나마 상세하게 알 수가 없기 때문입니다. 신문·잡지들은 이러한 공포를 쉴 새 없이 게재함으로써, 현 국왕이 새로이 제정한 새로운 공개 법정에 드나드는 사람들뿐만 아니라, 모든 대중에게까지도 그것을 보도해 주고 있는 것입니다. 우리가 거의 매일같이 읽는 기사는 대체 어떤 것입니까? 그것은 이 사건마저 빛을 잃고 거의 흔해 빠진 것이라고 생각될 만큼 가공한 사건들에 대한 보도입니다. 그러나 무엇보다 중요한 것은, 우리 러시아의 국민적인 형사 사건의 대부분이, 일반적인 성격을 띤—즉, 우리 국민의 습성으로 화한 어떤 일반적인 불행을 증명하고 있다는 점입니다. 따라서 일반적인 악惡으로서의 이 불행과 싸운다는 것은 여간 어려운 일이 아닙니다.

여기에 상류 사회 출신인 한 사람의 전도유망한 청년 장교가 있습니다. 그는 자기의 생활과 출세의 길에 발을 내딛기가 무섭게, 아무런 양심의 가책도 없이 비겁하게도 한밤중에 자기 은인이라고 할 수 있는 어떤 하급 관리와 그 하녀를 찔러 죽였습니다. 그것은 단지 자기 차용 증서와 함께 그 관리의 돈을 강탈하기 위해서였습니다. 그 돈은 '사교계의 쾌락과 장래의 출세를 위해 필요했다'는 것입니다. 이렇게 그는 두 사람을 죽이고는 시체의 머리 밑에 베개를 베어 주고 그 자리를 떠났습니다. 그리고 또, 용맹성을 발휘하였다 하여 여러 개의 훈장까지 탄 어떤 젊은 용사는, 살인강도가 무색하게 백주 대로상에서 자기 상관이며 은인인 장군의 모친을 살해했습니다. 게다가 그는 자기 동료를 공범으로 끌어들이려고 '그 부인은 나를 친아들처럼 귀여워하며 내 말이라면 무엇이든 다 들어주는 처지니까 조금도 경계하지 않을 거야'라고 말하더라는 것입니다. 물론 그는 짐승만도 못한 악당이겠지만, 요즘 세상에 과연 그런 사람만이 악당이라고 말할 수 있겠습니까? 딴 사람은 비록 살인은 하지 않을망정 역시 마음속으로는 그자와 똑같은 것을 생각하기도 하고 느끼기도 할 것입니다. 속으로는 그자와 똑같은 파렴치한 인간이란 말입니다. 고요히 혼자서 자기 양심과 대면할 때면 '도대체 명예가 다 뭐냐? 유혈 행위를 범죄라고 하는 건 편견이 아닐까?' 하고 스스로 물어보곤 할 것입니다.

혹시 어떤 분들은 나를 보고, '너는 병적인 히스테릭한 인간이다, 공연히 러시아를 헐뜯으며 괴이한 잠꼬대를 하고 있다'라고 비난을 퍼부을지 모르겠습니다. 마음대로 하라고 내버려 두십시오. 정말로 그런 말이 사실이라면 나는 누구보다도 먼저 기뻐할 겁니다! 오오, 나를 믿지 않아도 좋습니다. 나를 병적인 인간이라 생각한대도 무방합니다. 그러나 내 말만은 기억해 주십시오. 만일 내 말에 십분의 일이라도, 아니, 이십분의 일이라도 진실이 포함되어 있다면—그것만으로도 실로 가공할 일입니다! 보십시오, 여러분, 보십시오, 우리나라 청년들은 '죽음 뒤에는 무엇이 올까?'라고 햄릿식 의문 같은 건 털끝만큼도 품어 보지 않고 무턱대고 자살을 하고 있지 않습니까. 그들은 우리의 영혼에 관한 문제, 사후에 우리를 기다리고 있는 모든 것에 관한 문제를 마음속에서 말살해 버리고 땅속에 아주 묻어 버린 것 같습니다. 끝으로 우리나라의 기막힌 방종과 음탕을 보십시오. 이 사건의 불행한 희생자인 표도르 파블로비치조차도 거기에 비하면 거의 순진한 어린애에 지나지 않습니다. 우리는 모두 그를 잘 알고 있지 않습니까. '그는 우리들 사이에 살고 있었으니까요.'

그렇습니다, 언젠가는 우리나라뿐만 아니라 유럽의 일류 학자들이 러시아의 범죄 심리를 연구할 것입니다. 그만한 가치가 있는 문제입니다. 그러나 이 연구는 좀 더 있다가 한가한 때에, 즉 현재의 비극적 혼돈이 비교적 멀리 물러났을 때에 비로소 실현되겠지요. 그때가 되면 사람들은 나 같은 것보다는 훨씬 이지적으로 또한 공평하게 관찰할 수가 있을 것입니다. 그러나 오늘날에 있어서는, 우리는 그저 눈을 휘둥그렇게 뜨고 놀라든가, 그렇지 않으면 놀란 시늉을 하면서, 오히려 그 광경에 혀끝을 차며 자기의 게으른, 냉소적이고도 퇴폐적인 기분을 자극하는 색다르고 강렬한 감각을 즐기든가, 아니면 어린애들처럼 그 무서운 환영을 쫓아내려 몸서리치는 광경이 사라질 때까지 베개 속에 얼굴을 파묻고 있다가는 또다시 재미있는 장난으로 모든 것을 잊고 말든가, 이 세 가지 중의 하나인 것입니다. 하지만 우리도 언젠가는 심각하게 생각해야 하고, 진실된 생활을 시작해야 합니다. 자기 자신에 대해서도 사회에 대하는 것과 같은 시선으로 대해야 합니다. 우리도 우리나라의 사회적 사건에 대하여 생각하는 바가 있어야 합니다. 적어도 생각하려고 노력해야 합니다.

전前 세대의 위대한 작가[48]는 자기의 최고 걸작[49]의 끄트머리에서, 우리가 러시아를 어떤 미지의 목표를 향해 질주하는 트로이카[50]에다 비유하여 '오오, 트로이카여, 새처럼 빠른 트로이카여, 누가 너를 고안했는고!'라고 외치면서, 쏜살같이 달리는 이 트로이카를 만나게 되면, 다른 모든 나라 사람들은 경의를 표하며 비켜선다고, 자랑스러운 환희와 함께 덧붙이고 있습니다. 그렇습니다, 여러분, 경의를 표하든 표하지 않던 간에, 아무튼 비켜서는 건 좋습니다. 그러나 나의 우둔한 생각으로는, 이 위대한 작가가 그렇게 결론을 내린 것은, 어린애처럼 순진한 낙천주의에 사로잡혔기 때문이었든가, 아니면 단순히 당시의 검열 제도를 겁냈기 때문이었다고밖에는 볼 수 없습니다. 왜냐하면, 만약에 그 트로이카를 그의 작품의 주인공들인 소바케비치나 노즈드료프나 치치코프 같은 인물들이 끌고 간다면, 누가 마부 노릇을 하든, 어떤 목표에 도달할 리는 만무하기 때문입니다. 그들은 구시대의 말들이었습니다. 하지만 그들에게다 비하면 오늘날의 우리나라의 말들은 더욱더 엉망이란 말입니다."

여기서 입폴리트 키릴로비치의 연설은 박수로 중단되었다. 러시아의 트로이카의 비유에 내포된 자유주의가 청중의 구미에 맞았던 모양이다. 하기는 박수라야 두서너 군데서 일어났을 뿐이었으므로, 재판장도 청중에게 '퇴장을 명한다'고 위협을 줄 필요까지는 없었다. 그래서 다만 박수가 일어난 쪽을 한 번 엄하게 바라보는 것으로 그쳤다. 그러나 검사는 신바람이 났다. 그는 여태까지 한 번도 박수를 받아본 적이 없었던 것이다! 그는 오랫동안 사람들의 주의를 끌어보지 못하고 오늘에 이르렀으나, 이제 갑자기 전全 러시아를 향해서 열변을 토할 기회를 얻게 된 셈이었다.

"실제에 있어서" 하고 그는 계속했다. "이번에 전 러시아에 그처럼 슬픈 추문을 퍼뜨린 카라마조프 일가는 결국 무엇이겠습니까? 내 말이 너무 과장된 것일

48 니콜라이 고골을 가리킴.

49 니콜라이 고골이 쓴 소설, 《죽은 혼》을 가리킴.

50 삼두마차 또는 삼두 썰매.

지는 모르겠습니다만, 우리나라의 현대 지식 계급의 공통적인 어떤 근본 요소가 이 가정에 반영된 것 같습니다. 물론 모든 요소가 다 반영된 것은 아니며, '물방울 속에 비친 태양처럼' 현미경으로나 들여다봐야 할 만큼 미세한 것이긴 하지만, 아무튼 무엇인가가 반영되고 있습니다. 무엇인가를 말해 주고 있는 것입니다. 그 음탕하고 가엾은 노인, 그처럼 비참하게 죽어 간 이 '일가의 가장'을 보십시오! 본래 귀족 출신이면서도 가난한 식객 노릇을 하며 살아가다가 우연히 결혼한 처덕妻德에 조그마한 재산이나마 장악하게 된 그는 처음엔 제법 지적 재능을 지닌 협잡꾼이었고, 경박하기 이를 데 없는 어릿광대였으며, 또한 무엇보다도 고리대금업자였으나, 세월이 지남에 따라, 즉 재산이 불어 감에 따라 점점 간덩이가 커져서, 남에게 굽실거리던 비루한 특징은 사라지고 악의에 찬 냉소적 성격과 음탕한 성격만이 남게 되었습니다. 생활에의 갈망이 왕성해짐에 따라 정신적인 면은 완전히 퇴영退嬰해 버리고 말았습니다. 그리하여 결국은 육체적 쾌락 이외엔 인생에서 아무런 보람도 찾을 수 없게 되어, 자기 자식들까지 그런 식으로 길렀습니다. 그는 아버지로서의 책임감 같은 건 전혀 느끼지 않았을뿐더러, 오히려 그런 것을 비웃기까지 했습니다. 자기의 어린애들을 하인에게 맡겨 뒤뜰에서 기르게 했고, 남이 그 아이들을 데려가자 잘 됐다고 기뻐했습니다. 그러고는 아이들에 대해선 완전히 잊어버리고 말았습니다. 이 노인의 정신적 법칙은 après moi le déluge(나만 없으면 홍수가 나도 상관없다)였습니다. 그는 공민이라는 개념과는 정반대되는 것의 좋은 본보기였습니다. 또한 가장 완전하고도 악의에 찬 이기주의의 표본이었습니다. '나만 무사하다면 온 세계가 다 타 버려도 상관없다'는 심보였습니다. 그런 식으로 그는 스스로 만족을 느끼며 앞으로 이삼십 년은 더 살 수 있기를 열망하고 있었던 것입니다. 그는 자기 아들의 돈을 가로채서, 즉 아들 앞으로 물려준 그 어머니의 재산을 가로채 가지고, 그 돈으로 아들의 애인을 뺏으려 했습니다. 그렇습니다. 나는 페테르부르크에서 오신 유명한 페츄코비치씨에게 피고의 변호를 독차지하게 하고 싶진 않습니다. 나도 사실 그대로를 말하겠습니다. 그 노인이 자기 아들의 마음속에 얼마나 많은 분노의 씨를 던져 주었는지 나 자신 이해하고도 남음이 있습니다.

그렇지만 이 불행한 노인에 대해서는 더 이상 말하지 않기로 합시다. 그는 이미 자기의 업보를 받았으니까요. 그런데 여기서 우리가 생각해야 할 것은, 그가 아버지였다는 점입니다. 현대의 전형적인 아버지 중의 한 사람이었다는 점입니다. 그가 수많은 현대의 아버지들의 전형적 인물이라는 내 말이 과연 틀린 말이라 할 수 있을까요? 현대의 아버지들의 대부분은 그처럼 철면피는 아닙니다. 왜냐하면, 그들은 보다 나은 교육을 받았고, 좀 더 나은 교양을 지니고 있기 때문입니다. 그러나 슬프게도 그들의 철학 역시 표도르와 거의 같은 것입니다. 아마도 나는 비관론자인지 모르겠습니다. 그래도 상관없습니다. 나는 여러분한테 용서를 받을 수 있다는 조건하에서 이 논고를 시작했으니까요. 그러니 미리 약속해 주시면 좋겠습니다—여러분께서는 나를 믿지 않아도 좋습니다. 그 대신 내가 말할 수 있게만 해 주십시오. 내가 하고 싶은 말을 다 할 수 있게만 해 주십시오. 그리고 내가 하는 말을 다소나마 기억해 주십시오.

그럼 이번엔 그의 아들들에 대해 말하기로 합시다. 그들 중 한 사람은 지금 여기 피고석에 나와 있습니다. 그에 대해서는 뒤로 미루기로 하고, 나머지 두 아들에 대해 간단히 말하겠는데, 두 사람 중의 형 되는 사람은, 즉 이 집안의 둘째 아들은 가장 현대적인 청년 중의 한 사람입니다. 그는 훌륭한 교육을 받았고, 확고한 지력知力을 지니고는 있지만, 아무것도 믿으려 하지 않고, 많은 것을, 인생에 있어서의 많을 것을 자기 아버지처럼 부정하고 있으며 거부하고 있습니다. 우리들은 이미 그의 주장을 경청한 바 있습니다. 그는 이 고장 사교계에서 크게 환영을 받고 있습니다. 그는 자기 견해를 은폐하려 하지 않았을 뿐만 아니라, 도리어 공공연히 그것을 토론했습니다. 때문에 나도 지금 그에 대해 말할 수 있는 용기를 얻을 수 있었던 것입니다. 그러나 이것은 물론 한 개인으로서가 아니라, 카라마조프네 한 구성원으로서 말하는 것입니다. 그런데 어제 우리 읍의 변두리에서 한 사람의 백치가 스스로 목숨을 끊었습니다. 그는 이 사건에 밀접한 관계를 가진 인간으로, 이 집의 하인으로 있었는데, 어쩌면 표도르의 사생아일지도 모르는 스메르쟈코프입니다. 그는 예심 때 히스테릭한 눈물을 흘리면서, 이 젊은 카라마조프가, 즉 이반 표도로비치가 그 방종한 사상으로 자기에게 얼마나 큰 영향을 주었는지를 얘기했습니다. '그분의 생각에 의할 것 같으면, 이 세상에서는 무슨 일이든 모두 허용된다는 것입니다. 그리고 앞으로는 아무런 금제禁制도 있을 수 없다고 그분은 나한테 가르쳐 주었습니다'라고 그는 말했습니다. 이 백치는 이와 같은 가르침을 받은 덕분에 완전히 머리가 돌아 버린 것 같습니다. 하기는 그의 지병인 간질병과, 주인댁에서 돌발한 무서운 소동이 그의 정신 착란을 도왔다는 건 말할 필요도 없겠지요. 그러나 이 백치는 지극히 흥미 있는 말을 한마디 입 밖에 내었습니다. 그것은 훨씬 총명한 관찰자의 말이었다고 해도 결코 손색이 없는 것이기 때문에, 나도 지금 그 말을 꺼내는 것입니다. 즉, 그는 '세 아들 중에서, 그 성질로 보아 표도르 파블로비치를 가장 많이 닮은 것은 이반 표도로비치입니다'라고 말했습니다.

나는 이 말을 여러분에게 소개하는 것으로 일단 성격 묘사를 중단하기로 하겠습니다. 왜냐하면, 이 이상 계속한다는 것은 아무래도 예의에 어긋나는 행위일 테니까요. 아아, 나는 이 이상 어떤 결론을 내림으로써, 이 청년의 장래에 대하여 불길한 까마귀의 역할을 하고 싶지는 않습니다. 그의 젊은 가슴속에는 아직도 확고부동한 정의의 힘이 살아 있어서, 같은 혈족으로서의 감정이 그의 불신이나 견유주의犬儒主義로도 말소되지 않음을 우리는 오늘 이 법정에서 목격했습니다. 이 불신과 견유주의는, 그의 참되고도 괴로운 사색의 결과라기보다는, 차라리 아버지로부터 유전으로 물려받은 것이라고 보아야 할 것입니다.

다음은 셋째 아들에 대하여 말하겠는데, 그는 신앙이 돈독하고 지극히 겸허한 청년이어서, 둘째 형의 부패한 암흑적인 인생관과는 정반대되는 사람입니다. 그는 이른바 '국민정신'—이것은 우리나라의 지식층에 속하는 이론가들이 붙인 기묘한 명칭입니다만—에 합치하려고 애쓰고 있습니다. 아시다시피, 그는 수도원에 들어가 있었으며, 조금만 더 있으면 아주 수도사가 될 뻔한 청년입니다. 그의 마음속에는, 스스로 의식하진 않았다 하더라도, 일찍부터 그 겁약한 절망이 나타난 듯싶습니다. 오늘날 불행한 우리나라 사회에서는, 견유주의와 그 부패적인 영향을 부러워하는 나머지 모든 죄과를 유럽 문명에 돌려 버리는 오류를 범하면서, 이 겁약한 절망에 이끌려, 이른바 '어머니인 대지'로 돌아가자고 하는 사람이 많습니다. 이를테면 환영幻影에 겁을 집어먹은 어린애가 어머니의 품 안으로 뛰어들듯, 그들은 '어머니인 대지'의 품에 안기려 하는 것입니다. 비록 한평생 아무 일도 못 하는 한이 있더라도 그 무서운 환영만 피할 수 있으면 된다는 식으로, 허약한 어머니의 쪼그라든 젖가슴에 매달려 편안히 잠자려 하고 있습니다. 나 개인의 입장으로는 이 선량하고도 재능 있는 청년이 모든 면에서 행복을 누리게 되기를 바랍니다. 또한 나는 그의 젊고, 아름다운 영혼과 국민정신에 대한 그의 동경이, 세상에 흔히 볼 수 있듯이, 후에 정신적인 면에서 어두운 신비주의로 빠져들지 않기를, 그리고 정치적인 면에서는 맹목적인 사이비 애국주의로 줄달음질치지 않기를 간절히 바라 마지않습니다. 이 두 가지 요소는, 그의 둘째 형을 괴롭히고 있는 유럽 문명—희생을 지불함이 없이 섭취되고 또한 곡해된 유럽 문명에서 생기는 조로증早老症보다도 훨씬 위험한 것이기 때문입니다."

사이비 애국주의와 신비주의를 말하자, 또다시 두서너 군데서 박수가 일어났다. 입폴리트 키릴로비치는 자기 연설에 완전히 도취되어 있었다. 그러나 그의 연설은 사건 자체에 꼭 들어맞지 않았을 뿐만 아니라, 줄거리가 좀 막연한 느낌이 있었다. 그렇지만 증오감에 사로잡힌 폐병 환자인 그는 일생에 한 번만이라도 마음껏 하고 싶은 말을 다 털어놓지 않고는 배겨 낼 수가 없었던 것이다. 후에 사람들이 하는 말에 의하면, 입폴리트는 전에 한두 번 여러 사람 앞에서 이반과 논쟁하다가 꼼짝도 못한 일이 있었기 때문에, 그것을 복수하려는 비열한 동기에서 이반의 성격 묘사를 시도했음이 틀림없으리라는 것이었다. 그러나 그렇게 단정하는 것이 옳은지 어떤지 필자로서는 알 수 없는 일이다. 아무튼 여태까지는 서론에 불과한 것이었고, 이제부터 그의 연설은 차차 사건의 본질로 접근해 갔다.

"그러나 이제는 현대식 가장인 표도르 파블로비치의 맏아들한테로 돌아가기로 합시다." 입폴리트는 말을 계속하였다. "그는 지금 우리 앞에서 피고석에 앉아 있습니다. 우리는 그의 모든 생활과 행적을, 그리고 그의 행위를 눈앞에 보고 있습니다. 마침내 시기가 도래하여 모든 것이 표면에 폭로되고 만 것입니다. 그의 동생들이 각각 '유럽주의'와 '국민정신'에 기울어져 있는 데 반하여, 그는 현실 그대로의 러시아를 대변하고 있습니다. 하지만 러시아 전체를 대변하고 있는 것은 아닙니다. 러시아 전체라면 그야말로 큰일입니다! 그러나 그에게서는 우리들의 로세유쉬카(러시아의 애칭)—우리들의 어머니인 러시아가 느껴집니다. 러시아의 냄새가 나고 러시아의 목소리가 들립니다. 아아, 우리 러시아 사람은 극단적입니다. 우리는 선과 악의 놀라운 혼합체입니다. 우리는 문명과 실러[51*]를 애호하면서도, 한편으로는 선술집을 돌아다니며 난동을 부리고 술 취한 친구의 수염을 쥐어뜯습니다. 아아, 그렇지만 우리는 선량하고 의젓한 인간이 될 때도 있습니다. 다만 그것은 자기 마음이 유쾌할 때에 한해서입니다. 그렇습니다, 우리는 고상한 이상에 감동될 수도 있습니다. 다만 그것은 그 이상이 저절로 실현될 때에 한해서입니다. 하늘에서 저절로 뚝 떨어져 내려와야만 합니다. 즉, 공짜로, (이것이 중요합니다) 공짜로 얻어져야만 합니다. 그것을 위해 아무런 대가도 지불할 필요가 없어야만 하는 것입니다. 우리는 대가를 지불하기를 싫어하는 대신에 공짜로 얻기를 좋아합니다. 무슨 일에 있어서나 다 그렇습니다. 시험 삼아 우리에게 공짜로 주어 보십시오—인생에 있어서 가능한 모든 행복을 주어 보십시오. (가능한 모든 행복이라야만 합니다. 그 이하로는 결코 만족하지 않을 테니까) 그리고 만사에 있어서 우리들 앞의 장애물을 일체 제거해 보십시오. 그러면 우리 러시아 사람도 얼마든지 선인이 될 수 있다는 걸 증명해 보일 겁니다. 우리는 결코 탐욕스럽지는 않습니다. 그러나 될 수 있는 대로 많은 돈을 주어 보십시오. 그러면 우리가 천박한 탐욕을 무시하면서 자

51* 프리드리히 폰 실러Friedrich von Schiller(1759~1805). 독일 고전주의 극작가이자 시인, 철학자, 역사가, 문학이론가.

못 관대한 태도로 하룻밤 사이에 그 돈을 죄다 뿌려 버리는 걸 보게 될 것입니다. 만약에 꼭 필요한 경우에 아무도 돈을 주는 사람이 없으면, 우리는 무슨 수를 써서라도 그 돈을 손에 넣어 보일 것입니다. 그러나 이 얘기는 뒤로 미루고, 순서에 따라 사건을 설명하기로 하겠습니다.

우선, 우리들 앞에는 버림받은 가련한 아이가 하나 있습니다. 그 아이는 아까 이 고장의 존경할 만한 시민이 (유감스럽게도 외국 태생이긴 하지만) 말씀한 바와 같이, '맨발로 뒤뜰에서' 뛰놀고 있었습니다. 다시 한번 되풀이하거니와, 나도 피고를 변호하는 데 있어서는 결코 남에게 뒤지지 않으려는 사람입니다. 나는 원고인 동시에 변호인이기도 한 것입니다. 그렇습니다. 나도 인간입니다. 나는 자기가 태어난 가정과 유년 시대가 인간의 성격 형성에 얼마나 큰 영향을 주는지 잘 알고 있습니다. 그러나 그 아이는 이미 성장하여 훌륭한 청년 장교가 되었습니다. 그는 난폭한 행동을 하기도 하고 결투를 하기도 하여, 이 넓은 러시아의 변방 도시로 좌천되었고, 거기서도 군대에 복무하면서 방탕한 생활을 계속합니다. 물론 그에게는 돈이 필요했습니다. 무엇보다도 돈이 필요했던 것입니다. 그래서 오랫동안 아버지와 다툰 끝에, '아버지로부터 마지막으로 6천 루블을 받기'로 최종적인 합의를 보아, 그 돈이 송금되어 왔습니다. 여기서 지적해 두어야 할 것은, 그가 아버지에게 각서를 써 주었다는 점입니다. 즉, 앞으로는 더 이상 요구하지 않을 것이며, 아버지와의 유산 싸움은 이 6천 루블로써 깨끗이 포기한다는 뜻의 각서가 남아 있습니다.

그런데 이때 그는 고상한 성격과 훌륭한 교양을 아울러 지닌 어떤 젊은 아가씨를 처음으로 만나게 되었던 것입니다. 아아, 나는 여기서 자세한 얘길 되풀이하지는 않겠습니다. 그것은 여러분께서 조금 전에 들으신 바와 같이, 명예와 자기희생에 관한 문제이므로 더 이상 말하지 않는 게 좋겠습니다. 경박하고 음탕하긴 하지만, 그래도 참된 고결과 고매한 이상 앞에 무릎을 꿇은 이 청년 장교의 모습을 아까 우리는 동정의 눈으로 보았습니다. 그런데 바로 그 직후에 이 법정에서 뜻밖에도 메달의 뒷면이 폭로되고 말았습니다. 여기에도 나는 추측을 삼가서, 그런 일이 일어난 동기를 해부하지는 않기로 하겠습니다. 그 숙녀는 오랫동안 감추어 온 분노의 눈물을 한꺼번에 쏟으면서, 자기를 먼저 경멸한 것은 바로 그였다고 진술했습니다. 즉 그녀의 무모하고도 조심성 없는 행위—그러나 어디까지나 고결하고 관대한 동기에서 나온 그 돌발적 행위 때문에 그녀를 경멸했던 것입니다. 이 처녀의 약혼자였던 그는 누구보다도 먼저 조소적인 웃음을 흘렸습니다. 그녀도 그때 그가 흘린 이 조소만은 도저히 잊을 수가 없었던 것입니다. 그녀는 그가 이미 자기를 배반한 것을 알면서도—자기는 장차 무슨 일이든지, 심지어는 남자의 변심까지도 참고 이겨야 한다고 믿고 있었으므로—일부러 그에게 3천 루블을 주었습니다. 그리고 그 돈은 그의 배신행위를 돕기 위해서 주는 것이라는 점을 분명히 그가 알아채도록 했습니다. '자, 돈을 받겠습니까? 그토록 당신은 염치없는 사람인가요?' 하는 듯한 눈초리로 그녀는 무언의 질문을 던졌습니다. 그는 그녀의 얼굴을 보고 그 의도를 충분히 알아채고서도 (아까 그 자신이 여러분 앞에서, 다 알고 있었노라고 진술했습니다) 그 돈을 착복하여 새로 만든 애인과 함께 불과 이틀 동안에 죄다 써 버리고 말았던 것입니다. 대체 우리는 어느 쪽을 믿어야 하겠습니까? 첫째 전설—미덕 앞에 무릎을 꿇고 마지막 생활비마저 기꺼이 내던진 고결한 마음의 충동을 믿어야 하겠습니까, 아니면 그 추악한 메달의 뒷면을 믿어야 하겠습니까? 인생에 있어 두 개의 극단이 나타났을 경우에는 그 중간에서 진리를 찾는 것이 보통이지만, 이 경우는 결코 그럴 수가 없는 것입니다. 첫째 경우에서는 그는 어디까지나 고결했으나, 둘째 경우에서는 가장 비열했다고 하는 것이 정확할 것입니다. 그러면 어째서 그러냐? 우리 러시아인의 성격이 너무나 광범위하기 때문입니다. 카라마조프식이기 때문입니다—나는 바로 이 점을 말하고 싶었던 것입니다—러시아의 마음은 극단적인 모순을 양립시킬 수가 있으며, 두 개의 심연을 동시에 볼 수가 있습니다. 우리들의 위에 있는 천상의 심연과, 우리들의 밑에 있는 가장 저열한, 악취를 풍기는 타락의 심연을 동시에 볼 수가 있습니다. 카라마조프 일가를 세밀하게 관찰해 온 청년, 즉 라키친씨가 아까 진술한 훌륭한 의견을 여러분은 기억하실 줄로 믿습니다. 라키친씨는 '걷잡을 수 없이 방종한 성격을 지닌 그들에게는 저열한 타락의 실감이, 고상하고 고결한 실감과 마찬가지로 꼭 필요한 것'이라고 말했는데 그 말은 사실입니다. 정말로 그들에겐 이 부자유스런 혼합이 항상 필요한 것입니다. 두 개의 심연을 동시에 본다는 것—이것이 없으면 우리는 불행하게 되고, 만족을 얻지 못합니다. 우리의 생활은 충실해질 수가 없습니다. 우리는 광범합니다. 어머니인 러시아만큼이나 광범합니다. 우리는 여러 가지 것을 동시에 내포하고 있습니다. 여러 가지 잡다한 것들과 함께 살아갈 수가 있는 것입니다.

배심원 여러분, 말이 나온 김에 한 가지 지적해 둘 일이 있습니다. 다름 아니라, 방금 그 3천 루블에 대한 문제가 나왔습니다만 그러한 성격의 소유자인 그가, 그런 수치와 그런 불명예, 그리고 그처럼 극단적인 굴욕을 감수하면서 그때 그 돈을 받아 가지고, 바로 그날 중으로 그 3천 루블의 절반을 따로 떼어 주머니 속에 꿰매 넣은 후, 모든 유혹과 극도의 궁핍을 극복하면서 한 달 동안이나 목에 걸고 다녔다니, 과연 이런 일이 있을 수 있겠습니까? 여러 술집을 싸돌아다니며 술이 취해 있을 때에도, 경쟁자인 자기 아버지의 유혹으로부터 애인을 구해 내기 위해 꼭 필요한 돈을 마련하려고 이리저리 뛰어 다닐 때에도, 그는 그 주머니엔 손을 대려 하지도 않았다는 것입니다. 그토록 질투를 느끼고 있던 노인의 유혹으로부터 애인을 구해 내기 위해서도 그는 그 주머니를 끌렀어야만 할 것입니다. 그리고 애인의 곁을 떠나지 않고 잘 감시하고 있다가, 그녀가 마침내 '나는 당신 거예요'라고 하면서, 현재의 무서운 환경에서 조금이라도 먼 데로 함께 도망가자고 애원할 때를 기다렸어야만 할 것입니다.

그러나 그는 그렇게 하지 않았습니다. 그는 돈주머니에 손도 대지 않았다고 합니다. 왜 손을 대지 않았을까요? 첫째 이유는, 앞에서도 말한 바와 같이, '나는 당신 거예요, 어디로든 데려가 주세요'라고 여자가 말할 때 둘이 함께 도망치는 비용으로 필요했기 때문이라는 것입니다. 그러나 이 첫째 이유는, 피고 자신의 진술에 의하면, 둘째 이유 때문에 힘을 잃고 말았습니다. '내가 이 돈을 갖고 있는 한' 하고 그는 말합니다. '비열한 놈이기는 하지만 결코 도둑놈은 아니다.' 왜냐하면, 언제든지 자기가 욕을 보인 약혼녀한테 가서 편취騙取했던 돈의 절반을 다시 내밀며, '자, 이렇게 나는 네 돈을 반이나 써 버렸다. 이건 내가 의지박약한 못된 인간이라는 증거니까, 원한다면 나를 비열한 놈이라 불러도 좋다. (나는 피고의 말을 그대로 옮깁니다) 그러나 나는 비열한 놈이긴 하지만 결코 도둑놈은 아니다. 만약에 내가 도둑놈이라면, 이렇게 그 돈의 절반을 가져오지 않고 몽땅 잘라먹고 말았을 테니까'라고 말할 수가 있기 때문입니다—참으로 기상천외의 설명이 아닙니까! 한편으로는 지극히 난폭하면서도, 다른 한편으로는 그런 굴욕을 감수하면서까지 3천 루블의 유혹을 물리칠 수 없었던 그 연약한 인간이, 갑자기 이처럼 견고한 인내심을 발휘하여, 1천 루블이 넘는 돈을 건드리지도 않고 목에 걸고 다녔다는 것입니다! 과연 이것이 우리가 지금 해부한 성격과 다소나마 서로 부합된다고 할 수 있겠습니까? 아닙니다. 정말로 드미트리 카라마조프라면, 설사 돈을 주머니 속에 꿰매 넣기로 결심했다손 치더라도, 그런 경우에 마땅히 어떤 행동을 취했을 것인지, 내가 지금 여러분에게 설명하겠습니다.

첫째 유혹이 생겼을 때—즉 이미 그 돈의 절반을 함께 써 버린 새 애인을 또다시 어떻게 해서든 즐겁게 해 줘야 할 일이 생겼을 때, 그는 그 돈주머니를 끌러 나머지 절반 중에서 우선 1백 루블 정도만 꺼냈을 겁니다—왜냐하면, 꼭 절반을, 즉 1천 5백 루블을 되돌려 주어야만 한다는 법은 없으니까, 1천 4백 루블만 돌려주어도 충분하기 때문입니다. 어차피 마찬가지 아니냔 말입니다. '나는 비열한 놈이긴 하지만 도둑놈은 아니다. 1천 4백 루블만은 갚을 테니까. 만약에 내가 도둑놈이라면 몽땅 다 잘라 먹고 한 푼도 안 갚을 게 아니냐' 하는 심정이지요. 그러나 그다음에는 또 주머니를 끌러서 두 번째로 1백 루블을 꺼내고, 그다음에는 세 번째, 네 번째, 이런 식으로 불과 한 달도 되기 전에 마지막 1백 루블 한 장만을 남기고 죄다 꺼내 써 버리고 말 겁니다. 그리고 2백 루블만이라도 갖다 갚으면 된다. '비열한 놈이긴 하지만 도둑놈은 아니다. 2천 9백 루블은 써 버렸지만, 1백 루블만이라도 갚을 테니까. 도둑놈이라면 이것마저 갚지 않고 다 써 버릴 게 아니냐'라고 말할 겁니다. 하지만 정말로 수중 무일푼이 되어 버리면 그때는 최후의 1백 루블에까지 손을 대며, '이까짓 1백 루블 정도는 갖고 가나마나다—차라리 다 써 버리고 말자!'라고 중얼거리겠지요. 우리가 아는 진짜 드미트리 카라마조프라면, 반드시 이렇게 할 것입니다. 그러니까 그 돈주머니에 대한 이야기는 상상할 수도 없을 만큼 실제와 모순되어 있습니다. 무슨 가정이든 다 가능하지만, 이것만은 도저히 안 될 말입니다. 그러나 이 문제는 나중에 다시 논하기로 하겠습니다."

입폴리트는 부자간의 재산 싸움에 대해서, 이미 조사된 내용을 순서 있게 말한 다음, 이 유산 분배 문제에 있어서 어느 쪽이 나쁘다고 단정을 내린다는 건 불가능하다고 결론을 지었다. 그러고 나서, 미챠의 머릿속에 고정 관념처럼 박혀 있던 3천 루블의 문제와 관련하여 의학 감정을 비판하기 시작했다.

7. 범행의 경로

"의학 전문가들의 감정鑑定은, 피고가 발광 상태에 있는 데다가, 일종의 편집광이었음을 우리에게 증명하려고 애쓴 것 같습니다. 하지만, 나는 피고가 틀림없이 제정신이었다고 주장합니다. 실은 이것이 오히려 좋지 않았던 것입니다. 만약에 그가 발광 상태에 있었다면, 아마 좀 더 영리하게 행동했을 겁니다. 피고가 일종의 편집광이었다는 데 대해서, 한 가지 점만은, 즉 아버지한테서 3천 루블을 받을 권리가 있다고 피고가 확신하고 있었다는 점만은 나도 동의합니다. 그러나 피고가 그 3천 루블 때문에 항상 광분을 느끼고 있었다는 사실을 설명하기 위해서는, 그에게 발광하기 쉬운 경향이 있었다는 것보다 좀 더 적절한 이유를 발견할 수 있다고 나는 생각합니다.

나 개인의 입장으로는, 젊은 의사 바르빈스키씨의 견해에 전적으로 찬성합니다. 그분은 말하기를, 피고는 완전히 정상적인 정신 기능을 지니고 있었고 지금도 지니고 있다. 다만 극도로 분격하여 증오감에 사로잡혔던 것뿐이다, 라는 것입니다. 바로 그 점입니다. 피고가 항상 분격을 느낀 이유는 결코 3천 루블이라는 돈 때문이 아닙니다. 거기에는 어떤 특별한 원인이 잠재해서 그의 분노에 부채질을 했던 것입니다. 그 원인이란 바로 질투입니다!"

여기서 입폴리트 키릴로비치는 그루셴카에 대한 피고의 숙명적인 정열을, 마치 그림으로 그려 보이듯이 묘사했다. 그는 피고가 '젊은 여자'한테 가서 '그 여자를 때려죽여 버리려 했던'—그는 피고 자신의 말을 그대로 인용하며 설명했다—첫 순간으로 되돌아가 거기서부터 얘기를 하기 시작했다.

"그러나 때려죽이기는커녕 오히려 여자의 발밑에 굴복하고 말았습니다. 이것이 이 연애의 발단이었던 것입니다. 그와 때를 같이하여 피고의 아버지인 노인 역시 그 여자한테 반해 있었습니다—참으로 놀라운 숙명적인 합치입니다. 왜냐하면, 두 사람 다 전부터 그 여자를 본 일도 있고 알고도 있었는데, 하필이면 두 사람이 동시에 그 여자한테 사로잡혀 카라마조프식인 맹렬한 정열을 불태우기 시작했으니 말입니다. 그러나 그 여자 자신은 조금 전에 '나는 양쪽을 다 놀려 주고 싶었어요'라고 자백한 바와 같이, 갑자기 두 사람을 놀려 주고 싶은 마음이 일어났던 것입니다. 처음부터 그랬던 건 아니지만, 문득 그런 생각이 그 여자의 머릿속에 떠올랐던 것입니다. 그래서 결국은 두 사람 다 그 여자한테 정복당하고 말았습니다. 돈만을 숭상하던 노인은 여자가 자기한테 찾아오면 주겠다고 3천 루블이란 돈을 곧 준비해 두었지만, 나중에는 여자가 정식으로 자기 아내가 되어 준다면, 자기의 명의名義건 재산이건 몽땅 여자한테 바치고서도 행복할 것같이 생각하기에 이르렀습니다. 여기 대해서는 확실한 증거가 있습니다. 한편 피고는 어떠했는가 하면, 그의 비극은 지금 우리가 눈앞에 보고 있는 바와 같습니다. 그러나 그것은 젊은 여자의 '장난'에 지나지 않았던 것입니다. 사내를 홀리는 재주를 가진 그 여자는 이 불행한 청년에게 털끝만 한 희망조차 주지 않았습니다. 진짜 희망은, 피고가 경쟁자였던 자기 아버지의 피로 물든 손을 그 여자에게 내밀며 무릎을 꿇은 그 최후의 순간에 이르러서야 비로소 그에게 주어졌던 것입니다. 바로 그러한 상태에서 그는 체포되었습니다. '나도 저이와 함께 시베리아로 보내 주세요. 내가 저이를 이렇게 만든 거예요. 내가 누구보다도 제일 큰 죄인이에요!'—피고가 체포되는 순간에 그녀는 진심으로 뉘우치며 이렇게 외쳤습니다.

이 사건을 서술하려고 한, 재능 있는 청년—즉 아까 내가 언급한 바 있는 라키친씨는, 이 여주인공의 성격을 간단명료하게 설명했습니다. '그녀는 자기를 유혹하고서 배반한 첫 애인한테서, 너무나 일찍 환멸과 기만과 타락을 경험했고, 뒤이어 청렴한 자기 가족의 저주와 빈곤의 쓰라림을 맛본 후, 마침내는 지금도 그녀가 은인으로 섬기고 있는 어느 부유한 노인의 보호를 받게 되었다. 그녀의 젊은 마음은 많은 선량한 요소를 지니고 있었겠지만, 한편으로는 너무나 일찍부터 그 마음속엔 분노의 씨앗이 잠재해 있었다. 그리하여 돈을 모아야겠다는 타산적인 성격이 형성되었고, 사회에 대한 냉소와 복수심이 자라났던 것이다' 라고 라키친씨는 말하고 있습니다. 이와 같은 성격 묘사를 듣고 보면, 그녀가 단순히 장난삼아서, 짓궂게 희롱하려는 생각에서 두 사람을 상대했으리라는 점을 수긍할 수 있습니다.

그래서 지난 한 달 동안 희망 없는 사랑에 시달리고, 도덕적으로 타락하여 약혼녀를 배반하고, 자기를 믿고 맡긴 남의 돈을 착복한 피고는, 설상가상으로 끊임없는 질투에 사로잡혀 거의 광란 상태에 빠져 있었습니다. 더구나 그 질투의 상대는 누구겠습니까? 다른 사람도 아닌 바로 자기 아버지였습니다! 그러나 무엇보다도 참을 수 없었던 것은, 그 미치광이 같은 무지막지한 노인이 3천 루블이라는 돈으로 피고의 정열의 대상인 여자를 유혹하려 하고 있다는 점이었습니다. 그뿐이겠습니까, 그 돈으로 말하면 피고가 자기 돈이라 해서, 즉 어머니가 자기한테 남겨 주고 간 돈이라 해서, 아버지에게 반환을 요구하고 있던 바로 그 돈이란 말입니다. 그렇습니다. 이것은 피고로서 도저히 참을 수 없는 일입니다. 이 점은 나도 시인합니다! 이러한 경우엔 누구나 편집광이 될 수도 있을 것입니다. 문제는 돈이 아니라, 파렴치하게 그 돈을 이용하여 그의 행복을 파괴하려 든다는 점에 있는 것입니다!"

다음에 입폴리트 키릴로비치는, 어찌하여 피고가 아버지를 죽이려는 생각을 품기에 이르렀느냐 하는 문제로 옮아가서, 사실에 의거하여 그것을 구명했다.

"처음에 그는 주로 술집에서 그런 생각을 남에게 말하곤 했습니다. 한 달 동안이나 그런 소릴 하고 돌아다녔습니다. 아아, 그는 늘 여러 사람에게 둘러싸여, 아무리 무엄하고 위험한 생각이라도 거침없이 털어놓기를 좋아했습니다. 타인과 사상을 교환하기를 좋아했던 것입니다. 그리고 왜 그런지는 모르겠지만, 상대방이 이내 충분한 동감을 표시해 주길 요구했습니다. 자기의 근심 걱정을 동정하고 맞장구를 치면서 자기한테 반대하지 않기를 요구했습니다. 그렇게 하지 않으면 난폭하게 성을 내며 술집을 두들겨 부수려 들기까지 합니다. (여기서 스네기료프 대위 얘기가 나왔다) 지난 한 달 동안 피고를 만나서 그런 말을 들은 사람들은, 그것이 단순한 위협이나 공갈이 아니며, 그런 위협은 그가 극도로 흥분했을 때 능히 실행으로 옮겨질 수도 있으리라는 것을 느꼈던 것입니다. (여기서 검사는 수도원에서의 가족의 화합과, 피고와 알료샤와의 대화, 그리고 피고가 식사 시에 아버지 집에 들어가 폭행을 감행했을 때의 추악한 광경을 이야기했다) 나도 피고가 아버지를 살해하려고 사전에 치밀한 계획을 세우고 있었다고는 단언할 수 없습니다" 하고 입폴리트 키릴로비치는 계속했다. "그러나 그런 생각은 여러 번 피고의 마음속에 떠올랐던 것입니다. 또한 그는 그것을 곰곰 생각해 보기도 하였습니다—여기에 대해서는 확실한 증거도 있으며 증인도 있습니다. 피고 자신의 자백도 있습니다. 배심원 여러분" 하고 검사는 다시 덧붙였다. "사실 나는 피고가 사전에 의식적으로 범행을 계획했다고 인정하기를 오늘까지 주저해 왔습니다. 피고가 이미 여러 번 그런 범행의 순간을 고찰하기는 했지만, 그것은 다만 가능한 일로서 생각해 본 데 지나지 않으며, 실행의 시기나 방법 같은 건 전혀 결정한 바 없었을 것이라고 나는 확신합니다.

나는 바로 오늘까지지도, 카체리나 이바노브나가 법정에 제출한 그 무서운 증거물을 직접 보기까지는 자신 있는 판단을 내리지 못하고 있었습니다. 여러분께서는 그 여자의 부르짖음을, '이건 계획입니다. 완전한 살인 계획입니다!'라는 부르짖음을 들으셨을 것입니다. 그 여자는 불행한 피고의 슬픔 '취중의' 편지를 이렇게 이름 지었습니다. 사실 그 편지에는 피고의 살인 계획이 나타나 있습니다. 그것은 범행 이틀 전에 쓴 편지입니다. 이것으로 미루어 볼 때, 피고는 그 무서운 계획을 감행하기 이 주야 전에, 만약 이튿날 아버지가 돈을 주지 않으면 '이반이 떠나자마자 아버지를 죽이고 빨간 리본으로 묶은 봉투 속에 들어 있는 그 돈을 베개 밑에서 꺼내 가져야겠다고 맹세했던 것입니다. 그것은 이제 명백한 사실이라고 인정할 수밖엔 없습니다. '이반이 떠나자마자'라고 한 걸 보면, 이미 모든 걸 곰곰 생각하고 범행의 세부 계획까지도 다 결정했었다는 걸 알 수 있습니다—그리고 결과는, 모든 것이 편지에 쓴 그대로 실행에 옮겨진 것입니다. 미리부터 심사숙고되고 면밀히 계획되어 있었다는 것은 의심할 여지도 없습니다. 범행은 돈을 약탈하기 위해서였습니다. 이것은 여러 사람 앞에서 공언公言되었고 기록되었고 서명된 것입니다. 피고도 자기의 서명을 부인하지는 않습니다.

그것은 술에 취해 쓴 것이 아니냐고 말할 사람이 있을지 모릅니다. 그러나 그렇다고 해서 증거로서의 가치가 감소되는 것은 아닙니다. 오히려 취하지 않았을 때 생각했던 것을 취한 김에 썼다고 할 수 있습니다. 술에 취하지 않았을 때, 생각하지도 않은 일을 취중이라고 해서 쓸 수는 없는 게 아닙니까. 그럼 그는 왜 자기의 계획을 술집에서 공언하고 다녔는가? 그런 걸 미리 계획하고 있었다면 남한테 숨기고 아무 말도 하지 않았을 게 아닌가?라는 질문도 있을 수 있습니다. 그러나 그가 그런 소리를 하고 다닌 것은, 아직도 구체적인 범행 계획이 서 있지 않고 다만 범행에 대한 욕망과 충동밖엔 없었을 때였습니다. 그래서 나중에는 그도 그런 소리를 덜하게 되었던 것입니다. 그 편지를 쓸 때 그는 '서울집'에서 술을 꽤 많이 마셨지만, 여느 때와는 달리 말수가 적었고, 잠깐 당구를 치고는 한쪽 구석에 앉아서, 아무하고도 말을 주고받지 않았습니다. 다만 뉘 집

점원을 한 사람 쫓아내기는 했지만, 그것도 거의 무의식적인 행동이었습니다. 그는 원래가 남한테 싸움을 걸기 좋아하는 버릇이 있기 때문에, 술집에 들어가면 으레 그런 일이 벌어지게 마련입니다. 하기는 그가 최종적으로 범행을 결심했을 때, 자기가 미리부터 너무 여러 사람에게 공언하며 돌아다녔기 때문에, 그 계획을 실행에 옮기는 경우 이내 탄로가 나지 않겠는가 하는 걱정이 생겼을 것입니다. 그렇지만 이젠 어쩔 수도 없지 않은가, 자기가 그런 걸 공언했다는 사실을 취소할 수는 없는 일이다, 전에도 나를 구해 준 적이 있는 요행이 이번에도 구해 주겠지—요컨대 그는 자기의 행운의 별에 기대를 걸었던 것입니다! 그가 숙명적인 순간 피하려고 여러 가지 수단을 강구해 보았다는 사실, 피비린내 나는 결말을 피하려고 고심참담했다는 사실은 나도 인정하지 않을 수 없습니다. '나는 내일 누구한테든지 3천 루블을 빌릴 작정이다'라고 그는 독특한 말투로 적었습니다. '그러나 만약에 아무도 빌려 주지 않으면 피를 보는 수밖엔 없다.' 다시 한번 되풀이하거니와, 그는 취중에 자기가 쓴 것을 취중이 아닐 때 실행했을 뿐입니다."

여기서 입폴리트 키릴로비치는 미챠가 범죄를 피하기 위해 돈을 구하려고 애쓴 일들을 상세하게 말했다. 그는 미챠가 삼소노프를 방문했던 일이며, 멀리 랴가브이한테까지 다녀온 일이며 증거를 들어가며 설명했다.

"그 여비를 마련하려고 시계를 팔아 가지고 길을 떠난 그는 (그런데도 1천 5백 루블이나 되는 돈을 지니고 있었다고 하니 어찌 그 말을 믿을 수 있겠습니까) 읍내에 남아 있는 사랑의 대상이 혹시 자기가 없는 사이에 표도르한테 가지나 않을까 하는 질투와 의심으로 애를 태우며, 지치고 굶주린 몸으로 냉소만 당한 채 읍내로 되돌아왔습니다. 다행히도 여자는 표도르한테 가지 않았으므로, 그는 여자를 직접 삼소노프한테 데려다 주었습니다. (이상하게도 그는 삼소노프에게만은 질투를 느끼지 않았습니다. 이것은 이 사건 중에서 가장 주목할 만한 심리적 특점입니다) 그다음 그는 뒤뜰의 잠복 초소로 달려갔습니다. 거기서 그는 스메르쟈코프가 간질병 발작을 일으키고, 또 다른 하인은 병들어 누워 있다는 것을 앉았습니다. 방해가 될 만한 존재는 하나도 없는 데다가 그는 '암호'까지 알고 있었으니, 이런 유혹이 또 어디 있겠습니까! 그러나 그는 자기 자신에게 항거했습니다. 그는 이 고장에 얼마 동안 머물러 살면서 우리들의 존경을 받고 있는 호흘라코바 부인을 찾아갔던 것입니다. 전부터 그의 운명을 동정해 온 그 부인은 그에게 가장 중요한 충고를 해 주었습니다. 즉 방탕한 생활과, 추악한 연애와 무절제한 술집 출입 등, 젊은 정력의 낭비를 청산하고, 차라리 시베리아의 금광으로 가는 것이 좋겠다, '거기에는 당신의 맹렬한 정력과 모험을 갈망하는 로맨틱한 성격을 발산할 데가 있을 거예요'라고 말했던 것입니다."

입폴리트 키릴로비치는 이 대화의 결말을 얘기하고 나서, 그루셴카가 삼소노프 노인의 집에 가지 않았다는 것을 피고가 알게 순간을 묘사했다. 그리고 여자가 자기를 속이고 지금 표도르한테 가지나 않았을까 하는 생각에 신경을 쓴 나머지, 질투심 많은 미챠가 불행하게도 대번에 분노의 화신처럼 되어 버렸다는 것을 설명하고 나서, 마지막으로 이런 경우의 가공할 영향을 특히 강조하면서 말을 맺었다.

"만약에 그때 하녀가 그에게, 자기 주인아씨는 '옛 애인'을 만나러 모크로예로 갔다고 말했더라면 아무런 사건도 일어나지 않았을 것입니다. 그러나 하녀는 겁에 질려 당황해서, 그저 아무것도 모른다고만 말했습니다. 피고가 그 자리에서 하녀를 죽이지 않은 것은, 자기를 배반한 여자의 뒤를 쫓기에 정신이 팔려 허겁지겁 달려 나갔기 때문입니다. 그러나 여기서 한 가지 지적해 둘 일이 있습니다. 피고는 이때 앞뒤를 가릴 수 없을 만큼 광란 상태에 빠져 있었음에도 불구하고, 놋공이를 집어 들었다는 사실입니다. 하필이면 왜 놋공이를 집어 들었는가? 왜 다른 물건을 집어 들지 않았는가? 하지만 그가 한 달 동안이나 이 계획을 생각하고 준비해 왔다면, 무엇이든 흉기 같은 것이 눈에 띄는 대로 곧 그것을 집어 드는 게 당연합니다. 그리고 그런 종류의 어떠한 물건이 흉기로 사용될 수 있는가 하는 것은 이미 한 달 이상이나 생각해 왔을 것입니다. 그렇기 때문에, 그 놋공이를 보자마자 적당한 흉기로 단정했던 것입니다. 그러니까, 그가 그 무서운 공이를 집어든 것은 결코 무의식적으로, 부지불식간에 한 일은 아닙니다. 이윽고 그는 아버지 집에 나타났습니다. 장애물은 없다, 보는 사람도 없다, 밤은 깊어서 캄캄합니다. 질투의 불길이 이글이글 타올랐습니다. 여자는 여기 있다, 자기의 적수인 아버지 품에 안겨 있다, 어쩌면 지금 자기를 비웃고 있을지도 모른다, 이런 의심이 일어나자, 그는 숨이 콱콱 막혀 왔습니다. 그리고 그것은 이미 단순한 의심에 그치는 것이 아니라, 자기가 속고 있었다는 것은 명백한 사실이었습니다. 여자는 저기 저 불빛이 흘러나오는 방 안에, 저 칸막이 뒤에 있다는 것은 의심할 여지도 없습니다. 이때 불행한 피고는 살금살금 창가로 다가가서 공손하게 안을 들여다보고는, 얌전히 단념을 하고, 혹시 무슨 흉악한 잘못을 저지르게 될까 염려하여 현명하게 불행을 피해 급히 그곳을 물러나왔다고 우리들에게 주장하고 있었습니다. 그러나 우리는 피고의 성격을 잘 알고 있으며, 그 순간의 그의 정신 상태를 이해하고 있습니다. 우리는 그 상태를 사실에 입각하여 알고 있는 것입니다. 뿐만 아니라, 그는 곧 문을 열고 방 안에 들어갈 수 있는 암호까지 알고 있었단 말입니다!"

여기서 입폴리트 키릴로비치는 그 '암호' 얘기가 나온 김에, 스메르쟈코프에 관해 몇 마디 해야 할 필요를 인정하고, 이 하인이 혹시 하수인이 아니냐 하는 즉흥적 혐의를 충분히 규명하여, 이 문제에 결말을 짓기 위한 잠깐 논고를 중단하고 옆길로 접어들었다. 그러나 그가 이 문제에 관해서 너무나 상세하게 언급하는 바람에, 사람들은 이 혐의에 대해 그가 경멸하는 태도를 취하고 있음에도 불구하고 내심으로는 역시 그것에 중대한 의의를 인정하고 있다는 것을 깨달았다.

8. 스메르쟈코프에 관하여

"우선 어떠한 이유에서 이런 혐의가 일어나게 되었겠습니까?" 입폴리트 키릴로비치는 이런 질문으로 말을 시작했다. "맨 처음으로 스메르쟈코프를 하수인이라고 외친 것은 피고 자신이었는데, 그것은 체포되는 순간에 한 말이었습니다. 그러나 그는 처음 그렇게 외친 순간부터 오늘 이 공판에 이르기까지, 스메르자코프의 범죄를 증명할 만한 사실을 하나도 제시하지 못했습니다. 아니, 사실은 고사하고, 상식적으로 수긍할 수 있는 어떤 암시 같은 것조차 제시하지 못했습니다. 피고 이외에 스메르자코프를 범인으로 확신하고 있는 사람은 겨우 세 사람뿐입니다. 즉 피고의 두 동생과 스베틀로바뿐입니다. 그러나 두 동생 중 이반은 오늘에야 비로소 그런 혐의를 토로했는데, 그것은 틀림없이 극도의 흥분과 광기의 발작 때문이었을 것입니다. 전에는, 우리도 알다시피 자기 형의 범죄를 확신하여, 그런 견해에 항변하려는 생각조차 하지 못했으니까요. 하지만 여기 대해서는 나중에 특별히 언급하기로 하겠습니다. 다음에 맨 밑의 동생 알료샤로 말하면, 그는 아까도 우리한테 말한 바와 같이, 스메르자코프의 범죄를 증명할 만한 사실이라고는 털끝만큼도 갖고 있지 못하면서, 다만 피고인 자기 형의 말과 그 '얼굴빛으로' 그렇게 믿고 있을 뿐입니다. 이 놀랍고도 유력한 증언은 아까 두 번씩이나 그의 입을 통해서 진술된 바 있습니다. 그러나 스베틀로바는 더욱 놀라운 증언을 했습니다. '피고의 말을 믿어 주세요, 그이는 거짓말을 할 사람이 아닙니다.' 피고의 운명에 깊은 관련을 갖고 있는 이 세 사람이 스메르자코프 유죄론을 뒷받침하기 위해 제시한 사실적 증명은 겨우 이것뿐입니다. 그럼에도 불구하고, 스메르자코프에 대한 혐의는 여태까지 사람들의 입에 오르내렸고, 지금도 오르내리고 있습니다. 도대체 이것이 믿을 수 있는 것이겠습니까? 상상할 수 있는 것이겠습니까?"

여기서 검사 입폴리트 키릴로비치는, 흥분과 광기의 발작 때문에 스스로 목숨을 끊은 스메르자코프의 성격을 간단히 묘사할 필요를 느꼈다. 검사의 말에 의하면, 스메르자코프는 지력이 둔한 사람으로, 체계 없는 초보 교육을 약간 받기는 했지만, 자기의 지력이 미치지 못하는 철학 사상에 매혹되어, 널리 일반에 퍼져 있는 괴상한 현대적 책임 관념 내지는 의무 관념에 사로잡혀 있었다는 것이다. 이런 것을 실제적으로 가르친 것은, 주로 그의 주인, 아니, 어쩌면 아버지였는지도 모르는 표도르 파블로비치의 방탕한 생활이었고, 이론상으로 가르친 것은, 그를 상대로 여러 가지 괴이한 철학적 담화를 교환한 이반 표도로비치였다. 아마도 이반은 단순히 심심풀이로 스메르쟈코프를 상대했거나, 아니면 자기 마음속에 엉겨 있는 냉소적인 기분을 달리 발산할 데가 없어서 그랬는지 모른다.

"그는 직접 나한테, 최근에 주인집에 있었을 때의 자기의 정신 상태를 얘기했습니다" 하고 입폴리트는 설명했다. "하기는 딴 사람들도, 예를 들면 피고 자신도, 피고의 동생도, 하인 그리고리도, 다시 말해서 그와 가까운 모든 사람들이 똑같은 증언을 하고 있습니다. 뿐만 아니라, 스메르쟈코프는 간질병 발작 때문에 건강이 극도로 쇠약하여 '마치 수탉처럼' 겁쟁이가 되어 있었습니다. '그 녀석은 내 발밑에 엎드려서 구두에다 입을 맞췄습니다'라고 피고도 우리들에게 진술했습니다만, 그때만 해도 피고는 그러한 진술이 자기에게 다소 불리하다는 것을 미처 깨닫지 못했던 것입니다. '그 녀석은 간질병에 걸린 수탉입니다'라고 피고는 예의 독특한 말투로 스메르쟈코프를 평했습니다. 그래서 피고는 그를 상담인으로 정하고, (이건 피고 자신도 시인하고 있습니다) 여러 가지로 협박했으므로, 결국 그는 피고를 위해 밀정 노릇을 하지 않을 수 없게 되었습니다. 그리하여 그는 자기 주인을 배반하고, 돈이 들어 있는 봉투가 어디 있으며, 주인 방에 들어가려면 어떤 암호를 써야 하는가를 피고에게 고해바치고 말았습니다. 하기는 고해바치지 않을 수가 없었던 것입니다. '나를 죽일 것 같았습니다. 아무래도 나를 죽일 것만 같았어요'라고 그는 심문을 받을 때 말했습니다. 그때는 이미 자기를 협박하고 괴롭히던 폭군이 체포되어서 자기한테 앙갚음을 할 우려성이 전혀 없었음에도 불구하고, 그는 온몸을 덜덜 떨고 있었습니다. '그분은 늘 나를 의심하고 있었기 때문에, 나는 전전긍긍하고 있었습니다. 그래서 그분의 노여움을 사지 않으려고 비밀을 모조리 고해바쳤습니다. 그렇게 하면 내가 그분한테 나쁜 생각을 품고 있지 않다는 것을 알고, 나를 용서해 줄 거라고 생각했던 거죠.' 이건 스메르쟈코프 자신이 한 말입니다. 나는 그 말을 적어 두었기 때문에 잘 기억하고 있습니다. '나는 그분이 호통을 치기만 하면 그분 앞에 황급히 무릎을 꿇곤 했어요.'

그는 원래가 무척 정직한 청년이어서 주인이 분실한 돈을 주워 돌려준 때부터 그 정직을 인정받아 주인의 깊은 신임을 얻게 되었습니다. 그래서 이 불행한 하인은 자기가 은인으로서 경애하던 주인을 배반한 것을 후회하며 몹시 번민하고 있었다고 보아야 할 것입니다. 박식한 심리학자의 말에 의하면, 심한 간질병 환자는 항상 병적인 가책에 빠지기 쉽다는 것입니다. 그런 환자들은 흔히 아무런 근거도 없건마는 스스로를 죄인시하여 양심의 가책을 느끼며 번민합니다. 그들은 무슨 일이나 터무니없이 과장하여 생각하는 버릇이 있어서, 스스로 여러 가지 과오나 죄악을 생각해 내곤 합니다. 이런 종류의 인간은 단순히 공포와 경악 때문에 실제로 범죄를 저지르는 수도 있습니다.

뿐만 아니라, 그는 자기 눈앞에 일어나는 여러 가지 사정을 보고, 무언가 불길한 일이 일어나리라는 것을 예감하고 있었습니다. 이반이 사건 발생 직전에 모스크바로 떠나려 했을 때, 그는 제발 떠나지 말아 달라고 이반에게 애원하기까지 했지만, 그 겁약한 마음 때문에, 자기가 품고 있는 의구심을 분명히 털어놓지를 못하고 약간의 암시를 주는 것으로 그쳤습니다. 그러나 이반은 그 암시를 알아채지를 못했던 것입니다.

여기서 한 가지 주목할 것은, 그가 이반을 자기 보호자처럼 생각하여 이반이 집에 있기만 하면 아무런 불행도 일어나지 않으리라고 믿고 있었다는 점입니다. 드미트리의 '취중의' 편지 속에 '이반이 떠나면 곧 아버지를 죽여 버리겠다'는 구절이 있는 걸 보아도 알 수 있듯이, 이반의 존재는 집안의 평온과 질서의 보증처럼 누구에게나 생각되었던 것입니다.

그러나 이반은 떠나고 말았습니다. 그러자 스메르쟈코프는 젊은 주인이 떠난 후 한 시간 만에 간질의 발작을 일으켰습니다. 그건 지극히 당연한 일입니다. 또 한 가지 여기서 말해 두어야 할 것은, 여러 가지 공포와 절망에 시달리고 있던 스메르쟈코프가, 사건 발생 전에 이미 자기에게 곧 심한 발작이 일어날 것 같은 예감을 특히 강하게 느끼고 있었다는 점입니다. 기왕에도 간질의 발작은 언제나 정신적 긴장과 충격의 순간에 일어나곤 했다는 것입니다. 물론 발작이 어느 날 어느 시에 일어날지 정확히 예측할 수는 없는 일이지만, 간질병 환자라면 누구나 발작을 일으킬 것 같은 낌새를 미리 느낄 수 있다는 것은 이미 의학적으로 알려져 있습니다. 그래서 이반이 집을 나가 버리자, 스메르쟈코프는 자기의 고독하고 의지할 데 없는 신세를 한탄했습니다. 그리고 곧 무엇을 가지러 광으로 쓰는 반지하실로 갔습니다. 층계를 내려가면서 그는 '혹시 발작을 일으키지나 않을까? 여기서 발작을 일으키면 어떡하나?' 하고 생각했습니다. 그러자, 이런 기분과 이런 상상과 의심 때문에, 언제나 발작 직전에 일어나곤 하는 경련이 목에 일어나서 그는 의식을 잃고 지하실 바닥으로 굴러떨어졌습니다. 그러나 세상에는 이처럼 지극히 자연스러운 일에 대해서까지 의심을 품고 그건 일부러 발작을 일으킨 체한 것이라고 말하는 사람들이 있습니다. 그러나 만약에 일부러 그랬다면 '무엇 때문에?'라는 의문이 곧 일어날 것입니다. 어떤 타산, 어떤 목적이 있었을까요? 나는 의학적인 설명은 하지 않겠습니다. 과학이란 정확지 못할 수가 있다, 잘못이 있을 수도 있다, 의사는 진짜 병인지 꾀병인지를 분간 못 할 때가 있다—이렇게 말하는 사람이 있다면, 그렇다고 해 둡시다. 그러나 그가 왜 꾀병을 앓아야 했느냐, 하는 질문부터 대답해 주기 바랍니다. 만약에 살인을 계획하고 있었다면, 일부러 발작을 일으켜 온 집안의 주의를 자기에게 집중시킬 필요가 어디 있겠습니까?

배심원 여러분, 여러분께서도 아시다시피, 범행이 일어난 날 저녁에 표도르 파블로비치네 집에는 다섯 사람이 있었습니다. 첫째는 표도르 파블로비치 자신인데, 그가 자살을 한 게 아니라는 건 너무나 명백합니다. 둘째는 하인 그리고리인데, 그는 하마터면 자기도 살해당할 뻔한 사람입니다. 다음은 그리고리의 아내 마르파 이그나치예브나인데, 그 여자가 자기 주인을 죽였으리라는 건 생각하기조차 부끄러운 일입니다. 그러면 나머지 두 사람은 피고와 스메르쟈코프입니다. 그러나 피고는 자기가 죽인 게 아니라고 우기고 있으니까, 결국은 스메르쟈코프가 죽였다는 것밖엔 안 됩니다. 그 이외엔 범인으로 지목할 만한 사람이 없으니까요. 이리하여 엊저녁에 자살한 가엾은 백치에게 '교활하고도' 터무니없는 혐의가 씌워진 것입니다! 이것은 달리 혐의를 씌울 만한 사람이 없기 때문입니다. 만약에 누구든 딴 사람에게, 즉 여섯째 사람에게 털끝만큼이라도 혐의를 걸 수 있었다면, 피고는 스메르쟈코프를 지목하기가 부끄러워 그 여섯째 사람에게 혐의를 씌웠을 것입니다. 왜냐하면, 스메르쟈코프에게 살인죄를 뒤집어씌운다는 것은 절대로 불합리한 일이기 때문입니다.

그러나 여러분, 심리학적 분석은 집어치웁시다. 의학적인 설명도 그만둡시다. 심지어는 논리조차도 내던집시다. 그리고 오직 사실만을 고찰하여, 그 사실이 우리에게 무엇을 말해 주는가를 살펴봅시다. 설사 스메르쟈코프가 죽였다 치더라도, 대체 어떻게 어떤 식으로 죽였을까요? 혼자서 죽였을까요, 아니면 피고와 공모해서 죽였을까요? 우선 첫째 경우를, 즉 스메르쟈코프가 혼자서 죽였다고 생각해 봅시다. 그가 죽였다면, 거기엔 반드시 무슨 목적이 있어야 할 것입니다. 무언가 이로운 점이 있어야 할 것입니다. 스메르쟈코프는 피고가 갖고 있었던 것과 같은 증오나 질투 따위의 범행의 동기를 전혀 가지고 있지 않았으니까, 만약 그가 범인이라면 틀림없이 돈 때문이었을 것입니다. 그 3천 루블이라는 돈 때문이었을 것입니다. 주인이 그 돈을 봉투 속에 넣어 두는 것을 그는 보았으니 말입니다. 그러나 범행을 계획했다는 그가 사전에 딴 사람에게—더구나 밀접한 이해관계를 갖고 있는 피고에게, 돈 얘기와 암호 얘기와, 봉투가 있는 장소와, 거기 적혀 있는 말과, 그걸 동여맨 리본 등에 관해서 죄다 알려 준 사실을 어떻게 보아야 합니까? 특히 무엇보다 중요한 것은, 그가 주인 방에 들어갈 수 있는 '암호'를 가르쳐 주었다는 점입니다. 무엇 때문에 그처럼 자기에게 불리한 짓을 했겠느냐 말입니다. 그 방에 들어가서 돈을 훔쳐 낼 경쟁자를 일부러 만들기 위해서였을까요? 그건 겁이 나서 할 수 없이 가르쳐 준 거라고 말하는 사람이 있을지 모릅니다. 하지만 이건 또 어떻게 설명해야 하겠습니까—그토록 엄청난 야만적인 행위를 생각해 내고 그걸 감히 실행할 각오까지 한 인간이, 세상에서 자기밖엔 모르는 일을—자기만 입 밖에 내지 않으면 아무도 알 턱이 없는 일을 공연히 딴 사람에게 얘기할 리가 있겠느냐 말입니다.

아니, 아무리 겁쟁이라도 일단 그런 범죄를 계획한 이상, 절대 누구에게도 말하지 않았을 것입니다. 적어도 봉투와 암호에 대해서만은 누설하지 않았을 것입니다. 그걸 누설한다는 건 장차 자기 자신을 배반하는 결과를 초래할 것이기 때문입니다. 혹시 남한테서 정보의 제공을 강요당했다면, 적당히 꾸며서 거짓말을 하던가 하여 중요한 점에 대해서만은 입 밖에 내지 않을 수도 있는 것입니다. 뿐만 아니라, 거듭 말하거니와, 만약에 그가 돈 얘기만이라도 하지 않고 있다가 주인을 죽이고 돈을 탈취했다면, 돈이 탐나서 살인을 했다고 그를 고발할 사람은 이 세상에 한 사람도 없었을 것이 아닙니까? 왜냐하면, 그 이외에는 아무도 그 돈을 본 사람이 없었고, 그런 돈이 집 안에 있다는 걸 아는 사람조차 없었으니 말입니다. 설사 그가 살인 혐의를 쓴다 하더라도 무슨 다른 동기에서 죽였을 것으로 사람들은 생각할 것입니다. 그러나 그에게 자기 주인을 죽일 만한 어떤 동기가 있었을 것으로 생각하는 사람은 아무도 없었습니다. 오히려 그가 주인의 사랑과 신용을 얻고 있다는 것은 누구나가 다 알고 있었습니다. 그러니까 혐의를 받는다 하더라도 그는 맨 끝에 해당되는 인물입니다. 누구보다도 제일 먼저 혐의를 받을 사람은 표도르 파블로비치를 죽일 만한 동기를 가지고 있으며 제 입으로 거리낌 없이 그것을 공언하고 다닌 사람, 즉 피해자의 맏아들인 드미트리 표도로비치일 것입니다. 죽이기는 스메르쟈코프가 죽이고 돈을 빼앗고서는, 죄는 아들에게 뒤집어씌운다—이렇게 하는 편이 진범인 스메르쟈코프에겐 물론 유리하겠지요. 하지만 그는 범행을 계획하고 있으면서 주인의 아들 드미트리에게 돈과 봉투와 암호 얘기를 했습니다—도대체 이게 이치에 닿는 일이겠습니까? 사리는 지극히 명백합니다!

스메르쟈코프가 계획한 범행 예정일이 되자, 그는 일부러 간질의 발작이 일어난 체하고 자리에 누워 버렸다고도 볼 수가 있겠지요. 그러나 그것은 무엇 때문입니까? 그 결과 첫째로는, 아무도 집안일을 할 사람이 없기 때문에, 부득이 하인 그리고리가 자기 병 치료를 뒤로 미루고 주인의 시중을 들어야 하게 됩니다. 둘째로는, 아무도 집을 지킬 사람이 없어졌기 때문에, 그러잖아도 아들이 습격해 올까 두려워하고 있던 (그 점은 그도 숨기려 하지 않았습니다만) 주인의 불안감을 가중시켜 경계를 더한층 엄중히 하게 할 것입니다. 그리고 마지막으로, 이것은 물론 가장 중요한 점입니다만, 스메르쟈코프는 언제나 주방에서 혼자 자고 있었고 출입문도 따로 사용하고 있었으나, 간질의 발작을 일으키게 되면 곧 별채 한쪽 구석에 있는, 그리고리 부부의 침대에서 불과 세 발짝밖에 안 되는 칸막이 뒤에 누여지게 됩니다. 그가 발작을 일으키기만 하면 주인과 극성스런 마르파의 배려로 언제나 그렇게 하게 되어 있었습니다. 그런데 그 칸막이 뒤에 누워 있게 되면, 그는 정말로 앓고 있는 것처럼 보이기 위해 부득이 신음 소리를 내어서 그리고리 부부를 밤새껏 잠을 못 자게 해야 합니다. (그리고리 부부의 증언에 의하면 그는 정말로 그랬다는 것입니다) 도대체 그런 일들이 갑자기, 자리에서 일어나 주인을 살해하기에 편리하다고 할 수 있겠느냐 말입니다!

그러나 또 어떤 사람은, 그가 꾀병을 앓은 것은 혐의를 피하기 위해서였고, 돈과 암호 얘기를 피고에게 알려 준 것은, 피고를 유혹함으로써 피고 자신이 나타나서 자기 아버지를 죽이게 하려는 속셈이었다고 주장할지 모르겠습니다. 그렇지만 피고가 아버지를 죽이고 돈을 빼앗아 갈 때는 반드시 무슨 소음이 일어나서 증인이 될 사람들을 깨우게 될 것입니다. 그러면 그때 스메르쟈코프도 어슬렁어슬렁 일어나서 나갈 생각이었을까요? 도대체 무엇하러 나간단 말입니까? 다시 한번 주인을 죽이고, 이미 빼앗아 가 버린 돈을 강탈하기 위해서입니까? 여러분, 당신들은 웃으시는군요? 나 자신도 이런 가정을 세우기가 부끄러울 지경입니다. 그런데도 피고는 그렇게 주장하고 있습니다. 피고는 자기가 그리고리를 쓰러뜨려 소동을 일으키고서 집 밖으로 나가자마자, 스메르쟈코프가 일어나 안채로 들어가서 주인을 죽이고 돈을 훔쳤다고 우기고 있습니다. 흥분에 사로잡혀 반미치광이가 된 아들이, 공손하게 창문을 한 번 들여다보고는, 암호까지 알고 있으면서도 노획물을 몽땅 그에게, 즉 스메르쟈코프에게 양보하고 얌전히 물러가리라는 것을, 어떻게 스메르쟈코프가 예견할 수 있었는가? 하는 점에 대해서는 더 이상 말하지 않겠습니다! 여러분, 나는 진지하게 하나의 질문을 제기하겠습니다—스메르쟈코프가 범행을 저지른 건 언제입니까? 그 시각을 제시하십시오. 그것을 모르고는 그의 유죄를 주장할 수 없기 때문입니다.

그러나 어쩌면 발작은 진짜였는데, 병자는 비명 소리를 듣고 제정신으로 돌아와 달려 나갔는지도 모른다—가령 그렇다고 한다면 어찌 되겠습니까? 그는 주위를 둘러보고는 '흠, 가서 주인을 죽일까?'라고 혼잣소리를 했다고 합시다. 하지만 그때까지 정신없이 누워 있던 사람이 어떻게 그사이에 일어난 일을 알 수 있었을까요? 그러나 여러분, 이따위 공상은 집어치우기로 합시다.

혹시 두뇌가 예민한 사람들은 이렇게 말할지도 모릅니다—만약에 그 두 사람이 서로 짜고서 그 짓을 했다면, 즉 둘이 공모하여 죽이고 돈을 나눠 가졌다면 어쩌겠는가? 그렇습니다. 사실 이것은 중대한 의문입니다. 첫째로 그러한 혐의를 증명할 만한 유력한 증거가 있습니다. 즉 한 사람은 모든 어려운 일을 자기가 맡아서 제 손으로 살인을 감행하고, 다른 한 사람은 일부러 발작을 일으킨 체하고 편안히 누워 있었다—더욱이 그것은 주인과 그리고리에게 미리 의심과 불안을 불러일으키기 위해서였다, 이겁니다. 두 공모자가 어떤 동기에서 이런 어처구니없는 계획을 세웠는지 참으로 알 수 없는 일입니다. 그러나 이것은 스메르쟈코프 쪽에서 적극적으로 꺼낸 계획은 아니고, 이를테면 피동적이며 희생적인 순종에 지나지 않았는지 모릅니다.

아마도 스메르쟈코프는 협박을 받고, 다만 범행을 방해하지 않겠다고 승낙한 데 지나지 않았을 겁니다. 그는 자기가 고함 소리도 지르지 않고 반항도 하지 않고, 드미트리가 주인을 죽이는 걸 방관했다는 비난을 받게 될까 봐, 드미트리가 범행을 저지르는 동안 발작을 일으킨 체하고 누워 있기로 그의 양해를 얻었는지 모릅니다. '당신은 어서 죽이십시오. 나는 모른 체하고 구경이나 하겠소'—이런 속셈이었겠지요. 그렇지만 발작을 일으키면 아무래도 집안이 시끄러워질 텐데, 그걸 뻔히 알면서도 드미트리가 거기에 동의할 리는 없습니다. 그러나 나는 한 걸음 양보하여, 그가 동의한 것으로 하겠습니다. 그렇다고 하더라도, 역시 하수인인 장본인은 드미트리이고, 스메르쟈코프는 피동적인 관계자, 아니 관계자라기보다는 공포심 때문에 부득이 묵인한 것에 지나지 않는 것입니다. 이 점은 재판관들께서도 반드시 인정하리라 믿습니다.

그런데 대체 어찌 되겠습니까? 피고는 체포되자마자 스메르쟈코프에게만 책임을 전가하면서 그에게만 죄를 덮어씌우고 있습니다. 공모했다는 정도가 아니라, 그 한 사람에게 모든 죄를 덮어씌우고 있는 것입니다. '그놈이 혼자서 했다, 그놈이 죽이고 돈을 강탈했다, 모두가 그놈의 짓이다!'라고 피고는 우기고 있습니다. 범행을 저지르기가 무섭게 서로 죄를 전가하는 공범자가 세상에 어디 있습니까—아니, 그런 일은 절대로 없습니다. 더욱이 그것은 카라마조프 자신에게 매우 위험한 짓입니다. 왜냐하면, 장본인은 어디까지나 그 자신이지 스메르쟈코프가 아닙니다. 스메르쟈코프는 다만 묵인하고서 칸막이 뒤에 누워 있었을 뿐입니다. 그런데 피고가 가만히 누워 있던 자에게 모든 죄를 뒤집어씌우려 든다면, 스메르쟈코프도 몹시 분개하여 자기방어를 위해 곧 모든 사실을 실토할 우려가 있지 않겠느냐 말입니다. 둘이서 공모한 건 사실이지만 내가 죽인 것이 아니고, 나는 다만 무서워서 못 본 체했을 뿐이다, 라고 말할지 모릅니다. 스메르쟈코프는 필시, '법정에서는 곧 자기 죄의 정도를 알아줄 테니까, 설사 벌을 받더라도 모든 죄를 나한테 전가하려 드는 장본인보다는 훨씬 가벼운 벌을 받을 것이다'라고 생각했을 것입니다. 하지만 정말로 그렇다면 그는 별수 없이 모든 것을 자백했을 텐데, 그런 소리는 한마디도 하지 않았습니다. 하수인이 끝까지 그에게 죄를 뒤집어씌우면서 그가 유일한 진범이라고 주장하고 있음에도 불구하고, 스메르쟈코프는 공모했다는 말은 전혀 하지 않았을뿐더러, 돈이 든 봉투와 암호는 자기가 직접 피고에게 알려 주었다, 만일 자기가 알려 주지 않았더라면 피고는 아무것도 몰랐을 것이다, 라고 말했습니다.

만약에 정말로 그가 공모자여서 자기에게도 죄가 있다면, 심문할 시에 그처럼 순순히 그것을, 즉 자기가 피고에게 모든 것을 알려 주었다는 것을 자백할 리가 없지 않겠습니까? 오히려 횡설수설하면서 사실을 왜곡하거나 작게 만들려고 애쓸 것입니다. 그러나 그는 사실을 왜곡하려 들지도 않았고 작게 만들려 하지도 않았습니다. 자기에게 아무 죄도 없는 자, 공모죄에 걸릴 염려가 없는 자만이 이런 태도를 취할 수 있는 것입니다. 그리하여 그는 고질인 간질병과, 이 불행한 사건에 기인하는 병적인 우울증의 발작 때문에 엊저녁에 목을 매어 죽어 버렸습니다. 그는 자살하기에 앞서 '나는 아무에게도 죄를 돌리지 않기 위해 자기 자신의 의지에 따라 기꺼이 자신의 목숨을 끊는다'라고 독특한 말투로 유언을 적어 놓았습니다. 하수인은 카라마조프가 아니고 바로 나다—이렇게 한마디 덧붙일 수도 있었을 터인데도, 그는 그렇게 하지 않았습니다. 한쪽으로는 양심의 가책을 느끼면서도 다른 한쪽으로는 그것을 느끼지 않았기 때문일까요?

그런데 어찌 되었습니까? 아까 3천 루블의 돈이 이 법정에 제출되었습니다. '이 돈은 다른 증거물과 함께 테이블 위에 놓여 있는 저 봉투 속에 들어 있던 바로 그 돈입니다. 내가 어제 스메르자코프한테서 받았습니다'라는 것입니다. 그러나 배심원 여러분께서도 아까 벌어진 그 비참한 광경을 기억하고 계시리라 믿습니다. 그러므로 다시 상세하게 말하지 않기로 하고, 다만 몇 마디 나의 의견만을 말씀드리겠습니다. 나는 지극히 사소한 점을, 너무나 사소하기 때문에 아무도 미처 생각지 못하고 잊어버린 우려성이 있는 점을 지적하려 합니다. 같은 말을 거듭 되풀이하는 것 같습니다만, 첫째로 스메르자코프는 양심의 가책을 이기지 못하여 어제 돈을 내주고 자살해 버렸다는 것입니다. (만일 양심의 가책이 없었다면 그는 돈을 내놓지 않았겠지요) 물론, 스메르자코프는 어제야 비로소 나한테 죄를 고백했다, 이렇게 이반 카라마조프는 말했지만, 그건 그렇다고 합시다. 그렇지 않다면 이반이 여태까지 그걸 말하지 않았을 리가 없으니까요. 아무튼 스메르자코프는 자백했습니다만, 어째서 스메르자코프는 그 유서에다가 모든 진실을 밝히지 않았을까요? 내일이면 무고한 피고에게 무서운 재판이 열린다는 건 그도 알고 있었을 텐데 말입니다.

돈만으로는 충분한 증거가 될 수 없습니다. 이미 일주일 전에 이반 표도로비치

카라마조프가 5푼 이자가 붙은 5천 루블짜리 증권 두 장을, 즉 1만 루블을 현청 소재지로 보내어 현금으로 바꾸어 오게 한 사실을 알고 있는 것은 나 이외에도 이 법정 안에 두 사람이나 있습니다. 내가 이걸 말하는 것은, 누구든지 어떤 시기에 돈을 수중에 갖고 있을 수 있는 것이므로, 3천 루블이라는 돈을 여기 내놓았다고 해서 반드시 그것이 바로 그 돈이라는, 즉 바로 그 상자나 봉투 속에 들어 있던 돈이라는 증거는 될 수 없기 때문입니다.

그리고 또 한 가지, 이반 카라마조프는 어제 그토록 중대한 자백을 진범한테서 듣고서도 그냥 가만히 앉아 있었습니다. 어째서 그는 즉시 그것을 보고하지 않았을까요? 왜 오늘 아침까지 미루고 있었느냐, 그 말입니다. 나는 여기 대해 추측할 권리가 있다고 생각합니다. 벌써 일주일 전부터 건강 상태가 몹시 악화되어, 의사와 가까운 사람들에게, 환영을 보곤 한다느니, 이미 죽은 사람들을 만나곤 한다느니 하는 말을 한 것으로 보아, 그는 아까 그토록 격심하게 나타난 섬망증의 바로 일보 전까지 이르러 있었던 것입니다. 그런 상태에서 갑자기 스메르쟈코프가 죽었다는 소식을 듣는 순간, '그 녀석은 이미 죽은 인간이니까 그 녀석에게 죄를 뒤집어씌우고 형을 구해 내자. 마침 가진 돈이 있으니 이 돈뭉치를 제시하고, 스메르쟈코프가 죽기 전에 나한테 준 것이라고 우기자' 하는 생각이 불현듯 떠오른 모양입니다. 여러분께서는, 비록 죽은 사람이라도 남에게 죄를 씌운다는 건 옳지 않다, 형을 구해 내기 위해서라 할지라도 거짓말을 한다는 건 좋지 않다, 이렇게 말하시는 겁니까? 지당합니다. 하지만, 만약에 무의식적으로 거짓말을 했다면 어쩌겠습니까? 갑자기 하인이 죽었다는 소식을 듣고 그 충격 때문에 머리가 아주 돌아 버려서, 실제로 그런 것처럼 상상했다면 어쩌겠습니까? 여러분께서는 아까 그 광경을, 즉 그가 어떤 정신 상태에 있었는가를 보시지 않았습니까? 하기는 제대로 몸을 가누고 서서 말을 했습니다만, 그러나 그의 정신이 대체 어디 있었습니까?

이 광인의 증언에 뒤이어, 피고가 베르홉체바 양에게 보낸 편지가 증거 물품으로 나타났습니다. 그것은 범행 이틀 전에 쓰인 것으로, 이를테면 범행의 세부 계획서입니다. 그러니까, 우리는 이것 이외의 계획서나 계획 편성자를 찾을 필요가 없습니다. 범행은 바로 이 계획서대로, 그 편성자에 의해서 이루어진 것이니까요. 그렇습니다, 배심원 여러분, '쓰여 있는 그대로 이루어진' 것입니다! 집 안에 자기의 애인이 틀림없이 있을 것으로 확신한 피고가 아버지 방 창문 옆에서 겁을 집어먹고 얌전히 도망쳐 버렸을 리는, 절대로, 절대로 없습니다. 그것은 도저히 있을 수 없는, 어리석은 얘깁니다. 그는 안으로 들어가서 일을 저지르고 말았습니다. 자기가 증오하는 라이벌의 모습이 눈에 들어오자마자, 순식간에 분노의 불길에 휩싸여 극도의 흥분 속에서 상대방을 죽이고 말았을 것입니다. 아마 놋공이를 가지고 일격에 해치웠겠지요. 그러고 나서 샅샅이 찾아본 결과 여자가 거기 없었다는 것을 확인했지만, 그래도 베게 밑에 손을 넣어 돈이 든 봉투를 꺼내는 것만은 잊지 않았습니다. 그때 찢긴 봉투는 지금 저 테이블 위에 다른 증거 물품과 함께 놓여 있습니다.

내가 이것을 말하는 것은, 여기서 한 가지 사정을, 적어도 내 생각으로는 가장 중대한 의의를 지니고 있는 한 가지 사정을 특히 강조하고 싶기 때문입니다. 만약에 이것이 경험 있는 살인자, 즉 보통 살인강도의 소행이었다고 상상해 보십시오. 과연 봉투를 방바닥에 그냥 내버려 둘 리가 있었겠습니까? 그러나 실제로는 시체 옆에 그냥 버려져 있는 것이 발견되었습니다. 만약에 이것이 스메르쟈코프의 소행이고, 돈을 강탈할 목적으로 죽인 것이라면, 구태여 피살자의 시체 위에서 봉투를 뜯을 것 없이 즉각 그것을 가지고 도망쳐 버렸을 게 아닙니까. 그 봉투 속에 돈이 들어 있다는 걸 확실히 알고 있었으니까요—돈을 봉투에 넣고 봉인하는 것을 그는 직접 목격했으니 말입니다. 사실 그가 봉투를 그냥 가져가 버렸다면, 강도 행위가 있었는지 없었는지조차도 우리는 몰랐을 것입니다. 배심원 여러분, 나는 이 점을 묻고 싶습니다. 스메르쟈코프가 과연 그런 실수를 했을까요? 과연 봉투를 방바닥에다 그냥 버려두고 갔겠느냔 말입니다.

아니, 그런 실수를 한 건, 반드시 앞뒤를 가리지 못할 만큼 흥분한 살인자입니다. 상습적인 도둑이 아닌, 여태까지 한 번도 훔쳐 본 일이 없는 살인자임이 틀림없습니다. 베게 밑에서 돈은 꺼냈지만, 이건 훔치는 게 아니라, 도둑놈한테 빼겼던 내 돈을 도로 찾는 것이다, 하는 태도였을 것입니다. 왜냐하면, 드미트리 카라마조프는 그 3천 루블이 바로 자기 돈이라고 굳게 믿고 있었기 때문입니다. 그래서 그는 처음 보는 그 봉투를 손에 들기가 무섭게, 속에 돈이 들어 있는가를 확인하려고 그것을 찢었습니다. 그러고는 돈을 호주머니에 쑤셔 넣자, 방바닥에 내버린 찢어진 봉투가 훗날에 자기 범행에 대한 유력한 증거물이 되리라는 걸 미처 생각지 못하고 그냥 도망쳐 버렸던 것입니다. 하수인이 스메르자코프가 아니고, 다름 아닌 카라마조프였기 때문에, 그것을 미처 생각지도 못했고, 상상도 하지 못했다, 그 말입니다. 사실 그가 어찌 그런 데까지 생각이 미칠 수 있겠습니까! 그는 도망쳤습니다. 그러자 갑자기 자기를 뒤쫓아 오는 늙은 하인의 고함 소리를 들었습니다.

노인은 그를 못 가게 붙잡으려다가 놋공이로 얻어맞고 쓰러졌습니다. 피고는 이때 측은한 생각이 들어 노인 옆으로 뛰어내렸다고 합니다. 여러분, 생각해 보십시오. 피고는 이때 늙은 하인에 대한 연민과 동정 때문에, 어떻게든 도와줄 수 없을까 살펴보려고 뛰어 내려왔었노라고 이제 와서 엉뚱한 말을 하고 있습니다. 하지만 그때 그 순간에 과연 그런 동정을 표시할 겨를이 있었겠느냐 말입니다! 아닙니다. 그가 뛰어내린 것은, 자기 범죄의 유일한 증인의 목숨이 아직 붙어 있는지 어떤지를 확인하려 한 데 지나지 않습니다! 그 밖의 어떤 다른 동기나 감정은 이런 경우에 자연스러운 것이 못 됩니다! 여기서 주목할 것은, 그가 그리고리를 위해 열심히 손수건으로 머리를 닦아 주었고, 노인이 이미 죽었다고 확신하고는, 얼빠진 사람처럼 온몸이 피투성이가 된 채로 다시금 그곳으로, 즉 자기 애인네 집으로 달려갔다는 사실입니다. 어째서 그는 자기 몸이 피투성이라는 것을, 그리고 자기의 범행이 곧 드러나리라는 것을 생각지 못했을까요? 피고의 진술에 의하면, 자기 몸이 피투성이가 된 데는 전혀 주의를 돌리지 않았었다고 합니다. 하기는 그렇다고 시인할 수도 있는 일입니다. 그런 경우, 범죄자에게 얼마든지 있을 수 있는 일이니까요. 한편으로는 몸서리칠 만큼

악랄하게 모든 계산을 하면서도, 다른 한편으로는 커다란 실책을 하는 법입니다. 그때 그는 그 여자가 어디 있을까 하는 것만을 생각하고 있었습니다. 한시바삐 그 여자가 어디 있는가를 알려고 허겁지겁 여자 집에 달려갔더니, 여자는 '옛 애인', 즉 '왈가왈부할 여지없는 사내'를 만나러 모크로예로 떠났다는 청천벽력과도 같은 소식을 들었던 것입니다!"

9. 쏜살 같은 심리 해부, 질주하는 트로이카, 논고論告의 종결

입폴리트 키릴로비치는 신경이 예민한 변론가들이 곧잘 사용하는 엄밀한 역사적 서술법을 택했음이 분명했다. 즉, 그들은 마구 솟구쳐 오르는 자기의 충동을 억제하기 위하여, 일부러 엄격하게 만든 틀을 찾는 법이다. 그는 자기의 논고가 여기에 이르자, 특히 그루셴카의 '옛 애인'인 '왈가왈부할 여지없는 사내'에 대해 언급하면서, 이 문제에 대해 약간 흥미 있는 독특한 견해를 피력했다.

즉, 여태까지 모든 사내에 대해 미칠 듯한 질투를 느껴 온 카라마조프가, 이 '왈가왈부할 여지없는 옛 애인' 앞에서는 어이없을 만큼 갑자기 기가 꺾여 위축되어 버렸다는 것이다. 더욱이 이상한 것은, 이 예기치 않은 경쟁자 때문에 발생할 새로운 위험에 대해서, 전에는 거의 주위를 돌리지 않았다는 사실이다. 언제나 그는 그것을 아직도 먼 장래의 일로만 생각하고 있었다. 카라마조프는 항상 현재에만 살고 있는 인간이었기 때문이다. 심지어 그는 그 위험을 하나의 허구 정도로 생각했던 모양이다. 그러나 이제, 여자가 이 새로운 경쟁자를 숨기고 바로 이날도 그를 속인 것은, 새로이 나타난 이 경쟁자가 그녀에게는 결코 환상이나 허구가 아니라 오히려 그녀의 모든 희망의 대상이기 때문이라는 것을, 그는 아픈 심정으로 갑자기 깨달았다—갑자기 그것을 깨닫자, 그는 이내 모든 것을 단념해 버렸던 것이다.

"배심원 여러분, 아무래도 나는 피고의 마음속에 일어난 이 갑작스런 변화를 묵과할 수가 없습니다. 피고는 도저히 그런 심적 변화를 일으킬 수 없는 인간인 것같이 보입니다만, 그의 마음속에는 불현듯 진실에 대한 요구와, 여성에 대한 존경과, 여심女心의 권리에 대한 승인이 생긴 것입니다! 더욱이 그것은 그 여자를 위해 자기 아버지의 피로 손을 더럽힌 바로 그 순간에 생긴 일입니다! 이것은 그에 의하여 흘려진 피가 이 순간에 복수를 외친 것이라고 할 수도 있습니다. 왜냐하면, 그는 자기의 영혼과, 이 지상에서의 자기의 운명을 파멸시킨 바로 그 순간에, 부지불식중에 다음과 같은 것을 느꼈을 것이기 때문입니다—나는 그 여자한테 무엇인가? 나 자신의 영혼보다도 더 사랑하고 있는 그 여자한테 나는 '지금' 얼마만한 의의를 지니고 있는가? 그 '옛 애인'—전에 자기가 버렸던 여자한테 뉘우침을 가지고 다시 돌아와서, 새로운 사랑을 바치기로 맹세하고 행복한 생활의 부활을 약속하고 있는 그 '왈가왈부할 여지없는 사내'와 비교할 때 나는 과연 무엇인가? 그리고 나는, 이처럼 비참하게 된 나는 '지금' 그 여자에게 무엇을 줄 수 있는가? 도대체 무엇을 제고할 수 있는가?—카라마조프는 이것을 깨달았던 겁니다. 자기의 범죄가 모든 앞길을 막아 버렸다, 자기는 이미 벌을 받아야 할 죄인이며, 생활을 허용받을 인간이 아니다, 라는 것을 그는 깨달았던 것입니다! 이 자각은 그를 압도하고 그를 분쇄했습니다. 그래서 그는 곧 미치광이 같은 어떤 계획을 생각해 냈습니다. 그것은 카라마조프의 성격으로 미루어 볼 때, 몸서리치는 처지로부터 탈출할 수 있는 유일하고도 불가피한 해결책으로 생각되었을 것입니다. 그는 관리 페르호친한테 저당 잡힌 권총을 찾으려 달려갔습니다. 달려가면서 그는 조금 전에 아버지의 피로 손을 더럽히며 강탈한 돈을 호주머니에서 죄다 꺼냈습니다. 아아, 이때 그는 그 어느 때보다도 돈이 필요했던 것입니다—카라마조프가 죽으려 하고 있다, 카라마조프가 자살을 하는 것이다, 이건 사람들의 기억에 남게 해야 한다! 그는 분명히 시인이었습니다! 그렇기 때문에 그는 마치 양초를 양쪽에서 태우듯 자기 생명을 불태웠던 겁니다! '그루셴카한테 가자! 그루셴카한테—거기서, 아아, 거기서 온 세상이 떠들썩하게 주연을 베풀자. 사람들의 기억에 남아, 두고두고 얘깃거리가 될 만큼 굉장한 주연을 베풀자. 동물적인 고함 소리, 집시들의 미친 듯한 노래와 춤 속에서 술잔을 들어 내가 숭배하는 여자의 새로운 행복을 축하해 주자. 그리고 바로 그 자리에서 여자의 발밑에 무릎을 꿇고, 여자가 보는 앞에서 두개골을 부숴 버리는 거다, 내 목숨을 처형하는 거다! 그 여자도 언젠가는 미챠 카라마조프를 상기하고, 미챠가 얼마나 자기를 사랑했는가를 알고서 가엾게 여겨주겠지!'

여기에는 그림과 같은 아름다움과, 로맨틱한 흥분과, 감상적인 기분과, 카라마조프 특유의 야성적인 저돌성이 있습니다. 그러나 거기에는 또 다른 것이 있습니다. 배심원 여러분, 또 다른 무엇인가가 있습니다. 영혼 속에서 외치며 끊임없이 마음의 문을 두드리고, 죽도록 가슴을 괴롭히는 무엇인가가 있습니다. 그것은 다름 아닌 바로 양심입니다. 배심원 여러분, 그것은 양심의 재판입니다, 그것은 무서운 양심의 가책입니다! 그러나 권총은 모든 것을 해결할 것입니다. 권총은 유일한 탈출구입니다. 다른 해결책은 있을 수 없습니다. 그리고 저승에서는—그 순간 카라마조프가 과연 '저승에는 무엇이 있을까?' 하고 생각했는지 어떤지, 그리고 카라마조프가 햄릿처럼 '저승에서는 어떻게 될까'라는 것을 생각할 수 있었는지 어떤지, 나는 그것을 모릅니다. 아니, 배심원 여러분, 저승에는 햄릿이 있지만, 여기에는 아직 당분간 카라마조프가 있을 뿐입니다!"

여기서 입폴리트 키릴로비치는, 미챠의 출발 준비며, 페르호친의 집에서의 일이며, 상점에서의 일이며, 마부들과의 흥정이며, 그런 광경을 모두 상세히 묘사해 보였다. 그는 증인들에 의해 확인된 피고의 언동을 풍부하게 인용했다—그리하여 그가 그려 낸 이 한 폭의 그림은 방청인들을 확신으로 이끄는 데 결정적인 영향을 주었다. 특히 일동을 움직인 것은 사실의 중첩이었다. 미친 듯한 흥분에 사로잡혀 자신을 지키려고도 하지 않는 이 가엾은 사내의 죄상은 이미 부정할 수 없는 것이 되어 버렸다.

"이미 그는 자신을 변호할 필요조차 없었던 것입니다" 하고 입폴리트는 말했다. "깨끗이 자기 죄를 자백하려 했던 적도 두세 번 있었습니다. 거의 자기가 범인이라는 걸 암시하기까지 했습니다만, 끝까지 말하지는 않았습니다. (여기서 그는 증인들의 증언을 인용했다) 도중에 그는 마부한테, '자넨 지금 살인자를 태우고 있다는 걸 아나?' 하고 외친 일까지 있습니다. 그러나 역시 끝까지 다 말해 버리지는 못했습니다. 그는 우선 모크로예 마을로 가서, 거기서 자기의 극시劇詩를 완성시켜야 했던 것입니다. 하지만 이 불행한 사나이를 기다리고 있는 것은 무엇이었을까? 다름 아니라, 모크로예에 도착하자마자, '왈가왈부할 여지없는' 경쟁자는 뜻밖에도 왈가왈부할 여지가 없지도 않은 존재인 것 같았고, 게다가 여자 자신도 그로부터 새로운 행복에 대한 축사와 축배를 받으려 하지 않는다는 것을, 그는 처음엔 어렴풋이, 그리고 나중엔 똑똑히 알게 되었던 것입니다. 그러나 배심원 여러분께서는 이미 예심을 통해 이런 사실들을 알고 계시리라 믿습니다. 경쟁자에 대한 카라마조프의 승리는 왈가왈부할 여지도 없는 것이 되어 버렸습니다. 여기서, 아아, 여기서 그의 마음속에는 전혀 새로운 국면이 열린 것입니다. 그것은 그의 마음이 여태까지 경험했으며 앞으로 경험할 모든 것 중에서 가장 무서운 국면이었습니다. 배심원 여러분, 나는 단언합니다" 하고 입폴리트가 외쳤다.

"모욕을 받은 자연성과 죄를 지은 마음이 이 지상의 어떤 심판보다도 완전히 그 자신에게 복수를 한 것입니다! 뿐만 아니라, 지상의 심판과 형벌은 자연의 형벌을 가볍게 해 주는 것이므로, 이런 경우에 영혼을 절망의 구렁텅이에서 구해 주는 것으로서, 범죄자의 마음을 위해 없어서는 안 될 것이기도 합니다. 사실, 그루셴카가 자기를 사랑하고 있으며, 자기를 위해 '옛 애인'인 '왈가왈부할 여지없는 사내'를 물리치고 자기를, '미챠'를 새로운 생활로 이끌어 행복을 약속하고 있다는 것을 알았을 때, 카라마조프가 얼마나 큰 공포와 정신적 고통을 느꼈겠는가는 상상할 수조차 없을 지경입니다. 더욱이 그것이 어떤 때였습니까? 그것은 그에게 있어 이미 모든 것이 끝장이 나고 모든 것이 불가능해진 바로 그런 때가 아니었습니까!

말이 나온 김에 나는 그 당시 피고의 심적 상태를 설명함에 있어 지극히 중요한 사실을 지적하겠습니다. 다름 아니라, 이 여자는—이 사랑은, 그가 체포되는 마지막 순간까지도, 그에게는 도저히 도달할 수 없는, 애타게 갈망하면서도 도저히 붙잡을 수 없는 것이었다는 점입니다. 그러나 왜, 어째서 그는 그때 자살해 버리지 않았는가? 왜 일단 그렇게 하기로 한 계획을 포기했는가? 어째서 자기 권총이 어디 있는지조차도 잊고 말았는가? 그것은 다름 아니라, 사랑에 대한 이 무서운 갈망과, 그때 그 자리에서 당장 이 갈망을 만족시킬 수 있을지 모른다는 희망이 그를 제지했던 것입니다. 그는 떠들썩한 주연의 분위기에 취하여, 자기와 함께 축배를 드는 애인 곁에 바싹 붙어 있었습니다. 그의 눈에는 그녀가 전에 없이 아름답고 매력에 넘치는 여자로 보였습니다. 그는 한시도 여자 곁을 떠나지 않고, 넋을 잃고 그 자태를 바라보고 있었습니다.

이 강렬한 갈망은 한순간 체포의 공포뿐만 아니라, 양심의 가책조차 압도해 버릴 수 있었습니다! 그러나 그것은, 아아, 그것은 겨우 한순간에 지나지 않았던 것입니다! 그때의 범인의 정신 상태를 나는 상상할 수 있습니다. 그의 마음은 세 가지 요소에 압도되어, 거기에 노예처럼 완전히 복종하고 있었습니다. 첫째 요소는 술기운과, 소음과, 고함 소리와, 춤추며 발을 구르는 소리와, 찢는 듯한 노랫소리와, 그리고 여자—술기운에 얼굴이 빨개져서 노래하고 춤추며 그를 보고 웃어 대는 그 여자였습니다! 둘째로는, 운명적인 파국은 아직도 멀리 있다, 적어도 눈앞에 임박하지는 않았다—내일 아침이나 되어야 찾아와서 나를 붙잡겠지, 그렇다면 아직도 몇 시간은 남아 있다, 그만한 시간이면 충분하다, 암, 충분하고말고! 몇 시간 동안이면 많은 것을 생각할 여유가 있다. 이렇게 그는 생각했던 것입니다. 아마도 그는 교수대로 끌려가는 죄수와 흡사한 심정이었을 것이라고 생각됩니다. 아직도 길고 긴 거리를 지나, 몇천 명의 구경꾼 옆을 걸어가서, 그다음에 모퉁이를 돌아 다른 거리로 나간다, 그리고 그 거리 끝까지 가야 그 무서운 광장이 있다, 이렇게 생각하게 마련입니다. 사형수는 그 치욕의 마차를 타고 행렬을 시작할 때, 자기 앞에는 아직도 무한한 생명이 있는 것같이 생각할 것입니다—나는 그렇게 상상합니다. 그러나 이윽고 좌우의 집들은 지나가고 마차는 점점 형장에 가까이 갑니다—아아, 그런데도 그는 여전합니다. 다음 거리로 접어드는 모퉁이까지는 아직 멀다. 그래서 그는 활기 있게 좌우를 돌아보며, 자기를 구경하는 수천 명의 냉정한, 호기심 많은 군중을 바라봅니다. 그리고 여전히 자기도 그들과 똑같은 인간이라 생각하고 있습니다. 마침내 다음 거리로 꺾어 드는 모퉁이에 이릅니다. 아니, 그래도 아직은 괜찮다, 아직도 긴 거리가 남아 있으니까. 집들이 자꾸 지나가도 그는 여전히 '아직도 많은 집이 남아 있다'고 생각할 것입니다. 이러한 심리 상태가 끝까지, 형장에 도착할 때까지 계속됩니다.

내가 생각하기에, 카라마조프도 그때 이와 똑같은 심정이었을 것입니다. '아직 경찰의 손이 미치지는 못할 거다. 아직도 빠져나갈 구멍은 있다. 아직도 자기변호의 계획을 세울 여유도 있다. 아직도 죄를 부인할 방법을 궁리해 낼 만한 시간은 있다. 하지만 지금은, 지금은—지금은 이렇게 매력적인 여인이 나와 함께 있지 않으냐!' 이렇게 생각했음이 틀림없습니다.

물론 그의 마음은 혼란과 공포에 차 있었습니다. 그러나 그는 그 돈에서 반을 따로 떼어 어디다 숨겨 버릴 수는 있었습니다—그렇게 하지 않았다면, 아까 아버지 베게 밑에서 꺼내 온 3천 루블의 반이 대체 어디로 사라져 버렸는지 설명할 수가 없습니다. 그가 모크로예에 온 것은 이번이 처음이 아니고, 전에도 거기서 두 주야나 흥청대며 놀고 간 일이 있었으므로, 이 낡고 큰 목조 건물을 그는 광이나 헛간, 복도 구석에 이르기까지 잘 알고 있었습니다. 내 생각으론, 그 돈의 일부를 체포되기 직전에 집 안의 어느 구석이나, 틈새나, 아니면 마룻장 밑이나, 천장 속 같은 데다 감추었음이 틀림없습니다. 그럼 왜? 왜고 뭐고 이유는 뻔합니다. 파국이 곧 닥쳐올 것이기 때문입니다. 물론 그는 그 파국을 어떻게 맞을 것인지, 그런 건 생각하지도 않았거니와, 생각할 겨를도 없었습니다. 게다가 머릿속이 쿡쿡 쑤시고, 마음은 오직 '그 여자'한테만 끌리고 있었습니다. 하지만 돈은…… 돈은 어떤 경우에나 꼭 필요한 것입니다. 인간은 돈만 갖고 있으면 어딜 가든 사람대접을 받을 수 있으니까요. 이런 처지에서 이런 타산을 한다는 건 자연스럽지 못하다고 여러분은 생각하십니까? 그러나 피고 자신이 주장하는 바에 의하면, 그는 범행 1개월 전에, 즉 그에게 있어 가장 불안하고 운명적인 시기에도, 3천 루블 중에서 반을 떼어 주머니 속에 꿰매 넣어 따로 간직했다는 것입니다. 여기 관해서는 이제 곧 설명하겠습니다만, 아무튼 카라마조프로서는 그런 걸 생각해 냈다고 해서 조금도 이상할 게 없는 것입니다. 뿐만 아니라, 후에 그는 예심 판사에게, 1천 5백 루블을 주머니 속에 (그런 주머니는 애초부터 존재하지 않았습니다) 넣어 두었다고 말했습니다만, 그 주머니라는 것은 그때 순간적으로 어떤 영감靈感에 의해 꾸며 낸 수작이었을 것입니다. 왜냐하면, 그는 그 두 시간 전에, 만일의 경우 그 돈을 아침까지 자기가 그냥 지니고 있다가는 불리하겠다는 생각에서, 모크로예의 그 집 어느 구석에다 감춰 버렸기 때문입니다. 배심원 여러분, 카라마조프는 두 개의 심연深淵을 동시에 볼 수가 있다는 것을 상기하시기 바랍니다!

우리는 그 집을 수색했으나 돈을 찾아낼 수는 없었습니다. 그 돈은 지금도 거기 그대로 있는지 모릅니다. 아니면 다음 날에 사라져서 이제는 피고의 수중으로 돌아왔는지도 모릅니다. 아무튼 그는 체포될 때 여자와 함께 있었습니다. 여자 앞에 무릎을 꿇고 있었습니다. 여자는 침대에 누워 있었고, 그는 여자에게 두 손을 뻗은 채 한순간 모든 것을 잊고 있었기 때문에, 경찰관들이 다가오는 소리조차 듣지 못한 모양이었습니다. 그는 아직 자기변호의 준비가 전혀 되어 있지 않았습니다. 피고 자신도, 그의 두뇌도 불시에 체포된 것입니다. 그리하여 그는 지금 자기 운명의 결정자인 재판관 앞에 서게 되었습니다. 배심원 여러분, 우리는 자기의 의무를 자각하면서도, 죄인 앞에 있기가 거의 무서워질 때가 간혹 있습니다. 바로 그 인간을 위해 무서워질 때가 있는 법입니다! 이것은 죄인이 동물적 공포를 직감하는 순간입니다. 즉 죄인이 막다른 골목에 빠져들었다고 느끼면서도, 여전히 싸움을 계속할 뿐만 아니라, 앞으로도 악착같이 우리와 싸우려고 몸을 도사리는 순간입니다. 그는 자기를 구하려고 초조해하면서도, 한시도 경계를 게을리하지 않는 날카로운, 그러나 괴로운 눈초리로 우리의 얼굴빛을 살피며 우리의 의도와 사상을 연구하고, 우리가 어느 쪽으로 공격해 올 것인가를 대기하면서 일시에 몇천 가지 작전 계획을 세워 보지만 역시 입을 놀리기가 무섭다, 섣불리 지껄이다가는 큰일이다, 그때 생기는 그 공포감, 그것은…… 인간의 마음이 가장 비열한 모습을 하고 있을 때이며, 영혼의 방황이며, 자기 보존의 갈망으로서—참으로 무서운 것입니다! 때로는 예심 판사조차 전율을 느끼게 하여, 죄인에 대한 동정을 불러일으킬 지경이니까요! 우리도 그때 바로 그것을 목격했습니다.

처음에 그는 심신이 마비된 것 같은 공포 속에서, 자신에게 매우 불리한 소리를 몇 마디 입 밖에 냈습니다. '피다! 벌을 받는 거다!' 이런 소리를 뇌까렸으나, 그는 곧 자신을 억제했습니다. 어떻게 말해야 할까, 뭐라고 대답해야 할까……. 그는 전혀 준비가 되어 있지 않았습니다. 다만, 아버지의 죽음에 대해선 죄가 없습니다!'라는 부정만이 준비되었을 뿐, 그것을 응급의 방벽으로 삼고, 그 방벽 뒤에다가 다시 방책 같은 것을 만들려고 했던 것입니다. 그는 우리의 심문을 앞지르면서, 황급히 처음의 자승자박적인 외침을 지워 버리려 했습니다. 즉, 하인 그리고리의 죽음만은 자기에게 죄라는 것입니다. '그의 피를 흘리게 한 건 나요. 그러나 아버지를 죽인 건 누굴까요? 여러분, 누가 죽였을까요? 만약에 '내가 아니라면' 대체 누굴까요?' 심문을 받으러 간 우리에게 도리어 이렇게 반문하지 않겠습니까. '만약 내가 아니라면' 하고 앞질러 말한 그의 수작을 여러분께서는 어떻게 생각하십니까? 이것은 바로 동물적인 교활성입니다, 이것은 카라마조프 특유의 단순성이며 저돌성입니다! 내가 죽인 게 아니다, 내가 죽였다니 어림도 없는 소리다! '나도 죽이려고는 생각했습니다, 여러분, 죽이려는 생각을 하긴 했습니다'라고 그는 급히 자백했습니다. (그는 몹시 서두르고 있었습니다. 굉장히 서두르고 있었습니다!) '그러나 나한텐 죄가 없습니다. 내가 죽인 건 아니니까요!' 그는 우리에게 한 걸음 양보하여, 죽이려고 생각했노라고 말했습니다. 즉, 자기는 이렇게 정직한 인간이니까 내가 하수인이 아니라는 걸 믿어 달라는 뜻입니다. 아아, 그러나 이런 경우에 죄인은 간혹 경솔하게 무엇을 곧이들으려는 경향이 있는 법입니다.

그 점을 노리고 심문관이 아무렇지도 않은 말투로 '그럼, 스메르쟈코프가 죽인 건 아닐까?'라고 가볍게 질문을 던져 보았습니다. 그러자 과연 예기한 대로, 우리가 갑자기 앞질러서 급소를 찌른 것에 피고는 왈칵 화를 냈습니다. 그는 아직도 충분히 준비가 되어 있지 않았을뿐더러, 스메르쟈코프를 끌어들이기에 가장 적절한 시기를 포착하지 못하고 있었기 때문입니다. 그래서 그만 자기의 본성이 나타나, 이내 극단적인 데로 달렸습니다—스메르쟈코프가 어떻게 죽인다는 말이냐, 그런 녀석은 결코 사람을 죽이지는 못한다, 이렇게 열심히 우기기 시작했습니다. 그러나 이것을 믿어서는 안 됩니다. 이것은 그의 교활한 꾀에 지나지 않습니다. 그는 결코 스메르쟈코프를 포기한 게 아닙니다. 오히려 반대로, 자기 쪽에서 다시 한번 스메르쟈코프를 끌어들여야겠다고 생각했던 것입니다. 스메르쟈코프 이외에는 아무도 끌어들일 만한 사람이 없기 때문입니다. 그러나 당장은 심문관 쪽에서 앞질러 버렸으므로, 하는 수 없이 다음 기회를 기다릴 수밖엔 없었습니다. 그래서 그는 다음 날이나 혹은 며칠 후에 적당한 기회를 잡아 자기 쪽에서 '어떻습니까, 내가 당신네들 이상으로 스메르쟈코프를 변호했다는 건 잘 아시잖소. 그러나 지금 생각해 보니, 그가 죽였음이 틀림없습니다. 그놈 말고 또 누가 있겠습니까!'라고 외칠 작정이었던 것입니다. 그렇지만 그도 처음 얼마 동안은 우리에게 짜증 섞인 부정을 되풀이하면서, 격분에 넘치는 어조로, 자기는 아버지 방 창문을 잠깐 들여다보고는 순순히 물러나왔을 뿐이라는, 참으로 서투르고 어수룩한 변명만을 하고 있었습니다. 요컨대, 그는 아직도 사정을 잘 몰랐던 것입니다. 그리고리가 다시 소생해서 어떤 증언을 했는지, 그는 그 정도를 모르고 있었단 말입니다.

이윽고 우리는 신체 수색을 시작했습니다. 그것은 그를 분개시켰지만, 한편으로는 그에게 원기를 주기도 했습니다. 3천 루블이란 돈이 전부 나오지 않고 겨우 1천 5백 루블밖엔 나타나지 않았기 때문입니다. 이제는 의심할 여지도 없습니다—화를 내며 무언의 부정만을 계속하고 있는 동안에 그는 처음으로, 그야말로 생전 처음으로 돈을 꿰매 넣은 주머니 얘기를 문득 생각해 냈던 것입니다. 물론 그는 자기의 허구가 부자연스럽다는 것을 느끼고 무척 고심했습니다. 어떻게 해서든 좀 더 자연스럽고 좀 더 그럴듯하게 얘기를 꾸며 보려고 애썼습니다. 이런 경우 우리의 가장 긴급하고 가장 중요한 임무는, 답변을 준비할 여유를 피고에게 주지 않고, 그로 하여금 부자연스럽고 어수룩하고 모순에 가득 찬 답변을 하도록, 불의의 공격을 가하는 것입니다. 그러기 위해서는, 아무렇지 않은 말투로 느닷없이 새로운 사실 내지는 상황을 피고에게 알려 주어야 합니다. 다만 그 사실은 지극히 중대한 의의를 지닌 것이어야 하며, 또한 그때까지 피고가 전혀 예상할 수조차 없었던 뜻밖의 것이라야만 합니다. 그런 사실이 우리에게는 이미 준비되어 있었습니다. 그렇습니다, 벌써부터 준비되어 있었던 것입니다. 그것은 다름 아니라, 주인 방의 문이 열려 있었다, 그리고 피고는 그리로 해서 도망쳤다, 라고 진술한 하인 그리고리의 증언입니다. 피고는 그 문에 대해 까맣게 잊고 있었습니다. 그리고리가 그 문이 열려 있는 걸 보았으리라고는 꿈에도 생각지 못했던 것입니다.

따라서 그 효과는 놀랄 만한 것이었습니다. 그는 후닥닥 튀어 일어나더니, 우리를 보고 '그건 스메르쟈코프가 죽인 겁니다, 범인은 스메르쟈코프예요!' 하고 외쳤습니다. 이렇게 그는 자기가 준비했던 비장의 무기를 꺼냈습니다만, 그것은 참으로 어처구니없을 만큼 엉성한 모양으로 나타났던 것입니다. 왜냐하면, 스메르쟈코프는 피고가 그리고리를 쓰러뜨린 다음이 아니면 범행을 저지를 수 없었을 것이기 때문입니다. 그래서 우리가 피고에게, 그리고리는 쓰러지기 전에 그 문이 열려 있는 걸 보았고, 또 그가 자기 침실에서 나올 때도 칸막이 뒤에서 스메르쟈코프가 신음하는 소리를 들었다고 말해 주었더니, 카라마조프는 그만 말문이 콱 막혀 버렸습니다. 나의 동료이며, 우리들이 존경해 마지않는 명석한 두뇌의 소유자신 니콜라이 파르페노비치가 나중에 나한테 말한 일입니다만, 그는 그 순간 눈물이 나올 만큼 피고가 가여웠다는 것입니다. 이렇게 되자 피고는 사태를 만회하려고 급히 그 돈주머니 얘기를 끄집어낸 것입니다. 할 수 없다, 그럼 이 소설이나 들어 보시오! 하는 식으로 말입니다.

배심원 여러분, 이미 말씀드린 바와 같이, 한 달 전에 돈을 주머니 속에 꿰매 넣어 두었었다는 이 얘기는 우스꽝스러운 속임수일 뿐만 아니라, 도저히 있을 수 없는 얘기라고 나는 생각합니다. 이런 경우 이보다 더 어수룩하고 불합리한 설명은 아마 현상 모집을 해도 찾아낼 수 없을 것입니다. 여기서 이런 허구를 만들어 내고 우쭐해 하는 작자作者에게 올가미를 씌워 꼼짝 못하게 만들어 버리는 것은 무엇보다도 디테일(細部)입니다. 현실 생활이 항상 풍부하게 그것을 가지고 있음에도 불구하고, 그 점을 의식하지 못하는 불행한 작자들에 의하여 언제나 하잘것없는 불필요한 것으로 멸시되고 한 번도 주목을 받지 못하는, 바로 그러한 디테일입니다. 그렇습니다, 그런 순간에 그들은 그와 같은 디테일 따위를 생각할 겨를이 없는 것입니다. 그들의 두뇌는 다만 커다란 전체를 만들어 낼 뿐입니다. 그래서 이런 판국에 무엇 때문에 그따위 자질구레한 것을 심문하느냐고 그들은 우습게 여길 것입니다. 그러나 바로 여기서 그들은 꼬리가 잡히고 맙니다! 우선 피고에게, '당신은 그 주머니의 재료를 어디서 가져왔으며 누구더러 그 주머니를 만들어 달라고 했습니까?'라고 묻습니다. '내 손으로 꿰매서 만들었습니다'라고 피고는 대답합니다. '그럼 그 헝겊은 어디서 났습니까?'라고 물으면, 피고는 벌써 화부터 내면서, 그따위 시시한 질문을 하는 건 자기를 모욕하는 짓이라고 생각합니다. 더욱이, 정말로, 진심으로 그렇게 생각한다니 말입니다! 그들은 모두가 다 그렇습니다. '내 셔츠 자락을 찢어서 만들었습니다'—'그렇겠군요. 그럼 당신의 세탁물 속에 그 찢어진 셔츠가 있는지 없는지 찾아봅시다.' 배심원 여러분, 만약에 그 셔츠가 정말로 발견된다면 (그 셔츠가 실제로 있었다면 반드시 피고의 트렁크 속이나 장롱 속에서 나올 테니까요) 그것은 이미 하나의 사실입니다. 그의 진술을 증명하는 유력한 사실입니다. 그러나 그는 그런 것을 침착하게 생각할 수가 없습니다. '똑똑히 기억하고 있진 않습니다만, 셔츠 자락이 아니라, 아마 안주인의 나이트캡으로 만든 것 같습니다'라고 말합니다. '어떻게 된 나이트캡입니까?'—'안주인네 방에 굴러다니는 걸 내가 집어 왔습니다. 무명으로 된 낡아 빠진 것이었습니다'—'그럼 당신은 분명히 그렇게 기억하고 있습니까?'—'아니, 분명히 기억하고 있는 건 아닙니다' 이렇게 말하고는 마구 화를 냅니다. 그러나 여러분, 생각해 보십시오, 그런 걸 기억하지 못할 리는 없지 않겠습니까! 인간에게 있어 가장 무서운 순간, 예를 들면 사형장으로 끌려가는 그런 때는, 오히려 이런 사소한 일들이 더 잘 생각나는 법입니다. 다른 것은 다 잊고 있더라도, 도중에서 언뜻 본 녹색 지붕이라든가, 십자가 위에 앉아 있던 까치라든가, 그런 것은 오히려 더 잘 머리에 떠오릅니다. 그는 돈주머니를 꿰맬 때 남의 눈을 피했을 게 아닙니까. 바늘을 손에 쥐고, 혹시 누가 자기 방에 들어오지나 않을까, 누구에게 들키지나 않을까 하고 마음이 조마조마했던 일을 기억하고 있지 않다는 건 말도 안 됩니다. 필시 누가 문을 조금 노크하기만 해도 얼른 튀어 일어나서 칸막이 뒤로 달려 들어갔을 것입니다. (그의 방에는 칸막이가 있었습니다) 그러나 배심원 여러분, 나는 무엇 때문에 이런 사소한 사실을 여러분 앞에 늘어놓는 걸까요?" 입폴리트 키릴로비치는 갑자기 이렇게 외쳤다. "그것은 다름 아니라, 피고가 지금까지도 이 어리석기 짝이 없는 허구를 완강히 고집하고 있기 때문입니다. 그에게 있어 숙명적인 그날 밤 이후 2개월 동안 그는 무엇 한 가지 해명하지를 못했습니다. 마치 꿈같은 처음의 그 진술을 설명할 만한 현실적 상황을 그는 하나도 첨가하지 못했습니다. '그런 건 사소한 문제입니다. 당신네들은 명예를 걸고 내 말을 그대로 믿으십시오'라는 것입니다! 아아, 그걸 믿을 수 있다면 우리는 얼마나 기쁘겠습니까! 사실이지 명예를 걸고라도 믿고 싶을 지경입니다. 우리는 인간의 피에 굶주린 승냥이들은 아니니까요. 제발 피고에게 이익이 될 만한 사실을 한 가지만이라도 들어주십시오, 그러면 우리는 기쁘게 받아들이겠습니다. 그러나 그것은 우리의 오관五官으로 느낄 수 있는 현실적인 사실이어야 합니다. 같은 피를 나눈 그 동생이 주장하는 것 같은, 피고의 표정에 의한 결론이라든가, 피고가 어둠 속에서 자기 가슴을 친 것은 필시 그 돈주머니를 가리켰을 것이라는 따위의 증언은 소용이 없습니다. 우리는 새로운 사실을 환영하겠습니다. 그리고 누구보다도 먼저 기소를 취하하겠습니다. 당장에라도 취하하겠습니다. 그러나 지금은 정의가 절규하고 있으므로 우리는 어디까지나 자기주장을 고집할 수밖엔 없습니다. 털끝만큼도 그것을 철회할 수는 없는 것입니다."

여기서 입폴리트는 결론으로 넘어갔다. 그는 마치 열병에 걸리기라도 한 듯이, 흘려진 피를 위해, '더러운 약탈을 목적으로 한' 자기 아들의 손에 죽은 아버지의 피를 위해 기를 쓰며 열변을 토했다. 그는 처참하고도 명백한 여러 가지 사실의 누적累積을 열심히 지적했다.

"여러분께선, 재능 있고 명예 있는 변호인의 입에서 무슨 말을 듣더라도, (입폴리트는 그만 참지를 못하고 이런 말을 하였다) 그리고 여러분의 마음을 뒤흔들 만한 감동적인 웅변이 아무리 그의 입에서 쏟아져 나오더라도, 지금 여러분은 신성한 정의의 법정에 있다는 것을 기억하시기 바랍니다. 여러분은 우리의 정의의 옹호자이며, 우리의 신성한 러시아와, 그 기초와, 그 가족 제도와, 그리고 우리의 가족 제도의 모든 성스러운 것의 옹호자임을 상기하시기 바랍니다! 그렇습니다, 여러분은 지금 이 자리에서 전全 러시아를 대표하고 있습니다. 따라서 여러분의 판결은 이 법정뿐만 아니라 전 러시아에 울려 퍼질 것입니다. 그리고 전 러시아는 자기의 옹호자, 자기의 재판관인 여러분의 판결을 듣고, 높이 고무되거나 혹은 실망을 느끼거나 할 것입니다. 부디 러시아와 그 기대를 저버리지 마시기 바랍니다. 우리의 운명의 트로이카는 지금 질주를 계속하고 있습니다만, 그것은 어쩌면 멸망을 향해 돌진하고 있는 것인지도 모릅니다. 벌써 오래전부터 온 러시아 사람들은 두 손을 내두르고 소리치면서, 미친 듯한 방약무인의 질주를 제지하려 하고 있습니다. 설사 다른 나라 사람들이 그 질주하는 트로이카를 보고 비켜선다 하더라도, 그것은 시인이 바란 것처럼 경의 때문이 아니라 오직 공포 때문인 것입니다—이 점을 주목하시기 바랍니다. 어쩌면 공포 때문이 아니라 혐오감 때문일지도 모릅니다. 아직은 남이 길을 비켜 주니 다행이지만, 앞으로 어느 땐가 갑자기 비켜 주지 않게 될지도 모릅니다. 자기를 구하기 위해, 개화와 문명을 위해, 미친 듯 내닫는 유령 앞에 완강한 강벽이 되어 버티고 서서, 우리의 광적인 방종한 질주를 제지할지도 모른단 말입니다! 우리는 그 불안과 경계의 목소리를 이미 유럽 쪽에서 들었습니다. 그 소리는 이미 울려 퍼지기 시작한 것입니다. 여러분, 원컨대 친부 살해를 용인하는 것 같은 판결을 내림으로써, 그 소리를 더욱 도발하고 점점 커져 가는 그 증오를 더한층 불러일으키지 마시기를!"

한마디로 말해서, 입폴리트 키릴로비치는 무척 흥분해 있음에도 불구하고, 제법 감동적으로 논고를 끝맺을 수 있었다. 사실 그가 청중에서 준 인상은 대단한 것이었다. 입폴리트 자신은 논고를 끝내자 급히 법정에서 나가 버렸다. 그리고 앞에서도 말한 바와 같이, 별실에서 그는 거의 졸도를 일으킬 뻔했다. 법정에서는 아무도 박수를 치지 않았으나, 진지한 사람들은 모두 만족한 표정이었다. 그러나 부인네들은 그다지 만족하지 않았다. 그래도 검사의 웅변만은 감탄하고 있었다. 특히 부인네들은 검사의 논고의 결과를 조금도 두려워하지 않고 페츄코비치에게 모든 기대를 걸고 있었으므로, '이제 곧 그분이 변호를 시작하기만 하면 틀림없이 이길 것이다!'라고 안심하고 있었던 것이다.

사람들은 모두 미챠를 바라보았다. 그는 두 주먹을 움켜쥐고 이를 악물고서 고개를 떨군 채 검사의 논고가 끝날 때까지 침묵을 지키고 있었다. 그러나 간혹 고개를 쳐들고 귀를 바싹 기울일 때도 있었다. 특히 그루셴카의 이름이 나올 때는 반드시 그렇게 하는 것이었다. 검사가 그녀에 관한 라키친의 의견을 말했을 때, 그의 얼굴에는 경멸과 분노의 미소가 떠올랐다. 그는 옆에서도 들을 수 있을 만큼 큰 소리로 '베르나르 같은 놈!' 하고 중얼거렸다. 검사가 모크로예에서 미챠를 심문하여, 그를 궁지에 몰아넣었다는 얘기를 할 때, 그는 고개를 들고 호기심에 가득 찬 표정으로 귀를 기울였다. 논고가 진행되는 동안, 어떤 대목에서는 벌떡 일어나 뭐라고 소리치려고까지 했으나, 간신히 자신을 억제하고, 멸시하듯 어깨를 흠칫 추켜올리는 데 그치고 말았다. 훗날에 이 고장 사람들은 이 논고의 끄트머리—특히 검사가 모크르예에서 피고를 심문했을 때의 교묘한 수법을 가리켜 '그 친구 끝내 참질 못하고 자기 자랑을 하고야 말았다'고 입폴리트를 냉소했다.

재판장은 일시 휴식을 선언했으나, 그것은 15분이나 20분 정도에 지나지 않았다. 방청인들 사이에서는 이야기 소리가 흘러나왔는데, 필자는 다음과 같은 대화를 기억할 수 있었다.

"아주 빈틈없는 논고로군요!" 한쪽에서 어느 신사가 약간 심각한 어조로 이렇게 말했다.

"그렇지만 지나치게 심리 해부에 기운 것 같아요" 하고 다른 목소리가 대꾸했다.

"아무튼 모든 게 진실 그대로가 아닙니까!"

"그래요, 이만저만한 솜씨가 아닙니다."

"아주 명확하게 못을 박아 버렸어요."

"우리들한테도 못을 박은 셈이죠" 하고 또 다른 목소리가 끼어들었다. "논고의 첫머리에서, 우리들도 모두 표도르 파블로비치와 같은 인간이라고 말하지 않았습니까."

"논고의 끄트머리에서도 그랬어요. 그렇지만 그건 허풍입니다."

"게다가 모호한 점이 꽤 있었어요."

"좀 지나치게 열을 올리는 것 같더군요."

"공평하지가 못해요, 공평하지가 못해요."

"아니, 그렇잖습니다. 아무튼 멋지게 했어요. 오랫동안 하고 싶었던 말을 이 기회에 죄다 토해 낸 거죠, 하, 하!"

"변호사는 뭐라고 할까요?"

다른 쪽에서는 이런 말들이 오가고 있었다.

"그렇지만 페테르부르크에서 온 변호사를 그렇게 빈정거린 건 좋지 않았어요……. '마음을 뒤흔들 만한 감동적인 웅변'이니 뭐니 하고 말이에요. 기억하십니까?"

"그래요, 그건 좀 서툴렀어요."

"너무 조급하게 나간 것 같아요."

"원래 신경이 예민한 사람이라서."

"우리는 이렇게 웃고 있지만, 피고의 심정은 어떨까요?"

"그렇군요, 미챠의 기분은 어떨까요?"

"그런데 이번엔 변호사가 어떻게 나올지 궁금하군요."

또 다른 구석에서는 이런 말들을 하고 있었다.

"저기 끝 쪽에 손잡이 안경을 들고 앉아 있는 뚱뚱한 부인은 누구지?"

"어느 장군의 부인인데 이혼했다는군. 내가 잘 알지."

"흠, 그래서 손잡이 안경을 저렇게 들고 있군, 그래."

"뭐 그저 그런 여자겠지."

"아니야, 그래도 뭔가 매력이 좀 있는 여자야."

"그 여자 옆으로 두 사람 걸러서 앉아 있는 블론드 머리 여자 쪽이 괜찮은걸."

"그보다도 그때 모크로에에서 미챠를 꼼짝 못하게 덮친 솜씨는 정말 보통이 아니었어."

"보통이 아닌 건 사실이지만, 그 얘길 또 끄집어낸 건 좋지 않았어. 그렇잖아도 그 사람은 집집마다 돌아다니며 벌써 몇 번이나 그 얘길 했거든."

"지나치게 의분을 느끼는 경향이 있다니까, 그 사람은."

"비분강개형悲憤慷慨型이지. 변론 자체도 미사여구투성이인 데다가 대체로 말이 너무 긴 편이야."

"그리고 시종 을러메는 투로 나오더군. 트로이카 운운한 대목을 기억하나? '저쪽에는 햄릿이 있지만, 여기에는 아직 카라마조프가 있을 뿐입니다!'…… 참 그럴듯한 말이었어."

"자유주의의 기를 꺾자는 수작이지. 그게 두려운 거야!"

"자유주의도 두렵겠지만 변호사도 두렵겠지."

"그럴 거야. 헌데 페츄코비치씨는 어떻게 나올까?"

"어떻게 나오든 이 지방 촌놈들의 눈을 뜨게 할 수는 없을걸."

"자넨 그렇게 생각하나?"
또 한쪽 구석에서는 다음과 같은 대화가 오가고 있었다.
"하지만 트로이카 얘기는 참 훌륭했어. 다른 나라 사람들 얘기 말이야."
"다른 나라에서 가만있지 않을 거라고 한 건 옳은 말이지."
"그건 무슨 뜻인가?"
"지난주에 영국 의회에서 한 의원이 일어나서, 니힐리스트Nihilist(虛無黨員) 문제를 가지고 우리 러시아인을 야만족이라 부르면서, 우리 국민을 개화시키기 위해 손을 써야 할 시기가 되지 않았느냐고 정부에 질의를 했다는군. 입폴리트는 분명히 그 의원의 발언을 두고 말했을 거야. 그 친구가 지난주에 그 얘기를 한 적이 있거든."
"하지만 영국 도요새(鷸)들이 우리한테 손을 쓰다니 어림도 없는 일이지."
"도요새라니? 왜 어림도 없어?"
"우리가 크론시타트 항港을 폐쇄하고 그들에게 양곡을 주지 않으면 어떡하지? 도대체 어디서 갖다 먹느냐 말이야?"
"미국에서 갖다 먹지. 지금도 미국에서 수입하고 있으니까."
"되지도 않은 소리."
그러나 이때 벨이 울렸다. 모두 제자리로 달려갔다. 페츄코비치가 등단했다.

10. 변호인의 변론, 귀걸이 코걸이

유명한 변호사가 입을 열어 변론을 시작하자 법정 안은 쥐 죽은 듯 조용해졌다. 모든 사람의 눈이 그에게로 집중됐다. 그는 지극히 솔직하게 확신에 찬 거리낌 없는 어조로 시작했으나, 거드름스런 티는 조금도 없었다. 억지로 미사여구를 늘어놓으려 하지도 않거니와, 감정에 호소하는 것 같은 말을 쓰려 하지도 않고, 마치 서로 공감이 가는 친한 사람들끼리 모인 데서 말하는 것 같은 그런 어조였다. 그의 목소리는 맑고 탁 트여서, 첫째 듣기에 기분이 좋았다. 그리고 그 음성 자체가 벌써 성실하고 솔직하게 느껴졌다. 그러나 그가 적당한 대목에 이르면 갑자기 참으로 감동적인 경지로 비약하여 '어떤 이상한 힘을 가지고 사람들의 마음을 뒤흔들리라'는 것을 청중들은 이내 알아챌 수 있었다. 그의 말은 입폴리트만큼 유창하지 못했는지는 모르지만, 기다란 어구가 없고 훨씬 정확했다. 한 가지, 부인네들의 마음에 들지 않은 것은, 변호사가, 특히 변론 첫머리에서, 이상하게 허리를 구부리고 있었다는 점이다. 누구한테 절을 하는 것도 아니면서, 흡사 청중 쪽으로 내닫기라도 하려는 듯이 그 기다란 허리의 중간을 구부리고 있었기 때문에, 마치 잔등 한가운데에 경첩이라도 달려 있어서 거의 직각으로 등허리를 굽힐 수 있을 것같이 보였다.

그는 처음엔 이것저것 여러 가지 사실들을 끌어다가 두서없이 늘어놓았으나 결국은 완전한 것으로 매듭을 짓는 것이었다. 그의 변론은 크게 두 부분으로 나눌 수 있었다. 앞부분은 기소 이유에 대한 비평과 반박이었는데, 간혹 짓궂은 빈정거림이 섞여 나오기도 했다. 그러나 뒷부분에 이르자 갑자기 어조나 논법이 일변하여 순식간에 감동적인 경지로 내닫기 시작했다. 그러자 온 법정은 그것을 고대하고 있었던 것처럼 곧 술렁대기 시작했다.

변호사는 곧장 문제에 달려들어, 우선 자기의 활동 무대는 페테르부르크이지만 피고를 변호하려고 지방 도시를 방문한 것도 이미 한두 번이 아니며, 자기가 변호를 맡는 피고는 모두 죄 없는 무고한 사람이라고 확신하든가, 아니면 그렇게 예감하든가 두 가지 중의 하나라고 말했다.

"이번 사건도 역시 그렇습니다" 하고 그는 설명하였다. "처음엔 신문 보도에서 접하자마자 나는 피고에게 지극히 유리한 점이 있음을 대번에 느꼈습니다. 한마디로 말해서, 나는 무엇보다도 법률상의 어떤 사실에 흥미를 느꼈던 것입니다. 그것은 재판 과정에서 흔히 되풀이되고 있는 사실입니다만, 이번 사건만큼 완전하고도 특수한 형태로 나타난 적은 없다고 생각합니다. 이 사실은 변론의 마지막에 가서 공표해야 할 성질의 것이지만, 나는 첫머리에서 말해 두기로 하겠습니다. 원래 나는 일부러 어떤 효과나 인상 같은 것을 계산하지 않고, 대번에 문제의 핵심을 파고드는 단점을 가지고 있기 때문입니다. 이것은 나로서는 영리하지 못한 짓일는지는 몰라도, 그 대신 성실한 태도라고 생각합니다. 나의 사상의 근본은 다음과 같은 것입니다—즉, 피고에게 불리한 사실들은 압도적으로 누적되어 있지만, 그와 동시에 그 사실들을 하나하나 관찰해 보면 비판을 이겨 낼 만한 것은 하나도 없다!—바로 이것입니다. 떠도는 소문을 듣거나 신문을 보거나 할 때마다 나의 이 신념은 더욱더 굳어졌습니다. 그러다가 갑자기 피고의 친척한테서 변호를 의뢰받고 급히 이곳으로 오게 된 것입니다. 여기 도착한 후, 나는 더한층 자신을 얻었습니다. 내가 이 사건의 변호를 맡은 것은, 그 무서운 사실의 누적을 타파하기 위해서입니다. 즉 기소 이유로 되어 있는 사실들이 모조리 증거 불충분한 공상적인 것이라는 점을 입증하기 위해서입니다."

변호사는 이렇게 서두를 꺼내더니 갑자기 어조를 높였다.

"배심원 여러분, 나는 이 지방에 처음 온 사람입니다. 따라서 내가 받은 인상에는 조금도 선입관이 섞여 있지 않습니다. 여기 사시는 분들은, 난폭하고 방종한 성격을 지닌 피고한테서 전에 불쾌한 일을 당해서 나쁜 선입관을 가지고 계시겠지만, 나는 한 번도 모욕을 받은 적이 없습니다. 물론 이곳 사람들의 도덕적인 분노가 정당하다는 것은 나도 인정합니다. 사실 피고는 난폭하고 방종한 인간입니다. 그러나 이곳 사교계에서 그를 받아들이고 있었다는 것만은 사실입니다. 뛰어난 재능을 지니고 계시는 검사의 가정에서도 그를 반겨 주고 있었으니까요. (변호사가 이 말을 했을 때 청중 속에서 킥킥 웃는 소리가 흘러나왔다. 물론 웃음소리는 이내 들어가 버렸지만, 그래도 모두들 들을 수 있었다. 이 고장 사람들은 검사가 마지못해 미챠를 자기 집에 드나들게 하고 있었다는 것을 잘 알고 있었던 것이다. 그것은 검사 부인이 무엇 때문인지 미챠에게 흥미를 느끼고 있었기 때문이다. 그녀는 덕망 높은 훌륭한 부인이기는 했지만, 공상적인 데가 있고 콧대가 센 편이어서 이따금—대개 사소한 일로—남편에게 곧잘 대들곤 했다. 그렇다고 미챠가 그 집에 자주 드나들었다는 것은 아니다) 그렇지만 나는 감히 이렇게 말하겠습니다" 하고 변호사는 계속했다. "나의 논적인 검사는 확고한 식견과 공정한 성격을 지니고 있음에도 불구하고, 우리의 불행한 피고에 대하여 무언가 잘못된 선입감을 품고 있는지도 모릅니다. 하기는 그것이 당연할 것입니다. 불행한 피고로서는 그만한 보답을 받을 만도 하니까요. 모욕을 받은 도덕적 감정, 특히 심미적審美的 감정은 간혹 일체의 타협을 거부하는 수가 있는 법입니다. 물론 우리는 검사의 웅변적인 논고에서, 피고의 성격과 행동에 대한 예리한 해부를 들었고, 사건에 대한 준엄한 비판적 태도를 보았습니다. 특히 사건의 진상을 설명하기 위해서 전개한 깊은 심리 해부에 이르러서는, 나의 존경하는 논적이 만일 피고의 인격에 대해 조금이라도 악의를 띤 의식적인 편견을 가지셨다면 도저히 그럴 수가 없었으리라 생각될 만큼 깊은 통찰력이 엿보였습니다. 그러나 이런 경우, 사건에 대해 의식적인 악의를 띤 태도보다도 더욱 나쁘고 더욱 무서운 것이 있습니다. 그것은, 예컨대 일종의 예술적 유희에 사로잡혔을 때입니다. 즉 예술 창작의 욕구, 다시 말해서 하나의 소설을 만들어 보려는 욕구입니다. 특히 하느님한테서 심리적 통찰력을 풍부하게 부여받은 사람의 경우는 더욱 그러합니다. 나는 페테르부르크에서 이곳으로 출발하기 전에 이미 충고를 받은 일이 있습니다. 아니, 나 자신 누구한테서 미리 충고를 받지 않더라도, 이곳에서 나의 논적이 될 분이 심오하고 정확한 심리학자여서, 그런 면에선 아직 연륜이 얕은 우리나라 법조계에서 이미 명성을 떨치고 계신 인물이라는 것을 알고 있었습니다. 그러나 여러분, 심리 해부라는 것은 지극히 어려운 것이어서, 이를테면 '귀걸이 코걸이'와 비슷한 데가 있습니다. (이때 청중 속에서 웃음소리가 일어났다) 물론 여러분께서는 이 평범한 비유를 용서하실 줄 믿습니다. 나는 원래 아름다운 표현에는 재능이 없는 인간입니다. 하지만, 그건 그렇다 치고, 우선 검사의 논고 중에서 한 가지 예를 들어 보겠습니다.

피고는 캄캄한 정원을 달려가서 울타리를 넘어가려 했을 때, 자기 발에 매달린, 늙은 하인을 놋공이로 내리치고는, 곧 다시 정원으로 뛰어 내려와서 5분 동안이나 피해자 곁에서 서성거리며 손을 썼습니다. 그것은 하인이 혹시 죽지나 않았는지 알아보기 위해서였습니다. 그런데 검사는, 피고가 가엾은 생각에서 그리고리 노인한테 뛰어내렸다는 피고 자신의 진술을 도무지 믿으려 하지를 않습니다. '아니, 그런 순간에 어떻게 그런 동정심이 일어날 수 있겠는가? 그건 자연스럽지 못하다. 그가 뛰어내린 것은, 자기 범행의 유일한 증인이 살아 있는지, 죽었는지를 확인하기 위해서였다. 따라서 이것은 피고가 이미 범행을 저질렀음을 입증하는 것이다. 이런 경우, 그것 이외의 다른 동기나 충동, 다른 감정 때문에 다시 뛰어내렸다는 건 말도 안 된다' 이런 식으로 검사는 말했습니다.

이것은 물론 심리적인 설명입니다. 그러나 바로 그 심리 해부를 이번엔 다른 측면으로부터 사실에다 적용해 봅시다. 그러면 역시 검사의 주장보다 더 타당한 주장이 나오게 됩니다. 범인이 다시 아래로 뛰어내린 것은, 증인이 살았는지, 죽었는지를 확인하려는 경계심 때문이었다고 가정합시다. 그러나 검사 자신이 증명한 바에 의하면, 피고는 자기가 살해한 아버지의 서재에다 이 범죄를 입증하는 유력한 증거품을, 즉 3천 루블이 들어 있다고 쓰인 봉투를 찢어서 그냥 버려두고 나왔다는 것입니다. '피고가 그 봉투만 가져가 버렸던들, 그런 봉투가 있었다는 것, 그 속에 돈이 들어 있었다는 것을 아는 사람은 이 세상에 하나도 없었을 것이다. 또한 그 돈을 피고가 강탈했다는 것도 끝내 드러나지 않았을 것이다'—이것은 검사 자신의 말입니다. 그렇다면, 이 경우에 있어서는 경계심이라곤 조금도 없이 그저 놀라고 당황해서 방바닥에 증거품을 버려둔 채 허둥지둥 도망쳐 나온 피고가, 불과 2분 후에 또 한 사람을 죽였을 때는 더없이 냉혹한 타산적인 감정을 발휘했다는 것이 됩니다. 그러나 그럴 수도 있다고 해 둡시다. 그러한 경우에는, 조금 전에만 해도 카프카스(코카서스)의 독수리처럼 잔인하고 영악하던 사람이, 다음 순간에는 가련한 두더지처럼 겁쟁이가 되어 버릴 수도 있을지 모릅니다. 그것이 바로 심리 작용의 미묘한 점일 것입니다. 하지만, 만약에 그가 정말로 살인을 감행했고, 그 범행을 목격한 증인의 생사를 확인하려고 뛰어내릴 만큼 잔인하고 냉혹하고 타산적인 인간이었다면, 무엇 때문에 이 새로운 희생자 옆에서 5분 동안이나 서성거리며, 또 다른 증인을 만들지 모르는 위험한 짓을 했겠습니까? 그리고 또 무엇 때문에 피해자의 머리의 피를 손수건으로 닦아 주어, 그 손수건이 후일에 증거품이 될 짓을 했겠느냐 말입니다. 아니, 정말로 그가 그처럼 타산적이고 잔인했다면, 오히려 울타리에서 뛰어내리자마자, 쓰러진 하인의 머리통을 그 공이로 또 한 번 내리쳐서 아주 숨통을 끊어 버림으로써, 목격자를 제거하여 자기 마음으로부터 일체의 불안을 털어 버렸을 게 아닙니까?

그리고 또 범행의 목격자의 생사를 확인하려고 뛰어내린 그가 그 근처 길가에다가 또 하나의 증거품인 공이를 버려두고 갔습니다. 그 공이는 두 여인네 집에서 가져온 것이니까, 후에 그들은 자기네 집에서 피고가 그것을 가져갔다고 증언할 게 아닙니까? 도대체가 그 공이는 길가에 잊고 온 것도 아니고, 얼떨결에 떨어뜨리고 온 것도 아닙니다. 피고는 그 흉기를 내던졌던 것입니다. 왜냐하면, 그는 그리고리가 쓰러진 곳에서 15보 이상이나 떨어진 곳에서 발견되었기 때문입니다. 대체 무엇 때문에 그렇게 했을까? 하는 의문이 자연히 생겨납니다. 그것은 다음과 같이 설명할 수 있습니다—그는 하나의 인간을, 그것도 오랫동안 자기 집에서 살아온 늙은 하인을 제 손으로 죽였다는 비통한 심정 때문에, 저주의 외침과 함께 그 흉기를 내던져 버렸던 것입니다. 그렇지 않다면 그렇게까지 힘껏 내던질 까닭이 없습니다. 그리고 또한, 그가 하나의 인간을 죽인 데 대해 고민과 연민을 느꼈다면, 그것은 곧 자기 아버지를 죽이지 않았다는 얘기가 됩니다. 만약에, 이미 아버지를 제 손으로 죽였다면, 두 번째 피해자에게 연민의 정을 느껴 다시 뛰어내릴 리가 없습니다. 그때는 벌써 다른 감정이 일어나는 게 당연합니다. 연민은 고사하고, 오히려 자기 몸을 구하려는 감정이 일어날 것입니다. 이건 틀림없습니다. 거듭 되풀이합니다만, 그는 그 때문에 5분을 허비하지 않고 단숨에 피해자의 머리통을 부숴 버렸을 것입니다. 그런데 이때 연민의 정이나 착한 감정이 나타날 수 있었다는 것은, 그전에 양심에 거리낄 만한 일이 없었기 때문입니다. 이리하여 이번엔 검사의 주장과는 전혀 다른 심리 해부의 결과가 나왔습니다. 배심원 여러분, 내가 지금 이렇게 심리 해부를 시도한 것은, 인간의 심리란 '귀에 걸면 귀걸이요, 코에 걸면 코걸이'라는 것을 보여 드리기 위해서입니다. 요컨대 그것을 다루는 사람의 능력 여하에 달려 있는 것입니다. 심리 해부란, 가장 진지한 사람들까지도 부지불식간에 소설가 구실을 하게 만들 우려성이 있습니다. 배심원 여러분, 나는 심리 해부의 남용이나 악용을 경고하는 바입니다."

이때 다시금 청중 속에서는 공감을 표시하는 웃음소리가 일어났는데, 그것은 역시 검사에 대한 냉소였다. 필자는 변호인의 변론을 일일이 죄다 소개하지는 않겠다. 다만 그중에서 가장 중요한 점만을 몇 가지 여기에 옮기는 데 그치겠다.

11. 돈은 없었다, 강탈 행위도 없었다

변호사의 변론 중에서 모든 사람을 놀라게 한 점은, 도대체 그 저주할 3천 루블의 돈은 전혀 존재하지도 않았으며, 따라서 그 돈을 강탈할 수도 없었다는 주장이었다.

"배심원 여러분" 하고 변호사는 변론을 진행시켰다. "처음으로 이 지방에 와서 아직 아무런 선입관도 갖지 않은 사람으로서는, 이 사건 속에서 하나의 특질을 발견하고 크게 놀라움을 느끼게 되는 것입니다. 그것은 피고가 강탈 행위를 했다고 주장하면서도 과연 무엇이 강탈되었는가 하는 의문에 대하여는 실제적인 증거를 전혀 들지 못하고 있다는 점입니다. 돈이, 3천 루블이라는 돈이 강탈되었다고 합니다만, 과연 그 돈이 실제로 있었는지 없었는지는 아무도 모릅니다. 첫째, 어떻게 우리는 그 돈이 있었다는 것을 알았습니까? 그리고 누가 그것을 보았습니까? 그 돈을 자기 눈으로 보았고, 그 봉투 속에 돈이 들어 있었다고 말한 것은 하인 스메르쟈코프 한 사람뿐입니다. 그는 사건이 일어나기 전에 그것을 피고와 피고의 동생 이반 표도로비치에게 알렸습니다. 그리고 스베틀로바도 그 얘기를 들어서 알고 있었습니다. 그러나 세 사람 다 직접 자기 눈으로 그 돈을 본 것은 아닙니다. 본 사람은 역시 스메르쟈코프 한 사람뿐입니다.

그런데 여기에 한 가지 의문이 있습니다. 즉, 정말로 그 돈이 있었고, 그것을 스메르쟈코프가 보았다 하더라도, 그가 마지막으로 그 돈을 본 것은 언제냐, 하는 것입니다. 만약에 주인이 그 돈을 요 밑에서 꺼내어, 스메르쟈코프 모르게 다시 금고 속에 넣어 두었다면 어찌 됩니까? 스메르쟈코프의 말에 의하면, 그 돈은 베게 밑에, 요 밑에 들어 있었다고 합니다. 그렇다면, 피고는 그 돈을 잠자리 밑에서 꺼냈어야 합니다. 그러나 잠자리는 조금도 흐트러져 있지 않았습니다. 이 점은 예심 조서에 자세히 기록되어 있습니다. 어째서 피고는 잠자리를 조금도 흐트러뜨리지 않았을까요?

뿐만 아니라, 그날 밤에 특별히 깔았던 새하얀 시트에는 피고의 그 피투성이의 손으로 더럽힌 흔적이 전혀 없습니다. 그래도 방바닥엔 봉투가 떨어져 있지 않았느냐고 말하실 테지만, 바로 그 봉투에 관해서 한마디 해야 할 필요가 있습니다. 나는 아까 유능하신 검사 자신이 그 봉투에 대해 언급한 것을 듣고 약간 놀라지 않을 수 없었습니다. 여러분께서도 들으셨겠지만, 검사는 자기의 논고 속에서, 스메르쟈코프가 하수인이라는 가정假定의 불합리함을 증명하기 위해 그 봉투에 언급하면서, '만약에 이 봉투가 없었다면, 만약에 이 봉투를 범인이 증거품으로 방바닥에 남겨 두지 않고 그냥 가져가 버렸다면, 이 봉투가 있었다는 것, 그 속에 돈이 들어 있었다는 것을 아는 사람은 아무도 없었을 것이고, 따라서 피고가 그 돈을 강탈했다는 것도 드러나지 않았을 것이다'라고 말하셨습니다. 그러니까 검사는, 그 찢어진 봉투 하나만이 피고의 강도 행위를 증명하는 것이며 '그것이 없었다면 강도 행위가 있었다는 것은 물론, 돈이 있었다는 것조차 아무도 몰랐을 것이라'고 자백한 셈입니다. 그러나 방바닥에 그 봉투가 떨어져 있었다는 한 가지 사실만으로, 과연 그 봉투 속에 돈이 들어 있었고, 또 그 돈이 강탈되었다는 것을 입증할 수가 있겠느냐 말입니다. '봉투 속에 돈이 들어 있는 것은 스메르쟈코프가 직접 보지 않았는가'라고 대답하시겠지요. 하지만,

그가 그 돈을 최후로 본 것은 언제입니까, 대체 언제의 일입니까? 나는 이것을 묻는 것입니다. 나도 스메르쟈코프를 만나보았습니다만, 그는 그 돈을 사건이 발생하기 이틀 전에 보았다고 했습니다. 그렇다면 나는 다음과 같은 사정을 가정할 권리가 있다고 생각합니다. 즉 표도르 파블로비치 노인이 혼자 집에 들어앉아서 여자가 나타나기를 미친 듯이 기다리다가, 갑자기 무슨 생각이 떠올라서 봉투를 꺼내 찢은 건 아닐까요. 그는 '이따위 봉투만 보고는 여자가 믿지 않을지도 모른다. 차라리 무지갯빛 지폐 서른 장 묶음이 효과가 클 것이다. 그것을 보면 아마 군침을 흘릴 테지'—이렇게 생각하고 봉투를 찢고서 돈을 꺼냈는지도 모르지 않습니까? 그 돈의 주인인 그는 아무 거리낌 없이 봉투를 방바닥에다 내던질 수 있었을 것입니다. 혹시 이것이 무슨 증거품이 되진 않을까? 하고 걱정할 필요는 없는 것이니까요.

배심원 여러분, 이러한 가정, 이러한 사실은 얼마든지 있을 수 있는 일이 아니겠습니까? 어째서 이것이 불가능합니까? 만약에 이와 비슷한 일이라도 있을 수 있었다면, 강탈죄는 자연히 소멸돼 버립니다. 돈이 없었으니 강탈 행위도 있을 수 없는 것이지요. 만약에, 봉투가 방바닥에 떨어져 있었다는 사실이, 그 속에 돈이 들어 있었다는 증거가 된다면, 그와는 반대로, 봉투가 방바닥에 내버려져 있었다는 것은, 곧 그 속에 돈이 없었기 때문이다, 즉 주인이 그전에 돈을 꺼내 버렸기 때문이다, 라고 설명할 수도 있지 않겠습니까?

'그러나 만일 표도르 자신이 봉투에서 돈을 꺼냈다면, 그 돈은 대체 어디다 두었는가? 그 집을 수색했을 때 왜 발견되지 않았는가?'라고 반박할지 모르겠습니다만, 첫째로, 그의 금고 속에서는 돈의 일부가 발견되었습니다. 둘째로는, 표도르 자신이 이미 그날 아침이나 그 전날 저녁에 돈을 꺼내서 다른 데다가 쓰거나 어디로 보냈는지도 모릅니다. 그리고 끝으로는, 자기의 생각이나 행동이나 계획을 근본적으로 변경해 버렸으면서도, 스메르쟈코프에게 그것을 알릴 필요가 없다고 생각하였는지도 모릅니다. 이와 같은 가정이 가능한 것이라면, 그토록 완강하고 결연한 태도로 피고에게다 죄를 씌울 수는 없을 것입니다. 피고는 돈을 강탈할 목적으로 아버지를 죽였다느니, 실제로 강도 행위가 있었다느니 하는 말을 어떻게 할 수 있겠느냐 말입니다! 이것은 이미 창작의 범위에 속하는 것입니다. 구엇이 강탈당하였음을 증명하려면, 그 강탈당한 물건을 제시하든가, 그렇지 않으면 적어도 그 물건이 존재하고 있었다는 확실한 증거를 들어야만 합니다. 그러나 그 물건을 본 사람은 아무도 없습니다.

최근에 페테르브르크에서 다음과 같은 사건이 있었습니다. 이제 겨우 18살밖에 안 된, 어린애 같은 애송이가 백주에 도끼를 들고 어느 환전상換錢商으로 난입해서, 전형적인 잔인성을 발휘하여 주인을 죽이고서는 1천 5백 루블을 강탈해 간 사기입니다. 그는 범행한 지 5시간 만에 체포되었는데, 겨우 15루블을 소비했을 뿐, 나머지 돈은 그냥 고스란히 갖고 있었습니다. 뿐만 아니라, 범행이 있은 후에 점포에 돌아온 그 환전상 점원은, 돈을 도난당했다는 사실 이외에, 그 돈이 어떤 돈이었는가, 즉 무지갯빛 지폐가 몇 장, 붉은 것이 몇 장, 금화가 몇 닢 있다는 것까지 상세하게 경찰에 신고한 것입니다. 과연 체포된 범인은 신고 내용과 똑같은 지폐와 금화를 지니고 있었습니다. 그리고 범인 자신도 자기가 주인을 죽이고 돈을 강탈했노라고 깨끗이 자백했습니다. 배심원 여러분, 내가 증거라고 하는 것은 바로 이런 것입니다! 물론 나도 그 돈을 알고 있었고, 직접 보았고, 만져 보기까지 했으므로, 그 돈이 없다든가, 없었다든가 할 수는 없었습니다. 그런데 이번의 경우도 그와 같다고 할 수 있을까요? 더욱이 이것은 한 인간의 생사를 결정하는 중대한 문제란 말입니다.

'하기는 그럴는지는 모르지만, 아무튼 피고는 그날 밤 유흥에 돈을 마구 뿌렸다. 더욱이 그는 1천 5백 루블이나 되는 돈을 갖고 있었다. 그럼 대체 돈이 어디서 나왔다는 건가?'라고 말할지 모릅니다. 그러나 1천 5백 루블만 드러나고 나머지 반액이 끝내 나타나지 않았다는 사실은, 그 돈이 전혀 다른 돈—즉, 봉투 같은 데 들었던 것이 아닌 다른 돈이었다는 걸 입증할 수도 있는 게 아닙니까. 이미 엄밀하게 따져서 증명된 시간으로 계산해 보아도, 피고가 하녀들을 만나고 나서 곧 관리 페르호친한테로 달려갔었고, 자기 거처엔 들르지도 않고, 그 후에도 줄곧 사람들 속에 섞여 있었다는 것은 예심에서도 증명된 일입니다. 그렇다면, 피고가 시내에서 3천 루블의 반을 따로 떼어 어디다 숨길 수 없었다는 것이 명백합니다. 이것이 검사로 하여금, 그 돈의 반을 피고가 모크로예에서 어느 틈새 같은 데다 숨겼을 것이라고 가정하지 않을 수 없게 한 원인입니다. 차라리 우돌프 성城의 지하실에 감췄다고 하는 편이 낫지 않을까요? 그런 가정은 너무나도 공상적이고 소설적입니다! 그러니까, 이 한 가지 가정, 즉 모크로예에 감췄다는 가정만 소멸된다면, 강탈죄 역시 금세 소멸돼 버리고 맙니다. 왜냐하면, 그 1천 5백 루블의 돈이 어디로 갔는지 알 수 없게 되기 때문입니다. 피고가 아무 데도 들르지 않았다는 것이 증명된 이상, 대체 그 돈은 어떤 기적으로 사라져 버렸을까요? 더욱이 지금 그런 가공적인 상상이 한 사람의 인간의 생명을 멸망시키려 하고 있는 것입니다!

'그렇지만 그는 자기가 가지고 있던 1천 5백 루블의 출처를 충분히 설명하지 못했다. 뿐만 아니라, 그날 저녁까지 그가 돈을 갖고 있지 않았다는 것은 누구나가 다 알고 있었다'고 말하실지 모릅니다. 그러나 과연 누가 그것을 알고 있었는가? 피고는 그 돈의 출처에 관해 명확하게 증언했습니다. 배심원 여러분, 나의 의견을 듣고 싶으시다면 말하겠습니다만—이보다 더 명확한 증언은 일찍이 없었으며 또 있을 수도 없습니다. 또한 그 증언은 피고의 성격 및 정신과 더할 나위 없이 일치되는 것입니다. 그런데도 검사는 자기가 만든 소설 쪽이 더 마음에 들었을 뿐입니다. '피고는 의지가 박약한 인간이어서, 자기 약혼녀가 내주는 3천 루블이란 돈을 염치없이 받는 정도니까, 그 반을 따로 떼어 호주머니에 꿰매 넣었다는 건 말도 안 된다. 설령 꿰매 넣었더라도, 이틀이 멀다 하고 그것을 열어 1백 루블씩 꺼내 썼을 테니까 한 달도 채 못 가서 다 없어졌을 것이다'라고 말하셨습니다. 더욱이 어떠한 반박도 허용하지 않을 듯이 강경한 어조로 그렇게 주장하셨습니다. 그러나 만약에 사건의 진상이 그와는 아주 반대여서, 검사께서 만든 소설과는 전혀 다른 일면이 있다고 한다면 어쩌겠습니까? 문제는 그처럼 엉뚱한 일면을 만들어 냈다는 데 있습니다!

'하지만 피고가 범행 1달 전에 카체리나 이바노브나한테서 받은 돈 3천 루블은 모크로예에서 하룻밤 사이에 한 푼도 남기지 않고 다 써 버렸다는 데 대해서는 확실한 증인이 있다. 그러니까 피고가 반을 따로 떼어 놓았을 리는 없지 않은가' 라고 반박하실지 모르겠습니다. 그러나 그 증인이라는 게 대체 어떤 사람들입니까? 그 증인들이 얼마나 확실하냐는 것은 이미 이 법정에서 폭로된 바 있습니다. 뿐만 아니라, 남이 가진 빵은 언제나 커 보이는 법입니다. 특히 그들 증인 중에서 그 돈을 세어 본 사람은 아무도 없습니다. 그저 눈짐작으로 판단한 데 지나지 않습니다. 심지어 막시모프 같은 증인은, 피고가 2만 루블가량이나 쥐고 있었다고 증언하지 않았습니까. 배심원 여러분, 이처럼 심리 해부란 '귀걸이 코걸이'와 같은 것이므로, 나는 검사와는 반대되는 데다가 그것을 걸어서, 어떠한 결론이 나오는가를 보여 드리려는 것입니다.

비극적 사건이 발생하기 1달 전에 카체리나 이바노브나는 피고에게 3천 루블을 내주면서 우편으로 송금해 달라고 부탁했습니다. 그러나 과연 이 돈은, 아까 말씀하신 것처럼 모욕과 경멸의 뜻으로 맡긴 것이었을까요? 이것이 문제입니다. 이 문제에 대한 카체리나 이바노브나의 최초의 증언은 결코 그런 것이 아니었습니다. 두 번째 증언 때에 우리는 처음으로 증오와 복수의 부르짖음을 들었습니다. 오랫동안 감추어졌던 질투의 외침을 들었던 것입니다. 그러나 이 증인이 처음에 불확실한 증언을 했다면, 두 번째 증언 역시 불확실한 것이라고 단정할 권리를 우리는 보유하는 것입니다. 검사는 그 이야기에 언급하기를 '원치 않는다, 사양하겠다'(이것은 검사 자신의 말입니다)라고 말하십니다. 그것도 무방하겠지요. 나도 거기 언급하지 않겠습니다. 그러나 나는 다음 한 가지만을 지적하려 합니다. 즉, 그처럼 결백하고 덕망 높은 카체리나 이바노브나 같은 여성이, 분명히 피고를 파멸시킬 목적으로 법정에서의 처음 증언을 경솔하게 변경한 이상, 이 두 번째 증언이 공평하고 냉정한 것이 못 된다는 것은 명백하다는 점입니다. 여러분, 복수심에 사로잡힌 여인의 말은 과장된 데가 있을 것이라고 단정하는 우리의 권리를 여러분께서는 부정하시지 않으리라 믿습니다. 그렇습니다, 확실히 카체리나 이바노브나는 돈을 내주었을 때의 굴욕과 모멸을 과장하고 있습니다. 증인은 오히려 상대방이, 특히 피고와 같은 경솔한 인간으로서는 쉽사리 받을 수 있을 만큼 아무렇지 않은 태도로 돈을 주었음이 틀림없습니다. 게다가 피고는 그때 아버지한테서 자기 돈 3천 루블을 곧 받을 수 있으리라 생각하고 있었습니다. 이건 물론 경솔한 생각입니다만, 피고는 바로 그 경솔 때문에, 아버지는 반드시 3천 루블을 줄 것이다, 그 돈을 받기만 하면, 카체리나한테서 위임받은 돈은 언제든지 발송할 수 있고, 따라서 빚도 청산할 수 있을 것이다, 이렇게 굳게 믿고 있었던 것입니다.

그러나 검사는 피고가 그날 받은 돈의 반을 따로 떼어 호주머니에 꿰매 넣어 두었었다는 말을 절대 인정하려 하지 않습니다. '그것은 피고의 성격에 어울리지 않는다, 피고가 그런 감정을 지니고 있을 리가 없다'고 검사는 말하십니다. 하지만, 카라마조프의 성격은 광범하다, 라고 당신 자신의 입으로 외치시지 않았습니까. 당신 자신의 입으로, 카라마조프는 두 개의 심연을 동시에 볼 수 있다고 절규하시지 않았느냐 말입니다. 사실 카라마조프는 두 개의 면을 가지고 있으며, 양극단 사이에서 동요하는 천성을 지니고 있습니다. 방탕에 대한 억제할 길 없는 욕구를 느끼고 있을 때에도, 만약에 다른 면으로부터 어떤 자극을 받기만 하면 곧 발길을 멈출 수 있는 인간입니다. 다른 면이란 곧 사랑입니다—그때 화약처럼 타오르기 시작한 새로운 사랑입니다. 그러나 그 사랑을 위해서는 돈이 필요합니다. 그 애인과의 유흥에도 필요하지만, 그보다도 몇 배나 더 필요한 데가 있습니다. 만약에 그 여자가 '나는 당신 거예요, 표도르 파블로비치한테는 가지 않겠어요'라고 나오면, 그는 여자를 데리고 도망을 쳐야 합니다. 그러자면 여러 가지 비용이 듭니다. 그쪽이 유흥보다 더욱 중대한 문제였던 것입니다. 카라마조프가 그것을 몰랐을 리가 없지 않습니까? 사실, 그는 이 문제 때문에 고민했고 애를 태웠던 것입니다. 그러니까, 그가 만일의 경우를 위해 그 돈에서 반을 따로 떼어 간직하고 있었다고 하더라도, 이상할 것은 하나도 없지 않으냐 말입니다.

그렇건만, 시간은 자꾸 지나가는데 표도르 파블로비치는 피고에게 3천 루블을 주기는커녕, 오히려 그의 애인을 유혹하는 데 그 돈을 쓰려 한다는 소문까지 들려왔습니다. '만약에 아버지가 돈을 주지 않으면 나는 카체리나 이바노브나한테 도둑놈이 되고 만다'고 그는 생각했습니다. 그래서 그는 호주머니 속에 간직한 1천 5백 루블을 그 여자 앞에 내놓고, '나는 비열한 놈이긴 하지만 도둑놈은 아니다'라고 말해야겠다는 생각이 떠올랐습니다. 그리하여 1천 5백 루블을 고이 간직한 채 그 주머니를 열지도 않고 1백 루블씩 꺼내 쓰지도 않은 데 대한 이중의 이유가 있는 것입니다. 여러분께서는 어찌하여 피고의 명예심의 존재를 부정하십니까. 아니, 그에게는 확실히 명예심이 있습니다. 하기는 방향이 틀린 그릇된 명예심인지는 모릅니다만, 아무튼 명예심은 있습니다. 있어도 이만저만한 정도가 아닙니다. 그리고 그는 그것을 증명해 보인 셈입니다.

그러나 사태가 더욱 복잡해지고, 질투의 고통이 극도에 달하자, 전의 그 두 가지 의혹이 자꾸 떠올라서 피고의 뜨거워진 두뇌를 더한층 괴롭혔습니다. '카체리나한테 이 돈을 주어 버리면, 무슨 돈으로 그루셴카를 데리고 달아난단 말인가?' 그가 지난 한 달 동안 술집을 돌아다니며 그처럼 마구 술을 퍼먹고 난동을 부린 것도 실은 이 괴로움을 견디어 낼 수 없었기 때문인지도 모릅니다. 마침내 그 두 가지 의혹은 극도로 날카로워져서 그를 절망에 빠지게 하고 말았습니다. 그는 마지막으로 동생을 아버지한테 보내서 그 3천 루블을 청구했습니다만, 결과를 기다리지 못하고 직접 아버지 집에 달려들어 가서, 여럿이 있는 데서 아버지한테 마구 손찌검을 했습니다. 이렇게 된 이상 이제는 누구한테서도 돈을 받아 낼 가망이 없습니다. 구타까지 당한 아버지가 돈을 줄 리는 만무합니다.

바로 그날 저녁에 그는 자기 가슴을—목에 건 돈주머니가 있는 곳을 주먹으로 치면서, 자기는 비열한 놈이 안 될 방법을 가지고 있지만, 결국은 비열한 놈이 되고 말 것이다. 왜냐하면 그 방법을 쓸 만한 정신력도 없거니와, 그럴 만한 결단력도 없다는 걸 자기 자신 잘 알고 있기 때문이다, 라고 동생한테 확언했습니다. 어째서, 무엇 때문에 검사는 알렉세이 카라마조프의 증언을 믿으려 하시지 않는지 모르겠습니다. 그는 그처럼 결백하게, 그처럼 성실하게, 솔직한 태도로 증언하지 않았습니다. 그리고 또 무엇 때문에 검사는, 그 돈이 어느 틈새 같은 데, 우돌프 성의 지하실 같은 데 감추어져 있다고 우기시는지 모르겠습니다.

그날 저녁, 동생과 얘기를 주고받은 다음에 피고는 그 숙명적인 편지를 썼습니다. 바로 이 편지가 피고의 범행을 증명하는 가장 유력한 증거가 된 것입니다! '다른 사람들한테 부탁해서 돈을 꾸지 못하면, 이반이 출발하자마자 아버지를 죽이고, 장밋빛 리본으로 묶은 봉투를 베개 밑에서 꺼낼 작정이다'—이것은 완전한 살인 계획입니다. 그러니 그가 범인이 아니고 누구겠습니까? '편지에 쓴 대로 실행한 것이다!'라고 검사는 외치셨습니다.

그렇지만, 첫째, 그 편지는 취중에 쓴 것입니다. 극도의 흥분 속에서 쓴 편집니다. 둘째, 봉투 얘기는 스메르자코프한테서 듣고 썼을 뿐, 피고 자신은 그 봉투를 본 일이 없습니다. 셋째, 그 편지는 물론 피고가 쓴 것이지만, 그렇다고 과연 거기 쓰여 있는 대로 실행되었는지 어떤지, 무엇으로 증명됩니까? 피고는 정말로 베개 밑에서 봉투를 꺼냈을까요? 돈을 찾아냈을까요? 아니, 그보다도 돈은 정말 있었을까요? 그리고 피고는 과연 그 돈을 강탈할 목적으로 달려갔던 것일까요? 이 점을 상기하시기 바랍니다! 그는 돈을 강탈하기 위해서가 아니라, 자기를 미치게 만든 여자의 행방을 알아내려고 달려갔던 것입니다. 그러니까, 미리 세운 계획에 따라, 즉, 편지에 쓰여 있는 것과 같은 목적으로 달려갔던 것은 아닙니다. 미리부터 생각했던 강탈이 목적이 아니고, 그저 갑자기 질투심에 사로잡혀서 정신없이 달려갔던 것입니다. '그렇더라도 역시 달려가서 아버지를 죽이고서 돈을 강탈했음이 틀림없다'고 우기실지도 모르겠습니다. 그러나 그가 정말 살인까지 했을까요, 아닐까요? 어쨌든, 강탈죄는 있을 수 없는 것이라고 나는 분연히 부정하는 바입니다. 강탈당한 그 물건이 명시되지 않는 이상, 그에게 강탈죄를 씌운다는 것은 불가능한 일입니다. 이것은 하나의 원칙입니다! 그럼 그는 살인을 했을까요? 강탈은 하지 않고 살인만 했을까요? 그리고 그것은 과연 증명되었을까요? 그것 역시 창작이 아닐까요?"

12. 그리고 살인도 없었다

"배심원 여러분, 이것은 한 인간의 생사에 관한 문제이므로 신중에 신중을 기해 주시기 바랍니다. 기소자인 검사는 최후까지, 즉 오늘 이 재판이 시작될 때까지, 피고가 완전히 예정된 계획에 따라 범죄를 수행했는지 어떤지 확실한 결론을 얻을 수 없었다, '취중에 쓴' 이 편지가 오늘 법정에 제출되기 전만 해도 확실한 결론을 얻을 수 없었다, 이렇게 말하셨습니다. 이것은 우리들도 분명히 들었습니다. '편지에 쓴 대로 실행한 것이다!'라고 검사는 말하십니다. 그러나 다시 되풀이하거니와, 그가 아버지 집으로 달려간 것은, 단지 여자를 찾기 위해서, 여자의 행방을 알아내기 위해서였습니다. 이것은 확고부동한 사실입니다. 만약에 여자가 자기 집에 있었다면, 그는 아무 데도 가지 않고 여자 곁에 붙어 있었을 것이며, 그 편지에서 약속한 것을 실행하지 않았을 것입니다. 그는 돌발적으로 아무러한 생각 없이 달려갔던 것뿐이고, '취중에 쓴' 편지 같은 것은 전혀 염두에도 없었을 것입니다. '그렇지만 놋공이를 집어 들고 가지 않았느냐'고 말하십니다. 그러나 검사는 그 공이 하나만을 기초로 하여, 피고가 그 공이를 흉기로 인정하고 흉기로 사용할 목적으로 집어 들고 갔다는 것을 설명하기 위해 엄청난 심리 해부를 시도하셨습니다. 그러나 여기서 나의 머릿속에는 하나의 지극히 평범한 생각이 떠오릅니다. 다름 아니라, 만약에 그 공이가 눈에 띄기 쉬운 선반 위에 있지 않고 (피고는 거기서 집어 가지고 갔습니다) 찬장 속 같은 데에 들어 있었다면, 그때 피고의 눈에 띄지 않았을 테니까 피고는 흉기를 지니지 않고 맨손으로 달려갔을 것이며, 따라서 아무도 죽이지 않았을 게 아니냐는 것입니다. 그렇다면 흉기 소지 및 모살謀殺 행위의 증거로 되어 있는 이 공이를 나는 대체 어떻게 판단해야 하겠습니까?

'그건 그렇지만, 전에는 술집을 돌아다니며 아버지를 죽이겠노라고 고함을 치곤 하던 피고가, 사건 발생 이틀 전, 즉 취중에 쓴 편지를 쓴 날 저녁에는 어느 점원과 한 번 말다툼을 했을 뿐, 전에 없이 조용하지 않았는가'라고 검사는 반박하실지 모르겠습니다. '카라마조프는 원래가 그런 사람인지라 누구와 다투지 않고는 견디어 낼 수 없었던 것이다'라고 말하셨습니다. 하지만 나는 여기 대해서, 만약에 피고가 계획대로, 즉 편지에 쓴 대로 아버지를 죽일 작정이었다면, 그는 필시 점원 따위와 다투지도 않았을 것이고, 첫째, 술집 같은 데는 들어가지도 않았을 것이라고 대답하겠습니다. 왜냐하면, 그런 범죄를 계획하고 있는 인간은 조용한 곳에 혼자 있기를 원하며, '가능하면 남이 자기를 잊게 하기 위해' 남의 눈에 띄지 않으려고 애쓰기 때문입니다. 이것은 타산打算이라기보다는 하나의 본능인 것입니다. 배심원 여러분, 심리라는 것은 양면을 가지고 있는 것이므로, 우리도 그러한 심리 작용을 이해할 수가 있는 것입니다. 그다음, 지난 한 달 동안 피고가 술집을 돌아다니며 떠들어 대곤 했다는 점에 대해서는, 흔히 어린애들이나 술 취한 친구들이 큰소리치는 것과 같은 것이라고 보면 됩니다. 술 취한 친구들이 술집에서 나와 서로 다투면서 '죽여 버릴 테다!'라고 고래고래 고함을 지르는 일은 얼마든지 있습니다. 그렇다고 그들이 정말 살인을 하는 건 아닙니다. 그러므로 이 숙명적인 편지 역시 술에 취해 홧김에 쓴 것이니까, 주정꾼이 술집에서 나오면 '죽여 버릴 테다, 네놈들을 모조리 죽여 버릴 테다!'라고 고함치는 것과 다를 바 없는 것입니다! 왜 그렇지가 않다는 겁니까? 왜 같을 수가 없다는 겁니까? 무엇 때문에 이 편지가 그처럼 중대하다는 겁니까? 오히려 반대로, 우스꽝스런 것이라고 말할 수 없는 이유는 무엇입니까? 그것은 아버지의 시체가 발견되었기 때문입니다. 흉기를 들고 도망치는 피고를 본 증인이 있기 때문입니다. 그리고 그 증인 자신이 피고한테 얻어맞아 죽을 뻔했기 때문입니다. 그래서 모든 것이 편지에 쓰여 있는 대로 실행되었다는 주장이 나왔고, 따라서 그 편지는 웃어넘길 수 없는, 중대한 것으로 되어 버렸습니다.

그리하여 '뜰 안에 들어갔으니까 그가 죽였음이 틀림없다'라는 결론에 도달한 것입니다. '들어갔으니까', '틀림없다'라는 이 두 마디 속에 기소 이유의 전부가 포함되어 있습니다. 그러나 들어가기는 했어도, 그것이 죽였음이 '틀림없다'는 이유가 될 수 없다면 어쩌겠습니까? 물론 나도 사실들의 누적累積과 사실들의 합치가 제법 훌륭하게 모든 것을 설명해 주고 있다는 데에는 동의합니다. 그러나 누적이니 합치니 하는 데 구애되지 말고, 그 사실들을 하나하나 따로 떼어 관찰해 보십시오. 예를 들어, 피고가 아버지 방 창문 밑에서 도망쳤다는 진술을 어째서 검사는 믿으려 하지 않으실까요? 피고의 마음속에 갑자기 일어난 '경건한' 감정이나 공손한 태도에 대해서, 아까 검사가 빈정거리는 투로 말한 것을 상기하시기 바랍니다. 그렇지만, 만약에 실제로 그러한 감정이—비록 경의라고까지는 할 수 없더라도 일종의 경건한 감정이 있었다면 어쩌겠습니까? '그때 어머니가 나를 위해서 기도해 주셨을 것이다'라고 피고는 심문 시에 말한 바 있습니다. 그래서 그는 아버지 집에 스베틀로바가 없는 것을 확인하자마자 곧 도망쳐 나온 것입니다. '그러나 창 밖에서는 그걸 확인할 수 없었을 것이다'라고 검사는 반박하실지 모릅니다. 하지만, 왜 확인할 수 없단 말입니까? 피고의 암호에 따라 창문이 열리지 않았습니까! 그때 표도르 파블로비치가 무슨 말이든 했을 것입니다. 스베틀로바가 거기 없다는 걸 피고한테 확신시킬 만한 말을 반드시 외쳤을 것입니다. 우리는 왜 자기가 상상하는 대로, 상상하고 싶어 하는 대로 모든 것을 가정해야만 합니까? 현실 생활에 있어서는, 가장 예리하고 치밀한 관찰력을 가진 소설가의 눈으로도 미처 포착하지 못하는 사건이 수없이 발생할 수 있는 것입니다.

'그렇지만, 그리고리가 문이 열려 있는 것을 보지 않았는가. 그러니까 피고는 집 안에 들어갔을 것이고, 따라서 그가 범인임이 틀림없다'라고 말하십니다. 배심원 여러분, 그 문으로 말하면…… 그것이 열려 있었다고 증명하는 사람은 오직 한 사람뿐입니다. 더욱이 그 증인 자신은 그때 어떤 상태에 있었습니까……. 하지만, 좋습니다, 문은 열려 있었다고 합시다. 피고가 이런 경우에 흔히 있을 수 있는 자기방어 의식 때문에 일부러 거짓말을 했다고 칩시다. 피고가 정말로 집 안에 들어갔다고 해도 무방합니다—그러나 집 안에 들어갔다고 해서 반드시 죽였다고 단정할 수는 없지 않습니까? 그는 집 안에 들어가서, 이 방 저 방 설치고 돌아다녔는지도 모릅니다. 아버지를 떠밀었는지도 모릅니다. 심지어는 주먹질까지 했는지 모릅니다. 그러나 스베틀로바가 거기 없는 것을 확인하자, 그 여자가 없는 것을 기뻐하며, 그리고 아버지를 죽이게 되지 않은 것을 다행으로 여기며, 곧 도망쳐 나온 것입니다. 그랬기 때문에 그는 1분 후에 울타리에서 뛰어내려, 격분에 사로잡혀 때려누인 그리고리한테로 달려갔던 것입니다. 바로 그랬기 때문에 그때 그는 깨끗한 감정—동정과 연민의 정을 일으킬 수가 있었던 것입니다. 아버지를 죽이려는 유혹을 이겨 낼 수 있었다는, 아버지를 죽이지 않아도 되었다는 기쁨을 느꼈기 때문입니다.

검사는 모크로예 마을에서의 피고의 무서운 처지를 놀랄 만한 웅변으로 우리에게 설명해 주셨습니다. 새로운 사랑이 그의 앞에 열리고, 그를 새 생활로 부르고 있는데, 그의 뒤에는 피투성이가 된 아버지의 시체가 있고, 또 그 뒤에는 형벌이 기다리고 있기 때문에, 그 사랑은 피고에겐 불가능한 것이 되어 버렸다는 것입니다. 그럼에도 불구하고 검사는 역시 그의 사랑을 인정하고, 그것을 자기의 독특한 심리 해부로 설명하셨습니다. '도취된 상태, 형장으로 끌려가는 범인이 아직도 형장이 멀다는 데 희망을 거는 심리 작용' 운운하는 말을 하셨습니다. 그러나 검사는 여기서도 또 별개의 인물을 창조해 내신 것이나 아닌지, 나는 다시 묻고 싶습니다. 만약에 피고가 정말로 아버지를 죽였다면 과연 그런 순간에 연애라든가 법관에 대한 기만책 같은 것을 생각할 만큼 잔인할 수가 있었을까요? 아니, 절대로 그렇지 않습니다! 나는 장담할 수 있습니다—만약에 그가 정말 아버지를 죽였다면, 여자가 자기를 사랑하고 있으며 새 행복을 약속하고 있다는 것을 알자마자, 자살에 대한 요구를 몇 배나 더 강하게 느꼈을 것입니다. 그리고 깨끗이 자살해 버렸을 것입니다. 권총이 어디 있는지조차 잊어버리고 있었다는 건 말도 안 됩니다! 나는 피고의 사람됨을 잘 압니다. 검사가 설명하신 목석같은 무감각은, 그의 성격과는 일치하지 않습니다. 그는 반드시 자살했을 것입니다. 그가 자살하지 않은 것은 '어머니가 그를 위해 기도해 주셨기' 때문이며, 따라서 아버지의 피에 대해 죄가 없기 때문입니다. 그날 밤 그는 모크로예에서, 늙은 하인 그리고리를 때려누인 것만을 한탄하며, 노인이 입은 타격이 치명상이 아니어서 소생하기를, 그래서 자기도 형벌을 면하게 되기를 마음속으로 하느님께 빌었던 것입니다. 이런 식으로 사건을 해석해선 안 될 이유가 어디 있습니까? 우리는 피고가 거짓말을 하고 있다는 데 대해 얼마나 확실한 증거를 쥐고 있습니까?

아버지의 시체, 그것이 증거가 아니냐고 말하시겠지요. 그가 죽이지 않고 그냥 도망쳤다면, 대체 그때 누가 그 노인을 죽였단 말이냐? 이렇게 반박하시겠지요. 다시 되풀이하거니와, 여기에 일체의 기소 이유가 포함되어 있는 것입니다.

즉, 그가 죽이지 않았다면, 대체 누가 죽였다는 거냐? 그를 대신할 사람은 아무도 없지 않으냐, 라는 식의 논리입니다. 배심원 여러분, 정말로 그럴까요? 피고 이외에는 혐의를 받을 만한 사람이 과연 없을까요? 검사는 그날 밤 그 집에 있었거나 드나든 사람을 죄다 손꼽았는데, 결국 다섯 사람임이 밝혀졌습니다. 그중 세 사람은 혐의를 걸 여지도 없다는 데 대해서는 나도 동감입니다. 즉, 피살된 당사자와 그리고리 노인과 그의 아내—이렇게 세 사람입니다. 그러니까 남는 것은 피고와 스메르쟈코프입니다. 그런데 검사는 사뭇 열띤 어조로, 피고가 스메르쟈코프를 지목한 것은 그 이외에 아무도 지목할 사람이 없었기 때문이며, 만약에 여섯째 사람이 있었다면, 적어도 여섯째 사람의 그림자만이라도 있었다면, 피고는 스메르쟈코프한테 죄를 씌우기가 부끄러워서 얼른 그 여섯째 사람을 지목했을 것이다, 라고 외치셨습니다. 그러나 배심원 여러분, 나는 그와 정반대되는 결론을 내릴 수가 있습니다. 여기 두 인물, 즉 피고와 스메르쟈코프가 있습니다. 그런데 나의 입장에서 본다면, 여러분께서 피고에게 죄를 씌우는 것은, 단지 그 이외엔 죄를 씌울 만한 사람이 보이지 않기 때문이라고 말하고 싶습니다. 그리고 그 이외에 죄를 씌울 만한 사람이 발견되지 않는 것은, 여러분께서 선입관에 사로잡혀 스메르쟈코프를 혐의 대상에서 미리 제외해 버렸기 때문입니다.

스메르쟈코프를 범인으로 지목하는 사람은, 피고 자신과 그의 두 동생, 그리고 스베틀로바뿐입니다. 하기는 그 밖에도 몇 사람 스메르쟈코프를 지목하는 사람이 있습니다만, 그것은 사회에서의 어렴풋한 의문과 혐의의 반영입니다. 아무튼 막연한 소문이 들려오는 것만은 사실이며, 거기에는 어떤 기대 같은 것이 느껴집니다. 그리고 마지막으로 몇 가지 사실의 대립이 그것을 뒷받침하고 있습니다. 물론, 솔직히 말해서, 그것은 아직 분명한 것은 못 됩니다만, 지극히 독특한 성질을 띠고 있는 것만은 사실입니다. 첫째로, 사건 당일에 일어난 간질병 발작인데, 검사는 무엇 때문인지 그 발작이 진짜라는 것을 기를 쓰며 변호하고 계십니다. 둘째로는, 공판 전날에 스메르쟈코프가 갑자기 자살해 버린 것입니다. 그리고 끝으로, 피고의 큰동생 이반 카라마조프가 오늘 법정에서 갑자기 진술한 증언입니다. 그는 여태까지 자기 형의 범죄를 믿고 있었으나, 별안간 오늘 돈까지 제시하면서 하수인은 스메르쟈코프라고 지적했습니다. 나도 물론 이반 카라마조프가 섬망증에 걸린 병자이며, 그의 증언이 죽은 사람에게 죄를 씌워서 자기 형을 구하려는 절망적인 시도일 것이라는 재판관 및 검사의 확신을 부정하지는 않겠습니다. 그러나 또다시 스메르쟈코프의 이름이 지적된 것을 보면, 거기에 어떤 수수께끼 같은 것이 있음을 느끼게 됩니다. 배심원 여러분, 아마도 거기에는 아직도 충분히 설명되지 않은, 아직도 결판이 나지 않은 무엇이 숨어 있는 것 같습니다. 그것은 앞으로 설명될 때가 있을 것입니다만, 지금은 더 이상 말하지 않기로 하겠습니다.

조금 전에 법정은 심의를 계속할 것을 선언했습니다마는, 여기서 나는 죽은 스메르쟈코프에게 가해진 성격 비판에 대해서 잠깐 언급하겠습니다. 검사가 시도한 스메르쟈코프의 성격론은 참으로 빈틈없는 훌륭한 것이었습니다. 그러나 나는 검사의 뛰어난 재능에 탄복은 하면서도, 그 비판의 핵심에는 완전히 동의할 수가 없습니다. 나는 직접 스메르쟈코프를 만나보았고 그와 얘기도 해 보았습니다. 그러나 내가 그한테서 받은 인상은 전혀 달랐습니다. 그가 건강이 좋지 않았던 것은 사실입니다. 그러나 그의 성격, 그의 감정으로 말하면, 절대로 검사가 말하신 것같이 약한 인간은 아니었습니다. 특히 검사는 그를 가리켜 그처럼 명확하게 겁쟁이라고 말하셨습니다만, 내가 보기엔 그런 점은 조금도 없었습니다. 또한 단순하고 솔직한 점 역시 찾아볼 수가 없었습니다. 오히려 나는 솔직성이라는 가면 뒤에 숨어 있는 무서운 경계심과 예리한 지력智力을 발견했습니다. 아아! 검사는 너무나 간단히 그를 저능아로 규정해 버리셨습니다만, 나는 그에게서 매우 강렬한 인상을 받았습니다. 나는 그가 굉장히 음흉한 야심가인 데다가 복수심과 질투심이 터무니없이 강한 인간이라는 확신을 품고 돌아왔습니다. 내가 수집한 몇 가지 정보에 의하면, 그는 자기의 출생을 증오했고 또한 그것을 수치로 알고 있었습니다. 그는 항상 이를 갈며 '난 스메르쟈시차야(고린내 나는 여자)한테서 나온 놈이야'라고 말하곤 했습니다. 그는 어릴 때의 은인인 그리고리 내외에게조차 존경을 표시하지 않았습니다. 그리고 러시아를 저주하고 조소하며, 프랑스에 귀화하기 위해 파리로 갈 것을 공상하고 있었습니다. 프랑스로 가고 싶은데 여비가 모자란다는 말을 전부터 자주 했다는 것입니다. 내가 보기에 그는 자기 이외에는 아무도 사랑하지 않았고, 게다가 이상할 만큼 자존심이 강했던 것 같습니다. 그는 좋은 양복과 깨끗한 셔츠와 반짝반짝 광이 나는 구두를 문명으로 생각하고 있었습니다. 그는 자기가 표도르 파블로비치의 사생아라고 생각하고 있었으므로, (여기에는 증거가 있습니다) 정식 아들들과 비교해서 자기 처지를 저주했을 것입니다. 그들에겐 모든 것이 있는데 자기에겐 아무것도 없다, 그들에겐 모든 권리가 부여되어 유산까지 상속하는데, 자기는 한낱 요리사에 지나지 않는다, 이렇게 생각했을 것입니다. 그는 나한테, 표도르가 돈을 봉투에 넣는 것을 직접 거들어 주었노라고 말했습니다. 그는 물론 그 돈의 용도를 저주했을 것임이 틀림없습니다. 그만한 돈만 있으면, 자기의 새 생활을 시작하기에 충분하기 때문입니다. 뿐만 아니라, 그는 반들거리는 무지갯빛 새 지폐로 3천 루블이라는 큰돈을 생전 처음 보았습니다. (나는 특히 이 점을 그에게서 확인했습니다) 아아, 야심 많고 질투심 강한 인간에게는 절대 큰돈을 보이는 게 아닙니다. 그런데 그는 처음으로 그런 큰돈을 보았던 것입니다. 무지갯빛 지폐 뭉치로부터 받은 인상은, 곧 어떤 결과로서 나타나지는 않았으나, 그의 상상 속에 병적으로 반영되었으리라는 것은 틀림없습니다.

높은 재능을 가지신 검사는, 스메르쟈코프에게 살인죄를 적용함에 있어서의 온갖 가능한 Pro et contra(찬성론과 반대론)를 상세하게 펴 보이고 나서, 그에게 간질병 발작의 흉내를 낼 필요가 어디 있었겠느냐는 의문을 제기하셨습니다. 그렇습니다, 그는 일부러 그런 흉내를 낼 필요가 없었는지 모릅니다. 발작은 아주 자연스럽게 일어났는지 모릅니다. 그러나 그 발작은 또 지극히 자연스럽게 경과해서, 환자는 정신을 차렸었는지 모릅니다. 아주 완전히 회복되지는 않았더라도 의식만은 똑똑히 되돌아왔었는지 모른단 말입니다. 이것은 간질병에 흔히 있을 수 있는 일입니다.

검사는 스메르쟈코프가 범죄를 수행할 틈이 어디 있었느냐고 반문하십니다만, 그 시각을 제시하기는 아주 용이합니다. 즉 그리고리 노인이, 울타리를 넘어가는 피고의 발에 매달리며 이웃에서도 들릴 만큼 큰 소리로 '제 아버지를 죽인 놈'이라고 고함친 순간에, 그는 문득 정신이 들어 깊은 잠에서 깼는지 모릅니다. (그는 그저 잠들어 있었을 뿐이니까요. 간질병 발작 뒤에는 언제나 깊은 잠이 따르기 마련입니다) 고요한 어둠 속에서 일어난 이 심상치 않은 고함 소리가 스메르쟈코프의 눈을 뜨게 했을 것입니다. 마침 그때 그의 잠은 그리 깊지가 않았는지 모릅니다. 아니, 벌써 한 시간 전부터 잠이 깨기 시작했었는지도 모릅니다.

아무튼 그는 침대에서 일어나 아무 생각도 없이 거의 무의식적으로 고함 소리가 일어난 쪽으로 걸어 나왔습니다. 그의 머리는 발작 때문에 여전히 흐릿했고 사고력도 아직 반쯤 졸고 있는 상태였습니다. 그는 정원으로 나와서 등불이 켜진 창문으로 다가갔습니다. 주인은 물론 그가 나타난 것을 반기며 무서운 소식을 전했습니다. 순간 그의 머릿속에는 어떤 생각이 퍼뜩 떠올랐습니다. 그는 겁을 집어먹고 허둥대는 주인한테서 자세한 사정을 알았습니다. 그러자 그의 병적으로 혼란된 두뇌 속에서는 차츰 어떤 생각이 형성되어 갔습니다. 그것은 무서운 생각이기는 하지만, 어디까지나 논리적인 것이어서, 부쩍 마음이 끌렸습니다—즉, 주인을 죽이고 3천 루블을 강탈한 후 그 죄를 주인의 아들에게 뒤집어씌운다는 것입니다. 그렇게 하면 주인의 아들 이외에 혐의를 받을 사람은 아무도 없을 테니까 결국 아들이 죄를 쓰고 말 것이다, 방금 여기 왔었지 않나, 훌륭한 증거가 있는 셈이다, 하고 생각했던 것입니다. 자기가 혐의를 받지 않을 자신이 생기자, 돈이라는 소득물에 대한 무서운 욕망이 그의 마음을 사로잡은 것은 당연한 일입니다. 이처럼 갑작스런, 극복하기 힘든 충동은, 기회만 있으면 언제든지 일어날 수 있는 것입니다. 더욱이 무엇보다 중요한 것은, 1분 전까지만 해도 사람을 죽이려고는 꿈에도 생각지 않았던 인간의 머릿속에 일어난다는 점입니다! 그래서, 스메르자코프도 그런 충동에 지배되어, 주인 방으로 들어가서 그 계획을 실행했을 것입니다. 그럼 어떠한 흉기를 사용했는가? 그런 것은 문제될 것도 없습니다. 우선 눈에 띈 정원의 돌멩이로도 죽일 수 있지 않습니까. 그렇다면 무엇 때문에, 무슨 목적으로 그런 짓을 했는가? 3천 루블이라는 돈은 그가 새 생활을 시작하기에 충분한 돈이기 때문입니다. 아니, 나는 전후가 모순된 말을 하고 있는 것은 아닙니다. 돈은 실제로 있었는지도 모릅니다. 그리고 스메르자코프만이 그 돈이 어디 있는가를 알고 있었을 것입니다. 즉, 주인이 그 돈을 간직해 둔 곳을 스메르자코프만이 알고 있었던 것입니다. '그럼 돈이 들었던 봉투는? 방바닥에다 그가 던진 봉투는 어찌 된 거냐?'라는 의문이 일어날지 모르겠습니다.

아까 검사는 이 봉투에 대해서 지극히 정확한 설명을 하신 바 있습니다. 즉, 방바닥에 봉투를 버려두고 간 것은 바로 카라마조프 같은 상습적이 아닌 도둑이 한 짓이지, 결코 스메르자코프의 짓이 아니다, 그였다면 그런 증거품을 버려두고 갔을 리가 없다, 이렇게 말하셨습니다. 배심원 여러분, 나는 아까 이 말을 들을 때, 문득 어디서 들은 말을 또 듣는 것 같은 느낌이 들었습니다. 사실 나는 이틀 전에 스메르자코프 자신의 입에서 그와 같은 추측을, 즉 봉투를 그렇게 버려두고 가는 것은 카라마조프 같은 사람이나 할 짓이라는 추측을 들었던 것입니다. 더욱이 나를 놀라게 한 것은, 스메르자코프가 짐짓 순진을 가장하며, 미리 앞질러서 나한테 그런 생각을 불어넣으려 하는 것같이 보였다는 점입니다. 그는 마치 나한테 그 판단을 채택하기를 조언하는 듯한 태도였습니다. 예심 때도 그는 그것을 암시한 건 아닐까요? 현명하신 검사한테도 역시 그런 생각을 불어넣은 건 아닐까요?

그럼, 그리고리의 늙은 아내의 증언이 있지 않으냐고 하실지 모르겠습니다. 그 여자는 밤새껏 병자가 신음하는 소리를 가까이서 들었다고 합니다. 물론 들었을 테지요. 그러나 그것은 지극히 불확실한 증언입니다. 나는 전에 어느 부인이, 뜰 안에서 개가 밤새껏 짖는 바람에 한잠도 못 잤다고 하는 말을 들은 적이 있는데, 나중에 알아보니 그 개는 그날 밤에 두세 번밖엔 짖지 않았다는 것이었습니다. 그것은 얼마든지 있을 수 있는 일입니다. 사람이 자고 있을 때 갑자기 신음 소리를 들었다고 합시다. 그는 잠이 깨서 깊은 잠을 방해당했다고 투덜대지만, 다시 곧 잠이 듭니다. 2시간쯤 지나서 또 신음 소리를 듣고 잠이 깼다가 다시 잠듭니다. 그리고 또 2시간쯤 지나서 신음 소리 때문에 또 잠이 깹니다. 이렇게 하룻밤 사이에 3번쯤 잠이 깼었다고 합시다. 아침에 그는 누군가 밤새껏 신음하는 바람에 한잠도 못 잤다고 투덜거릴 것입니다. 그러나 그 사람은 2시간씩 잠을 잔 것은 기억 못 하고 1분간씩 잠을 깼던 것만은 기억하고 있으니까 밤새도록 계속해서 잠을 못 잔 것같이 느끼는 건 당연한 일입니다.

검사는 아까, 그렇다면 스메르쟈코프는 왜 유서 속에서 고백하지 않았느냐고 외치셨습니다. '한쪽에 대해서는 양심의 가책을 느끼면서 다른 한쪽에 대해서는 그것을 느끼지 않았기 때문일까?'라고 말하셨습니다. 그러나 양심의 가책이란 이미 뉘우침을 뜻하는 것인데, 자살자가 반드시 뉘우침을 느꼈다고 단정할 수는 없습니다. 다만 절망 때문에 자살했을 뿐입니다. 절망과 뉘우침—이것은 서로 성질이 다른 것입니다. 절망은 때로 증오에 가득 차 있어서 절대로 타협을 불허하는 경우가 있습니다. 그래서 자살자는 자기 목숨에 손을 대려는 순간, 한평생 자기가 시기해 온 사람들에 대한 증오를 곱절이나 더 강하게 느낄 수도 있는 것입니다.

배심원 여러분, 재판상의 오류를 경계하시기 바랍니다! 내가 지금 말씀드린 것 중의 어느 부분이 잘못되었습니까? 내가 한 말 중에서 잘못된 점을 지적해 주십시오. 불가능한, 불합리한 점을 발견해 주십시오. 만약 나의 가정假定 속에 조금이라도 가능성의 그림자, 진실의 그림자가 보인다면, 제발 선고를 보류해 주십시오. 그러나 과연 그림자 정도에 지나지 않았을까요? 나는 맹세합니다. 지금 여러분께 말씀드린 살인에 관한 자기의 설명을 나는 확신하고 있는 바입니다. 특히 내가 무엇보다 유감스럽게 생각하는 것은, 피고의 범행을 단정하는 사실들 중에 산더미처럼 누적된 그 많은 사실들 중에서, 반증을 불허할 만큼 확실한 것이라곤 하나도 없음에도 불구하고, 다만 그러한 사실들이 누적되었다는 이유만으로, 불행한 피고가 지금 파멸을 당하려 하고 있었다는 점입니다. 그렇습니다, 그 누적은 무서운 것입니다. 그 피—손가락에서 흘러 떨어지는 그 피, 피투성이가 된 옷, '제 아버지를 죽인 놈!'이라는 외침으로 정적을 깨뜨린 그 어둠 속에서, 머리통이 터져 쓰러진 노인, 그리고 그 밖의 많은 언질과 몸짓과 부르짖음—아, 이런 모든 것은 비상한 힘을 가지고 사람들의 확신을 매수하기에 충분합니다. 그러나 배심원 여러분, 그것들이 과연 여러분의 신념까지도 매수할 수가 있을까요? 여러분에겐 무한한 결정권이 부여되어 있음을 기억하시기 바랍니다. 그러나 권리가 강대하면 강대할수록 그 행사는 더욱 신중을 기해야 합니다!

나는 지금 내가 말한 것을 한마디도 철회하지 않겠습니다. 그러나 가령 한 걸음 양보하여, 불행한 피고가 아버지의 피로 손을 더럽혔다는 검사의 주장에 동의한다고 합시다. 물론 이건 어디까지나 가정에 지나지 않는 것이며 나는 한순간이라도 피고의 결백을 의심하지 않습니다만, 아무튼 피고가 정말로 자기 아버지를 살해했다고 가정하잔 말입니다. 하지만 내가 이런 가정을 허용한 이상, 여러분께서는 꼭 들어 주셔야 할 말이 있습니다. 나는 여러분에게 이 말을 해야만 하겠습니다. 왜냐하면, 나는 여러분의 마음과 이성 속에서 커다란 투쟁이 있으리라는 걸 예감하기 때문입니다……. 배심원 여러분, 여러분의 마음과 이성에까지 언급한 내 말을 용서하시기 바랍니다. 그러나 난 어디까지나 성실하고 정직하려 합니다. 우리는 서로 성실로써 대해야 할 것입니다!"

이때 꽤 요란한 박수 소리가 일어나서 변호사의 말을 중단시켰다. 사실 그는 이 마지막 말을 자못 성의 있는 어조로 말했기 때문에, 청중은 그가 정말로 무슨 요긴한 말을 하려는가 보다, 그리고 그가 지금 말하려는 것은 굉장히 중대한 것일지도 모른다고 느껴졌던 것이다. 그러나 재판장은 박수 소리를 듣자마자, 또다시 '이러한 일'이 되풀이되면 방청인에게 '퇴장을 명하겠다'고 큰 소리로 선언했다. 법정 안은 곧 조용해졌다. 페츄코비치는 여태까지와는 전혀 다른, 감동적인 새로운 어조로 말하기 시작했다.

13. 사상의 간통자

"하기는 사실들의 누적만이 우리의 피고를 파멸시키려는 것은 아닙니다. 배심원 여러분!" 하고 그는 어조를 높였다. "아니, 정말로 우리의 피고를 파멸시키는 것은 오직 한 가지 사실뿐입니다—그것은 늙은 아버지의 시체입니다! 만약 이것이 보통 살인죄였다고 합시다. 그러면 여러분께선 모든 사실들을 하나의 누적된 형태로 보지 않고, 하나하나 따로 떼어 살펴보고 나서, 그것들이 아무 실속도 없는 공상적 성질을 띠고 있음을 발견하고, 기소를 각하하셨을 것입니다. 적어도 단순한 선입관만으로 한 인간의 운명을 파멸시키기를 주저하셨을 것입니다. 슬프게도 피고는 남들이 그런 선입관을 품어도 어쩔 수 없는 인간이었습니다. 게다가 이것은 보통 살인이 아니고 친부 살해입니다! 이것은 참으로 엄청난 일이 아닐 수 없습니다. 그리고 그 때문에 그처럼 실속 없는 증거도 실속 있는 것으로 되어 버린 것입니다. 그 밖에도 거기에는 많은 선입관이 존재하고 있습니다. 그런 피고에게 어찌 무죄를 선고할 수 있겠는가? 제 아비를 죽인 자가 벌을 받지 않는다는 것은 언어도단이다—많은 사람들은 부지불식간에 마음속으로 이렇게 느끼고 있습니다.

그렇습니다. 자기 아버지의 피를 흘리게 한다는 건 참으로 무서운 짓입니다—

그것은 자기를 낳은 사람의 피입니다. 자기를 사랑하는 사람의 피입니다. 자기를 위해 목숨을 아끼지 않는 사람의 피입니다. 어릴 때부터 자기의 병을 걱정해 주고, 자기의 행복을 위해 한평생 고통을 이겨 내고, 오직 자기의 기쁨과 성공만을 바라고 살아온 사람의 피입니다! 아아, 이런 어버이를 죽인다는 것은 차마 생각조차 할 수 없는 일입니다! 배심원 여러분, 어버이는 무엇입니까? 참된 어버이란 어떤 것입니까? 이것은 참으로 위대한 명칭입니다. 이 명칭 속에는 참으로 무서운, 참으로 크나큰 관념이 포함되어 있는 것입니다! 나는 방금, 참된 어버이란 어떤 사람이며 어떤 책임이 있는가를 간단히 말했습니다만, 지금 우리가 해결하려고 애쓰는 이 사건에 있어서, 죽은 표도르 파블로비치 카라마조프는 방금 내가 말한 어버이의 개념에 조금도 해당하지 않는 인간입니다. 이것은 불행한 일입니다. 그리고 실제로 이처럼 불행한 어버이가 세상에 없는 것은 아닙니다. 그럼 우리는 이 불행을 좀 더 가까이서 관찰해 보기로 하십시다. 배심원 여러분, 눈앞에 있는 결정의 중대성을 생각하고 두려워할 필요는 조금도 없습니다. 아까 현명하신 검사가 하신 멋진 표현을 빌어서 말한다면, 어린애들이나 겁 많은 여자들처럼 어떤 사상을 특히 두려워하여 손을 내젓는 시늉을 할 필요는 조금도 없단 말입니다.

그러나 나의 존경하는 논적은 그 열렬한 논고 속에서 (이것은 내가 입도 열기 전이었습니다만) 몇 번이나 이렇게 외치셨습니다—'나 자신 누구보다도 피고를 변호하는 데 앞장서겠다, 나는 피고를 변호하는 점에서, 페테르부르크에서 온 변호인보다 못하지 않을 것이다, 나는 기소자인 동시에 변호인이기도 하다!' 검사는 몇 번이나 이렇게 선언하셨습니다만, 만약에 이 피고가 아직 어릴 때 아버지 집에 있을 무렵, 오직 한 사람 자기를 귀여워해 주는 이한테서 한 푼트의 호두를 받은 것을 23년 동안이나 고맙게 여기며 잊지 않고 있었다면, 그와 반대로, 박애주의자이신 의사 게르첸슈투베가 말하신 것처럼, '단추가 하나밖엔 달리지 않은 바지를 걸쳐 입고, 신발도 없이 아버지 집 뒤뜰에서 뛰어다니던' 일도 지난 23년 동안 잊을 수가 없었을 것입니다. 이것을 검사는 빠뜨리고 말하지 않으신 것 같습니다.

배심원 여러분, 우리는 왜 이 '불행'을 좀 더 가까이서 관찰할 필요가 있다는 거냐? 이미 누구나가 다 아는 일을 무엇 때문에 되풀이할 필요가 있다는 거냐?라고 반문하실지 모르겠습니다. 그러나 우리의 피고가 아버지한테 돌아와서 목격한 것은 무엇이었습니까? 어째서, 왜, 우리의 피고를 무감각한 이기주의자로, 무서운 괴물로 그려 낼 필요가 있는지, 도무지 모를 일입니다! 물론 그는 방종하고, 거칠고, 난폭합니다. 우리도 이 점만은 그를 나무라야 할 것입니다. 그러나 그의 운명에 대해 책임을 져야 할 사람은 누구입니까? 그가 훌륭한 심적 경향과 은혜를 존중하는 감정을 지니고 있음에도 불구하고 그처럼 못된 교육을 받은 것은, 도대체 누구에게 책임이 있겠습니까? 그에게 올바른 길을 가르쳐 준 사람이 과연 있었던가? 학문으로 그의 마음을 개발해 준 사람이 있었던가? 어떤 시절에 누구든 조금이라도 그를 사랑해 준 사람이 있었던가? 우리의 불행한 피고는, 오직 하느님의 비호만을 받으며, 즉 들짐승과 똑같은 상태 하에서 성장했던 것입니다. 그는 오랫동안 헤어져 살아온 아버지를 다시 만나기를 갈망했었는지도 모릅니다. 아버지를 다시 만나기 전에 그는 자기의 유년 시대를 꿈처럼 회상하고는 그 시절에 본 저주스런 환영을 지워 버리려고 애썼고, 자기 아버지를 허물없이 포옹하려고 진심으로 바라고 있었는지도 모릅니다. 그런데 어찌 돼 있습니까? 그를 맞아 준 것은 빈정거림과, 조소와, 시기심과, 금전 문제에서의 간계뿐이었습니다. 그는 날마다 구역질나는 잡담과 저속한 처세술을 들어야 하였고, 마침내는 자기 아들의 돈으로 그 아들의 애인을 빼앗으려는 아버지를 보아야 했습니다. 아아, 배심원 여러분, 이 얼마나 더럽고 잔인한 일입니까! 그런데도 이 노인은 오히려 아들의 불손과 잔인성을 사람들에게 호소하며 중상모략을 일삼았을 뿐만 아니라, 아들의 차용 증서를 사 모아 가지고 그를 감옥에 처넣으려고까지 했던 것입니다.

배심원 여러분, 우리의 피고처럼 겉보기에 잔인하고 난폭한 인간은, 기실 지극히 상냥한 마음씨를 지니고 있는 수가 많은데, 다만 그것을 표면에 드러내지 않는 것뿐입니다. 웃지 마십시오! 아까 현명하신 검사는, 우리의 피고가 실러를 좋아하며 '아름답고 고상한 것'을 사랑한다는 점을 들어 무자비하게 조소하셨습니다. 내가 만일 검사의 입장에 있었다면, 결코 그것을 조소하지는 않았을 것입니다. 그렇습니다, 그러한 심정은—아아, 나는 너무나 오해받기 쉬운 그러한 심정을 끝까지 변호합니다—그러한 심정은 줄곧 상냥한 것, 아름다운 것, 진실한 것을 갈망합니다. 이를테면 자기의 거칠고 잔인한 성질의 대조로서, 무의식적으로 그런 것들을 갈망하고 있는 것입니다. 일견 욕정적이고 거칠게 보이는 그들은, 무엇이든, 예를 들어 여자를 사랑하게 되면, 곧 미친 듯이 열중해 버리지만, 그 사랑은 반드시 정신적인 고상한 사랑입니다. 제발 웃지 말아 주십시오. 이것은 그런 성질의 사람에게는 흔히 있을 수 있는 일입니다. 그런 인간들은 도저히 그 정열을—때로는 너무도 난폭한 정열을 숨기지를 못하는 법입니다—이것이 사람들을 놀라게 하기 때문에, 사람들은 그 점만을 중시하고 그 인간의 내부는 보려 하지 않습니다. 그들의 정열은 급속히 타 버리지만, 겉으로는 무척 거칠고 잔인하게 보이는 그들은, 고상하고 아름다운 자기의 대상물 옆에서 자기 갱생의 길을 찾습니다. 회개하여 훌륭한 인간이 되고, 결백하고 고귀한 인간이 될 가능성을 찾는 것입니다. 무어라고 조소하신대도 상관없습니다—아무튼 '고상하고 아름다운 것'이 되려고 애쓰는 것입니다!

아까 나는 피고와 카체리나 이바노브나와의 사랑에 대해서는 언급하지 않겠노라고 했습니다. 그러나 한두 마디쯤은 해도 무방하리라 생각합니다. 우리가 아까 들은 것, 그것은 증인의 증언이라기보다는 복수심에 불타는 여자의 광적인 부르짖음이었습니다. 그렇습니다. 그 여자에겐 피고의 변심을 나무랄 자격이 없습니다. 그 여자 자신이 이미 변심했기 때문입니다. 만약에 그 여자가 조금이라도 깊이 생각할 여유가 있었다면, 결코 그런 증언은 하지 않았을 것입니다. 그 여자의 말을 곧이듣지 마시기 바랍니다. 우리의 피고는 그 여자가 말한 것 같은 그런 '악당'은 아닙니다!

일찍이 십자가에 못 박혀 죽은 저 위대한 박애가는 죽음을 각오하면서 '나는 착한 목자牧者이니라 착한 목자는 그 양을 위해 자기 영혼을 내버리나니, 이는 단 하나의 영혼도 멸망시키지 않게 하기 위함이니라'고 말씀하셨습니다. 우리도 역시 하나의 인간의 영혼을 멸망시켜서는 안 되겠습니다!

나는 방금, 어버이란 무엇이냐고 묻고 나서, 그것은 참으로 위대한 낱말이고 귀중한 명칭이라고 외쳤습니다. 그러나 배심원 여러분, 말이란 공정하게 사용해야 하는 것입니다. 나는 그 사물에 합당한 이름으로 그것을 불러야 한다고 생각합니다. 죽은 카라마조프 노인과 같은 어버이는, 어버이라고 부를 수도 없거니와 그렇게 불릴 만한 자격도 없습니다. 아버지라고 불릴 자격이 없는 아버지에 대한 사랑은, 첫째 어리석기도 하려니와 불가능하기도 합니다. 사랑은 무無에서 만들 수는 없습니다. 무에서 만들 수 있는 것은 오직 하느님뿐입니다.

'어버이들이여, 자기 자식을 슬프게 하지 말지어다!' 어느 사도使徒는 사랑에 불타는 마음으로 이렇게 썼습니다. 내가 지금 이 거룩한 말씀을 인용하는 것은 우리의 피고를 위해서가 아닙니다. 어버이 된 모든 사람들을 위해서입니다. 그럼, 어버이 된 사람들을 가르칠 권리를 누가 나한테 부여했는가? 누구한테서 부여받은 것은 아닙니다. 다만 하나의 인간으로서, 하나의 시민으로서, Vivos voco(말씀에 영광 있으라)!라고 외치는 것입니다. 우리는 이 지상에서 그리 오래 사는 것도 아닌데, 나쁜 일을 많이 행하고, 나쁜 말을 많이 입에 담습니다. 그러므로 우리는 여럿이 한자리에 모인 기회를 이용하여 서로 좋은 말을 하도록 힘써야 하겠습니다. 나도 역시 그렇습니다. 나는 이 자리에서 자기의 기회를 이용하려는 것뿐입니다. 하느님의 뜻에 의해 우리에게 주어진 이 연단은 결코 무의미하게 존재하는 것은 아닙니다—온 러시아가 이 법정에서의 우리들의 목소리를 듣고 있기 때문입니다. 나는 이 법정에 모인 어버이 되는 사람만을 위해 말하는 것이 아니라, 세상의 모든 어버이들에게 외치는 것입니다. '어버이들이여, 자기 자식을 슬프게 하지 말지어다!'라고. 그렇습니다, 우리는 먼저 그리스도의 말씀을 실행한 후에야 비로소 자식의 의무를 요구할 수가 있습니다. 그렇지 않으면, 우리는 어버이가 아니고, 오히려 자기 자식의 원수가 됩니다. 또한 자식은 자식이 아니고, 우리의 원수가 됩니다. 무엇보다도 우리들 자신이 그들을 원수로 만든 것입니다! '너희가 남에게 한 것만큼, 남도 너희에게 할 것이니라'—이것은 나 자신의 말이 아니고 성경 속의 말씀입니다만, 남에게 나쁘게 하면 남도 자기에게 나쁘게 한다는 뜻입니다. 그러니까 우리가 자식들에게 한 대로 자식들이 우리한테 했다고 해서, 어떻게 그들을 탓할 수가 있겠습니까?

최근에 핀란드에서 일어난 사건입니다마는, 어느 하녀가 몰래 아기를 낳아서 버렸다는 혐의로 조사를 받았는데, 지붕 밑 다락 구석에서 그 여자의 궤짝이 나타났습니다. 그런 궤짝이 있었다는 건 아무도 모르고 있었는데, 그걸 열어 보았더니 그 속에서 갓난아기의 시체가 나왔습니다. 그리고 그 궤짝 속에는 전에 그 여자가 낳아서 이내 죽여 버린 (이것은 그 여자 자신의 자백입니다만) 아이의 해골이 둘이나 나타났다는 것입니다.

배심원 여러분, 이것이 과연 그 아이들의 어머니일 수 있겠습니까? 물론 그 여자가 그 아이들을 낳은 것만은 사실입니다. 그렇다고 과연 그 여자가 그 아이들의 어머니일 수 있겠느냐 말입니다! 어머니라는 신성한 명칭으로 그 여자를 부를 수 있는 용기를 가진 사람이 과연 우리들 중에 한 사람인들 있을까요? 우리는 대담해져야 하겠습니다. 배심원 여러분, 거리낌이 없어야 하겠습니다. 바로 이 순간 우리는 그래야 할 의무가 있습니다. '메탈Metal(금속)'이니 '슐퍼Sulphur(유황)'니 하는 따위 말을 겁내던 모스크바의 장사치의 아내[52]처럼, 어떤 종류의 낱말이나 관념을 두려워해서는 안 되겠습니다. 아니, 차라리 최근의 진보가 우리들에게까지 미쳤다는 것을 증명하는 뜻에서, 낳기만 한 자는 아직 아버지가 아니다, 아이를 낳고 그 아이에 대한 책임을 다한 자만이 비로소 아버지이다, 라고 말하기로 합시다.

물론, 아버지란 말에는 다른 의미, 다른 해석도 있을 수 있으니까, 자기 아버지가 비록 극악무도한 악한이라 하더라도, 자기를 낳은 이상 역시 아버지임엔 틀림없다고 주장하는 사람도 있을 것입니다. 그러나 이것은, 이를테면 신비적

52 소련의 소설가 니콜라이 오스트롭스키Nikolai Ostrovsky(1904~1936)의 희곡에 나오는 인물.

부친관父親觀이라고나 불러야 할 것이므로, 이성으로는 도저히 승인할 수 없고, 다만 신앙으로서만 승인할 수 있는 성질의 것입니다. 아니, 좀 더 정확하게 말하면, '신앙의 힘으로만' 받아들여질 수 있는 것입니다. 그러한 예는 이 밖에도 많이 있는 것으로, 이성으로는 승인할 수 없으나, 종교가 그것을 믿도록 명령합니다. 그러나 그렇게 되면 그것은 이미 현실 생활의 범위 밖에 있는 것입니다. 현실 생활의 범위 내에서는, 만약에 박애주의자인 그리스도 교도가 되기를 원한다면, 우리는 모름지기 이성과 경험에 의해 시인되고 해부의 용광로를 거쳐 온 신념을 실행해야 할 것입니다. 한마디로 말해서, 이성적으로 행동해야 합니다. 꿈속이나 망상 속에서 무턱대고 행동하는 것 같은 짓을 해서는 안 됩니다. 그것은 결국 인간에게 해독을 끼치지 않기 위해서입니다. 인간을 괴롭히거나 멸망시키거나 하지 않기 위해서입니다. 그때야 비로소 참된 그리스도 교도다운 행동이 됩니다. 신비적이 아닌, 참으로 박애적인 이성적 행위가 되는 것입니다."

이때 여기저기서 요란한 박수가 일어났으나, 페츄코비치는 자기 변론을 중단시키지 말고 끝까지 계속하게 해 달라고 간청하는 듯이 두 손을 내저었다. 그러자 장내는 곧 잠잠해졌다. 변호사는 연설을 계속했다.

"배심원 여러분, 여러분께서는 우리의 자식들—그것도 이미 의젓한 청년이 되어 사물을 판단할 수 있게 된 자식들이 이런 문제에 무관심할 수 있으리라 생각하십니까? 아니, 절대로 무관심할 수 없습니다. 우리는 그들에게 불가능한 겸양을 강요할 수는 없는 것입니다! 어버이로서의 자격이 없는 자기 아버지의 태도는, 특히 자기 또래의 친구의 상냥한 아버지와 비교할 때, 부지불식간에 젊은이의 마음속에 괴로운 의문을 불러일으킵니다. 그러나 이 의문에 대한 대답은 언제나 판에 박은 듯한 것입니다—'아버지는 너를 낳았다. 너는 아버지의 피를 받았다. 그러니까 너는 아버지를 사랑해야 한다'라는 것입니다. '그러나 아버지는 나를 낳을 때 과연 나를 사랑했을까?' 하는 의문이 젊은이의 마음속에 생겨납니다. 그리고 그는 점점 더 의혹을 품으면서, '도대체 아버지는 나를 위해서 나를 낳았을까? 아버지는 그 수년간에—필시 술기운에 자극받아 정욕을 일으킨 그 순간에, 나 같은 건 염두에도 없었을 게다, 사내아인지 계집아인지조차 몰랐을 게다. 고작 나한테 음주벽을 유전시켜 준 게 아버지의 은혜의 전부가 아니냐—아버지가 나를 낳기만 하고 한평생 사랑하지 않은 이상, 내가 무엇 때문에 아버지를 사랑해야 한단 말이냐?' 하고 젊은이는 생각할 것입니다.

여러분께서는 이런 의문을 무례하고 잔인한 것이라고 생각하겠지요. 그러나 젊은이에게 불가능한 겸양을 요구할 수는 없습니다. '문밖으로 천성天性을 쫓으면 창문으로 다시 날아들어 온다'는 말과 같습니다. 무엇보다도 우리는 '메탈(금속)'이니 '슐퍼(유황)'니 하는 말을 겁내서는 안 됩니다. 우리는 신비적 개념의 명령이 아닌, 이성과 박애심의 명령에 따라 문제를 해결해야 하겠습니다. 그러면 어떻게 해결해야 할 것인가?—그것은 이렇게 하면 됩니다. 아들을 아버지 앞에 내세워 이렇게 질문하게 하는 것입니다. '아버지, 말해 주십시오—왜 나는 당신을 사랑해야 합니까? 아버지, 증명해 주십시오—왜 나는 당신을 사랑해야 합니까?' 이렇게 해서, 만약에 그 아버지가 아들의 물음에 대답할 수 있고 훌륭히 증명할 수 있다면, 그것은 신비적 편견에 의해서만 뒷받침되는 그런 가정이 아니고, 이성적인 자기의식과 박애적 기초 위에 세워진 참된 가정입니다. 그러나 만일 아버지가 그것을 증명하지 못하면 그 가정은 대번에 파탄을 일으키고 맙니다. 아들 쪽에서는 앞으로 자기 아버지를 타인으로, 심지어는 자기의 적으로 간주할 자유와 권리를 얻는 것입니다. 배심원 여러분, 우리의 법정은 진리와 건전한 사상의 학교가 되어야 하겠습니다!"

이때 변호사의 변론은, 억제할 수 없는, 거의 열광적인 박수로 하여 중단되었다. 물론 방청인 전부는 아니었으나, 적어도 그 반수는 박수를 쳤다. 아버지이고 어머니인 사람들도 박수를 보냈다. 뒤쪽 부인석에서는 찢는 듯한 외침 소리까지도 들렸다. 손수건을 흔드는 사람도 있었다. 재판장은 종을 힘껏 흔들어댔다. 그는 방청인들의 행위에 분격한 모양이었으나, 그래도 아까 위협한 것처럼 '퇴장을 명한다'고 딱 잘라 말하진 못했다. 그것은 뒤쪽 특별석에 자리 잡은 고관들과 연미복에 훈장까지 단 노인들이 박수를 치고 손수건을 흔들었기 때문이다. 그래서 한참 만에 소동이 가라앉자, 재판장은 다시금 퇴장을 명하겠다는 엄한 위협을 되풀이하는 정도로 그쳤다. 의기양양한 페츄코비치는 흥분한 어조로 다시 변론을 계속했다.

"배심원 여러분, 여러분께서는 아들이 아버지 집 울타리를 넘어 들어가서, 마침내 자기를 낳은 원수이며 모욕자인 인간과 얼굴을 맞대고 선 그 무서운 밤을 기억하실 것입니다. 그때의 일은 오늘 여기서 여러 사람이 말한 대로입니다. 그러나 나는 극력 주장합니다—그때 그가 들어간 것은 절대로 돈 때문이 아닙니다. 아까도 말씀드린 것처럼, 그에게 강도죄를 적용하는 것은 어리석기 짝이 없는 일입니다. 또한 그가 아버지 집에 침입한 것은 결코 아버지를 살해하기 위해서가 아닙니다. 만약에 그가 미리부터 그것을 계획했다면 적어도 그때 사용할 흉기 정도는 준비해 두었을 것입니다. 놋공이는 아무 생각 없이 그저 본능적으로 집어 들고 갔던 것뿐입니다. 설사 그가 암호로 아버지를 속이고 아버지 방에 들어갔었다고 합시다—나는 이미 그런 전설 같은 주장은 털끝만큼도 믿지 않는다고 단언했습니다만, 할 수 없습니다. 그저 1분간만 그렇다고 가정합시다! 배심원 여러분, 나는 모든 신성한 것의 이름으로 맹세합니다—만약에 표도르 파블로비치가 피고의 아버지가 아니고, 아무런 혈연관계도 없는 다른 모욕자였다면, 피고는 이 방 저 방 설치고 돌아가면서 그 집에 여자가 없는 것을 확인하고는, 자기의 경쟁자에게는 아무런 폭행도 가하지 않고 그냥 도망쳐 버렸을 것입니다. 어쩌면 주먹으로 한 대 쥐어지르거나 떠밀어 버리거나 했을지도 모르지만, 아무튼 그 정도로 끝났을 것입니다. 왜냐하면 피고는 그런 처지에 그런 인간을 상대하고 있을 겨를이 없었기 때문입니다. 우선 여자의 행방부터 알아내야 했기 때문입니다. 그러나 그것은 아버지였습니다. 언제나 아버지의 가면을 쓴 원수였고 어릴 때부터 자기를 미워한 모욕자였으며, 특히 지금은 괴이하기 짝이 없는 경쟁자가 된 바로 그 사람이었단 말입니다! 그래서 저도 모르게 증오심이 끓어올라, 순식간에 그의 이성을 휘저어 버렸습니다. 온갖 감정이 일시에 솟구쳐 오른 것입니다! 그것은 광증과 착란의 충동인 동시에, 자기의 영원한 법칙에 대해 복수하려는, 억제할 길 없는 무의식적인 자연의 충동이었습니다. 자연계에 있어서는 모든 것이 다 그런 법입니다.

그러나 살인자는 여기서도 결코 살인을 한 것은 아닙니다—나는 이렇게 주장합니다. 이렇게 외칩니다……. 그렇습니다, 그는 다만 저주와 분노에 사로잡혀 공이를 한번 휘둘렀을 뿐입니다. 살해하려는 마음도 없었거니와, 살해했다는 것도 몰랐습니다. 그러니까 만일 그 무서운 공이만 그의 손에 없었다면, 그는 다만 아버지를 구타했을 뿐 결코 살해하지는 않았을 것입니다. 따라서 그는 도망쳐 나올 때 노인이 죽었으리라고는 꿈에도 생각지 못했습니다. 이러한 살인은 살인이 아닙니다. 이러한 살인은 친부 살해라고도 볼 수가 없습니다. 그렇습니다, 그런 아버지를 죽인 것은 결코 친부 살해라고 부를 수 없습니다. 이러한 살인은 다만 일종의 편견에 의해서만 친부 살해라고 부를 수 있을 뿐입니다! 그러나 이 살인은 실제로 있었던 것인가? 정말로 이루어진 것인가?

나는 다시 한번 마음속으로부터 여러분께 호소하는 바입니다! 배심원 여러분, 만약에 우리가 그를 유죄로서 처형한다면, 그는 속으로 이렇게 말할 것입니다. '이 사람들은 나의 운명을 위해서나 나의 교육을 위해서나 나의 정신적 향상을 위해서나, 아무것도 해 준 일이 없다. 나를 좀 더 훌륭한 인간으로 만들어 주려 하지도 않았다. 이 사람들은 나에게 먹을 것도 마실 것도 준 적이 없다. 혼자 외로이 감옥에 갇혀 있는 나를 찾아와 준 일도 없다. 그리고 마침내는 나에게 징역살이를 시키기로 했다. 나는 이것으로 완전히 셈을 치렀으니까 이젠 그들에게 아무런 부채도 없다. 영원히, 누구에게도 빚이 없다. 그들이 악하게 굴면 나도 악하게 나갈 뿐이다. 그들이 잔인하게 대하면 나도 잔인하게 대할 뿐이다.' 배심원 여러분, 아마도 그는 이렇게 말할 것입니다! 나는 단언합니다—여러분께서 선언하시는 형벌은 다만 피고의 괴로움을 덜어 줄 뿐입니다. 피고의 양심을 홀가분하게 해 줄 뿐입니다. 피고는 자기 손으로 흘린 피를 저주하거나 슬퍼하지 않게 될 것입니다. 한편 여러분께서는 피고의 내부에 숨겨져 있는, 참된 인간이 될 가능성을 제거해 버리는 것과 다름없습니다. 왜냐하면, 그는 한평생 간악하고 맹목적인 인간으로 남아 있을 것이기 때문입니다.

여러분께선 엄청난 형벌을 피고에게 내림으로써 그의 영혼을 영원히 소생시키고자 하십니까? 그렇다면 차라리 위대한 자비로써 그를 압도해 버리십시오! 그렇게 하신다면 여러분께서는 피고의 영혼이 얼마나 두려움에 떠는가를 보실 것입니다. '어째서 나한테 이런 자비를 베푸는 걸까? 나는 과연 이만한 사랑을 받을 자격이 있을까?' 하고 그가 외치는 소리를 들으실 것 입니다!

아아, 나는 압니다, 나는 그 마음을 알고 있습니다! 배심원 여러분, 난폭한 반면에 한없이 고결한 그 마음을 나는 잘 알고 있습니다. 그 마음은 여러분의 자비 앞에 무릎을 꿇을 것입니다. 그 마음은 사랑의 위대한 작용을 갈망하고 있습니다. 그 마음은 새로이 불타올라 영원히 소생할 것입니다. 세상에는 자기의 시야가 한정되어 있기 때문에 인간 사회를 저주하는 영혼들이 있습니다. 그러나 그런 영혼에 자비를 베풀어 보십시오, 사랑을 표시해 보십시오. 그 영혼은 이내 자기의 과거를 저주할 것입니다. 왜냐하면, 그 영혼 속에는 많은 선량한 새싹이 숨어 있기 때문입니다. 그러한 영혼은 넓고 크게 성장하여, 하느님의 자비로움과 사람들의 착하고 공평함을 알게 될 것입니다. 그는 회오의 정과 눈앞에 나타난 수많은 의무에 두려움을 느낄 것입니다. 그렇게 되면 '나는 셈을 치렀다'라고 말하는 대신, '나는 모든 사람에게 죄가 있다, 나는 이 세상의 누구보다도 하잘것없는 인간이다'라고 말할 것입니다. 그는 고행자와도 같은 뜨거운 감격과 회오의 눈물을 흘리며, 세상 사람들은 나보다 훨씬 착하다. 그들은 나를 멸망시키지 않고 구해 주지 않았는가!'라고 외칠 것입니다. 여러분께서 이러한 자비를 베풀기는 아주 용이한 일입니다. 왜냐하면, 진실에 가까운 증거라고는 하나도 존재하지 않는 데도 불구하고, '유죄'를 선고하기는 너무나 괴로울 것이기 때문입니다.

죄 있는 열 사람을 용서하는 일이 있더라도, 죄 없는 한 사람을 벌하지 말라— 여러분께서는 이 소리를 들으십니까? 전세기前世紀의 영광된 우리나라 역사에서 흘러나온 이 위대한 목소리를 여러분께서는 들으십니까? 나 같은 하잘것없는 인간이 이제 새삼스레 여러분에게, 러시아의 재판은 단순한 형벌에 있는 것이 아니라, 파멸한 인간을 구제하는 데 있다고 말씀드릴 필요는 없을 줄로 압니다! 다른 나라 국민에게는 고정된 문자文字와 형벌이 있다면, 우리에게는 정신과 뜻이, 파멸한 인간의 구제와 부활이 있습니다. 만약에 이것이 옳은 것이라면, 그리고 러시아와 러시아의 재판이 정녕 그런 것이라면—러시아에는 넓고 넓은 미래가 있습니다. 우리는 놀라지 않습니다. 우리는 다른 모든 나라 사람들이 눈살을 찌푸리고 비켜서는, 미쳐 날뛰는 트로이카에도 놀라지 않습니다! 미쳐 날뛰는 트로이카가 아니라, 위대한 러시아의 전차戰車가, 장엄하고 용감하게 목적지를 향해 전진하는 것입니다. 우리의 피고의 운명은 여러분의 손 안에 있습니다. 우리 러시아의 정의의 운명도 여러분의 손안에 있습니다. 여러분께서는 그것을 구해 주시리라 믿습니다. 여러분께서는 그것을 지켜 주시리라 믿습니다. 여러분께서는 정의를 수호하는 사람들이 존재한다는 것을 정의가 선량한 사람들의 손안에 있다는 것을 입증하시리라 믿습니다!"

14. 촌놈들이 고집을 부리다

이렇게 페츄코비치는 변론을 끝냈다. 이번에야말로 방청인들의 폭풍우와 같은 감격은 도저히 억제할 수가 없었다. 사실 그것을 제지한다는 것은 생각조차 할 수 없을 지경이었다. 부인네들은 울었다. 남자들 중에서도 많은 사람이 울었다. 심지어는 고관석에서조차 눈물을 흘리는 사람이 둘이나 있었다. 재판장도 어쩔 수 없다고 생각했는지 종을 흔들기를 주저했다. '그러한 감격을 제지한다는 건 신성한 감정을 모독하는 것과 같은 것이에요' 후에 이 고장 부인네들은 이렇게 외치곤 했던 것이다. 장본인인 변호사는 진심으로 감동한 모양이었다.

바로 이런 순간에 우리의 입폴리트 키릴로비치는 '반박을 시도하려고' 또다시 자리에서 일어났던 것이다. 사람들은 증오의 눈으로 그를 흘겨보았다. '뭐예요? 왜 그러죠? 저 사람이 또 무슨 반박을 하겠다는 건가요' 하고 부인네들은 투덜거렸다. 그러나 설사 입폴리트 자신의 아내까지도 포함한 온 세상의 부인들이 모두 반대한대도, 이때 그를 제지한다는 건 불가능한 일이었다. 그는 얼굴이 창백해 가지고, 흥분을 이기지 못해 후들후들 떨고 있었다. 그의 입에서 터져 나온 최초의 몇 마디는 무슨 뜻인지조차 알아들을 수 없을 지경이었다. 그는 사뭇 숨을 헐떡이다시피 하며 종잡을 수 없는 소리를 지껄였으나, 그래도 얼마 안 지나서 곧 어조를 바로잡았다. 필자는 그의 두 번째 논고 중에서 다만 몇 구절만을 전하기로 하겠다.

"……나는 소설을 창작했다는 비난을 받았습니다. 그러나 변호인 자신의 변론은 소설 위에다가 다시 소설을 덧붙인 것이 아닐까요? 다만 시구詩句가 튀어나오지 않았을 뿐입니다. 그는 표도르 파블로비치가 여자를 기다리다가 봉투를 찢어 방바닥에다 던져 버렸다고 말하셨을 뿐만 아니라, 표도르 파블로비치 자신이 이 놀라운 행위를 하면서 중얼거린 말까지도 인용하셨습니다. 이것이 과연 시詩가 아니고 무엇이겠습니까? 표도르 파블로비치가 봉투에서 돈을 꺼냈다는 증거가 어디 있습니까? 그때 그가 한 말을 들은 사람이 대체 어디 있습니까? 우둔한 백치인 스메르쟈코프는, 자기가 사생아이기 때문에 사회에 복수한다는, 바이런[53*]식式 주인공으로 변조되었습니다—이것이 바이런식 극시劇詩가 아니고 무엇이겠습니까? 아버지 집에 침입한 아들이, 아버지를 죽이기는 했지만, 동시에 죽인 것이 아니라는 말은, 이미 소설도 극시도 아니고, 스스로 풀 수 없는 수수께끼를 제시하는 스핑크스입니다. 그가 죽였다면, 역시 죽인 것입니다. 죽이기는 했지만, 죽인 것이 아니라는 건 도대체 무슨 소립니까? 누가 그것을 이해하겠습니까?

그리고, 우리는, 우리의 법정은 진리와 건전한 사상의 법정이라는 말을 들었습니다. 그런데 이 '건전한 사상'의 법정에서, '아버지를 죽인 것을 친부 살해라

53* 조지 고든 바이런George Gordon Byron(1788~1824). 영국의 철학자이자 작가.

고 부르는 건 일종의 편견에 지나지 않는다'는 엄숙한 선언이 하나의 원칙으로서 울려 퍼졌습니다! 그렇지만 만일 자기 아버지를 죽이는 것이 편견이라면, 그리고 자식마다 자기 아버지에게 '아버지, 왜 나는 당신을 사랑해야 합니까?' 라고 묻게 된다면, 우리는 과연 어떻게 되겠습니까? 사회의 기초는 어떻게 되며, 가정은 또 어떻게 되겠습니까? 친부 살해, 그것이 모스크바 상인의 아내의 '슐퍼(유황)'에 지나지 않는다면, 앞으로 러시아 법정의 고귀하고 신성한 전통은, 오직 하나의 목적을 달성하기 위해, 즉 용서할 수 없는 자를 용서하기 위해, 파괴되고 무시되어 버릴 것입니다. 아아, 피고를 크나큰 자비로 압도하라고 변호인은 부르짖으셨습니다. 그러나 바로 그것이야말로 피고에게 필요한 것으로서, 내일이면 피고가 어떻게 압도되는가를 알게 될 것입니다. 또한 변호인이 오직 피고 한 사람의 무죄만을 주장하시는 것은 너무나 겸양하시는 것 같습니다. 왜 우리의 자손을 비롯하여 새 시대의 사람들에게 친부 살해의 공적을 길이 남겨 주기 위해 친부 살해 보조금 제도의 창설을 요구하시지 않았을까요? 변호인은 성경과 종교를 멋대로 정정하여 그것을 신비주의라고 규정하셨고, 건전한 사상과 이지적 해부에 의해 확인된 진정한 그리스도교는 오직 우리의 손 안에 있다고 말하셨습니다. 그리하여 그는 우리 앞에 가짜 그리스도를 내세우려 하는 것입니다! '너희가 남에게 한 것만큼 남도 너희에게 할 것이니라'라고 변호인은 외치면서, '그리스도는 남이 자기에게 한 것만큼 자기도 남에게 보복하라고 가르치셨다'라는 식으로 해석하셨습니다. 이것이 진리와 건전한 사상의 법정에서 할 수 있는 말이겠습니까! 우리가 변론 전날 밤에 성경을 들여다보는 것은, 어쨌든 독창적인 이 책을 이만큼 알고 있다는 걸 자랑하기 위한 데 지나지 않는다, 이 책도 필요에 따라 어떤 효과를 조성하는 데 소용되니까—라는 식의 태도입니다! 그러나 그리스도께서는 그렇게 하지 말라고, 그런 행위를 삼가라고 명하십니다! 왜냐하면, 그렇게 하는 것은 악의 세계이기 때문입니다. 그러므로 우리는 우선 상대방을 용서해야 할 것입니다. 우리의 모욕자가 우리에게 한 것처럼, 우리도 그에게 보복을 해서는 안 됩니다. 하느님은 우리에게 이것을 가르치셨습니다. 자식이 아버지를 죽이는 것이 편견이라고는 가르치시지 않았습니다. 우리는 진리와 건전한 사상의 법정에서, 우리의 하느님의 성경을 멋대로 정정해서는 안 됩니다. 그러나 변호인은 불손하게도 하느님을 '십자가에 못 박힌 박애가'라고 부르고 있습니다. 이것은 그리스도를 '우리의 하느님'이라고 부르는 정교正敎의 나라 러시아에 반대되는 언사입니다."

이때 재판장은, 이런 경우엔 재판장으로서 으레 하게 마련이지만, 지나치게 과장된 표현으로 직무의 한계를 넘는 말은 삼가도록, 흥분한 검사에게 주의를 주었다. 그러나 청중도 잠잠하지는 않았다. 법정 안은 술렁거리기 시작하고 불만의 외침 소리까지 일어났다. 페츄코비치는 굳이 반박하려 들지는 않았다. 그는 연단에 올라가서, 한 손을 가슴에 얹으며 불쾌한 음성으로 위엄 있게 몇 마디 했을 뿐이었다. 그는 '소설'과 '심리 해부'에 대해 가볍게 조소하는 말을 한 다음, '주피터여, 그대는 노했노라, 그러므로 그대는 옳지 못하였느니라'라는 문구를 인용했다. 이 문구는 방청인들 사이에 동감의 웃음을 불러일으켰다. 그것은 입폴리트의 모습이 주피터하고는 비슷하지도 않았기 때문이다. 다음에, 페츄코비치는, 자기가 젊은이들에게 친부 살해를 허용했다는 등의 중상에 대해서는 굳이 반박할 필요를 느끼지 않노라고 자못 거드름스럽게 말했다. '가짜 그리스도' 문제와, 그가 그리스도를 하느님이라 부르지 않고 '십자가에 못 박힌 박애가'라고 부름으로써 '진리와 건전한 사상의 법정에선 있을 수 없는, 러시아 정교의 정신에 반대되는 인사'를 감행했다는 비난에 대해서, 페츄코비치는 그것을 '풍자'에 지나지 않는다고 응수했다. 그리고 그가 이 지방에 올 때는 적어도 이곳 법정에서 '하나의 시민으로서, 충성스런 국민으로서 자기의 인격이 손상될 만한' 중상을 받을 위험성은 없을 것으로 확신했었다고 말했다. 그러나 이때 재판장이 그에게도 아까와 같은 주의를 주었다. 그래서 그는 꾸벅 절을 하고, 그것으로 답변을 끝냈다. 뒤이어 동감의 뜻을 나타내는 수군거림이 여기저기서 일어났다. 이 고장 부인네들의 의견에 의하면, 입폴리트는 '영영 납작해졌다'는 것이었다.

다음에는 피고에게 발언이 허용되었다. 미챠는 일어났으나, 많은 말을 하지는 못했다. 그는 육체적으로나 정신적으로나 몹시 지쳐 있었다. 이날 아침 법정에 나왔을 때의 그 꿋꿋하고 기운찬 모습은 거의 찾아볼 수가 없었다. 그는 이날 난생 처음으로, 여태까지 이해하지 못했던 지극히 중대한 무엇인가를 경험했고 또 깨달은 것같이 보였다. 그의 음성은 기운이 없었다. 이제는 아까처럼 고함을 지르지도 않았다. 그의 말 속에는 무언가 새로운 것이 느껴졌다. 그것은 체념과 패배와 굴복이었다.

"배심원 여러분, 내가 무슨 말을 더 할 수 있겠습니까! 심판의 날이 온 것입니다. 나는 하느님의 손길을 느낍니다. 길을 잘못 든 인간에게 종말이 온 것입니다! 그러나 나는 하느님 앞에서와 같은 마음으로 여러분께 말합니다—'나는 아버지의 피에 대해서는 절대로 죄가 없습니다!' 그리고 마지막으로 다시 한번 되풀이합니다만, '내가 죽인 것이 아닙니다!' 나는 길을 잘못 들기는 했지만, 그래도 선을 사랑했습니다. 줄곧 올바른 길로 들어서며 애쓰면서도 여전히 짐승과 같은 생활을 하고 있었습니다. 나는 검사에게 감사를 드립니다. 검사는 나에 관해 나 자신도 모르는 것을 많이 들려주셨습니다. 하지만 내가 아버지를 죽였다는 건 사실이 아닙니다. 그것은 검사의 잘못입니다! 나는 변호사에게도 감사합니다. 그 변론을 들으며 나는 울었습니다. 그러나 내가 아버지를 죽였다는 건 잘못입니다. 그런 건 가정조차 할 필요가 없습니다! 그리고 의사의 말도 믿지 마십시오. 나는 완전히 제정신입니다. 다만 마음이 무겁고 괴로울 뿐입니다. 만약에 여러분께서 나를 용서해 주신다면, 나를 석방해 주신다면—나는 여러분을 위해 기도를 드리겠습니다. 훌륭한 인간이 될 것을 맹세합니다, 하느님 앞에 맹세합니다. 그러나 만약에 벌을 받더라도—나는 머리 위에서 내 검을 꺾겠습니다. 검을 꺾어 그 조각에다 입을 맞추겠습니다! 그러나 제발 나의 하느님을 나한테서 빼앗지 말아 주십시오! 나는 나 자신을 잘 알고 있습니다—나는 필시 하느님을 원망할 겁니다! 내 마음은 괴롭습니다. 여러분…… 용서하십시오!"

그는 거의 쓰러지듯이 자기 자리에 앉았다. 그의 음성은 자꾸만 끊어져서, 마지막 한마디를 그는 간신히 말했다. 다음에 재판장은 문제의 정리에 착수하여, 원고 및 피고 양측의 결론을 요구했다.

그러나 필자는 상세한 것을 여기에 쓰지 않기로 하겠다. 마침내 배심원 일동은 자리에서 일어나, 회의를 위해 퇴정하려 했다. 재판장은 몹시 피로해 있었으므로, '아무쪼록 공평하게 다루어 주십시오, 변호인의 웅변에 좌우되지 않도록. 그러나 여러분에겐 크나큰 책임이 부과되어 있음을 잊지 마시고, 아무튼 신중하게 심의해 주시기 바랍니다, 운운' 하고 기운 없는 음성으로 주의를 주었다.

배심원들이 퇴정한 후 공판은 휴식으로 들어갔다. 방청인들은 자리에서 일어나 걸어 다니기도 하고, 여러 가지 인상을 서로 이야기하기도 하고, 구내식당에서 간단히 식사를 하기도 했다. 이미 시간이 늦어서, 밤 한 시 가까이 되어 있었다. 그러나 누구 한 사람 돌아가려 하지 않았다. 모두들 굉장히 긴장해 있었기 때문에 집에 돌아가 잠을 잘 형편이 못 되었다. 사람들은 가슴을 졸이면서 공판 결과를 기다렸다. 그러나 누구나가 다 가슴을 졸이고 있는 것은 아니었다. 부인네들은 기다리기가 지루해서 참을 수가 없었지만, 그래도 가슴속은 평온했다. '틀림없이 무죄가 될 것이다'라고 생각하고 있었기 때문이다. 그래서 그들은 모두 법정 전체가 열광하는 극적인 순간을 기다리고 있었던 것이다. 솔직히 말해서, 남자 방청인 중에도 무죄가 될 것이라고 확신하고 있는 사람이 꽤 많이 있었다. 개중에는 기뻐하는 사람이 있는가 하면, 얼굴을 잔뜩 찌푸린 사람도 있었다. 그리고 또 개중에는 그저 시무룩해 있는 사람들도 있었는데, 그들은 무죄가 되기를 원치 않는 사람들이었다. 페츄코비치 자신은 자기의 승리를 확신하고 있었다. 그는 사람들에게 둘러싸여 축사를 받고 있었다. 모두들 열심히 그를 치켜세우는 것이었다.

"변호인과 배심원들 사이에는 눈에 보이지 않는 줄이 연결되어 있는 법이죠." 훗날에 들은 얘기지만, 이때 페츄코비치는 몇몇 사람들에게 이렇게 말했다는 것이다. "그건 변론을 하는 동안에 연결되는 건데, 이번에도 나는 그걸 느꼈습니다. 틀림없이 줄이 닿았어요. 그러니까 이쪽이 이깁니다, 안심하십시오."

“하지만 이 고장 촌놈들이 어떻게 나올까요?” 미간을 찌푸린 한 신사가 다른 신사들의 그룹에 끼어들며 이렇게 말했다. 그것은 몸집이 뚱뚱하고 얼굴이 얽은, 이 근처의 지주였다.

“촌놈들만은 아니잖습니까. 배심원들 중에는 관리가 네 사람이나 끼어 있어요.”

“그래요, 관리들도 끼어 있어요” 하고, 군郡 의회 의원 한 사람이 끼어들었다.

“그런데 당신네들은 나자리예프를 아십니까? 프로호르 이바노비치를 아세요? 가슴에 훈장을 달고 앉아 있던 상인 출신 배심원 말입니다.”

“그 사람이 어쨌다는 거죠?”

“굉장히 똑똑한 사람이에요.”

“하지만 처음부터 끝까지 아무 말 없지 않았습니까.”

“말은 없지만, 그게 오히려 낫지요. 그 사람은 페테르부르크 사람들한테서 배울 필요가 없는 사람이에요. 오히려 그곳 사람들을 가르칠 수도 있을 정도죠. 자식을 열둘이나 거느리고 있답니다!”

“그렇지만 과연 그 사람들이 피고를 무죄로 할까요?” 또 다른 그룹에서는 이 고장의 젊은 관리 하나가 이렇게 외쳤다.

“틀림없이 무죄로 할 거요” 하고 단호한 목소리가 대꾸했다.

“무죄를 선언하지 않으면 그건 수치입니다, 추태예요!” 하고 관리가 또 외쳤다. “설사 그가 죽였다 하더라도, 아버지라는 게 그런 아버지니까요! 그리고 피고는 그때 거의 제정신이 아니지 않았습니까……. 그는 정말 공이를 한 번 휘둘렀을 뿐입니다. 그런데 아버지가 그만 고꾸라진 거죠. 그러나 거기다 하인을 끌어들인 건 좋지 않습니다. 그건 우스꽝스런 에피소드에 지나지 않아요. 내가 변호사였다면, 죽이긴 했지만 그에겐 죄가 없다, 그것뿐이다, 제기랄! 이렇게 말해 주는 건데…….”

“변호사도 그렇게 말했어요. ‘그것뿐이다, 제기랄!’이라곤 하지 않았지만.”

“아니, 미하일 세묘느이치, 그렇게 말한 거나 다름없습니다” 하고 또 다른 목소리가 말을 받았다.

"문제없습니다. 여러분, 이 지방에서는 자기 내연남의 본처의 목을 자른 여배우가 대재기大齋期에 무죄 석방된 일이 있으니까요."

"그러니까 아주 잘라 버린 건 아니지 않습니까."

"매한가지입니다, 매한가지예요! 어쨌든 칼을 들이댄 건 사실이니까."

"그보다도 변호사가 자식 입장을 말한 대목은 어떻습니까? 참 그럴듯하잖아요!"

"정말 그럴듯했어요!"

"그다음에 신비주의를 끌어댄 대목은 어때요? 신비주의 말입니다!"

"신비주의 얘긴 집어치웁시다" 하고 또 누군가가 소리쳤다. "그보다도 입폴리트의 입장이 되어 보시오. 입폴리트의 앞으로의 운명을 상상해 보란 말이에요! 검사 부인은 내일 당장 미챠의 일로 남편의 눈을 할퀼 게 아닙니까."

"그 부인도 여기 와 있습니까?"

"와 있을 게 됩니까! 여기 와 있다면 지금 당장 할퀴려 들 겁니다. 치통 때문에 집에 있다더군요. 헤, 헤, 헤!"

또 다른 그룹에서는 다음과 같은 대화가 오갔다.

"어쨌든 미챠는 무죄가 될 겁니다."

"아마 내일은 '서울집'이 온통 떠나갈 듯이 소동이 벌어져서 열흘쯤 부어라 마셔라가 계속될지 모릅니다."

"칫, 또 난장판이 되겠군!"

"아무튼 난장판이 벌어지지 않을 수 없을 겁니다. 그 친구가 거기 안 가고 어딜 가겠어요!"

"여러분, 변호사의 웅변도 좋지만 말이오, 제 아비의 머리통을 깐다는 건 어쨌든 나빠요. 그런 걸 용서하면 세상이 어떻게 됩니까!"

"그런데 전차는 어떻습니까, 전차는? 기억하시죠?"

"트로이카를 전차로 개조했더군요."

"그러나 내일이면 전차를 또 트로이카로 개조하겠죠. '필요에 따라서, 무엇이든 필요에 따라서' 말입니다."

"요즘은 약삭빠른 친구들이 많이 늘었어요. 여러분, 도대체 우리 러시아에는 정의가 있는 걸까요, 아니면 전혀 없는 걸까요?"

그러나 종이 울렸다. 배심원들은 정확하게 한 시간 동안 심의를 계속한 셈이었다. 방청인들이 다시 제자리에 앉자, 법정은 곧 깊은 침묵에 싸여 버렸다. 배심원들이 법정에 들어왔을 때의 광경을 필자는 지금도 기억하고 있다. 마침내 운명적인 순간이 온 것이다! 필자는 이때의 문단을 한 조목, 한 조목 그대로 옮기지 않겠거니와, 그것을 일일이 기억할 수도 없다. 다만 기억에 남아 있는 것은, '피고는 과연 금품을 강탈할 목적으로, 예정된 계획에 따라 살인을 했습니까?'라는 재판장의 가장 중요한 첫째 질문에 대한 배심원 측의 대답뿐이다. (하기는 이 질문도 완전히 그대로 기억하지는 못하지만) 장내는 쥐 죽은 듯 조용해졌다. 수석 배심원은 제일 젊은 관리였는데, 그는 죽음과도 같은 장내의 경적을 깨며 크고 분명한 소리로 대답했다.

"그렇습니다, 유죄입니다!"

뒤이어, 그 밖의 모든 조목에 대해서도 역시, 유죄입니다, 그렇습니다, 유죄입니다, 라는 대답이 되풀이되었다. 더욱이 거기에는 털끝만 한 정상 참작도 없었다. 이것은 아무도 예기치 못한 일이었다. 거의 모든 사람이, 적어도 정상 참작쯤은 있을 것으로 믿고 있었던 것이다. 죽음과 같은 장내의 정적은 그대로 계속되었다. 유죄를 바라던 사람들도, 무죄를 바라던 사람들도, 모두가 문자 그대로 화석이 되어 버린 듯싶었다. 그러나 이것은 처음 몇 분 동안에 지나지 않았고, 얼마 후에는 무서운 혼란이 일어났다. 남자석에서는 무척 만족해하는 사람들이 많았다. 개중에는 자기의 만족을 감추려 하지도 않고, 연방 두 손을 비비대는 사람까지 있었다. 불만을 느끼는 사람들은 기가 꺾인 듯 어깨를 흠칫거리기도 하고 뭐라고 소곤거리기도 했으나, 그러면서도 아직 뭐가 어찌 된 건지 분명히 모르는 듯싶었다. 한편, 부인네들은 어떤가 하면, 그녀들은 금세 폭동이라도 일으킬 것 같은 기세였다. 처음엔 자기 귀를 의심하는 듯한 표정들이었으나, 얼마 후에는 '어디 이럴 수가 있어요? 도대체 이게 뭐예요?'라는 외침이 일시에 법정을 뒤흔들었다. 그녀들은 일제히 자리에서 튀어 일어났다. 아마도 그녀들은 지금 당장에라도 판결이 취소될 수 있으리라 믿고 있었을 것이다. 그러나 이 순간, 미챠가 벌떡 일어나서, 두 손을 앞으로 내밀며 비통한 목소리로 외쳤다.

"하느님과 그 무서운 심판의 이름으로 맹세합니다. 나는 아버지의 피에 대해서 아무 죄도 없습니다! 카챠, 나는 너를 용서한다! 형제여, 친구들이여, 또 한 여자를 불쌍히 여겨 주시오!"

그는 말끝을 맺지 못하고, 온 법정에 울릴 만큼 큰 소리로 통곡하기 시작했다. 그것은 여느 때의 그의 목소리와는 전혀 다른, 너무나도 생소한 목소리여서, 어떻게 갑자기 그런 음성이 나오는지 이상할 지경이었다. 그러자 위층 맨 뒷줄에서 찢는 듯한 여자의 울부짖음이 들려왔다. 그것은 그루셴카였다. 그녀는 아까 누구한테 청을 들여, 변론이 시작되기 전에 다시 법정 안에 들어와 있었던 것이다. 미챠는 법정에서 끌려 나갔다. 판결 발표는 다음 날로 연기되었다. 법정은 온통 수라장으로 변했다. 그러나 필자는 이미 밖에 나와 있었으므로 그 소동을 듣지 못했다. 다만 현관 층계에서 귀에 들어온 몇 사람의 외침 소리를 기억하고 있을 뿐이다.

"한 20년쯤 갱도坑道 냄새를 맡아야 할 걸."

"그쯤 될 테지."

"고장 촌놈들이 고집을 부린 거야?"

"그 바람에 미챠만 망했지 뭔가!"

에필로그

에필로그

1. 미챠 구출 계획

미챠의 공판 후 닷새째 되는 날 이른 아침, 아홉 시도 채 되기 전에 알료샤는 카체리나 이바노브나를 방문했다. 그것은 그들 두 사람에게 중요한 어떤 문제에 대해 최종적인 의논을 하고, 아울러 그가 부탁받은 일을 실행하기 위해서였다. 그녀는 언젠가 그루셴카의 방문을 받았을 때와 같은 방에서 그를 맞았다. 바로 옆방에는 섬망증에 걸린 형 이반이 인사불성인 채 누워 있었다. 카체리나는 공판장에서 그런 장면이 벌어진 직후에, 의식을 잃은 이반을 자기 집으로 데려왔던 것이다. 그녀는 앞으로 반드시 일어날 세상 사람들의 뒷공론이나 비난을 전혀 무시하고 있었다. 그녀의 집에 와 있던 두 친척 부인 중의 한 사람은 공판이 끝나자 곧 모스크바로 떠났으나, 또 한 사람은 아직 그대로 남아 있었다. 그러나 두 사람이 다 떠나 버렸다 하더라도, 카체리나는 자기의 결심대로 병자의 간호를 위해 밤낮 없이 그 머리맡에 붙어 있었을 것이다. 이반은 바르빈스키와 게르첸슈튜베한테서 치료를 받고 있었다. 모스크바의 의사는 병의 결과를 예언하기를 회피하고 그냥 모스크바로 돌아가 버렸다. 남아 있는 두 의사는 카체리나와 알료샤에게 힘이 되어 주기는 했으나, 아직도 확실한 희망을 줄 수는 없는 모양이었다.

알료샤는 하루에 두 번씩 형을 문병하러 오곤 했었지만, 이날 아침엔 특히 난처한 용무가 있어서 왔던 것이다. 그는 그 용무를 꺼내기가 어려울 것이라 느꼈으나, 마음속으로는 몹시 서두르고 있었다. 그 밖에도 다른 긴급한 용무가 있어서 급히 그리로 가 보아야 했기 때문이다.

두 사람은 벌써 15분가량이나 이야기를 했다. 카체리나는 지친 듯 창백한 얼굴이었으나, 그러면서도 병적으로 흥분돼 있었다. 지금 알료샤가 특히 무슨 용무로 찾아왔는지 그녀는 벌써 짐작하고 있었던 것이다.

"그이의 결심에 대해선 염려하지 않아도 될 거예요." 그녀는 특히 강조하는 어조로 알료사에게 말했다. "어차피 그이는 그렇게 할 수밖엔 없을 테니까요. 도망을 칠 수밖엔 없을 거예요! 저 불행한 사람은, 명예와 양심의 주인공은—그이가 아녜요, 드미트리 표도로비치가 아녜요. 저쪽 방에 누워 있는 사람 말이에요. 형님을 위해 자기를 희생한 사람 말이에요—(하고 카체리나는 눈을 빛내면서 덧붙였다) 저이는 벌써 오래전에 이 탈주 계획을 나한테 죄다 말해 주었거든요. 실은 벌써 일을 다 꾸며 놓았다는 거예요……. 이미 당신한테도 좀 알리긴 했지만…… 아마 다른 죄수들과 함께 시베리아로 호송될 때, 여기서 셋째 번 역에서 탈주시킬 모양이더군요. 하긴 아직은 꽤 먼 앞날의 일이지만요. 이반 표도로비치는 벌써 그 셋째 번 역의 역장한테 갔다 왔답니다. 그러나 호송대의 대장은 아직 누군지도 모르고, 또 그건 미리 알 수도 없다는군요. 아마 내일은 자세한 계획서를 당신한테 보여 드리게 될 겁니다. 그것은 공판 전날에 이반 표도로비치가 만일의 경우를 위해 나한테 놔두고 갔던 거예요……. 아 참, 바로 그때예요, 기억하시죠? 우리가 싸우고 있는 걸 당신이 보셨죠? 그이가 층계를 내려가려 할 때, 마침 당신이 오셨기 때문에, 내가 그이를 다시 불렀어요, 기억하시죠? 그때 우리가 왜 싸웠는지 아세요?"

"모릅니다" 하고 알료사는 대답했다.

"그이는 물론 그때 당신한테 숨기고 있었지만, 그 싸움은 바로 이 탈주 계획 때문에 일어난 거예요. 그이는 그보다 사흘쯤 전에 중요한 내용을 죄다 나한테 말해 주었는데, 그때부터 우리는 싸움을 시작해서 사흘 동안을 그냥 계속하고 있었습니다. 왜 싸웠느냐 하면, 만약에 드미트리 표도로비치가 유죄 판결을 받으면 그 계집과 함께 외국으로 도망칠 것이라고 그이가 말했기 때문에 내가 발끈 화를 냈던 거예요. 왜 화를 냈는지, 그건 말할 수 없어요. 나 자신도 알 수 없으니까……. 그야 물론 그때 그 여자 때문에, 그 몹쓸 계집 때문에 화가 났던 거죠. 그 여자도 드미트리와 함께 외국으로 도망친다는 말에 약이 올랐던 거예요!" 카체리나는 분노에 입술을 떨며 갑자기 이렇게 외쳤다. "이반 표도로비치는 그때 내가 화를 내는 걸 보고 내가 질투를 하고 있다고 생각한 모양이에요. 내가 아직도 여전히 드미트리를 사랑하고 있다고 생각한 거죠. 그래서 그때 처음으로 싸움이 일어났던 거예요. 난 변명도 하고 싶지 않았고, 뭐라고 사과할 수도 없었어요. 이반 표도로비치 같은 사람까지도, 내가 여전히 드미트리를 사랑하는 게 아닌지 의심하다니 정말 어이가 없더군요……. 더욱이 나는 그보다 훨씬 전에 그이에게, 나는 드미트리를 사랑하지는 않는다, 내가 사랑하는 건 오직 당신뿐이다, 라고 분명히 말해 두었거든요! 사실 나는 그 계집에 대한 증오심 때문에 공연히 그이한테 화를 냈던 거죠! 그 후 사흘이 지나서, 바로 당신이 오신 그날 저녁에, 그이는 봉함이 된 봉투를 나한테 가지고 와서, 만약에 자기한테 무슨 일이 있거든 곧 이 봉투를 뜯어보라고 하지 않겠어요. 그러니까 그이는 자기가 앓아눕게 되리라는 걸 미리부터 알고 있었던 거예요! 그이는, 그 봉투 속에 상세한 탈주 계획이 들어 있으니까 만일 자기가 죽거나 중병에 걸리거나 하거든 나 혼자서라도 미챠를 구출해 달라고 부탁하더군요. 그러면서 1만 루블쯤 되는 돈을 나한테 맡겨 놓고 갔어요. 검사는 누구한테서 들었는지, 그이가 그 돈을 바꾸어 온 걸 알고, 논고 때 그 얘길 끄집어냈어요. 이반 표도로비치는 아직도 내가 미챠를 사랑하고 있는 줄 알고 줄곧 질투를 하고 있으면서도, 형님을 구출할 생각을 버리지 않고, 글쎄 나한테—다른 사람도 아닌 나한테, 드미트리의 구출을 신신당부하는군요. 여기에는 나도 정말 놀라지 않을 수 없었어요. 아아, 이거야말로 진짜 희생정신이 아니고 뭐겠어요! 아니, 알렉세이 표도로비치, 완전한 의미라는 게 어떤 건지, 당신은 아직 이해하지 못할 거예요! 나는 감격한 나머지 그이의 발밑에 무릎을 꿇으려고까지 했지만, 그렇게 했다가는, 미챠의 구출을 내가 기뻐한다고 생각할 것 같아서 (그이는 반드시 그렇게 생각할 테니까요!) 그이가 그런 오해를 할지 모른다는 생각만으로도 나는 갑자기 화가 치밀어 올라서, 그이의 발에 키스하는 대신에 그만 한바탕 싫은 소릴 해 주었죠. 아아, 나는 불행한 여자예요! 나는 이런 성질이거든요, 이런 못된 성질을 가지고 있거든요! 네, 그래요, 나는 이런 짓을 하다가 결국은 그이한테 버림을 받고 말 거예요. 그이도 드미트리처럼 나를 버리고 좀 더 성질이 사근사근한 여자한테로 가 버리고 말 거예요. 그러나 그렇게 되면…… 그렇게 되면 나는 도저히 참지 못해요, 자살해 버릴 거예요! 그날 저녁에 당신이 들어오고, 내가 그이를 다시 불러들였을 때 말이에요. 그때 그이가 들어오면서 나를 흘끗 보는데, 그 눈길엔 말할 수 없는 증오와 경멸이 서려 있었어요. 그래서 나는 화가 울컥 치밀어 올라—당신도 기억하시겠지만—드미트리가 살인범이라고 주장한 건 바로 '저 사람이다', '저 사람뿐이다'!'라고 당신한테 외쳤던 거예요. 또 한 번 그이의 약을 올려 주려고 일부러 그런 소릴 한 거죠. 그이는 미챠가 범인이라고 주장한 적은 한 번도, 그야말로 한 번도 없었어요. 그걸 주장한 건 오히려 나였어요! 그래요, 미친년이나 다름없는 나 때문에 모든 게 그렇게 된 거예요! 법정에서 그런 어처구니없는 장면이 벌어진 것도 모두 내 탓이에요. 그이는, 설사 내가 드미트리를 사랑한대도 복수심이나 질투심 때문에 형을 파멸시키는 그런 인간이 아니라는 걸 나한테 증명해 보이려 했어요. 그래서 법정에까지 나갔던 거죠……. 모든 게 다 내 탓이에요. 나쁜 건 나 하나뿐이에요!"

카챠가 이런 고백을 알료샤한테 한 것은 이번이 처음이었다. 그는 그녀가 지금 참을 수 없는 고민 속에서 허덕이고 있음을 알았다. 누구 못지않게 자존심이 강한 그녀가 아픔을 참고 스스로 그 자존심을 꺾으려 애쓰면서, 슬픔에 짓눌려 쓰러져 가고 있는 것이었다. 미챠가 유죄 판결을 받고 난 후에, 그녀 자신은 애써 감추려 했지만, 그래도 알료샤는 그녀의 무서운 고민의 원인을 또 한 가지 알고 있었다. 그러나 만약에 지금 그녀가 굴욕을 참고 자진해서 그것을 그에게 털어놓는다면, 그 자신이 더욱 고통을 느꼈으리라. 그녀는 법정에서의 자기의 '배신' 때문에 괴로워하고 있는 것이었다. 그녀의 양심은 그녀에게, 눈물과 통곡과 번민과 함께 그의 발밑에 엎드려 사죄할 것을 명령하고 있었다—이것을 알료샤는 미리 알아챘던 것이다. 그러나 그는 그 순간 무서웠다. 그는 이 괴로워하는 여인을 용서해 주고 싶었다. 이런 사정 때문에 그는 자기의 용건을 꺼내기가 더욱 어려워졌다. 그는 또다시 미챠가 탈주 계획에 동의할 것인가 하는 문제를 말하였다.

"그건 문제없어요, 그이에 대해선 염려할 것 없다니까요!" 카챠는 다시금 단호한 어조로 딱 잘라 말했다. "미챠가 그런 말 하는 건 일시적이에요. 나는 그이의 성미를 잘 알아요. 그이의 마음을 잘 안단 말이에요. 염려 마세요, 그이도 탈주에 동의할 테니까. 그리고 지금 당장에 하는 일이 아니니까 그이도 천천히 생각해서 결심할 여유가 있거든요. 그때까지는 이반 표도로비치도 병이 다 나아서 자기가 직접 모든 일을 할 수 있을 거예요. 그렇게 되면 나는 아무것도 할 일이 없겠죠. 아무튼 걱정 마세요, 그이는 반드시 동의할 테니까. 하기는 벌써 동의한 거나 마찬가지죠, 어떻게 그 계집을 놔두고 갈 수 있겠어요? 그 여자도 함께 유형될 것 같진 않으니까, 결국 그이는 도망을 칠 수밖엔 없겠죠. 오히려 그이는 당신을 두려워하고 있을 거예요. 당신이 혹시 도덕적인 견지에서 탈주를 찬성하지 않는 거나 아닐까, 그걸 두려워하고 있을 거예요. 만일 당신의 허가가 그처럼 필요한 거라면, 당신도 관대히 허락해 주셔야겠죠" 하고 카챠는 빈정거리는 말투로 덧붙였다. 그녀는 잠깐 말을 끊고 쓴웃음을 흘렸다.

"그이는 거기서" 하고 그녀는 다시 입을 열었다. "송가頌歌가 어떠니, 자기가 걸머져야 할 십자가가 어떠니, 의무가 어떠니, 그런 소릴 늘어놓고 있을 거예요. 그때 이반 표도로비치가 나한테 여러 번 그 얘기를 전해 주어서 나도 알고 있죠. 이반이 어떤 어조로 그런 얘길 했는지 당신은 아마 모르실 거예요!" 카챠는 갑자기 복받쳐 오르는 정감을 이기지 못하는 듯 이렇게 외쳤다. "이반은 불행한 미챠 얘기를 나한테 하면서 얼마나 미챠를 염려했는지 몰라요! 그러면서도 한편으로는 또 얼마나 미챠를 미워했는지, 아아, 그걸 당신이 아신다면! 그런데 나는 교만하게 그이의 말을, 그 눈물을 그저 귓등으로 흘려버렸거든요. 아아, 몹쓸 년! 나야말로 정말 몹쓸 년이에요! 내가 그렇게 했기 때문에 이반은 섬망증을 일으킨 거예요! 그보다도 그이는, 유죄 선고를 받은 그이는, 과연 고통을 받을 각오가 되어 있을까요!" 카챠는 신경질적으로 말을 맺었다. "그런 사람이 과연 고통을 받을 수가 있을까요? 그런 사람은 절대 고통을 감수하지 못할 거예요!"

이 말 속에는 일종의 증오와 모멸 같은 것이 어려 있었다. '아니, 어쩌면 미챠한테 죄스러움을 느끼기 때문에, 오히려 어떤 순간에 미챠를 미워하게 되는가 보다' 하고 알료샤는 속으로 생각하였다. 그는 그것이 순간적인 것이기를 바랐다. 그는 카체리나의 마지막 말 속에서 어떤 도전적인 어조를 느꼈으나, 거기에는 응하지 않았다.

"그래서, 내가 오늘 당신을 부른 건, 당신이 그이를 설득하겠다는 다짐을 받기 위해서예요. 당신 생각으로는, 탈주한다는 것이 떳떳하지 못한, 비겁한…… 그리고 뭐랄까…… 그리스도 교도답지 않은 짓일까요?" 카체리나는 더한층 도전적인 어조로 이렇게 덧붙였다.

"아니, 그렇지 않습니다. 형님한테 죄다 말하겠습니다……." 하고 알료샤는 중얼거렸다. "그런데 형님은 당신을 부르고 있어요, 오늘 자기한테로 좀 와 달라고요." 그는 카체리나의 눈을 똑바로 바라보며, 느닷없이 내지르듯 이렇게 말했다. 그녀는 흠칫 몸을 떨더니 소파에 앉은 채 비틀거리듯 상체를 뒤로 젖혔다.

"나를요?…… 어떻게 내가 갈 수 있겠어요?" 그녀는 얼굴이 해쓱해지며 중얼거렸다.

"갈 수 있고말고요! 그리고 꼭 가셔야 합니다!" 알료샤는 갑자기 활기를 띠며 설득 조로 말했다. "형님은 꼭 당신을 만날 필요가 있어요, 그것도 지금 말이에요. 그래야 할 필요가 없다면 나는 이런 말을 꺼내지도 않았을 겁니다. 공연히 당신을 괴롭힐 까닭이 없잖습니까? 형님은 병에 걸렸어요. 꼭 미친 사람 같습니다. 그리고 자꾸만 당신을 불러 달라고 조르고 있어요. 형님은 화해를 하려고 당신을 오시라는 건 아네요. 그저 당신이 거기 가서, 문턱에서라도 잠깐 얼굴만 보여 주시면 됩니다. 형님은 그 후 많이 변했습니다. 당신한테 헤아릴 수 없이 많은 죄가 있다는 것을 깨달은 모양이에요. 그렇다고 당신한테 용서를 바라는 건 아닙니다. '나 같은 놈은 용서를 받을 수 없는 놈이야'라고 말하고 있으니까요. 그저 당신은 문턱에서나마 얼굴을 좀 보여 주시기만 하면 됩니다."

"그렇지만 너무나 갑작스런 일이라서……" 하고 카챠는 중얼거렸다. "하긴 요전부터 당신이 그런 말을 꺼내는 거나 아닐까 하는 생각이 들기는 했었어요……. 그렇잖아도 그이가 나를 부르리라는 건 알고 있었으니까요……. 그렇지만 그건 안 될 일이에요!"

"안 될 일인지는 몰라도, 아무튼 그렇게 해 주십시오. 형님은 자기가 얼마나 당신을 모욕했는가를 이제야 비로소 깨닫고, 몹시 충격을 받은 모양입니다. 정말 처음으로 깨달은 겁니다. 여태까지 그만큼 완전히 깨달은 적은 없었어요! 만일 당신이 와 주시지 않으면, 자기는 '앞으로 한평생 불행할 것이다'라고 형님은 말하고 있습니다. 아시겠어요, 20년 징역을 선고받은 사람이 아직도 행복을 찾고 있으니 가엾지 않습니까! 잘 생각해 보십시오, 당신은 죄 없이 파멸된 사람을 만나러 가시는 겁니다." 알료샤는 저도 모르게 도전적인 어조로 말했다. "형님에겐 죄가 없습니다. 형님의 손은 피로 더럽혀지지 않았습니다! 앞으로 형님이 받아야 할 헤아릴 수 없는 고통을 위해 형님을 만나 주십시오. 암흑 속으로 가는 형님을 전송해 주십시오……. 문턱까지만이라도 가 주십시오……. 당신은 가셔야 합니다. 가셔야 할 '의무가 있습니다'!" 알료샤는 '의무가 있습니다'라는 말에 특히 힘을 주어 말했다.

"의무는 있겠죠……. 그렇지만…… 나는 갈 수 없어요……." 카체리나는 여전히 중얼거리듯 말했다. "그이는 나를 보겠죠…… 어떻게 내가……."

"두 분의 눈은 다시 한번 만나야 합니다. 지금 그것을 결심하지 못하면 당신은 한평생 고통을 느껴야 할 겁니다."

"차라리 한평생 고통을 느끼는 편이 나을 거예요."

"당신은 가야 할 의무가 있습니다, '의무가 있어요'." 알료샤는 다시금 힘을 주어 명령조로 말했다.

"하지만 왜 오늘이라야 하죠? 꼭 지금 가야 하나요?…… 환자를 버려두고 갈 수는 없어요."

"잠깐 동안이면 괜찮지 않습니까. 잠깐이면 됩니다. 만일 당신이 가시지 않으면, 형님은 오늘 밤부터 열병을 앓게 될 겁니다. 절대 거짓말이 아닙니다. 형님이 가엾지 않습니까!"

"가엾은 건 오히려 나예요." 카체리나는 내쏘듯 말하고는 슬프게 울기 시작했다.

"아무튼 가셔야 합니다!" 알료샤는 그녀의 눈물을 보면서도 강경하게 말했다. "그럼 나는 먼저 가서 형님한테 말하겠습니다, 당신이 곧 오실 거라고."

"아녜요, 그런 말은 절대 하지 마세요!" 카챠는 놀라서 외쳤다. "가긴 가겠어요. 그러나 미리 그런 말은 하지 마세요. 가더라도 안엔 들어가지 않을지 모르니까……. 어떻게 될지 나도 아직 모르겠어요."

그녀의 목소리는 끊어져 버렸다. 숨이 콱 막혀 오는 모양이었다. 알료샤는 나가려고 일어섰다.

"하지만, 혹시 누구와 마주치게 되지나 않을까요?" 그녀는 다시금 얼굴이 해쓱해지며, 조그만 목소리로 이렇게 말했다.

"그러니까, 지금 곧 가시면 거기서 누구와 만날 염려는 없습니다. 아무도 오지 않습니다, 정말이에요. 그럼, 기다리겠습니다." 알료샤는 다짐을 두듯 말하고 방에서 나갔다.

2. 거짓이 참이 된 순간

알료샤는 미챠가 입원 중인 병원으로 발길을 서둘렀다. 판결을 받은 다음 날 미챠는 신경성 열병에 걸려 이곳 시립 병원 복역수服役囚 병동으로 옮겨졌던 것이다. 그러나 알료샤와 그 밖의 여러 사람들(호흘라코바 부인과 리자 등)의 청을 받아들여, 담당 의사인 바르빈스키는 미챠를 다른 죄수들과 함께 있게 하지 않고, 전에 스메르쟈코프가 입원했던 조그만 병실에 따로 수용했다. 물론 복도 끝에는 간수가 서 있었고, 창문은 철창으로 되어 있었기 때문에, 바르빈스키도 이 예외적인 관대한 조치로 해서 특별히 마음에 거리낄 것은 없었다. 그는 선량하고 동정심 많은 청년이었다. 미챠와 같은 인간에겐, 갑자기 다른 살인범이나 사기꾼들 속에 함께 끼어들기가 무척 힘들리라는 것을 이해하고 있었기 때문에, 그는 우선 시간적인 여유를 두어 미챠가 차츰 거기에 익숙해지도록 하려는 생각이었던 것이다. 가족이나 친지들의 면회도, 의사나 간수는 말할 것도 없고 경찰서장한테서까지 비공식적인 허락을 받고 있었다. 그러나 요즘 미챠를 찾아오는 것은 알료샤와 그루셴카뿐이었다. 라키친도 두 번인가 면회를 요구하였으나, 미챠 쪽에서 바르빈스키에게 부탁하여 그냥 되돌려 보내고 말았다.

알료샤가 병실에 들어갔을 때, 미챠는 환자복을 입고, 초산수醋酸水에 적신 타월을 머리에 감은 채 침대 위에 앉아 있었다. 그는 들어오는 알료샤를 불안정한 눈으로 쳐다보았으나, 그 눈길 속에는 그 어떤 공포감 같은 것이 번쩍이고 있었다. 대체로 그는 공판 당일부터 몹시 우울해진 것 같았다. 때로는 반 시간가량이나 입을 봉한 채 무엇인가 깊이 번민하면서, 자기 앞에 누가 있다는 것조차도 아주 잊어버리는 수가 있었다. 간혹 자기 쪽에서 먼저 침묵을 깨뜨리고 입을 놀리는 수도 있었으나, 언제나 아무 필요도 없는 엉뚱한 말을 뇌까리기가 일쑤였다. 그리고 또 어떤 날은 무척 괴로운 얼굴로 알료샤를 바라볼 때도 있었다. 그는 알료샤보다 그루셴카와 함께 있는 쪽이 편한 것 같았다. 하기는 그루셴카와는 거의 아무 말도 하지 않았으나, 그래도 그녀만 나타나면 그는 금세 희색이 만면해지는 것이었다.

알료샤는 아무 말 않고 미챠와 나란히 침대에 걸터앉았다. 미챠는 이날 불안한 마음으로 알료샤를 기다리고 있었지만, 선뜻 동생에게 무엇을 물어볼 용기가 나지 않았다. 카챠가 자기를 찾아 주기로 동의했으리라고는 생각조차 할 수 없는 일이었다. 그러면서도 한편으로는, 만약에 그녀가 와 주지 않으면 무언가 상상도 할 수 없는 일이 일어날 것같이 느끼고 있었다. 알료샤는 그러한 형의 마음을 잘 알 수 있었다.

"트리폰 녀석 말이다." 미챠는 공연히 서두르며 입을 열었다. "그 보리스이치가 글쎄, 자기 집을 엉망으로 만들어 버렸다지 않겠니. 마루청을 죄다 들추고, 벽 판자를 뜯어내고 해서 복도를 온통 뒤집어 놓았다는 거야. 그 집에 1천 5백 루블이 감추어져 있다는 검사의 말을 곧이듣고, 그 돈을 찾아내려는 거지. 집에 돌아가자마자 그런 바보짓을 시작했다는구나. 천하의 악당 놈 같으니! 이곳 간수가 어제 나한테 말해 줘서 알았다. 간수는 바로 그 마을 출신이거든."

"그보다도 형님" 하고 알료샤는 말했다. "그 여자는 오겠답니다. 그러나 언제 올지 그건 모르겠어요. 오늘 올지, 아니면 이삼일 있다가 올지, 아무튼 오긴 옵니다, 틀림없어요."

미챠는 부르르 몸을 떨고, 뭐라고 말하려다가 그냥 입을 다물어 버렸다. 이 소식은 그에게 심한 충격을 준 모양이었다. 그는 알료샤와 카체리나의 대화를 자세히 알고 싶어 못 견딜 지경이면서도, 지금 그것을 묻기를 두려워하고 있음이 분명했다. 혹시 카체리나의 입에서 자기를 경멸하는 듯한 가혹한 말이 나왔다는 것을 듣게 된다면, 그것은 칼로 자기를 찌르는 것보다도 더욱 심한 타격을 입을 것이기 때문이다.

"그 여자는 여러 가지 얘기 중에서 나한테 이런 말을 하더군요—제발 탈주에 대해서 형님이 양심의 거리낌을 느끼지 않도록 잘 말해 달라고요. 만일 그때까지 이반 형이 건강을 회복하지 못하면, 그 여자 자신이 모든 일을 처리하겠다고 합니다."

"그건 이미 너한테서 들은 이야기가 아니냐." 미챠는 생각에 잠기며 대꾸하였다.

"그런데, 형님은 그루셴카한테 이 계획을 말했습니까?" 하고 알료샤는 물었다.

"말했다." 미챠는 솔직히 대답했다. "그 여잔 오늘 오전엔 오지 않을 거야." 그는 조심스런 눈으로 동생을 보았다. "저녁에나 오겠지. 내가 어제 그루셴카한테, 카체리나가 여러 가지로 일을 거들어 주고 있다고 했더니, 그 여잔 아무 소리 없이 입만 비죽거리더라. 그러고는 한마디 한다는 소리가, '맘대로 하라죠,

뭐!' 이거야. 이것이 중대한 일이라는 것을 알아챈 것 같았지만, 나는 더 이상 캐묻지는 못했다. 그 여자도 이젠 확실히 깨달은 모양이야—카체리나가 사랑하는 건 내가 아니라 이반이라는 걸."

"정말 깨달았을까요?" 알료샤는 저도 모르게 이렇게 물었다.

"어쩌면 아직 깨닫지 못했는지도 모르지. 어쨌든 그 여잔 오전 중엔 오지 않을 거야" 하고 미챠는 또 다짐했다. "그 여자한테 내가 한 가지 부탁한 일이 있거든……. 그보다도 알료샤, 우리 형제 중에선 이반이 제일 두각을 나타낼 거다. 이반은 살아야 해. 우리 같은 건 아무래도 좋지만 말이야. 이반은 완쾌할 거다."

"카체리나도 이반 형 때문에 굉장히 걱정하고 있더군요. 그러나 반드시 완쾌할 것이라고 믿고 있어요" 하고 알료샤는 말했다.

"그건 이반이 죽을 거라고 생각한다는 증거지. 사실대로 생각하기가 무서워서, 반대로 완쾌한다고 믿으려 하는 거야."

"그렇지만, 이반 형은 원체 강한 체질이니까요. 나도 완쾌하리라고 생각해요." 알료샤는 근심스럽게 말했다.

침묵이 왔다. 무언가 중대한 문제가 미챠를 괴롭히고 있었다.

"알료샤, 나는 말이다, 그루셴카를 무섭게 사랑하고 있어." 그는 눈물 어린 떨리는 음성으로 불쑥 이렇게 말했다.

"하지만, 그 여잔 형님과 함께 '그리로' 갈 수는 없을 게 아닙니까." 알료샤는 얼른 말을 받았다.

"아니, 아직 너한테 할 말이 남아 있다." 미챠는 갑자기 이상해진 목소리로 말을 계속했다. "만약에 그리로 가는 도중이나 혹은 '거기' 가서, 간수 따위가 나한테 매질이라도 한다면, 나는 도저히 참지 못할 거야. 나는 그놈을 죽이고, 나도 결국 총살을 당하고 말겠지. 그런 상태로 20년을 어떻게 견디겠니! 여기서도 벌써 나 보고 '너'라고 부르기 시작했어. 간수 놈들이 나 보고 '너'라고 부르는 거야. 간밤에도 누워서 밤새껏 생각했지만, 아무래도 나는 아직 각오가 돼 있지 않아! 도저히 감수할 수 없을 것 같다! 나는 '송가頌歌'를 부르고 싶었지만, 간수

놈들한테까지 업신여김을 받는 건 참을 수 없어! 그루셴카를 위해서라면 무엇이든 다 참겠지만…… 그러나 매질만은 안 돼……. 하긴 그루셴카는 '그리로' 함께 보내 주지도 않을 거야."

알료샤는 조용히 미소 지었다.

"그러니까 형님, 나는 거기 대해서" 하고 그는 말했다. "한 번만 더 말하겠는데요, 내가 거짓말을 하지 않는다는 건 형님도 아시죠? 형님은 아직 마음의 준비가 되어 있지 않아요. 그처럼 큰 고난의 십자가는 형님에겐 힘에 겨운 일입니다. 뿐만 아니라, 형님은 그런 십자가를 짊어질 필요가 없는 거예요. 만약에 형님이 정말로 아버지를 죽이고서도 십자가의 고난을 피한다면 나는 오히려 슬퍼할 겁니다. 그러나 아무 죄도 없는 형님에게 그런 십자가는 너무 무겁습니다. 형님은 스스로 고난을 받음으로써 자기 내부에 있는 새로운 인간을 소생시키려는 거겠죠. 하지만 내 생각으론, 형님이 어디로 도망치든지 그 새로운 인간을 잊지만 않는다면 그것으로 족한 거예요. 형님은 이 십자가의 고난을 받지 않음으로써 오히려 자기 내부에 더 큰 책임을 항상 느끼게 될 겁니다. 그리고 그러한 끊임없는 책임감은 앞으로 형님의 생애에 있어 새로운 인간의 소생을 도울 겁니다. 어쩌면 그리로 가는 것보다 훨씬 좋을지도 몰라요. 그리로 가면 형님은 끝내 참아 내지를 못하고, 하느님께 불평을 말하며, '나는 셈을 다 치렀다'는 식으로 나오게 될 테니 말입니다. 사실 그 점은 변호사가 옳게 말했어요. 누구나가 다 그런 무거운 짐을 질 수 있는 건 아니지 않습니까. 사람에 따라서는 도저히 불가능한 경우도 있는 거예요……. 굳이 내 의견을 듣고 싶으시다면, 지금 말한 것과 같습니다. 만일 형님이 탈주했기 때문에 다른 사람이, 예를 들면 호송 장교나 병사가 책임을 추궁 받게 된다면 나도 이 탈주를 허락하지는 않을 거예요" 하고 알료샤는 히죽 웃었다. "그러나 (이것은 셋째 번 역장이 이반 형한테 직접 한 말이지만요) 잘만 하면 크게 문제되지 않고 간단한 처벌 정도로 끝난다는 겁니다. 물론 뇌물을 준다는 건 좋지 않은 짓이긴 하지만, 어디 지금 그런 걸 일일이 따지게 됐습니까? 만일 이반 형과 카체리나가 형님을 위해 나한테 부탁한다면, 나는 언제든지 가서 뇌물을 바치겠습니다. 이건 형님한테 정직하게 말하는 겁니다. 나는 형님이 어떤 행동을 취하든 왈가왈부할 자격이 없습니다. 그러니까 나는 절대로 형님을 책망하지는 않을 거예요. 내가 이 문제에 대해서 결정권을 가진다는 건 도대체 이상하지 않습니까. 이것으로 내가 할 말은 다 한 것 같습니다."

"그 대신에, 나는 자기 자신을 힐책할 거야!" 하고 미챠는 외쳤다. "나는 탈주할 작정이다. 이건 내가 그런 말을 하기 전부터 결심한 거야. 미챠 카라마조프가 도망치지 않을 수가 있겠니? 그 대신 나는 스스로를 책망하며, 저쪽에 가서도 죽을 때까지 내 죄과를 씻도록 노력할 결심이다! 이렇게 말하면 어쩐지 제스이트파 사람들의 말투 같구나, 그렇잖니? 그러고 보니 나나 너나 제스이트를 닮아 가는 것 같다, 그렇지?"

"그렇군요." 알료샤는 조용히 미소 지었다.

"나는 네가 언제나 모든 걸 숨김없이 사실대로 말하는 게 좋다니까!" 미챠는 기쁜 듯이 웃으며 소리쳤다. "그러니까, 나는 내 동생 알료샤가 제스이트라는 걸 확인한 셈이군! 그런 의미에서 너한테 키스를 퍼부어야겠구나! 자, 그럼 그다음 얘기를 들어 다오. 내 영혼의 나머지 반쪽도 너한테 펼쳐 보일 테니. 나는 여러 가지로 궁리한 끝에 이렇게 결심했다—나는 비록 돈과 여권을 가지고 미국으로 도망쳐 간대도, 기쁨이나 행복을 찾아서 가는 것이 아니라, 또 다른 징역살이를 하러 가는 것과 마찬가지라고 생각하고, 자기 자신을 격려하고 있다. 사실 시베리아보다 더 나쁠지도 모르잖니. 더 나쁠 거야. 알렉세이, 솔직히 말해서, 더 나쁠 거다! 나는 미국이라는 나라가 도무지 마음에 안 들어. 설사 그루셴카가 나하고 함께 간대도 말이다. 첫째 그 여잘 봐라, 도대체 그 여자가 미국 여자 비슷하기나 하냐! 그루셴카는 러시아 여자야. 머리끝에서 발끝까지 순전한 러시아 여자지. 그 여자는 어머니 나라 러시아가 그리워 회향병懷鄕病에 걸리고 말 거야. 그러니까 나는 날이면 날마다 그 여자가 나 때문에 서글픈 세월을 보내며, 나 때문에 십자가를 짊어지고 있는 꼴을 보아야 할 게 아니냐. 그 여자한텐 아무런 죄도 없지 않니? 그리고 나 자신도 미국의 그 저속한 녀석들과는 도저히 어울려 살 수 없을 거야. 녀석들은 모두 나보다도 훌륭한 인간들인지는 모르지만, 아무튼 속물들인 것만은 틀림없어. 나는 벌써부터 미국이 싫어졌다. 설사 녀석들이 하나같이 훌륭한 목사라 하더라도, 목사보다 더한 인간들이라 하더라도, 어쨌든 나는 녀석들과는 어울릴 수 없는 거야! 녀석들은 절대로 내 영혼의 벗이 될 수는 없을 테니까! 나는 러시아를 사랑한다, 알렉세이. 나 자신은 악당이지만, 그러나 나는 러시아의 신神을 사랑하고 있다! 아니, 나는 아마 거기서 뒈져 버리고 말 거야!" 그는 갑자기 눈을 번쩍이며 이렇게 외쳤다. 그의 음성은 울먹이듯 떨려 나왔다.

"그래서 말이다, 알렉세이, 나는 이렇게 결심했다. 들어다오!" 그는 흥분을 억누르며 다시 계속했다. "그루셴카와 함께 그곳에 도착하면, 곧 어딘가 인적이 드문 먼 곳으로 들어가서, 곰 새끼들과 어울려 땅이나 팔 작정이다. 거긴 아직도 인적이 없는 미개척지가 많을 테니까. 사람들 말에 의하면, 거기는 어딘가 지평선 너머에 아직도 인디언들이 살고 있다더라. 우린 거기까지, 마지막 모히칸 족의 나라까지 갈 셈이다. 그리고 나도 그루셴카도 곧 문법 공부를 시작하는 거야. 3년 동안 일하면서 문법 공부를 해서, 어느 영국인 못지않게 영어를 배울 작정이다. 영어에 능통하게 되면 그때는 미국에 더 이상 있을 필요가 없지. 우린 완전히 미국인이 되어 다시 러시아로 돌아오는 거야. 걱정할 건 없어, 이 고장엔 오지 않을 테니까. 북쪽이든가, 아니면 남쪽의 어느 먼 시골에 숨어 버리겠다. 그때에는 나도 많이 변할 거고, 그 여자도 변할 거야. 미국 의사한테 부탁해서 얼굴에 혹 같은 거라도 하나 만들어 달라지. 기술이 발달한 곳이니까, 그까짓 것쯤 문제없을 거야. 차라리 한쪽 눈을 찔러 애꾸눈이 돼 가지고, 한 자쯤 수염을 기르는 것도 좋겠지, 허연 수염을. (러시아가 그리워 수염도 어쨌든 셀 테니까) 그렇게 하면 아무도 못 알아볼 게 아니냐. 그래도 발각이 나면, 다시 시베리아로 가는 수밖에. 운수가 막혀서 그런 거니까. 어쨌든 돌아와서 어느 먼 시골구석에서 농사나 지으며 한평생 미국인 행세를 할 작정이다. 그 대신에 고국 땅에 묻힐 수는 있지 않겠니. 이게 내 계획이다. 이건 확정적인 거야. 어떠냐, 너도 찬성하겠니?"

"나도 찬성입니다." 알료샤는 형의 말에 반대하고 싶지 않아서 이렇게 말했다.

미챠는 잠깐 입을 다물었다가 다시 지껄이기 시작했다.

"헌데 놈들이 공판에서 일을 그렇게 꾸미다니, 어디 그럴 수가 있니!"

"꾸미지 않아도 역죄 판결이 내렸을 거예요!" 알료샤는 이렇게 대답하고 한숨을 쉬었다.

"하긴 그래. 난 이 고장 사람들한테 미움을 많이 샀으니까. 어서 맘대로 하라지, 이젠 다 귀찮다!" 미챠는 신음하듯 말했다.

다시 얼마 동안 대화가 끊어졌다.

"알료샤, 솔직히 말해 다오!" 하고 그는 갑자기 소리쳤다. "카챠는 곧 올 거냐, 안 올 거냐? 그 여잔 뭐라고 말했어? 어떻게 말하더냐 말이다?"

"오겠다고는 했지만, 오늘 올는지 어떤지 그건 모르겠습니다. 그 여자도 괴로울 테니까요!" 알료샤는 조심스럽게 형을 바라보았다.

"흥, 그야 당연하지. 괴롭지 않을 수가 있겠니! 알료샤, 나는 그 생각을 하면 미칠 것만 같다. 그루샤는 늘 나를 지켜보고 있어서, 내 심정을 잘 알아준다. 아아, 하느님, 내 마음을 가라앉게 해 주십시오. 나는 뭘 찾는 걸까? 나는 카챠를 찾고 있다! 대체 나는 제정신일까? 이렇게 참을성이 없는 건 카라마조프식 기질 때문이야! 나는 고난을 받을 자격이 없어! 남들이 말하는 것처럼 나는 비열한 놈이야!"

"아, 저기 왔습니다!" 하고 알료샤는 외쳤다.

이 순간, 카챠는 갑자기 문지방 위에 나타났던 것이다. 그녀는 어쩔 줄 모르는 눈으로 미챠를 보며 그 자리에 멈춰 섰다. 미챠도 벌떡 일어났다. 그의 얼굴에는 경악의 빛이 나타났다. 그는 안색이 창백해졌으나, 곧 겁먹은 듯, 애원하는 듯한 미소가 입가에 떠올랐다. 그러자 그는 갑자기 카챠에게 두 손을 내밀었다. 그것을 보자 카챠도 얼른 그의 옆으로 달려와서, 두 손을 붙잡고 침대에 그를 앉히고는 자기도 그 곁에 앉았다. 그녀는 언제까지나 그의 손을 놓아 주지 않고 힘껏 움켜쥐고 있었다. 두 사람은 몇 번인가 뭐라고 말을 하려다가는 그만두고, 말없이 이상한 미소를 지으며 서로 상대방의 얼굴만 뚫어지게 바라보고 있었다. 이렇게 2분가량 지났다.

"나를 용서하는 거요, 응?" 마침내 미챠는 이렇게 중얼댔다. 그러고는 알료샤를 돌아보며, 기쁨에 일그러진 얼굴로 외쳤다. "너는 알겠니, 내가 뭘 묻는 건지? 알겠지?"

"당신이 그처럼 너그러운 마음씨를 가진 분이기 때문에, 나도 당신을 사랑했던 거예요!" 갑자기 카챠는 이렇게 말했다. "그리고 용서를 받아야 할 사람은 당신이 아니고 나예요. 하지만 당신이 용서하건 안 하건 매한가지죠. 당신은 내 마음속에 영원히 씻을 수 없는 상처로 남을 것이고, 나도 역시 당신 마음속에 그렇게 남을 테니까요—하긴 그래야만 하겠지만요." 그녀는 숨을 돌리려고 말을 끊었다.

"내가 무엇하러 왔는지 아세요?" 그녀는 무서운 흥분 속에서 다시 빠른 소리로 말하기 시작했다. "나는 당신 발을 그러안으려고, 당신 손을 꼭 쥐려고, 그때 모스크바에서처럼, 이렇게 으스러지게 당신 손을 꼭 쥐려고 온 거예요. 그리고 당신은 나의 하느님이고 나의 기쁨이라는 걸 다시 말하려고 온 거예요. 내가 미칠 듯이 당신을 사랑한다는 걸 당신한테 말하려고 온 거예요!" 그녀는 괴로움 속에서 신음하듯이 이렇게 말하고는, 느닷없이 사내의 손에 입술을 비비댔다. 그 눈에서는 눈물이 솟구쳐 나왔다.

알료샤는 말없이 어색한 꼴을 하고 서 있었다. 그는 지금 자기가 본 것 같은 장면이 벌어지리라고는 꿈에도 생각하지 못했던 것이다.

"사랑은 지나가 버렸어요, 미챠!" 하고 카챠는 또 말하기 시작했다. "그러나 그 지나가 버린 추억이 나한텐 그지없이 귀중한 거예요. 이것만은 언제까지나 기억해 주세요. 하지만 지금 단 1분 동안만이라도, 마땅히 그렇게 되었어야만 했는데도 되지 않은 일을 실현시키기로 해요, 네." 그녀는 이상하게 일그러진 미소를 보이며 이렇게 소곤거리고는, 다시 기쁜 표정으로 미챠의 얼굴을 보았다. "지금은 당신도 다른 여자를 사랑하고 있고, 나도 다른 남자를 사랑하고 있지만요, 그래도 나는 영원토록 당신을 사랑할 것이고, 당신도 나를 사랑해 주실 거예요. 아시겠죠, 네? 나를 사랑해 주셔야 해요, 한평생 사랑해 주셔야 해요, 네!" 그녀는 거의 위협에 가까운, 떨리는 어조로 이렇게 외쳤다.

"사랑하고말고. 그리고 말이야……. 카챠." 미챠는 한마디, 한마디 숨을 몰아쉬며 말했다. "나는 닷새 전 그날도, 그날 저녁에도, 당신을 사랑하고 있었어…… 당신이 졸도해서 끌려 나가던 그때 말이야……. 암, 한평생 사랑하고말고! 영원히 변함없이 사랑할 거야……."

이렇게 두 사람은 정신 나간 사람들처럼, 거의, 아무 뜻도 없는 말들을 주고받았다. 어쩌면 그것은 거짓스런 말들이었는지도 모른다. 그러나 적어도 이 순간만은 모든 것이 참말이었다. 그들 자신도 자기 말의 참됨을 무조건 믿고 있었다.

"카챠!" 하고 갑자기 미챠는 소리쳤다. "당신은 내가 죽였다고 믿고 있소? 지금은 믿지 않는다는 걸 나는 알고 있지만, 그때…… 당신이 증언했을 때 말이야……. 그땐 정말 그렇게 믿고 있었소?"

"그때도 믿지는 않았어요! 한 번도 그렇게 믿은 적은 없어요! 당신이 미워서, 갑자기 스스로 그렇게 믿으려 했던 거죠. 순간적으로 말이에요……. 증언을 할 때는 억지로라도 그렇게 믿었었지만…… 증언을 마치자마자 또 믿을 수가 없게 되었어요. 이건 정말이에요. 아 참, 잊고 있었군요, 나는 벌을 받으려고 여기 온 거예요!" 갑자기 그녀는 여태까지의 사랑의 속삭임과는 비슷하지도 않은, 전혀 새로운 어조로 말했다.

"여인이여, 그대의 괴로움은 크도다!" 하고 미챠는 저도 모르게 중얼거렸다.

"이젠 그만 돌아가겠어요" 하고 그녀는 속삭였다. "또 올게요. 지금은 너무 괴로워서……."

그녀는 자리에서 일어났으나, 별안간 앗, 소리를 지르며 한 걸음 뒤로 물러섰다. 갑자기 인기척도 없이 그루셴카가 방 안으로 들어섰기 때문이다. 그것은 누구에게나 뜻하지 않은 일이었다. 카챠는 바로 출입문 쪽으로 걸어 나가다가, 그루셴카 옆에서 우뚝 멈춰 섰다. 그리고 백지장처럼 창백한 얼굴을 하고 속삭이듯 나직한 목소리로 말했다.

"날 용서하세요!"

그루셴카는 뚫어지게 카챠를 노려보다가, 잠시 후에 독기 품은 날카로운 어조로 대답했다.

"피장파장이죠, 뭐! 당신이나 나나 나쁘긴 매한가지예요! 용서하긴, 누가 누굴 용서하겠어요? 그보다도 저이를 구해 줘요. 그럭하면 한평생 당신을 위해 기도드릴 테니."

"그건 용서하고 싶지 않다는 소리 아냐!" 미챠가 미친 듯이 나무라는 투로 그루셴카에게 외쳤다.

"염려 말아요, 난 틀림없이 저이를 구해 드릴 테니까!" 카챠는 빠른 소리로 이렇게 말하고 문밖으로 달려 나가 버렸다.

"그래 당신은 저 여자를 용서할 수 없다는 건가? 저쪽에서 먼저 '용서하세요' 하고 나오는데!" 미챠는 다시 비통하게 외쳤다.

"형님, 이분을 나무라진 마세요. 형님한테는 그럴 권리가 없어요!" 알료샤는 열띤 어조로 미챠에게 말했다.

"저런 거만한 여자는, 입으론 그렇게 말해도 속은 딴판이란 말이에요" 하고 그루셴카는 아니꼽다는 듯이 말했다. "만일 당신을 구출해 준다면, 그땐 나도 모든 걸 용서하겠지만."

그녀는 무언가 속에서 치밀어 오르는 것을 억지로 참으려는 듯이 그냥 입을 다물어 버렸다. 아직도 마음이 가라앉지 않는 모양이었다. 나중에야 알게 된 일이지만, 그녀는 이때 그런 장면이 벌어지리라고는 전혀 예측하지 못하고 그저 우연히 거기 들어왔었다는 것이다.

"알료샤, 빨리 뒤쫓아 가 봐라!" 미챠는 동생에게 급히 당부했다. "가서 그 여자한테 말해 다오……. 음, 뭐라고 말하면 좋을까……. 아무튼 그대로 돌려보내선 안 된다!"

"그럼 저녁때 또 오겠습니다!" 알료샤는 이렇게 말을 던지고, 카챠의 뒤를 쫓아 달려갔다. 그는 병원 울타리 밖에서 카챠를 따라잡았다. 그녀는 급한 걸음으로 걷고 있다가, 알료샤가 다가오자 빠른 소리로 말했다.

"안 돼요, 난 저런 여자한테 용서를 빌 수는 없어요! 내가 저 여자한테 용서해 달라고 한 건, 어디까지나 나 자신을 벌하려는 생각에서였어요. 그런데도 저 여잔 용서하려 하지 않는군요……. 하긴 저 여자의 그런 점이 나는 좋아요!" 하고 카챠는 일그러진 어조로 덧붙였다. 그 눈에는 무서운 증오가 번쩍였다.

"형님은 이렇게 될 줄은 정말 몰랐었어요" 하고 알료샤는 중얼거렸다. "오늘은 그 여자가 오지 않을 걸로 믿고 있었거든요."

"물론 그럴 거예요. 하지만 그 얘긴 그만둬요" 하고 그녀는 말을 막았다. "그보다도 난 당신하고 같이 그 장례식엔 가지 못하겠어요……. 조화弔花는 벌써 보냈지만, 그 집에 돈은 아직 남아 있겠죠. 그 집 식구들한테 말해 주세요—앞으로도 나는 절대 그 사람들을 버려두지 않을 작정이라고……. 자, 그럼 여기서 헤어집시다, 어서 가 보세요. 당신도 늦겠어요, 저녁 종이 울리고 있군요……. 자, 어서 가 보세요!"

3. 일류샤의 장례식, 알료샤의 고별사告別辭

사실 그는 장례식에 늦고 말았다. 모두들 그를 기다리다 못해, 꽃으로 장식한 조그만 관을 우선 교회당으로 옮기려던 참이었다. 그것은 가엾은 소년 일류샤의 관이었다. 그는 미챠가 선고를 받은 후 이틀 만에 죽은 것이다. 알료샤가 대문 옆에 나타나자, 일류샤의 친구인 소년들이 환성을 지르며 그를 맞았다. 그들은 오랫동안 가슴을 졸이며 기다리던 끝에 나타난 알료샤가 무척이나 반가운 모양이었다. 소년들은 열두 명가량 모여 있었는데, 모두들 어깨에 가방을 메고 있었다. '아빠는 아마 울 거야, 우리 아빠 옆에 있어 줘' 하고 일류샤가 죽으면서 동무들에게 한 말을 그들은 기억하고 있었던 것이다. 콜랴 크라소트킨이 그들의 대표 격이었다.

"카라마조프 씨, 와 주셔서 정말 반갑습니다!" 콜랴는 알료샤에게 악수를 청하며 소리쳤다. "이 집은 정말 말이 아닙니다. 눈으로 볼 수 없을 지경이에요. 스네기료프도 오늘은 취해 있지 않습니다. 그이가 오늘 술을 입에 대지 않은 건 우리도 다 알고 있는데, 그래도 꼭 술 취한 사람 같아요……. 난 웬만해서는 놀라지 않지만, 이건 너무나 비참합니다. 그보다도 카라마조프 씨, 미안하지만 당신이 안으로 들어가시기 전에 한 가지 물어볼 말이 있어요."

"무슨 말이지, 콜랴?" 알료샤는 멈춰 섰다.

"당신 형님은 죄가 있습니까, 없습니까? 아버지를 죽인 건 당신 형님입니까, 하인입니까? 우린 당신 말이면 그대로 믿겠습니다. 난 그걸 생각하느라고 나흘 밤이나 잠을 못 잤어요."

"하인이 죽인 거야, 우리 형님에겐 죄가 없어" 하고 알료샤는 대답했다.

"나도 그럴 줄 알았어요!" 하고 스무로프라는 소년이 갑자기 소리쳤다.

"그러니까 그이는 죄도 없으면서 정의를 위해 희생되는군요?" 하고 콜랴는 외쳤다. "그러나 희생이 되더라도 그이는 행복합니다! 나는 그이가 부러울 지경이에요!"

"그게 무슨 소리야? 왜 그런 말을 하지?" 알료샤는 몹시 놀란 표정으로 소리쳤다.

"나는 언제든지 정의를 위해 자기를 희생할 수 있길 바라고 있으니까요." 콜랴는 열정적인 어조로 말했다.

"그러나 그런 일로, 더욱이 그런 치욕적인 무서운 사건으로 희생이 되는 건 좋지 않아!" 알료샤는 말했다.

"그야 물론…… 나는 전 인류를 위해 죽기를 원하고 있지만, 치욕이건 뭐건 결국은 마찬가지예요. 우리의 이름은 어차피 죽어 갈 겁니다. 난 당신 형님을 존경해요!"

"나도 존경합니다!" 갑자기 또 한 소년이 외쳤다. 그것은 언젠가 트로이의 창건자를 알고 있다고 말한 바로 그 소년이었다. 그는 이렇게 외치고는, 역시 그때처럼, 귀뿌리까지 얼굴이 빨개졌다.

알료샤는 방으로 들어갔다. 흰 명주를 감은 하늘빛 관 속에는, 일류샤가 두 손을 가슴에 얹고 눈을 감은 채 누워 있었다. 그 수척한 얼굴 모습은 죽기 전과 거의 다름없었다. 그리고 이상하게도 시체에서는 아무런 냄새도 나지 않는 것 같았다. 얼굴 표정은 마치 깊은 생각에라도 잠긴 듯 심각했고, 열십자로 얹은, 대리석 조각 같은 두 손은 특히 아름답게 보였다. 그 손에는 꽃이 쥐여 있었다. 그리고 관의 안팎이 온통 꽃으로 장식되어 있었는데, 그것은 이날 아침에 리자 호흘라코바가 보내온 꽃이었다. 거기에는 카체리나 이바노브나가 보내 준 꽃도 있었다. 알료샤가 문을 열었을 때, 스네기료프 대위는 떨리는 손에 꽃다발을 들고 귀여운 아들의 시체 위에다 꽃송이를 뿌리고 있었다. 그는 알료샤가 들어오는데도 얼굴을 들리려 하지 않았다. 그는 차마 조객들의 얼굴을 볼 수가 없었던 것이다. 심지어는 훌쩍훌쩍 울고 있는 자기 '엄마'(아내)의 얼굴조차 보기를 꺼려했다. 정신 이상이 된 그녀는 앓고 있는 다리로 일어나서 죽은 아들을 더 가까이서 보려고 애쓰고 있었다. 니노치카는 의자에 앉은 채로 소년들의 부축을 받아 관 옆으로 가까이 갔다. 그는 죽은 동생의 몸에 얼굴을 들이대고 앉아서 소리를 죽여 가며 울고 있는 모양이었다. 스네기료프는 활기를 띤 것 같은 얼굴이었지만, 그래도 어딘가 얼빠진 것 같은, 동시에 초조한 표정이었다. 그의 몸짓도, 이따금 뇌까리곤 하는 말소리도, 반쯤 미친 사람 같았다. "얘야, 귀여운 아들아!" 그는 일류샤를 들여다보며 쉴 새 없이 이렇게 외치는 것이었다. 그는 일류샤가 살아 있을 때부터 "얘야, 귀여운 아들아!"라고 부르는 게 입버릇처럼 되어 있었다.

"여보, 나한테도 꽃을 줘요. 저 애가 손에 쥐고 있는 저 흰 꽃을 나한테 줘요!"

정신 이상이 된 '엄마'는 훌쩍거리며 졸랐다. 일류샤의 손에 쥐여진 흰 장미꽃이 탐나서 그러는 건지, 아니면 기념으로 갖고 싶어 하는 건지, 아무튼 그녀는 몸부림을 치다시피 하며 꽃을 달라고 손을 내밀었다.

"안 돼, 아무한테도 줄 수 없어, 한 송이도 줄 수 없어!" 스네기료프는 완강하게 소리쳤다. "이 꽃은 저 애 거야, 당신 것이 아니야. 모든 게 다 저 애 거야, 당신 것은 하나도 없어!"

"아버지, 엄마한테 한 송이 주세요!" 니노치카가 눈물에 젖은 얼굴을 쳐들고 말했다.

"안 된다, 안 돼. 엄마한텐 더욱 안 돼! 엄마는 저 애를 귀여워하지 않았어. 언젠가는 저 애한테서 대포까지 빼앗지 않았었니. 그래도 저 애는 아무 소리 않고 주었거든." 대위는 일류샤가 그때 양보하여 자기 대포를 엄마한테 준 일을 상기하자 갑자기 흐느껴 울기 시작했다. 가엾은 미친 여자도 두 손으로 얼굴을 가리고 조용히 울기 시작했다.

시간이 다 되었는데도 아버지가 언제까지나 관 옆을 떠나지 않는 것을 보고 마침내 소년들은 여럿이 한꺼번에 모여들어 관을 쳐들기 시작했다.

"난 울타리 친 묘지 안에다가는 묻지 않겠다!" 스네기료프는 갑자기 고함을 질렀다. "이 애는 돌 옆에다 묻어야 해, 우리들의 그 바윗돌 옆에다! 일류샤가 거기 묻어 달라고 했으니까. 묘지로는 못 가져간다!"

그는 벌써 사흘 전부터, 돌 옆에다 매장하겠다고 우기는 것이었다. 그러나 알료샤와 크라소트킨, 집주인 노파와, 그 노파의 동생, 그리고 소년들까지 모두 거기에 반대했다.

"마치 목매 죽은 사람처럼, 그런 더러운 돌 옆에다 묻겠다니, 그게 도대체 무슨 소리야!" 집주인 노파는 기를 쓰며 반대했다. "그 울타리 안에는 훌륭한 묘지가 있잖소. 거기 묻히면, 교회당에서 찬송가 소리도 들리고, 보제補祭가 기도문 읽는 소리도 날마다 일류샤의 귀에 들릴 테니까, 마치 그 애 무덤 앞에서 기도를 드리는 것과 다를 게 없지 않으냐 말이오."

대위는 마침내 손을 내저으며, 그럼 어디로든 맘대로 가져가라고 말하였다. 소년들은 관을 쳐들었다. 그러나 어머니 옆을 지날 때 잠깐 멈춰 서서 관을 방바닥에 내려놓았다. 어머니에게 일류샤와 고별인사를 할 수 있는 기회를 주려는 것이었다. 그녀는 지난 사흘 동안 먼빛으로만 일류샤를 보아 왔기 때문인지, 지금 바로 가까이서 소중한 일류샤의 얼굴을 보자, 갑자기 온몸을 떨며 히스테릭하게 앞뒤로 머리를 흔들어댔다.

"엄마, 일류샤한테 성호를 긋고 축복을 해 줘요. 그 애한테 키스해 줘요, 네." 니노치카가 어머니에게 외쳤다. 그러나 어머니는 아무 말 없이, 마치 무슨 자동인형처럼 여전히 고개만 앞뒤로 흔들고 있었다. 그 얼굴은 부젓가락으로 쑤시는 것 같은 슬픔으로 흉하게 일그러져 있었다. 그러자 갑자기 그녀는 주먹으로 자신의 가슴을 쾅쾅 치기 시작했다. 관은 다시 앞으로 운반되었다. 니노치카는 관이 자기 앞을 지날 때, 죽은 동생의 입에 마지막으로 키스를 했다. 알료샤는 방을 나올 때, 집주인 노파에게 남아 있는 가족들을 돌봐 달라고 부탁하려 했으나, 노파는 이쪽에서 입을 열기가 무섭게 얼른 말을 막았다.

"알고 있어요, 저 사람들은 내가 옆에 붙어 있을 테니 염려 말아요. 나도 그리스도를 믿는 사람이니까" 이렇게 말하며 노파는 울었다.

교회당은 가까운 데 있어서, 불과 3백 보 정도의 거리밖엔 안 되었다. 맑고 고요한 날씨였다. 좀 추운 것 같았으나 그리 대단치는 않았다. 기도식을 알리는 종소리는 아직도 울려오고 있었다. 스네기료프는 정신 나간 사람처럼 허둥지둥 관 뒤를 쫓아갔다. 그는 여름옷처럼 짧은 낡아 빠진 외투를 걸치고 있었다. 차양이 넓은 중절모는 쓰지 않고 손에 들고 있었다. 그는 무슨 큰 걱정거리라도 있는 것 같은 표정이었다. 갑자기 손을 뻗어 관을 들려고 다른 사람들을 방해하는가 하면, 관 옆을 겅중겅중 뛰어다니며 적당한 자리를 잡아 보려고 애쓰기도 했다. 꽃이 한 송이 눈 위에 떨어졌다. 그러자 그는 그 꽃을 잃으면 큰일이라도 날 것처럼 그것을 집으려고 달려갔다.

"아, 빵을 잊고 왔군, 빵을!" 그는 몹시 놀라며 이렇게 소리쳤다. 그러나 소년들은, 아까 대위 자신이 빵을 집어 호주머니에 넣고 오지 않았느냐고 가르쳐 주었다. 그는 황급히 호주머니에서 빵을 꺼내서, 정말로 가져온 것을 확인하고 나서야 비로소 안심했다.

"일류샤가 그렇게 하라고 말했어요, 일류샤가" 하고 그는 곧 알료샤에게 설명했다. "언젠가 밤에 내가 그 애 침대 옆에 앉아 있노라니까, 그 애가 갑자기 이런 말을 하지 않겠소—'아빠, 내 무덤에 흙을 덮을 때, 무덤 위에다 빵 부스러기를 뿌려 주세요, 참새들이 날아오게. 참새들이 날아와서 내가 혼자 있는 게 아니라는 걸 알면 덜 쓸쓸할 거예요'라고 말이오."

"그것 참 좋은 생각입니다." 알료샤는 말했다. "자주 갖고 가서 뿌려 줘야겠군요."

"날마다 뿌려 줘야죠, 날마다!" 대위는 갑자기 활기를 띠며 중얼거렸다.

이윽고 일행은 교회당에 들어가서 한가운데다 관을 내려놓았다. 소년들은 관을 둘러싸고 기도식이 끝날 때까지 얌전히 서 있었다. 그것은 세운 지 오래된 초라한 교회당이었다. 성상들도 대부분 금박이나 은박 칠이 벗겨져 있었다. 그러나 이런 교회당일수록 오히려 기도하기에는 적합한 법이다. 기도식이 진행되는 동안 스네기료프도 어느 정도 진정되긴 했으나, 그래도 역시 이따금 저도 모르게 무의미한 초조감에 사로잡히곤 하는 모양이었다. 공연히 관 옆으로 다가가서, 관에 씌운 천이나 화환을 바로잡는가 하면, 촛대에서 초가 한 가락 떨어진 것을 발견하고는 황급히 달려가서 다시 제자리에 꽂으려고 한참 동안이나 애를 쓰기도 했다. 그다음부터는 마음이 약간 안정되었는지 의혹 어린 막연한 불안의 빛을 띤 얼굴로 얌전히 관머리에 붙어 서 있었다. 〈사도행전〉[54]이 낭송되었을 때, 그는 갑자기 자기 옆에 서 있는 알료샤에게, 〈사도행전〉은 '저런 식으로 읽는 것이 아니라'고 속삭였다. 그러나 그 이유는 설명하지 않았다. 천사들을 찬송하는 성가가 시작되자, 그도 함께 따라서 부르는가 싶더니, 끝까지 다 부르기도 전에 무릎을 꿇고 교회당 돌바닥에 이마를 비비대며 한참 동안 그대

54 《신약 성경》 참고.

로 엎드려 있었다.

마침내 장례 의식이 시작되어, 사람들에게 촛불이 분배되자, 멍청해 있던 아버지는 다시 초조해지기 시작했다. 구슬픈 장송의 노래가 그의 마음을 무섭게 뒤흔든 모양이었다. 그는 갑자기 몸을 움츠리고 훌쩍훌쩍 울기 시작했다. 처음에는 소리를 죽여 가며 울었으나, 나중에는 사뭇 목을 놓아 울어댔다. 끝으로 참석자들이 고별의 키스를 하고 관에 뚜껑을 덮으려 하자, 그는 그것을 막기라도 하려는 듯이 일류샤의 시체를 두 팔로 안으며 그 입술에 키스를 퍼부었다. 사람들이 간신히 그를 타일러 계단에서 끌어내리려 하자, 그는 갑자기 두 손을 뻗어 관 속에서 몇 송이의 꽃을 집어냈다. 그는 그쪽을 들여다보다가 문득 무슨 새로운 상념에 사로잡혀서, 그 때문에 한순간 다른 중요한 일을 잊어버린 듯싶었다. 그는 더욱 깊이 생각에 빠져들어 가는 양, 사람들이 관을 묘지로 운반할 때도 그것을 방해하려는 기색이 없었다.

묘지는 교회당 바로 옆 울타리 안에 있었다. 그 비싼 묘지대는 카체리나 이바노브나가 지불했던 것이다. 절차에 따른 의식이 끝나고, 묘지 인부들이 관을 구덩이 속에다 내려놓았다. 그러자 스네기료프가 손에 꽃을 쥔 채 허리를 쑥 빼고 구덩이 속을 들여다보는 바람에, 소년들은 깜짝 놀라 그의 외투 자락을 잡아 뒤로 끌어냈다. 그러나 그는 이미 제정신이 아닌 듯싶었다. 사람들이 구덩이에 흙을 퍼 넣기 시작하자, 그는 갑자기 조심스런 얼굴로 떨어져 내려가는 흙을 가리키며 뭐라고 중얼거렸다. 그러나 무슨 소리를 하는 건지 아무도 알아들을 수 없었다. 그러다가 그는 또 갑자기 조용해졌다. 이때 사람들이 그에게 빵을 뿌리라고 일렀다. 그는 몹시 당황하며 빵을 끄집어내더니, 잘게 뜯어서 무덤 위에 뿌리기 시작했다.

"자아, 새야, 날아오너라! 참새야, 어서 날아오너라!" 그는 허둥지둥 중얼거렸다.

아이들 중의 하나가, 꽃을 들고 있으면 빵을 부스러뜨리기가 거북할 테니, 누구한테 잠깐 맡기라고 일렀으나, 그는 꽃을 내주기는커녕, 오히려 누가 빼앗기라도 할 것처럼 몸을 도사리며 경계하기 시작했다. 이젠 무덤이 다 되고 빵도 충분히 뿌려진 것을 보자, 그는 어이없을 만큼 갑자기, 그리고 태연한 동작으로 몸을 돌려 자기 집 쪽으로 천천히 걸어갔다. 그러나 그의 걸음걸이는 점점 빨라지더니, 나중에는 거의 뛰다시피 했다. 소년들과 알료샤는 그 뒤를 좇아갔다.

"엄마한테 꽃을 줘야지, 엄마한테 꽃을 줘야지! 아까는 너무 무안을 주었어." 그는 갑자기 고함을 지르기 시작했다.

소년 하나가, 이젠 추워졌으니 모자를 써야 한다고 말했으나, 그는 그 말을 듣자 모자를 홱 눈 위에다 던지고는 "모자 같은 건 필요 없어, 필요 없어!" 하고 소리쳤다. 스무로프가 모자를 집어 들고 그의 뒤를 따랐다. 소년들은 모두들 울고 있었다. 특히 콜랴와, 트로이의 창건자를 알고 있다는 그 소년이 제일 슬프게 울었다. 대위의 모자를 손에 든 스무로프도 몹시 울고 있었다. 그러나 그는 거의 뛰다시피 걸으면서도, 길가 눈 위에 붉게 드러나 보이는 벽돌 조각을 얼른 집어, 옆을 날아가는 참새 떼를 겨냥하고 홱 던졌다……. 물론 맞지는 않았다. 그는 또 울며불며 달렸다. 집까지 절반쯤 왔을 때, 대위는 문득 걸음을 멈추고, 무슨 상념이 떠오른 듯 잠시 서 있더니, 갑자기 교회당 쪽으로 몸을 돌려, 방금 떠나온 묘지를 향해 내달렸다. 소년들이 급히 좇아가서 앞뒤로 그에게 매달렸다. 그러자 그는 맥없이 눈 위에 풀썩 주저앉아, 몸을 떨기도 하고 울부짖기도 하고 흐느껴 울기도 하면서 "얘야, 일류샤야, 내 아들아!" 하고 외치기 시작했다. 알료샤와 콜랴가 그를 안아 일으켜, 위로하기도 하고 타이르기도 했다.

"대위님, 이젠 그만하세요. 남자가 이만한 일쯤은 참아야죠" 하고 콜랴는 중얼거렸다.

"그러다간 꽃이 못쓰게 됩니다." 알료샤도 말했다. "'엄마'가 꽃을 기다리고 있잖습니까. 아까 당신이 일류샤의 꽃을 주지 않았기 때문에 지금 집에서 울고 있을 거예요. 그리고 집에는 일류샤가 누워 있던 잠자리가 그대로 남아 있어요."

"참, 그렇군, 엄마한테 가야지!" 스네기료프는 퍼뜩 그 생각이 또 떠올랐다. "그 애의 잠자리를 치워 버릴지 몰라, 아마 곧 치워 버릴 거야!" 그는 정말 치워 버릴까 봐 겁이 나는지, 벌떡 일어나서 집으로 달리기 시작했다. 그러나 이미 집까지는 멀지 않았다. 소년들도 대위와 함께 달려갔다. 대위는 급히 문을 열고, 아까 자기가 그렇게까지 무안을 준 아내에게 외쳤다.

"여보, '엄마', 일류샤가 당신한테 꽃을 보내 주었어. 당신이 발을 앓고 있는 게 가엾다고 말이야!" 그는 방금 눈 위에 주저앉았을 때 꺾어지고 얼어붙은 꽃다발을 아내 앞으로 내밀었다. 그러나 바로 이 순간, 그는 죽은 아들의 잠자리 옆에 일류샤의 신이 가지런히 놓여 있는 것을 발견했다. 그것은 불그죽죽한 낡아 떨어진 구두였는데, 조금 전에 집주인 노파가 거기다 놓아두었던 것이다. 그는 두 손을 들고 그리로 달려가더니, 무릎을 꿇고 신 한 짝을 집어 입에 갖다 대며 미친 듯이 외쳤다.

"얘야, 일류샤야, 귀여운 내 아들아, 네 발은 어디 갔니?"

"당신은 그 애를 어디다 갖다 버렸어요? 여보, 어디 갖다 버렸느냐 말이에요?" 대위의 미친 아내는 애를 끊는 소리로 이렇게 울부짖었다. 니노치카도 이제는 목 놓아 울기 시작했다. 콜랴는 방에서 달려 나갔다. 다른 아이들도 뒤따라 나왔다. 맨 나중에 알료샤도 밖으로 나와 버렸다.

"실컷 울라고 내버려 둘 수밖엔 없을 거야" 하고 알료샤는 콜랴에게 말했다. "무슨 말을 해도 위로가 되지 않을 테니까. 조금 있다가 다시 들어가 보기로 하지."

"그래요, 아무리 위로해 봤자 소용없을 거예요. 너무나 비참하군요." 콜랴도 같은 의견이었다. "그런데 말이에요" 하고 그는 다른 사람에게 들리지 않게 갑자기 목소리를 낮추었다. "나는 슬퍼서 견딜 수가 없어요. 만일 일류샤를 되살릴 수만 있다면, 나는 이 세상의 모든 것을 기꺼이 내던지겠어요!"

"나도 그렇게 생각해." 알료샤는 대답했다.

"카라마조프 씨, 어떻게 생각하세요, 우린 오늘 저녁에 여기 또 와야 하겠죠? 아무래도 대위가 또 술을 들이켤 것 같은데요."

"아마 또 마실는지 모르지. 그럼, 우리 둘이서만 오는 게 어떨까? 둘이서 저 사람들 옆에—어머니와 니노치카 옆에 한 시간쯤 붙어 앉아 있으면 될 거야. 여럿이서 몰려오면, 저 사람들은 또 일류샤 생각이 날 테니까" 하고 알료샤는 말했다.

"지금 집주인 할머니가 저기서 식탁을 차리고 있는가 봐요. 아마 추도식을 할 모양이죠. 신부님도 온다는군요. 우리도 다시 저기 들어가 봐야 할까요?"

"꼭 참석해야 할 거야."

"그런데 이상하잖습니까, 이렇게 슬플 때 블리니Blini[55]이니 뭐니 음식을 내놓는다는 건 종교적인 입장에서 보아도 자연스럽지 못할 것 같은데요!"

"연어까지 내놓는대요." 트로이의 창건자를 알고 있다는 소년이 불쑥 커다란 소리로 끼어들었다.

"이봐, 카르타쇼프, 내 너한테 심각하게 말해 두겠는데, 앞으론 그따위 시시한 소릴 가지고 남의 대화에 끼어들지 말았으면 좋겠다. 특히 아무도 너한테 말을 걸려고도 하지 않고, 네가 이 세상에 있는지 없는지 알려고도 하지 않을 때는 제발 입 좀 닥치고 있으란 말이다." 콜랴는 그를 보고 화난 목소리로 딱 잘라 말했다. 소년은 얼굴을 확 붉혔으나, 뭐라고 감히 대꾸하지는 못했다.

그러는 동안에 일동은 천천히 좁은 길을 따라 걷고 있었다. 이때 스무로프가 큰소리로 외쳤다.

"저게 일류샤의 돌입니다. 바로 저 돌 밑에다 묻고 싶다고 했던 거예요!"

일동은 말없이 그 커다란 돌 옆에 멈춰 섰다. 알료샤는 돌을 보았다. 그러자, 언젠가 스네기료프가 들려준 일류샤 얘기가—일류샤가 울면서 아버지를 그러안고 '아빠, 아빠, 그놈이 아빠를 그렇게까지 업신여길 수 있어요!'라고 외쳤다는 얘기가, 그리고 그때의 광경이 알료샤의 눈앞에 선히 떠올랐다.

순간 무엇인가 그의 마음속에서 부르르 떠는 것같이 느껴졌다. 그는 진지하고도 심각한 표정으로 일류샤의 친구들의 밝은 얼굴을 둘러보고는 갑자기 입을 열었다.

55 얇따란 핫케이크의 일종.

"얘들아, 나는 여기서, 바로 이 자리에서 너희들한테 하고 싶은 말이 있다."

소년들은 곧 알료샤를 에워싸고, 기대에 찬 시선을 그에게 집중시켰다.

"얘들아, 우리는 가까운 장래에 헤어지게 될 것 같다. 내가 두 형님들과 함께 있을 수 있는 날도 얼마 남지 않았어. 형님 한 분은 멀리 유형을 당하게 되었고, 또 한 분은 지금 중병으로 생명이 위독하시다. 그러나 나는 곧 이 고장을 떠날 생각이야. 아마 오랫동안 돌아오지 못할 것 같다. 그러니까, 우리는 지금 일류샤의 돌 옆에서, 첫째는 일류샤를, 둘째는 우리 서로를 언제까지나 잊지 않기로 약속하자. 우리는 앞으로 한평생 무슨 일이 있더라도, 그리고 20년 동안이나 다시 만나지 못하더라도, 저 가엾은 소년을 오늘 우리 손으로 매장한 것을 잊지 말아야 하겠다. 우리는 전에 그 다리 옆에서 그 애한테 돌을 던졌지만 (모두들 기억하겠지) 나중에는 무척 그를 사랑하게 되었다. 그는 훌륭한 소년이었어, 착하고 용감한 소년이었어. 그는 자기의 명예를 위해, 아버지의 치욕을 씻기 위해, 분연히 일어섰던 거야. 그러니까 얘들아, 우리는 첫째, 한평생 그를 잊지 않기로 맹세하자. 앞으로 우리는 비록 중요한 사업에 전념하게 되더라도, 명예를 획득하게 되더라도, 혹은 커다란 불행에 빠지게 되더라도, 아무튼 언제 어느 때에도, 전에 이 고장에서 착한 감정으로 서로 결합되어 저 가엾은 소년을 사랑함으로써, 우리 자신이 보다 더 훌륭한 인간으로 성장할 수 있었다는 것을 절대 잊지 말아야 하겠다. 귀여운 비둘기들아—너희들을 이렇게 부르는 걸 용서해다오. 지금 너희들의 착하고 귀여운 얼굴을 보니, 문득 그 검푸르고 귀여운 새가 연상되는구나—내 사랑하는 어린이들아, 너희들은 아마 내가 하는 말을 완전히 이해하지 못할지 모르겠다. 나는 이해하기 어려운 말을 자주 하곤 하니까. 그러나 너희들도 언젠가는 내 말을 상기하고 그것을 이해할 때가 있을 거야. 대체로 즐거웠던 때의 추억만큼, 특히 부모 슬하에서 지낸 어린 시절의 추억만큼, 그 후의 생활을 위해 귀중하고 강하고 건전하고 유익한 것은 없는 법이란다. 어른들은 너희들의 교육 문제에 관해 여러 가지 의견과 충고를 하지만, 어릴 때부터 마음속에 간직된 이런 아름답고 신성한 추억이 무엇보다도 가장 좋은 교육일 거야. 과거에 그러한 추억을 많이 가진 사람은 앞으로 한평생 구함을 받을 수가 있다. 아니, 이러한 좋은 추억이 단 한 가지만이라도 우리 가슴에 남아 있다면, 그것은 언젠간 우리를 구해 줄 거다. 어쩌면 우리는 악인이 될지도 몰라. 나쁜 언행을 멀리할 수가 없을지도 몰라. 인간의 눈물을 조소할지도 모르지. 아까 콜랴는 '뭇사람을 위해 고난을 받고 싶다'고 외쳤지만, 어쩌면 그런 사람들을 짓궂게 조소하게 될지도 몰라. 물론 그렇게 되어서는 안 되겠지만, 설사 그런 악인이 된다 하더라도, 그리고 가장 잔인하고 조소적인 인간이 된다 하더라도, 우리가 함께 일류샤를 매장한 일이며, 죽기 전에 그를 사랑한 일이며, 지금 이 돌 옆에서 친밀하게 서로 이야기를 주고받은 일이며 상기한다면, 지금 이 순간 우리가 선량하고 훌륭했었다는 것을 마음속으로 감히 조소할 수는 없을 거야! 뿐만 아니라, 이 한 가지 추억이 우리를 커다란 악으로부터 지켜 줄 거야. 그리고 우리는 과거를 회상하면서, '나도 그 시절엔 착하고 용감하고 정직했었다'라고 말할 거야. 하기는 속으로 흥, 하고 코웃음을 치는 것쯤은 무방하지. 사람은 흔히 착하고 훌륭한 것을 비웃고 싶어 하는 버릇이 있으니까. 그것은 단지 경솔한 마음에서 비롯되는 거야. 그러나 얘들아, 나는 단언한다. 설혹 코웃음을 친다 하더라도, 이내 마음속으로는 '아니, 조소하는 건 좋지 않은 짓이다. 이것은 결코 조소해서는 안 될 일이다!'라고 말하리라는 것을."

"틀림없이 그럴 거예요, 카라마조프 씨. 나는 그 말을 이해합니다!" 콜랴가 눈을 반짝이며 외쳤다.

다른 소년들도 흥분하여 뭐라고 외치려 했으나, 그래도 억지로 자신을 억제하고, 감동 어린 눈으로 뚫어지게 알료샤를 바라보았다.

"내가 이런 말을 하는 것은, 우리가 악한 인간이 될 것을 염려하기 때문이야." 알료샤는 계속했다. "그러나 우리는 무엇 때문에 악한 인간이 될 필요가 있겠니, 안 그러냐? 얘들아! 뭣보다도 먼저 우리는 착한 인간이 되어야 하겠다. 다음에는 정직한 인간이 되어야겠다. 그리고 그다음에는 서로 잊지 않도록 해야겠다. 나는 이 점을 거듭 강조하고 싶어. 얘들아, 나는 너희들 한 사람, 한 사람을 절대 잊지 않을 것을 맹세한다. 지금 나를 보고 있는 너희들의 얼굴은, 비록 30년이 지나더라도 하나하나 다 기억하겠다. 아까 콜랴는 카르타쇼프에게 '네가 이 세상에 있는지 없는지' 알고 싶지도 않다느니 뭐니 하는 말을 했지만, 카르타쇼프가 이 세상에 있다는 것, 그리고 트로이에 대해 말했을 때처럼 얼굴을 붉히지 않고, 아름답고 선량하고 명랑한 눈으로 지금 나를 바라보고 있었다는 걸, 내가 어떻게 잊을 수가 있겠니! 얘들아, 내 사랑하는 아이들아, 우리는 모두 일류샤처럼 관대하고 용감해야겠다. 콜랴처럼 영리하고 용감하고 관대해야겠다. (물론 콜랴는 앞으로 더욱 현명해지겠지) 그리고 카르타쇼프처럼 부끄럼을 타긴 하면서도 똑똑하고 귀여워야겠다. 그렇다고, 나는 이 두 사람만을 가지고 말하는 건 아니야! 너희들은 모두가 하나같이 나한테는 사랑스런 존재니까. 앞으로 나는 너희들을 모두 마음속에 간직하겠다. 그러니 너희들도 나를 마음속에 간직해 다오! 그런데 우리가 앞으로 한평생 잊지 않을, 잊지 않기로 약속한 이 훌륭하고 아름다운 감정 속에 우리를 결합시켜 준 건 누구겠니? 그건 바로 일류샤다. 그는 참으로 착한 소년이었어, 귀여운 소년이었지. 우리에겐 영원히 귀중한 소년이다! 우리는 절대로 그 애를 잊지 말고, 앞으로 우리의 마음속에 그 애에 대한 아름다운 추억을 새겨 두기로 하자, 영원토록 변함없이!"

"네, 그래요, 영원토록, 변함없이!" 소년들은 감동 어린 표정이 되어 쨍쨍 울리는 목소리로 외쳤다.

"그리고 그의 얼굴과, 옷과, 해진 구두와, 관과, 불쌍한 아버지도 기억하자. 그 아버지를 위해, 그가 용감하게 혼자서 온 학급을 상대하여 싸운 것도 기억하자!"

"네, 기억해요, 기억해요!" 하고 소년들은 또 외쳤다. "그 애는 참 용감했어요! 그 애는 참 착했어요."

"아아, 난 얼마나 그 애가 좋았는지 몰라!" 하고 콜랴가 소리쳤다.

"아아, 얘들아, 내 귀여운 친구들아, 인생을 두려워하지 말자! 우리가 무엇이든 훌륭하고 옳은 일을 할 때, 인생은 참으로 아름답게 여겨질 거야!"

"그래요, 그래요!" 소년들은 감격에 찬 소리로 호응했다.

"카라마조프 씨, 우린 당신이 좋아요!" 누군지 울먹이는 소리로 이렇게 외쳤다. 그것은 카르타쇼프의 목소리 같았다.

"우린 당신이 좋아요, 당신이 좋아요!" 하고 소년들은 일제히 되풀이했다. 대부분의 소년들은 눈물까지 글썽이고 있었다.

"카라마조프 만세!" 콜랴는 감격에 겨워 소리쳤다.

"그리고 죽은 소년의 기억이 영원히 살아 있기를!" 알료샤는 정감 어린 목소리로 이렇게 덧붙였다.

"영원히 살아 있기를!" 소년들이 다시 호응했다.

"카라마조프 씨!" 하고 콜랴가 소리쳤다.

"우리는 모두 죽었다가 다시 부활하여 서로 만날 수 있다고—일류샤도 누구도 다 만날 수 있다고 종교에서는 가르치고 있는데, 그건 정말입니까?"

"우리는 반드시 부활하여, 다시 한번 서로 만나서, 기쁘고 즐겁게 옛날 얘기를 하게 될 거야." 알료샤는 한편 웃으며 한편 환희에 차서 대답했다.

"아아, 그렇게 되면 얼마나 좋을까요." 콜랴는 저도 모르게 소리쳤다.

"자, 이젠 그만하고 일류샤의 추도식에 가자. 그리고 마음 놓고 블리니를 먹자. 옛날부터 전해 내려오는 풍습인데, 그건 또 그것대로 좋은 점이 있는 거야." 알료샤는 웃었다. "자, 가자! 이제부터는 이렇게 손에 손을 잡고 가는 거야."

"언제까지나 그렇게 합시다, 일생 동안 손에 손을 잡고 갑시다! 카라마조프 만세!" 콜랴가 또 한 번 감격에 겨워 소리치자 다른 소년들도 일제히 그의 환성에 호응했다.

끝

카라마조프네 형제들 2

개정판 인쇄 | 2024년 1월 3일
개정판 발행 | 2024년 1월 10일
펴낸이 | 홍정욱
기획 | 이상민 박단비
편집·교열 | 올재 편집팀
표지 제호 | 강병인
디자인 | 김희수
펴낸곳 | 사단법인 올재
출판등록 | 2011년 11월 4일 제2011-188호
주소 | 서울시 용산구 이태원로55가길 40 2층
전화 | 02-720-8278
홈페이지 | www.olje.or.kr
ISBN | 979-11-5993-296-0

Olje Selections

01 한글논어 이을호 역 | 현암학술문화연구소 보補
02 국가 플라톤 저 | 조우현 역
03 조선경국전 정도전 저 | 한영우 역
04 햄릿 윌리엄 셰익스피어 저 | 최재서 역
05 한글맹자 이을호 역 | 현암학술문화연구소 보補
06 훈민정음통사 방종현 저 | 이상규 주해
07 정치학 아리스토텔레스 저 | 라종일 역
08 도덕경 노자 저 | 이석명 역
09~12 수호지1~4 시내암 저 | 연변대학 수호지 번역팀 역
13, 14 열하일기1, 2 박지원 저 | 이가원 역
15 명상록 마르쿠스 아우렐리우스 저 | 황문수 역
16 젊은 베르테르의 슬픔 요한 볼프강 폰 괴테 저 | 이인웅 역
17, 18 국부론1, 2 애덤 스미스 저 | 최임환 역
19 손자병법 손무 저 | 임용한 역
20 햄릿(개정판) 윌리엄 셰익스피어 저 | 최재서 역
21 맥베스 윌리엄 셰익스피어 저 | 김우탁 역
22 오셀로 윌리엄 셰익스피어 저 | 김우탁 역
23 리어왕 윌리엄 셰익스피어 저 | 김우탁 역
24 오자병법 오기 저 | 임용한 역
25~29 삼국지1~5 나관중 저 | 연변인민출판사 번역팀 역
30 한글논어(개정증보판) 이을호 역 | 현암학술문화연구소 보補
31 한글맹자(개정증보판) 이을호 역 | 현암학술문화연구소 보補
32, 33 카라마조프네 형제들1, 2 도스토옙스키 저 | 이동현 역

Olje Classics

01 한글논어 이을호 역 | 현암학술문화연구소 보補
02 국가 플라톤 저 | 조우현 역
03 정치학 아리스토텔레스 저 | 라종일 역
04 고운집 최치원 저 | 이상현 역 | 한국고전번역원 기획
05 한글맹자 이을호 역 | 현암학술문화연구소 보補
06 소크라테스의 변명 외 플라톤 저 | 조우현 역
07 유토피아 토머스 모어 저 | 주요섭 역
08 청성잡기 성대중 저 | 한국고전번역원 기획·번역
09 한글중용 · 대학 이을호 역 | 현암학술문화연구소 보補
10 팡세 파스칼 저 | 정봉구 역
11 군주론 마키아벨리 저 | 임명방 역
12 기측체의 최한기 저 | 한국고전번역원 기획·번역
13 우서 유수원 저 | 한영구 역 | 한국고전번역원 기획
14 채근담 홍자성 저 | 송정희 역
15 차라투스트라는 이렇게 말했다. 프리드리히 니체 저 | 김정진 역
16 천로역정 존 버니언 저 | 주요섭 역
17 조선경국전 정도전 저 | 한영우 역
18, 19 계원필경집1, 2 최치원 저 | 이상현 역
20 꿈의 해석 지그문트 프로이트 저 | 장병길 역
21 명심보감 추적 저 | 이민수 역
22 서경 | 권덕주 역
23 사회계약론 장 자크 루소 저 | 박은수 역
24 명상록 마르쿠스 아우렐리우스 저 | 황문수 역
25 택리지 이중환 저 | 이민수 역
26, 27 열하일기1, 2 박지원 저 | 이가원 역
28 햄릿 윌리엄 셰익스피어 저 | 최재서 역
29 유혹자의 일기 쇠렌 키에르케고어 저 | 황문수 역
30 에밀 장 자크 루소 저 | 박은수 역
31 땅의 양식 앙드레 지드 저 | 박은수 역
32 격몽요결 이이 저 | 정후수 역
33 훈민정음통사 방종현 저 | 이상규 주해
34 방법서설 르네 데카르트 저 | 김형효 역
35 리바이어던 토머스 홉스 저 | 이정식 역
36 역옹패설 이제현 저 | 남만성 역
37 유리알 유희 헤르만 헤세 저 | 노태한 역
38, 39 국부론1, 2 애덤 스미스 저 | 최임환 역
40 도덕경 노자 저 | 이석명 역
41 마음 나쓰메 소세키 저 | 김성기 역
42~45 수호지1~4 시내암 저 | 연변대학 수호지 번역팀 역
46 난중일기 이순신 저 | 이은상 역
47 징비록 유성룡 저 | 구지현 역
48, 49 쇄미록1, 2 오희문 저 | 이민수 역
50 장자 장자 저 | 신동준 역
51 열자 열자 저 | 정창영 역
52 바가바드 기타 | 정창영 역
53 젊은 베르테르의 슬픔 요한 볼프강 폰 괴테 저 | 이인웅 역
54 산해경 | 장수철 역
55 박물지 쥘 르나르 저 | 손석린 역

56, 57 춘추좌전1, 2 좌구명 저 | 신동준 역
58~61 서유기1~4 오승은 저 | 연변인민출판사 번역팀 역
62 대당서역기 현장 저 | 권덕주 역
63 손자병법 손무 저 | 임용한 역
64 오자병법 오기 저 | 임용한 역
65 전술론 니콜로 마키아벨리 저 | 이영남 역
66 포화 앙리 바르뷔스 저 | 정봉구 역
67 시경 | 신동준 역
68 문심조룡 유협 저 | 김관웅·김정은 역
69 시학 · 데 아니마 아리스토텔레스 저 | 김완수 역
70 주홍 글씨 너대니얼 호손 저 | 최재서 역
71, 72 지봉유설1, 2 이수광 저 | 남만성 역
73 종의 기원 찰스 다윈 저 | 이민재 역
74 비글호 항해기
찰스 다윈 저 | 권혜련·김정은·박완신·이혜진 역
75~78 홍루몽1~4 조설근 저 | 연변인민출판사 번역팀 역
79~83 동주 열국지1~5 풍몽룡 저 | 신동준 역
84, 85 카라마조프네 형제들1, 2 도스토옙스키 저 | 이동현 역
86 고용, 이자 및 화폐의 일반이론 케인스 저 | 조순 역
87, 88 법, 입법 그리고 자유1, 2 하이에크 저 | 양승두 외 역
89~93 금병매1~5 난릉 소소생 저 | 김관웅·김정은 역
94, 95 한비자1, 2 한비 저 | 신동준 역
96 상군서 상앙 저 | 신동준 역
97, 98 회남자1, 2 유안 저 | 이석명 역
99 금강경 동봉 역해
100 동의수세보원 이제마 저 | 이을호·홍순용 역 | 주종천 보補
101, 102 르네상스 미술가 평전1, 2
조르조 바자리 저 | 이근배 역 | 최병진 감수
103, 104 삼국사기1, 2 김부식 저 | 허성도 역
105 크눌프 · 황야의 이리 헤르만 헤세 저 | 이인웅 역
106 최초의 모험 헤르만 헤세 저 | 이인웅 역
107 사기 본기 · 사기 서 사마천 저 | 신동준 역
108 사기 표 사마천 저 | 신동준 역
109 사기 세가 사마천 저 | 신동준 역
110, 111 사기 열전1, 2 사마천 저 | 신동준 역
112~116 삼국지1~5 나관중 저 | 연변인민출판사 번역팀 역
117, 118 황금가지1, 2 제임스 조지 프레이저 저 | 장병길 역
119 파워엘리트 찰스 라이트 밀스 저 | 진덕규 역
120 묵자 신동준 역
121, 122 십팔사략1, 2 증선지 저 | 신동준 역
123, 124 당시삼백수1, 2 손수 편 | 임동석 역
125 돈키호테 미겔 데 세르반테스 저 | 최민순 역
126~135 자치통감1~10 사마광 저 | 신동준 역
136~145 잃어버린 시간을 찾아서1~10
마르셀 프루스트 저 | 김창석 역
146, 147 관자1, 2 관중 저 | 신동준 역
148 순자 순자 저 | 신동준 역
149 주역 신원봉 역
150, 151 전국책1, 2 유향 저 | 임동석 역
152 맥베스 윌리엄 셰익스피어 저 | 김우탁 역
153 오셀로 윌리엄 셰익스피어 저 | 김우탁 역
154 리어왕 윌리엄 셰익스피어 저 | 김우탁 역
155, 156 데카메론1, 2 조반니 보카치오 저 | 허인 역
157, 158 유림외사1, 2 오경재 저 | 김관웅·김정은 역
159, 160 정관정요1, 2 오긍 저 | 임동석 역
161 안씨가훈 안지추 저 | 임동석 역
162 신기관 프랜시스 베이컨 저 | 김홍표 역
163, 164 고문진보 전집1, 2 황견 찬 | 임동석 역
165, 166 고문진보 후집1, 2 황견 찬 | 임동석 역
167 안데르센 자서전 한스 안데르센 저 | 이경식 역
168, 169 공자가어1, 2 왕숙 저 | 임동석 역
170 율곡어록 율곡 이이 저 | 한영우 역
171, 172 의지와 표상으로서의 세계
아르투어 쇼펜하우어 저 | 곽복록 역
173 구운몽 김만중 저 | 이가원 역
174 춘향전 이가원 역
175, 176 캔터베리 이야기1, 2 제프리 초서 저 | 김진만 역
177 소학 주희 저 | 임동석 역
178 천자문 주흥사 저 | 임동석 역
179, 180 괴테와의 대화 요한 페터 에커만 저 | 곽복록 역
181~184 풍운아 홍길동 신동우 저
185 제감도설 장거정 저 | 임동석 역
186, 187 나의 투쟁 아돌프 히틀러 저 | 황성모 역
188 독일 국민에게 고함 요한 고틀리프 피히테 저 | 곽복록 역
189 인간과 동물의 감정 표현 찰스 다윈 저 | 김홍표 역
190 인간적인 너무나 인간적인 프리드리히 니체 저 | 강두식 역
191 해동야언 허봉 저 | 이민수 역
192 어우야담 · 계서야담 유몽인·이희준 저 | 이민수 역
193~197 파브르 곤충기1~5
장 앙리 파브르 저 | 이근배·안응렬 역
198 이탈리아 기행 요한 볼프강 폰 괴테 저 | 곽복록 역
199 안톤 체호프 4대 희곡 안톤 체호프 저 | 홍기순 역
200 간양록 · 해동제국기 강항·신숙주 저 | 이을호 역
201 조선상식문답 최남선 저